【WEB動画サービスに関するご案内】

本書に掲載されている内容は，南江堂ホームページにおいて動画として閲覧いただけます．

https://www.nankodo.co.jp/secure/9784524228157_index.aspx

パスワード→

　ご使用のインターネットブラウザに上記URLを入力いただくか，上記QRコードを読み込むことによりメニュー画面が表示されますので，パスワードを入力してください．ご希望の動画を選択することにより，動画が再生されます．なお，本WEB動画サービスについては，以下の事項をご了承のうえ，ご利用ください．

- 本動画の配信期間は，本書第1刷発行日より5年間をめどとします．ただし，予期しない事情によりその期間内でも配信を停止する可能性があります．
- パソコンや端末のOSのバージョン，再生環境，通信回線の状況によっては，動画が再生されないことがあります．
- パソコンや端末のOS，アプリの操作に関しては南江堂では一切サポートいたしません．
- 本動画の閲覧に伴う通信費などはご自分でご負担ください．
- 本動画に関する著作権はすべて日本呼吸器外科学会にあります．動画の一部または全部を，無断で複製，改変，頒布（無料での配布および有料での販売）することを禁止します．

Textbook of Chest Surgery

呼吸器外科テキスト

～外科専門医・呼吸器外科専門医をめざす人のために～

改訂第2版

編集
日本呼吸器外科学会
呼吸器外科専門医合同委員会

Web動画付

南江堂

■ **編　集**
日本呼吸器外科学会/呼吸器外科専門医合同委員会

■ **日本呼吸器外科学会　テキスト小委員会** (*：委員長，**：副委員長)

佐藤　之俊*	北里大学呼吸器外科	
眞庭　謙昌**	神戸大学呼吸器外科	
池田　徳彦	東京医科大学呼吸器・甲状腺外科	
岡田　克典	東北大学加齢医学研究所呼吸器外科学分野	
奥村　明之進	国立病院機構大阪刀根山医療センター呼吸器外科	
佐藤　幸夫	筑波大学呼吸器外科	
伊達　洋至	京都大学呼吸器外科	
松本　勲	金沢大学呼吸器外科	
吉野　一郎	千葉大学呼吸器病態外科	
渡辺　敦	札幌医科大学呼吸器外科	

■ **オブザーバー** (***：理事長)

千田　雅之***	獨協医科大学呼吸器外科
永安　武	長崎大学腫瘍外科
遠藤　俊輔	自治医科大学附属さいたま医療センター呼吸器外科

■ **執筆者** (執筆順)

千田　雅之	獨協医科大学呼吸器外科
川村　雅文	帝京大学外科
佐藤　之俊	北里大学呼吸器外科
相馬　孝博	千葉大学医療安全管理部
荒川　悠	神戸大学感染治療学
岩田　健太郎	神戸大学感染治療学
長谷川　剛	上尾中央総合病院情報管理部
神崎　正人	東京女子医科大学呼吸器外科
浦本　秀隆	金沢医科大学呼吸器外科
新谷　康	大阪大学呼吸器外科
櫻井　裕幸	日本大学板橋病院呼吸器外科
池田　徳彦	東京医科大学呼吸器・甲状腺外科
岩﨑　正之	東海大学呼吸器外科
吉野　一郎	千葉大学呼吸器病態外科
文　敏景	がん研究会有明病院呼吸器センター外科
宮田　義浩	広島大学呼吸器外科
中村　廣繁	鳥取大学呼吸器・乳腺内分泌外科
春木　朋広	鳥取大学呼吸器・乳腺内分泌外科
秋葉　直志	東京慈恵会医科大学柏病院呼吸器外科
吉田　成利	国際医療福祉大学成田病院呼吸器外科
横見瀬　裕保	香川大学呼吸器・乳腺内分泌外科
永安　武	長崎大学腫瘍外科
岡田　守人	広島大学腫瘍外科
中尾　将之	がん研究会有明病院呼吸器センター外科
奥村　栄	がん研究会有明病院呼吸器センター外科
伊藤　宏之	神奈川県立がんセンター呼吸器外科
星川　康	藤田医科大学呼吸器外科
長谷川　誠紀	兵庫医科大学呼吸器外科
竹内　幸康	国立病院機構大阪刀根山医療センター呼吸器外科
尾関　雄一	所沢明生病院呼吸器外科
齋藤　誠	おおたかの森病院呼吸器科
波多江　亮	おおたかの森病院外科
齊藤　元	岩手医科大学呼吸器外科
鈴木　健司	順天堂大学呼吸器外科
井貝　仁	前橋赤十字病院呼吸器外科
市村　秀夫	筑波大学附属病院日立社会連携教育研究センター呼吸器外科

塩野	裕之	近畿大学奈良病院呼吸器外科
澤端	章好	奈良県立医科大学呼吸器外科
奥田	昌也	明和病院呼吸器外科
玉木	彰	兵庫医療大学理学療法学科
大塚	崇	東京慈恵会医科大学呼吸器外科
豊岡	伸一	岡山大学呼吸器外科
土田	正則	新潟大学呼吸循環外科学
栃井	祥子	藤田医科大学岡崎医療センター
須田	隆	藤田医科大学岡崎医療センター
佐藤	幸夫	筑波大学呼吸器外科
川原田	修義	札幌医科大学心臓血管外科
池田	正孝	兵庫医科大学下部消化管外科
宋	智亨	兵庫医科大学下部消化管外科
白石	裕治	複十字病院呼吸器外科
大瀬	尚子	大阪大学呼吸器外科
上田	和弘	鹿児島大学呼吸器外科
佐藤	雅美	鹿児島大学呼吸器外科
杉尾	賢二	大分大学呼吸器・乳腺外科
大泉	弘幸	山形大学第二外科
岩﨑	昭憲	福岡大学呼吸器・乳腺内分泌・小児外科
光冨	徹哉	近畿大学呼吸器外科
伊豫田	明	東邦大学外科学講座呼吸器外科学分野
淺村	尚生	慶應義塾大学呼吸器外科
菱田	智之	慶應義塾大学呼吸器外科
鈴木	実	熊本大学呼吸器外科
佐川	元保	東北医科薬科大学光学診療部
近藤	晴彦	杏林大学呼吸器・甲状腺外科
松隈	治久	栃木県立がんセンター呼吸器外科
佐々木治一郎		北里大学新世紀医療開発センター
小宮山	貴史	山梨大学放射線科
東山	聖彦	市立東大阪医療センター呼吸器外科／大阪国際がんセンター呼吸器外科
岡見	次郎	大阪国際がんセンター呼吸器外科
高濱	誠	大阪市立総合医療センター呼吸器外科
永島	琢也	横浜市立大学附属市民総合医療センター呼吸器病センター外科
中山	治彦	神奈川県立がんセンター呼吸器外科
佐野	由文	愛媛大学呼吸器センター
坂尾	幸則	帝京大学外科
西尾	渉	兵庫県立がんセンター呼吸器外科
塩野	知志	山形県立中央病院呼吸器外科
中田	昌男	川崎医科大学呼吸器外科
中原	理恵	栃木県立がんセンター呼吸器外科
南谷	佳弘	秋田大学胸部外科
渡辺	俊一	国立がん研究センター中央病院呼吸器外科
前田	寿美子	獨協医科大学呼吸器外科
松本	勲	金沢大学呼吸器外科
田中	文啓	産業医科大学第2外科
中山	光男	埼玉医科大学総合医療センター呼吸器外科
櫻庭	幹	市立札幌病院呼吸器外科
濱中	一敏	信州大学呼吸器外科
清水	公裕	信州大学呼吸器外科
臼田	実男	日本医科大学呼吸器外科
栗本	典昭	島根大学呼吸器・臨床腫瘍学
白石	武史	福岡大学呼吸器・乳腺内分泌・小児外科
眞庭	謙昌	神戸大学呼吸器外科
庄司	文裕	国立病院機構九州医療センター呼吸器外科
竹尾	貞徳	国立病院機構九州医療センター呼吸器外科
平塚	昌文	佐賀大学胸部・心臓血管外科

八柳	英治	国立病院機構帯広病院呼吸器外科
棚橋	雅幸	聖隷三方原病院呼吸器センター外科
古川	欣也	東京医科大学茨城医療センター呼吸器外科
矢野	智紀	愛知医科大学呼吸器外科
吉田	和夫	諏訪赤十字病院呼吸器外科
奥村	明之進	国立病院機構大阪刀根山医療センター呼吸器外科
近藤	和也	徳島大学臨床腫瘍医療学
中島	淳	東京大学呼吸器外科
大出	泰久	静岡県立静岡がんセンター呼吸器外科
板東	徹	聖路加国際病院呼吸器センター
井上	匡美	京都府立医科大学呼吸器外科
加賀	基知三	北海道大学循環器・呼吸器外科
武井	秀史	昭和大学呼吸器外科
門倉	光隆	昭和大学横浜市北部病院
村川	知弘	関西医科大学呼吸器外科
樋口	光徳	福島県立医科大学会津医療センター呼吸器外科
鈴木	弘行	福島県立医科大学呼吸器外科
坪地	宏嘉	自治医科大学呼吸器外科
溝渕	輝明	千葉県済生会習志野病院呼吸器外科
佐藤	寿彦	福岡大学呼吸器・乳腺内分泌・小児外科
大久保	憲一	東京医科歯科大学呼吸器外科
園部	誠	大阪赤十字病院呼吸器外科
髙橋	有毅	札幌医科大学呼吸器外科
渡辺	敦	札幌医科大学呼吸器外科
佐治	久	聖マリアンナ医科大学呼吸器外科
小島	宏司	聖マリアンナ医科大学呼吸器外科
伊達	洋至	京都大学呼吸器外科
髙尾	仁二	三重大学呼吸器外科
桜田	晃	みやぎ県南中核病院呼吸器外科
薄田	勝男	金沢医科大学呼吸器外科
沼波	宏樹	愛知医科大学呼吸器外科
羽生田	正行	愛知医科大学呼吸器外科
関根	康雄	東京女子医科大学八千代医療センター呼吸器外科
松谷	哲行	帝京大学溝口病院外科
岡田	克典	東北大学加齢医学研究所呼吸器外科学分野
舟木	壮一郎	大阪大学呼吸器外科
大藤	剛宏	岡山大学臓器移植医療センター
大石	久	東北大学加齢医学研究所呼吸器外科学分野
佐藤	雅昭	東京大学呼吸器外科
芳川	豊史	名古屋大学呼吸器外科
川島	正裕	市立岸和田市民病院緩和ケア内科
儀賀	理暁	埼玉医科大学総合医療センター呼吸器外科・緩和医療科
小林	孝一郎	富山赤十字病院呼吸器外科

刊行にあたって

　日本呼吸器外科学会と呼吸器外科専門医合同委員会による『呼吸器外科テキスト～外科専門医・呼吸器外科専門医をめざす人のために～（改訂第2版）』の刊行にあたり，ご執筆いただきました会員諸先生方に，学会を代表して御礼申し上げます．また，各章の編集を担当いただいた日本呼吸器外科学会役員の先生方，テキスト小委員会の委員の先生方のご尽力に深謝申し上げます．

　平成28年に初版が刊行され，呼吸器外科領域の知識の確認や，専門医試験のための教科書として皆様に愛用されてきた『呼吸器外科テキスト』ですが，増刷を重ねるとともに平成30年からは電子書籍との併売となり，これまで三千部以上が世に送り出され，そのうち二千数百部が皆様のお手元に届いている状況となっております．これも，諸先生方の努力により実用に足る十分な内容を持ったテキストであったことからであると考えております．

　さて，初版刊行から早5年が経過し，このたび改訂第2版の発行となりました．日進月歩の昨今でありますので，当初より5年ごとの改訂を予定しておりました．本改訂では残すべきところは残し，前回書き足りていないところは大幅に書き足し，あるいは時代の変化に合わせて新規の項目を加え作成いたしました．改訂作業中にもガイドラインの変更などがあり，一部は改訂に間に合っていない項目もありますが，それらの項目は，学会ホームページなどで周知して参りたいと思います．

　本テキストは，新しく呼吸器外科専門医を目指す若い医師達が現時点でのコンセンサスや最新知見を短時間で習得できることを目的とするとともに，呼吸器外科領域の基礎知識も網羅し，基盤部分の外科専門医の修練にとっても役立つ様に編纂しております．また，呼吸器外科専門医の資格を取得したベテランの医師にも知識を整理し，日常診療に役立てられるように内容を吟味し作成されております．

　本テキストが日本の呼吸器外科診療の一層の発展につながるよう祈念しております．

2021年3月

日本呼吸器外科学会　理事長
千田　雅之

序

この度『呼吸器外科テキスト〜外科専門医・呼吸器外科専門医をめざす人のために〜（改訂第2版）』が上梓された．2016年に『呼吸器外科テキスト』初版が刊行され，発刊当初に目的とした「呼吸器外科領域における基本から応用にわたる幅広い知識の供給源としての教科書，そして専門医試験のガイドラインとも言えるような役割」については一定の成果が得られたと自負している．また，本テキストは発刊当初から5年ごとに改訂するという計画であった．それは，呼吸器外科領域を取り巻く医療環境，社会環境あるいは技術革新などの変化が急速に進んでいくであろうという予測のもとであった．実際この5年間では，呼吸器外科領域におけるロボット支援手術の保険収載，新専門医制度の発足，がんゲノム医療の実現，あるいは種々デバイスの開発など，医療や社会を取り巻くめまぐるしい変化が起こっている．ことに，2019年末に中国武漢に端を発した新型コロナウイルス感染（COVID-19）の世界的拡大という人類の存続をも脅かすような事態も発生し，医療においても診療，研究，教育に甚大な影響が生じた．

こうした中，改訂作業に関わっていただいた大勢の皆様の献身的なご協力とご厚意に厚く御礼申し上げる．お陰様で，計画通り初版から5年後の改訂第2版上梓となった．なお，初版で執筆者に名を連ねていただいた何名かの方々に代わって，改訂第2版では次世代を担う呼吸器外科専門医，評議員の方が新たに各々の分野を担当されている．さらに，この改訂第2版の刊行にあたりテキスト小委員会委員，日本呼吸器外科学会事務局，株式会社南江堂の関係各位に心から感謝の意を申し上げる．

本書改訂第2版では，手術手技の章でWEB動画を参照できるようにした．これによって，基本から高度にわたる手術手技の理解と安全な手術実施の助けになることを期待したい．なお，初版で採用した利用者の利便性に配慮した特徴，すなわち，Key Wordに沿った要点，Key Word，AからCのレベル表示（今回はこれに加え最新内容をDと表示），Side Memo，そして各章末の復習ドリルなどの項目は，初版の記載法を踏襲した．また，改訂第2版では，昨今の電子書籍の拡大を鑑み，紙媒体（オンラインアクセス権なし）と電子書籍の2本立てとした．

最後に，この改訂第2版が，初版同様に呼吸器外科専門医を目指す皆様をはじめとして，内科医，専門医資格を取得した後の医師や指導者の知識更新やレベル向上のため，さらには医学生にもお役に立てれば幸いである．

2021年3月

日本呼吸器外科学会　テキスト小委員会　委員長
佐藤之俊

初版　刊行にあたって

　日本呼吸器外科学会と呼吸器外科専門医合同委員会による『呼吸器外科テキスト～外科専門医・呼吸器外科専門医をめざす人のために～』の発刊にあたり，ご執筆いただきました諸先生方に，学会を代表して御礼申し上げます．また，各章の編集を担当いただいた日本呼吸器外科学会理事会役員の先生方，テキスト小委員会委員長の佐藤之俊教授と委員の先生方のご尽力にも感謝申し上げます．

　さて日本呼吸器外科学会は，1983年に京都大学の寺松孝教授が呼吸器外科専門の学会の設立を呼びかけられ，翌年の1984年に第1回の呼吸器外科研究会が開催されたことから始まります．第4回から学会に昇格し，研究会を合わせて本年で33回目を迎えます．また学会雑誌も今年で第30巻となりました．

　研究会の発足当初から目的のひとつは呼吸器外科の専門医制度の設立でありました．1989年には日本呼吸器外科学会専門医制度が始まり，2001年に本学会と日本胸部外科学会は「呼吸器外科専門医認定機構」を立ち上げ，2004年以降は「呼吸器外科専門医合同委員会」として専門医制度を運営しています．

　さて来年から新たな専門医制度が始まるにあたり，手術経験やセミナー公聴を含む修練プログラムの作成が進んでいます．しかし呼吸器外科領域では，専門医資格の習得を主目的とした教科書的な図書はありませんでした．もちろん，正岡昭先生による『呼吸器外科学』をはじめ諸先輩方による優れた著書が出版されており，これらは専門医試験の準備にも役立っていたと思います．しかしながら近年，胸腔鏡やロボット手術による呼吸器外科の新たな展開，肺移植などの先進医療の確立，分子標的治療，重粒子線治療，3次元定位照射，IMRT，ラジオ波焼灼療法，凍結療法などの発展に伴う個別化医療と集学的治療の発展などの急速な変化のなか，専門性が細分化し少数の執筆者によりあらゆる領域を網羅することは困難になってきました．そこで学会を挙げて各方面の専門家が執筆に参加する最新かつ包括的なテキストの作成を企画しました．

　本テキストは，新しい専門医制度のもとで呼吸器外科専門医をめざす若い医師達が現時点でのコンセンサスや最新知見を短時間で習得できることを目的とするとともに，呼吸器外科領域の基礎的知識も網羅し，基盤部分の外科専門医の修練にとっても役立つように編集しております．また，外科専門医，呼吸器外科専門医の資格を取得したベテランの医師にも知識を整理し，日常診療に役立てていただけることを期待しています．

　本テキストが日本の呼吸器診療と外科診療の一層の発展につながれば本望です．

2016年3月

日本呼吸器外科学会　理事長
奥村明之進

初版　序

　このたび『呼吸器外科テキスト～外科専門医・呼吸器外科専門医をめざす人のために～』が刊行された．平成15年（2003年）から呼吸器外科専門医認定試験が始まり，2016年3月現在約1,400名の呼吸器外科専門医が活躍している．この専門医試験問題の一部はWEB上で公開されているが，呼吸器外科専門医を目指す方々にとっては，単なる問題集よりも，基本から応用にわたる幅広い知識の供給源としての教科書，そして試験のガイドラインともいえるような内容も求められていると判断し，本書を作成することとなった．そのため本書は，呼吸器外科専門医試験を受験する医師の学習目標を提示することを想定しているが，内容からは内科医，外科専門医を目指す専攻医，専門医資格を取得したあとの医師（外科専門医や呼吸器外科専門医）の知識更新やレベル向上のため，さらには医学生も手にとって当該分野の知識を学習していただくことを大いに期待している．

　以上の経緯より，特定非営利活動法人日本呼吸器外科学会（以下，本学会）内にテキスト小委員会が組織され，平成26年（2014年）5月より本書作成に向けて編纂を開始した．執筆者は，本学会員として活躍している方々にそれぞれの専門的な立場からお願いした．また，循環器系や放射線治療などの分野では本学会以外の専門家のご協力をいただいた．このように，本書の作成にかかわっていただいた大勢の皆様の献身的なご協力とご厚意に厚く御礼申し上げる．また，発刊までにご協力をいただいた本学会事務局，株式会社南江堂の関係各位に感謝の意を申し上げる．

本書では，利用する方々の利便性を考え，下記のような特徴を持たせた．
○要点：各項目の「キーワード」に沿って，知識の到達目標を「要点」として簡潔に箇条書きとした．
○キーワード：各項目内に必要と判断した内容のうち，キーワードを整理し記載した．
○学習時の参考のため，各項目にレベルAからCの3段階の表示を行った．なお，レベルAは基礎知識レベル，レベルBは実施・理解・活用できる知識レベルで専門的内容を概略理解している．そして，レベルCは専門的知識で，呼吸器外科専門医や指導医レベルを示す．
○「サイドメモ」として専門医試験レベルあるいは標準的治療などを超えた話題や新たな知見を簡潔に紹介した．
○本書による学習者，外科専門医試験受験者，そして呼吸器外科専門医試験受験者のために，各章の末尾に「復習ドリル」を設け，知識の確認など学習の補助とした．

　最後に，本書がさらに充実したものになるよう，ご批判，ご意見をお願い申し上げる次第である．今後，呼吸器外科分野や関連分野の進歩に対応して，改訂などを学会として推進していただくことを期待する．

2016年3月

日本呼吸器外科学会　テキスト小委員会　委員長
佐藤之俊

COI(利益相反)について

　特定非営利活動法人日本呼吸器外科学会は教育・啓発活動において，公明性，透明性，独立性を堅持し社会的責務を果たすために，今回作成する『呼吸器外科テキスト(改訂第2版)』においても，利益相反事項がある場合はこれを開示している．

＜利益相反開示項目＞
該当する場合は具体的な企業名(団体名)を記載，該当しない場合は「該当なし」を記載する．
(申告期間 2016年1月1日～2018年12月31日)
　①報酬額
　　　(1つの企業・団体から年間100万円以上)
　②株式の利益
　　　(1つの企業から年間100万円以上，あるいは当該株式の5％以上保有)
　③特許使用料
　　　(1つにつき年間100万円以上)
　④講演料
　　　(1つの企業・団体からの年間合計50万円以上)
　⑤原稿料
　　　(1つの企業・団体から年間合計50万円以上)
　⑥研究費・助成金などの総額
　　　(1つの企業・団体から，医学系研究(共同研究，受託研究，治験など)に対して，申告者が実質的に使途を決定し得る研究契約金で実際に割り当てられた100万円以上のものを記載)
　⑦奨学(奨励)寄附などの総額
　　　(1つの企業・団体からの奨学寄附金を共有する所属部局(講座，分野あるいは研究室など)に対して，申告者が実質的に使途を決定し得る研究契約金で実際に割り当てられた100万円以上のものを記載)
　⑧企業などが提供する寄附講座
　　　(実質的に使途を決定し得る寄附金で実際に割り当てられた100万円以上のものを記載)
　⑨旅費，贈答品などの受領
　　　(1つの企業・団体から年間5万円以上)

次頁以降に，『呼吸器外科テキスト(改訂第2版)』編集委員・執筆者のCOI関連事項を示す．

COI（利益相反）について

	開示項目①	開示項目②	開示項目③	開示項目④	開示項目⑤	開示項目⑥	開示項目⑦	開示項目⑧	開示項目⑨
千田 雅之	該当なし	該当なし	該当なし	該当なし	該当なし	該当なし	小野薬品工業㈱, アステラス製薬㈱, コヴィディエンジャパン㈱, ジョンソン・エンド・ジョンソン㈱	該当なし	該当なし
川村 雅文	該当なし	該当なし	該当なし	該当なし	該当なし	該当なし	日本イーライリリー㈱, 小野薬品工業㈱, グラクソスミスクライン㈱, コヴィディエンジャパン㈱, 大鵬薬品工業㈱	該当なし	該当なし
相馬 孝博	該当なし	該当なし	該当なし	該当なし	該当なし	該当なし	泉工医科工業㈱, ニプロ㈱	該当なし	該当なし
神崎 正人	該当なし	該当なし	該当なし	該当なし	該当なし	該当なし	大鵬薬品工業㈱, 小野薬品工業㈱	該当なし	該当なし
浦本 秀隆	該当なし	該当なし	該当なし	中外製薬, 日本ベーリンガーインゲルハイム㈱	該当なし	該当なし	日本イーライリリー㈱, ジョンソン・エンド・ジョンソン㈱	該当なし	該当なし
池田 徳彦	該当なし	該当なし	該当なし	該当なし	該当なし	日本ベーリンガーインゲルハイム㈱, バイエル薬品㈱, サノフィ㈱, クインタイルズ・トランスナショナル・ジャパン㈱, ライフテクノロジーズジャパン㈱, Genomic Health,Inc., MSD㈱, アストラゼネカ㈱, 大鵬薬品工業㈱, 中外製薬㈱, ブリストル・マイヤーズ・スクイブ㈱, ロシュダイアグノスティック㈱, ㈱リニカル	小野薬品工業㈱, 中外製薬㈱, 日本イーライリリー㈱, 日本ベーリンガーインゲルハイム㈱, 日本メジフィジックス㈱, 大鵬薬品工業㈱, 帝人ファーマ㈱, ファイザー㈱, MSD㈱	該当なし	該当なし
吉野 一郎	該当なし	該当なし	該当なし	該当なし	該当なし	塩野義製薬㈱, アステラス製薬㈱, ファイザー㈱, 日本イーライリリー㈱, 小野薬品工業㈱, 大鵬薬品工業㈱	該当なし	該当なし	該当なし
中村 廣繁	該当なし	該当なし	該当なし	インテュイティブサージカル合同会社	該当なし	該当なし	ファイザー㈱, 中外製薬㈱, コヴィディエンジャパン㈱	該当なし	該当なし
秋葉 直志	該当なし	該当なし	該当なし	該当なし	該当なし	大鵬薬品工業㈱	該当なし	該当なし	該当なし
永安 武	該当なし	該当なし	該当なし	該当なし	該当なし	㈱クリプトン, 協和機電工業㈱	大鵬薬品工業㈱	該当なし	該当なし
岡田 守人	該当なし	該当なし	該当なし	ジョンソン・エンド・ジョンソン㈱, アストラゼネカ㈱, 日本イーライリリー㈱, 小野薬品工業㈱, 中外製薬㈱, 杏林製薬㈱, CSLベーリング㈱	該当なし	小野薬品工業㈱, 中外製薬㈱, 日本イーライリリー㈱, MSD㈱, ブリストル・マイヤーズスクイブ㈱	小野薬品工業㈱, コヴィディエンジャパン㈱, 協和キリン㈱, 大鵬薬品工業㈱, ジョンソン・エンド・ジョンソン㈱, 日本化薬㈱, 日本メジフィジックス㈱, CSLベーリング㈱, 中外製薬㈱, 日本イーライリリー㈱, 第一三共㈱	該当なし	該当なし

COI（利益相反）について

	開示項目①	開示項目②	開示項目③	開示項目④	開示項目⑤	開示項目⑥	開示項目⑦	開示項目⑧	開示項目⑨
伊藤 宏之	該当なし	該当なし	該当なし	ジョンソン・エンド・ジョンソン㈱	該当なし	該当なし	該当なし	該当なし	該当なし
星川 康	該当なし	該当なし	該当なし	該当なし	該当なし	該当なし	コヴィディエンジャパン㈱, ジョンソン・エンド・ジョンソン㈱, 帝人ファーマ㈱, 医療法人清州呼吸器疾患研究会はるひ呼吸器病院	該当なし	該当なし
長谷川 誠紀	該当なし	該当なし	該当なし	該当なし	該当なし	該当なし	日本イーライリリー㈱, 大鵬薬品工業㈱, 小野薬品工業㈱	㈱クボタ	該当なし
鈴木 健司	該当なし	該当なし	該当なし	ジョンソン・エンド・ジョンソン㈱, インテュイティブサージカル合同会社	該当なし	該当なし	ジョンソン・エンド・ジョンソン㈱, コヴィディエンジャパン㈱, 医療法人財団松圓会	該当なし	該当なし
豊岡 伸一	該当なし	該当なし	該当なし	中外製薬㈱	該当なし	三井倉庫ホールディングス㈱, ユーロフィンクリニカルジェネティクス㈱, ㈱山田養蜂場, 第一三共㈱, SBI生命保険㈱	該当なし	該当なし	該当なし
佐藤 幸夫	該当なし	該当なし	該当なし	該当なし	該当なし	ジョンソン・エンド・ジョンソン㈱, コヴィディエンジャパン㈱	該当なし	該当なし	該当なし
池田 正孝	該当なし	該当なし	該当なし	第一三共㈱, ファイザー㈱, バイエル薬品㈱	該当なし	該当なし	該当なし	該当なし	該当なし
杉尾 賢二	該当なし	該当なし	該当なし	アストラゼネカ㈱, 中外製薬㈱	該当なし	MSD㈱	コヴィディエンジャパン㈱, 日本イーライリリー㈱, アステラス製薬㈱, 小野薬品工業㈱	該当なし	該当なし
光冨 徹哉	該当なし	該当なし	該当なし	アストラゼネカ㈱, 日本ベーリンガーインゲルハイム㈱, MSD㈱, 大鵬薬品工業㈱, 中外製薬㈱, ファイザー㈱, 日本イーライリリー㈱	該当なし	日本ベーリンガーインゲルハイム㈱, コーヴァンス・ジャパン㈱, ㈱アイコン・ジャパン	中外製薬㈱, 小野薬品工業㈱, 日本ベーリンガーインゲルハイム㈱, コヴィディエンジャパン㈱, ファイザー㈱	該当なし	該当なし
淺村 尚生	該当なし	該当なし	該当なし	ジョンソン・エンド・ジョンソン㈱, コヴィディエンジャパン㈱	該当なし	該当なし	ジョンソン・エンド・ジョンソン㈱, コヴィディエンジャパン㈱, 大鵬薬品工業㈱, アステラス製薬㈱, 日本イーライリリー㈱	該当なし	該当なし
佐川 元保	該当なし	該当なし	該当なし	該当なし	該当なし	該当なし	バイエル薬品㈱	該当なし	該当なし
近藤 晴彦	該当なし	該当なし	該当なし	該当なし	該当なし	MSD㈱	該当なし	該当なし	該当なし
佐々木 治一郎	該当なし	該当なし	該当なし	アストラゼネカ㈱	該当なし	該当なし	小野薬品工業㈱, 中外製薬㈱, 大鵬薬品工業㈱	該当なし	該当なし
西尾 渉	該当なし	該当なし	該当なし	該当なし	該当なし	中外製薬㈱, MSD㈱	該当なし	該当なし	該当なし
渡辺 俊一	該当なし	該当なし	該当なし	ジョンソン・エンド・ジョンソン㈱	該当なし	該当なし	該当なし	該当なし	該当なし
田中 文啓	該当なし	該当なし	該当なし	アストラゼネカ㈱, 中外製薬㈱, 小野薬品工業㈱, 大鵬薬品工業㈱, 日本イーライリリー㈱	該当なし	日本ベーリンガーインゲルハイム㈱, ブリストル・マイヤーズスクイブ㈱, MSD㈱, アストラゼネカ㈱	日本イーライリリー㈱, 中外製薬㈱, 大鵬薬品工業㈱, 小野薬品工業㈱	該当なし	該当なし

COI（利益相反）について

	開示項目①	開示項目②	開示項目③	開示項目④	開示項目⑤	開示項目⑥	開示項目⑦	開示項目⑧	開示項目⑨
臼田 実男	該当なし	該当なし	該当なし	該当なし	該当なし	該当なし	日本イーライリリー㈱, コヴィディエンジャパン㈱, ジョンソン・エンド・ジョンソン㈱, 日産化学工業㈱	該当なし	該当なし
栗本 典昭	該当なし	該当なし	該当なし	オリンパス㈱, アストラゼネカ㈱	該当なし	該当なし	該当なし	該当なし	該当なし
奥村 明之進	該当なし	該当なし	該当なし	ジョンソン・エンド・ジョンソン㈱, アレクシオンファーマ合同会社	該当なし	大陽日酸㈱, アステラス製薬㈱, コヴィディエンジャパン㈱, 日本イーライリリー㈱, ㈱TMプランニング	該当なし	該当なし	該当なし
近藤 和也	該当なし	該当なし	該当なし	該当なし	該当なし	該当なし	大鵬薬品工業㈱	該当なし	該当なし
中島 淳	該当なし	該当なし	該当なし	該当なし	該当なし	アステラス製薬㈱	該当なし	該当なし	該当なし
鈴木 弘行	該当なし	該当なし	該当なし	小野薬品工業㈱, アストラゼネカ㈱, MSD㈱, ブリストル・マイヤーズスクイブ㈱, 中外製薬㈱	該当なし	㈱ツムラ, アストラゼネカ㈱, 東洋鋼鈑㈱, クインタイルズ・トランスナショナル・ジャパン㈱, テラ㈱, 大鵬薬品工業㈱, ブリストル・マイヤーズスクイブ㈱, 小野薬品工業㈱, 日本ベーリンガーインゲルハイム㈱	塩野義製薬㈱, 大鵬薬品工業㈱, 小野薬品工業㈱, 日本イーライリリー㈱	該当なし	該当なし
渡辺 敦	JR札幌病院, 釧路孝仁会記念病院	該当なし	該当なし	該当なし	該当なし	塩野義製薬㈱	医療法人財団五紀会室蘭太平洋病院, 医療法人札幌ハートセンター札幌心臓血管クリニック	該当なし	該当なし
佐治 久	該当なし	該当なし	該当なし	該当なし	該当なし	AMED委託研究開発費, アストラゼネカ㈱	日本イーライリリー㈱, 大鵬薬品工業㈱, 日本ベーリンガーインゲルハイム㈱, 日本呼吸器財団, ヤマト科学㈱	該当なし	該当なし
伊達 洋至	該当なし	該当なし	該当なし	ジョンソン・エンド・ジョンソン㈱, コヴィディエンジャパン㈱	該当なし	該当なし	大鵬薬品工業㈱, ㈱アダチ, ㈱ホギメディカル, アステラス製薬㈱	該当なし	該当なし
関根 康雄	該当なし	該当なし	該当なし	該当なし	該当なし	該当なし	該当なし	該当なし	日本ストライカー㈱
松谷 哲行	該当なし	該当なし	該当なし	該当なし	該当なし	グンゼ㈱	該当なし	該当なし	該当なし

〈開示すべき利益相反事項なし〉
佐藤 之俊, 荒川 悠, 岩田 健太郎, 長谷川 剛, 新谷 康, 櫻井 裕幸, 岩﨑 正之, 文 敏景, 宮田 義浩, 春木 朋広, 吉田 成利, 横見瀬 裕保, 中尾 将之, 奥村 栄, 竹内 幸康, 尾関 雄一, 齋藤 誠, 波多江 亮, 齊藤 元, 井貝 仁, 市村 秀夫, 塩野 裕之, 澤端 章好, 奥田 昌也, 玉木 彰, 大塚 崇, 土田 正則, 栃井 祥子, 須田 隆, 川原田 修義, 宋 智亨, 白石 裕治, 大瀬 尚子, 上田 和弘, 佐藤 雅美, 大泉 弘幸, 岩﨑 昭憲, 伊豫田 明, 菱田 智之, 鈴木 実, 松隈 治久, 小宮山 貴史, 東山 聖彦, 岡見 次郎, 髙濱 誠, 永島 琢也, 中山 治彦, 佐野 由文, 坂尾 幸則, 塩野 知志, 中田 昌男, 中原 理恵, 南谷 佳弘, 前田 寿美子, 松本 勲, 中山 光男, 櫻庭 幹, 清水 公裕, 濱中 一敏, 白石 武史, 眞庭 謙昌, 庄司 文裕, 竹尾 貞徳, 平塚 昌文, 八柳 英治, 棚橋 雅幸, 古川 欣也, 矢野 智紀, 吉田 和夫, 大出 泰久, 板東 徹, 井上 匡美, 加賀 基知三, 武井 秀ూ, 門倉 光隆, 村川 知弘, 樋口 光徳, 坪地 宏嘉, 溝渕 輝明, 佐藤 寿彦, 大久保 憲一, 園部 誠, 高橋 有毅, 小島 宏司, 髙尾 仁二, 桜田 晃, 薄田 勝男, 沼波 宏樹, 羽生田 正行, 岡田 克典, 舟木 壮一郎, 大藤 剛宏, 大石 久, 佐藤 雅昭, 芳川 豊史, 川島 正裕, 儀賀 理暁, 小林 孝一郎

本書に掲載されている内容の関連動画が，南江堂ホームページにおいて閲覧いただけます．本書冒頭見返しページに印刷された「WEB動画サービスに関するご案内」をお読みのうえ，ご利用ください．なお，動画のある項目については，本文に「動画マーク」（▶）がついています．

WEB動画タイトル一覧

Ⅰ．総論
- 動画①：EBUS-TBNA 4R SQ TBNA
- 動画②：EBUS-TBNA 11s 1cm AD
- 動画③：TBLB EBUS-GS Lt B8

Ⅱ．手術手技
- 動画④：後側方切開
- 動画⑤：CPRL-4 LLL
- 動画⑥：剝離操作
- 動画⑦：肺瘻修復
- 動画⑧：心膜脂肪組織採取
- 動画⑨：吻合部補強
- 動画⑩：右上肺静脈剝離
- 動画⑪：右主肺動脈心囊内処理
- 動画⑫：左上肺静脈，主肺動脈心囊内処理
- 動画⑬：右上縦隔郭清
- 動画⑭：左反回神経同定，#4L郭清
- 動画⑮：右気管分岐部#7郭清
- 動画⑯：右肺癌に対する右スリーブ上葉切除
- 動画⑰：右肺癌に対する右管状肺全摘術
- 動画⑱：右肺癌に対する右上葉切除・分岐部合併切除・再建（inverted Barclay型）
- 動画⑲：食道癌に対する食道切除・気管膜様部分層切除
- 動画⑳：椎体部分切除
- 動画㉑：左房部分切除
- 動画㉒：縦隔腫瘍で上大静脈合併切除
- 動画㉓：SST TMA_椎骨動脈

目 次

▶：動画付き項目

第 I 章 総論

1. 呼吸器外科の歴史 ……………………………………………千田雅之……1
2. 保険診療 ………………………………………………………川村雅文……7
3. 専門医制度 ……………………………………………………佐藤之俊……11
4. 医療安全 ………………………………………………………相馬孝博……15
5. 感染対策 ……………………………………………荒川　悠, 岩田健太郎……20
6. 医療倫理―特に利益相反と研究倫理 …………………………長谷川　剛……23
7. 肺の発生 ………………………………………………………神崎正人……26
8. 呼吸器外科に関連する解剖と組織 ……………………………浦本秀隆……30
9. 呼吸生理と呼吸機能検査 ………………………………………新谷　康……35
10. 呼吸器疾患の症候・身体所見 …………………………………櫻井裕幸……42
11. 呼吸器疾患の検査 ▶ …………………………………………池田徳彦……45

第 II 章 手術手技

1. 手術器具と使用方法の基本 ……………………………………岩﨑正之……52
2. 開胸法（切開法）▶ …………………………………………吉野一郎……57
3. 胸腔鏡下手術総論 ………………………………………………文　敏景……62
4. ハイブリッドアプローチ ………………………………………宮田義浩……66
5. ロボット支援手術 ▶ …………………………………中村廣繁, 春木朋広……69
6. 術前のシミュレーション，術中のナビゲーション ……………秋葉直志……74
7. 胸腔ドレーン管理 ………………………………………………吉田成利……79
8. 癒着剥離, 肺瘻処理, 被覆法 ▶ ………………………………横見瀬裕保……83
9. 気管・気管支・肺 ………………………………………………………86
    - Ⓐ 肺切除の基本 ▶ …………………………………………永安　武……86
    - Ⓑ 縦隔リンパ節郭清 ▶ ……………………………………永安　武……89
    - Ⓒ 肺切除術 …………………………………………………岡田守人……92
    - Ⓓ 気管・気管支形成術 ▶ ………………………中尾将之, 奥村　栄……96
    - Ⓔ 隣接臓器合併切除術 ▶ …………………………………伊藤宏之……101
    - Ⓕ 肺尖部腫瘍切除術 ▶ ……………………………………伊藤宏之……104
10. 胸壁 ……………………………………………………………星川　康……106
11. 胸膜 ……………………………………………………………長谷川誠紀……111
12. 胸郭成形 ………………………………………………………竹内幸康……114
13. 縦隔 ……………………………………………………………尾関雄一……117
14. 横隔膜 ………………………………………………齋藤　誠, 波多江　亮……121
15. 横隔膜弛緩症と横隔神経麻痺に対する手術 ……………………齊藤　元……125
16. トラブルシューティング ………………………………………鈴木健司……127

第III章　周術期管理と術後合併症

1. 肺切除術の機能的適応 ……………………………………………………井貝　仁……136
2. 術前管理 ……………………………………………………………………市村秀夫……140
3. 術中管理 ……………………………………………………………………塩野裕之……144
4. 術後管理 ……………………………………………………………………澤端章好……148
5. 術後合併症 …………………………………………………………………奥田昌也……151
6. 術前・術後の呼吸リハビリテーション …………………………………玉木　彰……156

第IV章　一般外科・呼吸器外科に必要な循環器領域の病態

1. 血管走行異常 ………………………………………………………………大塚　崇……162
2. 虚血性心疾患，弁膜症，心筋症 …………………………………………豊岡伸一……167
3. 周術期の心不全・不整脈管理 ……………………………………………土田正則……170
4. 肺性心・肺循環の一般論 ……………………………………栃井祥子，須田　隆……173
5. 急性肺血栓塞栓症 …………………………………………………………佐藤幸夫……177
6. 大動脈疾患，その他 ………………………………………………………川原田修義……180
7. 抗血栓療法 ……………………………………………………池田正孝，宋　智亨……184

第V章　肺の非腫瘍性疾患

1. 肺感染症の外科 ……………………………………………………………………192
   - Ⓐ 結核 …………………………………………………………………白石裕治……192
   - Ⓑ 非結核性抗酸菌症 …………………………………………………白石裕治……195
   - Ⓒ 肺真菌症 ……………………………………………………………白石裕治……197
   - Ⓓ 寄生虫疾患 …………………………………………………………大瀬尚子……199
   - Ⓔ 気管支拡張症 ………………………………………………………大瀬尚子……200
   - Ⓕ 肺放線菌症 …………………………………………………………大瀬尚子……201
   - Ⓖ 肺膿瘍 ………………………………………………………………大瀬尚子……202
2. 嚢胞性肺疾患，その他 ………………………………………上田和弘，佐藤雅美……203
3. その他の外科的肺疾患・血管疾患 ………………………………………………207
   - Ⓐ 先天性疾患 …………………………………………………………杉尾賢二……207
   - Ⓑ 肺血管・その他の疾患 ……………………………………………杉尾賢二……210
   - Ⓒ 外科的生検 …………………………………………………………大泉弘幸……212
   - Ⓓ その他 ………………………………………………………………大泉弘幸……214

第VI章　肺の腫瘍性疾患

1. 原発性肺癌 …………………………………………………………………………218
   - Ⓐ 肺癌の疫学 …………………………………………………………岩﨑昭憲……218
   - Ⓑ 肺癌の分子生物学 …………………………………………………光冨徹哉……222
   - Ⓒ 肺癌の組織型分類 …………………………………………………伊豫田　明……228
   - Ⓓ 肺癌のTNM分類（UICC-8）と病期 …………………………淺村尚生……233
   - Ⓔ 肺癌の症状 …………………………………………………………菱田智之……240
   - Ⓕ 肺癌の診断法 ………………………………………………………鈴木　実……244
   - Ⓖ 肺癌の検診 …………………………………………………………佐川元保……248
   - Ⓗ 肺癌の外科的治療 …………………………………………………近藤晴彦……251
   - Ⓘ 肺癌の併用療法 ……………………………………………………松隈治久……255

- Ⓙ 非小細胞肺癌の化学療法/薬物療法 ……………………………………… 佐々木治一郎 …… 258
- Ⓚ 非小細胞肺癌の放射線治療 ………………………………………………… 小宮山貴史 …… 263
- Ⓛ 肺癌の術後フォローアップ ………………………………………… 東山聖彦, 岡見次郎 …… 267
- Ⓜ 肺癌に対するインターベンション治療 ……………………………………… 高濱 誠 …… 272

2. 転移性肺腫瘍 ……………………………………………………………………………………… 275
- Ⓐ 転移性肺腫瘍の総論 ………………………………………………… 永島琢也, 中山治彦 …… 275
- Ⓑ 転移性肺腫瘍の手術適応 …………………………………………………… 佐野由文 …… 279
- Ⓒ 転移性肺腫瘍の手術術式 …………………………………………………… 坂尾幸則 …… 282
- Ⓓ 大腸癌肺転移の手術成績と予後因子 ……………………………………… 西尾 渉 …… 284
- Ⓔ 大腸癌以外の肺転移の手術成績と予後因子 ……………………………… 塩野知志 …… 287

3. その他の腫瘍性疾患 ……………………………………………………………………………… 290
- Ⓐ 良性上皮性腫瘍 ……………………………………………………………… 中田昌男 …… 290
- Ⓑ 間葉系腫瘍 …………………………………………………………………… 中原理恵 …… 292
- Ⓒ リンパ増殖性腫瘍 …………………………………………………………… 南谷佳弘 …… 296
- Ⓓ その他の腫瘍 ………………………………………………………………… 渡辺俊一 …… 299

第Ⅶ章　胸部外傷・その他

1. 概論 …………………………………………………………………………………… 前田寿美子 …… 306
2. 胸郭損傷 …………………………………………………………………………………… 松本 勲 …… 310
3. 肺損傷 ……………………………………………………………………………………… 田中文啓 …… 314
4. 気管・気管支損傷 ………………………………………………………………………… 中山光男 …… 316
5. 縦隔損傷 …………………………………………………………………………………… 櫻庭 幹 …… 320
6. 横隔膜損傷 ………………………………………………………………………… 濱中一敏, 清水公裕 …… 325
7. 気道異物 …………………………………………………………………………………… 臼田実男 …… 329

第Ⅷ章　気管・気管支

1. 概論 ………………………………………………………………………………………… 栗本典昭 …… 336
2. 気管の先天性異常 ………………………………………………………………………… 白石武史 …… 339
3. 食道気道瘻 ………………………………………………………………………………… 眞庭謙昌 …… 343
4. 気管・気管支軟化症 ……………………………………………………………… 庄司文裕, 竹尾貞徳 …… 346
5. 気管支拡張症 ……………………………………………………………………………… 平塚昌文 …… 349
6. 気管・気管支結核 ………………………………………………………………………… 八柳英治 …… 352
7. 気管腫瘍 …………………………………………………………………………………… 棚橋雅幸 …… 355
8. 気管・気管支病変に対するインターベンション治療 …………………………………… 古川欣也 …… 359

第Ⅸ章　縦隔

1. 縦隔の解剖 ………………………………………………………………………………… 矢野智紀 …… 366
2. 縦隔の炎症 ………………………………………………………………………………… 吉田和夫 …… 370
3. 縦隔腫瘍 …………………………………………………………………………………………………… 374
   - Ⓐ 概論 ……………………………………………………………………………… 奥村明之進 …… 374
   - Ⓑ 胸腺上皮性腫瘍 ………………………………………………………………… 近藤和也 …… 379
   - Ⓒ その他の縦隔腫瘍 ……………………………………………………………… 中島 淳 …… 385
   - Ⓓ 手術 ……………………………………………………………………………… 大出泰久 …… 390
4. 重症筋無力症 ……………………………………………………………………………… 板東 徹 …… 394
5. 胸腺腫に伴う自己免疫疾患（重症筋無力症以外） ……………………………………… 井上匡美 …… 398
6. 縦隔気腫あるいは気縦隔 ………………………………………………………………… 加賀基知三 …… 401

第 X 章　胸膜

1. 胸膜の解剖 …………………………………………………………武井秀史……406
2. 気胸 …………………………………………………………………門倉光隆……409
3. 血胸 …………………………………………………………………村川知弘……415
4. 急性膿胸 …………………………………………………樋口光徳，鈴木弘行……419
5. 慢性膿胸 ……………………………………………………………坪地宏嘉……424
6. 乳び胸 ………………………………………………………………溝渕輝明……427
7. 水胸 …………………………………………………………………佐藤寿彦……433
8. 胸膜腫瘍 ……………………………………………………………大久保憲一……436

第 XI 章　胸壁

1. 胸壁の解剖 …………………………………………………………園部　誠……444
2. 胸壁の変形 ………………………………………………髙橋有毅，渡辺　敦……449
3. 胸壁の炎症，感染症 ……………………………………佐治　久，小島宏司……452
4. 胸壁腫瘍 ……………………………………………………………伊達洋至……456
5. 多汗症 ………………………………………………………………髙尾仁二……459

第 XII 章　横隔膜

1. 横隔膜の解剖 ………………………………………………………桜田　晃……466
2. 横隔膜ヘルニア ……………………………………………………薄田勝男……469
3. 横隔膜弛緩症 ……………………………………………沼波宏樹，羽生田正行……473
4. 横隔膜腫瘍 …………………………………………………………関根康雄……477
5. その他の横隔膜疾患 ………………………………………………松谷哲行……480

第 XIII 章　肺移植

1. 概論 …………………………………………………………………岡田克典……484
2. 適応 …………………………………………………………………舟木壮一郎……488
3. 術式 …………………………………………………………………大藤剛宏……491
4. 肺保存液 ……………………………………………………………大石　久……495
5. 拒絶反応と免疫抑制 ………………………………………………佐藤雅昭……499
6. 術後合併症 …………………………………………………………芳川豊史……502

第 XIV 章　緩和ケア

1. 概論 …………………………………………………………………川島正裕……508
2. 各論：癌疼痛コントロール，緩和ケアの実際 ……………………儀賀理暁……512
3. 指針 …………………………………………………………………小林孝一郎……517

索引 …………………………………………………………………………………521

第Ⅰ章
総論

Ⅰ．総論

呼吸器外科の歴史

要点

① 現在の呼吸器外科の臨床現場における，低侵襲手術や肺移植などの高度治療が確立するまでには，先人の長年月の苦労・努力・パイオニア精神が基礎にあることを熟知し，彼らの業績に敬意を表するとともに，今後の医療の発展への志を新たにする．

Key Word 陰圧手術室，肺門部一括処理による肺葉切除と肺全摘術，血管と気管支の解剖学的な剝離による肺切除術，二期的操作による肺全摘術

呼吸器外科の対象領域は歴史的にみると，外傷，膿胸，肺結核・気管支拡張症などの感染症，肺および縦隔の腫瘍，気管病変，肺移植へと拡張してきた．

肺結核に対する抗菌薬治療の導入以前は，結核治療は外科的治療の対象疾患であったが，肺切除手術が確立していない時代には人工気胸術，胸郭成形術などの虚脱療法が一般的であった．

現在の呼吸器外科臨床の現場では，肺葉切除を中心に肺切除手術は安全に行われており，胸腔鏡による低侵襲手術も進み，術中・術後の人工呼吸管理に悩まされる機会も減り，手術部位感染(surgical site infection)も制御され，多くの症例はクリニカルパスの運用により診療されている．また，1983年にJoel D. CooperらのTorontoグループにより世界ではじめて長期生存に成功した肺移植は，日本でも現在，保険診療のもと安全に行われている．しかし，現在の呼吸器外科臨床が確立するまでには諸問題の解決の歴史があり，また背景には全身麻酔，気管挿管による陽圧換気，集中治療，画像診断，内視鏡技術などの進歩との相互関係がある．

肺切除の確立の過程を中心に，呼吸器外科の歴史を記述する．

a 呼吸器外科の欧米の先駆者達 レベルC

1) 肺切除

世界最初の肺部分切除の成功は，フランスのTheodore Tufferによる．Tufferは1891年，胸膜外剝離で肺上葉を胸壁から剝離し，肺尖部の胸膜を切開して肺実質を胸膜外に出し，肺を部分切除した．胸膜の切開部が肺尖部を締め付けるかたちになり，胸腔内に大量の空気が入ることが避けられた．胸膜外での剝離は，結核空洞の虚脱のための胸膜外充填術の技術が基礎にあった．Tufferは，早期から気管内陽圧換気による麻酔を研究し，"Regulation de la pression intrabronchique et de la narcose"(1896年)で実験的結果を紹介し，最初の気管内バルーンカテーテルも考案した．

ドイツ人の活動も特筆され，ベルリンのFerdinand Sauerbruchは重要な先駆者の一人である．Sauerbruchはスイスのダボスで Alfred Brunner とともに肺結核の外科的治療を開発し，肺結核の外科的治療の推進者となった．Sauerbruchは，師匠であるJoachim von Mikuliczの"The Elimination of the Harmful Effects of Pneumothorax during Intrathoracic Operations"(1904年)による影響で，開胸手術には有名な"negative pressure operative chamber"(陰圧手術室)を選択した．その後，陰圧手術室を諦め陽圧呼吸を選択したが，当時すでに知られていた気管挿管を採用せずマスク換気を採用したため，胃の膨満と気道分泌物の問題が出現する．

Sauerbruchの門下生のなかではRudolf Nissenが最も有名であり，胃食道逆流に対する Nissen's fundoplicationは現在でも標準術式である．Nissenは，1931年に非腫瘍性疾患に対して二期的手術による肺全摘術を成功させている．

Saurebruchは1920年ころ，最初の胸部外科に関するテキストを刊行し，ベルリンのCharité Hospitalでは北米からの多くの胸部外科医を指導したこともよく知られている．

欧州で始まった肺切除と呼吸器外科は，第一次および第二次の世界大戦ののち，大西洋の向かい側の北米大陸で主として発展する．

Willy Mayerは，米国の呼吸器外科の始祖ともいえる．Mayerはドイツ生まれでドイツにて医学教育を受け，Friedrich Trendelenburgのもとで働いたあと，1884年に米国にわたりGerman Hospitalに勤務し，多くの種類の外科手術を手がけ，食道と肺の手術も行っている．1908年，Sauerbruchが米国を訪れ陰圧手術室を公開した．陰圧手術室はRockfeller Instituteに実験的手術のために設置され，1909年から1910年にかけてMayerは外科医が陰圧室で手術し，患者の頭部は小さな箱で陽圧にする"universal differential pressure chamber"を開発し，1911年，この複雑な機械をGerman Hospitalに設置した．MayerはSauerbruchの陰圧手術室を用いて気胸の問題の解決にかかわったため，不運にも陽圧換気による麻酔への移行が遅れた．Mayerは最終的にMeltzerとAuerの気管挿管下の陽圧換気へと方向転換していく．

同様に，Sauerbruchのもとで1年間過ごしたのち，米国

に戻り Mayo Clinic の胸部外科の医長になる Samuel Robinson も "positive pressure cabin for thoracic surgery", いわゆる "Sam Robinson's box" を考案しているが, 時間を空費することになる.

一方, ニューオリンズの Rudolf Matas は 1901 年という早い時期に陽圧換気による全身麻酔を始めていた. ただし, この時代には気管挿管は困難であり, O'Dwyer の喉頭チューブをもとに O'Dwyer-Matas 器具を作製し, 人工呼吸を行っていた.

リトアニア出身の Samuel Meltzer はベルリンで医学を学び, 1883 年にニューヨークにわたり, Rockfeller Institute で生理学研究に従事する. 彼は, マグネシウムによる呼吸中枢抑制を見い出し, 1909 年の持続的気管内換気と全身麻酔の技術へと発展させる. Meltzer と Mayer は既知の仲であり, Mayer は Sauerbruch の陰圧手術室のスペースを整理して Meltzer に手術実験の部屋を提供する. Meltzer は外科医ではなかったが, Mayer の推薦により初代の American Association of Thoracic Surgery (AATS) の会長となった.

フランスの Alexis Carrel は, 1894 年, リヨンでのフランス大統領 Sadi Carnot の暗殺を契機に, 血管の縫合方法を発案したことで有名である. 彼はその後, 米国に移住し, 1909 年, Meltzer が開発した気管内陽圧換気による麻酔を動物実験で行い, 1910 年の American Surgical Association で, 陽圧換気が Sauerbruch の陰圧室よりも優れていることを発表した. これが当時の外科医にとっての breakthrough となり, ニューヨークの Lilienthal や Elsberg らに影響を与えた.

Howard Lilienthal は, 1910 年, Mount Sinai Hospital で気管挿管麻酔を用いた最初の開胸術を行った. Charles Elsberg は, 1909 年, 陽圧麻酔器を作製し, Mount Sinai Hospital での最初の開胸術で彼自身が麻酔を担当している. Lilienthal は 1914 年, 一期的な肺葉切除を行い, "The Father of Lobectomy" と呼ばれている. しかし, 当時の肺葉切除では今日の解剖学的な血管と気管支の剥離は行われておらず, 肺門部での一括処理であった. Lilienthal は「45 分以上の肺葉切除は患者の死につながる」と述べている. 彼の 1914 年から 1922 年までの 31 例の肺葉切除の mortality は 50% であった.

主肺動脈の結紮が重度の肺塞栓様の症状を引き起こすと恐れられていたため, 1931 年までは肺全摘術を行う外科医はいなかった. ベルリンの Nissen と Ann Arbor の Cameron Haight はそれぞれ, 1931 年と 1932 年に二期的な左肺全摘術を行っている. 当時の術式は, 肺門部を根部で絞扼し, 胸腔をガーゼパッキングし, 2 週間後に気管支拡張化した肺葉を脱落させるという現在では信じられない方法である. ただし驚くべきことに, 12 歳と 13 歳の患者はともに生存し治癒した.

セントルイスの Evarts A. Graham は, 1933 年, 48 歳の婦人科医の左肺癌に対して, 肺門部一括の結紮・縫合による, 最初の一期的肺全摘術に成功した. ただし, 肺全摘術後の胸腔内感染を予防するため, 第 3〜9 肋骨を切除する胸郭成形術が追加されている. この患者は術後 30 年生存した. また, ボストンの Richard H. Overholt は 1935 年, 肺カルチノイドに対して一期的な右肺全摘術をはじめて成功させている.

血管と気管支の解剖学的な剥離による肺葉切除と肺全摘術は, 1929 年, 1933 年, 1934 年に, それぞれ, Brunn, Rienhof, Archibald によって行われた. また, Rienhof は Crafoord とともに気管支の閉鎖方法を実験的および臨床的に記述を残している.

英国では, Hugh Morrison Davies が Meltzer の気管内陽圧換気の発表を取り入れ, 1910 年から 1911 年にかけて陽圧換気による麻酔器をつくっている. ちなみにこの装置は, fire engine (消防自動車) と諧謔をもって呼ばれていた. Davies は, 1912 年, 右肺下葉に大きな陰影を有する患者に対して, 肺癌の診断のもと, エーテルによる陽圧換気麻酔で肺葉切除を行った. この手術では肺門部一括結紮が行われていた時代に, 肺血管と気管支をそれぞれ剥離し別個に処理するという世界初の解剖学的剥離操作が行われている. 患者は術後 8 日目に亡くなっているが, 画期的な肺葉切除手術であったといえる. また Davies は, 胸部 X 線の臨床的意義が否定的であった時代にその有用性を唱えている.

もう一人の英国での呼吸器外科の先駆者は Arthur Tudor Edwards である. Edwards は 1922 年, Brompton Hospital の Chief Surgeon に就任後, 1922 年に 33 例, 1923 年に 62 例, 1928 年に 128 例の胸部外科手術を行い, 胸部外科手術を発展させた. Edwards は文献をあまり残していないため忘れられがちであるが, 当時としては先駆的な解剖学的な肺葉切除, 肺全摘術を多数手がけている. また, The Thoracic Society of Great Britain and Ireland の設立にも貢献した.

Holmes T. Sellers は, 結核手術において患側の気道分泌物が対側に流れ込まないように face-down position を最初に提唱している.

Laurence O'Shaughnessy は, ベルリンの Charité Hospital で Sauerbruch のもとで結核外科を修練ののち, 1936 年に心筋への血管再生のための大網充填を発表している. この発想はのちの肺移植の気管支吻合での大網被覆にも応用されている.

スウェーデンの Clarence Crafoord も欧州での胸部外科の先駆者のひとりである. 彼は 1927 年, 肺動脈の血栓除去術の 2 例の成功を報告し注目を集めた. また, 抗凝固のためのヘパリンの臨床使用でも知られている. 胸部手術においては, 陽圧換気の研究を行い, Crafoord-Bjork-Engström 人工呼吸器の開発を行った. 1933 年の Evarts Graham による肺全摘術の翌年の 1934 年に Crafoord も肺全摘術を施行し, "The technique of Pneumonectomy in Man" で 16 例の経験を記載した. ちなみに Crafoord は, 1944 年に世界初の大動脈縮窄症の手術に成功し, 1954 年に世界で 2 例目の体外循環手術として心房粘液腫の切除を行っている. この心房粘液腫の切除手術は, 世界初の心臓腫瘍に対する手術としても知られており, Crafoord は呼吸器外科だけでなく, 心臓外科の先駆者の一人でもある.

さらにその後の重要な進歩として, 区域切除や気管支形

成術があげられる．Edward D. Churchill は 1939 年，舌区域切除を提案した．その後，Chamberlain と Overholt が肺結核と気管支拡張症に対する肺区域の切除として，すべての区域の切除が確立していく．Chamberlain と Overholt のあと，多くの外科医が結核に対する肺切除を一般的な治療として行うようになった．また，世界最初の気管支スリーブ切除による肺葉切除は，1947 年，英国の Cement Price Thomas によりはじめて施行された．

肺切除手術が肺結核に対しての一般的治療として成立したのち，多数の結核患者が肺切除を受けることとなる．しかし，ストレプトマイシンをはじめとする抗菌薬の開発後，肺結核の外科的治療は減少し，代わって肺切除の対象は肺癌に移っていく．

1950 年，Churchill は肺全摘 114 例，肺葉切除 57 例の術死率はそれぞれ 23%，14%，5 年生存率はそれぞれ 12%，19% であり，肺葉切除が同等以上であることを発表した．1960 年には William G. Cahan がリンパ節郭清を伴った肺葉切除，いわゆる radical lobectomy の自験例の成績を報告し，34 例の原発性肺癌を含む 48 例にこの手術を行ったが，この郭清範囲は今日われわれが言うところの ND2a-1 という範囲に非常に近く，たとえば右上葉切除では気管分岐部郭清は含まれていない．1962 年に米国 National Cancer Institute の M.B. Shimkin は，肺全摘を主に行っていたニューオリンズの Alton Ochsner と主に葉切除を行っていたボストンの Overholt の症例から，葉切除 116 例，全摘 402 例を解析し，限局例（肺内に限局，リンパ節転移なし）は術式にかかわらず予後が良好で，5 年生存率は 35～40% であったと報告した．これ以降，次第に葉切除が標準術式とみなされていった．

2）気管の外科

気管の手術は，カフ付き気管挿管チューブと人工呼吸器の開発ののちに発達した．1960 年には，気管軟骨を 3 リング切除し一期的に吻合再建できることが認識されるようになった．その後，1968 年には気管の血流の理解と気管の緊張を緩和する技術により，大人では気管全長の半分までの切除と一期的な再建が可能となった．気管の外科の進歩に最大の功績を残したのはボストンの Hermes C. Grillo であり，彼の 40 年間の経験は "Surgery of the Trachea and Bronchi" に記載されている．

3）縦隔の外科

縦隔外科は，1897 年，Cairo の Kasr-el-Ainy Hospital の Herbert Milton による結核性病変に対する手術に始まる．1911 年，Ferdinand Sauerbruch はスイスのチューリッヒにて重症筋無力症に対する胸腺摘出を頸部アプローチで行った．これが最初の胸腺摘出手術である．その後 1936 年，米国ナッシュビルの Alfred Blalock による胸腺腫の摘出が重症筋無力症の著明な改善をもたらしたことで，重症筋無力症と胸腺腫の関係が注目された．英国ロンドンの Geoffrey Langdon Keyenes は，1946 年，甲状腺機能亢進症を伴う重症筋無力症に対して，胸骨正中切開で甲状腺と胸腺の切除を行っている．その後，縦隔の手術は急速に普及し，縦隔腫瘍は原則として外科的治療適応と考えられるようになった．

胸骨正中切開用の剪刃の開発は Max Lebsche により，Thomas P. Dunhill は前縦隔腫瘍摘出に対する経胸骨ルートを推奨した．胸骨正中切開は，1953 年以降の心臓外科の隆盛とともに，心臓手術の主要なアプローチになった．

4）肺移植

肺移植の臨床的成功は，Stanford 大学で 1981 年に Bruce A. Reitz と Norman E. Shumway らによって行われた心肺同時移植で始まる．その後，1983 年に Toronto 大学の Joel D. Cooper らのグループが肺単独の移植後の長期生存に成功した．

5）胸腔鏡下手術

胸腔鏡の歴史は，1911 年，H. C. Jacobaeus により，膀胱鏡を胸腔内の観察に用いたことから始まる．その後，1957 年の F. Heine による，びまん性肺疾患に対する肺生検，1970 年の H. Fiedel による分離肺換気全身麻酔による胸腔鏡などにより確立していく．

b 日本の呼吸器外科の歴史 レベルC

日本での呼吸器外科の公式な記載は，1903 年の第 5 回日本外科学会総会での江口 襄による肺壊疽に対する肺切開術の報告に始まる．次いで，1914 年の第 15 回日本外科学会総会での尾見 薫による横隔膜神経および肋間神経切断の報告がある．

肺癌の手術では，大連医院外科部長の尾見薫が 1916 年の第 17 回日本外科学会にて宿題報告「肺臓外科」を発表し，肺癌の試験開胸例を含む 28 例の肺手術や麻酔法について言及した．これが，日本人医師が生体の肺癌病変を観察した最初の記録である．佐藤清一郎は 1920 年に肺腫瘍 3 例を含む手術を行ったが，摘出はできなかったと報告している．その後，佐藤清一郎（1924 年），河石九二夫（1931 年），蓮見四郎（1931 年），神戸恒夫（1933 年），横田浩吉（1933 年），篠井金吾（1936 年）らによって，それぞれ腫瘍摘出術が行われている．そして 1937 年，江崎勇によって上葉切除術が報告されるにいたったが，長期生存は得られていない．

大阪大学の小沢凱夫は，グラハムに遅れること 3 年の 1936 年に 1 例の右上葉切除，1937 年に 2 例の左肺全摘，1 例の右上葉切除を執刀し，全摘 1 例が 4 年間以上生存し社会復帰を果たしたのが最初の成功例とみなされている．小沢はこれらの症例を中心に「肺切除」と題して，1942 年の第 39 回日本外科学会で宿題報告を行っている．

その後 1949 年，慶應義塾大学の石川七郎が肺癌手術 3 例の報告を行っている．石川七郎，千葉大学の河合直次，東京医科大学の篠井金吾は全国の 798 例の肺癌症例を集計し 1955 年の日本外科学会宿題報告で発表した．慶應義塾大学，千葉大学，東京医科大学の 3 施設の 116 例のうち，手術不能は 30%，試験開胸は 25%，手術死亡率は 22% と報告し

表1　呼吸器外科手術に関連する歴史的イベント

年	人物	内容
1891年	Tuffer	肺部分切除の成功
1897年	Killian	硬性の気管支鏡の開発
1909年	Carrel	管内陽圧換気による麻酔の動物実験
1910年	Kummel	肺全摘術（術後6日で死亡）
1910年	Lilienthal	気管挿管麻酔を用いた最初の開胸術
1911年	Jacobaeus	膀胱鏡を用いて胸腔内の観察
1912年	Davies	肺葉切除術（術後8日で死亡）
1914年	Lilienthal	一期的操作による肺葉切除術の成功
1931年	Nissen	非腫瘍性疾患に対する左肺全摘術の成功（二期的操作）
1933年	Graham	肺癌に対する左肺全摘術の成功（一期的操作）
1935年	Overholt	肺カルチノイドに対する右肺全摘術の成功（一期的操作）
1936年	Blalock	重症筋無力症合併胸腺腫に対する胸腺腫摘出術の成功
1939年	Churchill	気管支拡張症に対する区域切除術
1951年	Cahan	肺癌に対するリンパ節郭清を伴う根治的肺全摘
1960年	Cahan	肺癌に対するリンパ節郭清を伴う根治的肺葉切除術
1966年	池田茂人	軟性気管支ファイバースコープの開発
1980年	早田義博，加藤治文	photodynamic therapy（PDT）の臨床実施
1981年	Reitz	心肺同時移植の成功
1981年	井上宏司	可動性ブロッカー付き気管内チューブ（ユニベント）の開発
1982年	正岡　昭	重症筋無力症に対する拡大胸腺摘出術
1983年	Cooper	脳死片肺移植の成功
1986年	Patterson	両肺移植の成功
1990年	Pasque	両側片肺移植の成功
1992年	Starnes	生体肺葉移植の成功
1992年	Roviaro	肺癌に対するVATS lobectomyの成功

ている．1968年，東北大学の鈴木千賀志は胸部外科学会において全国19施設の集計を発表し，診療された肺癌患者のうち切除可能であったのは2,209名で切除率は39％であった．出血を主な原因とする48時間以内死亡が3.5％，その後30日以内死亡は7.5％と，手術死亡率は11％であった．また，術式は，肺全摘が42％と肺葉切除がやや上回っているに過ぎなかった．根治手術がなされたとする症例は1,176例で，この5年生存率は29.6％であり，1955年の報告から大きな進歩を遂げたことがわかる．

国立がんセンターの成毛韶夫らは1978年に縦隔リンパ節の解剖学的部位を詳述するための番号の振り付けを提案した．この縦隔リンパ節の番号は，Naruke mapとして国際的にも広く知られている．

東京医科大学の早田義博と加藤治文は，腫瘍親和性光感受性物質と低出力レーザーを用いた光線力学的治療（photodynamic therapy：PDT）を開発し，1980年，肺門部早期肺癌に対し世界で最初に臨床応用した．

縦隔の外科では，1948年，岡山大学の津田誠次により日本で最初の縦隔皮様嚢腫に対する摘出術が行われた．その後，1953年に東北大学の葛西森夫が胸腺腫を含む21例の縦隔腫瘍の手術経験を報告している．1962年，東京大学の羽田野茂は3,780例の縦隔腫瘍を世界の文献から集計し，日本の69例の胸腺腫も集計し，縦隔への12種類の到達方法を記載している．1981年に大阪大学（のちに名古屋市立大学）の正岡 昭によって提案された胸腺腫の臨床病期分類は国際標準の病期分類となった．

重症筋無力症に対する胸腺摘出術は，1939年に名古屋大学の田代勝洲により第1例目が行われている．残念ながらこの手術の普及は遅れ，1960年代になって積極的に行われるようになった．1982年，正岡 昭によって提唱された拡大胸腺摘出術が，重症筋無力症に対する標準術式として国際的にも認められている．

近年の胸腔鏡下手術の発展には術中の麻酔管理の進歩が重要であり，特に片側換気による術側の肺虚脱下手術が安全に行えるようになったことを忘れてはならない．これには，東海大学の井上宏司による可動性ブロッカー付き気管内チューブ（ユニベント）の開発が大いに貢献している．

日本での肺移植の臨床例の1例目は，1965年，東京医科大学の篠井金吾による肺葉移植であるが，残念ながら生着にはいたらなかった．その後，長期の空白ののち，1998年，岡山大学の清水信義・伊達洋至による生体肺移植の画期的な成功で再開した．脳死肺移植は，2000年，東北大学の藤村重文・近藤 丘により右肺移植，大阪大学の松田 暉・三好新一郎による同じドナーからの左片肺移植が日本での最初の成功例であり，2009年，大阪大学の澤 芳樹・奥村明之進によって心肺同時移植の成功にいたっている．

表1に呼吸器外科の主要なイベントを時系列でまとめた．歴史的経緯と先達の努力を理解しておくことは，呼吸器外科医の教養としてだけでなく，専門医が今後の医学の進

歩を担っていくためにも有用であろう．これらの先人の努力を踏まえて，現在の呼吸器外科医が更なる発展に貢献することを心より期待する．

文献
1) Shields TW et al (eds). General Thoracic Surgery, 4th Ed, Williams & Wilkins, 1994
2) Patterson GA et al (eds). Pearson's Thoracic & Esophageal Surgery, 3rd Ed, Churchill Livingstone Elsevier, 2008
3) Givel JC (ed). Surgery of the Thymus, Springer-Verlag, 1990
4) ESTS Textbook of Thoracic Surgery, Medycyna Praktyczna, 2014

② 保険診療

要点

❶わが国の保険制度を理解し，適正に診療報酬を請求できることは呼吸器外科専門医にとって必要な能力である．

Key Word　健康保険制度，療養担当規則，診療報酬点数表，診断群分類包括評価

呼吸器外科のテキストに健康保険制度に関する項目があることを奇異に感ずる読者もいることと思う．理由は簡単である．われわれが行う医療行為のほぼすべてがこの制度のもとで行われることによって医療施設に対して診療報酬が支払われる．医療は視点を変えれば経済活動でもあり，この健康保険制度によって医療者は収入を得ている．したがって医療人は須くこの制度を十分に理解して医療を行わなければならないのだが，実際の制度は極めて複雑精緻にできあがっており医学部教育や初期臨床研修ではその概要を教えるにとどめざるを得ない．したがって本書のように専門医を目指す医師のためのテキストに本制度について概説する項目が企画された．

表1　医療保険給付対象外の診療
1. 労務・日常生活に支障のないもの：白髪，シミ，禿頭など
2. 予防医療：健康診断，成人病検診，予防接種など【例外】①破傷風予防の抗毒素，②術後や外傷時の抗菌薬投与，③NSAIDs 投与時の制酸薬など
3. 妊娠・正常分娩・業務上の傷病など
4. 喧嘩・泥酔・著しい不行跡による事故など（保険者の承認があれば対象となることもある）
5. 故意の事故
6. 刑務所，留置場，海外在住の場合
7. 第三者加害行為（例：交通事故）：ただし被害者が保険診療を望んだ場合は第三者行為被害届を出せば保険診療とすることはできる．
8. 他の法令による給付が得られる場合：感染症法，精神保健福祉法，生活保護法など

ⓐ 保険診療の仕組み　レベルC

保険診療は法令（健康保険法）と厚生労働大臣あるいは厚生労働省により定められた契約診療であり，この契約に基づいて実施された医療行為ごとに費用が支払われる．言い換えればこの契約から外れた医療行為に対してはその費用は支払われない．その例を表1に示す．

医療行為に要した費用はそれぞれの項目に対応した点数が定められており，それらを合算した金額となる．被保険者（患者）は保険医療機関など（病院，診療所，薬局など）に定められた一部負担金を支払い，保険医療機関は残額の支払いを審査支払機関（社会保険診療報酬支払基金または国民健康保険団体連合会）に求める．被保険者は保険料を医療保険者（健康保険組合，自治体など）に収め，審査支払機関は審査済の支払請求書を医療保険者に送付して，医療保険者側はそれに基づいてその請求額は審査支払機関に支払う（図1）．われわれ臨床医が保険の存在を強く意識するのはこの診療報酬の請求書（レセプト）を作成するときとそのレセプトが審査支払機関により審査されてその診療行為が不適切（適応なし，過剰，医学的に不適切，あるいは医科点数表の規則に合わない）と判断されて査定（減額）されるか，内容の不備を指摘されて差戻（返戻）された時であろう．実はレセプトの審査は支払側である医療保険者（健康保険組合や国民健康保険など）でも行っている．かれらも審査支払機関が審査後に送付したレセプトを再度チェックし，要すればさらに追加の査定（減額）を審査支払機関に求めてくる．これについても審査支払機関はその妥当性を審査する．

ⓑ 療養担当規則の留意点　レベルB

①保険収載されていない医療行為はたとえ学会の常識であっても診療報酬は請求できない．

②自費診療（保険給付外となる医療行為については表1）と保険診療を一緒に行うことはできない（混合診療の禁止）．

③研究目的（治験を含む）に行われた医療行為は保険請求できない．

④特定臨床研究として保険外の医療行為と保険診療を行うことができる．

⑤医師が医学的に必要と判断して行った医療行為であること．（家族の都合や暦の日が悪いといった理由からの退院の先延ばしや，患者本人の希望による健康診断的な検査，単なる疲労などの患者希望による入院などは認められない）

ⓒ 予防医療　レベルC

予防的医療（治療）は保険給付の対象外である．インフルエンザのワクチン注射が自費診療であることはよく知られているが，レセプト上の病名が「疑い」のままであるとその病名に対する薬物治療は認めなれない（もちろん検査は認められる）．たとえばインフルエンザの疑いでタミフルは処方できないので，抗原反応が陰性であっても処方するときは病名をインフルエンザと確定病名にする．これは医師が

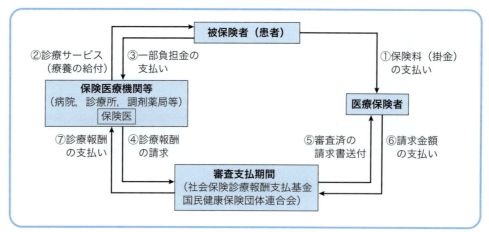

図1　保険診療費用の流れ

臨床的にインフルエンザであると診断して抗ウイルス薬を処方しているのであれば予防ではなく治療であるという考え方に立つからである．

d DPC/PDPS(Diagnosis Procedure Combination/Per-Diem Payment System)診断群分類包括評価 レベルC

診断群分類に基づいて算定される入院1日あたりの定額を入院日数に応じて支払う制度である．通常診断群分類ごとに入院時から3つの期間を設定し，期間ごとに1日あたりの入院費が設定される．すなわち入院が長引くほど慢性期的な治療とみなされ費用が安く設定される仕組みになっている．この入院費に含まれるものは入院基本料，薬剤費，検査，画像，処置など多くのものが包括されるが，手術料，麻酔料など包括されないものがある．なおこの制度はある一定要件を満たす比較的規模の大きな病院に適応され，診療所や小規模な病院には適応されない．

e 呼吸器外科診療に関係する保険診療上の注意点 レベルC

a～dまで健康保険制度の関する総論を述べたが，本項では呼吸器外科診療上，特に知っておくべき保険点数表の解釈について説明する．

1) 手術の保険請求
①対称器官の手術料

特に規定する場合を除いて両側の手術を行っても片側の器官にかかわる点数しか認められない．ただし，肺はここでいう特に規定する器官であるため右左別々に算定できる．両側の転移性肺腫瘍を同日に手術してもそれぞれの手術料を請求できる．ちなみに甲状腺では両側の請求はできない．
②複数手術について

呼吸器外科にとって一番大事なところなので先に実例をあげながら解説する．

【問題】浸潤型胸腺腫が右肺に浸潤していたため，縦隔悪性腫瘍摘出術とともに右上葉肺を自動縫合器3個を用いて部分切除術を併施した．この術式に対する保険請求はどうなるか？

【解説】診療報酬点数表1)第10部手術　通則14によれば「同一手術野又は同一病巣につき2以上の手術を同時に行った場合の費用の算定は，主たる手術の所定点数のみにより算出する」とあり，これが大原則であるため縦隔悪性腫瘍手術(広範)のみを請求される施設がみられる．縦隔悪性腫瘍手術(広範)では自動縫合器加算が付かないのでこの分は持ち出しとなる．しかしこの通則14をよく読むと複数手術に係る費用の特例が記載されており，同一皮膚切開により行いうる範囲内にあっても，表2に示す手術の組み合わせでは主たる手術の所定点数と従たる手術(一つに限る)の所定点数の100分の50に相当する点数とを合算して算定する(平成20年厚生労働省告示第59号)．なお，「主たる手術」とは，所定の点数及び注による加算点数合算した点数の高い手術をいう．従たる手術の所定の点数には注による加算は含まれない(平成30.3.20　保医発0320)[1]．

上記に従うと本術式はK504縦隔悪性腫瘍手術(広範)とK511-1肺切除手術(部分切除)の2術式を請求できることになる．K504縦隔悪性腫瘍手術(広範)は58,820点であるが，K511-1肺切除手術(部分切除)は自動縫合器換算2,500点×3が加算できるので27,520点＋7,500点で35,020点となるため，高額なほうを「主たる手術」とする(平成30.3.20　保医発0320)[1]に従って本術式は「主たる手術」K504縦隔悪性腫瘍手術(広範)，「従たる手術」K511-1肺切除手術(部分切除)となり，その保険請求額は58,820点＋27,520点×0.5＝72,580点が正しい請求点数である．

医科点数表は2,000頁以上に及ぶ膨大な本であるが，知らなかったばかりに15,000点近い保険請求漏れを起こすこともありうる．関係する部分だけでも熟読しておくことを勧める．
③検査目的の手術と治療目的の手術

肺線維症などのびまん性肺疾患の診断目的に鏡視下に肺部分切除を行った場合，これは治療目的ではないので，K513-2胸腔鏡下肺切除術(その他のもの)58,950点は請求できない．K488-4胸腔鏡下試験切除術(その他のもの)15,800

表2 複数手術が認められる呼吸器外科手術の組み合わせ

呼吸器外科手術		組み合わせ可能な術式
K504 縦隔悪性腫瘍手術	K511	肺切除術
	K610	動脈形成術，吻合術
	K623	静脈形成術，吻合術
K511 肺切除術	K527	食道悪性腫瘍手術（単に切除のみのもの）
	K529	食道悪性腫瘍手術（消化管再建手術を併施するもの）
	K552	冠動脈，大動脈バイパス移植術
	K552-2	冠動脈，大動脈バイパス移植術（人工心肺使用しないもの）
	K560	大動脈瘤切除術（吻合又は移植を含む）
	K560-2	オープン型ステントグラフト内挿術
K514 肺悪性腫瘍手術	K504	縦隔悪性腫瘍手術
	K552	冠動脈，大動脈バイパス移植術
	K552-2	冠動脈，大動脈バイパス移植術（人工心肺使用しないもの）
	K570	肺動脈狭窄症，純型肺動脈弁閉鎖症手術 2 右室流出路形成又は肺動脈形成を伴うもの
	K572	肺静脈形成術
	K610	動脈形成術，吻合術
	K623	静脈形成術，吻合術

点で請求しなければならない．自動縫合器の加算はどちらの術式でも請求できる．

④手術記録の提出

保険請求上，術式の解釈などで疑問がある場合に審査機関ではレセプトを医療機関に差戻（返戻）して，治療経過の詳細な記載を求めることがある．この時に手術記録の提出も求められることがある．診療報酬の請求にあたっては手術記録やカルテの記載内容と齟齬のない請求を心がける必要がある．

2) 特定の手術における加算

特定の手術では医療機器等，薬剤あるいは特定保険医療材料が加算できる．たとえば，縦隔悪性腫瘍手術では超音波凝固切開装置等を使用すれば加算ができるが，自動縫合器は加算できない．肺悪性腫瘍手術の区域切除術ではナビゲーションによる画像等手術支援加算が受けられるが，肺葉切除では受けられない．これらの加算は個々の術式にそれぞれ決められているものなので，その都度確認が必要である．

3) 特定保険医療材料

特定保険医療材料として保険収載されている医療材料をその適応範囲内で使用する場合はその費用を手術料や手技料に合算することができる．特定保険医療材料に指定されていない材料を使用した場合はその費用は手術料や処置料に含まれているものとして請求できない．

【例】手術における縫合糸，ガーゼ，テープなどは特定保険医療材料ではないので別に請求できないが，胸腔ドレーンチューブ，膀胱留置カテーテル，静脈留置カテーテルなどは請求できる．

f 手術点数の決まり方 レベルB

新規医療技術が保険収載され保険点数が付与される，あるいは既存の技術の保険点数が増点される（減点される）場合の流れを概説する．ここでいう医療技術とは手術術式，侵襲的検査，処置を指し，内視鏡検査に伴う保険点数なども同じ流れで決定されるが，本項では手術に絞って概説する．

日本呼吸器外科学会では総合診療対策委員会が評議員を通じて，現在行われているが保険未収載で困っている術式，あるいはすでに保険収載されているが，他の術式と比較してその点数が不当に低い（あるいは高い）と思われる術式について，2年ごとに行われる保険点数の改訂に向けてアンケート調査を行っている．このアンケート結果を参考に，呼吸器外科学会として収載あるいは改訂を要望する術式の選定を行う．最近では肺悪性腫瘍手術 区域切除（ロボット支援）と拡大胸腺摘出術（重症筋無力症に対する）（ロボット支援）が本学会から新規収載を要望し認められた術式である．

まずは保険未収載の新しい手術術式について，保険収載に向けた流れを概説する．保険の改訂は上述のように2年に一度行われるため，各学会はそれに向けて要望したい術式の選定と根拠となる資料を以下の要領に従って作成し，外科系学会社会保険委員会連合（通称：外保連）へ保険未収載技術として医療技術評価提案書を提出する．この提案書には①対象疾患，②技術内容，③対象疾患に行われている既存技術，④有効性，新規性等とエビデンス，⑤普及性（NCDデータ等による対象疾患数と治療数等），⑥技術の成熟度，難易度等，⑦安全性，リスクの内容と頻度，⑧倫理性，社会的妥当性，⑨希望する診療報酬などが記載される．ここで特に重視されるのは④〜⑦である．肺のロボット手術が保険収載までに時間を要したのは，⑤〜⑦であったが，

I．総論

平成28年度改訂で見送られたのは④で，既存の胸腔鏡手術に対する優越性が証明されていなかったからであった．平成30年度改訂で保険収載された現在も，胸腔鏡下手術と同じ保険点数が付与されているのは，その問題がいまだ解決されていないことによる．

次に，外保連試案（外保連を通して厚生労働省に新規に保険収載を求める項目が一覧になった冊子をいい，希望する保険点数の算出根拠となるデータが掲載されている）における手術点数の計算方法を概説する．手術術式の診療報酬の決定には，手術技術度（難易度），手術医師数（手術難易度により手術を行う医師の時給計算が異なる），協力看護師数（助産師数），協力技師数，手術所要時間数から人件費を算出し，それに医療材料費，手術用機器に係る費用，その他の間接経費を加えて算出する．それぞれの金額については一定の算出方法が定められているので，その計算式に代入する数字を個々に示す必要がある．呼吸器外科学会ではその根拠となるデータを得るため，関係する複数の施設にお願いして通常50症例のサンプルを抽出して，個々の数値と経費を調査して希望する術式に対する外保連試案を作成している．一方，既存技術の場合は，主として⑨について増点の根拠となる数値を同様の手法を用いて示すことになる．

外保連は各学会から提出された要望項目の書類上の精査を行い，更にその術式に関連する他の学会にも意見を求めたうえで，厚生労働省に要望する未収載と既収載の術式を選定する．

厚生労働省は提出された技術（手術）の外保連試案について，その提出学会からヒアリングを行った後，専門組織ならびに医療技術評価分科会でその有効性，安全性，緊急性などについて審議する．毎回提出される新規要望技術800〜900のうち，例年おおよそその4分の1が採択されている．ただし保険点数については必ずしも⑨で示した算定方法の通りに決定されるわけではない．最終的な保険点数は中央社会保険医療協議会（中医協）の審議を経て，医療費全体のバランスの中で決定される．

g おわりに

現代の呼吸器外科診療は高度に訓練された医療チームによってはじめて成しうる．その中心に位置するのが呼吸器外科専門医であり，呼吸器外科専門医は高度な技能を身につけ豊富な臨床知識を持って医療チームを牽引することが期待されている．

しかし視点を変えれば，このチームの一人一人が生活を抱えており，適正な収入がなければチームの一員として参加することはできなくなる．そしてその原資となる診療報酬は保険制度により支払われ，その支払請求ができるのは呼吸器外科医なのである．

文献
1) 医科点数表の解釈　平成30年4月版　社会保健研究所

③ 専門医制度

要点
- ❶ 国民皆保険と医療機関へのフリーアクセスが日本の保険診療の特徴である．
- ❷ 学会と日本専門医機構が連携して専門医の認定・更新や研修プログラムの評価を行う．
- ❸ 専門医制度によってより良質な医療の提供が期待できる．

Key Word　専門医制度，National Clinical Database(NCD)，肺癌登録合同委員会，UICC分類，専門医研修プログラム，日本専門医機構，基本的診療領域，サブスペシャルティ領域

a 日本の保険診療と専門医制度

日本では1922年に健康保険法が制定され，1938年に国民健康保険法，1961年より国民皆保険が実現した[1]．国民皆保険とともに，被保険者はいかなる医療機関でも自由に受診可能(フリーアクセス)であることがもうひとつの特徴といえる(表1)．本制度のもとで，現在多くの診療所が診療内容を自由に標榜しているが，必ずしも専門医療の質が担保されるシステムがあってのことではない．したがって，専門医を公正に評価することと，それを社会へ提供できる体制を構築し，患者にわかりやすく受診しやすい環境を整備することが社会にとっての有益なことと考える．その前提として，従来は学会ごとの基準で行っていた専門医の認定を今後は研修，認定とも第三者の監督による一定の基準のもとに行う方向に進むこととなった[2]．この医療制度改革により，専門医になるためにはいずれの領域においてもより充実した研修プログラムと客観的な評価によって十分なレベルを担保することができよう．今後も国民は質の高い専門的医療をいっそう安心して受けることが可能となることが期待される．

b 専門医制度の歴史 レベルC

日本の専門医制度の歴史は1962年に制定された日本麻酔指導医制度が最初である．その後，複数の学会で専門医制度に相当するものが規定されたが，学会個々の制度であり，学会間で統一性を持たせるには及ばなかった．領域ごとの専門医制度に横断的な連携を確立するため，1981年に認定医制度を有する22の学会によって学会認定医制協議会が構成され，情報交換の開始や制度の統一性などが議論されるようになった(表1)．また，専門医制度の発展には日本医師会，日本医学会との連携が必要と認識され，以後，これらが協調して本制度の大きな目的は社会貢献にあるという方向性も確認された．1997年に厚生労働省から発表された「21世紀の医療の改革の提案」に学会は専門とする分野を明示し，専門医が社会に理解されるための認定基準の統一化，明確化が必要であることが指摘された．また，専門と

表1　本邦の専門医制度に関連する歴史的事項（2020年10月現在）

年	事項
1922年	(旧)健康保険法制定
1938年	(旧)国民健康保険法制定
1958年	国民健康保険法制定
1961年	国民皆保険が実現
1962年	日本麻酔指導医制度制定
1978年	日本外科学会認定医制度発足
1981年	学会認定医制協議会発足
	日本胸部外科学会認定医制度・指導医制度発足
1988年	呼吸器外科専門医，心臓血管外科専門医発足
2002年	日本外科学会専門医制度発足
2003年	第1回呼吸器外科専門医試験施行
	呼吸器外科専門医合同委員会発足
2011年	National Clinical Database (NCD) 登録開始
2014年	一般社団法人日本専門医機構が開設
2018年	新専門医制度開始 (19基本的診療領域)
2021年	サブスペシャルティ領域研修が開始予定

する技術や知識は様々であり，それを同一の尺度で扱うのは必ずしも論理的でないことより，第1群：基本的領域の学会群，第2群：サブスペシャルティの学会群，第3群：それ以外の学会群，と大別されるようになった．また，専門医認定制度の統一化の一環として，専門医の認定には試験を導入すること，認定試験の受験資格に必要な研修実績を審査すること，専門医の更新制度を採用すること，専門医という呼称の統一などが設定された[1]．

一方，2002年に「専門医広告に関する基準・手続き等」により専門医広告が可能となった．一定の基準を満たす学会が認定するものであるなら専門医の広告ができるため，多くの学会が専門医制度を導入する結果となった．社会にとって身近であるべく改革してきた専門医制度が若干，学会・医師寄りに後退したという指摘もあった．

専門分野の表示はさておき，専門医全体のレベルや信頼感をいっそう強化するため，学会認定医制協議会はその後，法人格を取得し，2008年に社団法人日本専門医制評価・認定機構となった．52学会が会員となり，各学会の専門医制

I．総論

度基準の調査や評価を行いつつ，日本の専門医制度の標準化を目的とした．すなわち，日本の医療をさらに向上させるために，専門医制度をいかに改革するかという議論が継続された[1]．

本質的に改善すべき点として，日本の専門医は各学会が独自の制度によって認定，更新しているものであり横断的な統一制度が欠如していることに及んだ．専門医として値する臨床経験や学問的業績などに関しても必ずしも第三者の客観的な評価を受けたものではないため，専門医が広く社会に納得，理解される資格とするには専門医制度に客観的な基準を導入する改革が必要である．専門医資格を取得前の若手医師にとっても研修プログラムや指導，評価方法に標準的な基準が設けられていることは，自らの修得する技術や知識が社会から評価されると自覚することに直結する．患者にとっても専門医の標榜が信頼のおけるものとなり，受診の選択のよい目安となる．

このような議論を専門医制評価・認定機構で進めるなか，厚生労働省が2011年10月に「専門医の在り方に関する検討会」を設立し，より広い参加者も含めての検討となった．その結果，専門医の位置づけ，認定の基本方針，領域，養成プログラムなどの方向性が確認された．概略として，

○専門医は学会単位でなく診療領域によるものとする．
○基本的な診療領域の専門医を取得し，そのあとにサブスペシャルティ領域の専門医となるような2段階制とする．
○専門医の認定は中立的な第三者機関が学会と連携して客観的に行う．
○第三者機関は専門医の認定とともに専門医育成のための研修プログラムの評価，認定および研修施設の評価，認定を行う．これらの基準も作成する．

などが合意され，第三者機関の設立が極めて重要なポイントを担うこととなる[3]．

c 呼吸器外科専門医制度の歴史[2] レベルC

呼吸器外科専門医制度は，1981年4月1日発足の日本胸部外科学会認定医制度・指導医制度に始まり，1988年6月10日発足の日本呼吸器外科学会専門医制度，そして，2002年1月発足の新しい外科専門医制度ならびにそのサブスペシャルティである呼吸器外科専門医，心臓血管外科専門医の各制度へ継承された．このとき，専門医認定は第三者として日本胸部外科学会と日本呼吸器外科学会の了解のもとに設立された「呼吸器外科専門医認定機構」があたることになった．この呼吸器外科専門医認定機構による「呼吸器外科専門医」については，2003年11月28日に第1回呼吸器外科専門医試験が施行され，2004年に新しい呼吸器外科専門医制度が発足した（表1）．専門医認定要件のポイントは，外科専門医または日本外科学会認定医であること，卒後修練期間7年以上を有すること，認定修練施設で3年以上の修練期間を有すること，修練期間中に一定の手術経験を有すること，呼吸器外科学に関する一定の業績（学会発表，論文発表）および研修実績（学会参加）を有すること，と

いう点であった．さらに，呼吸器外科専門医認定機構の業務は，2003年12月15日発足の日本胸部外科学会と日本呼吸器外科学会からなる「呼吸器外科専門医合同委員会」に引き継がれた．サブスペシャルティ外科専門医（消化器外科，心臓血管外科，呼吸器外科，小児外科）のいずれかを取得済みの場合は，外科専門医の更新手続きが簡略化され，それらの資格の有効期限まで外科専門医の有効期限を延長することができることとなった（表1）．

d これからの専門医に求められるもの（専門医制度の基本方針） レベルB

新専門医制度を開始するにあたり，解散した日本専門医制評価・認定機構のあとを受けて，2014年5月に第三者機関として一般社団法人日本専門医機構が開設された．当初2017年4月には新専門医制度が実施される予定であったが，それは見送られ，2018年4月から19の基本領域について新専門医制度がスタートした（表1）．日本専門医機構の目指す専門医像とは，「それぞれの診療領域における適切な教育を受けて，十分な知識・経験を持ち，患者から信頼される標準的な医療を提供できる医師」である．

新しい専門医制度の基本理念として，国民から信頼される専門的医療に熟達した医師を育成し，日本の医療の向上に貢献することを目指している．

その行動目標は，

○国民が受診に際しわかりやすい専門医制度
○専門医を目指す医師が誇りをもって医療に携われる制度
○国民だれもが，標準的で安心できる医療を受けることのできる制度

があげられている．当初は，各学会においてはプロフェッショナルオートノミーを基本とし，日本専門医機構と連携しながら専門医の質の向上と専門医制度の継続的な発展を目的とし，専門医の知識，技術の習得と同時に研究活動，倫理，医療安全に対する必須の知識も求められたが[4]，それに加え，医師の地域偏在・診療科偏在について十分配慮するような制度設計が求められるようになった．

新たな専門医制度第1期は19の基本的診療領域が認定され2018年4月にスタートしたが，初期臨床研修終了後は上記基本領域の専門医を取得し，次いでサブスペシャルティ領域の専門医を取得する順序となる．現在，次の段階として未定のサブスペシャルティ領域の制度設計が大きな課題である．また，特定の疾患や領域に限定することなく総合的に患者を診療することができる総合診療専門医を基本的診療領域として養成するのも現制度の特徴である[3]．新専門医制度が発足した後の大きな変化は，「医師法及び医師法の一部を改正する法律」が公布されたことである．施行期日は平成31年（2019年）4月1日で，「医学医術に関する学術団体その他の厚生労働省令で定める団体は，医師の研修に関する計画を定め，又は変更しようとするときは，あらかじめ，厚生労働大臣の意見を聴かなければならない等」の規定が追加された[5]．なお，2020年10月現在では，2021

年4月にサブスペシャルティ領域の研修が開始する予定であるが，要件を満たす場合にはさかのぼって連動研修が認められる方向で議論が進められている．

e 呼吸器外科専門研修カリキュラムについて レベルA

サブスペシャルティ領域の制度設計が未定であるため，2019年12月現在の現状に即した内容を記載する．従来の専門医として十分な事項を修得させるカリキュラムは確立しているものの，専攻医が目標に到達しているかを定期的に評価すること，不足している点などをフィードバックする指導，などを含んだ，実効的な研修カリキュラムの作成も進行している．その根幹としては下記の内容がいずれの領域においても実行されねばならない．

○ 専攻医が到達すべき目標を年次ごとに設定する．
○ 指定基準を満たした専門研修基幹施設と専門研修連携施設が病院群を形成し，この環境の中で専攻医の指導を行う．専門医取得に必要な臨床経験や学習すべき内容はこれらの施設で網羅する．
○ 専門研修プログラムを管理する委員会が各病院に設置され，専攻医の指導，実績管理，評価を行う．

上記に加えて，病院群の症例数によって専攻医の受け入れ可能数が制限され，十分な臨床経験が積めるように配慮される．地域医療への対応や専攻医が希望した場合は研究に専念する期間を設けるなど様々な点が考慮された基準となっている．

1) 臨床現場での学習・NCD登録

外科系における到達目標，経験すべき手技などは専門研修プログラムによって規定されており，外科専攻医は専門研修施設群に属し，専門研修指導医のもとで研修を行う．

基準以上の手術手技および術者経験を積むとともに，症例検討会などに参加する．経験した症例に関してはNational Clinical Database（NCD）登録により診療実績として管理する[6]．NCDは日本外科学会を基盤としてサブスペシャルティの外科系学会と合わせて10学会（日本外科学会，日本消化器外科学会，日本心臓血管外科学会，日本血管外科学会，日本内分泌外科学会，日本小児外科学会，日本乳癌学会，日本甲状腺外科学会，日本胸部外科学会，日本呼吸器外科学会）で2011年に一斉に登録を開始した全国規模の手術症例登録事業である．現在NCDは外科系領域以外の診療科を含め5,200以上の参加施設，13,300以上の診療科のネットワークにより構成されている．

全国の外科系領域のあらゆる手術が入力され，年間150万件の手術症例のデータ登録があり，2018年12月の手術までの段階ですでに1,130万件の登録症例数があるとされる．まさに世界にも類をみない大規模なデータベースである．

さて，日本呼吸器外科学会に関しては，当初は症例の共通基本入力項目（患者の基本情報，病名，術式など13項目）の登録のみを行っていたが，2014年度より臨床研究や医療評価に関する詳細項目（疾患や術式の詳細，術前データ，術前併存疾患，術後合併症，病理結果など）の入力を開始した．専門医申請，更新に必要な事項はNCDの入力項目に網羅されており，症例ごとの登録を行っていれば，そのまま専門医申請，更新のための症例経験数の報告に直結する[7]．現在は，呼吸器外科領域特有項目は，術式やロボット手術の登録などで違いがあるが，約200項目（178項目〜226項目）である．

日本では，従来より呼吸器外科領域で行われていた全国規模の症例調査・登録事業としては日本胸部外科学会が中心となった学術調査および日本肺癌学会・日本呼吸器学会・日本呼吸器外科学会・日本呼吸器内視鏡学会の合同委員会による全国肺癌登録事業がある．

前者は日本胸部外科学会と日本呼吸器外科学会が基幹施設と関連施設から毎年，疾患別の手術症例数や術式，合併症などの報告を受けており，1年間の手術報告総数は合計85,000例以上である．これにより日本の呼吸器外科の現状が把握可能である[8]．

後者の全国肺癌登録事業は1989年の肺癌手術症例の調査以来，5年ごとに行われ，主として肺癌の組織型，病期，周術期成績，長期予後などの後ろ向きの調査である．この日本の肺癌治療データベースは，International Association of Study for Lung Cancer（IASLC，国際肺癌学会）の国際的データベースに登録され，UICCによる肺癌のTNM分類（第8版）の策定にも多大な貢献をした[9]．このように後ろ向きの調査で学術的貢献をしてきたのが日本の登録事業であったが，今後はNCDのように大規模な前向き登録データ解析により専門医制度のみならず，手術の短期成績・アウトカム，大規模臨床研究の支援や医療情報の社会への発信などに貢献しうると期待される[10]．

2) 臨床現場を離れた学習

知識獲得のため学会や講習会に参加することや学会や専門研修施設群が主催する教育研修，eラーニング，ドライラボ，ウェットラボなどでの学習が含まれる．医療安全，医療倫理，感染対策，臨床試験などのすべての領域に共通の講習，診療領域別講習，学術業績として学会参加あるいは論文作成など，それぞれに満遍なく必要な単位を取得することが要求されている[3]．

専門医に相応しい知識を得るとともに研修目標，生涯学習の一環としてコミュニケーション能力，チーム医療，問題対応能力，安全管理，社会性，医療倫理などに対する理解が必要とされる．

f 研修評価 レベルB

専攻医の評価は大きく形成的評価と総括的評価に大別される．前者は指導医が研修マニュアルに則って専攻医の不足している部分を随時明らかにするものである．同時に専門研修プログラムに対してのフィードバック内容を指導医が認識する．双方向のコミュニケーションが確立され協調性や責任感など人間性に関しても成長することが期待され

I. 総論

る．総括的評価として専攻医の知識，手技，学問実績，人間性などの目標到達度を定期的に評価する．統括責任者による最終的な評価が研修修了の判断となる[3]．

専攻医に対する評価は多職種によるものも含まれる場合があるとともに，専攻医も指導医やプログラムの評価を行う機会を有する．

文献

1) 社団法人日本専門医制評価・認定機構　機構の歩み　http//www.japan-senmon-i.jp/hyouka-nintei/about/history.html
2) 安元公正．日本呼吸器外科学会専門医制度の創設から呼吸器外科専門医制度へ　http://jacsurg.gr.jp/about/abt_hst_03.html
3) 一般社団法人日本専門医機構　https://jmsb.or.jp/
4) 厚生労働省．専門医の在り方に関する検討会報告書，2013　http://www.mhlw.go.jp/stf/shingi/2r985200000300ju-att/2r9852000003001b.pdf
5) 日本専門医制度概報（令和元年度版）一般社団法人日本専門医機構
6) 岩中　督ほか．日外会誌 2010; **111**: 306
7) 奥村明之進ほか．臨床外科 2012; **67**: 784
8) Committee for Scientific Affairs, The Japanese Association for Thoracic Surgery. Gen Thorac Cardiovasc Surg 2020; **68**: 414
9) Goldstraw P et al. J Thorac Oncol 2016; **11**: 39
10) 池田徳彦ほか．日外会誌 2014; **115**: 29

④ 医療安全

要点

❶ すべての診療行為には説明責任があり，記録しておかなければならない．
❷ WHO 患者安全カリキュラム多職種版 2011 は，世界標準の医療安全教科書であるのでダウンロードする[1]．
❸ 術前検討会のみならず，M&M 検討を含めたアウトカム検討は必須であり，他の職種を加えたほうがよい．

Key Word　医療安全，患者安全，リスクマネジメント，インシデント，インフォームドコンセント，アウトカム検討

a 基本の考え方

　21世紀医療では，すべてのプロセスにおいて説明責任が求められている．従前の医療は「施して終了」していたが，現代医療は行った行為を記録するとともに「省察して記録して終了する」ことが出発点となる．特に侵襲的な診療である手術では，こうした記録の積み重ねが，患者の安全を第一にしつつ，外科医のパーフォーマンス向上に直結することを忘れてはならない．

　医療安全は，認知心理学，行動科学，人間工学，組織論，リスクマネジメントなど，医学に隣接した学際的領域である．2011年，世界保健機関（World Health Organization：WHO）は患者安全に関する基礎知識と概念を世界的に標準化するため，患者安全カリキュラムガイド多職種版として体系化し，公開した．日本語訳は，WHO または東京医科大学医学教育学講座のホームページからダウンロード可能である[1]．本ガイドは卒前教育用であるものの，「職業人（医療プロフェッショナル）として説明責任を果たしつつ，複雑な環境下のチーム協働に関わり，診療現場における信頼の礎を築くこと」が最重要課題であると位置づけている．

　職業人のスキルには，その業務に直結した専門技術であるテクニカルスキルと，これを下支えするノンテクニカルスキルに分けられ，後者にはコミュニケーションなどの社会的スキルや肉体精神的要因をコントロールする自己管理スキルがある．個人の行動（振る舞い）を規定するノンテクニカルスキルの要素には，状況認識，意思決定，コミュニケーションとチームワーク，リーダーシップ，自己管理があり，その本質はメタ認知である．特にタイムプレッシャーにさらされ変化の激しい手術医療においては，ノンテクニカルスキルを磨くことが非常に重要である．

　本ガイドでは，失敗するという特性を持つ人間が，いかにして組織的活動によって患者安全を確保するかに焦点をあてている．パートBにおいては，Reason[2]のスイスチーズモデル（図1）を例にして，個人の見える失敗の陰には，多くの要因が重なっていることを示している．これらの要因には，組織文化や階級構造などの組織要因に加え，医療者を取り巻く環境要因，医療者によるチームの要因，医療技術や業務の要因，患者や医療者の個人的要因などがあり，

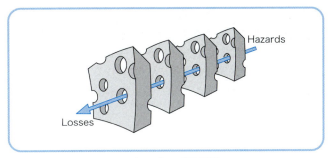

図1　J. Reason のスイスチーズモデル
　個々のインシデントには多くの要因がかかわっていることから，システムの様々な層に存在する欠陥をチーズの穴として表現した．
　（Reason J. BMJ 2000; 320: 768[2] を参考に作成）

すべてシステムの一部である．したがって，医療上のインシデントが発生した場合，個人の責任を追及することなく，システムの問題として捉えるべく，多角的な観点から検討しなければならない．

b 安全の観点から「手術医療の流れ」をチェックする レベルA

1）組織体制の確認

　呼吸器外科は外科の2階部分にあたる専門領域である．呼吸器外科は数人のチームであることが望ましいが，一人呼吸器外科医として，他の外科医とともに活動している場合など，どの程度の手術まで行いうるかの範囲は決めておいたほうがよい．また，心膜切開しての主肺動脈遮断の手技，あるいは経皮的心肺補助装置（percutaneous cardiopulmonary support：PCPS）の使用は，まれではあるが，時として必要な場合が突然出現する．心臓外科トレーニングを受けていれば難しくない手技であるが，そうでなければ心臓外科や循環器内科からどのようにバックアップしてもらうかの準備が必要である．

　中央手術室では各種手続きが標準化されているが，内視鏡室は診療科ごとの独自ルールで行われていることがある．気管支鏡は内視鏡室にて一元的に保管されることが多いが，集中治療室など別保管されている場合も，使用記録をはじ

I. 総論

め洗浄や点検の手順が確立していなければならない．どのような生体モニタリングやパイピング設備が必要なのか，施設ごとに検討すべきであり，救急カートや自動体外式除細動器(automated external defibrillator：AED)の保管場所との位置関係を明確にする．また鎮静薬を用いる場合は，鎮静薬の使用方法やバイタルサインのチェック方法を，施設として標準化しておいたほうがよい．この場合，モニタリング項目では「呼吸数」を必ず入れておく．

また，ステント留置やレーザー照射など，保険診療で認められていても，その施設で初めて施行予定の手技の場合は，患者への説明同意文書も含めて，施設の倫理委員会の審査を受け，5症例程度までは委員会に経過を報告する．また当該の手技を行っている医師が退職し，経験のない別の医師が行うことになった場合は新規導入と同様に扱う．未承認薬や保険適用外の薬剤を使用する場合も，倫理委員会の審査を通しておくべきであり，使用結果も委員会に報告する[3]．また薬機法(医薬品，医療機器等の品質，有効性及び安全性の確保等に関する法律)における未承認・適応外の医薬品等の臨床研究などは，特定臨床研究となるので，法令に従って行う．

2) 全体の診療の流れの標準化と他科との協働

呼吸器外科が対象とする悪性腫瘍や気胸などの良性疾患は，かなりの程度まで，各施設内で標準化が可能である．できるだけクリニカルパスを作成して，診療の流れを可視化させたい．外科医，内科医，放射線科医，看護，薬剤部，検査部，リハビリテーションなどのメディカルスタッフとの情報共有がスムーズに行える根拠となる．またパスを多職種で作成することにより，関係者間のコミュニケーションは活発化し，結果的に安全性の向上に寄与する．

3) 各患者の術前の情報収集

胸部外傷などの緊急事態を除けば，通常は呼吸器外科外来への紹介から始まる．昨今は時間上の制約からか，十分な情報収集がなされていない傾向がある．当然のことであるが，現病歴，生活歴，既往歴とその評価，アレルギー歴，持参薬情報等の薬歴などは，漏れなく聴取しておかなければならない．紹介元以外からの医療機関から，抗凝固剤が処方されていたり，患者自身が抗凝固剤を服用している認識を持っていない場合もある．昨今は受診患者の高齢化が進み，いくつもの併存疾患を持っており，特に心血管系の評価を適確に行う必要がある．

また，術前ルーチンとして感染症スクリーニングが行われるが，「術前に施行した肝炎ウイルス検査の文書での結果説明が診療報酬算定上の義務である」ことも忘れてはならない．現在では，B型肝炎・C型肝炎は治療可能な疾患として位置づけられており，検査結果はたとえ陰性であっても本人に説明し，もし陽性だった場合は消化器内科専門医に必ず受診するように勧告する[4]．

画像診断は一定以上の修練を積めば，当該領域の主要所見を読めるようになるが，ターゲットとしていない臓器の病変には気づきにくい．たとえば原発性肺癌であれば，主病巣を中心にリンパ節や肺内転移，肝臓や副腎のチェックは当然行うであろうが，膵臓の微少病変までの追跡は難しいと思われる．放射線科専門医による画像診断報告書には，必ず「最後まで」目を通し，患者とともに確認する習慣をつけたい．病理診断も含めて報告書を患者に見せるか否かについては，いまだに本邦では議論があるが，医療安全上は後述する診断関連エラーの観点から，最も推奨されるべき有力な安全対策である．

画像診断の見落とし問題は，関心のある部分にしか目が行かないという個人的な認知の問題と，複数医療者の間で医療の連続性が絶たれるシステムの問題がある．こうした問題は，100年以上前から存在し，診断関連エラー(Diagnostic Error)と呼ばれ，21世紀に入ってからは，世界的に取り組みが進められている．2015年，米国科学アカデミー(National Academy of Medicine；NAM)は，a)患者の健康上の問題に対して正確な説明を適時に確立できないこと，またはb)そのような説明が患者に適用されないこと，という患者中心性の定義を行った[5]．診断関連エラーは，診療プロセスの中でいつでも発生しうるエラーであり，個人の努力だけでは解決不能である．画像の見落としについては，今後人工知能(artificial intelligence：AI)の発展に期待がかかるが，上記b)のエラーを防ぐ完璧なシステムはつくることは不可能である．

なお，保険診療上の画像診断「管理」加算は，放射線科専門医が報告書を書くだけでは成立せず，検査を依頼した医師がその報告書を利用したという証拠を，診療録に記載して初めて成立する．それが「管理」という意味である．

4) 各患者の術前のリスク評価と説明同意(インフォームドコンセント)

複数の医療者による術前検討会は必須である．最終的に手術適応を決定するのは呼吸器外科医であるとしても，放射線科医による画像診断，内科医による代替療法の検討，麻酔科医による全身評価が必要であり，また術後管理の観点から，看護やリハビリテーションも交えた検討が行われれば，安全性は向上するであろう．術前検討の結果は，診療録に記載するとともに，業務記録として検討会台帳にも残しておく．

ほとんどの施設では，検査と処置の同意文書のひな形が準備されているが，施行目的のみならず，施行した場合のリスク，施行しなかった場合のリスクなども説明が必要であり，特に出血や心血管イベントについては死亡リスクにも言及が必要である．ことに昨今は，非心臓手術後心筋障害(myocardial injury after noncardiac surgery：MINS)が成人患者の手術死亡の課題となっている．また観血的手技の場合は，その施設および実施者の治療成績も呈示することが望ましい時代になってきた．表1に説明同意に必要なチェックリスト例をあげた．

さて検討会の結果，「手術適応がある」と判断されれば，手術に向かうことになるが，「手術適応がある」は「手術をしなければならない」とは同義ではなく，「医学的には手術をしてもよい」という意味であり，最終的には，患者

表1 説明同意文書に必要な項目（例）

必須	
□01	病名と病状について説明をしている．
□02	治療の必要性を説明している．
□03	治療を行わなかった場合の予後を説明している．
□04	本治療の目的・方法・効果（予後）について説明している．
□05	本治療を行った場合の入院期間やコスト（必要時）を説明している．
□06	本治療を行った場合の合併症（後遺症）リスクを説明している．
□07	本治療を行った場合の死亡リスクを説明している．
□08	本治療以外の代替手段とそのリスクについて説明している．
□09	不明点について，追加説明を受けられるようになっている．
□10	治療中止をいつでも申し出られるようになっている．

望ましい	
□11	（説明者・患者）・重要他者の署名欄がある．
□12	セカンドオピニオンについての言及がある．
□13	難しい医学用語や略語について，説明がある．
□14	患者特有の特記事項を記載するスペースがある．
□15	全体的に見やすい書式となっている．

本人の意向を踏まえ，重要他者(significant others：SO，必ずしも家族である必要はない)も含め，インフォームドコンセントを取得することが好ましい．

説明するのは医療者であるが，情報を与えられた上で(インフォームド)同意する(コンセント)する主体は，あくまで患者である．したがって，診療録に「インフォームドコンセントを行った」と記載するのは誤りであり，正しくは「インフォームドコンセントを取得した」と書くべきである．説明しただけでは，インフォームドコンセントは成立しない．説明した内容だけを記載するだけでなく，患者がどのような反応をしたかという双方向性のプロセスの記載が必要なのである．

5) 周術期の医療安全

まず手術室に送り出す前までの，マーキング方法や出棟の手順を明確に標準化しておく．

WHOは，①正しい患者の正しい部位を手術する，②麻酔により患者を疼痛から守る一方で，麻酔薬投与により発生する有害事象を防止する，③気道確保の失敗や呼吸機能の低下による生命の危険を認識し，効果的な準備を整える，④大量出血のリスクを認識し，効果的な準備を整える，⑤手術を受ける患者にとって重大なリスクとなることが判明しているアレルギー反応と薬物有害反応の発生を回避する，⑥手術部位感染のリスクを低減する対策を一貫して適用する，⑦手術創内へのガーゼや器具の置き忘れを防止する，⑧すべての手術検体を確保し，正確に識別する，⑨手術を安全に実施するうえで極めて重要となる患者情報を効果的に伝達および交換する，⑩病院および公衆衛生システムが外科的能力・手術量・手術成績を日常的に監視する制度を整備する，という「安全な手術を実施するための10の基本指針」を推奨している[6]．さらにこのガイドラインを明確に実施するため，「手術安全チェックリスト」も公開され，麻酔導入前・執刀前・退室前の3段階にわたって，最低限チェックされるべき項目が特定されて，現代の手術室運営の必要条件となっている(図2)．この3段階チェックは，多忙な外科医には冗長に感じられるものであるが，チームワークを推進するためのツールであると理解して，積極的に関与して推進したい．

手術直後にはデブリーフィング(振り返り)を行い，必要事項は手術記録に記載し，テクニカルな問題点や改善点などは業務の記録(自己使用文書)として別途に保存する．

6) 術後管理とアウトカム検討

術後のバイタルサインのチェック項目は，随時見直す必要がある．血圧計やパルスオキシメータなど，各種機器のデジタル化が進み，看護体制によっては，バイタルサイン測定に呼吸数が含まれていない場合がある[7]．院内心停止では，その数時間前から呼吸数増加があることは以前から知られているので要注意である．

また高リスク患者の増加に伴い，非閉塞性腸管虚血(non-occlusive mesenteric ischemia：NOMI)の発生も見逃せなくなった．これは腸間膜動静脈に閉塞を認めない腸管虚血であるが，致死率は非常に高いにもかかわらず，早期診断が難しい．転倒転落時の頭部外傷なども含め，不測の事態が発生した場合はもちろんのこと，バイタルサインの急激な悪化も含め，ちゅうちょせず応援を依頼したほうがよい．診療科医師が常駐していたとしても万能ではない．患者の安全を確保するための診療が何よりも優先される．

インシデント報告はもともと任意であるが，ドレーン再挿入や，挿管呼吸管理を要した事例など(国立大学病院医療安全協議会の患者影響度分類3b以上[8])は，全例を安全管理室に報告するようにする．

退院患者のアウトカム検討は必須であり，術後経過良好の患者も含め，退院患者全員が対象となる．癌手術の場合は，病理科にも参画してもらい，術前の病変評価と病理診断とを比較する．病因死因(morbidity and mortality：M&M)検討会，臨床病理検討会(clinico-pathological conference：CPC)は，別途に開催してもよいが，このアウトカ

I. 総論

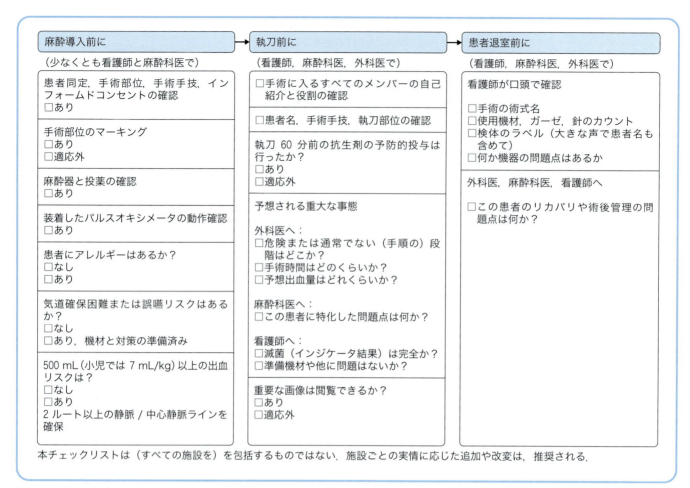

図2 手術の安全 チェックリスト(WHO, 2009年改訂)

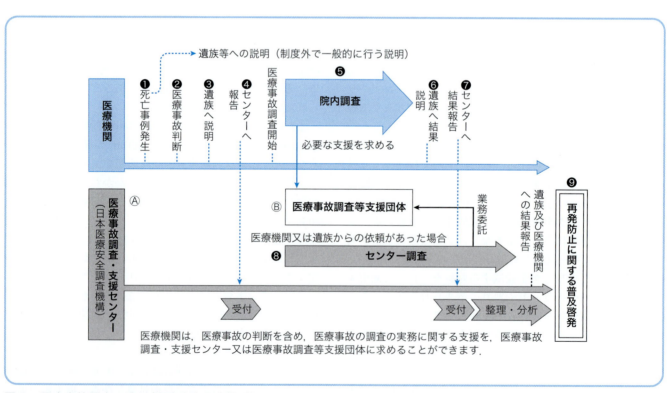

図3 医療事故調査の流れ(医療安全調査機構)

ム検討の一環として行ってもよい．

2018年から開始された医療事故調査制度にかかわる検討会は，病院全体の検討会であるが，この検討会の対象となったとしても，自診療科内のアウトカム検討は必ず行っておく．この制度の対象となる「医療事故」とは，医療従事者が提供した医療に起因した（または疑われる）死亡で，その管理者が当該死亡を予期しなかったものとして定義される．法律の主旨からは，過失の有無を問わず検討することが望ましいが，多くの施設では，予見できなかった重大過失のみが対象となっている．ただし専門医たるもの，日本医療安全調査機構の事故調査の流れ[9]を把握しておいたほうがよい（図3）．

なお「死体に異状があると認めた時警察に届ける」とした医師法21条は，本来の主旨は「犯罪と関係ある異状」であり，提供した医療に起因する死亡は上記の「医療事故」として扱うべきである．

C 記録全般の開示について レベルB

個人情報保護法は数年ごとに改訂されており，「個人はいつでも自分の個人データにアクセスすることが出来る」ことが，より明確にされつつある．すなわち診療情報の開示請求手続きを踏まなくても，個人情報保護法に基づく開示手続きは，公的施設のみならず今後すべての医療施設が対象となる可能性が高い．たとえば，手術ビデオなどは開示対象としない（＝診療録の一部としない）ことが可能であったが，個人情報保護法に基づく請求ではこれを拒否できなくなる．常に最新情報をもとに，組織として対応を決めていく必要がある．

文献

1) WHO患者安全カリキュラムガイド多職種版2011日本語版
   http://www.who.int/patientsafety/education/mp_curriculum_guide/en/
   http:// http://meded.tokyo-med.ac.jp/
2) Reason J. BMJ 2000; **320**: 768
3) 厚生労働省：高難度新規医療技術・未承認新規医療品等による医療について
   http://www.mhlw.go.jp/stf/seisakunitsuite/bunya/0000145803.html
4) 厚生労働省保険局医療課長：診療報酬の算定方法の一部改正に伴う実施上の留意事項について．平成30年3月5日保医発0305第1号
5) National Academies of Sciences, Engineering, and Medicine: Improving Diagnosis in Health Care. 2015.Washington, DC: The National Academies Press.
6) 日本麻酔科学会訳：WHO安全な手術のためのガイドライン2009
   http://www.anesth.or.jp/guide/pdf/20150526guideline.pdf
7) Cardona-Morrell M et al. Int J Nurs Stud 2016; **56**: 9
8) 一般社団法人国立大学病院長会議：インシデント影響度分類
   http://nuhc.jp/activity/report/sgst_category/safety/safety_management.html
9) 日本医療安全調査機構：医療事故調査制度について
   https://www.medsafe.or.jp/modules/medical/index.php?content_id=2

I. 総論

⑤ 感染対策

要点

1. 標準予防策と手洗いのタイミングについて熟知する.
2. 系統別予防策の概要について理解する.
3. 手術部位感染のリスクと予防について理解する.
4. 術後発熱のマネジメントを理解する.

Key Word 標準予防策,手洗い,手術部位感染症,予防的抗菌薬,院内発熱

外科医にとって感染症とは特に術後の合併症として悩ましく,その予防や対策は非常に重要である.また呼吸器外科領域においては術後合併症のみならず,膿胸や結核,非結核性抗酸菌症や肺真菌症など多くの呼吸器感染症の治療および診断に重要な役割を担っている.また昨今の高齢化により患者の併存疾患は増加し,それが様々な感染症のリスクを高めている.呼吸器に限定せず,感染症全般に対する一定の知識を持つ必要がある.

とはいえ,これらすべてを本項でカバーするのは容易ではないので,詳しくは成書を参照されたい.本項ではまず基本的な術後感染に加え,術後感染以外の周術期などの一般的な感染対策について概説する.

a 感染予防策と手指衛生 レベルA

1) 感染予防策

感染症の予防策を考えるにあたり,重要なことは感染経路を理解することである.感染症の伝播経路としては以下の3つがあげられる.

①**接触感染**:手指や皮膚,粘膜を介して直接病原体が伝播していく様式である.大部分の病原体,感染症がこの様式をとる.術後に問題となりやすいメチシリン耐性黄色ブドウ球菌(MRSA)の伝播もこれに該当する.

②**飛沫感染**:咳やくしゃみなどをした際に生じる直径5μm以上の大きさのしぶきを介しての感染である.インフルエンザや風疹などがこの経路をとる.一定距離以上は広がらないとされる.

③**空気感染**:飛沫より更に小さい(<5μm)粒子を介しての感染であり,結核や麻疹などが該当する.空気中を漂うため距離をとっても感染しうるため陰圧個室による隔離が必要である.

これらの感染経路に対してそれぞれ接触感染予防策,飛沫感染予防策,空気感染予防策などの個別対応がとられるが,その前提として重要なのが手指衛生などに代表される標準予防策である.標準予防策に必要なのは手指衛生や個人防護具の着用などの他,咳エチケットなどである[1].

上記,個別感染対策の中でも最も重要なのが空気感染対策である.呼吸器外科領域で肺結核と遭遇する確率は決してまれでない.空気感染対策を行うべき代表的な疾患である.よって,その対応については習熟しておくべきである.呼吸器外科医に限らず空気感染対策における個々人の対応としてN95マスクの着用手技については習熟しておくべきであり,詳細は省くが,特にマスクの顔面との密着度は重要であり,バンドの位置や金具の位置などを調整してしっかりと密着させる.

2) 手指衛生

手指衛生は150年以上前にIgnaz Sennmerlweisによって産褥熱が医療者の手によって広まることが示され,その重要性が認識されるようになった.現在では手指衛生は院内感染対策の最も重要なパートであるが,その遵守率は必ずしも良好ではない.外科医が手術前の手洗いを省略することは考えにくいが,病棟や外来での診察や処置,包交の際にはその遵守率は低下しがちであり,注意する.通常の診療において手指衛生を行うべきタイミングを表1に示す.

手指消毒薬として通常はアルコール性手指消毒薬が簡便であり推奨されるが注意点として,

①必要十分量を手に取ること.
②十分な時間(20〜30秒程度)手にすり込むこと.
③*Clostridium difficile* やノロウイルスなどの下痢の原因となる微生物に対しては効果が弱いこと.

などがあげられる.

b 手術部位感染症の予防と治療 レベルB

手術部位感染症(surgical site infection:SSI)は外科術後

表1 手指消毒を行うべきタイミング

① 患者に触れる前
② 清潔/無菌操作の前
③ 体液に曝露された可能性のある場合
④ 患者に触れたあと
⑤ 患者周辺の環境や物品に触れたあと

(Sax H et al. J Hosp Infect 2007; 67: 9 [2] を参考に作成)

の切開創や深部臓器，体腔内に起こる感染症で，主に術後30日以内（人工物が挿入されている場合は1年以内）に起こるものとされ[3]，その深達度により，①浅部切開創SSI，②深部切開創SSI，③臓器，体腔SSIの3つに分類される（図1）．呼吸器外科領域においては③に該当するものとしては有瘻性膿胸や縦隔炎などがそれに該当する．

SSIの発生には様々なリスク因子が絡んでおり，代表的なものを表2に示す．

これらリスク因子で特に術前から介入可能なものについてはあらかじめ対応しておくことが重要である．特に呼吸器外科領域においては肺癌，肺切除術が中心となるため禁煙についてはSSI予防だけでなく，残肺機能の観点からも必須である．

周術期のSSI予防において本項では特に周術期抗菌薬について述べる．周術期抗菌薬は原則として，皮膚および手術部位に存在する菌に対して抗菌効果を持つ薬剤を選択する．呼吸器外科領域においては主に皮膚の常在菌であるコアグラーゼ陰性ブドウ球菌や黄色ブドウ球菌がその対象となる．代表的な抗菌薬と使用方法を表3に示す．予防抗菌薬については術後24時間以内の投与が推奨されており，通常の肺切除術においては単回投与で十分であることが多いが，手術時間が長くなる場合は各種薬剤ごとに下記の投与間隔に応じて追加投与を検討する．

SSIは避けるべき合併症であるが，100％予防できるものではない．特に呼吸器外科領域では深部／体腔のSSIはすなわち膿胸や縦隔炎などの治療に難渋するタイプの感染症であり，いったん起きてしまった場合には初期の対応次第でその後の経過も大きく異なってくる．そのため，治療方針についてはまず第一にSSIの深達度とドレナージなどの介入が即座に必要かどうかを評価することが重要である．併せて適切な部位からの培養採取が必須となる．創部からの排膿はスワブなどで拭うと皮膚の常在菌も検出してしまうため，できればシリンジなどで吸引するなどのほうが望ましい．決して熱，炎症反応が高い，下がらないということや何となく創部が赤いからといった理由で念のために抗菌薬を投与するという安易な解決策に走らないことが重要である．具体的な治療アルゴリズムについては成書やガイドライン[7]を参照されたい．

SSIの起因菌としては皮膚の表在菌である黄色ブドウ球菌やコアグラーゼ陰性ブドウ球菌などが多い．治療としてはこれらのグラム陽性菌の感受性に合わせて第一世代セフェムであるセファゾリンや，MRSA（メチシリン耐性黄色ブドウ球菌）などの耐性菌であるリスクが高いようであればバンコマイシンなどを選択するが，特に深部のSSIにおいては治療期間が長期化するため原因菌の特定と薬剤感受性の情報は確認しておく．

C 術後発熱のマネジメント　レベルB

最後に術後に患者が発熱した場合のマネジメントについて概説する．熱は比較的捉えやすいバイタルサインの異常

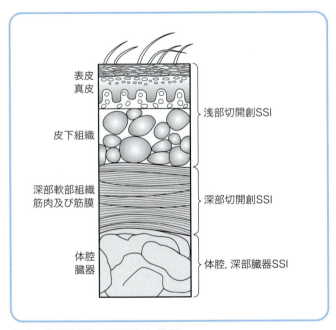

図1　創部感染の深達度と分類
（Mangram AJ et al. Infect Control Hosp Epidemiol 1999; 20: 250 [4]を参考に作成）

表2　SSIのリスク因子

患者因子	手術因子
○年齢 ○栄養状態 ○喫煙 ○肥満 ○他部位の感染症の存在 ○微生物の定着 ○免疫状態の変化 ○術前在院日数の長さ	○術前の手洗いの長さ ○皮膚消毒 ○剃毛 ○術前の皮膚の準備 ○手術時間 ○抗菌薬予防投与 ○手術室の空調 ○手術器具の不適切な消毒 ○手術部位の異物 ○ドレーン留置 ○外科手技（止血不十分，死腔の存在，組織損傷）

（Mangram AJ et al. Infect Control Hosp Epidemiol 1999; 20: 250 [4]を参考に作成）

表3　予防的抗菌薬の種類と投与量，投与間隔

抗菌薬	投与量	半減期（hr）	投与間隔（hr）（腎機能正常時）
セファゾリン	1～2g	1.2～2.2	4
アンピシリン／スルバクタム	1.5～3g	0.8～1.3	2
クリンダマイシン	600～900mg	2.0～4.0	6
バンコマイシン	15mg/kg	4.0～8.0	12～16

（文献5，6を参考に作成）

であり，また体内の異常としては特異性は高いが，その原因については多岐にわたることや体温の高さのみで感染/非感染の区別や原因臓器などを特定することは困難である．一般的に術後48時間以内の発熱では創部感染の可能性は下がるとされている[7]が，もちろん他の感染症は起こりうる．術後の発熱の原因として多いものを表4に示す．

術後に限らず院内での発熱ではこれらをひとつずつ丁寧に診ていくことが重要である．

また，これらの熱の原因のリスクとなりうるものとして患者に挿入されている人工物すなわち，気管挿管チューブ，血管内留置カテーテル，尿道バルーン，創部のドレナージチューブなどがあり，これらの必要性についても毎日吟味する必要がある．特に尿道バルーンについては漫然と留置されがちであり，注意が必要である．発熱の際にはリスクとなりうるデバイス，人工物についてはすべて感染源となりうるため，それぞれの部位について熱源になっていないかを確認する（例：血管内カテーテル留置されていればカテーテル関連血流感染症を疑い血液培養を提出する）．

検査としては血液培養2セット，喀痰検査，尿検査は特に明確な原因が分からない発熱においては最低限確認しておく．また，*Clostridium difficile* 感染症は術前の予防的抗菌薬投与のみでも発症しうるため，下痢症状については特に注意を払う必要がある．各感染症の治療についてはそれぞれガイドラインや成書を参考とされたい．

表4　術後の発熱の原因

感染症	非感染症
○創部感染	○血腫
○肺炎（人工呼吸器関連肺炎/誤嚥性肺炎）	○血栓症
○尿路感染症	○縫合反応
○カテーテル関連血流感染症	○結晶性関節炎
○抗菌薬関連下痢症	○薬剤熱
○副鼻腔炎	○アルコール離脱
○無石胆嚢炎	○副腎不全

文献

1) Siegel JD et al. Am J Infect Control 2007; **35**: S65
2) Sax H et al. J Hosp Infect 2007; **67**: 9
3) Horan TC et al. Am J Infect Control 2008; **36**: 313
4) Mangram AJ et al. Infect Control Hosp Epidemiol 1999; **20**: 250
5) Bratzler DW et al. Am J Health Syst Pharm 2013; **70**: 195
6) 日本化学療法学会，日本外科感染症学会（編）．術後予防抗菌薬適正使用の為の実践ガイドライン　http://www.chemotherapy.or.jp/guideline/jyutsugo_shiyou_jissen.pdf
7) Steven DL et al. Clin Infect Dis 2014; **59**: e10

⑥ 医療倫理—特に利益相反と研究倫理

要点
① 利益相反とは，一般に「ある行為によって一方の利益と同時に他方への不利益となる行為」であり，主に経済的な利害関係を意味している．
② 日本呼吸器外科学会をはじめ多くの学術団体は，開示という手法により利益相反を管理している．
③ 研究倫理として研究における不正行為(捏造，改ざん，盗用，二重投稿など)を理解しその回避に努める必要がある．

Key Word 利益相反，研究倫理，研究における不正行為，捏造，改ざん，盗用，二重投稿

a 高難度新規医療技術の導入 レベルA

かつては新しい手術術式の導入や今まで使われたことのなかった機器を用いての手術は，外科医の裁量でその実施の可否が判断されていた．

ヘルシンキ宣言(ヒトを対象とする医学研究の倫理的原則)は，ニュルンベルク綱領を受け，1964年の世界医師会総会で採択された倫理規範である．その精神は，被験者の生命・健康・尊厳・自己決定権を最優先事項とし，医学研究者が自らを規制することにある．各医療組織で開催されている倫理委員会の主たる任務は，行われる研究や医療の「科学的妥当性」と「患者擁護」の審査であり，参加者の利益相反の検討も含まれる．新しい術式や機器を導入したり，摘出した組織を研究開発に利用したりする場合には，当該施設の規定に沿って倫理委員会の承認を得る必要がある．

ヘルシンキ宣言やリスボン宣言など患者擁護を謳った宣言が出されたのちも，患者の人権を尊重していない医療行為が世界各国で発生した．本邦でも内視鏡手術のような新しい術式に伴う死亡事例が，当該施設において十分に管理されずに実施されていたという事例が発生している．外科診療において一定の危険が伴うことは不可避であるが，問題はその危険に十分な科学的妥当性があるかという点と，患者への説明をはじめとする適切な患者擁護が配慮されているかという点にある．本邦で発生した内視鏡手術の死亡事例では，高難度新規医療技術にも関わらず当該施設内で十分に把握や管理がなされていなかったことが明らかにされている．

こういった経験から2016年に厚生労働省告示によって特定機能病院に対しては新規性のある医療行為の導入プロセスが明確化された[1]．ここでいう高難度新規医療技術とは「当該病院で実施したことのない医療技術(軽微なものは除く)であってその実施によって患者の死亡その他の重大な影響が想定されるもの」である．これらの実施に際しては，各施設で規定を作成しそれに沿って技術評価を行う委員会と倫理審査委員会の双方の承認を得る必要があるが，施設の実情に応じてこれらの同時審査は可能となっている．

新たな術式に臨む姿勢は呼吸器外科医の技術向上にとって必須のものであるが，一方で過去に無謀な手術で尊い命が失われてしまった歴史に鑑みわれわれは新たな術式への挑戦においては科学的妥当性と患者擁護の視点を失ってはならない．また施設の定めた規定に沿って倫理委員会などの適正な評価を受けることを怠ってはならない．

b 利益相反 レベルA

1) 利益相反の定義

利益相反とは，一般に「ある行為によって一方の利益と同時に他方への不利益となる行為」であり，主に経済的な利害関係を意味している．後述のように本来は経済的・金銭的関係に局限すべき問題ではないが，管理を前提として考えた場合問題を限定せざるを得ない．

2) 利益相反の考え方

本項では利益相反について経済的な問題のみならず一般的な観点も含めて歴史的な経緯も含めて簡単に解説する．

Thompsonによると，利益相反とは，「一義的な目的に関する専門家の判断が，二義的な目的によって歪められかねない状況」と定義される[2]．呼吸器外科における一義的な目的とは，患者に対して適切な治療を行い患者をよりよい状態にすること，優れた呼吸器外科領域の研究を行うこと，医学生や若手医師に優れたよい教育を行うことなどがあげられる．二義的な目的としては，金銭を得ること，名声を得ること，地位を得ることなどがあげられる．優れた研究を行うという一義的目的が，金銭を得るということなどの二義的目的(利益・関心)によって歪められかねない状況が生じうるが，この状況を利益相反と考えるわけである．われわれ呼吸器外科医(のみならずすべての臨床医)の周囲には利益相反と認識されるべき問題が多数ある．

重要なのは「二義的な目的」には，名声や地位などが含まれるが，国内外の利益相反に関するガイドラインはすべて基本的には金銭に関するルールしかないということである．この理由を率直にいえば金銭以外の管理が難しいためである．名声や地位を求めての行動や意思は数値化して申

I. 総論

告することが困難でありそれを管理する仕組みが作りにくいのである．

名声や地位といった観点からみたとき，われわれ呼吸器外科医が術式選択や治療方針の決定に際して患者の最善の利益よりも学会発表や論文，あるいは自分の地位や名声を優先した意思決定が為されていないだろうか．利益相反の問題を考える際に，金銭的な問題とは別にこのような問題も含まれているということをわれわれ呼吸器外科医はしっかりと受け止めなければならない．

3) 利益相反による害悪

利益相反自体は決して悪いものではない．臨床や研究について純粋に一義的な目的のみで動機づけられている医師よりも，お金や名声といった二義的な目的も持っている医師の方が熱心に臨床に取り組んだり研究に専心したり，あるいはしっかりと成果を出したりできるということは容易に想像がつく．研究者に特許権を認めたり，給与と成果を結びつけたりする仕組みは最近の学術分野でのひとつの傾向でもある．

問題は利益相反によって現実の害悪が生じることであって，この点を十分に理解しておく必要がある．利益相反による害悪として，研究テーマの偏り，研究デザインの緩み，データの操作・改ざん，結果の隠蔽，被験者の健康被害といったものがあげられている．米国の研究では，受動喫煙と健康被害のかかわりを主題として書かれた総説論文のうちタバコ産業からの資金提供を受けている研究者によって書かれている論文はそうでない論文と比較すると健康への害を否定するものが圧倒的に多いということが報告されている[3]．本邦でも降圧剤のディオバンに関してデータ改ざんが強く疑われるということがあった．1980年代の米国で甲状腺ホルモン剤のジェネリック4種を対象とする比較試験において製薬会社が圧力をかけて研究結果が7年間公表されなかったという事実もある[4]．

健康被害ということではゲルシンガー事件が有名で，OTC欠損症の遺伝子治療の臨床試験中に患者が免疫反応による多臓器不全で死亡したという事例である．本例では本来除外基準を満たす体調不良があったにも関わらず被験者が研究に参加させられており，そのことが死亡に関係したと推察されるものである．研究代表者が研究実施のための株式会社を設立し代表者自身がその筆頭株主であったことや，研究が成功した場合には莫大な金銭的見返りが会社と大学にあると予測されていたこともあり，当時問題視された事例である．

利益相反はこうした状況につながるリスクを孕んでいるがあくまで可能性であるということに着目する必要がある．前述のように利益相反自体にはよい面と悪い面があり，しかも健康被害に関しては直接の因果関係の証明が難しい状況もありうる．現実に発生した健康被害の事例などを考えると直接的な健康被害の因果関係の問題とは別に，研究に含まれている利益相反が被験者にとって大きなリスクになりうるということでその管理が求められているのである．

4) 利益相反管理

①開示

利益相反の状況そのものを管理するという方向で改善を図るというのが，現在医学系各学会の主要な考え方である．そこには2つの目的があるといえる．ひとつは専門家としての判断を適正なものにするということである．第二の目的は，専門家に対する社会の信用を維持するということである．

具体的な管理の方法として，各学会とも「開示」を用いている．現在各学会で求められている開示は，製薬会社から入っている資金の明示や講演や執筆から得られた所得の申告である．これは専門家の判断が適切かどうかを他の人が判断できるようにするためで，他者からの評価のための材料を提供するという意味がある．

日本呼吸器外科学会においても，平成22年11月15日より施行された「日本呼吸器外科学会 利益相反に関する指針」により，学会の発表者は利益相反状態の有無にかかわらず利益相反に関する開示を行うことが必要となっている．論文投稿などにも利益相反を明確にすることが求められている．

②モニタリングや規制

通常の学会発表や論文投稿に際しては上記の通り基本的には開示という手法で利益相反の管理を行っている．しかし研究段階で利益相反状態に対して何らかの対処が必要だと考えられる場合がある．そういった場合開示以外の方法としては，モニタリングや規制といったものがある．モニタリングとは，研究の品質と信頼性を確保し，被験者の安全の保持や人権を保護する目的で研究が適切に行われているかを確認するための品質管理活動である．問題点を抽出し改善することが重要であり，違反の摘発が目的ではない．規制については様々なものが考えられるが開示もひとつの規制の形態といえる．より強い規制の形態として利益相反の状況にある人に研究全体の中で特に判断の歪みが害悪につながるプロセスを分担させないようにするという方法もありうる．

また利益相反状況の解消を研究者に要求するという場合も考えられる．その利益相反状況が危険が高いと判断される場合，研究の実施者として参加させないとか，その経済的利益を放棄させてから研究に参加してもらうといった方法である．

このように利益相反はそれ自体は決して害悪のみではなく適切な誘引となる要素もあるし完全に除去することは困難なものでもある．それゆえわれわれは利益相反状況から生じる害悪の部分についてしっかりと認識し，それによって患者や被験者に健康被害が及ばないように配慮する必要がある．また研究に関連しては，テーマの選定からデータの操作や改ざん，結果の隠蔽などに十分に自覚的に対処する必要がある．

現状では各学会ともその管理方法として開示という手段を用いている．その目的と意義を十分に理解し適切な開示を実践できるようにしなければならない．開示のみでは十分に管理できない問題が発生していることに気づいた場合

には，専門職集団の一員として適切な行動を考えなければならない．

C 研究倫理 レベルA

呼吸器外科医は臨床医であるが，その専門医の取得や更新に学会での業績が求められていることからも分かるように，研究者としての側面も有している．日本学術会議は「研究者の行動規範」という声明を発しており，そこには基本的責任と姿勢が明記されている(表1)．

臨床医として，研究者として，研究活動における不正行為を明確に認識し自身の活動が不正行為とならないように配慮するとともに，自身の周囲の医師の活動にも適切かつ健全な批判的態度で臨めることが重要である．

研究活動における不正行為には，捏造(fabrication)，改ざん(falsification)，盗用(plagiarism)などがあげられる(表2)．

もし研究における不正行為が認識された場合，通常は告発窓口への事案の通報と申し立てが行われ，所属の機関における調査委員会などにより，告発内容に関する調査が行われることが一般的な手続きとなる．誠実な研究行為の中で起きたミスや学術上の解釈の問題については，不正行為とは考えない．しかし故意または研究者としてわきまえるべき基本的な注意義務を著しく怠った場合は，不正行為と解釈されるのが一般的である．

症例報告を含めて論文を投稿する際に呼吸器外科医が配慮すべき問題として，二重投稿や不適切なオーサーシップがあげられる．アメリカの研究機関で働いていた研究者が論文数を稼ぐために読者の少ない雑誌に盗用した論文を発表し続けていた．これは自らの出世のために業績を稼ごうという活動であった．また研究や執筆にまったく寄与していない人を共著者として記載するということも許されないことである．論文発表時に留意しなければならないことをまとめた(表3)[5]．二重投稿や盗用とならないように十分な注意を払うとともに，共著者については，それぞれが寄与した部分を当事者間で確認し，その内容に共同の責任を負うことに合意を取らなければならない．科学技術振興機構が「責任ある研究活動を目指して」というパンフレットを発行しており参考になる[5]．

このような不正行為が明らかとなりしかるべき調査で認定された場合，本人への非難とは別に以後の研究活動に支障をきたすこととなる．現行の研究活動の執行中止や今後の申請課題の不採択や研究費の返還などが求められたり，一定期間申請資格を喪失するといったことが生じうる．

こういった研究倫理に関する姿勢は最近特に厳しくなってきた領域であり，個々の呼吸器外科医は自らの責任で知識を得て適切な態度で行動すべきである．ときに上司の考え方が最近の知見にそぐわない場合がありうるため，意見の相違があった場合にはそれぞれの根拠となる文献も提示しながら十分に話し合って方針を決めることが望ましい．

表1 科学者の行動規範
- (科学者の基本的責任)科学者は，自らが生み出す専門的知識や技術の質を担保する責任を有し，さらに自らの専門的知識，技術，経験を活かして，人類の健康と福祉，社会の安全と安寧，そして地球環境の持続性に貢献するという責任を有する．
- (科学者の姿勢)科学者は，常に正直，誠実に判断，行動し，自らの専門的知識・能力・技芸の維持向上に努め，科学研究によって生み出される知の正確さや正当性を科学的に示す最善の努力を払う．

(日本学術会議「声明 科学者の行動規範―改訂版―」(平成25年)より引用)

表2 研究における不正行為
- 捏造(Fabrication)：存在しないデータ，研究結果等を作成すること
- 改ざん(Falsification)：研究資料・機器・過程を変更する操作を行い，データ，研究活動によって得られた結果等を新生でないものに加工すること
- 盗用(Plagiarism)：他の研究者のアイデア，分析・解析方法，データ，研究結果，論文又は用語を，当該研究者の了解もしくは適切な表示なく流用すること
- その他：同じ研究成果の重複発表，論文著作者が適正に公表されない不適切なオーサーシップなど

(文部科学省「研究活動における不正行為への対応等に関するガイドライン」より引用)

表3 論文投稿時の留意点
- 自施設の倫理綱領の内容を確認しているか
- 学会(協会)の倫理綱領や論文投稿規定の内容を確認しているか
- 再現性があることの確認をして発表しているか
- 生データ，実験で扱った資料，実験ノートの保存・管理はできているか
- 共著者についてそれぞれが寄与した部分を当事者間で確認し，その内容に共同の責任を負うことに合意はとれているか
- 投稿誌の二重投稿規定に抵触していないことを確認しているか
- 二重投稿や盗用とならないように，すでに発表されている著作物の表現や内容については，引用であることを示しているか

(科学技術振興機構「研究者の皆様へ―責任ある研究活動を目指して―」(平成29年10月)[5]より引用)

文献

1) http://jams.med.or.jp/news/043_2.pdf
2) Thompson D. N Engl J Med 1993; **329**: 573
3) Burns D et al. JAMA 1998; **279**: 1566
4) Rennie et al. JAMA 1997; **277**: 1238
5) 科学技術振興機構の研究倫理に関するホームページ https://www.jst.go.jp/researchintegrity/

7 肺の発生

要点

1. 呼吸器の発生は第4週の肺芽の形成に始まる．
2. 気管支芽に分岐し，分岐を繰り返し，肺葉・区域が形成されていき，胸膜腔も形成される．
3. 肺の成熟は，出生前の腺様期・管状期・終末嚢期，出生後の肺胞期の4期に分けられ，8歳で完了する．
4. 肺固有幹細胞として，II型肺胞上皮細胞とクラブ細胞（クララ細胞）があげられる．

Key Word 肺芽，気管支芽，終末嚢，胸膜腔，late alveolarization，肺固有幹細胞，肺再生医療

出生する新生児の3～4％は先天異常または奇形を伴っていると診断され，呼吸器も例外ではない．どうして発生が歪められ，出生時に異常となるかを理解するには，ヒトの正常発生，発生中の組織に起こる出来事を理解しなければならない．

a 呼吸器の発生 レベルB

1）肺芽の形成（図1）

胚子が4週に達すると肺芽（呼吸器憩室）が前腸の腹側に膨らみ，2つの肺と左右の1次気管支の原基となる．肺芽は尾側に拡張し，2つの縦走する気管食道稜が発生，癒合して気管食道中隔を形成し，背側の食道と腹側の喉頭気管管（喉頭，気管，気管支および肺の原基）に分割される．

2）喉頭の形成（図2）

肺芽の根幹部は喉頭と気管になる．喉頭上皮は内胚葉起源で，軟骨と筋は第4および第6鰓弓の間葉由来である．この間葉が急速に増殖しT字型の喉頭口に変化し，甲状軟骨・輪状軟骨・披裂軟骨が形成される．喉頭上皮が増殖し，一時的に閉塞ののち，10週までに喉頭室が形成される．喉頭口の襞は声帯に分化する．喉頭蓋は第3および第4鰓弓の間葉由来の喉頭下隆起の尾側から発生する．

3）気管，気管支および肺の形成（図3）

肺芽は気管と2個の気管支芽を形成し，これが左右の主気管支となる．右側からは3本，左側からは2本の2次気管支が形成され，肺葉の起源となる．肺芽は引き続き尾側および外側に成長し心腹膜管と呼ばれる腔内に侵入する．心腹膜管は胸腹膜襞と胸心膜襞により分離され原始胸膜腔が形成される．肺の表面を覆う中胚葉は臓側胸膜となり，体壁の内面を覆う中胚葉は壁側胸膜となり，その間が胸膜腔となる．2次気管支は二分割を繰り返し，右側で10本，左側で8本の3次（区域）気管支が形成される．これが完成した肺の肺区域となる．6ヵ月末までに17次まで分岐し，さらに生後6回の分岐が追加される．

4）肺の成熟

肺の成熟は，腺様期，管状期，終末嚢期，肺胞期の4期に分けられる．

① 腺様期（5～16週）

気管支の分岐が続き，終末気管支が形成される．呼吸細気管支，肺胞は存在せず，呼吸は不可能であるので，この時期に生まれた胎児は生存できない．

② 管状期（16～26週）

各終末細気管支が2本またはそれ以上に呼吸終末細気管支に分かれ，呼吸細気管支が3～6肺胞管に分かれ，血管が肺の上皮に近接し血液供給が増加する．

③ 終末嚢期（26週～出生）

呼吸細気管支の立方細胞が薄く扁平になり（I型肺胞上皮細胞），終末嚢（原始肺胞）が形成され，II型上皮細胞も散在し界面活性物質（surfactant）を産生し始める．毛細血管が密接し，血液-空気関門（blood-air barrier）が確立し，7ヵ月中に早産児が生存できるガス交換が可能となる．

④ 肺胞期（出生～小児期）

肺胞が成熟し，肺胞上皮と毛細血管の接触が発達する．出生時に呼吸が始まると，肺内の液体の大部分は急速に毛細血管および毛細リンパ管に吸収されるが，界面活性物質は残って空気-肺胞間の表面張力を低下させ肺胞の虚脱を防ぎ，肺が拡張し胸腔を満たす．出生時の肺胞数は成人の1/6であり，成熟肺胞の約95％は出生後に発生してくる．大部分は3歳ごろまでに発生するが，新しい肺胞が8歳ごろまで付け加わることがある．

・late alveolarization：肺胞期の過程で，肺胞中隔の形成は2層の毛細血管を有する未成熟な肺胞壁（double capillary network）から行われるが，その時期を過ぎて毛細血管が1層となった成熟した肺胞壁（single capillary network）から新たに中隔形成が行われ，小児期以降にも肺胞が再生する（late alveolarization）[4]．

5）肺組織幹細胞

肺固有幹細胞として，肺胞II型上皮細胞，クラブ細胞（クララ細胞），基底細胞が候補としてあげられている．気管-気管支上皮では基底細胞・クラブ細胞，細気管支上皮で

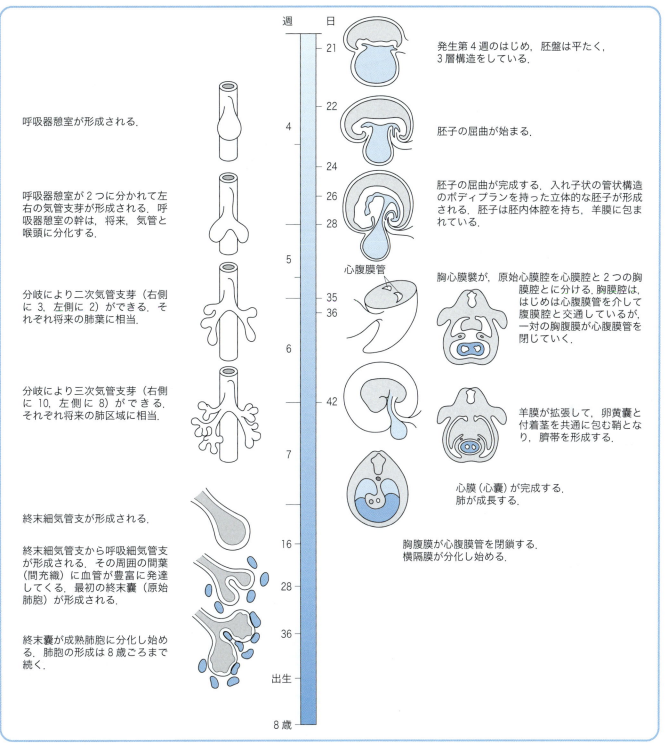

図1　肺および呼吸樹，体腔の発生のタイムライン
(Schoenwolf/Bleyl/Brauer/Francis-West. ラーセン人体発生学，第4版，西村書店，2013: p267[1] を参考に作成)

は神経内分泌細胞・クラブ細胞，肺胞上皮組織ではⅡ型肺胞上皮細胞が幹細胞，上皮系前駆細胞として重要な役割を果たしていると考えられている．

6）肺再生医療 レベルD

臓器としての肺は，構造的に複雑で，構成要素を大別すると空気の通り道である気管・気管支などの気道系，肺胞でのガス交換を含む肺胞系，肺胞表面に分布している毛細血管からなる血管系，および間質からなり，構成細胞数も40種類以上にのぼる．

以前から実験レベルでは，肺切除後の残存肺重量・容積・DNA量が肺損失を代償するように回復する，代償性肺成長（compensatory lung growth：CLG）が知られているが，細胞成長因子や細胞を用いて組織構造を再生させる組織工学を用いた再生医療が注目を集めている．

肺の細胞は，呼吸を介し外界と接し，感染や喫煙など様々な刺激により，恒常的に傷害を受けている．傷害を受けた細胞は，機能・形態を保つため，常に修復されている．

I. 総論

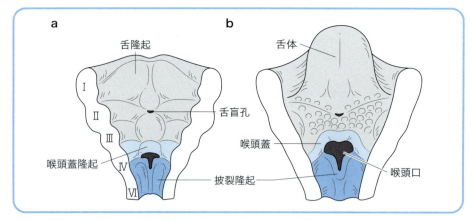

図2　喉頭口とそれを取り巻く隆起の連続した発達段階
　a：6週，b：12週
　（Sadler TW. ラングマン人体発生学，第10版，メディカル・サイエンス・インターナショナル，2013: p213[2]) を参考に作成）

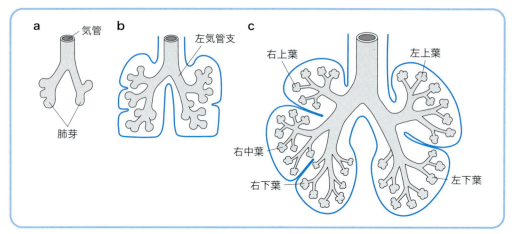

図3　気管および肺の連続した発達段階
　a：5週，b：6週，c：8週
　（Sadler TW. ラングマン人体発生学，第10版，メディカル・サイエンス・インターナショナル，2013: p213[2]) を参考に作成）

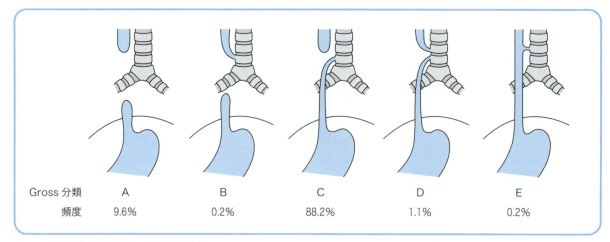

図4　先天性食道閉鎖の病型と頻度
　（畠山勝義ほか（編）．標準外科学，第13版，医学書院，2013: p680[5]) を参考に作成．頻度は1998・2003・2008の小児外科学会新生児外科全国集計の平均　韮澤融司）

表1　先天性嚢胞性腺腫様奇形における Stocker の分類

Ⅰ型：large cyst type	巨大な嚢胞（2cm 以上）を含む多発性，多房性嚢胞が1葉または複数葉に認められる．
Ⅱ型：small cyst type	1cm 以下の比較的大きさの揃った小嚢胞からなる．
Ⅲ型：solid type	5mm 以下の微小嚢胞が集簇し実質様を呈する（胎児水腫，肺低形成のため予後が悪い）．

（Stocker JT et al. Hum Pathol 1977; 8: 155-171 を参考に作成）

おそらく自己修復能を有していると考えられる．

b 発生に関連した病態

1) 食道閉鎖と気管食道瘻(図4) レベルA

気管食道中隔による食道と気管の分割の異常により起こる．両者は合併することがあり，出生3,000に1例の割合で発生し，ほとんどが男児である．その9割は食道上部が盲嚢で終わり，下部が気管と瘻で交通している．食道単独閉鎖やH型の気管食道瘻はそれぞれ4％を占める．33％に心臓の先天異常を合併する．多くの場合に嚥下ができず，母体は羊水過多を認め，出生後の児は過剰な唾液を垂らし，乳を与えるとすぐに嘔吐する．胃の内容物が気管や肺に逆流すると肺炎を起こす．カテーテルを経鼻的に胃内に向け挿入すると上部食道盲端で反転する(X線でcoil up像)．胃内に空気を認めればGross C型，認めなければA型と診断される(Ⅷ章-3-a参照)．他の異常を高頻度で合併し，VACTERL連合(Vertebral anomaly 脊椎異常，Anal atresia 肛門閉鎖，Cardial defect 心臓異常，Tracheaoesophageal fistula 気管食道瘻，Esophageal atresia 食道閉鎖，Renal anomaly 腎臓異常，Limb defect 体肢異常)と呼ばれる．

2) 呼吸窮迫症候群(RDS) レベルA

呼吸窮迫症候群(respiratory distress syndrome：RDS)は，新生児の2％にみられ，未熟児に起こりやすい．早産児では界面活性物質が不足し，空気-血液間の表面張力が高くなり，肺胞が虚脱する．虚脱した肺胞内には，蛋白質が滲出し，傷害が続くと肺胞内面の細胞層も剥離し，硝子膜を形成し，肺硝子膜症とも呼ばれ，新生児期死亡の約20％を占める．近年，人工界面活性物質の発達とグルココルチコイドを用いた界面活性物質産生刺激療法により，死亡率は減少してきている．

3) 先天性嚢胞性肺疾患 レベルB

胎生期における肺芽の発生異常が原因と考えられる．先天性嚢胞性腺腫様奇形，気管支原性肺嚢胞，副肺芽の異常による気管支嚢胞，肺分画症とがある．

①先天性肺気道形成異常(CPAM)(表1)

先天性肺気道形成異常(congenital pulmonary airway malformation：CPAM)は，以前は先天性嚢胞性腺腫様奇形(congenital cystic adenomatoid malformation：CCAM)と呼ばれていたもので，終末細気管支の増生と腺腫様構造を特徴とし，気道と交通した多胞性嚢胞を形成する．新生児期に呼吸障害を呈することが多いが，無症状で経過し肺炎で発見されることもある．近年胎児超音波やMRIで発見される症例が増えている．

②気管支原性肺嚢胞

肺芽から肺葉が発生する過程での区域気管支以下の狭窄が原因で，狭窄部位の末梢気管支が拡張し単房性嚢胞となる．嚢胞が原因の呼吸障害や感染により発症する．

③肺分画症

副肺芽が肺へ向かって分化したため，正常な気管支肺胞系とは関係ない肺組織が肺葉内または肺葉外に存在するもので，大動脈系の異常動脈により栄養される．肺葉内が圧倒的に多い．Pryceが3型に分類し，従来PryceⅠ型と分類されたものが肺底動脈大動脈起始症である．

④気管支嚢胞

余剰な副肺芽が気管に向かって分化し，単房性嚢胞となる．気管や気管支に接した上中縦隔に多く，気道の圧迫による症状を呈するものと，肺実質内に存在し感染を併発する場合がある．

4) 先天性肺葉性肺気腫 レベルB

気管支軟骨の欠如，動脈管や肺動脈の拡大などにより，葉気管支が狭窄し，エアトラッピングのため一葉に限局する気腫となる．左上葉，右中葉，右上葉の順に多く下葉はまれである．

5) 奇静脈葉 レベルB

約1％にみられ，気管支の肺尖枝が奇静脈弓の外側ではなく，内上方に発育するために生じる．胸部単純X線では静脈が上葉裂の底部にあるため，線状影ができる．

Side Memo

脱細胞化による再生医療では，気管軟化症による気管支狭窄に対し，死体ドナーから採取した気管支を脱細胞処理し，その気管支骨格に患者から採取した間葉系幹細胞由来の軟骨細胞，および気管上皮細胞を生着させ，患者の狭窄部位への移植が行われている．すでに移植5年後の経過し，免疫抑制剤なしで安定的に定着しているという点が特質すべき点である．一方，複雑な機能を有する実質臓器再生医療の実現化にはまだ多くの問題が残され，小動物の実験ではあるが，肺自体の骨格を使用し，外科的に肺動脈，静脈，気管にそれぞれ再細胞化肺骨格を接続し，部分再生肺移植が行われ，移植後の臓器再生に必須な再血管化・内皮細胞生着に対し，脱細胞化臓器骨格が有用な構造であること，および臓器特有の生体組織に非常に近い構造を保っている利点が示された．

iPS細胞から気道・肺胞上皮細胞への分化誘導が可能となっており，臨床への応用が期待される．

文献

1) Schoenwolf/Bleyl/Brauer/Francis-West. ラーセン人体発生学，第4版，西村書店，2013：p267
2) Sadler TW. ラングマン人体発生学，第10版，メディカル・サイエンス・インターナショナル，2013：p213
3) Moore/Persaud. ムーア人体発生学，第8版，医歯薬出版，2014：p191
4) Schittny JC et al. Am J Physiol Lung Cell Mol Physiol 2008; 294：L246
5) 畠山勝義ほか(編). 標準外科学，第13版，医学書院，2013：p680

I．総論

呼吸器外科に関連する解剖と組織

要点

1. 気管・気管支・末梢気道の解剖と基本的な機能を理解する．
2. 肺葉・区域・亜区域の解剖を理解する．
3. 肺動静脈の解剖を理解する．
4. 気管支動脈と気管支静脈の解剖を理解する．
5. 迷走神経，横隔神経，交感神経の解剖を理解する．
6. 胸郭出口の構造物とそれらの相対的な関係を理解する．
7. 気道および肺の組織について理解する．
8. 気道および末梢肺組織を構成する細胞の機能を理解する．
9. 外科的に重要な解剖学的な破格を理解する．

Key Word 肺葉，分葉，肺間膜(肺靱帯)，肺門，肺尖，軟骨輪，膜様部，気管支動脈，区域，亜区域，大血管，肺動脈，肺静脈，胸壁の血管，交感神経，迷走神経，横隔神経，胸管，胸郭出口

a 気管・気管支および末梢気道の解剖
レベルA

1) 気管

　気管は，喉頭から連続し，頸部では甲状腺の後方，食道の前方に位置する．縦隔内では大血管および心臓と食道に前後を挟まれた部位にある．個人差も大きいが，成人で約10〜15 cmの長さ，約2.5 cmの内径がある．前方および側方は，16〜20本のU字型(馬蹄形)の気管軟骨とそれらを結合する軟骨間靱帯からなり，気管軟骨部と呼ばれる．気管は，軟骨の剛性のため内腔が陰圧になっても虚脱しない．軟骨間靱帯により，気管の長軸方向の伸縮性が保たれている．背側は主に平滑筋線維からなり，気管膜様部と呼ばれる．気管は，第4，第5胸椎の高さで，左右の主気管支に分岐する．

2) 主気管支

　気管分岐部から左右の上葉気管支の分岐までを主気管支と呼ぶ．分岐は左右非対称で，右主気管支は気管の軸に対して20〜40°の，左主気管支は40〜60°の傾きを成す．異物の誤嚥が右側に多く発生するのは，このことが理由と考えられている．右主気管支は，一般に左主気管支と比べて短く，内腔は広い．右側は，上葉気管支を分枝したあと，中間気管支幹を経て，中・下葉気管支に分枝する．

3) 主気管支以下の気道

　気管支は主気管支を1次分岐として分岐を繰り返し，終末細気管支，第1次呼吸細気管支および第2次呼吸細気管支，肺胞管を経て肺胞嚢にいたる(図1)．この間に約20〜24回の分岐を繰り返すといわれている．分岐のたびに気道内の内腔は小さくなり，第7次分岐あたりで直径が2 mm程度になり，それ以降の気道は軟骨を欠如する．およそ第16次分岐で終末細気管支となり，第1次呼吸細気管支より末梢の部はすべてガス交換を行う領域である．鼻から細気管支までは，空気の出入りのための導管であり，成人でおよそ150 mLの解剖学的な死腔がある．この死腔により吸気

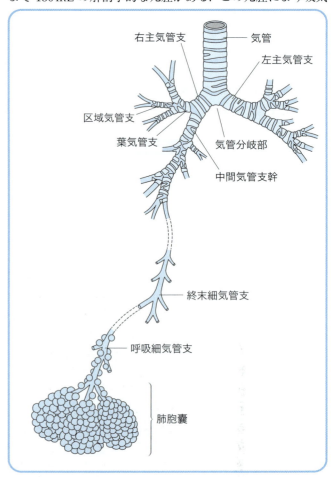

図1　気管・気管支の分枝

の保温・保湿を行い，外気の急な環境変化から肺胞内環境を一定に保っている．

b 肺葉・区域・亜区域の解剖 レベルA

Ⅷ章-1を参照．

1) 肺葉と葉間

右肺は3葉，左肺は2葉からなる．肺は臓側胸膜に覆われ，前方および後方で縦隔胸膜に連続し，さらに壁側胸膜につながる．このうち下葉の下肺静脈より尾側において肺胸膜が二重に重なって前方および後方の縦隔胸膜にいたるまでの部分を肺靱帯(もしくは肺間膜)と呼ぶ．肺の上端部を肺尖，下部は肺底，縦隔側の気管支や肺動静脈の出入りする部分を肺門という．肺葉の間隙を葉間と名づけ，このうち下葉との葉間(右側は下葉と上・中葉，左側は下葉と上葉)を斜裂(大葉間裂)と呼ぶ．加えて，右側では上葉と中葉の葉間を水平裂と呼ぶ．斜裂は，右側では背側の第5肋骨もしくは第5肋間から始まり，前下方に向かい，第6肋軟骨近傍の横隔膜面にいたる．一方，左側は右側に比べてやや高位の第3から第5肋骨から始まり第6から第7肋軟骨近傍にいたる．分葉の成り立ちには個体差が大きく，部分的あるいは完全に葉間裂がみられないものを不全分葉と呼び，右の水平裂では半数以上にみられる．

2) 肺区域・亜区域

肺葉は，葉気管支の分岐によりさらに小さな単位である区域に分かれる．区域気管支はBの記号で，肺区域はSの記号で表される．一般に右肺は10区域(上葉3，中葉2，下葉5)，左肺は8区域(上葉4，下葉4)からなる．区域は，番号および区域名が付与されているが，このうち日本で一般的に用いられているものを図表(図2，図3，表1)で示した．これら左右の18区域に加えて，両側の下葉気管支の分枝であるB^{9+10}もしくはB^{10}などから区域支が追加で分枝することがあり，その場合は$B^*(S^*)$と名づけられている．区域気管支は，さらに2～3本に分岐して亜区域に分かれ，アルファベット小文字を用いてa, b, (c)と名づけられる．左右のS^6とS^{10}，左のS^{1+2}とS^3が3亜区域に分かれている．中枢発生肺癌とは亜区域支までに主病巣が存在するものを指す．葉間以外に区域間に肺胸膜を有する間隙が存在することがあり，それを過分葉(英語ではaccessory lobe)と呼ぶ．左右の下葉のS^6とそれ以外を隔てる間裂や，左上葉のS^3とS^4を隔てる間裂は，しばしば認められる．

3) 解剖の変異

気管支，肺動脈や肺静脈の分枝の変異はしばしばみられる．正常解剖に関する知識を基本として，柔軟に解剖を理解することがたいへん重要である．

上葉気管支あるいは上葉の区域気管支の一部(B^1のみある

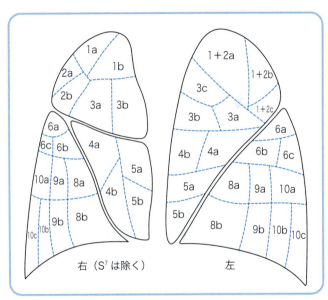

図2 肺区域・亜区域

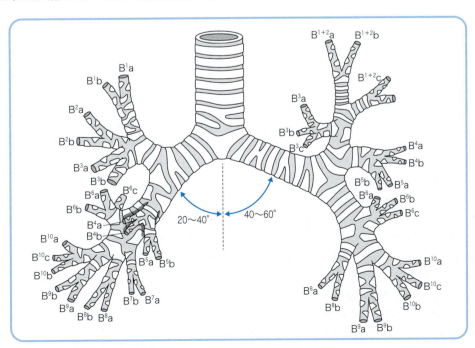

図3 気管支区域・亜区域

I. 総論

表1 肺の区域番号とその名称

		右				左	
上葉	1	Apical	肺尖区	上葉	1+2	Apicoposterior	肺尖後区
	2	Posterior	後上葉区		3	Anterior	前上葉区
	3	Anterior	前上葉区		4	Superior ligular	上舌区
中葉	4	Lateral	外側中区		5	Inferior ligular	下舌区
	5	Medial	内側中区				
下葉	6	Superior	上下葉区	下葉	6	Superior	上下葉区
	7	Medial basal	内側肺底区		8	Anterior basal	前肺底区
	8	Anterior basal	前肺底区		9	Lateral basal	外側肺底区
	9	Lateral basal	外側肺底区		10	Posterior basal	後肺底区
	10	Posterior basal	後肺底区				

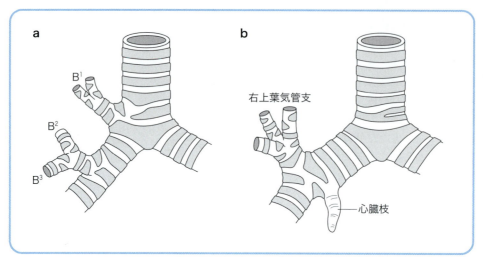

図4 気管・気管支(a)と心臓枝(b)

いはB¹とB²)が中枢側に偏位し，気管や気管分岐部の側壁から分枝することがあり，それを気管・気管支(tracheobronchus)と呼ぶ．気管・気管支は右側に発生し，その頻度は0.1〜2.0％程度といわれている(図4)．

右主気管支において，上葉気管支の反対側の気管支壁に憩室もしくは気管支の低形成をみることがあり，心臓枝と呼ばれる．このほか，B⁶区域気管支が中葉気管支より中枢側で分枝することがある．

c 肺動脈の解剖 レベルA

主幹肺動脈は，心臓の右室から上行大動脈の左側を上行し，大動脈弓の下で左右主肺動脈に分枝する．左右の分岐からそれぞれの第1分枝までの主肺動脈の長さは，右側のほうが左側より長いが，そのうち心膜外の部分は左側のほうが長い．肺動脈の分枝のパターンは，区域気管支やその分枝に沿っているが，気管支の分枝パターンより変異が多い．分枝パターンやその変異については成書に譲る．肺動脈の分枝はAで表し，さらに区域・亜区域名を付記する．

右主肺動脈は，上行大動脈と上大静脈の後方，気管分岐部および右主気管支の前方を通り，肺門を通過し，右肺に達する．第1分枝として右上葉へ上幹動脈を出し，右上葉気管支の前方を通過して葉間にいたる(図5a)．一般に上幹動脈がほぼ上葉への血流を供給するが，多くの場合，葉間から後上行肺動脈枝が上葉への血流を補う．

左主肺動脈は，上行大動脈から大動脈弓部に平行して走行し，上葉へ2〜7本の分枝を出し，左上葉気管支の後方を通過して上下葉間に達する(図5b)．上葉の舌区域にいたる肺動脈は，通常は葉間部で分枝するが，左肺動脈の第1分枝からも血流を受けていることがある．また，まれに舌区域のすべての肺動脈血流が第1分枝から上葉気管支前方を経て流入することがある．

d 肺静脈の解剖 レベルA

肺静脈は左右それぞれ上肺静脈と下肺静脈として左房に流入する．肺静脈の表示にはVを用い，区域亜区域の表示は肺動脈と同様である．上葉および下葉の肺静脈は，それぞれ上肺静脈と下肺静脈に流入する．右中葉の肺静脈は，ほとんどの場合で右上肺静脈に合流するが，下肺静脈に合流する場合，上肺静脈と下肺静脈の両方に合流する場合，心囊外では独立して存在していることもある．また，左上肺静脈と下肺静脈が心囊外で合流し共通幹となっていることがある．左の肺葉切除の際には，誤って共通幹を切離しないようにいつも留意しなければならない．肺内での肺静脈の走行は，肺動脈や気管支とは異なり小葉間結合組織あ

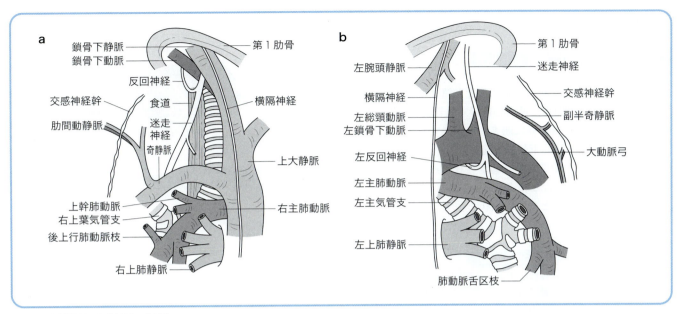

図5 上縦隔から肺門の解剖
a：右胸腔（肺門および縦隔面）
b：左胸腔（肺門および縦隔面）

るいは区域間結合組織内を走行するので，肺区域切除を行う場合には区域間の指標となる．

> **Side Memo**
> 心膜内における左上肺静脈の長さは他の肺静脈より長い．そのため，血栓や乱流，血流のうっ滞が起こりやすいと考えられ，左肺上葉切除の術後脳梗塞のリスクが高くなる要因と考えられている．

e 気管支動脈と気管支静脈 レベルA

気管支動脈は体循環に属し，心拍出の約1％を占める．気管支動脈は，胸部下行大動脈の分枝であることが多いが，肋間動脈や鎖骨下動脈，腕頭動脈の枝であることもある．気管支動脈は，気管下部から末梢の気管支を栄養する．その血流は，一部は気管支静脈を経て，肺門の静脈叢にいたり，最終的には右側は奇静脈に，左側は半奇静脈に流入するが，多くは肺静脈に還流しそのまま体循環に入る．このため気管支動脈の血流は生理的シャントとなっている．

f 迷走神経と交感神経 レベルA

気管支と肺は，迷走神経と交感神経により神経支配を受けている．迷走神経は，肺胞の伸展や気管支の刺激を求心性に中枢へ伝導する．また，気管および気管支の平滑筋への運動信号を遠心性に伝達する．交感神経は，脊髄から交感神経幹の神経節を経て，平滑筋の弛緩や血管の収縮などを遠心性に伝達する．

1）迷走神経

第10脳神経である迷走神経は，頸部では頸動脈鞘内を走行する．右側では，総頸動脈後方から鎖骨下動脈の前面を下降し胸腔内に入る（図5a）．鎖骨下動脈を越えたのち，後方に反回神経を分枝する．反回神経は，鎖骨下動脈を後方へくぐり，気管と食道の間から喉頭へ向かう．迷走神経は，反回神経を分枝したのち，気管の外側を下降し，上縦隔の高さで心臓枝を出し，奇静脈の高さではさらに後方へ位置し，肺構造の後方で食道の外側にいたる．右主気管支の後方で肺枝を分枝し，さらに食道にも分枝しながら，下降し腹腔へといたる．左側では，大動脈弓を越えたところで，後方に反回神経を分枝する（図5b）．左反回神経は大動脈弓をくぐったのちに食道の左側壁に沿って上行し，喉頭にいたる．左迷走神経は，肺門の後方を肺枝や食道枝を出しながら下降し腹腔へいたる．迷走神経を牽引した場合やその近傍で電気メスなどの操作が加わった場合に心停止に陥ることがあり，注意を要する．

2）交感神経

胸部交感神経幹は，頸部交感神経幹から連続し，10〜12の神経節と神経幹により構成され，椎体の外側，肋骨頭の位置に白い帯状の構造物として胸膜直下に認められる．最上部の胸部神経節は下位の頸部神経節と融合し，星状神経節と呼ばれている．また，椎間孔から出てきた脊髄神経とも連結し，肋間神経にも分枝している（XI章-5参照）．

g 横隔神経 レベルB

横隔神経は，横隔膜の支配神経であり，第3〜5頸髄から出る．前斜角筋に沿って下降し，右側では，鎖骨下動脈と鎖骨下静脈の間を走行したあと，上大静脈の外側，肺門の前方を経て横隔膜にいたる．左側では，左鎖骨下静脈と左腕頭静脈の後方および側方から肺門の前方を経て横隔膜にいたる．頸部と縦隔で横隔神経と迷走神経の前後関係が変

わる点に留意が必要である.

h 胸郭出口の解剖 レベルB

胸郭入口とも呼ばれる．頭側は鎖骨と鎖骨下筋，尾側は第1肋骨，前方（内側）は，胸骨の側縁，鎖骨胸筋筋膜など，後方は中斜角筋と長胸神経に囲まれた領域である．そのなかを，鎖骨下動脈，鎖骨下静脈，腕神経叢が通っている（図6）．限られた領域に重要な構造物が存在するため，筋肉や骨の発達や外傷，腫瘍などにより圧排されて，上腕の痛み，知覚低下，血行障害などの臨床症状を示すことがある．

> **Side Memo**
> 胸郭出口症候群は，神経障害と血流障害に基づく上肢痛，上肢のしびれ，頚肩腕痛を生じる疾患のひとつ．その観血的治療として，頚肋があれば，鎖骨の上からの進入で切除術が行われる．また，鎖骨と第1肋骨の間の肋鎖間隙での絞扼の場合は第1肋骨切除を行う．

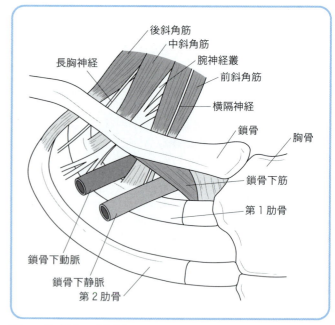

図6 胸郭出口（右側）

i 気道および肺の組織 レベルA

1）気管・気管支上皮の組織

気管・気管支の内面を覆う上皮は，主に線毛細胞，杯細胞，基底細胞よりなっている．気管では，線毛細胞が主体を占め，末梢にいくほどその割合は減少し杯細胞が増加する．杯細胞は，気管・気管支腺とともに気道内に粘液を分泌する．線毛細胞は，協調した線毛運動により求心的な（喉頭に向かう）異物の排除を行う．基底細胞は，気道上皮の構造を維持する役割があり，また気道上皮が障害を受けた場合には気道上皮の修復と再生を行う．細気管支や呼吸細気管支にはクラブ細胞（クララ細胞）が認められる．クラブ細胞の主な機能はサーファクタントを産生することである．このほかに神経内分泌細胞や樹状細胞，Langerhans細胞が認められる．

> **Side Memo**
> 先天性の全身性線毛，鞭毛機能障害をprimary ciliary dyskinesia（原発性線毛機能不全症）あるいはimmotile cilia（線毛不動）症候群と呼ぶ．気道の感染を繰り返し，気管支拡張症を生じる．なお，本症の半数がKartagener症候群に相当する（Ⅳ-1-d参照）．

2）気管腺・気管支腺の組織

気管・気管支にはそれぞれ気管腺・気管支腺が存在する．腺は，導管と腺房からなり，粘液および漿液を産生分泌する．

3）肺胞上皮の組織

肺胞は血液と大気の間のガス交換の場である．肺胞は直径0.1～0.2 mmの半球状の小嚢であり，その内面は2種類の呼吸上皮細胞によって覆われている．肺胞壁の大部分を覆うのがⅠ型肺胞上皮細胞である．Ⅰ型肺胞上皮細胞は極めて薄く，それを通して肺胞内の大気と隣接する毛細血管との間で空気–血液関門を形成し，ガス交換を行う．Ⅱ型肺胞上皮細胞はやや大型の立方形で，サーファクタント（リン脂質やSP-Aなどの蛋白）を分泌するとともに幹細胞としての機能もある．サーファクタントは肺胞の表面張力を減少させて肺胞の虚脱を防ぐ役割がある．また，これら以外に，肺胞壁には遊離した肺胞食細胞（alveolar macrophage）が存在し，肺胞内の異物や分解産物の貪食を行い，肺胞の機能の維持の役割を果たしている．

> **Side Memo**
> 【Clara細胞という名称】
> 1937年にオーストリアのMax Clara博士が気管支上皮中に特異的な細胞の存在を指摘し，それがClara細胞と呼ばれる．このMax Claraは熱心なNazi（NSDAP, Nationalsozialistische Deutsche Arbeitpartei，党員であった．それが問題となり，ヨーロッパ中心にその人を称えるような行為はやめようという動きが生じ，club細胞という名称に替えられているが，その動きはゆっくりで，現在もClara cellsという表現を記載している医学雑誌も多い．問題は，Max Claraの業績が，ドレスデン強制収容所での犠牲者から得られた肺検体の研究に基づいているという点である．したがって，最近は，club cells (Clara cells) or bronchiolar exocrine cellという重複記載も時々みられる．

⑨ 呼吸生理と呼吸機能検査

要点

1. 肺活量(vital capacity：VC)によりどの程度の気量を in-out できる気道・肺胞があるか, DLCO でガスが移動する肺胞・肺血管床がどの程度あるかを評価する.
2. VC と努力肺活量(forced vital capacity：FVC)の差と FEV_1/FVC に加えてフローボリューム曲線により慢性閉塞性肺疾患(COPD)の重症度を知る. COPD や間質性肺炎を合併する肺癌で注目すべきはフローボリューム曲線における安静呼気位が健常者のどの程度の肺気量から開始されているかである.
3. 運動負荷検査により持続的に酸素を摂取し炭酸ガスを排出できるか否か, すなわち, 呼吸という根源的な代謝の能力を測る.
4. 肺は換気($\dot{V}$)と血流($\dot{Q}$)の出会いの場であり, $\dot{V}/\dot{Q}$ と表現できる. 肺の気体の量, 分布, in-out の様相のみならず, 常に肺循環, すなわち右心系を意識する.

Key Word　外呼吸, 内呼吸, 気道, 肺胞, 横隔膜, 換気力学, スパイロメトリー, 肺活量, 努力肺活量, 1秒量, GOLD, フローボリューム曲線, 拘束性障害, 閉塞性障害, 混合性障害, 肺気量, He 希釈法, 体プレチスモグラフ法, DLCO, 心臓エコー, BNP, 運動負荷試験, 呼吸不全, 低酸素血症, 高炭酸ガス血症, 肺高血圧症, 肺年齢, 喫煙, FEVdecline, MRI

　呼吸とは外界から酸素を取り入れ, 二酸化炭素を排泄して, ガス交換することである. 肺で行われる O_2 と CO_2 のガス交換(空気と血液とのガス交換)を外呼吸という. 外呼吸によって獲得された O_2 は血液中の赤血球で運搬され器官や組織の細胞へ供給されミトコンドリアでグルコースなどの基質を燃焼して, エネルギーの通貨といわれる ATP 産生に供され, 同時に産生された CO_2 と水(H_2O)は血液中に移動する. このような血液と細胞とのガス交換は内呼吸といわれ, 生命を維持する根源的な代謝である. 一般的に「呼吸」とは外呼吸を指し, 内呼吸は「代謝」と言い換えることが多い.

　肺は, 空気の流通路である気道とガス交換の場である肺胞からなる. 気道は鼻, 口, 咽頭, 喉頭までの上気道と, 気管, 気管支, 細気管支までの下気道に分けられ, 細気管支は肺胞へと連続する. 肺胞は終末細気管支からつながる外気と血液のガス交換をあずかる器官であり, 肺胞の周囲には毛細血管が網目状に取り巻いており, 呼吸によって取り入れた肺胞内の空気から, 酸素を血液中に取り入れ, 血液中の二酸化炭素は肺胞内に押し出され, ガス交換が行われる. ガス交換効率には, 吸入気量(換気量)と肺動脈血量との相対的比率(換気血流比 $\dot{V}/\dot{Q}$)が大きく影響する.

a 換気　レベル A-B

　肺は, 肋骨, 肋間筋や胸椎からなる胸壁と横隔膜によって形成される胸郭内にある. 横隔膜や肋間筋が胸腔を広げ, 胸腔が陰圧になることで肺が立体的に引っ張られて受動的に膨らむことで空気が吸入される. 一方収縮するときには, 筋肉が弛緩し元の状態に戻るため肺が収縮して空気が呼出される. この空気の出し入れを換気と呼ぶ.

1) 換気力学

　呼吸運動を力学的側面からみたものが換気力学(メカニクス)である. 換気の原動力である経肺圧(transpulmonary pressure：Ptp)は呼吸中枢からの刺激により呼吸筋が収縮・弛緩して生ずる胸腔圧変化であり, これにより呼吸筋群が存在あるいは連結する胸郭-横隔膜・腹部(chest wall：CW)の量の変化が起こる.

　胸腔圧(Ppl)と口腔圧(Pao)の差である Ptp は, ①肺・CW の弾性(elasticity), ②気流による抵抗(flow-resistance), ③気流の加速度による慣性抵抗(inertance)の克服に消費されるので, Ptp＝Pao－Ppl＝Pel＋Pfr＋Pin となる. 弾性成分は Pel＝V/C であり, 気流抵抗成分は Pfr＝R・V/dt, 慣性抵抗は(V/dt)/dt なので, Ptp＝V×(1/C)＋R×$\dot{V}$＋I×$\ddot{V}$ となる[1](V：肺気量, C：コンプライアンス, R：粘性抵抗, V/dt＝$\dot{V}$：気流量, I：慣性抵抗, (V/dt)＝$\ddot{V}$：加速度). 通常の呼吸では慣性抵抗は無視でき, Ptp≒Pel＋Pfr となる. また, 空気の出入りのない状態(静的)では抵抗を無視でき, Ptp＝V×(1/C)となる. このように, P, V, $\dot{V}$ は換気力学の3要素で, C, R など肺胸郭系の重要な情報が得られる.

　開胸術後は機能的残気量(FRC)の低下や肺底部の微細無気肺などで C が低下する一方, 気道分泌物により R が増加することから呼吸筋はより大きな Ptp をつくらなくてはならない.

①肺の圧量曲線(P-V 曲線)

　ⅰ)静肺コンプライアンス(Cst)(図1)

　静肺コンプライアンス(static compliance：Cst)とは全肺

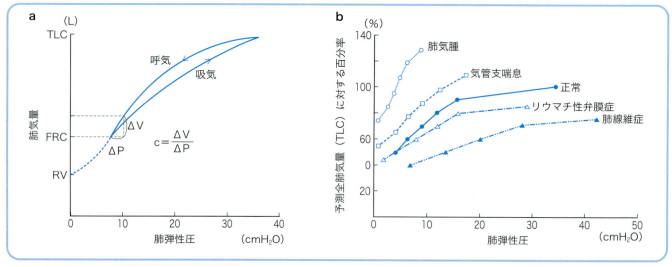

図1 静肺コンプライアンス
　a：健常人の静的肺圧量曲線．TLCからリラックスした状態でゆっくりと呼気を続ける（quasi-static）となだらかな呼気のP-V曲線が得られる．曲線の傾きは連続量であるが，曲線が直線的であるFRCからFRC＋0.5LのΔV/ΔPをもってコンプライアンスとする．吸気と呼気の曲線軌跡が異なる（ヒステレーシス）ことに注意．
　b：種々の呼吸器疾患の静的圧量曲線．肺気量を段階的に変化させて気流ゼロの状態で経肺圧と肺気量の関係をプロットしたもの．

気量（TLC）から残気量（RV）までリラックスした状態で準静的に気量が変化するときにPplがどれだけ変化したか，すなわちP-V曲線の傾き，ΔV/ΔPのことである．Cstは連続量なので呼気時のFRCから+0.5Lの範囲のCstで代表させる．なお，Pplは食道内圧（Pes）で代用する．健常者では0.15～0.30 L/cmH$_2$Oである．Cstが高ければ肺は膨らみやすく，低ければ膨らみにくいということになる．肺気腫ではP-V曲線は左上方にシフトし，FRC近傍では肺は伸展しやすいためCstは0.30 L/cmH$_2$O以上の高値を示してP-V曲線は急峻となるが，最大吸気をしてもP-V曲線はプラトーに達せず最大吸気位のPtpは低値となる．これに対し，間質性肺炎（肺線維症）では肺弾性圧が高いほうに移動し，P-V曲線は平坦，つまり同じ換気量変化を得るにはより大きなPtpを要する．

②動肺コンプライアンス（Cdyn）

　肺に気流が出入りしているときの肺のコンプライアンスを動肺コンプライアンス（dynamic lung compliance：Cdyn）という．吸気終末と呼気終末の瞬間に気流＝0となるのでこの2点間のΔV/ΔPplをCdynとする．呼吸数を20回/min（0.33 Hz）から60回/min（1 Hz）を超える呼気数まで漸増させCdynを測定し，呼吸数1 HzのCdynがCstの80％以下まで低下した場合は「周波数依存性あり」と判定される．換気の不均等分布を理解する上で重要な概念であり，末梢気道病変の検出法として利用されていたが，測定のばらつきが多く，現在では臨床検査として行われている施設はほとんどない．

③呼吸器系全体，肺，胸壁のstatic P-V曲線

　坐位でリラックスした状態でTLCからRVまで肺気量が変化するときの肺，胸壁（CW），そして呼吸器系全体の圧-量曲線はRahnのダイアグラム（図2）となる．

　全体の弾性力（Prs）＝0は気道が大気に開放された状態で呼吸器系が平衡に達したFRCであり，％VCの36％にあたる．FRCより多い肺気量に到達するには吸気筋は図中内向き矢印に拮抗する圧をつくらなければならない．逆に，FRCより気量が少ない肺に到達するには呼気筋は図中外向き矢印に拮抗する圧をつくらなければならない．呼吸器系のコンプライアンス（Crs）はFRC近傍で最も高く，成人では0.1 L/cmH$_2$Oである．

　CWの圧量曲線は実測できる呼吸器系全体と肺の圧量曲線を引き算して得られる．坐位ではCWrestingとなる肺気量はVCの55％であり，これより多い肺気量では肺もCWも収縮しようとする圧があり，これより少ない肺気量ではCWは拡張しようとする圧を生む．収縮しようとする肺弾性圧とCWが拡張しようとする圧が等しい気量がFRCである．

　体位はFRCを決める重要因子である．立位，坐位，四つん這い，前かがみの体位では腹部の重力は肺を膨らます吸気方向に働きFRCは増えるが，臥位では腹壁は弛緩し腹部の重量が横隔膜を頭側へ押し上げる呼気方向に働くためFRCはVCの20％となる．肥満例や肺切除後で残された肺血管床が安全限界に近いハイリスク症例や急性呼吸窮迫症候群（ARDS）例でよりよい酸素化を図る体位を考えるときにこの知識が役立つ．

2）肺に気量変化をもたらす呼吸筋力

　呼吸回路を閉鎖して最大吸気努力をしたときの口腔内圧（maximal inspiratory pressure：MIP）と最大呼気努力をしたときの口腔内圧（maximum expiratory pressure：MEP）を測定する．RVでのMIPが最大吸気筋力（PImax），TLCでのMEPが最大呼気筋力（PEmax）の指標とされる．PImaxあるいはPEmaxには呼吸器系の弾性収縮力（Prs）も含まれているので呼吸筋がつくる圧（Pmus）はPImax or PEmaxからPrsを引いたものである．FRCではPrs＝0なので，FRCでのMIPは吸気筋力，MEPは呼気筋力となる．

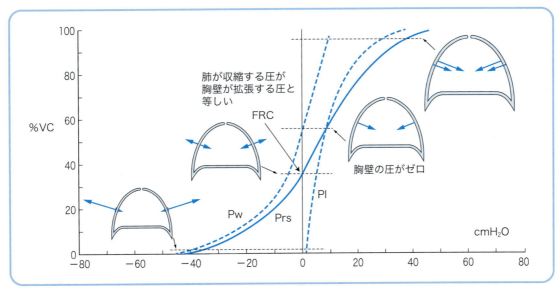

図2 坐位でリラックスした状態での肺，胸壁，呼吸器全体の圧-量曲線，それぞれ肺弾性力(Pl)，胸壁弾性力(Pw)，全体の弾性力(Prs)と表現してある
(Rahn, 1946 と Agostoni and Mead, 1964 を参考に作成)

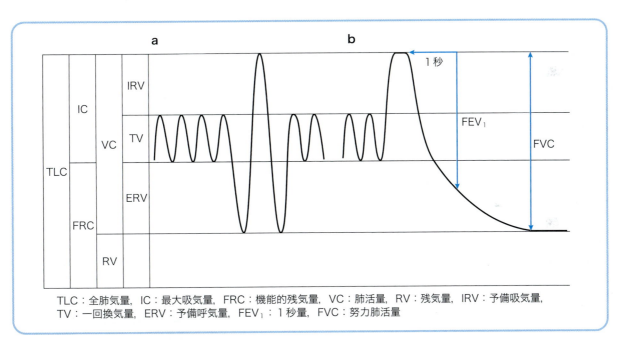

TLC：全肺気量，IC：最大吸気量，FRC：機能的残気量，VC：肺活量，RV：残気量，IRV：予備吸気量，TV：一回換気量，ERV：予備呼気量，FEV_1：1秒量，FVC：努力肺活量

図3 スパイログラムと肺気量分画
a：緩徐な換気で測定した場合
b：努力換気で測定した場合
(日本呼吸器学会肺生理専門委員会(編)．臨床呼吸機能検査，第7版，メディカルレビュー社，2008：p.10[1] を参考に作成)

呼吸筋にエネルギー供給が不足している，あるいはCOPDのように換気仕事量が過剰であれば，呼吸筋は疲労し，生体が必要とする肺胞換気量変化を起こせないために高CO_2血症が起こる．

b 呼吸機能検査 レベルB-C

1）スパイロメトリー（spirometry）（図3）
①肺活量（VC）
　安静換気後，ゆっくりと最大吸気位（TLC）から最大呼気位（RV）までの気量変化を測定する．性，年齢，身長から求めた基準値に対する割合を％VCといい，80未満を拘束性障害とする．間質性肺炎，胸郭や脊柱の変形，肺切除後，肥満で低値となる．基準値の予測式として，日本ではBaldwinの式が広く使われてきたが，日本呼吸器学会肺生理専門委員会が2001年に報告した日本人の正常予測式を用いるのがよい．FRCからTLCまでを最大吸気量（inspiratory capacity：IC）といい，吸気の予備能を意味し，COPDではこの量が少ないほど呼吸困難が増す（図4）．

I. 総論

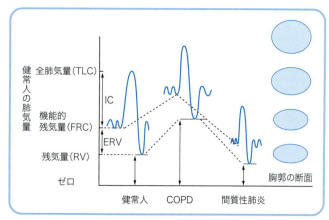

図4 健常者，COPD，間質性肺炎のスパイログラムと胸郭断面の形状
FRC(≒安静呼気位)，RVが疾患によって違うことがポイントである．

②努力肺活量(FVC)
数回の安静換気後に最大吸気を行い最大努力呼気をして吐き切って得られる肺活量をいう．

③FEV_1(1秒量)
性，年齢，身長から求めた標準値に対する割合を日本では%FEV_1(対基準1秒量)と表記するが，欧米ではFEV_1%，FEV_1%pred.と表現するので混同しないように注意がいる．

④FEV_1/FVC×100%
日本では1秒率といいFEV_1%と表記されるが，欧米ではFEV_1/FVCと表記される．GaenslerにちなんでFEV_1をFVCで除したものをFEV_1%(G)，TiffeneauにちなんでFEV_1をVCで除したものがFEV_1%(T)と表記される．日常臨床では(G)が用いられる．FEV_1/FVC(%)<70%を閉塞性障害とするが，最近，70%前後の症例の評価に関連してカットオフ値の見直しも提案されている．

FEV_1/FVCを規定する主因は気道断面積である．気道を拡げる牽引力が低下しているCOPDでは断面積減少が起こっている．Global Initiative for Obstructive Lung Disease (GOLD)では，気流制限の程度を，1(mild)：%FEV_1≧80，2(moderate)：50≦%FEV_1<80，3(severe)：30≦%FEV_1<50，4(very severe)：%FEV_1<30，と分類しているが，最近はこれに呼吸困難の程度と入院歴を加えて疾患の重症度分類がなされている．気流制限の可逆性の有無は気管支拡張薬吸入前後でFEV_1の変化量(ΔFEV_1)を測定し，ΔFEV_1≧200 mLかつΔFEV_1≧12%であれば，可逆性ありと判定する．

⑤フローボリューム曲線(flow-volume curve)
特徴的な形によって疾患の診断と病態生理の考察ができるが，注目すべきは吸気筋あるいは呼気筋が作用を開始する安静呼気位が健常者と比べてどこにあるかである．高気量から吸気を開始するCOPDでは到達する上限に限界があり，一方，健常者の呼気位から吸気開始となる間質性肺炎ではFVCが少なくなることが理解できる(図4，図5)．

⑥エアトラッピングインデックス(ATI)
健常者ではVCとFVCはほぼ等しいが，COPDでは気道を支える組織が脆弱なので呼気時に気道にdynamic compressionが加わり，気道断面積が減少してexpiratory flow limitationが起こり，肺内に気量が多く遺残しVC>FVCとなるエアトラッピング現象が起こる．エアトラッピングインデックス(air-trapping index：ATI)(%) = [(VC−FVC)/VC]×100，健常者では5%以下である．気流閉塞疾患を診断する簡単で有用な指標である．

2) 肺気量

肺気量(lung volume)とは肺に含まれる気体の量である．スパイロメトリーでは測定できないRVはFRCと呼気予備量(ERV)の差なので，FRCが測定できればRVが測定できる(図4)．

FRCを測定する2つの方法がある．

①ガス希釈法

i) 閉鎖回路法(He希釈法)
吸収されない濃度C_1の指示ガスであるHeが入った容量V_1の容器につないだ回路のマウスピースを安静呼気位でくわえて回路を閉鎖し，呼吸を繰り返すと被験者の肺気量V_2(=FRC)とV_1にはC_1が希釈されてC_2になる．$V_1×C_1 = (V_1+V_2)×C_2$なので，$V_2 = (V_1×C_1)/C_2 - V_1$から$V_2$，すなわちFRCが計算できる．

ii) 開放回路系(N_2洗い出し法)
被験者は7分間，安静呼気位で純酸素を吸いながら一方弁の付いた回路で換気を繰り返して肺にあるN_2を洗い出し，毎回の呼気を集めN_2濃度を測定する．呼気ガス量をV_E，平均呼気N_2濃度をFN_2，洗い出し前の肺内N_2をF_1，終了時の肺内N_2をF_2とするとFRC = $(V_E×FN_2)/(F_1-F_2)$となる．

②体プレチスモグラフ法
温度が一定ならば，気体の圧(P)と量(V)はP×V=k(定数)(ボイルの法則)が成立する．これを利用してFRCを測定する．被験者は呼吸回路が付いた箱(body boxという)に入る．安静呼吸をしている最中に安静呼気位で回路をシャッターで遮断する．肺内の圧をP，気量をVとする．シャッターが閉じた回路に向かって小刻みに呼気努力(panting)をすると肺内の気体はわずかに圧縮され圧と気量がわずかに変化する．この変化量をΔP，ΔVとするとP×V=(P+ΔP)×(V−ΔV)となり，V=($\Delta V/\Delta P$)×P(1+$\Delta P/P$)と展開される．$\Delta P \ll P$なので(1+$\Delta P/P$)=1とみなして，V(つまりFRC)=($\Delta V/\Delta P$)×Pとなる．ΔPは肺内の圧の変化分なので測定不能であるが，シャッターが閉じているので口腔内圧=肺胞内圧とみなして，口腔内圧の変化分をもってΔPとする．ΔVはbox内の気体量の変化，あるいは圧変化を量に変換させて求める．最近は安静呼吸でも測定できる機種が汎用されている．

健常者ではHe希釈法と体プレチスモグラフ法での測定値はほぼ等しいので，FRC測定はHe希釈法で十分である．しかし，COPDではHeが到達できない換気が少ない部分(ブラや気腫肺)にある気体が過剰なRVとなっているのでゴールドスタンダードは体プレチスモグラフで測定したFRC(FRCbox)となる．FRCboxが多いほど，He希釈法で測定したFRC(FRCHe)との差が多いほど，巨大ブラ切除や

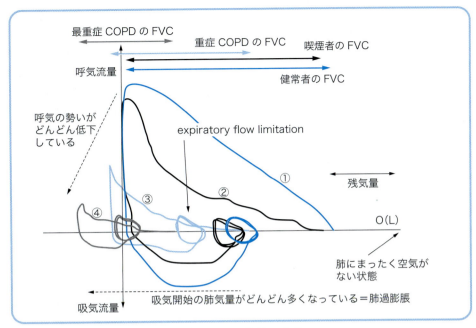

図5　COPDの重症度とフローボリューム曲線の変化
肺胞破壊が進行し残気量が増加していくにつれ，吸気開始がより高肺気量位となり，ピークフローがより低下していく．①：健常人，②：喫煙者，③：重症COPD，④：最重症COPD

重症肺気腫に対する肺気量減量手術（lung volume reduction surgery：LVRS）によって胸郭がより本来の楕円に近づき，換気機能の改善が得られICが増加して呼吸困難が低下する．

3）肺胞でのガス交換
①肺拡散能（DLCO）

肺胞の酸素が肺胞上皮，間質，肺毛細血管上皮を通過して血漿へ拡散し，赤血球の膜を通過してヘモグロビン（Hb）と結合する化学反応が成立してはじめて全身への酸素供給能の評価が可能となる．この全体のプロセスを表現する指標としての意味で肺拡散能（carbon monoxide diffusing capacity：DLCO）が用いられるが，欧州では全過程を意識してO_2 transfer factorと表現している．DLCOの測定で推奨されている1回呼吸法（single breath法：SB法）について述べる．

被験者に低濃度（0.3％程度）のCO，10％He，21％O_2からなる混合ガスをRVレベルからTLCまで一気に吸入させ10秒間息こらえをさせる．回路のシャッターを開け，できるだけ早く呼出させ，最初の0.75Lを捨てたあとの1Lの肺胞気を採取する．吸入気と呼出肺胞気のCO濃度，He濃度を測定し，計算式でDLCOを求める．

さて，DLCOの測定と解釈には以下の注意がいる．

（1）DLCOの計算には息こらえ中の肺気量（VA）が必要である．VAはHe希釈法で測定したRVをDLCO測定時の吸気量に加えるFosterの原法と，測定時の指標ガスであるHeの肺内希釈率から計測する方法がある．欧米ではひとつの検査で完結している後者を推奨し，DLCOと表記している．ところが，日本では，前者をDLCOとし後者をDLCO'としてきたので，混同しないように注意が必要である．

（2）VCが1.75L未満例では測定困難である．

（3）数多い基準値予測式がある．日本の多くの施設が用いているBarrowsの予測式では他の予測式より低い絶対値を100％としている．すなわち，絶対値が同じでも，たとえば，Cotes予測式と比較すれば％DLCO（Burrows）＞％DLCO（Cotes）となる．日本人から得られたデータによる基準式が望ましい．

（4）貧血症では小さく，多血症では大きくなる．Hbで補正が必要である．
- DLCO（補正値）＝DLCO（測定値）×（10.22＋Hb）／（1.7×Hb）（男性）
- DLCO（補正値）＝DLCO（測定値）×（9.38＋Hb）／（1.7×Hb）（女性）

（5）心拍出量が増加する運動や食事のあとは測定値が高くなるので検査前には安静とする．喫煙者ではCOがHbに結合し，COの分圧差を減少させ測定値が低くなる．

DLCOの主な規定因子は拡散面積（A）と拡散距離（d）である．Aが減少する肺切除後，肺胞破壊の肺気腫，肺胞虚脱の間質性肺炎，肺血管床が減少した肺血栓，原発性肺高血圧症，血管炎ではDLCOは低下する．術前化学放射線療法でも低下する．dが増加する間質性肺炎や肺水腫では低下する．健常者では静脈血は肺毛細血管内を流れる際に0.25秒で動脈血となる．拡散障害がある疾患肺では拡散に時間を要するので酸素化により長い時間を要する．安静時ではほぼ酸素化が成立するものの，運動時では血流速度が増して酸素が平衡に達する時間が足りなくなり低酸素血症が顕著になる．

肺切除術後は切除量に応じてガス交換の場である肺胞-血管床を失う．最低限の日常活動を可能とするのに必要な肺の量は約40％と思われる．肺血管床がcriticalな量になれ

I. 総論

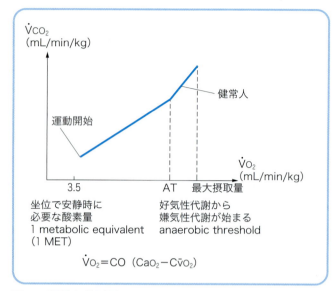

図6 運動負荷試験
　健常者では安静坐位での酸素消費量である 3.5 mL/kg/min を 1 MET (metabolic equivalent) という．呼吸仕事量が増加している COPD などでは安静時でも 1 MET より大きく，運動負荷をかけると $\dot{V}CO_2$ と $\dot{V}O_2$ の傾き，すなわち呼吸商はより大きくなり，AT が明瞭とならないで呼吸困難のために限界となることが多い．

ば，当然，肺血管抵抗が上昇し，この後負荷に抗しきれなくなった右心の pump failure となる．COPD 合併あるいは間質性肺炎合併肺癌，あるいは肺全摘が見込まれる症例では，上記の観点からの DLCO の測定はもとより，肺血管床の多寡を推定する肺血流シンチグラム，心臓エコー検査や BNP 測定が有用となる．

4) 運動負荷検査

　運動耐容能は，安静時の検査成績だけでは把握が困難であり，運動負荷試験が重要な位置を占める．客観的な検査としては，トレッドミルや自転車エルゴメーターにより定量的な漸増負荷をかけ最大酸素摂取量（$\dot{V}O_2$max（mL/kg/min））を測定する検査が推奨される．
　ベースライン値を測定後，トレッドミルではスピードと傾斜を 1 分ごとに変化させ，エルゴメーターでは 1 分ごとに 5〜10 ワット (Watt) ずつ増加させ，呼吸困難や下肢の疲労が限界と訴えた時点で終了とする (symptom limit)．もし，危険な不整脈の出現や血圧の異常変動，顕著な SpO_2 の低下の場合には検査を中止する．心拍数，血圧，心電図，呼吸数，SpO_2，呼気ガス分析による酸素摂取量（$\dot{V}O_2$），炭酸ガス排泄量（$\dot{V}CO_2$），分時換気量（$\dot{V}E$）などを測定し，呼吸困難は modified Borg scale で評価する．

① $\dot{V}O_2$max

　運動を開始すると $\dot{V}O_2$ は上昇しプラトーになる．階段状に負荷量を増やしてその都度，運動をすればその負荷でのプラトー値が得られ，最大限の負荷で同じことを行えば，そのときのプラトー値の $\dot{V}O_2$，すなわち $\dot{V}O_2$max が得られる．しかし，このやり方は煩雑なので，実際には負荷を漸増する試験で限界となったときの $\dot{V}O_2$ である $\dot{V}O_2$peak を $\dot{V}O_2$max とみなす．そして，その時点での呼吸と循環に関する指標に $\dot{V}E$max，$\dot{V}O_2$max，$\dot{V}CO_2$max，HRmax のように max をつける．
　X 軸に $\dot{V}O_2$ と Y 軸に $\dot{V}CO_2$ をプロットすると（図6），両者は負荷量の増加に伴い呼吸商の傾きの直線となって伸びていくが，負荷後半のある時点から傾きは上昇する．この点は anaerobic threshold (AT) と呼ばれ，組織での酸素需要が酸素供給を上回り嫌気的解糖が始まるためとされる．
　Jones らは，
　男性　$\dot{V}O_2$max $= 60 - 0.55 \times$ age (SD7.5) mL/kg/min
　女性　$\dot{V}O_2$max $= 48 - 0.37 \times$ age (SD7.0) mL/kg/min
の予測式を報告している．

② 分時換気量（$\dot{V}E$）

　$\dot{V}E$ = 1 回換気量（V_T）× 呼吸数（f）である．負荷が増すと V_T と f が増加するが，AT 以上では乳酸増加による代謝性アシドーシスで換気が刺激されるため主に f が増す．

③ 代替としての運動負荷試験

　階段昇降テスト，シャトルウォークテスト，6 分歩行テストなどがある．階段昇り試験では，おおむね 22 m，5 階昇れれば $\dot{V}O_2$max > 20 mL/kg/min（肺全摘可能），3 階昇りが可能であれば $\dot{V}O_2$max > 15 mL/kg/min（肺全摘〜葉切除可能）とされる．一方，1 階昇りが限度なら $\dot{V}O_2$max < 10 mL/kg/min とされ，予備力は乏しいことを示している．シャトルウォークテストとは音楽に合わせて 10 m 距離の往復を繰り返し距離を測定するものである．25 シャトル（= 250 m）できなければ $\dot{V}O_2$max < 10 mL/kg/min とされる．「ACCP/ATS/ERS ガイドライン 2013」では階段昇り < 22 m または SWT < 25 シャトル (or < 400 m) であれば $\dot{V}O_2$max を測定することを推奨している．6 分歩行テストは簡便で有益な検査であり，最近 $\dot{V}O_2$max の代替えとして位置づけられた．被験者に 30 m の直線コースを最大限の努力で歩行させ，往復させる．歩行時の脈拍，SpO_2 を測定し，歩行困難になった時点で検査を終了する．評価項目は最大歩行距離であり，$\dot{V}O_2$max と相関するとされる．

C 呼吸不全　レベルA

　呼吸機能障害のため動脈血ガス（O_2，CO_2）が異常値を示し，そのために性状な機能を営むことができない状態である．

1) I 型呼吸不全

　換気血流比（$\dot{V}/\dot{Q}$）の不均等，拡散障害，肺内シャントで酸素の取り込みだけが不足し低酸素血症をきたす病態である．肺胞気−動脈血酸素分圧較差（$AaDO_2$）の開大が原因で，正常人の $AaDO_2$ は 10 Torr 以下で，高齢者でも 20 Torr を超えることはないとされるが，低 O_2 血症性呼吸不全ではそれ以上の開大を示す．

2) II 型呼吸不全

　酸素の取り込み不足に加え，肺胞低換気で二酸化炭素の排出が悪化し，体内に二酸化炭素が蓄積し高炭酸ガス血症をきたす病態をいう．原因病態は，死腔増大や気道狭窄な

どの換気力学的障害，呼吸中枢性の低換気，呼吸筋麻痺や呼吸筋疲労による低換気があげられる．

d 肺動脈圧 レベルB

肺動脈圧（pulmonary artery pressure：PAP）とは，肺動脈の血圧のことである．正常値は収縮期圧30〜15 mmHg，拡張期圧8〜2 mmHg，平均圧18〜9 mmHgとされ，肺高血圧症診断のために測定される．

1）肺高血圧症

肺高血圧症は，何らかの原因によって肺動脈圧が上昇することにより右心系に負荷がかかり，その結果，右心不全をきたす病態である．肺動脈圧はまず，心臓超音波検査で推定値を出し，疑いが高ければ心臓カテーテル検査で実測値をとるのが一般的である．

安静時平均肺動脈圧≧25 mmHg：肺高血圧症
安静時平均肺動脈圧≧35 mmHg：重症肺高血圧症

2）肺高血圧症の原因

肺高血圧症を原因の違いで以下の5群に分類している．
第1群：肺動脈性肺高血圧症（PAH）
第2群：左心性心疾患による肺高血圧症
第3群：肺疾患や低酸素血症による肺高血圧症
第4群：慢性血栓塞栓性肺高血圧症（CTEPH）
第5群：原因不明の複合的要因による肺高血圧症

このうち第1群の肺動脈性肺高血圧症（PAH）と第4群の慢性血栓塞栓性肺高血圧症（CTEPH）は，特定疾患として難病に指定されている．一方，症例数は第3群が多い．

e 喫煙と呼吸機能 レベルA

呼吸器疾患を有しない非喫煙者では，1秒量は35歳ごろより年間25〜30 mL程度ずつ減少することが知られている．1秒量の年間減少量（FEV decline）は喫煙継続群で非喫煙者群より大きく，年間減少量が100 mL以上を示す者が5.8〜8.2％の割合で認められた．

喫煙との関係では，COPD患者の90％以上が喫煙経験を有し，喫煙者の15〜20％がCOPDに罹患するとされる．一方，肺機能低下について，GOLDステージ別に1秒量の低下率を検討すると，1秒量の低下率は，Ⅰ期40 mL/年，Ⅱ期47〜79 mL/年，Ⅲ期56〜59 mL/年，Ⅳ期35 mL/年未満であった．COPD初期の段階で低下率がより大きく，COPD早期の段階から禁煙や治療介入がより効果的であることが示唆された．また，肺年齢とは，実年齢との乖離から呼吸機能の異常を早い段階で認識してもらう概念で，肺年齢を知ることで肺の健康意識を高め，健康維持や禁煙指導，呼吸器疾患の早期発見・早期治療に活用する．肺年齢は，「一秒量」と「一秒率」の測定値と「身長」を，日本呼吸器学会肺生理専門委員会（2001）の「一秒量の標準回帰式（18〜95歳）」に代入し，条件に応じて算出する．

肺年齢の計算式（18歳から95歳）
男性：肺年齢 = $(0.036 \times 身長(cm) - 1.178 - FEV_1(L))/0.028$
女性：肺年齢 = $(0.022 \times 身長(cm) - 0.005 - FEV_1(L))/0.022$

f その他の検査

呼吸器疾患における新たな機能診断法としてのMRIが注目されている．超偏極希ガスを用いた換気イメージングにより，ガス交換能および換気能の局在定量評価が可能で，呼吸器疾患の病態解析に有用であることが報告されている．

文献

1) 日本呼吸器学会肺生理専門委員会（編）．臨床呼吸機能検査，第7版，メディカルレビュー社，2008
2) 日本呼吸器学会肺生理専門委員会（編）．呼吸機能検査ガイドライン─スパイロメトリー，フローボリューム曲線，肺拡散能力．メディカルレビュー社，2004
3) Roussos C. The Thorax, Decker, Hamilton, 1989
4) Burunell A et al. Chest 2013; **143**: 166

I. 総論

⑩ 呼吸器疾患の症候・身体所見

要点

❶ 基本的な症候と身体所見の重要性を理解する．
❷ 各種呼吸音について説明できる．

Key Word 呼吸数，呼吸音，肺性副雑音

a 症候 レベルA

1）咳

咳は気道，外耳道，胸膜などへの物理的，化学的刺激により，咳受容体からの刺激情報が主に迷走神経を介し，延髄にある咳中枢に伝えられ，遠心路として迷走神経や横隔神経などを介して，吸気のあと声帯閉鎖，呼気筋の収縮により気道内圧および胸腔内圧が急上昇し，声帯の急速な開大とともに一気に気道内の空気を呼出させる反射で，異物や分泌物を排除する．乾性の咳はウイルス性やアレルギー性の肺炎，癌，胸膜炎などの胸膜刺激，心不全などでみられる場合がある．痰を伴う場合は湿性の咳となる．湿性は痰の項を参照．

2）痰

気道粘液は保護機能，バリア機能，輸送機能などの役割を担っている．この粘液は健常でも1日に100 mL ほど分泌され，再吸収や蒸散などによって痰として自覚されることはなく，過剰な粘液が痰として自覚される．

①量

大量の場合は，気管支炎，肺炎，気管支拡張症，気管支瘻，肺水腫，肺膿瘍などが考えられる．

②色

白色あるいは透明なものは粘液であり，色調が濃くなると細菌の存在を考慮する．緑色調の場合は緑膿菌感染などを疑う．膿性痰の場合その膿性度はペルオキシダーゼの量によって決定されるとされ，ペルオキシダーゼは好中球に含まれることから，膿性度が増加すれば好中球による気道炎症が増強していることが推測される．赤色は新鮮な血液，褐色，黒色は古い血液が混じるもので，喫煙者でも黒色を呈する場合もある．ピンク色は肺水腫にみられ，術後のある時期に急にさび色の喀痰が増量した場合には，気管支瘻などにも留意すべきである．

③臭気，粘度

腐敗臭を有するときは嫌気性菌を考える．気管支肺胞上皮癌では粘液性痰を示す場合がある．痰の外観は特異性の高い所見ではないため，診断のためには培養や細胞診を含めた検査を組み合わせる．

3）血痰，喀血

一般に気管支あるいは肺からの喀出物がほとんど血液である場合を喀血といい，痰に血液が混在している場合を血痰と呼んでいるが，その違いは明確ではなく，血線（粘液のなかに小血塊または血液が線状になって混入しているもの）から数百mLに及ぶものまである．気道内の出血が気道を閉塞し，低酸素血症が急速に起こるため致命的となる場合がある．原因疾患としては，肺炎，癌，気管支炎，気管支拡張症，結核，肺化膿症，肺アスペルギルス症，気管支動脈瘤など多岐にわたるが，原因不明の場合が最も多いとされている．他臓器癌（腎癌，大腸癌など）の治療歴がある場合には転移性肺腫瘍の気道病変の存在など留意が必要である．出血源の特定として鼻腔，歯肉，舌，扁桃，咽頭，喉頭などの観察も怠らないようにする．

4）呼吸困難

呼吸困難は，呼吸に際して自覚する不快な感覚や苦痛を指す自覚症状である．呼吸運動を感知する受容体には，気道，肺，呼吸筋の機械的受容体や動脈血液ガスの値を感知する化学受容体があり，呼吸中枢から呼吸運動に反映される．呼吸困難の程度は呼吸中枢からの呼吸運動出力と呼吸器系の受容体からのフィードバックがミスマッチを起こすことにより影響される．しかし，呼吸困難感はひとつの機序だけでは説明できず，呼吸器疾患や循環器疾患，神経筋疾患，精神疾患，社会的・環境的要因など複合した機序が関与し，個人差がある．自然気胸，肺塞栓症では突発性，気管支喘息では発作性，肺気腫，胸水貯留などでは緩徐に発症する．心性の呼吸困難は左房圧，肺静脈圧の上昇に由来するもので，左房圧の上昇する心疾患，心タンポナーデなどで発症する．中枢気道の閉塞による声門浮腫，気道異物，気道腫瘍や結核などによる炎症性狭窄や縦隔腫瘍による外側からの気管圧迫も原因となる．起坐呼吸では体位によって肺うっ血が減少するので呼吸が楽になり，自然にその体位をとるようになる．

5）喘鳴

呼吸に伴って高速の気流と気道の狭窄によって発生する乱流や気道壁の振動により呼吸に伴って「ヒューヒュー」「ゼイゼイ」と聞こえる呼吸音の異常である．中枢気道の

狭窄(stridor)では主に吸気相で聴取され，中枢気道の浮腫，炎症，腫瘍，気管・気管支軟化症，気道内異物などが原因となる．末梢気道の狭窄(wheezing, rhonchi)では吸・呼気相ともに聴取されるが，主に呼気相に強い．原因としては，気管支喘息，慢性気管支炎などがある．

6) 胸痛

胸痛は臓器や部位によってその発現の仕方は多岐にわたり，臓器が直接障害を受けて起こる胸膜，横隔膜，心膜，胸壁に分布する知覚神経への刺激による痛みだけでなく，内臓痛としての虚血や炎症などの刺激，血管の収縮による刺激が胸腔臓器にある自律神経にかかわることによる痛みがある．胸膜では壁側胸膜のみが知覚神経を有し，炎症と伸展を感知して胸痛を自覚する．胸膜炎，気胸などで起こる．肺は知覚終末を持たないので，肺疾患では病変が壁側胸膜に達して自覚する．Pancoast 腫瘍などの癌による胸壁，椎体への浸潤は激烈な疼痛をきたす．循環器疾患において心筋梗塞では胸骨下の絞扼感，左上肢，左肩部の放散痛，解離性大動脈瘤では突然の刺されるような痛みで，胸骨下部から頸部・胸部・腰部に放散する．消化管粘膜の炎症や潰瘍，消化器の炎症，腫瘍や膿瘍，さらには神経の炎症や損傷，胸壁の筋肉痛から生じることもある．縦隔疾患では，縦隔気腫，食道穿孔，逆流性食道炎，胸壁では癌浸潤のほか，肋骨骨折，帯状疱疹，Tietze 症候群で胸痛をきたす．気管支炎などで強い咳が続いて起こる胸痛は，繰り返す強い咳により肋間筋に炎症が起こるからとされている．原因の明らかでない胸壁の疼痛は肋間神経痛と診断される場合が多い．

7) ばち状指

ばち状指とは手指の末節骨が腫大し，さらに爪の彎曲度が増加し爪と爪甲基部の成す角度が180°以上を呈する状態（正常は160°以下）をいう．肺癌，低肺機能，心疾患にしばしば認められる．ばち状指は指趾の全組織の増殖とされ，そのメカニズムについては確定的でないが，組織の局所的な酸素化異常，血管拡張を生じる因子の関与やサイトカインなどが原因と考えられている．また，以下のような仮説もある．通常，巨核球は肺毛細血管床において血小板へと断片化されるが，慢性的な肺の炎症や肺腫瘍，心臓における右→左シャントの存在があると，巨核球は体循環系に入り末梢指節の毛細血管床で断片化され，巨核球とその断片は血小板由来成長因子を活性化し，血管新生，血管透過性亢進，単球や好中球の遊走，血管平滑筋細胞や線維芽細胞の増生を促すとされ，このような一連の機序を経てばち状指が完成するという考え方である．肺癌の腫瘍随伴症候群の一症状として認められ，ばち状指のほかに関節炎，骨膜下の骨増殖を認めると肥大性骨関節症となる．

8) チアノーゼ

皮膚，粘膜の色調の青紫色への変化を意味し，毛細血管の還元ヘモグロビンが5g/dL以上に増加した場合と還元ヘモグロビンと類似色の異常ヘモグロビンが増加した場合にチアノーゼとして観察される．特に耳朶，爪床，口唇，口腔内粘膜で認めやすい．一般に動脈血酸素飽和度が80％に低下するとチアノーゼとして認められるようになるが，貧血のあるときは発現しにくい．また，CO中毒の場合には，皮膚や口唇の潮紅がみられるためチアノーゼがわかりにくいことも留意すべきである．中枢性チアノーゼは，主に心肺疾患のために末梢組織への酸素供給量が低下することに起因し，生命予後を左右し緊急処置が必要となる．肺疾患によるチアノーゼは，肺胞低換気，換気血流比不均等，拡散障害による動脈血酸素飽和度の低下に伴うものが多い．心疾患では，先天性心疾患，うっ血性心不全で，前者では右→左シャントの存在を示す．酸素吸入によって改善するのが肺疾患性チアノーゼ，改善されなければおおよそ心疾患性チアノーゼといえる．末梢性チアノーゼは，末梢組織の局所的な原因によりチアノーゼが発生し，微小血管の虚脱，攣縮，閉塞などの末梢循環不全により，局所への酸素供給量が低下するために生じる．末梢性のチアノーゼは，局所を温めることによって改善する．

9) 嗄声

声の音質の異常を嗄声と呼び，主として発声時における声帯振動の不規則性と声門閉鎖不全に起因する．喉頭の炎症性疾患は，原因として最も頻度が高いが，特に呼吸器外科領域では直接肺癌によるものや術中手術操作の影響による反回神経麻痺に起因したものには注意しなければならない．その他，喉頭腫瘍，声帯ポリープなども鑑別が必要である．

10) その他呼吸器外科領域の症状・神経障害など

①Horner 症候群

患側の眼瞼下垂，縮瞳，眼球陥凹，発汗減少などを主とする症候群で，交感神経叢の上部(Th1レベル，一部Th2とする報告もある)が障害されると起こる．肺癌による浸潤，手術時の合併切除などが原因となる．

②Pancoast 症候群

肺尖部に発生する肺癌によって，第1肋骨の浸潤破壊による肩痛，胸痛，腕神経叢の刺激，破壊で尺骨神経領域がおかされ，上肢の内側に沿った痛みや，交感神経叢もおかされ Horner 症候群などの症状が進行する．

③上大静脈症候群

上大静脈への腫瘍浸潤や圧排によって，顔面頸部の浮腫症状から脳圧亢進による頭痛や耳鳴り，呼吸困難などが出現する．

④Lambert-Eaton 症候群

四肢近位筋の脱力と易疲労性などで，肺癌に合併する．重症筋無力症との鑑別を要する．

⑤SIADH

SIADH(syndrome of inappropriate secretion of antidiuretic hormone)は，ADH(antidiuretic hormone)の過剰分泌により腎における水再吸収が亢進し，低ナトリウム血症，体内水分貯留（水中毒）をきたすことである．

Ⅰ. 総論

⑥重症筋無力症
　眼瞼下垂，骨格筋麻痺をきたす．胸腺腫に合併する場合がある．症状のクラス分類にはMGFA（米国重症筋無力症財団）分類を用いることが多い．

⑦心タンポナーデ
　心嚢液貯留によって起こる症状で，低血圧，頻脈，呼吸困難などの症状が出現し，腹部臓器のうっ血による消化器症状などもある．

⑧高カルシウム血症
　骨転移による骨破壊に起因する場合と腫瘍がparathyroid hormone関連蛋白を産生する場合とがある．食欲不振，悪心，便秘などの消化器症状，易疲労感，脱力感，口渇，頭痛などの症状を呈する．

⑨カルチノイド症候群
　セロトニン産生による顔面紅潮，下痢などの症状を呈する．

⑩Cushing症候群
　ACTHおよびACTH様物質産生により，満月様顔貌，高血圧，中心性肥満，浮腫などを呈する（Ⅵ章-1-E参照）．

b 身体所見 レベルA

1) 視診
　患者の全身，肥満の有無など，触診，打診，聴診と併行して行う．
①顔面
　顔色，眼瞼下垂，Horner症候群，顔面浮腫など．
②胸部（呼吸数）
　呼吸に伴う胸郭の動き，左右差，奇異呼吸の有無などを観察する．呼吸様式は胸式，腹式，胸腹式があるが，通常は胸腹式である．正常の場合は吸気と呼気が一定の規則的なリズムで，成人では呼吸数は12～20回/minである．
③四肢
　ばち状指，肥大性骨関節症，Pancoast症候群，胸郭出口症候群による上肢疼痛の有無など．

2) 触診
　表在リンパ節（頸部，鎖骨上，腋窩など），皮膚・皮下腫瘤，呼吸の左右差，振動（声音伝達），皮膚温，湿潤，静脈の充盈，圧痛，腫脹，皮下気腫（握雪感）など．

3) 打診
　臓器の位置，大きさ，病変の有無と性状を判断．肺肝境界や横隔膜の可動性も確認する．
①鼓音
　密度の小さいものが呈する響くような長い音．気胸，肺気腫，胸壁に近い空洞などに認められる．
②濁音
　密度が大きいものが呈する鈍い短い音．含気量の低下，胸水などによって生じる．

4) 聴診
　呼吸によって気道内に生じた空気の流れを音源とする生理的な音である呼吸音と，病的状態によって発生する音である副雑音に分けられる．音の伝達の性質の変化，副雑音の有無，副雑音があるならば，呼吸位相のどの時期で聴取されるのかを確認し，肺のなかで何が起こっているのか推測する．

①正常呼吸音
　ⅰ）気管呼吸音：頸部の気管で聴かれる粗い感じの音．吸気より呼気のほうが大きい．
　ⅱ）気管支呼吸音：胸腔内気管支や太い気道上で聴かれる．肺胞呼吸音より大きく，呼気の音が明瞭に長時間持続して聴かれる．
　ⅲ）肺胞呼吸音：末梢肺に接する胸壁で聴かれる低い音色で，吸気に一定の強さで聴かれる．

②異常な呼吸音
　ⅰ）呼吸音減弱：無気肺，肺気腫，気胸，胸膜肥厚，呼吸筋麻痺など．
　ⅱ）呼気延長：気道狭窄，喘息，肺気腫など．
　ⅲ）副雑音：健常では聴くことができない肺音．
肺や気道から発生するものをラ音と呼ぶ．

【断続性ラ音】（かつての湿性ラ音）．
複数の断続的な音（crackles）．
○水泡音：ブツブツと粗い大きな音．吸気の初期に発生し，持続時間は捻髪音より長い．慢性気管支炎，びまん性汎細気管支炎など．
○捻髪音：パリパリと細かな小さい音．吸気の後半に出現し終末まで続く．間質性肺炎など．

【連続性ラ音】（かつての乾性ラ音）
一定時間以上持続する管楽器のような音．喘鳴ともいう．
○笛音：ピーピーという高音性の連続性ラ音．気管支喘息の発作時など気道狭窄時に聴かれる．呼気時に発生しやすい．
○いびき音：グーグーという低音性連続性ラ音であり，笛音より太い気道で発生する．
○吸気性喘鳴（stridor）：吸気時に同じタイミングで発生する単一の連続音で，上部気管狭窄など．
○squawk：キューといった吸気時のみに聴かれる短い音．びまん性汎細気管支炎など．

【その他の副雑音】
○胸膜摩擦音：胸水，胸膜炎，肺切除術後などで呼吸運動に伴う肺と胸壁の摩擦によって生じる．吸気呼気両位相で聴かれる低調のガサガサした音である．
○Hamman徴候：心拍に同期したバリバリ音・捻髪音，縦隔気腫，左気胸．

文献
1) 正岡　昭ほか．呼吸器外科学，第4版，南山堂，2009: p31
2) 工藤翔二ほか．呼吸器専門医テキスト，南江堂，2007: p27
3) 工藤翔二ほか．呼吸器疾患診療マニュアル，南山堂，2008: p64
4) 渡邉洋宇ほか．臨床呼吸器外科，第2版，医学書院，2003: p57

11 呼吸器疾患の検査

要点

1. 炎症性疾患や腫瘍性疾患に対する血液検査での特異的マーカーについて説明できる．
2. 肺癌に対する喀痰細胞診や様々な呼吸器感染症に対する喀痰の塗抹，培養検査法について説明できる．
3. 胸水の原因疾患や分析方法について説明できる．
4. 胸部単純X線検査やCT，MRI，PET検査の原理について理解し，それぞれの胸部疾患における役割について説明できる．
5. 気管支鏡検査の対象疾患や合併症，種々の診断支援の機器について説明できる．
6. 手術や検査で採取した組織・細胞検体の処理方法や染色法，免疫組織化学的なマーカー，遺伝子変異検査について説明できる．
7. リンパ節生検や経皮的生検，縦隔鏡，開胸生検について適応，検査法や合併症を説明できる．

Key Word　腫瘍マーカー，喀痰細胞診，Ziehl-Neelsen染色，Papanicolaou染色，胸水（漏出性，滲出性），気管支鏡，縦隔鏡，遺伝子パネル検査

胸部疾患の治療法は，手術や薬物療法，放射線療法などがある．これらの治療法の決定には正確な診断やその進行度の把握が不可欠である．

a 血液検査 レベルA

1）感染症

CRP（C-reactive protein）は感染症などの全身炎症性疾患で上昇する．細菌感染症では末梢血白血球が上昇し好中球分画の左方移動がみられ，多くは血清プロカルシトニンが上昇するため，これらの所見はウイルス感染症との鑑別に有用である．深在性真菌症の診断にはβ-D-グルカンの測定が用いられる．また，マイコプラズマやクラミジア，各種真菌・ウイルスなどは血清中抗体価の測定により診断が可能なものもある．結核菌感染の有無は患者血液中の感作リンパ球が産生するインターフェロンγを検出する方法で評価される．

2）サルコイドーシス

サルコイドーシスは原因不明の肉芽腫性疾患であるが，血清中のACE（angiotensin converting enzyme）が増加していることが多い．

3）間質性肺炎

間質性肺炎は肺胞隔壁に炎症が存在する疾患である．肺胞上皮傷害により血清中のKL-6やSP-D（surfactant protein-D），SP-A（surfactant protein-A）が上昇する．これらは間質性肺炎患者の予後予測因子としても有用である．腫瘍マーカーのCEA（carcinoembryonic antigen），CA19-9（carbohydrate antigen 19-9），SLXが陽性になることもある．

4）腫瘍性疾患

肺癌の血清マーカーとしては腺癌にCEA，扁平上皮癌にCYFRA21-1（cytokeratin 19 fragment）やSCC（squamous cell carcinoma related antigen），小細胞癌にNSE（neuron specific enolase）やpro-GRP（pro-gastrin releasing peptide）が用いられる．なお，CA19-9を産生する肺腺癌もときどき経験される（保険適用なし）．縦隔腫瘍ではCEAやAFP（α-fetoprotein），hCG（human chorionic gonadotropin）の測定が胚細胞腫瘍の鑑別に，sIL-2R（soluble interleukin-2 receptor）の測定が悪性リンパ腫の鑑別に有用である．

中心性キャッスルマン病ではIL-6（インターロイキン6）が高値となる．

b 喀痰検査 レベルB

1）細胞診

喀痰に対する臨床診断とともに，主に中心型早期肺癌のスクリーニングに重度喫煙者を対象として行われる．陽性率の向上のため3日間連続して喀痰を採取するか，3日分の早朝の喀痰を保存液が入った容器に蓄痰したものを検体とする．保存液としては2%カーボワックス（1540）・50%エタノール液（サコマノ法），30～50%エタノールに粘液融解剤を加えた保存液（喀痰溶解法），0.5%チモール・2%カーボワックス・50%エタノール液（ポストチューブ法）などを用いる．塗抹標本を95%エタノールで固定後にPapanicolaou染色を行ったものを鏡検し判定する．

2）細菌学的検査

一般細菌，真菌，抗酸菌を対象とする．検査手段としては塗抹，培養，抗生物質に対する感受性検査がある．塗抹法として一般細菌はGram染色を行うが抗酸菌ではZiehl-

Neelsen 染色が行われる．抗酸菌はその同定や結核菌と非結核性抗酸菌との鑑別にポリメラーゼ連鎖反応(PCR)法によるDNA 診断が有用である．培養検査として通常は血液寒天平板を用い，嫌気性菌には血液加 liver veal 寒天平板，真菌には Sabouraud 寒天平板，抗酸菌には小川培地や液体培地が用いられる．抗生物質に対する感受性試験は分離菌を純培養して行われる．

それ以外の病原体としてウイルスがあるが，専用の容器を用いて抗原を分離・同定する様々な方法が開発されている．

c 胸水の検査 レベルA

胸水は生理的状態で壁側胸膜から産生され臓側胸膜より吸収される．胸水の産生は毛細血管と胸腔との静水圧較差と膠質浸透圧較差のバランスで規定されており，正常な状態でも 10～20 mL の胸水が存在し，呼吸による肺と胸壁との滑らかな滑走を可能にしている．胸水は何らかの原因でその産生と吸収のバランスが崩れたときに貯留する(X章-7 表1参照)．

胸水は漏出性と滲出性に分類される(X章-7 表1参照)．この両者の鑑別に用いる Light の診断基準では胸水と血清中の蛋白質と LDH(lactate dehydrogenase)の測定が必要である．①胸水/血清蛋白比＞0.5，②胸水/血清 LDH 比＞0.6，③胸水 LDH＞血性上限の 2/3，のどれも満たさない場合は漏出性であり，どれかひとつでも満たす場合には心不全や肝硬変による胸水が否定されれば滲出性である．

滲出性胸水の原因疾患は，悪性腫瘍や感染性疾患，膠原病など多岐にわたり，外観からは漿液性，血性，膿性，乳び性に分類される．胸水中の細胞数やその分画，グルコース濃度，細胞診，細菌学的検査はこれらの疾患の診断の補助となる．

d 画像診断 レベルA

1) 胸部単純X線検査

胸部へX線を照射しその後方へ置かれた検出器により人体に吸収された X線を画像化する検査である．最近は受光したX線を電気信号に変換しコンピュータで画像化するデジタルX線撮影法(computed radiography：CR)が普及している．安価で被曝が少ないことから，スクリーニングや経過観察に極めて有用である．

2) CT

CT(computed tomography)は，装置の技術的進歩により現在の胸部疾患の画像診断において中心的な役割を担っている．MDCT(multi detector-row computed tomography)の登場により病変の詳細な形態診断が可能になったことに加えて，その薄層画像データを用いて MPR(multi planar reconstruction)や3次元画像を構築することで陰影の性状や局在，周囲組織との位置関係をより把握しやすくなった．

3) MRI

MRI(magnetic resonance imaging)は，軟部組織の分解能に優れており，縦隔や胸壁に存在する病変の質的診断や大血管や椎体など周囲組織への浸潤を評価する際に有用である．ただし，肺野に関しては複雑な含気構造で構築されているため，現在の装置での分解能は CT より劣る．

4) PET

PET(positron emission tomography)は，放射性同位元素で標識された薬剤を体内へ投与し，その拡がりや動態を検出する装置である．現在は ^{18}F で標識された FDG(fluoro-2-deoxygluose)が最も多く用いられており，グルコース代謝の高い病変が検出される．その取り込み程度を半定量的に数値化したものとして SUV 値(standard uptake value)が用いられており，病変の活動性の指標となりうるが，機種や撮影法などが施設によって異なるため，単純な数値の比較はできない．また，集積部と臓器の位置関係を明らかにするため，PET と CT を同条件で撮影し画像を融合させる必要があり，PET/CT が汎用される．PET の問題点として，小結節やすりガラス様陰影は偽陰性となりやすいことや，肺炎や間質性肺炎などの活動性炎症性病変は偽陽性となりやすいことがあげられる．しかし，悪性腫瘍のリンパ節転移の診断は CT より優れていることや全身の遠隔転移の検索が可能であることより，肺癌などの病期診断に非常に有用である．

e 内視鏡診断 レベルB

気管支鏡にはステント留置や異物除去など主に治療に用いられる硬性気管支鏡と主に診断に用いられる軟性気管支鏡とがあり，本項では後者について記述する．近年の技術進歩により気管支鏡診断の精度は格段に向上しており，通常の白色光以外にも自家蛍光や超音波を併用することで，中枢気管支の早期病変やリンパ節転移の診断にも用いられている．

気管支鏡検査の合併症として，出血，気胸，リドカイン中毒，低酸素血症，不整脈などがある．検査前には患者の既往や併存疾患，使用薬剤などを把握し，検査中はパルスオキシメーターによる呼吸状態や血圧などのバイタルサインを厳重にモニターしながら行うべきである．

通常の気管支鏡診断の対象は，肺癌などの腫瘍性病変や呼吸器感染症，非感染性炎症性疾患などである．気管支鏡で直視できる病変に対しては直視下での生検，穿刺，擦過，洗浄を行う．末梢に存在する気管支鏡で直視できない病変に対してはX線透視下で鉗子を病変へ到達させ同様の処置を行うが，実際に病変にうまく鉗子が到達せず診断にいたらないこともある．近年，超音波プローブを内腔に入れたガイドシースを用い，ガイドシースが病変に到達したことを超音波で確認後，プローブを抜去，鉗子を挿入し生検を行う方法が用いられる．同時にCTの薄層画像データを用いて仮想気管支内視鏡を作成し，病変にいたる気管支をナビゲーションする方法なども併用され，特に小型の陰影に

対する診断率向上の工夫がなされている．

気管支壁外に存在するリンパ節への穿刺は従来はCTで場所を予想し気管支鏡下に盲目的に穿刺していたが，気管支鏡先端に超音波端子を装備した超音波気管支鏡が開発されたことで，気管支内腔からリンパ節を描出しながら検体を採取するEBUS-TBNA（endobronchial ultrasound guided transbronchial needle aspiration）が行われるようになった． ▶動画❶❷❸

f 組織・細胞診検査 レベルC

1）細胞診

喀痰や気管支鏡で得られた分泌液，胸水などの体腔液を検体とし，それに含まれる細胞の形態から病変の性質を判断する．標準的には95％エタノールで固定後にPapanicolaou染色したものを鏡検する．「肺癌取扱い規約」では陽性・疑陽性・陰性の3つに区分している．

2）組織診

手術や生検で得られた検体は10～20％ホルマリン溶液で固定しパラフィン樹脂に包埋される．その後ミクロトームで3～4μmに薄切しスライドグラス上で染色したものを鏡検して診断する．通常はヘマトキシリン・エオジン染色を行うが，必要に応じて免疫組織化学的の染色を追加する．胸部腫瘍の免疫組織化学では肺腺癌のTTF-1（thyroid transcription factor 1），napsin A，扁平上皮癌のp40，CK5/6（cytokeratins 5/6），神経内分泌腫瘍のchromogranin A・synaptophysin・CD56，胸腺癌のc-kit，CD5，中皮腫のcalretinin，悪性リンパ腫のCD45などが代表的なマーカーである．また，CD31・CD34は血管内皮，D2-40はリンパ管内皮のマーカーであり脈管侵襲の評価に用いられている．

特に肺腺癌においていくつかのドライバー遺伝子変異が明らかとなっており，EGFR（epidermal growth factor receptor）遺伝子変異とALK-EML4（anaplastic lymphoma kinase - echinoderm microtubule associated protein-like 4）融合遺伝子の発現が代表的なものである．組織や細胞診の検体を用いてEGFR遺伝子変異はPCR法，ALK-EML4融合遺伝子はFISH（fluorescence in situ hybridization）法や免疫組織化学的に評価されている．その他，ROS-1，RET，MET，BRAFなどの変異も認められている．これらの検査で陽性の再発・進行肺癌症例にはそれぞれに対する分子標的治療薬剤が効果を示している．また，癌のゲノム医療推進に向け，遺伝子パネル検査が導入され，複数の遺伝子異常を同時に調べることが可能となった．的確な検査のため，組織検体の質と量に留意する必要がある．

PD-L1の発現も免疫チェックポイント阻害薬の適応のために検査される．

g その他の検査 レベルB

1）リンパ節生検

リンパ節を生検することで原疾患の診断や原疾患からの転移の有無を診断する．通常CTやPETによる評価で病変が存在すると思われるリンパ節を生検するが，前斜角筋リンパ節生検はダニエル生検として知られ，肺癌や悪性リンパ腫，サルコイドーシスなどがその対象疾患である．

2）経皮的生検

超音波ガイド下やCTガイド下に経皮的に生検針を用いて行う生検であり，胸壁や縦隔の病変，胸壁に近い肺病変がその対象となる．合併症として出血や気胸，空気塞栓などがあり，バイタルサインの厳重なモニター下での実施が必須である．

3）縦隔鏡

縦隔内の病変の観察，生検を目的に行う．頸部皮膚を切開し気管前壁にいたり，気管固有鞘の内側で気管に沿って縦隔鏡を挿入する．気管周囲のリンパ節が主な対象であり，全身麻酔が必要であるため，通常静脈麻酔で行われるEBUS-TBNAに置き換わりつつある．しかし，直視下での生検であり感度・特異度ともに高いためEBUS-TBNAで確定診断できない病変に対しては有用と思われる．縦隔鏡の合併症としては，腕頭動脈，腕頭静脈，奇静脈，右肺動脈や気管支動脈などの血管損傷，反回神経麻痺や気胸などがある．これらの合併症の頻度はまれであるが重篤な合併症であるため十分な注意が必要である．

4）胸腔鏡あるいは開胸による生検

他の生検法で確定診断が得られない場合に選択され，近年では胸腔鏡が多用されている．胸膜腫瘍や縦隔腫瘍，びまん性肺疾患などを対象とする．また，気管支鏡検査などで確定診断が得られなかった肺の末梢病変には肺生検組織の術中迅速診断を行い，肺癌の確定診断が得られれば根治的手術へ移行することもできる．

文献

1) 矢崎義雄ほか（編）．内科学，第10版，朝倉書店，2013: p90-93, 727
2) 藤井義敬ほか（編）．呼吸器外科学，第4版，南山堂，2009: p35, 63
3) 日本肺癌学会（編）．臨床・病理 肺癌取扱い規約，第8版，金原出版，2017: p74
4) 日本呼吸器学会（編）．新 呼吸器専門医テキスト，南江堂，2015: p68
5) 日本呼吸器内視鏡学会（編）．気管支鏡テキスト，第3版，医学書院，2019: p126

復習ドリル

問題❶
世界で最初に肺癌の切除術による長期生存を成功させたのは誰か．
a. Sauerbruch
b. Overhdt
c. Cahan
d. Graham
e. Cooper

問題❷
WHOの手術安全チェックリストについて，正しいものはどれか．2つ選べ．
a. 手術部位のマーキングを執刀直前に行う．
b. 麻酔導入前に500mL以上の出血のリスクを確認する．
c. 執刀3時間前の抗菌薬の予防投与の有無を確認する．
d. 手術検体の確認を患者退室後に確認する．
e. 執刀前に手術に入るすべてのメンバーが自己紹介する．

問題❸
肺の成熟につき，正しいものはどれか．2つ選べ．
a. 管状期に気管支の分岐が続き，終末気管支が形成される．
b. 腺様期に呼吸細気管支が形成され，血液供給も増加する．
c. 7ヵ月中に早産児が生存できるガス交換が可能となる．
d. 出生児の肺胞数は成人の約半数である．
e. 大部分の肺胞は3歳ころまでに発生する．

問題❹
先天性食道閉鎖症で胃内に空気を認めないものはどれか．2つ選べ．
a. Gross A
b. Gross B
c. Gross C
d. Gross D
e. Gross E

問題❺
CTの所見（右図）で正しいのはどれか．2つ選べ．
a. 左上区切除術後
b. Swyer-James症候群
c. 肺分画症
d. 縦隔気腫
e. 奇静脈葉

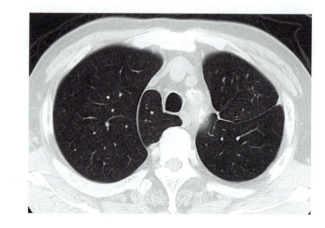

問題 ❻

呼吸機能検査の記述について，正しい者はどれか．2つ選べ．

a. VC（肺活量）＝ IRV（予備吸気量）＋ TV（一回換気量）＋ ERV（予備呼気量）
b. COPD では VC（肺活量）は，FVC（努力肺活量）より小さい．
c. 体プレティスモグラフは，FRC（機能的残気量）を測定する方法である．
d. DLco の測定は，VC（肺活量）2.0 リッター以下では測定困難である．
e. 静肺コンプライアンスは，TLC（全肺気量）から FRC（機能的残気量）まで準静的気量が変化するときの胸腔内圧の変化で評価する．

第Ⅱ章
手術手技

Ⅱ．手術手技

① 手術器具と使用方法の基本

要点
❶呼吸器外科手術器具の選択・使用方法を習得する．
❷胸腔鏡下手術の進歩により器材開発が進み，手術手技そのものが変化してきている．最新の情報を共有し，常に安全な手術遂行に努める．

Key Word　切離・剥離，開胸，閉胸，血管処理，気管支切離，気管・気管支形成，血管形成，胸腔鏡，ビデオスコープ，開創器具（アクセスポート，wound protector），剥離用器具，自動縫合器，糸，糸送り器，鉗子，鑷子，鋏，吸引器，各器具の特性，エネルギーデバイス：超音波凝固切開装置，血管閉鎖装置（ヴェッセルシーリングシステム），ソフト凝固装置，フィブリン糊，PGAシート，オキシセルコットン（サージセルコットン），インテグラン

　手術手技・手術器具の開発は日進月歩であり，私たち呼吸器外科医はより安全な手術を行うために常に器材の選択（新旧を問わず）と特長を活かした使用方法の習得に努めなくてはならない．特に呼吸器外科医でなくては理解できない使用方法や用途は多々あり，その特殊な使用方法に慣れ親しんでいるために，他科では理解できない使用方法をあたり前のごとく行っていることがある．そこで，最新の情報を共有するために学会を中心とした啓発活動への積極的な参加が望まれ，日々研鑽を積む必要がある．本項では現在時点で最新の器具を提示し優劣について記した．

ⓐ 一般的器械 レベルA

1）切離・剥離（transection, division, dissection）
　手術開始は，手術刀（メス）（scalpel, knife）を使用する．皮膚切開を鋼刀メスで行い，続いて電気メスを多用し出血の抑制と手術時間の短縮を図る．皮膚損傷を少なくした電気メスの開発は進んでおり，直接皮膚切開から電気メスで行っても問題はないが，皮膚切開は鋭利な手術用メスのほうが創傷治癒は安定しているような印象を多くの外科医が持っている．

①鋼刀（メス）（scalpel, knife）
　円刃刀と尖刃刀がある．標準開胸や胸骨正中切開などの長い皮膚切開には円刃刀（大）を胸腔鏡下手術などの短い皮膚切開には円刃刀（小）や尖刃刀を用いる．

> **Side Memo**
> メスの持ち方には，バイオリン弓把持法（violin-bow holding），食刀把持法（table knife holding），執筆法（writing-pen holding）がある．力が必要なときや繊細な切開線のときなどには持ち方を変えて対応する．

②電気メス（electrocautery）
　切開と止血（凝固）を同時に行う高周波電流装置．止血が簡単である反面，熱の発生が問題となることがある．最近では，熱による組織の損傷を少なくする目的で，切開でも凝固でもないモードが注目されている．縦隔や横隔神経周辺などの温存すべき組織の多い付近では使用を控えるか極力損傷の少ないモードでの使用が推奨されている．

> **Side Memo**
> 電気メスはメスの引き裂断力を利用し組織を切開するのではなく，ブレードの先端を軽く組織に接触させて（わずかに接触させるぐらい），周囲の組織を他方の手で用手的に押し広げる（メスの接触点に緊張を常にかける）ような感覚で使用する方法が，火傷の損傷を少なくしてかつ短時間で切離できるコツである（常に面をつくり適当なテンションをかけるように努める）．いわゆるカウンタートラクションの操作が重要で，この手技を有効に実施できることが安全な手術につながる．このことは胸腔鏡下手術でも重要な手技である．胸腔内で常に適度な緊張をかけながら面を形成し薄く広く操作していく．また，電気メスは機種ごとに特性が異なり，同一機種でも手術操作での違いがあり，術者に合った先端の形状をみつけて使い慣れた電気メスを使用するように心がける（奥行きを知るために電気メス先端を少し曲げて使用することもある）．

③鋏（剪刀）（scissors）
　消化器外科医がクーパー（Cooper）剪刀（長）を大切にするように，われわれ呼吸器外科医はメッツェンバウム（Metzenbaum）剪刀を肺門，縦隔の気管支・血管周囲やリンパ節郭清に多用している．剪刀の厚さは様々で，彎曲の程度にも種類があるので，自分に合った形状の鋏を使うことにより視野の確保が容易となり，胸腔鏡下手術のあらゆる場面でも工夫しながら利用することが多い．胸郭成形術などでは厚い組織でも確実に切断可能なメイヨー（Mayo）剪刀やクーパー剪刀を使用することが多い．
　伸長可動式胸腔鏡下手術用鋏は肺尖部や横隔膜上へのア

プローチで25 cm長メッツェンバウム剪刀でも不可能なときあるいはポート口直近部で角度的に困難のときに使用する．

> **Side Memo**
> 切離と止血を兼ね備えた剪刀バイポーラシザーズは，縦隔郭清時に出血はもちろんリンパ漏の防止に有用である．先端が鈍な剪刀を用いて組織の切開と剥離，リンパ節の郭清などに多用される．

④剥離鉗子(dissector(curved, straight, sharp, blunt))

剥離鉗子の選択と使用方法は呼吸器外科手術の重要な第一歩である．ケリー型剥離鉗子とイーグル型剥離鉗子を使用するが，把持鉗子とは異なり縦溝であることが組織の愛護的把持や展開に役立つ．また，イーグル型剥離鉗子は縦隔などの深部での組織の剥離や血管鞘の剥離に有用である．イーグル型鉗子は先端が鈍であり，組織を傷つけることなく剥離を進めることができる．組織を薄く広く鉗子で剥離し，電気メスで切開していく操作に慣れる必要がある．この操作は胸腔鏡下手術でも同様であり，無血視野での展開に有用である．

胸腔鏡下手術での剥離には，標準開胸用の長い(25 cm長)器具に加えて胸腔鏡用器具を使用し，手術の場面ごとに使用する器具を選択しながら安全な手術を遂行するように努める．特に彎曲のある器具は，視野の確保や胸腔内操作性は有用であるが，先端の操作は常にモニターで確認できるものの，彎曲部の確認はモニター外(視野の外)になるため，モニターに写らない彎曲部で組織を(結紮糸など)挟み込んでしまい，事故につながることがある．したがって，彎曲した器具の使用には注意が必要である．

剥離鉗子としては標準開胸に使用する長い(28 cm)ケリー型鉗子やイーグル型鉗子を使用する．また，ピストル型鉗子のうち縦溝鉗子や横溝鉗子を使用し剥離をすることもある．

⑤把持鉗子・止血鉗子(grasper, grasping forceps, clamp)

多くは剥離鉗子と同じような形態であるが横溝であるところが異なる．また，鉤のあるコッヘル鉗子と鉤のないペアン鉗子がある．また，繊細な部分に使用するモスキートペアン鉗子がある．安全と愛護的な組織の処置のために，手術が胸腔にいたった段階で鉤のある鉗子は術野から引き上げる配慮が必要である．

⑥肺把持鉗子とリンパ節鉗子(lung grasper, lymph node grasper)

肺実質を把持する肺把持鉗子の形状は，様々のもの(三角，正円など)があるが，把持しても圧挫損傷が少なく，牽引しても組織侵襲度が低い涙滴型(ティアドロップ型)肺把持鉗子が有用である．特に，胸腔鏡下手術では胸壁を梃にして無意識のうちに牽引力が強くかかることがあり，鉗子の選択は重要である．リンパ節郭清にはリンパ節鉗子およびアリス鉗子を用いるが，11番や12番リンパ節など極めて小さなリンパ節の把持に胸腔鏡用リンパ節把持鉗子の用途は大きい．最近では開胸手術でも(区域切除術など)より小さなリンパ節の処置に用いることが多い．肺気腫の進んだ高齢者も多く，愛護的な操作は他科以上に必要で極めて脆弱な実質臓器を扱うことから，合併症の減少に努める必要がある．

肺把持鉗子は組織侵襲性の少ない涙滴型鉗子を使用する．胸腔鏡用リンパ節鉗子は先端に角度のついた小型涙滴型鉗子(No.11, No.12リンパ節を確実に把持可能なサイズ)を使用する．鉗子で把持したまま電気メスやエネルギーデバイスの操作性を高めるためである．

> **Side Memo**
> 胸腔鏡下手術では，極力先が鋭利な鉗子は使用しない．視野の外で思わぬ損傷を引き起こし，それに気づかず，遷延する術後気漏につながることがある．肺把持鉗子も切除肺のみを持つように心がけ，残存肺への配慮が重要である．肺把持鉗子による肺損傷も意外に多く，注意を要する．

⑦鑷子(thumb forceps)

鑷子は使用する組織に応じて鉤のあるタイプとないタイプ，縦溝と横溝，長さの違い，曲線の違いなどがあり，好みの分かれるところである．血管やリンパ節の被膜など慎重な把持が求められるところには，ドゥベイキー鑷子やダイヤモンド鑷子を用いる．

胸膜把持やリンパ節の被膜把持に25 cm長ダイヤモンド鑷子やドゥベイキー型鑷子を用いる．もちろん，内視鏡手術用に開発された鑷子を使用することもあるが，高価で一般的ではない．普段使い慣れた鑷子を使用することが望ましい．

> **Side Memo**
> ダイヤモンドチップが内面に吹き付けられたダイヤモンド鑷子やドゥベイキー鑷子の一部は，術者が焦って力が入ると組織把持性が落ちて組織を持てない構造になっている．術者の精神的動揺が組織の破壊につながらないように配慮されており，愛護的慎重な手術手技には重要である．

2) 開胸(開胸・剥離)(thoracotomy)

詳細はⅡ章-2参照．

①開胸器具

標準開胸手術(後側方開胸手術)は手技の容易さと出血の軽減から，現在肋間開胸手術が主流である．したがって，起子(エレバトリウム, elevator)，骨膜剥離子(ラスパトリウム, raspatory)などの器械は胸郭成形術で用いることが多い．肋骨剪刀は後方肋骨剪刀と前方肋骨剪刀がある．開胸器は標準開胸では1本，胸筋温存手術では2本を直交させて使用することが多い．小開胸創では，ソラコオープナーなどの小開胸器を用いる(胸腔鏡補助下手術に有用)．

②剥離鉗子(dissector)

組織の剥離には，ケリー剥離鉗子，イーグル剥離鉗子を多用する．いずれも縦溝で組織を圧挫しないような構造に

なっている．剥離鉗子は無鉤であるが，剥離しながら組織を強く把持する目的で有鉤の鉗子を使用することがある．また，使用する組織の深度や性状によって彎曲度の異なった鉗子を用いる．組織の把持には鉗子と対側に鑷子を使用し面を形成してカウンタートラクションの展開が重要である．肺門近くでは，血管鞘を直接把持しても傷つかないようにドゥベイキー型鑷子やダイヤモンド鑷子を使用する（肺動脈は直接把持してはならない）．また，持ち替える必要がないので，ヘラ型の電気メスを使用し剥離しながら止血・切離を進めていくことが多い．この使い方に慣れると，時間の短縮と出血の軽減に寄与する．電気メスは，小切開でも周囲への放電（漏電）が少なくなるように工夫して使用する．特に胸腔鏡下手術では他の組織への愛護的アプローチが重要である．

3）閉胸

詳細はⅡ章-2参照．

肋骨固定には骨髄内にセラミックや吸収性素材でできた肋骨接合ピンを使用することがあるが，このピンのずれが肋間神経痛の原因にもなるので使用しない施設も多い．小切開の皮膚創などでは抜糸の不要なV-LOC（Covidien）やDERMABOND（Johnson & Johnson）を使用し，抜糸に伴う疼痛の軽減と整容性の向上に努める．胸壁合併切除術などで欠損部が大きくなったときの閉胸では閉胸器を使用する．

4）血管処理

①骨性胸郭外の血管

止血操作はほとんど電気メスで行う．結紮が必要なときには3-0絹糸で結紮止血する．

②肺動脈

肺動脈は直接鑷子で把持してはならない．肺動脈は動脈ではあるが低圧系のために壁が薄く脆弱な組織でできている（中膜弾性板が希薄）．にもかかわらず血流量は豊富で，呼吸器外科領域で最も医療事故が多い場所であることを認識しながら手技を進める必要がある．不用意な血管把持で容易に血管壁内の解離が生じて，血管鞘に血腫を形成する．出血時には血流を調整することなく血管に針糸をかけると，薄い血管壁が裂けますます止血の難しい状況を招く．また，通常ダイヤモンド鑷子またはドゥベイキー鑷子とイーグル型鉗子を用いて剥離するが，血管鞘をさらに薄く近接して剥離するためにはメッツェンバウム剪刀を用いて繊細な手技を展開する必要がある．血管周囲の十分な剥離ののち，切断部の中枢側と末梢側を1-0絹糸で結紮し，さらに中枢側は3-0絹糸で二重結紮としたのち剪刀で切断する．血管が5mm以下の細い場合は3-0絹糸のみで処理をする．自動縫合器を用いた切断は1-0絹糸で確保してから血管用のカートリッジ（ホワイト，キャメル）を選択し作動させる．おおむね3mm以上の肺動脈は自動縫合器での切断が可能である．3mm以下の細い肺動脈はエネルギーデバイスを用いて処理することができる．7mmまでは可能とされているが，5mm程度であると中枢側にエネルギーデバイスを用いながらクリップをかける施設が多い．したがって，エネルギーデバイスだけの血管処置は3mm程度の血管とするのが妥当である．

③肺静脈

肺静脈は肺動脈と異なり組織の伸展性があり鑷子で持つことができる．しかし，末梢側への剥離時に細かな分枝が中枢側から分岐することがよくあり，不用意な剥離で分枝の存在に気がつかず損傷することがある．血管の処理自体は肺動脈と同様であるが，直接心拍動が伝わりやすく，肺動脈に比べて血管の形状が急峻であることから，結紮した糸が緩みやすく結紮部位が移動することがあるとされている．したがって，太い肺静脈中枢側は針付き絹糸などの撚り糸（2-0 braided silk）で貫通結紮（transfixing suture）を置いてから切断する．自動縫合器を用いるときは，いわゆる心膜翻転部にステイプラーがかからないように注意する．心膜翻転部は，線維性心膜と漿膜性心膜が複雑に入り組んでおり厚い組織で成り立っている．したがって，不用意にこの部位にステイプラーをかけると形成不全になり術後出血の原因となる．

5）気管支切離

①気管支剥離・切断

気管支の剥離は，電気メスで壁側胸膜から臓側胸膜移行部付近を切開し気管支鞘に沿った剥離が重要である．この際，気管支動脈は気管支鞘から切除するつもりで剥離すると操作しやすく，気管支に近接したリンパ節も自然に気管支から離れて郭清される．気管支動脈は結紮切断すると葉間操作で出血が少なくよい視野を確保できる．気管支動脈は切断することなく残したほうが創傷治癒の促進に寄与するということもいわれてきたが，確証に乏しい．

②気管支縫合閉鎖

気管支の縫合閉鎖は古くから2とおりの手技が提唱されている．いわゆるSweet法とOverholt法である（p.87参照）．

いずれの方法も3-0ないし4-0 Maxon（monofilament absorbable suture）などで全層結紮縫合とする（結紮間隔は2ないし3mm）．自動縫合器のうちthoracic and abdominal stapler（TA）を使用する場合は，主気管支，上葉支にはグリーンカートリッジ，中葉支，下葉支にはブルーカートリッジを使用する．その他の自動縫合器は気管支の太さに合わせた適切なカラーのカートリッジを使用する．胸腔鏡下手術が盛んになり自動縫合器を使用する機会が増えている．そのため，Sweet法全盛期になっている．自動縫合器で気管支を処理する注意点はできるだけ余裕をもたせた作動である．処置面がアンビルの端にかからないように，アンビルの中央部分で作動させ均一な処置面をつくり出すように心がける．また，自動縫合器のJawをかけてからの自動縫合器のラインの確認（左右に傾けるような動作）は，膜様部の破綻を招き気管支瘻の原因となるために避ける必要がある．主気管支断端を糸で形成するときはOverholt法で膜様部を補強することが多い．

6) 気管支形成(bronchoplasty)

詳細はⅡ章-9-D参照．

7) 血管形成(angioplasty)

詳細はⅡ章-9-A参照．

8) 胸腔ドレーン

現在，胸腔ドレーンを2本留置する施設(血液成分と空気を区別して留置する)と1本留置する施設がある．1本留置施設が多く，2本留置施設は減少している．施設によってドレーンの種類も様々であるが，術後疼痛の軽減目的とエネルギーデバイスなどの進歩により術後排液が減少しているため，より細径なドレーンが使用されるようになっている(BLAKE DRAIN，Johnson & Johnsonなど)．

b 胸腔鏡関連器械 レベルB

1) 胸腔鏡(thoracoscope, videoscope)

硬性鏡(rigid endoscope)と軟性鏡(flexible endoscope)がある．硬性鏡には直視鏡(forward-viewing endoscope)，斜視鏡(forward-oblique viewing endoscope)，可動式硬性鏡(エンドカメレオン：STORZ)などがある．狭い胸腔内でより広い視野を確保するために斜視鏡が多く使用される．そのうえ光量を維持するためには，径5〜10mmの斜視(30°，45°)硬性鏡が有利である．また，胸腔内は高温多湿状態で焼灼に伴う煙や粉塵の発生により良好な視野の確保が難しい．このため胸腔鏡洗浄を頻回に必要とし胸腔内へ出し入れするので，より軽いカメラヘッドで細径の器具の開発が望まれている．その意味でより明るい3mmスコープの開発が低侵襲で減口手術(reduced port surgery)の観点からも有利である．胸腔内操作性の問題とスコープオペレーターの作業軽減(疲労度軽減)からも，より操作が単純で軽量なスコープを使用する．

> **Side Memo**
> スコープ(光学視管)は現在発熱式の光源を使用していることが多く，径が細いほどスコープ先端の温度が高く維持され，曇りづらい特徴がある．今後LED使用の器具も開発されてきてはいるが，視野の曇り止め防止技術開発が望まれる．

2) 胸腔鏡用開創器(wound protector)，トロッカー(thoraco-opener：グリーンスター，trocar)

胸腔鏡下手術(thoracoscopic surgery)に開創器を用いることはなく，ポート(ホルダー，トロッカー)だけで胸腔内へのアクセスが行われる．アクセス部位の侵襲が低いほど，ポート挿入部胸膜側の止血はしばしば困難となる．そのため，止血目的でバルーン付きのシリコンポート(ソラコホルダー)を使用する．止血により良好な視野を維持するためにもスコープ挿入部には有用である．胸腔鏡補助下手術(video-assisted thoracic surgery)では開創器が使用されることが多い．多くは小児用の開胸器で代用されているが，金属部分の厚さで可動域制限が発生する．そのため，より胸腔内の可動域を広く取ったソラコオープナーなどを使用する．また，肋間の開大による肋間神経の損傷を防ぐ目的でシリコン製の開創器を使用することもあるが，開胸創辺縁で破損しやすく愛護的な使用が必要である．

3) その他の剥離用器具

鈍的剥離にはソラココットンが有用である．ソラココットンの剥離は圧迫止血を兼ねて鉗子の入れ替えなく操作を進めることができる．

4) 自動縫合器(ステープラー，ステープリングデバイス)

臓器切除を主体とする呼吸器外科手術では自動縫合器の存在は大きく，安全な手術実施のためにも機種の特性とそれに合った適切な手技に習熟する必要がある．また，自動縫合器は誰が握ってもほぼ同様な結果が得られ，手術における最大の標準化である．現在日本の自動縫合器は2社によって開発されており，一長一短があり，それぞれ得意な機能を持ち合わせている．いずれの会社もエンドステープラーとTAタイプステープラーを開発している．現在の器械の性能では，ほほどのような手術でもエンドステープラーのみでの遂行が可能となった．エンドステープラーは，把持力(grasping)，縫合力(stapling)と縫合剪断力：打針力(firing)が要素であり，その特徴を理解したうえで機種を選択する．カートリッジの選択は，血管にはキャメル，ホワイトを，気管支にはパープル，ゴールドを，主気管支にはブラック，ゴールドを使用する．最近では肺実質からの気漏，気管支断端瘻や血管からのoozingなどを防止する目的で，ステープラー表面にポリグリコル酸(PGA)吸収性繊維を完備したリンフォース(メドトロニック)がある．

また，先端部の形状もより繊細な術者の要望に対応できるように整形(カーブドチップ)されてきており，より安全な手技を実現できるように工夫されている．肺血管は非常に脆弱であるので，自動縫合器を握り左右に振るだけの操作でもステープラーラインが裂け出血の原因になることがある．このため，人の手の動きに頼ることなく電動で3つの要素を動かし脆弱な血管など局所の安静を保ちながら切離可能なSignia(メドトロニック)，Powered Echelon FLEX(Johnson & Johnson)などがある．

いずれも器械の特性を十分把握したうえでの使用が求められている．もともと自動縫合器には作動させる組織の厚さと特性に合致したスケール付きの自動縫合器が存在していたが機器の進歩で，その必要がなくなってきた．しかし，自動縫合器を扱う外科医の手技もより繊細となり，多様な用途を求めるようになってきている．用いる組織や用途に応じた開発(気管支や血管などより細径で別々の器械)が待たれるところである．

5) 糸，糸送り器

胸腔鏡下手術では，胸腔内に針が落下してしまうと発見に困難が生じる．したがって，針が外れる仕様の針付縫合

糸の使用は避けるべきである．また，針が小さい（短い）と厚い肺実質に隠れてしまうことが多く，できるだけ大きく細い（長い）針（3-0 Maxon，2-0 プロリン）を使用する．また，肺実質，血管や気管支などはできるだけ非侵襲的に針を進めて，持針器本体で針を強く肺実質に押し込むようなことはせず，針先側の組織をソラココットンで軽く押し込むような組織に優しい配慮が必要である．持針器で押し込むと肺実質が深く広い損傷を受ける．血管の結紮では糸の結紮部を体外で作製し胸腔内に送り込む．用いる糸送り器は DK forceps，Knot Pusher を用いる．狭い空間での操作になるので，他の糸と交差させないような助手の配慮が重要である．

> **Side Memo**
> DK forceps は糸で手元に二等辺三角形をつくり，頂点の結紮部を送り込むように胸腔内を滑らせて使用する．このとき，forceps をわずかに開いて（1cm ぐらい）押し込んでいくと，無理なく胸腔内に送ることができる．また，forceps の先端で位置を変化させる（左右，上下など）のではなく，手元の三角形を変化させて牽引し位置を定めることがコツである．Knot Pusher は彎曲を術者の対側に持っていくと結紮部が目視でき扱いやすい．

c エネルギー器械 レベルB

1）エネルギーデバイス

胸腔鏡下手術に変革をもたらした発明のひとつは自動縫合器で，もうひとつがエネルギーデバイスである．特に超音波凝固切開装置と血管閉鎖装置の成功は大きく，手術の標準化に貢献している．超音波凝固切開装置は剝離する近隣の組織に（神経など）影響が少ないといわれ，縦隔リンパ節の郭清などに使用されてきたが，血管閉鎖装置の開発と性能向上もあり，止血やリンパ漏防止の点では優劣はつけがたい．また最近では，超音波凝固切開装置と血管閉鎖装置の両方の機能を併せ持った装置が国内で開発されている（サンダービート，オリンパス）．先端の形状で使用方法が異なり，個々の呼吸器外科医との相性もあり，自分に合った装置を早くみつけることが安全な手術につながると考える．

また，縦隔などは剝離操作のできるエネルギーデバイスを使用し，出し入れの手間をできるだけ省き，安定した安全な手術の工夫が必要である．

2）ソフト凝固装置

電気メスの凝固機能をさらに高度に調整できるようにしたもので，肺表面のブラやブレブの凝固焼灼に使用し，肺容量減少や縦隔郭清で神経近傍の処置に使用したりする．

d 補強剤，止血剤など レベルB

1）フィブリン糊

フィブリン糊は液体とシート状（タココシール，CSL ベーリング）の2種類に分かれる．広い範囲の切離面からの出血や肺瘻には液体状のフィブリン糊を吸収性の PGA シート（ネオベール）に塗布して使用する．液体状のフィブリン糊は準備に時間がかかる反面，広く浸透できる利点がある．シート状のフィブリン糊は短時間で準備でき，作用点には強固に補強される利点がある（肺動脈からの出血に対応可能）反面，扱いを急ぐと糊としての効力を失い，慣れが必要である．

> **Side Memo**
> 液体フィブリン糊使用方法は，塗布しようとする肺切離面に A 液を擦り込み（経験的にこれが大切），PGA シートをおき（このとき B 液に浸しておく），再び A 液で覆うようにすると強固な補強ができる（森川法）．シート状フィブリン糊の使用方法は，切離面に圧挫し柔らかくしたシートをおき，生理食塩水で全面を浸したのち，乾ガーゼで局所ではなく全面で押さえるように圧迫する．これにより強固な補強が完成する．

2）吸収性組織止血剤

セルロース系製剤（サージセル：ジョンソン），アルギン酸系製剤（アビテン：ゼリア製薬），インテグラン（日本臓器）などを止血を目的として使用することがある．椎体近傍（特に椎間孔付近）の出血に使用するときには脊髄神経麻痺の報告があり，多量の強力な圧迫には注意を要する．

3）PGA（ポリグリコール酸）シート

PGA シートは，吸収性の利点があり多く使用されているが，単独では肺表面に固定されないために，フィブリン糊を使用したり吸収性の糸で固定したり工夫がなされている．しかし，シート自体が大きいため，肺尖部に PGA シート単体でカバーするだけでも固定可能で有効であるという報告もある．

文献
1) Townsend CM Jr et al. Sabiston Text Book of Surgery, 19th Ed, Saunders, 2012: p595
2) 淺村尚生. 淺村・呼吸器外科手術, 金原出版, 2011
3) 小泉　潔. カラーアトラス胸腔鏡下肺癌手術, 南江堂, 2009
4) 胸腔鏡手術研究会（編）. 胸腔鏡手術アトラス, 金原出版, 1997

② 開胸法（切開法）

要点
❶呼吸器外科に必要な胸部臓器へのアプローチ法について習熟する．
❷手術部位，操作内容により適切な開胸法を選択する．

Key Word　後側方，腋窩，腋窩前方，側方，胸骨正中，胸部横（clamshell），hemi-clamshell，semi-clamshell，trans-manubrial

　開胸（thoracotomy）は胸部外科手術の基本手技のひとつであるが，特に呼吸器外科では心臓外科や食道外科に比べて対象領域が広いため様々なアプローチ法が適用される．胸腔鏡全盛の今日でも，専門医は各切開法・開胸法の適応や手技に習熟しておくことが求められる．熟練医や施設ごとに，細かい手技に関する相違は当然存在し，それぞれが創意工夫の結果であるため優劣を付けることはできない．本項ではできるだけ共通の基本的なことを述べる．

a 体位　レベルA

呼吸器外科では主に側臥位，仰臥位が基本の体位である．

1）側臥位（図1）

　術側を上にした側臥位（lateral decubitus position）は，一側の胸腔内へのアプローチの際に用いられる．腋窩の保護と術側胸郭の展開のために腋窩より10cm尾側に枕を置き，大転子の保護のためにも柔らかい枕を下敷きする．腋窩切開や腋窩前方切開の場合は腋窩を展開するためにやや背中に傾け，術側上肢は肩関節を外転させる（図1a）．後側方切開の場合には肩甲骨を腹側に展開するためにやや腹側に傾け，術側上肢は枕を抱かせて自然に前倒れ気味にする（図1b）．術反対側（下側）の下肢は膝関節を軽く屈曲させ，術側は進展させて間にクッション類を挟んで両下肢の膝関節が接触しないように固定する．

2）仰臥位

　仰臥位（supine position）は，頸胸境界領域，前縦隔や両側胸腔へのアプローチの場合で，多くは胸骨を切開する開胸法や前側方開胸などに用いられる体位である．胸部背側にクッションや空気枕を下敷きして前胸壁を挙上させ，頸部は後屈させて胸骨上窩を展開させる．上肢は血管確保や血圧測定用に直角に外転させて固定するが，頭側に過度に外転させると腕神経損傷をきたす可能性があり注意を要する．腋窩まで切開の及ばない開胸法であれば，麻酔管理上問題ない側の上肢は体幹につけて固定してもよい．

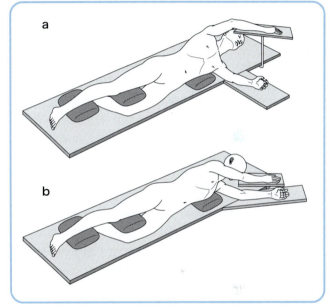

図1　呼吸器外科における体位
　a：腋窩を展開する側臥位
　b：肩甲骨背側を展開する側臥位

b 胸腔へアプローチする切開法（図2）　レベルA

主に胸壁・胸膜腔あるいは肺疾患へのアプローチ法である．

1）後側方切開

　後側方切開（postero-lateral thoracotomy incision）は，気管や肺門の気管支や血管などを扱う悪性腫瘍から膿胸などの炎症性疾患まで多くの手術に用いられてきた標準的な開胸法で，胸腔内に広く術野を展開できる．第4～5胸椎と肩甲骨の間より肩甲骨下角の尾側を通って中腋窩にいたる弧状の切開であるが，聴診三角を中心にした小さな開胸も頻用されている．広背筋，前鋸筋，大菱形筋，僧帽筋などの胸筋群を切開して骨性胸郭にいたるが，広背筋以外は筋膜

II．手術手技

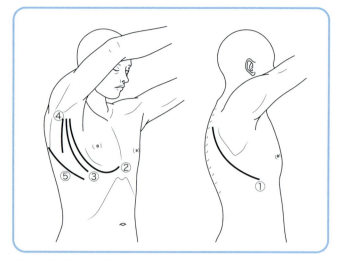

図2　胸腔にアプローチする各皮膚切開線
①後側方切開，②前側方切開，③前方腋窩切開，④腋窩切開，⑤側方切開

切開のみでも十分な術野が得られる．肩甲骨鉤にて肩甲骨を挙上して手を下に入れて開胸肋間・肋骨床を固定する．この際，触れる最頭側の肋骨が第2肋骨（後斜角筋が第2肋骨に停止しているため第1肋骨を触れることは通常ない）である．胸腔を最も広く展開するために第4肋骨〜第6肋骨の間の肋間あるいは肋骨床で開胸される場合が多い．開胸器は開胸創とともに肩甲骨にかけて展開する．高齢者では開胸器による展開で骨折することが多く，先に開胸肋間の尾側肋骨あるいは開胸肋骨床の当該肋骨の肋骨角後方約1cmを後方肋骨剪刀にて切離しておくことが多い．肋間あるいは肋骨床より開胸する． ▶動画④

2）前側方切開

前側方切開（antero-lateral thoracotomy incision）は，肺門腹側や肺上葉・中葉へのアプローチに用いられる．左側では緊急心臓マッサージの際の開胸法となりうる．体位を仰臥位とし，中腋窩より乳頭下縁を通って傍胸骨へ及ぶ切開を置き，皮弁を形成しつつ大胸筋筋膜の層を露出して第5肋間で開胸する．損傷防止のために開胸器で展開する前に内胸動静脈の結紮切離し，第4肋軟骨の一部切除を行うことも考慮する．

3）前方腋窩切開

肺癌の標準手術などの多くは前方腋窩切開（antero-axillary thoracotomy incision）で対応可能である．中腋窩から乳頭下まで及ぶ弧状切開で開胸予定の第4または第5肋間上に切開線を置く．切開する胸筋群は前鋸筋のみである．開胸肋間に開胸器をかけて展開するが，前方の肋軟骨の脱臼や損傷を伴うことがあり，先に開胸肋間の頭側あるいは尾側の肋軟骨を1cmほど前方肋骨剪刀にて切離しておくこともある．

4）腋窩切開

腋窩切開（axillary thoracotomy incision）は，高度な胸膜癒着を伴わない肺葉切除や気胸，肺生検などの手術に用いられる．前鋸筋のみの切離で容易に胸腔内に達することが可能で，切開創も外部から目立たない位置にあるが，術野が狭く，創痕は瘢痕化しやすいという欠点もある．腋窩に縦あるいは横切開を加え，可能な限り長胸神経より腹側で前鋸筋を切開して骨性胸郭に達し，第3〜5肋間にて開胸する．

5）側方切開

側方切開（lateral thoracotomy incision）は，腋窩領域の横切開で，前鋸筋を筋束方向に切開して肋間にいたる．大胸筋や広背筋を筋膜切開にて剥離して展開すると広い術野が得られる．

C 縦隔あるいは縦隔・胸腔同時にアプローチする切開法（図3a） レベルB

縦隔あるいは縦隔と胸腔への同時操作を要する手術へのアプローチ法である．

1）胸骨正中切開（図3b）

胸骨正中切開（median sternotomy incision）は，気管や心臓・大血管，心臓移植，前縦隔腫瘍の手術に最適な術野が得られる開胸法である．肺切除などを併せて行うこともできる．皮膚切開は胸骨上窩から剣状突起にいたる正中にて行い，胸骨前面では左右の大胸筋の付着縁の真中を電気メスで焼灼して骨膜を切開し目印をつける．胸骨上窩と剣状突起側方より胸骨裏面を手指で鈍的に剥離する．胸骨正中を電動鋸（sternal saw）にて切開する．切離縁の止血ののち，胸骨裏面の胸膜付着部を剥離したあと，胸骨用開胸器をかける．前縦隔靱帯を剥離していくと開胸器を開いていくことができる．

2）両側前側方胸骨横切開（図3c）

両側前側方胸骨横切開（clamshell incision）は，両側胸腔・縦隔のすべてを術野に納めることができる開胸法で，両肺移植，心肺移植，両側同時肺切除などに適用される．両側前側方切開と第4肋間レベルでの胸骨横切開を加える．胸骨を横断する前に両側の内胸動静脈を切離しておく．

3）前側方胸骨横切開

前側方胸骨横切開（semi-clamshell incision）では，片側の前側方開胸に胸骨横切をして対側の胸骨縁まで延長する．片肺移植などに適用される．

4）前側方胸骨半切開（図3d）

前側方胸骨半切開（hemi-clamshell incision）では，片側の前側方開胸に胸骨の縦半切開を加えることで，上縦隔と片側の胸腔の十分な術野が得られる．皮膚切開の頭側は同側の胸鎖乳突筋前縁まで延長し，胸部大血管の遠位側の確保や胸腔頂の操作も可能となる．

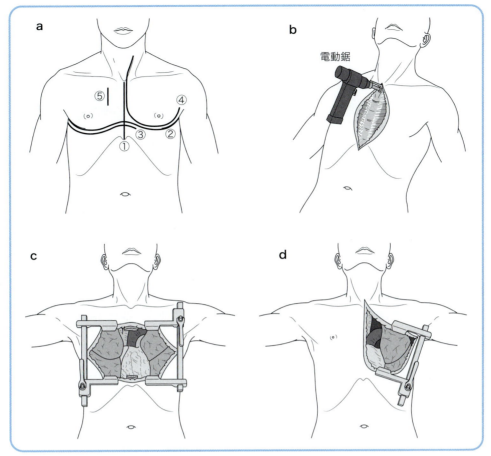

図3 縦隔あるいは縦隔・胸腔同時にアプローチする切開法
　a：各切開法の皮膚切開線．①胸骨正中切開，②両側前側方切開胸骨横切開，③前側方胸骨横切開，④前側方胸骨半切開，⑤傍胸骨切開
　b：胸骨正中切開（median sternotomy incision）
　c：両側前側方切開胸骨横切開（clamshell incision）
　d：前側方胸骨半切開（hemi-clamshell incision）

5）傍胸骨切開

　傍胸骨切開（parasternal thoracotomy incision，Chamberlain法）は，大動脈領域リンパ節や前縦隔の病変の生検や摘出の際に用いられる．特に左側では縦隔鏡を挿入するChamberlain法に用いられ，右側では心弁膜症手術に用いられる切開法である．胸骨縁から第2肋軟骨上に4〜5cmの縦切開を置いて大胸筋付着部を切離し，第2肋軟骨を切除して胸膜にいたる．

d 頸胸境界領域へアプローチする切開法（図4a）　レベルC

　胸郭出口症候群や，頸部悪性腫瘍の胸部進展や胸部悪性腫瘍の頸部・胸郭入口への進展例に用いられる．以下の1〜4）が前方アプローチ法（主にanterior apical tumorに適用），5〜6）が後方アプローチ法（posterior sulcus tumorに適用）と称されている．

1）前方経鎖骨切開

　前方経鎖骨切開（anterior transclavicular incision，Dartevelle法）では，胸鎖乳突筋の前縁から鎖骨にいたる楔状の皮膚切開と鎖骨の切断により，鎖骨下領域の深部へ到達し，第1肋骨前方，総頸動静脈，鎖骨下動・静脈，腕神経叢周囲の操作が可能となる．術後に鎖骨に偽関節を形成しやすくなる．

2）頸胸的経胸骨柄切開（図4b）

　頸胸的経胸骨柄切開（cervico-thoracic transmanuburial incision，Grunenwald法）は，1）と同じ操作を可能とするために，同様の皮膚切開に加え，胸骨柄部を正中と第1肋間レベルで切開することで鎖骨を温存する方法である．

3）前方アプローチ切開

　前方アプローチ切開（Masaoka法，Trap-door法）は，鎖骨下深部に加え，上縦隔，肺門を同時に操作することが可能な切開法である．鎖骨上切開と第3〜4肋骨レベルまでの胸骨正中切開，患側の前側方切開を組み合わせた方法である．

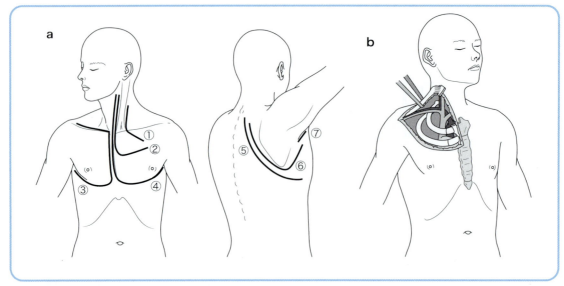

図4 頸胸境界領域にアプローチする切開法
　a：各切開法の皮膚切開線．①前方経鎖骨切開，②頸胸的経胸骨柄切開，③前方アプローチ切開，④片側前側方胸骨半切開，⑤高位後側方切開，⑥後方経腋窩切開，⑦高位腋窩横切開
　b：頸胸的経胸骨柄切開（cervico-thoracic transmanubrial incision）

4）片側前側方胸骨半切開（図3d）

片側前側方胸骨半切開（hemi-clamshell incision）については，本項 c-4）を参照．

5）高位後側方開胸

高位後側方開胸（high postero-lateral thoracotomy, Paulson法）は，後側方切開の頭背側縁を第1胸椎の棘突起レベルまで切り上げる切開法で，肩甲骨を前方に展開することで，第1肋骨全長，上部胸椎，下位腕神経叢の操作が可能となる．

6）後方経腋窩切開

後方経腋窩切開（posterior transaxillary thoracotomy, Hook法）では，通常の後側方切開あるいは5）の前方縁を頭側に切り上げて肩甲骨を大きく外旋させることで，第1肋骨の全長と胸郭出口の操作が可能となる．上部肋骨を切除することで鎖骨下動・静脈，腕神経叢が術野に現れるが，肺尖部病変が高度の場合には操作は制限される．

7）高位腋窩横切開

高位腋窩横切開（transaxillary transverse thoracotomy incision, Roos法）は，胸郭出口の腕神経叢や腋窩動静脈，第1肋骨へのアプローチ法である．側臥位で術側の上肢肩関節を大きく頭側に外転させて腋窩を展開し，5cmほどの横切開を加える．大胸筋と広背筋を外側に牽引し，前鋸筋を切開して骨性胸郭にいたり，第1肋骨を同定する．

e 開胸と閉胸　レベルA

上記のような胸腔へのアプローチ法により骨性胸郭に達し，肋間・肋骨床あるいは縦隔側より壁側（肋骨あるいは縦隔）胸膜を切開して胸腔に達する手技である．

1）肋間開胸（図5a）

容易で早く施行が可能で出血量も少ない．当該肋間の中央あるいは肋骨上縁で外肋間筋，内肋間筋を電気メスで切開していき壁側胸膜にいたる．骨膜や肋間動静脈・神経の損傷に注意する．開胸が不十分な場合，開胸縁の上側または下側肋骨を切離して開大することもある．この場合には切離部分の肋骨床剝離が必要である．閉胸は開胸上下の肋間に1-0吸収糸などをかけて縫合する．下方の肋間神経刺激を避けるためにドリルで肋骨に穴を開けて糸を通す場合や肋間筋のみかける場合もある．

2）肋骨床開胸（図5b～d）

後側方切開で，肋間が狭い場合や高度な胸腔内操作を要する場合に用いられる．胸膜外肺全摘にもよく用いられる．電気メスおよび骨膜剝離子（raspatory），起子（elevator）を用いて当該肋骨の骨膜と肋間動静脈・神経を剝離する．肋骨角後方にて切除または切離し，肋骨を尾側によけて肋骨床を展開して壁側胸膜に達する．肋骨切除には後方肋骨剪刀を用いる．肋骨を切除した場合の閉胸は，肋間開胸の場合と同様に上下の肋間を縫合し閉鎖する．肋骨を残した場合の閉胸は，まず肋骨床を胸膜とともに縫合糸をかけていき，閉胸創の上下の肋骨を引き寄せたあとに縫合する．

3）胸骨切開（図3b～d）

本項 c-1）～4）参照．

4）胸膜切開（図5a, d）

肋間・肋骨床あるいは胸骨正中経路で壁側胸膜を露出したら，肺の動きを観察して胸膜癒着がないことを確認し，

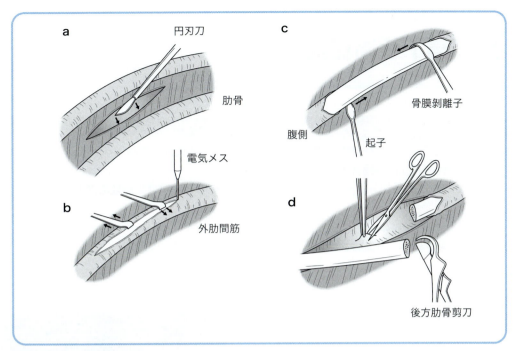

図5　開胸・閉胸法
a：肋間開胸：胸膜切開
b：肋骨床開胸：肋骨骨膜剝離(1)
c：肋骨床開胸：肋骨骨膜剝離(2)
d：肋骨床開胸：肋骨後方切離，胸膜切開

鑷子で小さく胸膜を把持して牽引しMayo剪刀で切開する．また，円刃刀を軽く押すようにして切開する．肺が虚脱したあとは電気メスで開胸を前後に延長していく．この場合，腹側は内胸動脈の手前，背側は交感神経幹の手前まで切開できる．

Ⅱ．手術手技

③ 胸腔鏡下手術総論

要点
1. 胸腔鏡を使用し，主にビデオモニター画面に描出される術野で行う手術が胸腔鏡下手術である．
2. ビデオモニター画面で手術を行う特別な修練が必要である．
3. 十分にトレーニングされた術者がトレーニングされたチームで行うと，悪性，良性のほとんどの疾患を手術の適応とすることができる．

Key Word 胸腔鏡下手術の適応，内視鏡手術トレーニング，血管・気管支の処理

手術に胸腔鏡を使用すれば，ある意味胸腔鏡下手術ということができなくもない．事実，胸腔鏡下手術という名前では1世紀以上前から行われてきた．一方，低侵襲手術としての内視鏡手術という位置づけもされてきた．

a 胸腔鏡下手術の歴史 レベルB

胸腔鏡下手術自体は，硬性の内視鏡を直接覗き込んで行う手術が1900年ころから行われ（図1）[1]，日本でも1950年ころには結核に対する人工気胸療法での癒着剥離が行われていた．現在のようなビデオモニター画面を使用して行う胸腔鏡下手術は，1985年ころに広まったビデオモニター下に行う腹腔鏡下胆嚢摘出術に影響され，ビデオモニターをみて行う自然気胸手術や肺の部分切除術から始まった．一方，腹腔鏡下手術と異なり胸腔鏡下手術は炭酸ガスを入れなくても術野が確保できるため，開胸手術の開胸創を短くしていって胸腔鏡は光源として用い，術野は直接観察し，開胸手術の器械を用いる術式も行われ，これも胸腔鏡下手術と呼ばれるようになっていった．

ここでは，直視併用の手術は基本的な操作が開胸手術と近いと考えられるので，ビデオモニター視の手術（図2）について述べる．

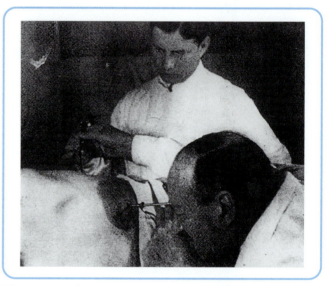

図1　1900年ごろのHC Jacobaeusの胸腔鏡手術
1900年ころには図のように胸腔鏡を直接覗き込んで，一人で片手で行う手術が行われていた．結核の治療として人工気胸を行うのに妨げとなる癒着の剥離が行われていたようである．

b 術式の変遷と普及 レベルB

1990年ころは内視鏡手術で使用できる自動縫合器がなく，手術が広まらなかった．1992年に自動縫合器が発売された当初は自然気胸や生検のための部分切除，未確診の腫瘍や末梢の転移性腫瘍の部分切除が多く行われていたが，1993年ころからは次第に肺葉切除術の報告がみられるようになった．1994年に胸腔鏡下の肺切除術が保険適用になると胸腔鏡下手術を行う外科医が増えてきた．巨大肺嚢胞切除，縦隔腫瘍切除も行われるようになった．肺切除についても，良性疾患による肺切除や消極的手術としての肺癌切除から，積極的手術としての肺癌手術も胸腔鏡下手術で行われるようになってきた．肺悪性腫瘍手術に対する保険適用も2000年に認められた．肺癌の切除で行われる胸腔鏡下手術の割合も増加し，日本胸部外科学会のアンケート調査[2]では約70％までになってきた．

c トレーニング レベルB

腹腔鏡下手術については日本内視鏡外科学会をはじめ各種の団体が主催となって腹腔鏡下手術の講習会が行われていたが，1990年ころから胸腔鏡下手術でも講習会が盛んに行われるようになった．以前は，日本呼吸器外科学会も全国をブロックに分けて地域セミナーを主催し，またブタを用いたアニマルラボも主催し若手外科医のトレーニングの助けとなるようにしていた．現在は年1回のアニマルラボ（呼吸器外科胸腔鏡教育セミナー）の受講が呼吸器外科専門医の必須条件となっている．

消化器外科や産婦人科，泌尿器科，整形外科，小児外科が日本内視鏡外科学会を軸とした技術認定を行い，日本脳神経外科学会は日本内視鏡外科学会とは無関係に独自で技

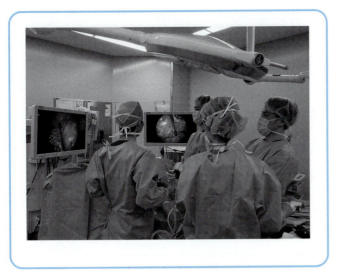

図2 モニターのみの視野で行う胸腔鏡手術
　手術室にいる全員がモニターに映し出された術野を確認しながら手術を進める.

術認定を行ったが，呼吸器外科学会ではこれらの科とは一線を画し，技術認定は行わず独自のトレーニングを行うことを選択した．これは，日本内視鏡外科学会などで行っているビデオ審査や手術訪問による審査では，小切開からの直視併用で行う手術の技術を評価することができないために評価の対象外としているのに対し，呼吸器外科領域では小開胸からの直視による術式を選択する呼吸器外科医が多かったことが関連していると思われる．2021年度から胸腔鏡安全技術認定制度が開始される．

d 胸腔鏡下手術の定義 レベルB

　何を胸腔鏡下手術とするかに対する議論は多く行われてきたが，合意にはいたっていない．日本では皮膚切開が10 cmまでで開胸器や開創器をかけてクレジットカード程度の大きさまでの創で行う手術も含めるというような見解が支持されてきた．
　国際的にも胸腔鏡下手術の定義は不均一であったために，手術のトレーニングも他の術式との成績などの比較研究も不完全で進まない状態だった．2007年にThe Cancer and Leukemia Group B (CALGB) 39802で比較研究が行われ，J Clin Oncol[3]に発表されたときに定義されたものがその後用いられることが多くなってきた．2012年にエジンバラで胸腔鏡下手術（VATS）による肺葉切除術のConsensus meetingが行われ，それに基づいて国際的なSurveyが行われることになった．欧州から30名，米国から10名，アジア太平洋から10名が選ばれて，Consensus StatementとしてEur J Cardio-Thorac Surg[4]とChest[5]とに発表された．開胸用の手術器械の使用や肺葉の取り出しのために，8 cmまでの補助開胸と数箇所のポート孔で行う手術とされた．このときに開胸器を使用すると皮膚切開が小さくても肋間開胸が長くなり，低侵襲手術としての胸腔鏡下手術に含まないほうがよいというようなことになった．

　一方，2014年の日本胸部外科学会による胸腔鏡下手術の定義は，主たる手技を8 cm以下の創から行う手術となっており，開胸器の使用や直視の併用は許容されている．

e 手技

　手術手技は施設や外科医によってアプローチが異なるが，ここでは様々なアプローチを紹介するようにする．血管の剝離や切離，気管支の剝離や切離，肺実質の取り扱い，リンパ節郭清の手技などは，胸腔鏡下手術だからといって従来の開胸手術の手技と基本的には同一である．補助開胸や使用する手術器械，手術の手順に術者や施設による違いが出てくる．

1) 補助開胸 レベルA

　補助開胸（access, utility thoracotomy）を用いる術式と，用いない術式とがある．補助開胸は開胸用の器械を使用できるメリットがあり，片手が入るような補助開胸がある場合には，出血などの緊急時の対応が容易になると考えられる．補助開胸は通常肺門部にアクセスしやすい第4～5肋間の前腋窩線上などに設けられることが多い．
　内視鏡手術用の器械を主に用いていると，数箇所のポート孔のみでも多くの手術は完遂可能である．内視鏡手術用の器械は長さが長いことが多く，繊細な手技を行うにはポートのところを支点とする必要があり，補助開胸を用いる場合でも最小限のポートを通して手術を行うほうがよい．

2) 胸腔鏡下手術の種類 レベルA

　小開胸から直視を併用して行う手術を胸腔鏡補助下手術，Assist VATS, Hybrid VATSという．一方，モニター視のみで行う手術を胸腔鏡下手術，Complete VATS, Pure VATSと呼んでいる．ポートの数は2から5までが多いが，近年では単孔式VATS（Sigle-port VATS）も行われ始めている．胸腔鏡手術のシステムは，モニターを患者の頭側に設置し，比較的下位の肋間からスコープを挿入し胸腔内を見上げる見上げ式と，モニターを2台頭側に設置し，一方を倒立させて行う対面倒立式（倒立させない施設もある）の2種類に大別される．このように胸腔鏡下手術の種類は様々であり，各施設によりコンセプトが異なっている．

3) 適応 (表1) レベルA

　手術適応は術者と施設の技量によって決まる．術式としてはほとんどの気胸手術，肺の部分切除，肺葉切除の一部，リンパ節郭清の一部，縦隔腫瘍切除，拡大胸腺摘出術，胸膜生検などが行われている．一部の施設では，肺全摘，気管支形成なども行っているが一般的ではない．
　疾患としては，自然気胸，良性肺腫瘍，転移性肺腫瘍，原発性肺癌，感染性肺疾患，炎症性肺疾患，膿胸，縦隔腫瘍などほとんどの呼吸器外科手術を胸腔鏡下手術の適応と考えることができる．
　行われていないのは，胸壁合併切除，血管形成を伴う手術，残肺全摘などである．これらも手術器械や周辺機器，

II．手術手技

表1　胸腔鏡下手術の適応手技と適応疾患

胸腔鏡下手術で行える手技	胸腔鏡下手術の適応疾患
肺縫縮	自然気胸
肺部分切除	巨大肺嚢胞
肺区域切除	良性肺腫瘍
肺葉切除	転移性肺腫瘍
肺全摘	原発性肺癌
リンパ節郭清	感染性肺疾患
後縦隔腫瘍切除	炎症性肺疾患（生検）
前縦隔腫瘍切除	急性・亜急性膿胸
胸腺全摘	縦隔腫瘍
気管支形成	重症筋無力症
交感神経切除	その他
その他	

手術適応は術者と施設によって異なるが，施設によっては表のような手技や疾患に対する胸腔鏡下手術を行いうる．

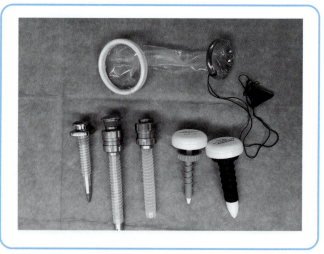

図3　胸腔鏡手術で使用されるポート
　様々な形状のポートがある．ここでは弁のついていないものを示している．肋間に入れるには直径12mm以下のものが肋間神経に負担をかけにくい．

手技の進歩につれて行われるようになってくることも考えられる．

　他の分野で胸腔鏡下手術で行われているのは，食道癌に対する食道切除，動脈管開存症に対する動脈管閉鎖は保険適用となっている．側彎症の手術や椎間板ヘルニアの手術，心房細動症例の血栓予防のための左心耳閉鎖も胸腔鏡下手術で行われている．

4）安全性　レベルB

　安全で確実な手術を行うことは胸腔鏡下手術といっても基本である．このためにはその施設で外科医が適応を十分検討し，外科医を含めたチームが十分なトレーニングを行うことが必要である．

　標準的で十分な癌の手術ができ，肺動脈をはじめとする血管を損傷しないように手術できなければならない．出血をさせてしまったときの対応も検討をしておく必要がある．

　胸腔内には重要な神経や血管がある．これらを不必要に損傷しないように手術する必要がある．

　術前からあらかじめこれらの神経や血管の位置を十分に頭に入れ，同様な手術のビデオをよくみておき，その場所を予測して手術を行うとよい．

　血管損傷は大量出血の原因となり，「瞬時の大量出血への対処が困難」が胸腔鏡下手術の欠点のひとつであるため，十分な注意と出血の対処のトレーニングが必要である．一般的には開胸手術よりも胸腔鏡下手術のほうが出血量が少ないといわれている．

5）合併症　レベルB

　胸腔鏡下手術では近接した拡大視効果がある一方，視野に入らない部位ができる．視野外での意識しない手術操作が合併症に関与する場合がある．

　術後の肺瘻も頻度の高い合併症である．肺を展開して視野を得る場合に，手術を行う部位から離れ過ぎた部位を把持すると比較的強い力で展開することになるため，「視野外」で肺を裂いてしまったり肺損傷を起こしたりして術後の肺瘻の原因となる．肺を損傷しても胸腔鏡下手術で縫合修復を行えるようなトレーニングが必要である．

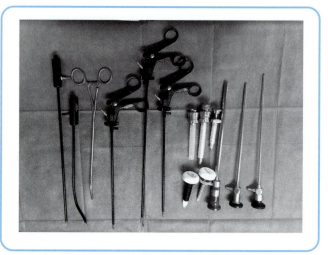

図4　胸腔鏡手術用の手術器械と胸腔鏡
　右側の3つがスコープの例である．3mm，5mm，10mmの3種類を示しているが，長さは胸腔鏡下手術用の短いものである．これ以外に先端の向きを変えることができるフレキシブルスコープもある．
　胸腔鏡下手術用の鉗子は長くて胸壁を通過する部分が広がらなくても使用できる構造になっている．ここで示しているもの以外にも様々な器械がある．

　胸腔鏡下手術では手術器械を介した触覚がある程度は得られるが，手や指での触覚と比べるとだいぶ劣る．病変の局在やサージカルマージンの把握には，指を使用するほか，解剖学的構造からの距離などのほかに，術前にマーキングを用いるなどの工夫が必要である．

6）ポート（図3）　レベルA

　補助開胸を用いる手技でも，補助開胸を用いない手技でもポートが用いられる．胸壁の筋肉の損傷を予防し，胸腔鏡のレンズをきれいに保つ以外に，胸腔内に存在する可能性のある悪性細胞や菌などが胸壁に付着して癌の「port site recurrence」や「surgical site infection」の予防のためにも用いられる．ポートには硬軟があり肋間に留置され，それ

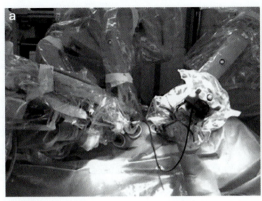
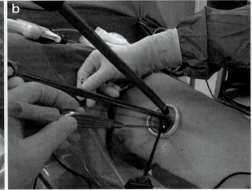

図5 新たな低侵襲手術
 a：ロボット支援下手術
 b：Single-port VATS

を通して手術機械や胸腔鏡を出し入れする．直径12mm程度までのポートであれば術後の疼痛の原因にもなりにくいが，15mm以上のポートを留置すると術後疼痛の原因となると考えられるので注意が必要である．細いポートでも傾けて使用すると肋骨骨膜や肋間神経を刺激して術後疼痛の原因となりうる．

7）手術機器（図4） レベルA

胸腔鏡下手術用の手術器械は，術者の肩や上腕に負担がかからないよう25cm前後の長さの手術器械が発売されている．胸腔鏡自体も短めのものが発売されている．ハンドル形状にはピストル型とパーム型があり好みによって使い分ける．

8）光学系 レベルB

胸腔鏡には，光源，カメラコントローラー，モニター，記録装置が必須である．光学系の発展が内視鏡手術の発展には大きく寄与した．内視鏡手術が始まった1990年ころの画質は劣悪であったが，現在はハイビジョン画像が主流であり，4Kシステム，近赤外光を搭載した機器，3-D内視鏡など技術の進歩は著しい．

9）周辺機器

電気メス，超音波凝固切開装置は内視鏡手術に限らず，すべての手術に共通に用いられ有用である．

内視鏡手術が始まったころは自動縫合器がなく，出血させない切離が問題であった．当初はレーザーが使用されることもあったが現在は使用されていない．

10）血管処理

安全な血管の処理には，血管鞘と血管との間を剥離し，結紮や自動縫合器を使用するのに十分な剥離が必要である．

血管の切離は施設や外科医で対応が異なる．筆者の施設では十分に剥離したあとに，3mmまでの血管はエネルギーデバイスで，3〜7mmであれば中枢側を結紮し，末梢側はエネルギーデバイスで，7mm以上であれば自動縫合器で切離するようにしている．

11）気管支処理

周囲のリンパ節を切除される肺に付けるように気管支を剥離する．自動縫合器が安全に使用できるのに十分な剥離を行うことが必要である．

区域気管支の切離は自動縫合器で行う施設と結紮して切離する施設とがある．

12）標本の取り出し

胸腔鏡下手術では最小限の皮膚切開で行うため，肺を把持して取り出そうとしても肺が裂けて取り出すのが困難になる．また，悪性疾患や感染性疾患の手術をする場合には，悪性細胞や感染源が胸壁に残って再燃してしまう危険性がある．回収用の袋に入れて取り出す必要がある．

f 新しい動き

1990年代後半から，手術支援ロボットが開発され，本邦でも2018年4月から悪性疾患の対する肺葉切除，縦隔腫瘍切除が保険収載となった（図5）．また，同時期にはreduced port surgeryが腹腔鏡下手術から始まり，胸腔鏡下手術でも，各ポートのサイズを小さくする流れと，ポートの数を減らす流れがある．1996年にTwo Windows Method[6]，2004年にはsingle-port VATS[7]が報告され，中国上海を中心として盛んに行われている（図5）．アプローチが多様化することで，低侵襲手術の安全性と根治性のエビデンスの構築がさらに困難となってきている．

文献
1) Jacobeus HC. Munchen Med Wochenschr 1920; **57**: 2090
2) Shimizu H et al. Gen Thorac Cardiovasc Surg 2020; **68**: 414
3) Swanson SJ et al. J Clin Oncol 2007; **25**: 4993
4) Yan TD et al. Eur J Cardio-Thorac Surg 2014; **45**: 633
5) Cao C et al. Chest 2014; **146**: 292
6) Iwasaki M et al. J Cardiovasc Surg 1996; **37**: 79
7) Rocco G et al. Ann Thorac Surg 2004; **77**: 726

Ⅱ．手術手技

④ ハイブリッドアプローチ

要点

❶胸腔鏡下手術には，術者も助手もモニター画面のみをみて行う完全胸腔鏡下アプローチと，術者は実際の術野とモニター画面の両者をみて行うハイブリッドアプローチの2種類がある．
❷完全胸腔鏡下アプローチには，拡大視ができる，術視野を共有できるなどの利点がある一方，2次元の視野という欠点がある．
❸ハイブリッドアプローチでは，3次元での立体把握が可能であることが利点であるが，手術視野と操作性の制限がある．
❹術者の経験，技量，患者の状態および疾患の進行度に合わせた適切なアプローチを選択することが肝要である．

Key Word 胸腔鏡下手術，ハイブリッドアプローチ，完全胸腔鏡下アプローチ

現在，従来から行われていた30cmもの切開創と肋骨の切断，開胸器を用いて直視下に行う開胸手術に代わり，内視鏡カメラを使用し，モニター画面をみながら手術を行う胸腔鏡下手術（video-assisted thoracic surgery：VATS）が積極的に行われている．原発性肺癌に対する胸腔鏡下肺葉切除術は，日本胸部外科学会の2017年のアンケート調査で，70％と報告されており，標準手術となりつつある[1]．本項では，現在行われている胸腔鏡下肺葉切除手術アプローチについて解説する．

a 胸腔鏡下手術の利点と欠点 レベルB

近年，胸腔鏡下手術は，通常の開胸手術と比較して遜色のない安全性と治療成績が得られるようになったことから，その適応は拡大されつつある．日本肺癌学会の「肺癌診療ガイドライン2020年版」[2]によると，臨床病期Ⅰ期非小細胞肺癌に対する胸腔鏡補助下肺葉切除は，推奨の強さ：2，エビデンスの強さ：B，合意率：67％，とされている．

胸腔鏡下手術の利点は，開胸手術と比較して，傷が小さいということ以外に，痛みが少ないこと，呼吸筋である広背筋，前鋸筋，肋間筋の切離が最低限で済み，手術直後の呼吸機能温存に有効であること，そして，術後ドレーンの排液量や留置期間，在院日数の短縮が期待できることがあげられる[3]．また，手術時の利点は，カメラスコープの適切な操作により，血管の裏側など，開胸手術ではみることができない場所がみえること，拡大視が可能であること，さらに，ポートを支点として鉗子が固定されるため，より細かい操作が可能になることである．さらに，術者がみている画面と同じ画面がモニターに映し出されているため，助手，看護師が術者の視野を共有できることも大きな利点である．一方で，胸腔鏡下手術では，2次元モニター視による立体把握が困難であること，鉗子の挿入角度の制限があることから，自然な方向での，剥離・縫合操作が困難であること，触診が困難であること，および，出血時の対処が開胸手術より困難であることが欠点としてあげられる．

b 胸腔鏡下手術の定義 レベルA

日本では，胸腔鏡下手術を意味するvideo-assisted thoracic surgeryは，当初，胸腔鏡補助下手術と訳されたことから，胸腔鏡を補助的にでも使用すれば，それは胸腔鏡下手術であるとされた．つまり，モニター画面のみをみて行う手術のみならず，開胸器を使用して，直視下に手術を行い，ときに補助として胸腔鏡を併用する手術も胸腔鏡下手術とされ，胸腔鏡下手術の定義は現在も曖昧となっている．2014年のInternational VATS lobectomy Consensus Groupの声明では，2007年のCancer and Leukemia Group B（CALGB）39802 trialで用いられた定義，すなわち，開胸器を使用しない，創の大きさは肺を取り出すための最大8cmまで，肺葉切除のために肺動脈，肺静脈そして気管支を個別に剥離すること，そして標準的なサンプリングもしくはリンパ節郭清を行うことがVATS lobectomyのコンセンサスの得られた定義であるとしている[4]．日本では一般に，術者も助手もモニターのみをみて行う手術を，完全胸腔鏡下手術，complete VATSもしくはpure VATSと呼び（図1a），術者が，実際の術野とモニター画面の両者をみて行う手技をhybrid VATSもしくは，胸腔鏡補助下手術と呼ぶことが多い（図1b）．2018年に報告された全国239施設の胸腔鏡下手術症例を対象とした日本内視鏡外科学会のアンケート調査[5]では，主要な操作をモニター下に行う完全胸腔鏡下手術である施設が54％，主要な操作を直視下に行う胸腔鏡補助下手術である施設が17％，両者の混合，またはハイブリッド手術である施設が27％で，ロボット支援手術が3％であった．

本項では，モニター視のみで行う手術を完全鏡視下アプローチ，創の大きさや開胸器の使用の有無は関係なく，直視とモニター視を併用して手術を行うものをハイブリッドアプローチとする．

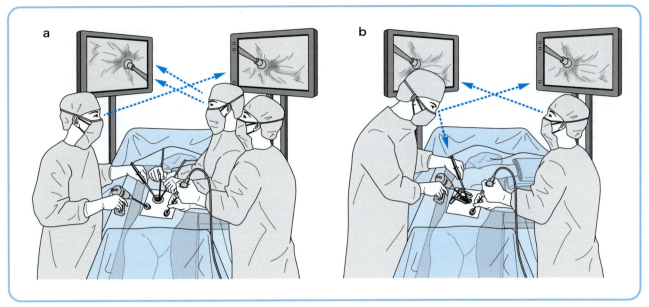

図1 完全胸腔鏡下アプローチとハイブリッドアプローチ
　a：完全胸腔鏡下アプローチでは，術者・助手・スコピストともにモニターをみて手術を行う．
　b：ハイブリッドアプローチでは，術野の直視とモニター視，両者を使い分けて手術を行う．助手は主にモニターをみて手術をサポートする．

C ハイブリッドアプローチと完全胸腔鏡下アプローチ レベルC

　ハイブリッドアプローチでは，術者は，主な操作を小さな開胸創からの直視で行う．これにより，胸腔鏡下手術の欠点である奥行きのわかりにくい2次元の視野ではなく，3次元視野によって解剖学的把握が容易になり，区域切除術や気管支形成術など，より立体視が必要な手術に有効となる[6]．また，小開胸創から，開胸手術で使用する器具を挿入して使用することが可能であり，必ずしも内視鏡手術特有の器具を使用しなくてもよいことも利点である．不測の出血時への対応性も優れている．しかし，小さな開胸創からの視野には制限があり，小開胸創から複数の器具を挿入する場合，その操作性が制限されることが欠点である．また，ハイブリッドアプローチは，開胸手術と同様の感覚で手術が行えるという利点がある反面，胸腔鏡下手術の利点である術者の視野の共有は不十分なことがある．
　完全胸腔鏡下手術の利点は，前述の胸腔鏡下手術の利点と同じであるが，手術操作上の大きな欠点は，2次元モニター視による立体把握が困難であることである．2次元視野である完全胸腔鏡下手術をうまく，安全に行うためには，いくつかコツがある．カメラスコープを操作するスコピストには，カメラスコープの斜視をうまく利用して，剝離する組織をしっかり正面視し，必要時には覗き込む視野を提供し，適切な拡大視を行う技術が必要である．また，助手は肺などを牽引し，術者が両手を使用した手術操作に専念できるように術野展開を行う．また，奥行きがわかりにくいという欠点があるため，電気メスやvessel sealing deviceを使用する際は，近接臓器の副損傷がないように，切離する組織を肺動静脈や上大静脈など重要臓器から十分剝離して，安全な距離を保ってから使用することを推奨する．完全胸腔鏡下アプローチによる手術手技は開胸手術と異なる手術手技であり，完全胸腔鏡下アプローチの十分経験のある呼吸器外科専門医から指導を受けることが望ましい．
　完全胸腔鏡下アプローチおよびハイブリッドアプローチの違いを表1にまとめる．
　近年，3次元モニターを使用した内視鏡手術やロボット支援手術が行われるようになっている．これら最新の技術により胸腔鏡下手術の欠点である2次元の視野や，内視鏡手術のための鉗子の操作性の悪さは克服されつつあり，内視鏡手術はさらに広まることが予測される．しかし，どのアプローチを選択しても，治療手技としての手術の精度を落としてはならない．最も重要なことは，低侵襲であることより疾病を安全に治すことである．術者の経験や技量，患者の状態および疾患の進行度に合わせた適切なアプローチを選択することが肝要である．

表1 完全胸腔鏡下アプローチとハイブリッドアプローチの違い

	ハイブリッドアプローチ	完全鏡視下アプローチ
視覚	2次元＋3次元	2次元
創の最大径（cm）	4〜10	3〜8
創の数	2〜4	1〜5
開胸器の使用	使用する場合がある	なし
術者の視野の共有	なし	あり
主に使用する器具	開胸用および内視鏡用	主に内視鏡用

Ⅱ．手術手技

> **Side Memo**
>
> 近年，新しい完全胸腔鏡下アプローチとしてロボット支援手術が行われている．ロボット手術の利点は，双眼鏡での真の 3D 画像と多関節を有する鉗子による，手術手技の正確性と高い操作性である．特に，胸腔内での多関節鉗子は，自然な方向での剥離操作を可能にし，これは，通常の胸腔鏡下手術における直線的な器具での操作と比較して大きな利点である（Ⅱ章-5 参照）．

文献

1) Shimizu H et al. Gen Thorac Cardiovasc Surg 2020; **68**: 414
2) 日本肺癌学会（編）．肺癌診療ガイドライン 2020 年版，金原出版，2021
3) McKenna Jr RJ. General Thoracic Surgery, Shields TW et al (eds), 6th Ed, Lippincott Williams & Wilkins, 2005: p524
4) Yan TD et al. Eur J Cardiothorac Surg 2014; **45**: 633
5) 日本内視鏡外科学会．日鏡外会誌 2018; **23**: 814
6) Okada M et al. Chest 2005; **128**: 2696

⑤ ロボット支援手術

要点

1. 利点は3次元視野下に関節のある鉗子で，精緻操作ができることである．
2. 欠点は触覚欠如，習熟トレーニング，リスクマネジメント，高コストである．
3. 呼吸器外科では肺癌，縦隔腫瘍に対して，2018年4月に保険収載され，急速に普及してきている．
4. ロボット支援手術はいまだ有用性を示すエビデンスはないが，胸腔鏡下手術の弱点を補う手技として，今後の発展が期待される．

Key Word 手術支援ロボット，da Vinci，肺癌，胸腺疾患，縦隔腫瘍，新型ロボット

　手術支援ロボット da Vinci は1999年に米国の Intuitive Surgical 社によって市場に導入された．その後，改良が進み，日本では厚生労働省の薬事審議会が2009年11月に da Vinci S を，2012年10月に da Vinci Si を，2015年4月に da Vinci Xi を，2018年4月に da Vinci X を認可した．その特徴は，①10倍まで拡大視可能な3次元視野，②7つの自由度を持つ多関節鉗子，③モーションスケーリング機能による手振れ防止にあり，これらにより精緻な手術操作が可能で，狭い領域で複雑な手術手技を正確かつ容易にしてくれる[1,2]．日本では，2018年4月に肺癌と縦隔腫瘍に対するロボット支援手術(以下，ロボット手術)が保険収載され，呼吸器外科での普及が進み，いよいよ本格的なロボット手術時代となった．呼吸器外科におけるロボット手術の現状と上手に行うための工夫を示し，問題点と今後の展望に言及する．

a 呼吸器外科におけるロボット手術の現状 レベルD

　呼吸器外科では，手術支援ロボットが市場に出てきた2000年当初より，応用が始まったが，なかなか普及にいたらなかった．これらの理由としてコストの他にも，①胸腔内は血流豊富な大血管が多い，②ターゲットエリアが広い，③切除手術が主体で，再建手技が少ない，④完全胸腔鏡下手術の導入施設が少ない，⑤他分野よりラーニングカーブが遅いなどの胸部臓器特有のリスク・ベネフィットの問題が大きかった[1,2]．しかしながら，2018年度の診療報酬改定により，K514-2-3 胸腔鏡下肺悪性腫瘍手術，K504-2 胸腔鏡下縦隔悪性腫瘍手術および K513-2 及び胸腔鏡下良性縦隔腫瘍手術の3術式にロボット手術の保険適用が認められた．その後，全国で年間2000例を超えるロボット手術が行われ，本格的なロボット手術時代の幕開けとなった．さらに2020年に胸腔鏡下肺悪性腫瘍手術(区域切除)および胸腔鏡下拡大胸腺摘出術が適用となった．日本呼吸器外科学会では，安全な導入と普及を目指して，①ガイドラインの整備，②プロクター制度の導入，③症例登録(レジストリー制)の実施，④セミナー開催，⑤テキスト(実践マニュアル)作成など，体制作りを進めた．「肺癌診療ガイドライン2020年版」において，ロボット支援下肺葉切除は推奨度決定不能，ロボット支援下胸腺切除術は2Cとなっている．ロボット手術の有用性を示すエビデンスはいまだに明らかにされていない．本項では，呼吸器外科におけるロボット手術の適応疾患である原発性肺癌，胸腺疾患，縦隔腫瘍について現状を述べる．

1) 原発性肺癌に対するロボット手術の現状

　原発性肺癌に対するロボット手術は2002年の肺葉切除の報告が最初である．その後，手術手技の向上とともに良好な周術期成績，良好な予後が報告された．手技に着目するとロボットアームの使用は当初3アームが主体であったが，現在は4アームの報告が増加している．最も危惧される重篤な出血によるコンバートは少ない．合併症は10.5〜43.5%(平均22.1%)で，主なものは遷延性リークや不整脈で，ロボット手術に特有な合併症は少ない．手術死亡は0〜3%(平均0.8%)で，通常の肺癌手術と遜色ない．

　開胸，胸腔鏡下手術との比較では根治性，安全性は同等で，ロボット手術は操作性，ラーニングカーブの短さで勝るが，高コスト，利用器具の限定，長い手術時間が欠点とされる．米国の大規模データベースによる研究ではロボット手術は死亡率，合併症率，在院日数において開胸手術より良好で，胸腔鏡下手術とほぼ同等であると報告されたが，一方でロボット手術は胸腔鏡下手術より合併症が多く，術中出血に注意を要するという報告もある[3]．特に，内視鏡視野外での鉗子による肺，胸壁や縦隔大血管の医原性損傷には細心の注意が必要である．本邦では初期例ではあるが，7施設から集積された60症例が解析され，手術時間は長いが，少ない術後合併症，特に Grade 3 呼吸器合併症の3.3%が着目された[4]．結論として，胸腔鏡下手術を上回るロボット手術のメリットはいまだ実証されていないが，最近では区域切除や気管支形成術への応用も報告されている．また，ロボット手術の有用性を示すために，海外では多施設共同の無作為化前向き試験が進行中で，周術期成績の改善と術

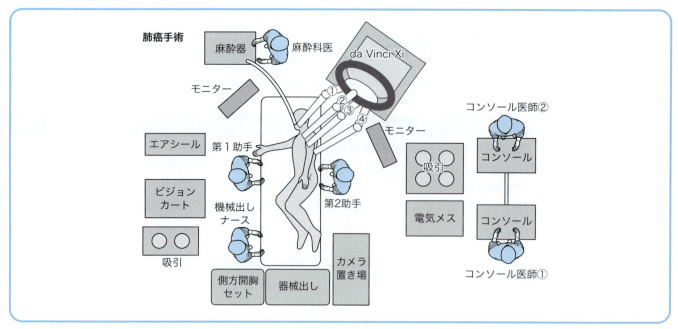

図1　da Vinci Xiによる肺癌手術のレイアウト

後のQOLの向上が期待されている．

2) 胸腺疾患に対するロボット手術の現状

胸腺疾患に対するロボット手術の有効性を示す報告は多い．その理由は胸腺が狭い前縦隔内に存在するため，精緻操作が可能なロボット手術はたいへん有用と考えられる．アプローチ方向はしばしば議論となるが，側胸アプローチが主流で右側からは解剖学的構造がわかりやすく，両側腕頭静脈周囲の胸腺脂肪の切除が容易である．左側からは左横隔神経から大動脈・肺動脈間溝の胸腺脂肪の切除が容易となる．胸腺腫合併時は一般的にその存在方向からアプローチし，健常マージンを切除するほうが理にかなっている．一方，剣状突起下アプローチも報告され[5]，この方法もロボット鉗子の操作性が良好で，両側横隔神経を確認しやすい．合併症の報告は2.1～38.9％（平均11.3％）で，内胸動脈や腕頭静脈からの出血による血胸，血腫，気胸，創感染，創痛などが報告されるが，重篤なものは認めていない．手術死亡の報告はない．

近年，特に欧米では重症筋無力症に対するロボット手術が普及してきており，その成績が注目される．Rückertら[6]は重症筋無力症の寛解率に対する後ろ向きのコホート研究で，ロボット手術の成績が胸腔鏡下手術を有意に上回ったと報告している．この結果が胸腺摘出術の精度によるものか，ロボット手術の低侵襲性によるものかはさらなる検討を要する．また，胸腺腫に対するロボット手術は胸腔鏡下手術と比較して，手術時間，術後在院日数，再発率などほぼ同等の成績であると報告されている．腫瘍径の大きな胸腺腫や浸潤型胸腺腫に対する適応拡大も検討され，良好な成績が報告されている．

3) 後縦隔腫瘍に対するロボット手術の現状

後縦隔腫瘍の代表は神経原性腫瘍であるが，リンパ系腫瘍や食道腫瘍なども発生する．ロボット手術の優れた操作性は横隔膜近傍に生じた腫瘍や，胸腔頂部に位置する腫瘍に威力を発揮する．ポート位置とda Vinciのドッキング方法は腫瘍の位置で工夫を要する．一般的には腫瘍が下肺静脈より上にあるかどうかでアプローチは異なる．すなわち，腫瘍が下肺静脈より上にある場合は頭側からのドッキングを行い，下にある場合は尾側の背後からサイドドッキングを行うか，もしくは食道切除と同様に背側からのドッキングを行う．

b 呼吸器外科のロボット手術の実際
【レベルD】

ロボット手術の適応，術前準備ならびに肺癌，胸腺疾患，後縦隔腫瘍に対する手術の実際を具体的に示す．

1) 手術の準備

手術適応は胸腔鏡下手術に準じる[1]．原発性肺癌は初期例では原則的にリンパ節転移のない臨床病期Ⅰ期，肺野型が望ましい．重症筋無力症は胸腺腫合併例・非合併例のいずれもよい適応であるが，胸腺腫が浸潤型である場合の適応は慎重にすべきである．左腕頭静脈より高位の腫瘍は難度が高い．腫瘍径が大きなものも浸潤型でなければ適応となる．後縦隔腫瘍は手術が容易であるが，胸腔頂部や横隔膜上の狭い部位に存在する腫瘍，縫合の必要な食道腫瘍にはよりメリットがある．

術前に大切な点はロボット手術について患者への詳細な説明と同意である．ロボット手術のメリット・デメリットについて十分に納得が得られるように説明することである．そのうえで，スタッフ全員で手術室のレイアウトを考え，シミュレーションをしておくことが重要となる（図1）．手術機器は開胸手術用，内視鏡手術用，da Vinci手術用の3

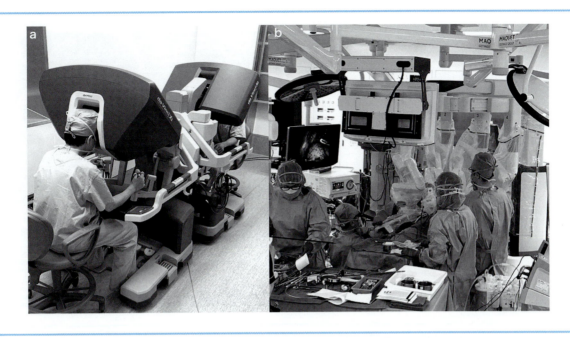

図2　Dual console を用いた da Vinci Xi による肺癌の手術風景

種類からなり，いずれも準備しておく必要がある．

2）肺癌に対するロボット手術の実際（図2）

麻酔，体位は胸腔鏡下手術と同じであるが，一番の相違は軸（アクシス）のつくり方で，共調軸（コアクシス）を意識してポート位置を設定する．ポート間は6cm以上とするが，日本人の体型では困難なこともある．3アームか4アームかは臨機応変に考えるほうがよい．導入初期は3アーム法が無難であるが，熟練とともに4アーム法を行うと視野展開や操作性が向上する．アームの干渉はロボット手術の弱点で，術者の大きなストレスになる．特に下葉切除の肺靱帯切離，横隔膜近傍の操作で生じやすい．この点，第4世代の手術支援ロボット da Vinci Xi ではペイシャントクリアランスを使用すると，可動域が拡がり干渉が減る．ロボット手術ではターゲットまで10〜20cm必要であるため，カメラが尾側から入ることになり，奥の構造物が死角になりやすい．また，大きな展開は不得手のため，肺門操作は手前から進めることが多い．気管支処理後に肺門構造を順次切離する方法もマスターしておくとよい．

da Vinci Xi では背側からドッキングし，肺尖部にターゲティングを行った後に4アームをセットする（図3）．術者は術中にコンソール画面からタイル Pro 機能を使って，3D血管画像を確認することもできる．症例は左下葉 S^6 の肺門近傍に存在して上葉に浸潤する肺癌に対する左下葉切除＋上葉部分切除＋ND2a-2 を提示する（図4）　動画❺．葉間の分葉は悪く，肺靱帯の切離後，肺門後方から下肺静脈，気管支，肺動脈を露出する．下肺静脈を切離後に，下葉気管支のみ確保して切離，前方の葉間を形成した後に肺底区動脈を切離する．A^6 は腫瘍までの距離が短く，注意して vascular stapler で切離して，最後に上葉側に入って，左下葉切除＋上葉部分切除を完了する．続いて，気管分岐部と上縦隔のリンパ節郭清を行う．

3）胸腺疾患に対するロボット手術の実際

CO_2 送気で気胸を作製し，前縦隔のワーキングスペースを良好にする．吊り上げは併用しない．側胸アプローチでは da Vinci を健側からドッキングして3アーム，1アシストのセッティングを行う（図5）．重症筋無力症に対する拡大胸腺摘出術では，通常片側アプローチのみで対側の横隔神経まで観察できるが，横隔神経の確認が困難であれば両側アプローチを行えばよい．胸腺切除の基本手技は，腫瘍には直接触れずに操作を進めることが原則である．特にロボット手術では術者が触覚を感知できないため，鉗子での圧排操作はロールガーゼ等を介して行い，直接腫瘍に触れないように注意する．血管の切離にはロボット手術用のエネルギーデバイス（Vessel Sealer）を使用する．

4）後縦隔腫瘍に対するロボット手術の実際

後縦隔腫瘍は肺癌手術のセットと同様に側臥位を取り，共調軸によるポート位置を設定する．神経原性腫瘍では神経を温存した核出術も比較的容易にできる．食道腫瘍では腫瘍の切除後に食道筋層の縫合が必要となるが，ロボット手術ではスムースに操作できる．後縦隔腫瘍の手術も CO_2 送気による気胸作製が有用である．

C 呼吸器外科におけるロボット手術の課題 レベルD

安全性についてはロボット手術の注意点として常に議論がある．コンソール医師が術野から離れたところから遠隔

Ⅱ．手術手技

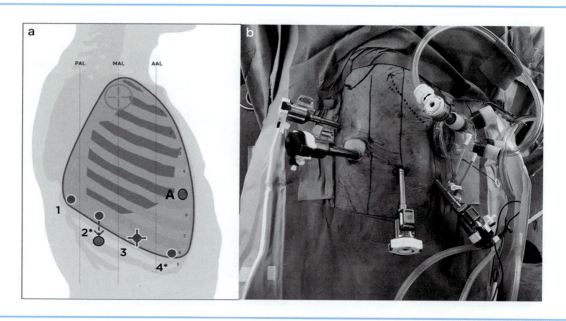

図3　肺癌に対するロボット手術のセットアップ

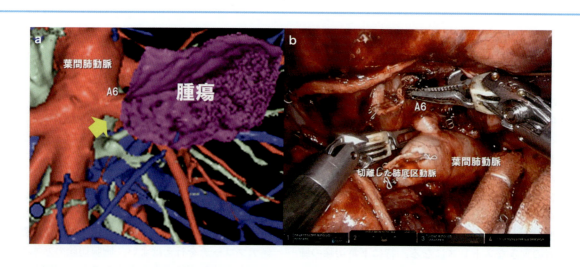

図4　左肺癌に対するロボット支援下左肺下葉切除＋上葉部分切除＋リンパ節郭清術

操作を行なうことも気懸りな点で，致死的な出血にもなりうる．特に，ロボット手術では術中の医原性合併症の発生率が高いことも報告されており，注意が必要である．よって，ロボット手術の Pitfalls and Troubleshooting について熟知しておくことは重要で，緊急時の対処法についても平時から麻酔科医を含めたチームで話し合って，シミュレーションを行っておくことが大切と考えられる．2018年度の保険収載後，呼吸器外科のロボット手術は急速に普及してきている．まずは安全に配慮した導入が重要であり，初期例では手術時間が長いのはやむを得ない．また，困難を感じた場合のコンバートも躊躇すべきではない．ロボット手術の有用性を示すデータは徐々に蓄積されてきているが，いまだ発展途上であり，今後も継続的な検討が重要と考えられる．

d 呼吸器外科ロボット手術の将来 レベルD

　ロボット手術は欧米で先行しており，良好な長期成績も出されるようになってきた．さらに，手術支援ロボットとして第4世代の da Vinci Xi はロボットアームやカメラがよりコンパクトになり，視野や操作性が向上している．蛍光造影カメラ(Firefly)によりインドシアニングリーン(ICG)も使用可能であり，肺癌に対する区域切除や重症筋無力症に対する拡大胸腺摘出術など，新たな適応拡大も期待される．問題とされる触覚の欠如は習熟により視覚補正や抵抗感覚でカバーできるが，センサーも研究されている．2019年9月には腹部領域ではあるが，米 TransEnterix 社製の Senhance が本邦に初導入され，今後の発展が期待される．今後の展望として，国産ロボットや単孔式ロボットの登場も

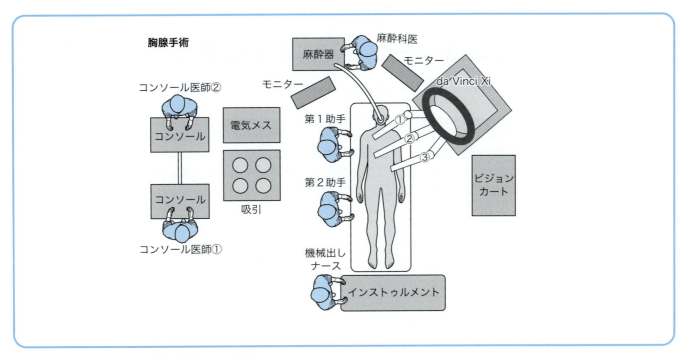

図5 da Vinci Xi による胸腺手術のレイアウト

目前である．da Vinci Xi にはすでに Sp モデルが実装され，他社からも単孔式ロボットや触覚センサーが開発されている．そして，近い将来に必ず手術支援ロボットに組み込まれると予想される AI（artificial intelligence）はロボット手術にあらゆる点で大きなサポートを与えてくれるだろう．一番の課題であるコストについても競争化により，価格の低下が期待できる．ロボット手術の将来は AI との統合やナビゲーション機能の充実にも期待がかかるが，何よりも臨床現場で患者に安全・安心の医療を提供できる手術となることが大切である．

Side Memo
【ロボット支援手術と CO_2 送気による気胸作製】
ロボット支援手術ではターゲットまでに 10cm 以上の距離が望まれる．
そのために 5〜10mmHg 圧の CO_2 送気による気胸作製は以下の利点があり，広く応用されている．
①胸腔内のスペースが広がり，良好な操作性が得られる．
②広い視野が得られ，視野外でのトラブルが防げる．
③上大静脈，腕頭静脈が圧排され，肺癌の上縦隔郭清，胸腺切除術の両側上極の切除が容易になる．
④小出血（oozing）が抑えられる．
一方，欠点として以下の注意が必要である．
①呼吸・循環動態が不安定になりやすい．
②空気塞栓の懸念．
③緊急時の対応．

Side Memo
【日本でのロボット支援手術導入初期のデータ】
2012 年 9 月末までに日本の 9 施設で実施されたロボット支援手術 112 例（肺癌 60 例，胸腺関連疾患 38 例，後縦隔腫瘍 14 例）のデータが以下のように報告された（Nakamura H et al. Gen Thorac Cardiovasc Surg 2014; 62: 720-725）．
【肺癌】手術時間 284.7 分，コンソール時間 206.4 分，出血量 129mL，ドレーン留置 3.3 日，コンバート 3.3%，術後合併症 6.7%，術後在院日数 8.2 日
【胸腺関連疾患】手術時間 184.3 分，コンソール時間 112.9 分，出血量 43.8mL，ドレーン留置 2.3 日，コンバート 0%，術後合併症 7.9%，術後在院日数 7.1 日
【後縦隔腫瘍】手術時間 142.6 分，コンソール時間 68.7 分，出血量 61.4mL，ドレーン留置 1.6 日，コンバート 0%，術後合併症 0%，術後在院日数 5.0 日
【まとめ】ロボット手術は安全に導入され，初期成績では手術時間は長いが，術後合併症が低い傾向にあった．

文献
1) 中村廣繁ほか．ロボット手術マニュアル，メジカルビュー社，2012: p94
2) Nakamura H et al. Gen Thorac Cardiovasc Surg 2013; **61**: 127
3) Paul S et al. Chest 2014; **146**: 1405
4) Nakamura H et al. Gen Thorac Cardiovasc Surg 2014; **62**: 720
5) Suda T et al. J Thorac Dis 2016; **8**: 265
6) Rückert JC et al. J Thorac Cardiovasc Surg 2011; **141**: 673

Ⅱ．手術手技

⑥ 術前のシミュレーション，術中のナビゲーション

要点

❶ 手術シミュレーションは教育，安全な手術，術式の研究に有用である．
❷ MD-CT，3D-CT，ワークステーション，3D プリンタの進歩により手術シミュレーションが発展した．
❸ 鏡視下手術や解剖学的肺切除において手術シミュレーションは役に立っている．
❹ 3D モデル作成は煩雑だが，平面画像である 3D-CT より有用性は高い．

Key Word　シミュレーション，MD-CT，ワークステーション，3D-CT，3D モデル，3D プリンタ，区域切除，腫瘍マーキング，区域間マーキング，シミュレータ

a シミュレーションの意義 レベルB

シミュレーションには教育としての役割，患者さん個々のデータに基づき手術術式や手順を確認する手術シミュレーション，更には新たな術式を模索研究するための手段としての役割がある．

手術理論はテキスト，論文，e-learning で学ぶことができる．一方，手術技術の修練には on-the-job training（OJT）が広く用いられている．OJT を行って患者に不利益があってはならないし，OJT では同じ過ちを繰り返す可能性もある．また，技術的に困難な手術を行う際にいきなり OJT を選択することは倫理的な問題である．そこで，off-the-job training として何度も同じ技術を学ぶことのできる手術シミュレーションは極めて重要であり有効である．

米国外科医認定教育機関（The American College of Surgeons Accredited Education Institutes：ACS-AEI）は，2005 年以来，シミュレーションでの教育を通じて，医学生，および外科チームの教育および訓練を実施している．シミュレーションを使用することは患者の安全を守り，新しい教育や新しい技術を開発し，最高の術式を発見し，研究を促進することである，と述べている．

シミュレーションの方法には，image training，動物や cadaver の使用，機器やドライボックストレーニング装置，CT（computed tomography）を利用した臓器モデルや virtual reality（VR）・手術シミュレータなどがある．動物を用いた訓練については，動物愛護の点からその適応や方法について抑制がかかっている．cadaver は形状や脈管の位置等が最も理想的だが，これも倫理的問題や人道的問題，宗教的問題をはらんでいる．

b MD-CT（multi-detector computed tomography） レベルB

初期の CT はファン（扇状）ビームを出す X 線管が患者を一周して 1 スライスを作成し，その後寝台が少し移動して次の撮影をする conventional CT であった．現在は X 線管が連続回転しながら寝台が移動する helical（螺旋）CT が主流であり，横長の検出器の列が複数頭尾側に並ぶ MD-CT（multi-detector computed tomography）の時代になった．これらのデータを複数のデータ収集機構（DAS：data acquisition system）が収集する．列の幅が小さいほうが pixel（画素）が小さくなり，列数が増え回転速度が速いほど撮影時間は短く心拍動や呼吸の影響を受けにくくなり詳細な画像を得ることができる．

参考）CT の性能は，たとえば，Canon（旧 Toshiba）『Aquilion 320 列』は最小スライス厚 0.5 mm で検出器 320 列，DAS を 320 個持ち，ガントリー 1 回転 0.275 秒で 0.5 mm×320 列＝16 cm（640 スライス）を撮影できる．Siemens『Somatom 64×2 列』は DAS を 256 個持ち，1 回転 0.33 秒（768 スライス）である．その他，GE の『Revolution 256 列』，Fujifilm（旧 Hitachi）『Scenaria 64 列』，Philips『Brilliance 128 列』がある．

c 3D-CT（three-dimensional computed tomography） レベルB

CT 画像を構成するデータ最小単位の正方形を pixel（画素）と呼ぶ．pixel が 3 次元（立法体）であることから voxel とも呼び，3 次元画像として再構築することが可能になった．水平断で得られた CT データを矢状断，環状断，斜断面を再構成して表示することを任意断面再構成（multi planar reconstruction：MPR）と呼ぶ．voxel は，コンピュータで適切な陰影付け・遠近感を施すことで，人間が直感的に把握できる 3 次元グラフィックスとして表示できる．主な 3 次元 rendering（抽出）方法は，不透明度を変えて中身も見える volume rendering と，一定の閾値以上の塊の表面を見る surface rendering の 2 種類がある．前者は医療では広く用いられている．後者は比較的データ量が少なく，一定閾値以上の塊の表面をデータとする方法であり，市販ソフトが使用できる．

これらの技術により病変や気管支樹や肺動静脈血管樹などがモニター上で，あたかも 3 次元であるかのように描出

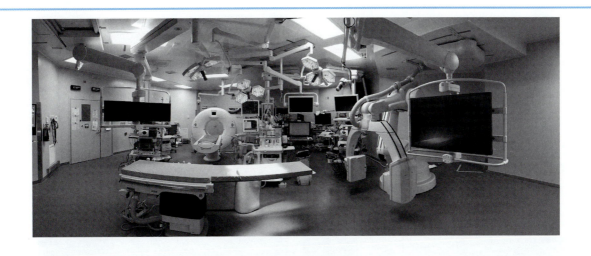

図1　ハイブリッド手術室
　左手前に手術台，左奥にデュアルソースデュアルエネルギー CT スキャナー，右手前にロボットコーンビーム CT/透視．その他，高性能気管支内超音波システム，近赤外(NIR)蛍光イメージングシステム，ナビゲーション追跡システムを備えている．
　トロント大学，安福和弘教授より提供．

(three-dimensional computed tomography：3D-CT)されるようになり，あらゆる角度から眺めることができるようになった．特に造影剤を注射した動静脈の内腔が明瞭に描出できる 3D-CT を 3D-CTA(angiography)と呼ぶ．3D-CT は患者個人の解剖(tailor-made)であり，個人の手術に対する貴重なシミュレーションの資料となる．
　3D 画像に拍動や呼吸といった時間軸を加えた 4D 画像もあり，今後はシミュレーションへの応用の可能性もある．一方，CT 検査の課題は被ばく線量が多いことであり，様々な取り組みがなされている．

d DICOM とワークステーション レベルD

　画像データは DICOM(digital imaging and communications in medicine，ダイコム)で情報伝達する．DICOM とは，CR(computed radiography)，CT，MRI(magnetic resonance imaging)などで撮影した医用画像の形式と，それらを扱う医用画像機器間の通信規約を定義した標準規格である．CT ワークステーションは CT で得られた DICOM データを用いて 3D 画像を含む様々な画像操作が可能な高性能コンピュータである．また，安価に personal computer で DICOM データを取り扱えるソフトも存在する．また，DICOM データは CD-ROM に焼き付け閲覧できる．
　参考)ワークステーションは CT に併設されているが，高性能の製品には Fujifilm『Synapse Vincent』，Siemens『Cinematic VRT』，AZE『AZE VirtualPlace』，Ziosoft『Ziostation2』，Canon『Vitrea』がある．個人使用の画像処理ソフトには『OsiriX MD』，『CTTRY』がある．

e ハイブリッド手術室 レベルA

　血管撮影装置や CT 装置を備えた手術室をハイブリッド手術室と呼ぶ．呼吸器外科では肺病変が小さい，あるいは胸膜から離れていて，視診や触診で部位が確認できないときに CT 装置で確認し，病変の的確な切除を行うのに使用する(図1)．

f 3D モデル レベルC

　3D-CT と比較すると，3D モデルの立体感と奥行きの深さの実感は明らかに優れている．3D-CT は2次元画像であり，3D モデルとは全く別物である．3D-CT の DICOM データがあれば 3D プリンタによって，正確な実物大臓器モデルを作成することが可能である．使用する樹脂の色，硬さ，触感を変えることにより様々な手術シミュレーションやナビゲーションを実体験することができる．細胞やマトリックスを使用し実際の臓器を創造する試みもある．3D プリンタは安価な個人向け製品と高価な企業向けの製品がある．完成度の高い医療用 3D モデルを作成する企業もあり，DICOM データで発注して立体モデルを作成する．

g 術前シミュレーション レベルB

　3D-CT は施設毎に様々な適応や方法を用いて作成，利用されている．頻度の高い対象症例としては，区域切除，亜区域切除，複合区域切除，肺葉切除の解剖学的肺切除を鏡視下手術(video-assisted thoracoscopic surgery：VATS)で行うときに有効である．肺分画症や動静脈奇形などの血管奇形に対しては，3D-CTA が十分な術前情報を提供できる．縦隔腫瘍の評価や術式決定にも利用される．胸壁病変では，漏斗胸再建のシミュレーションにも使用される．超音波気管支鏡下針生検(endobronchial ultrasound-guided transbronchial needle aspiration：EBUS-TBNA)を行う際のシミュレーションも報告がある．

Ⅱ．手術手技

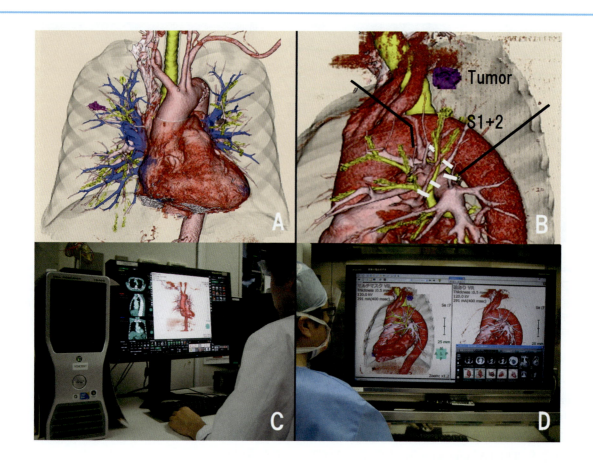

図2　3D tailor-made virtual lung を用いた肺区域切除シミュレーション
　a：3D-CT
　b：肺癌と切除ライン
　c：技師による画像作成
　d：術中解剖確認
（Akiba T et al. J Thorac Cardiovasc Surg 2012; 143: 1233 より転載）

1）解剖学的肺切除

　肺の気管支・血管には variation がしばしば認められるし，すりガラス陰影や多発病変の早期肺癌に対する縮小手術や鏡視下手術を行う頻度は高くなった．解剖学的肺切除を行う際には個別患者の肺動静脈と気管支の正確な解剖知識が必要である．これらを術前に把握できることは手術を行ううえで有利であり，正確な把握は医療安全にも寄与する．

　術前に 3D-CT があれば術者や助手で各枝の切断順番を考え，肺区域間の切断部位を想定する手術シミュレーションができる．手術時間を短縮し余計な剥離操作も少なくなると思われる．手術中に手術チームが情報共有し相談することもできる．また，患者や家族への説明，学生教育においても理解が得られやすい．

　Watanabe S ら（2003）[1] は，解剖学的肺切除を行う際に Siemens 4列 MD-CT で造影を行い，3D-CTA により肺動脈樹を 3D-CT として示した．画像をあらゆる方向に 360°回転することにより必要な肺動脈の情報が得られ，術前シミュレーションとしての有用性を発表した．Akiba T ら（2008）[2]は，解剖学的肺切除を行う術前患者にルーチンで Toshiba 64列 MD-CT で 3D-CTA を撮影した．放射線技師により Synapse Vincent を用いて肺病変（肺癌），気管支樹，肺動静脈樹，肺実質 3D-CT を作成・合成し，縦横に回転する tailor-made virtual lung を作成した．気管支，血管，病変が同一画像にあることが，解剖学的命名並びに病変の位置と切除範囲を決定するのに重要だからである．のちに電子カルテで閲覧可能とし，術前評価，術前カンファレンス，患者説明，術前術中シミュレーションに使用した（図2）．技師が作成することは医師の働き方にも貢献する．リンパ節転移部の動脈の描出は不良であったが，諸家の報告を合わせると肺動脈は95%以上が同定される．Kanzaki M ら（2011）はデータを手持ちのパソコンにダウンロードした CTTRY と Metasequoia を用いて 3D-CT 画像を作成して手術シミュレーションを行った．医師が作成するので手間がかかるが，肺の解剖を理解するには有力であり，造影剤を必要としないと述べている．

2）区域間マーキング

　腫瘍の位置が不明，多発病変，肺機能を温存，適切なサージカルマージンの確保の為に，区域・亜区域切除を行

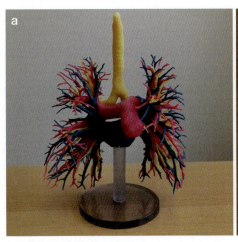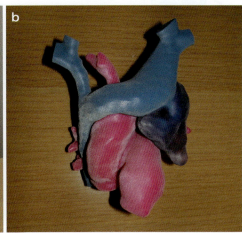

図3　実物大肺縦隔3Dモデル
a：3つのパーツよりなる全肺立体モデル
b：胸腺海綿状血管腫とそれに付随した左腕頭静脈瘤
（秋葉直志ほか．日呼外会誌 2016; 30: 124 より許諾を得て転載）

うことが必要となる．3D-CTを用いた手術シミュレーションやナビゲーションは病変の位置をCTで確認し，解剖学的に正確な区域切除（亜区域切除，複合区域切除）を行うことにより，術中に病変の位置が同定できなくても確実に病変の完全切除が達成できる．解剖学的肺切除を行う際に正しい区域間面を同定することは重要であり，腫瘍からの十分な距離を確保し切除マージンを確保することも重要である．区域間面を確認する方法には多くは含気虚脱ラインを作成する方法が使用されていたが，側副気道が存在し困難なこともしばしばある．Oizumi ら(2009)[3] は Siemens 64列 MD-CT，OsiriX を用いて，3D-CTAを医師により作成し区域間静脈や区域間面を同定し，複雑な区域切除にも有効であると報告した．

3）3Dモデルによるシミュレーション（レベルD）

肺の3Dモデルの作成は3D-CTで得られたデータを利用して3Dプリンタで作成する方法が患者解剖を忠実に再現できる．一方，気管支や血管は細く，モデルを作成するのに技術的な問題と，作成後も折れやすい欠点がある．著者らは当初，気管支・肺血管が透明な樹脂の肺実質内にあるモデルを作成したが，表面が反射して見にくい欠点があった．そこで枝が折れる可能性はあるが，気管支血管を露出したモデルを作成した．全肺3Dモデルは複雑なので，3つのパートに分けて作成した（図3a）．縦隔病変の3Dモデルへの応用は限られているが，筆者らの異所性胸腺腫の報告がある．本症例は心膜内外の鑑別に有効で，患者への手術説明にも役立った．また，胸腺縦隔海綿状血管腫の縦隔モデルは左腕頭静脈瘤を合併している様子が見て取れる（図3b）．

h 術中シミュレーション レベルB

1）腫瘍マーキング

病変が胸膜面から離れていて視診や触診で確認できないときには，腫瘍位置を同定する方法としてフックワイヤーでのマーキングがある．しかし，マーキングの失敗や合併症の気胸，出血，脳梗塞を伴う空気塞栓の可能性がある．
Sato M ら(2014)は virtual-assisted lung mapping（VAL-MAP）を報告した．仮想気管支鏡で病変周囲の複数気管支を選択し，それぞれに気管支鏡で色素によるマーキングを行う．3D-CTで病変とマーキングの位置関係を確認し，手術時に色素を目安に正確に区域切除や楔状切除行う方法である．Kojima F ら(2014)は気管支鏡で肺癌近傍に近距離無線通信の radio frequency identification（RFID）マイクロチップを搭載した小型無線マーカーを挿入し，術中にアンテナで病変の位置を確認して手術を行う方法を報告した．

2）区域間マーキング

Misaki N ら(2010)[4] は，3D-CTで評価後に，切除予定の肺動脈と気管支を切離する．その後 indocyanine green（ICG）を静脈注射し，赤外光胸腔鏡（IRT: infrared thoracoscopy）を用いて臓側胸膜の蛍光を確認し切離区域を確認するIRT-ICG法を報告した．切除予定線を電気メスやクリップでマーキングして同部を切離する．手術室内にcone-beam CT system を持ったハイブリッド手術室なら病変とクリップを 3D-CT で確認後切離することができる．Sekine Y ら(2012)は術前に3D-CT仮想気管支鏡検査を実施し，全身麻酔後に細気管支鏡で標的気管支内にICGと200-300mlの空気を注入する方法も報告している．ロボット手術（da Vinci）でもICGを用いて蛍光描出機能により観察した報告もある．

Ⅱ．手術手技

i シミュレータ レベルD

　理想的なトレーニングシステムが求められている．縫合練習用キットは基本的な手術手技をトレーニングする機械や器具として販売されており，基礎的な鏡視下手術の技術訓練に用いられている．腹腔鏡トレーニングボックス（ドライボックス）や胸腔鏡トレーニングボックスもある．鏡視下手術を行うシミュレーションのために実物大胸部胸壁モデルや実物大の肺モデルが販売されている．VR・手術シミュレータも報告されている．

　Iwasaki A ら（2008）は VATS 肺葉切除のシミュレータを作成した．肺と気管支があり，血管内にはポンプで人工血液が流れている．Solomon B ら（2011）は VATS 右肺上葉切除を行える VR・手術シミュレータを報告した．解剖学的 variation を備えており認知的トレーニングツールとして使用できる．Takuno J ら（2019）は独自のソフトウェアで患者 CT データから半自動的に肺葉切除や区域切除の過程を体験できる仮想動的画像を作り出すシステムを作成した．術中の肺の変形を反映した動的シミュレーションの試みが行われた．

j 移植 レベルD

　ドナー不足により日本では生体肺葉移植がしばしば行われている．3D-CT 容量データにより解剖学的サイズマッチができる．特に成人と小児間移植で有用である．また，ドナーに対する 3D-CTA における評価を行い，肺血管や気管支の状況が評価できる．Chen-Yoshikawa TF ら（2018）[5] は 3D-CTA を参考に手術時にドナーの肺動脈の小枝を処理し，安全な移植に必要な血管を確保した．また必要に応じて心膜パッチを使用した動脈形成を行い安全な手術が行えると報告している．また，左下葉の代わりにより大きな右下葉を左胸腔に移植する新たな手術を行う際に，Synapse Vincent で 3D モデルを作成して臓器間の位置関係をシミュレーションした．その結果，右下葉を前後逆にして，ドナーの気管支をレシピアントの左上葉気管支に吻合することが可能なことが示された．肺動脈は気管支の背側，肺静脈は左心耳に吻合するのが適切であった．実際の手術の術前の予想通りスムースにできたと報告した．

文献
1) Watanabe S et al. Ann Thorac Surg 2003; **75**: 388
2) Akiba T et al. Gen Thorac Cardiovasc Surg 2008; **56**: 413
3) Oizumi H et al. Eur J Cardiothorac Surg 2009; **36**: 374
4) Misaki N et al. J Thorac Cardiovasc Surg 2010; **140**: 752
5) Chen-Yoshikawa TF et al. Gen Thorac cardiovasc Surg 2018; **66**: 19

7 胸腔ドレーン管理

要点
1. 胸腔ドレーンの管理は閉鎖式水封ドレーンシステムが標準である．
2. 術式，侵襲度，残存肺に応じたドレーン留置（種類，本数，位置）を行う．
3. 排液量，性状，気漏，呼吸性移動を評価する．
4. 肺全摘術後には縦隔シフトに注意する．

Key Word ドレーンチューブ，水封，2 bottle system，3 bottle system，陰圧設定，電動式低圧吸引器，気漏（エアリーク），肺全摘術後管理

呼吸器外科手術後のドレーン管理は肺の再膨張を促すこと（治療），胸腔内の情報を得ること（情報）を目的とし，液体と気体を同時に扱う点が他の領域の術後管理と異なる．また，術式が肺全摘になると，その他の肺切除術と管理が異なってくる．胸腔の特殊性を十分に理解したうえで術後のドレーン管理を行う必要がある[1〜3]．

a ドレーンチューブ

1) 種類 レベルA
一般的なドレーンにはソラシックカテーテル（塩化ビニル製）がある．断面が円形/楕円形であり，UK（ウロキナーゼ）コーティングされているものもある．直線型と直角型（L字型）があり，後者は横隔膜洞の排液を十分行う目的で留置する．排液（気）孔が先端と側孔（3〜6個）がある．ブレークドレーン（シリコン製）は吸引が有効にできるように縦溝（マルチスリット）がついている．屈曲してもつぶれず，吸引効果が落ちない．留置方法を工夫することで，使用する施設が増えてきている[4]．また，サイズが多岐に及ぶトロッカーカテーテル（塩化ビニル製）を使用する場合もある（詳細は添付文書参考）．

2) 留置 レベルB
排液・排気目的に留置する本数と位置が重要になる．従来，排液，排気の2本を留置することが基本であったが（図1a），低侵襲手術や手術術式，術後肺の状態，ドレーンの特徴から1本で済むことが多くなっている．1本で管理するには液体貯留部位（背側）から腹側に向けてドレーン先端が来るように留置する（図1b）．ブレークドレーンは図のように胸腔頂を経由して横隔膜側に向けて留置する（図1c）．術後の気漏が顕著な症例（または予測される症例），1本では十分な排液ができない症例などにおいては，2本留置する．

ドレーン挿入部からの外気の吸い込みは避けなければならない．ドレーンの皮下走行部分（皮下トンネル）を成人の場合には3cm以上設けること，挿入角度を小さくすること，

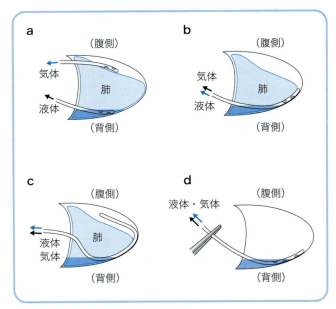

図1 ドレーンの種類と本数と留置場所
a：2本留置．腹側に排気用，背側に排液用ドレーンを留置する．
b：1本留置．背側から胸腔頂（天蓋部）に向けて留置する．
c：ブレークドレーンの留置．背側から胸腔頂を経由して腹側へ留置する．または，腹側から胸腔頂を経由して背部〜横隔膜上に留置する．
d：左肺全摘症例．ドレーンはクランプし，一定時間ごとに開放し，排液する．

縫合糸によるカテーテルの固定位置を挿入部から2cm以上開けることなどが防止策としてある（各添付文書参考）．

3) 固定 レベルA
創部感染を起こさないように，固定にはナイロンやモノフィラメントを使用する．ドレーン抜去後の閉創用の糸をあらかじめ留置しておくと，患者への負担は少なくなるが，長期の管理が予測される場合には，抜去時に清潔操作で縫合閉鎖を行うのがよい．

b ドレーンシステムのメカニズム[5]

19世紀後半のBülauが始まりとされる閉鎖式水封システム（ドレーンシステム）には排液・排気のほか，胸腔内圧を一定に保つ機能があるが，その基本原理を知ることは大切である．

1) 2 bottle system（図2a） レベルA

2 bottle systemは，排液ボトルと水封ボトルの連結で構成されている．胸腔内圧を一定に保つ目的で水封があり，この水封ボトル内の細管は約2cm水中に入れた状態にする．この細管は呼吸性に上昇下降し（呼吸性移動），胸腔内圧を知ることができる．また，細管から出る空気により気漏の程度が評価でき，水封ボトルにより外気の吸入を遮断できる（一方向弁の役割）．

2) 3 bottle system（図2b） レベルA

3連ボトルシステム（3 bottle system）は2 bottle systemに陰圧調整ボトルが連結したものである．ディスポーザブルで頻用されているユニット型はこれが原型である．陰圧調整ボトルの細管の深さで吸引圧を調整する仕組みになっている．実際の胸腔内にかかる陰圧は，吸引圧と水封ボトル細管の$-2cmH_2O$との合計になる．胸腔に咳嗽などで排液ボトル内に強い陽圧になり，空気が水封ボトルを経由して押し出された際に，強い陰圧が水封ボトルに加わることがある．ユニット型のドレーンバッグには水封ボトルに陽圧逃がし弁という圧調節機構が備わっている．

3) 電動式低圧吸引器（Thopaz（図3），ATOMS CO51 Thorax） レベルC

ポータブル型の電動式低圧吸引器Thopaz（トパーズ，Medela，日本コヴィディエン）の使用機会は徐々に増加している．原理の詳細は公表されていないので，その特徴を述べる．本体は1kgであり，充電後最低でも4時間の駆動が可能なシステムである．排液ボトルは300mL，800mLおよび2,000mLのタイプがあり，陰圧は$1 \sim 100 cmH_2O$の範囲で設定でき，胸腔内圧を一定に保つ新たな機能がある．吸引量は5,000mL/minまで可能である．水封の役割としてチェックバルブが機器内に存在している．従来のドレーンシステムで定量化できなかった気漏を1分間あたりで数値表示される．排液量や胸腔内圧のデータも液晶ディスプレイで表示され経時的な解析が可能である[6]．2本のドレーンが接続できるチューブも発売されており，今後も活用の機会が増えると思われる．

C 管理方法

ドレーン管理の多くは持続吸引であろうが，閉胸直後から水封管理のみ行う方法や，閉胸直後は吸引を行い，その後は水封管理を行う方法，2日間ごとに吸引・水封管理をするなど様々である．吸引設定圧は$-10cmH_2O \sim -15cmH_2O$で行うが，持続吸引を行う理由として排液のモニ

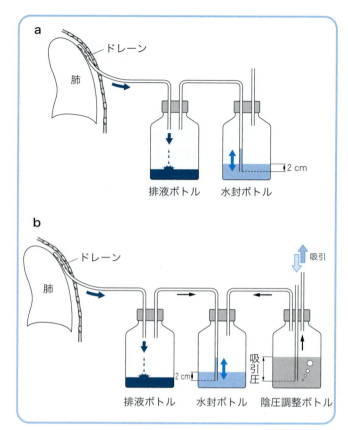

図2 胸腔ドレナージシステム
a：2 bottle system
b：3 bottle system

タリングと肺の拡張があげられる．また，肺瘻閉鎖目的に水封管理を行うこともある．この場合，水封か吸引か，いくつかの臨床試験が行われているが，水封管理は短い期間で気漏消失頻度が高いという傾向が示された試験がある一方で，有意差がなかった試験もあり，症例に応じた管理が重要と考える．ドレーンは胸腔内の情報を知る役割があり，術後管理の基準になる．排液ボトルから知る排液の性状（血性，漿液性，膿性，乳びなど）と排液量，水封ボトルから知る気漏の有無，気漏の程度や呼吸性移動の有無を総合的に判断して管理することが大切である．

1) 排液 レベルA

血性排液が経時的に減量するか，性状が淡血性～漿液性になるかを観察する．ドレーン留置時の排液量は3mL/kg/dayまたは1mL/kg/every 8hrが便宜上使用されており，管理するうえで目安になる．術後に血性排液が100mL/hrを継続している場合には活動性の出血を考慮する．必要があれば，サンプルを採取し，血色素などの測定を行う．チューブの屈曲や圧迫，閉塞がないかチェックし，胸腔内で血腫が形成されている場合には排出量が少ないこともあるので，必ず胸部X線像でチェックする．得られる情報を正しく評価する．屈曲・圧迫は速やかに解除し，閉塞に関してはミルキングを行う．食事開始以降には，手術侵襲（特にリンパ節郭清）に伴う乳び排液がないかを確認する．

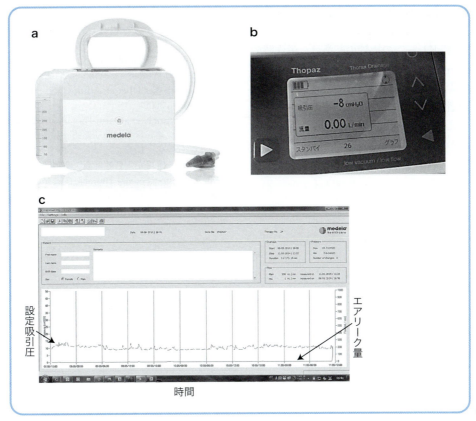

図3 電動式低圧吸引器(Thopaz, Medela)
a：本体外観
b：モニター部分．設定吸引圧とエアリーク流量が表示．
c：コンピュータ解析所見．吸引圧とエアリーク流量を示す．

2) 気漏 レベルB

気漏は，持続型，吸気時型，呼気時型，努力性呼気時型の4つに分類され，術後一般的に認められるのは呼気時型・努力性呼気時型である．ただし，閉胸直後の人工呼吸期管理下では持続型や吸気時型も認められ，その場合は気管支胸膜瘻などが考慮されるため，再開胸を行うことを躊躇しない．帰室後の気漏の評価は，①水封で安静呼吸，②水封のまま咳嗽などの負荷を加える，③吸引圧を加えることで行う．気漏が継続する症例では水封管理，滲出液貯留（排液制限），胸膜癒着療法などを検討する．Thopazでは気漏が数値化される．

3) クランプテスト レベルB

気漏を認めた症例において気漏が消失したあと，ドレーンを抜去してよいかどうか判断する際に，ドレーンを一定時間クランプして胸部X線像で肺の虚脱がないことを確認することがある．"provocative chest tube clamping"と呼び，1992年にKirschnerが報告しているが，臨床の場では"クランプテスト"として従前より慣行されている．

4) 胸部X線像 レベルA

胸部X線像はドレーン管理に欠かせない．術後の肺の評価だけでなく，ドレーン側孔の位置を含め，ドレーンが排液や排気に有効な場所にあるかどうかを評価する．不良な場合にはよい位置への移動や抜去，追加挿入を検討する．

d 肺全摘における管理方法 レベルC

肺全摘術後は肺が残存する場合と異なり，縦隔のシフトに注意したドレーン管理を行わなければならない．ドレーン留置に関しては図1dに示すように背側に留置する．持続吸引は縦隔シフトを促すため，ドレーンをクランプしておいて一定時間(2〜4時間)ごとに開放し排液をする．クランプ部位を2箇所設け，サイフォン原理を用いて排液する施設もある．術後出血の程度がわからず，管理が難しい面もある．Thopazを用いた管理や，バルーン付き胸腔ドレーンを留置し，低圧持続吸引を行う管理方法もある．

e ドレーン抜去 レベルA

ドレーン抜去について施設により基準が様々である．2本留置している場合は，（気漏に対する）前方ドレーンから順に抜去していくのが一般的であるが，2本一度に抜去することもある．

ドレーンの抜去は，患者に息止めを促してから行う．最大吸気位，最大呼気位のどちらでも理論的に外気を吸い込

むことはないが，最大呼気位の抜去のほうが，術後気胸が少なかったという試験の結果がある[7]．

Thopazにおける胸腔ドレーンの抜管の基準は，労作時のエアリーク量20 mL/min以下[6]，30 mL/min以下の状態が8時間以上経過した場合[8]などと報告されている．

ドレーン抜去は患者の協力のもと1人で行えるが，抜去し，創部を指で押さえ，縫合閉鎖するまで患者の息止めの協力が必要となる．わずかな時間であるが，安全に行うには2人のほうがよい．

文献

1) Patterson GA et al (eds). Pearson's Thoracic & Esophageal Surgery, 3rd Ed, Churchill Livingstone Elsevier, 2008
2) Shields TW et al (eds). General Thoracic Surgery, 7th Ed, Lippincott Williams & Wilkins, 2009
3) Sugarbaker DJ et al. Adult Chest Surgery, McGraw-Hill Professional, 2009
4) Sakakura N et al. Ann Thorac Surg 2009; **87**: 1539
5) 荒井他嘉司ほか．肺切除術―局所解剖と手術手技．改訂新版，朝倉書店．1992
6) 新谷　康ほか．日呼外会誌 2013; **27**: 120
7) Cerfolio RJ et al. J Thoracic Cardiovasc Surg 2013; **145**: 1539
8) Pompili C et al. Ann Thorac Surg 2014; **98**: 490

⑧ 癒着剥離，肺瘻処理，被覆法

要点

❶ 癒着剥離は呼吸器外科の基礎手技であり，かつ応用も必要で，膜から器官などを落としていく感覚が重要である．
❷ 肺瘻の修復法には，直接縫合，吸収性縫合補強剤貼付，フィブリン糊塗布，組織接着シート貼付などがある．
❸ 気管支断端や気管支吻合部の被覆の目的は，断端に血流を供給し治癒の促進を図ること，断端，吻合部と肺動脈の接触を回避すること，そして断端・吻合部が哆開したとき，哆開部を保護し治癒を期待すること．

Key Word　癒着剥離，気管鞘，気管支鞘，血管鞘，肺損傷，心膜周囲脂肪組織，肋間筋，大網

　癒着剥離は呼吸器外科における基礎であるとともに，難易度の高い応用でもある．この手技ができないと手術が開始できない．ただし，地味で地道な手技であり，伝えることも難しい．概念の理解とともに修練の現場で経験を積むことが重要である．

a 癒着剥離 レベルB

1) 癒着剥離とは

　手術における剥離の基本は膜と器官の正しい境目を探し，間に空間をつくり，器官を露出することである．膜は柔らかい組織であり，その下の器官は一般的には膜より硬い．膜と器官は疎な結合組織でつながっている．柔らかい膜を一部つまみ上げ，小さな空間をつくり，切開する．膜を鑷子でつまみ上げ，接線方向に牽引し張力を加える．膜から器官を落としていく感覚が重要である（図1）．この落とす操作はツッペルで行うことが多い．剥離ができたら，膜の奥を持ち直し，さらに奥の剥離を行う．気道系や血管系の場合は可能な限り剥離操作は直視で行うが，狭いスペースでの肺の剥離には胸腔鏡が有効な場合もある．癒着が少ない場合はこの操作だけで器官は自然と剥離される．膜を無理に剥がそうとする操作は不自然な力を加えることになり，器官の損傷につながる．また，剥離をしている空間の向こうに何があるのか常に意識する必要がある．すなわち，今行っている操作で出血した場合，何が損傷されたか迅速に判断できなければならない．

2) 気道系の剥離

　気道系の膜は，気管鞘，気管支鞘である．気管支鞘を切開し気管支を露出することにより剥離は進む．このとき，気管支は軟骨部とより柔らかい膜様部で構成されていることを忘れてはならない．硬さの違う器官を剥離しているとき，柔らかい部分は容易に損傷される．気管支鞘を鑷子で牽引し，気管支との間の結合組織をツッペルで開いていく．各種のエネルギーデバイスはこの操作に有用である．気管支動脈の温存に留意する．

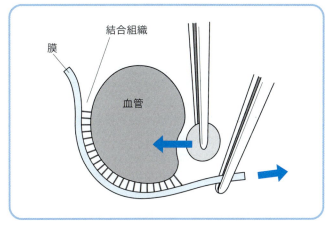

図1　血管剥離のイメージ
　膜を鑷子でつまみあげ，接線方向に牽引し張力を加える．膜から器官（たとえば血管）を落としていく．

3) 肺動静脈の剥離

　肺動静脈系の膜は血管鞘である．血管鞘を持ち上げ切開することから剥離は進むが，血管鞘そのものが十分目視できない状態では，メッツェンバウム剪刀での鋭的剥離をしないほうがよい．血管鞘表面には微細な血管網が発達していることが多く，不要な出血，視野の妨げになる．鋭的剥離が常に優れているわけではない．ツッペルなどで血管鞘を十分露出したあと，血管鞘を鑷子で牽引し，メッツェンバウム剪刀で切開する．血管鞘を接線方向に牽引し，ツッペルで血管を落とすように剥離する．剥離できたらより深い血管鞘を把持・牽引し，深部の剥離を行う．剥離鉗子での深部剥離を盲目的に行うことは最も危険な操作である．肺外科における血管剥離はツッペルなどの鈍的操作が主体であり，剥離鉗子は剥離が完了した部分に無重力感覚（抵抗がない）で挿入されなければならない．リンパ節は血管鞘外に存在するので，軽度の炎症・転移の場合，血管鞘から血管を剥離できれば血管の損傷はない．炎症・浸潤の程度が進んでいる場合，リンパ節が血管に染み込んだ状態になる．また，じん肺リンパ節は肺動脈内に浸潤性に侵入している．こういう状態のときは無理な剥離はしない．

4）肺の剥離

　肺の癒着剥離は，2つの膜（壁側胸膜，臓側胸膜）の間に空間をつくり，肺を露出することであり，呼吸器外科の基礎であり応用である．この操作からすべての手術は始まる．癒着の範囲，程度の予測は，胸部CT，超音波検査などでは十分に把握できない．要するに，やってみないとわからない．原則としてすべての剥離は直視で行い，胸腔鏡，ヘッドランプで十分な視野，光量を確保する．一応の手順は右側では以下のとおりとなる．

　①開胸肋間を決定し，肋間筋を切断．壁側胸膜を切開し肋間に沿った剥離を開始する．肺を損傷しないように小開胸器をかける．どんなに厳しい癒着例でも，前縦隔方向（腹側）は剥離可能なことが多い．前方胸壁から心嚢に剥離を進める．このとき，上中葉間，中下葉間に入らないように留意する．葉間胸膜は脆弱である（図2）．肺が癒着部で固定されているため，葉間部の肺実質は損傷されやすい．

　②心嚢から上大静脈，肺尖に剥離を進める．左右の腕頭静脈を意識する．肺門部肺静脈前面，肺動脈本幹を剥離する．縦隔を切開した再手術でなければ，上縦隔の剥離はこの順番で安全に可能である．今，どのあたりを剥離しており，何が危険なのかを常に考える．

　③後方（背側）への剥離を行う．奇静脈を常に意識する．奇静脈の損傷は修復が困難であり，思わぬ大出血につながる．食道の走行を意識する．あらかじめ，胃チューブを挿入しておくと便利である．肺門後方を剥離，肺尖に向けて剥離を続ける．上縦隔前面，後面からの剥離を続け，肺門上部で剥離を連結させる．この操作が完了したら，肺尖部全体の剥離が安全にできる．

　④尾側への剥離を行う．下縦隔では下大静脈の損傷に注意する．下大静脈を損傷した場合，損傷部が腹腔内に落ち込みやすく，修復が難しい．胸壁後方，横隔膜面の剥離は胸腔鏡の利用，肋間開胸の追加をすることがある．

　左側では以下のとおりとなる．

　⑤右側と大きな違いはない．大動脈弓，左鎖骨下動脈，下行大動脈に留意する．全体を通じて，線状の組織が現れた場合，すぐに切断しないことが重要である．横隔神経，迷走神経，反回神経，胸管など，損傷により合併症をきたす器官が多い．特に左側高位で胸郭内迷走神経を切断すると必然的に反回神経麻痺・嗄声となるので，特段の注意が必要である．

5）剥離の具体的な手技

　①肥厚した壁側胸膜をメス，メッツェンバウム剪刀で切開する．操作の開始は両側換気で行うほうがやりやすい．肺が膨らんでいると，壁側胸膜と臓側胸膜の境がわかりやすい．特に軽度の癒着の場合，換気により肺が動いていることが確認できる．一般的には硬度の違いが剥離を困難にする．壁側胸膜をケリー鉗子で把持しツッペルで肺を落としていく．ツッペルは中くらいの大きさがよい．この操作でツッペルが肺を損傷する場合，鋭的剥離を行う．筆者はクーパー剪刀による直接切断を好んでいる．メッツェンバウム剪刀は切れ過ぎるので使いにくい．科学的な記述は困

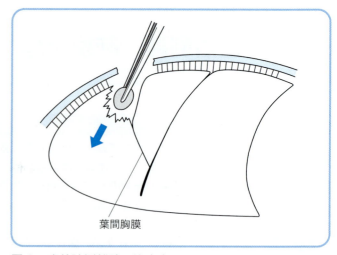

図2　癒着肺剥離時の注意点
　葉間胸膜は脆弱である．肺が癒着部で固定されているため葉間部の肺実質は矢印の方向に損傷されやすい．

難であるが，鋭的剥離を行って"柔らかく，胸膜内（壁側胸膜と臓側胸膜の間）剥離が可能な場所"を探すことが手術のコツである．地味で地道な剥離が必要である．剥離の場所はうまくいかないときはどんどん変えることが重要である．ひとつのところを攻め続けてはいけない．

　②柔らかい層に入り，肺が健常（脆弱な気腫肺でない）であれば，ツッペルで柔らかく肺を落とし，硬いところは電気メスの凝固モード，エネルギーデバイスで切断する．このときはガーゼを畳んでツッペル状にしたスティールで愛護的に肺を圧排して十分な視野を確保する．ある程度剥離が進んだら分離肺換気とする．硬い索状物のない範囲は手指による広範囲の剥離が可能となる．胸壁から肺に連続して指を移動し，指が肺内に入らない感覚を持つことが重要である．

　③肺気腫が高度な時の癒着剥離はさらに高度な技術を必要とする．硬い胸壁とさらに柔らかく脆弱な肺の間を剥離するのでより肺損傷をきたしやすい．鈍的剥離，手指による剥離は控え，クーパー剪刀，電気メスによる鋭的剥離を行う．

　④どうしても胸膜内剥離が困難な場合，肋膜外剥離を行う．壁側胸膜と主に筋層との間で剥離を行う．肋膜外剥離のきっかけは肋骨部分で行うことが望ましい．肋骨の部分で胸膜を剥離し，そのまま肋膜外剥離を行う．肋骨以外の場所で行うと筋層，血管などの損傷を起こしやすい．

▶ 動画⑥

b 肺瘻の修復 レベルB

　剥離中に肺損傷を起こした場合，あわてて周囲の剥離，修復をすることは控えたほうがよい．損傷部近位の剥離は損傷部の容易な拡大，それも思いもよらない大幅な拡大につながる．損傷遠方部から，近位への剥離を行ったあと，損傷部の修復を行う．損傷部にアビテン（フラワータイプ）

を軽く散布・圧迫することで微少出血・肺瘻をある程度制御でき，操作が容易になる．修復が可能な十分なマージンが取れたら，プレジェット付き3-0バイクリルでU字縫合を行う．連続縫合は組織に不均一な張力がかかり，損傷を拡大させる．損傷の範囲が大きいときは複数のU字縫合を行う．場合によっては，フィブリン糊を使用する．露出された肺実質のなかに微細な気管支が認められた場合，ケリー鉗子で把持し，絹糸で結紮・縫合する．臓側胸膜が脆弱な場合，直接縫合は控える．タコシールの貼付，ポリグリコール酸シート：ネオベールとフィブリン糊による修復を行う．また，ステープラーによる肺瘻部分の切除が有効な場合もある．また，ナイフの走らないステープラーも有効である．修復を行っても肺瘻が続く場合，修復により肺瘻が増悪する場合，修復を断念する場合も現実にはある．瘻孔を有する肺実質が骨性胸郭に接する場合，多少の肺瘻が残存しても治癒することが多い．ところが肺葉切除後の死腔により肺瘻が露出する場合，瘻孔が遷延する（図3）．われわれの検討では再手術を必要とした肺瘻はすべて下葉切除後に発生している．また，不十分な剥離後に肺葉切除を行った場合，死腔を伴う肺瘻となり，同様に遷延する．この場合，胸郭外の筋肉の挿入，肋骨の切除による死腔の減量が有効となる．有瘻性膿胸に有茎性大網が有効であるように，大網の死腔への挿入は死腔の減量，血管新生・損傷の治癒促進の理由から有効であろう．▶動画❼

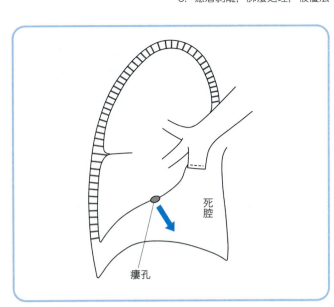

図3　下葉切除後は肺瘻が遷延しやすい
下葉（中下葉）切除後の死腔により肺瘻が露出する場合，瘻孔が遷延する．

C 被覆法 レベルB

気管支断端，気管支吻合部の被覆の目的は，①純粋に断端に血流を供給し治癒の促進を図る，②断端，吻合部と肺動脈の接触を回避する，③断端・吻合部が哆開したとき，哆開部を保護し，治癒を期待する，の3つである．

気管支断端の血流は残存する気管支動脈，周囲組織の微小血管から供給されており，普通の肺葉切除，肺全摘術の場合，気管支断端の被覆は必要ではないと思われる．

①術前化学放射線療法後の肺切除のように，気管支断端の血流が阻害されていると想像される症例
②膠原病などで長期に免疫抑制されている症例
③重症，コントロールの悪い糖尿病で易感染状態の症例
④下葉切除を行い気管支断端が大きな死腔にさらされる症例
⑤高齢，低栄養の全摘症例

などに行うべきである．特に化学放射線療法後の肺全摘術においては高頻度の気管支断端瘻が報告されている．被覆する組織としては，有茎性の心膜周囲脂肪組織[1]，肋間筋[2]，大網[3]などがある．われわれは化学放射線療法後の肺葉切除，肺全摘術例の気管支断端に有茎性心膜周囲脂肪組織を被覆し，気管支断端瘻の発生がないことを報告している[1]．Cerfolioらは平均60Gyの化学放射線療法・手術（肺全摘術を含む）の気管支断端に有茎性肋間筋片を被覆し，気管支断端瘻の発生がないことを報告している[2]．D'Andrilliらは重症糖尿病，化学療法・放射線療法で状態の悪い患者の肺全摘術において，気管支断端に有茎性大網を被覆し，気管支断端瘻の発生がないことを報告している[3]．有茎性の心膜周囲脂肪組織，肋間筋，大網の効果に対する科学的検証は1990年代の動物実験しかないが[4]，筆者は効果を信じている．最近では無茎の心膜周囲脂肪組織による被覆も報告されている．また，どの方法が優れているかという検証はなく，術者の好みによるだろう．気管支断端，気管支吻合部が肺動脈に直接接触しているとき，間に組織の導入をすることは感覚的に有効である．ただし，本当に有効で必要な手技かどうかは不明である．断端離開，吻合部哆開時に被覆組織が保護してくれた症例の報告はあるが，筆者はその経験がない．おそらく極めてラッキーな症例であろう．有茎性組織を導入した場合，閉胸時の不具合（肋間筋），術後出血（心膜周囲脂肪組織），開腹に伴う合併症（大網）などが起こりうる．本当に必要と術者が考えたときのみ行う手技であろう．気管支断端，吻合部への人工物（PGAシート，バイクリルメッシュ）の貼付，フィブリン糊の塗布は周囲組織からの血管の侵入，血管新生を妨げるので行わないほうがよいと筆者は考えている．▶動画❽❾

文献
1) Yokomise H et al. J Thorac Cardiovasc Surg 2007; **133**: 1179
2) Cerfolio RJ et al. Ann Thorac Surg 2005; **80**: 1224
3) D'Andrilli A et al. Ann Thorac Surg 2009; **88**: 212
4) Inui K et al. J Thorac Cardiovasc Surg 1990; **99**: 614

II. 手術手技

⑨ 気管・気管支・肺

Ⓐ 肺切除の基本

要点
❶呼吸器と隣接臓器の構造を立体的に理解する.
❷葉間，気管支，血管の様々な処理法を理解する.

Key Word 葉間，肺動脈，肺静脈，心囊内処理，Sweet 法，Overholt 法，自動縫合器，肺動脈本幹処理

a 葉間 レベルA

　左右肺には葉間裂が存在し，右は上中葉間が水平裂，上下葉間と中下葉間が斜裂により，左は上下葉間が斜裂により分けられる．葉間裂にも胸膜が存在し，葉間裂を伸展して胸膜を切除することで葉間肺動脈が露出される．葉間裂の分葉の程度により葉間面剝離の難易度は異なる．不全分葉の場合には，外側の浅く不明瞭な葉間裂が切除肺葉と残存肺葉の境界であり，電気メスにて境界部の胸膜，肺実質を鋭的に切離を進めて葉間肺動脈に到達する．その後，葉間形成が必要な場合は葉間肺動脈前面を剝離貫通させ，この間を自動縫合器で切離する．

b 血管処理 レベルA

1) 血管の剝離
　区域肺動脈および肺静脈の剝離・露出では，まず肺門部の縦隔胸膜を切開する．鑷子で把持し剪刀や電気メスにて切開するか，剝離鉗子ですくって間を切開する．縦隔胸膜下には脂肪や肺門部リンパ節が認められるので，これらを摘出または切除肺側に剝離する．区域肺動脈および肺静脈の剝離は本幹を剝離・露出したうえで末梢に進めていく．血管剝離の際には，血管鞘と呼ばれる血管周囲の結合組織を血管外膜より剝離する．血管鞘は疎な結合組織であるので，通常は鈍的剝離が可能であるが，炎症などで肥厚している場合には血管自体の損傷に注意する．通常，血管周囲の剝離時は切除肺葉を軽く牽引することで血管に軽い緊張をかけると剝離しやすくなる．

2) 血管の結紮・切離
　血管の結紮は中枢側の二重結紮を基本とするが，結び代がないような細い区域肺動脈では中枢側を 1 回結紮のみとすることもある．切除肺側は 1 回結紮を行うが，径の細い血管では，使用方法を遵守したうえで血管閉鎖効果のある電気手術器や血管クリップを使用することもある．剝離鉗子を用いて血管に通した糸は無理な牽引をしないように切除肺葉側の緊張を緩めながら結紮を行う．

　径の大きい肺動脈や上下肺静脈の切離では，結紮糸の脱落は大量出血による致死的状況を招くため，二重結紮の 2 本目は，その結び目のすぐ末梢側に無傷針を用いて貫通結紮を行うことで脱落が防止できる．近年，胸腔鏡下手術の増加により自動縫合器による切離が主流になりつつある（▶動画⑩）．血管裏面へのカートリッジ挿入には細心の注意を払い，カートリッジ部を閉じた際には血管全幅を完全に遮断できているか，他の構造物を誤って挟んでいないかを確認して切離する．通常，中枢および末梢側に 3 列のステープルで切離・遮断される．最近では自動縫合器のトラブルは少なくなっているが，万が一に備えて，中枢側の肺動脈や肺静脈の圧迫止血などに対する心構えが必要である．

3) 心囊内血管処理 レベルC
　肺門部に浸潤した腫瘍や腫大したリンパ節などの場合に，心囊外での剝離や結紮が困難なため心囊内処理が必要となる．左右の上下肺静脈前面の心膜を鑷子で把持し，剪刀または電気メスを用いて横隔神経を避けながらその背側で切開する（図 1）．横隔神経に浸潤があり合併切除を余儀なくされることもある．心膜浸潤のある腫瘍では，心囊内への腫瘍の露出の有無や心囊液の性状にも注意し，必要ならば採取した心囊液の細胞診を行う．肺静脈前面で心膜を切開すると折り返した心膜（漿膜性心膜の臓側板）が肺静脈を被っているので，肺静脈両端で鋭的に切離したうえで後壁を剝離・テーピングを行う．腹側からの剝離では切離に不十分な場合には，背側の心膜を同様に切開して連続させると延長効果が得られる．

c 気管支処理 レベルB

1) 気管支の剝離
　肺葉切除の際の気管支の処理は，通常，肺静脈，肺動脈

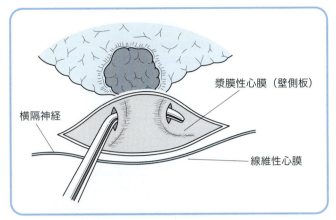

図1 心嚢内血管処理

の処理を先行させて最後に行うほうが容易である．気管支周囲の疎な結合組織や葉気管支周囲リンパ節を気管支壁から剥離鉗子などを用いて剥離する．リンパ節に流入する小血管やリンパ管は電気メスにて焼灼可能であるが，術後出血の原因にもなるため気管支動脈を確実に処理する．胸腔鏡下手術の場合には，中枢側に血管クリップをかけて末梢を電気手術器や超音波凝固切開装置などで確実に閉鎖したうえで切離する．葉気管支基部の剥離が完了したら，切離縫合のために気管支周囲組織をクーパー剪刀の先端やツッペルで末梢方向に区域気管支の分岐部まで十分に剥ぎ上げる．肺臓鉗子などで切除肺葉を把持し末梢に牽引しながら行うと容易である．

2）気管支の切離

気管支の切離にあたっては，切除予定肺葉を換気する責任気管支であるかを確認する．方法としては，露出した気管支を気管支鉗子で遮断し，麻酔医に術側肺を加圧してもらい，切除予定肺葉が膨張しないことを確認する．新しい尖刃を分岐部から1〜2軟骨輪の切離予定線に直角に刺入し，少しずつ切離を進める．気管支にテープをかけておいてこれを牽引すれば，切離しやすい．切離後に気管支中枢側断端より気道内の痰や流れ込む血液などを吸引除去する．一方，自動縫合器を用いる場合は，いったん縫合器の先端を閉じて気管支を把持したうえで加圧膨張による確認を行う．自動縫合器は切離と縫合が同時に行われるため，残存予定肺葉がスムースに膨張しないときは自動縫合器をいったん解除し，再度把持し直して適切な位置を決定したうえで切離操作に入る．

3）気管支の縫合

気管支の縫合法には，手縫い縫合と自動縫合器による縫合がある（図2）．手縫い縫合の代表的なものにはSweet法，Overholt法，結紮法などがある．手縫い縫合の場合の縫合糸は，2-0〜4-0の無傷針付きのモノフィラメント（ナイロンまたはプロリン）糸または吸収性縫合糸を用いる．気管支縫合の際の結紮回数は5回以上を目安とする．

①Sweet法

膜様部全体を軟骨側に密着させるように縫合する．軟骨部側は少なくとも軟骨輪1個を含む深さの縫い代をとり，膜様部側はこの深さと同じ分を約3〜4mm間隔でかけていく．断端部の膜様部側は軟骨側よりもやや中枢側に引き込まれているため，運針が浅くなりやすいので注意する．縫合糸の結紮の際に強く締め過ぎて気管支軟骨を切断（俗にいうカッティング）しないように注意する．分岐部からの茎が短い切離断端の場合には，中央部から結紮を開始すると緊張がかかって膜様部が裂けやすいため，両端の軟骨部同士の結紮を先行したほうがよい．一方，両端部は気漏を起こしやすいので，必要に応じて追加縫合を行う．

②Overholt法

膜様部を気管支内腔に折り畳みながら軟骨部同士を密着させるように縫合する．Sweet法で屈曲しやすい左上葉支や主気管支の閉鎖などに用いられる．縫合するにあたり，軟骨部側を畳まれやすくするために尖刃で軟骨部の中間点に2軟骨輪分のスリットを縦に薄く入れる．この際に軟骨部を完全に離断しないように注意する．縫合は折り畳んだ膜様部側は軟骨部–膜様部–軟骨部の順にかけ，それ以外は軟骨–軟骨の運針となる．深さは1ないし2軟骨輪，間隔は3〜4mm間隔で縫合する．

③結紮法

1号絹糸など手縫い縫合の場合よりも比較的大きいサイズの縫合糸を用いて気管支根部を結紮し，その末梢を切断する．必要に応じて気管支断端に2〜3針閉鎖縫合を追加す

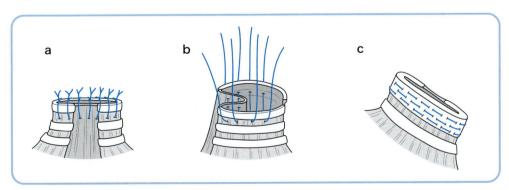

図2 気管支の縫合法
　a：Sweet法
　b：Overholt法
　c：自動縫合器による気管支縫合

Ⅱ. 手術手技

る．Sweet 法，Overholt 法に比べて，簡便である点が最大の特徴であり，術後気管支断端瘻の発生も少ないとする報告もある．

④自動縫合器による縫合

胸腔鏡下手術の普及や自動縫合器の進化により，気管支の処理において手縫い法よりも高頻度で用いられるようになっている．自動縫合器を選択する際は，先端のカートリッジ内に配列されたステープル部分の縫合長が気管支を完全に閉鎖できる十分な幅であるか，また折り畳まれた場合に気管支が密着する適当なステープルサイズであるか，を考慮する．加圧により残存肺の膨張を確認後，切離を行い，打針後は必ずステープルラインが形成されているかを確認する．近年，ロティキュレーターやTAなどの開胸用自動縫合器の使用頻度は少ない．

d 主肺動脈 レベルC

1) 主肺動脈の剝離

主肺動脈の剝離は，肺動脈形成時の一時的遮断目的や肺全摘術における主肺動脈の切断時などに必要となる．

右では心膜切開を行わずとも，主肺動脈・上大静脈間および主肺動脈・主気管支間の疎な結合組織を含む肺動脈血管鞘を慎重に剝離する(図3a)ことで，心囊外で血管鉗子による遮断が可能である．

一方，上大静脈左縁・大動脈弓間の心膜を切開すると，気管分岐部前面を走行する右主肺動脈が確認できる．この部分の肺動脈は心囊外にあるため被っている漿膜性心膜を切離して肺動脈を剝離・テーピングする(図3b)．剝離鉗子などで心囊内から上大静脈裏面を心囊外に通して上大静脈を確保すると右肺動脈が全長にわたって剝離可能となる．血管鉗子を上大静脈・大動脈間より挿入する．この操作は通常，胸骨正中切開下，または前方に皮膚切開を延長した後側方切開で可能となる(▶動画⑪)．

左(図4)では，反回神経損傷に注意しながら，あらかじめBotallo 靱帯を切離し，切離部の中枢側で主肺動脈の遮断を行えば心囊外での遮断が可能である．しかし，肺門部に腫瘍浸潤がある場合には，心膜を切開して心囊内で剝離を行う(▶動画⑫)．この際に主肺動脈と上肺静脈との間にある靱帯を切離すると左主肺動脈基部を血管鉗子で遮断することが可能となる．ただし，右主肺動脈基部および肺動脈幹が近いため，血管鉗子をかける際にはこれらを挟まないように注意が必要である．

2) 主肺動脈の切離

主肺動脈切離にあたっては，術前に一側肺動脈閉塞試験による安全性の確認が推奨されるが，それができない場合には，術中に切離側の主肺動脈を遮断し，血行動態に変化がないことを確認する．主肺動脈の切離にも自動縫合器が安全に使用されるようになっているが，万が一に備えて血管鉗子がいつでもかけられるようにテーピングを施行したうえで切離を行う．血管鉗子遮断・切離後に手縫い縫合を施行する場合には，5-0 プロリンによる水平マットレス縫合

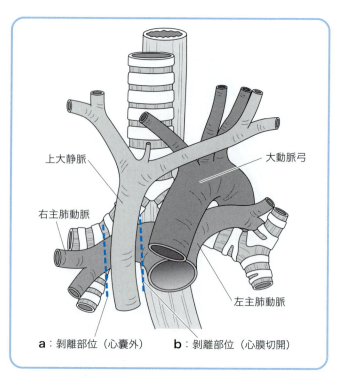

図3 右主肺動脈遮断部位(青破線)

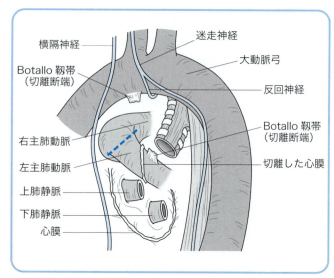

図4 左主肺動脈遮断部位(青破線)

と over & over 連続縫合による閉鎖を行う．

文献

1) Anne M.R. Agur ほか．グラント解剖学図譜，第5版，医学書院，2009: Chapter 1, p1
2) 白日高歩ほか．呼吸器外科手術のすべて，医学書院，2012: p61
3) 畠中陸郎ほか．イメージトレーニング呼吸器外科手術，金芳堂，1995: p125
4) 柿添忠生ほか．新 癌の外科 手術手技シリーズ—肺癌，メジカルビュー社，2005: p70
5) 日本肺癌学会(編)．臨床・病理 肺癌取扱い規約，第7版，金原出版，2010: p48

Ⓑ 縦隔リンパ節郭清

要点

❶ リンパ節郭清部位と隣接臓器との位置関係を理解する．

Key Word　縦隔リンパ節郭清

　縦隔リンパ節郭清は，リンパ節を周囲脂肪組織とともに一塊として摘出する系統的リンパ節郭清（mediastinal lymph node dissection），原発部位により郭清範囲を省略する選択的リンパ節郭清（selective mediastinal lymph node dissection），任意のリンパ節のみ摘出するリンパ節サンプリング（lymph node sampling）に分けられる．「肺癌取扱い規約」ではリンパ節郭清（node dissection）の範囲を，ND0，1a，1b，2a-1，2a-2，2b と定めており，通常，ND2a 以上が標準的なリンパ節郭清範囲である．

　標準開胸では，ドゥベイキー鑷子とメッツェンバウム剪刀を用いて剥離を行い，適宜，電気メスや血管クリップを使用する．最近では，止血効果の高い電気手術器や超音波凝固切開装置も利用されるようになり，これらは胸腔鏡下縦隔リンパ節郭清の際には特に有用である．

　系統的リンパ節郭清では，血管や神経など温存すべき構造物との解剖学的位置関係を把握しながら，周囲脂肪組織とともにリンパ節を一塊（*en bloc*）に摘出することが基本である．2009 年の UICC による TNM 病期分類（第 7 版）において，これまで日本において使用されていた成毛マップから IASLC が作成した新しいマップに変更されている．ここでは，上縦隔，大動脈，下縦隔リンパ節に大別して概説する．

ⓐ 右上縦隔リンパ節（図1）　動画⑬　レベルⒷ

　右上縦隔の所属リンパ節は，#2R（右上部気管傍リンパ節），#3a（血管前リンパ節），#3p（気管後リンパ節），#4R（右下部気管傍リンパ節）である．

　縦隔胸膜を奇静脈上縁から鎖骨下動脈上縁まで縦に切開し左右に開排する．奇静脈，迷走神経本幹を剥離し，テーピングを施行する．鎖骨下動脈下縁に迷走神経を追って反回神経を確認温存し，これより下方の #2R，#4R を周囲の脂肪組織とともに上大静脈および気管側壁から奇静脈に向かって鋭的剥離を進め，奇静脈下を尾側に引き抜いて右主肺動脈前面の #10 に連続させる．#2R 下部から #4R は気管と上大静脈間の脂肪組織とともに剥離を行うが，この際に上大静脈に流入する細い静脈枝が存在することがある．郭

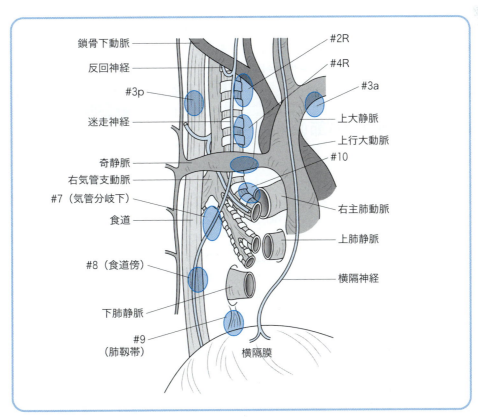

図 1　右縦隔リンパ節郭清部位

Ⅱ．手術手技

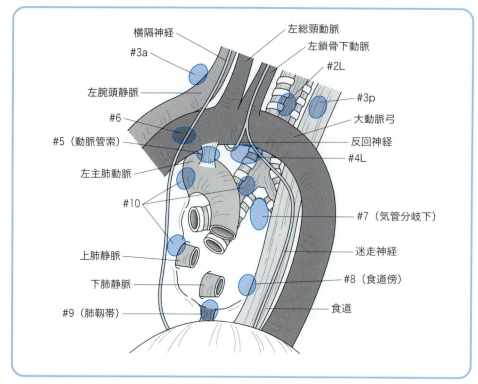

図2　左縦隔リンパ節郭清部位

清時に強い牽引などでこの基部が裂けると大出血につながるので確実に処理しておく．#2R，#4R を郭清すると正中部では腕頭動脈および上行大動脈が確認されるが，ときに上行大動脈心膜翻転部を損傷し心囊液が流出することがある．#3a は胸骨後面と上大静脈前縁との間，#3p は気管後壁よりも後ろに位置するリンパ節を指し，原発部位に関係なく，#3a，#3p は ND2b 群に属するため，通常の郭清では省略される．反回神経分岐後の迷走神経から気管を横切るように前方に向かって心臓枝が走行しており，これらは#2R，#4R の郭清時に犠牲になる場合が多い．

b 左上縦隔および大動脈リンパ節(図2)
レベルB

左上縦隔の所属リンパ節は，#2L(左上部気管傍リンパ節)，#3a(血管前リンパ節)，#3p(気管後リンパ節)，#4L(左下部気管傍リンパ節)，大動脈は#5(大動脈下リンパ節)，#6(大動脈傍リンパ節)である．

肺門部前方で横隔神経に沿って縦隔胸膜を切開し，大動脈弓や左腕頭静脈を確認し，#6 や#3a を周囲脂肪組織とともに郭清する．横隔神経のテーピングによる牽引は術後横隔神経麻痺の原因となることがあるので注意する．

上縦隔郭清では，まず大動脈弓部下縁に沿って縦隔胸膜を切開し，反回神経よりも頭側または尾側で迷走神経にテーピングを施行する．反回神経のやや前方に Botallo 靱帯が確認されるので，#5 を慎重に郭清する．#5 は大動脈リンパ節に属するため#6 と連続していることや，反回神経に近いため#4L と連続していることもある．左上縦隔郭清では，

反回神経の損傷に注意する．#4L 郭清の際には，メッツェンバウム剪刀で反回神経を剝離しながらリンパ管や血管はクリップで処理し，エネルギーデバイスの使用の際は熱損傷に注意する(▶動画⑭)．

原発部位に関係なく#2L，#3a，#3p すべて ND2b 群に含まれるため，通常 #2L の郭清はまれである．しかし，肺尖部肺癌などでは必要となるため，その際には大動脈弓の脱転が必要となる．

c 下縦隔(気管分岐部を含む)リンパ節
(図1，図2) レベルB

下縦隔の所属リンパ節は，#7(気管分岐下リンパ節)，#8(食道傍リンパ節)，#9(肺靱帯リンパ節)である．

#7 リンパ節は気管分岐部と左右気管支に囲まれた領域で，上縁は気管分岐部，右側下縁は中間気管支幹下縁，左側下縁は左下葉気管支上縁となる．#7 リンパ節は TNM 病期分類(第 7 版)において，#10 リンパ節境界との明瞭化が図られた際に領域が拡大した．

通常，#7 に先行して#8，#9 の郭清が行われる．#9 は，肺靱帯切離と下肺静脈剝離の際に摘出されるか，切除肺葉側とともに摘出される．肺靱帯の縦隔側は食道に連続しているため，#8 は#9 の郭清に連続して郭清されるが，その際に食道壁の損傷に注意する．

#7 の郭清では，右は中間気管支幹下縁より(▶動画⑮)，左は下葉気管支上縁より頭側に向かって内側の心膜面よりリンパ節を一塊として剝離を進める．左右主気管支を腹側に圧排することで視野が確保できるが，分岐部および対側

気管支側に進むに従って，術野確保のため食道の圧排操作が必要となる．特に左の郭清では，下行大動脈と食道をいっしょに圧排する必要がある．迷走神経食道枝も術野の妨げになることがあるため，テーピングして背側に牽引しておくとよい．左右とも分岐下郭清では，大動脈から直接流入する気管支動脈の損傷に注意が必要である．これらを確実にクリッピングか結紮することが望ましい

文献
1) Anne M.R. Agur ほか．グラント解剖学図譜，第5版，医学書院，2009: Chapter 1, p1
2) 白日高歩ほか．呼吸器外科手術のすべて，医学書院，2012: p61
3) 畠中陸郎ほか．イメージトレーニング呼吸器外科手術，金芳堂，1995: p125
4) 柿添忠生ほか．新 癌の外科 手術手技シリーズ—肺癌，メジカルビュー社，2005: p70
5) 日本肺癌学会(編)．臨床・病理 肺癌取扱い規約，第7版，金原出版，2010: p48

C 肺切除術

要点

❶ 肺癌に対する標準手術はリンパ節郭清を伴う肺葉切除術である．
❷ 肺全摘術はスリーブ切除などにより腫瘍学的に可能なら回避すべきである．
❸ 小型肺癌に対しては画像による質的診断を駆使して縮小手術の適応を考慮する．

Key Word　肺癌，肺葉切除術，肺全摘術，区域切除術，楔状切除術，肺機能，生存率

死因順位トップの悪性腫瘍のなかで肺癌は最多であり，その多くを占める非小細胞肺癌において完全切除可能なものでは肺切除術が最も効果的な治療法とされている．ここでは非小細胞肺癌に対する肺切除術（図1）に関して記述する．

a 肺全摘術（図1a）　レベルA

肺全摘術（pneumonectomy）は現在では気管支形成や血管形成を含むスリーブ肺葉切除を行っても完全切除できない病変に対してのみ行われている．肺機能の過大な損失と術後合併症の多さから "Pneumonectomy is a disease in itself." （Urschelの名言）といわれ，腫瘍学的に許容されれば複雑な手技である double sleeve lobectomy や extended sleeve lobectomy などで肺全摘術を避ける試みがなされている[1,2]．特に右側では患者への負担が過大である．

気管挿管チューブは右側手術の場合には通常の左側への挿入固定でよいが，左側手術の場合には右側への挿入固定を行う．後側方切開では第5肋間開胸，前側方切開では第4肋間開胸を用いることが多い．正中切開は右全摘術での肺門処理には有利であるが，左全摘術では下肺静脈へのアクセスが問題である．最近では，胸腔鏡を用いたアプローチが多く用いられている．

肺靱帯を下肺静脈尾側まで切離して肺を授動させ，肺門周囲の縦隔胸膜を十分に切開して下縦隔のリンパ節郭清を行い，必要であれば迅速病理診断で転移の有無を確認する．

肺門の剝離操作ではまず肺静脈の露出を行い，肺動脈の露出へと移行する．ステープルや結紮，細い血管に対してはエネルギーデバイス[3]によって，露出した血管を順に切離処理する．

病変の中枢への浸潤のため胸腔内での血管処理が困難な症例に対しては，心囊内肺全摘術の適応となる場合がある．また，再手術や術前放射線治療などによる肺門部の高度癒着症例や肺門部血管損傷による出血症例においては，全摘術を行わないまでも心囊内で血管を血行遮断できるテクニックが必要となる．横隔神経の背側で心囊を切開して心囊内で肺動静脈の剝離・露出を行う．右側での上大静脈の授動や左側での Botallo 靱帯の切離（反回神経の損傷に注意）によって良好な視野を得ることができる．心囊内操作では肺動脈の中枢でのテーピングが最重要で，血管鉗子でのクランプ下に切離を行う．右側では心囊外で肺動脈が確保できない場合，心囊内で上大静脈の右側か大動脈と上大静脈の間で肺動脈にテーピングを行う．後者は肺動脈の距離がより長く稼ぐことができ，多くの症例で有用である．左側では肺動脈主幹の左右分岐部からの距離が短いため，肺動脈の距離を稼ぐには PA elongation と呼ばれる方法が有用である．それは肺動脈壁への心囊の付着部を取り去り，心囊内外の肺動脈が十分に剝離・露出され自由になることで血行遮断できる部位を長くする方法である．心臓脱を予防するために，心囊欠損部は閉胸前に確実に閉鎖する．欠損部が小さい場合には直接縫合，大きい場合にはゴアテックスシートなど人工物での補塡を行う．

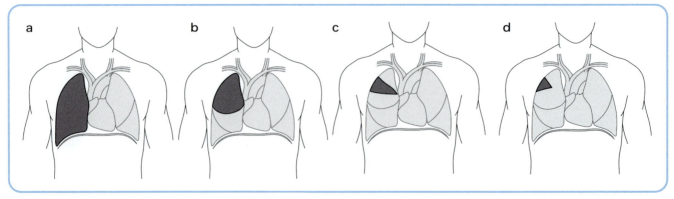

図1　右上葉肺における術式
　a：全摘術，b：肺葉切除術，c：区域切除術，d：楔状切除術（部分切除術）．

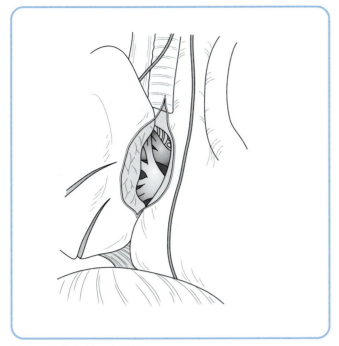

図2　前方からの右肺門
縦隔胸膜が切開され，肺が後方に牽引されている．
（Thoracic Surgery, 2nd Ed, Churchill Livingstone, 2002を参考に作成）

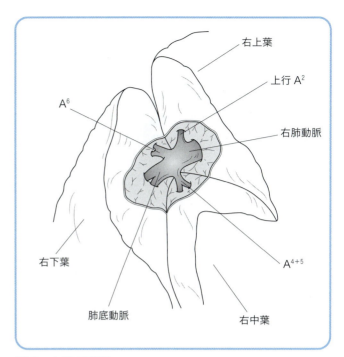

図3　右肺の葉間
胸膜が切開され，葉間肺動脈が露出されている．
（Thoracic Surgery, 2nd Ed, Churchill Livingstone, 2002を参考に作成）

最後に主気管支を剝離・露出し，ステープルか縫合結紮で処理を行う．後者の場合，気管支形成術の際とは違って非吸収性縫合糸を用いる．気管支断端瘻のリスク（特に右側）を抑えるために，心膜周囲の脂肪組織，肋間筋，大網などを用いて断端の被覆を行う場合がある．術後において縦隔の術側へのシフトは循環呼吸動態に悪影響を及ぼすことがあり，胸腔ドレーンの吸引圧を調整して縦隔が急速・過度にシフトしないように厳重に管理する．

b 肺葉切除術（図1b）　レベルA

ここ60年あまり，縦隔・肺門リンパ節郭清を伴う肺葉切除術（lobectomy）（図2〜6）が肺癌に対する標準術式である．
胸腔鏡下手術といっても術者の好みによって多種のアプローチが存在し，その詳細は当該項に譲る．本項では開胸手術での典型を記す．後側方切開では上葉と中葉の病変に対しては第5肋間開胸，下葉病変には第6肋間開胸を用いることが多い．病変が中枢近くに位置する場合や前側方切開では肋間をひとつ頭側にずらすほうがよい．正中切開では肺動脈や上肺静脈の中枢へのアクセスが良好であるが，気管支や下肺静脈へは距離が遠くなり，どうしても不良になる．

下葉切除時には肺靱帯を切離する．肺門周囲の縦隔胸膜を切開して，肺門の肺動静脈，肺葉気管支の剝離・露出を行う．腫瘍細胞の体循環への播種を予防するために静脈を先行処理することを推奨する考えもあるが，その予後に及ぼす影響は証明されていない．炎症や開胸の既往，高度癒着，炎症性リンパ節の血管への固着があれば，一般的に血

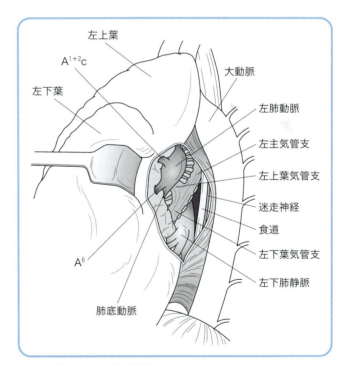

図4　後方からの左肺門
縦隔胸膜が切開され，肺が前方に牽引されている．
（Thoracic Surgery, 2nd Ed, Churchill Livingstone, 2002を参考に作成）

管の剝離操作が難しくなる．リンパ節が転移の有無にかかわらず血管・気管支に強固に固着している際には，完全切除には血管・気管支のスリーブ切除が必要になることもある．肺動脈形成の場合には肺実質・肺静脈・気管支の処理

Ⅱ．手術手技

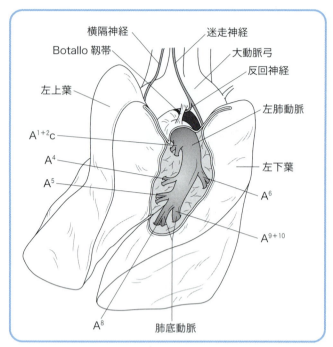

図5　左肺の葉間
　胸膜が切開され，葉間肺動脈が露出されている．
（Thoracic Surgery, 2nd Ed, Churchill Livingstone, 2002を参考に作成）

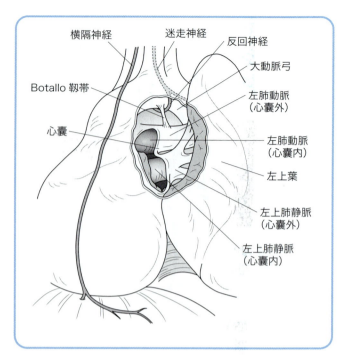

図6　左肺門の心嚢内外
（Thoracic Surgery, 2nd Ed, Churchill Livingstone, 2002を参考に作成）

をして肺動脈の操作を最後に行うことが，肺動脈の切離範囲を最小限にとどめるには重要である．肺動脈の出血に対応するため，肺門部での剝離が困難な症例では前もって肺動脈のより中枢側をテーピングする．不全分葉の際には，葉間よりアプローチしないで，肺門から肺動静脈・気管支を露出したあと，トンネリングをする，いわゆるfissureless lobectomyが選択肢となる．血管・気管支の先行切離が有効な場合がある．

　血管処理は通常自動縫合器で行うが，糸によって二重結紮，刺入結紮など様々な方法で行うことができる．糸は吸収性でも非吸収性でも問題はないが，感染予防のために異物を残存させない前者がよく用いられる．

　気管支の処理は自動縫合器を用いることが多いが，病変が切離断端に近い場合にはメスを用いて気管支を切断し，術中迅速病理診断で気管支断端全周の腫瘍陰性を確認すべきである．気管支の閉鎖は非吸収糸によって行うことが多く，結節縫合でも連続縫合でも可能である．気管支断端瘻のリスクが比較的高い術前放射線治療症例，糖尿病併発症例，ステロイド長期使用症例，中下葉切除術や下葉切除術の際には周囲の脂肪組織や肋間筋による断端被覆を行うことが推奨され，剝離操作では気管支壁の虚血を避けることが重要である．

C 区域切除術（図1c）・楔状切除術（図1d）
レベルB

　標準術式の肺葉切除術で切除する肺実質量より少ない切除で済む縮小手術は，血管・気管支など構造に沿って切離する解剖学的な区域切除術（segmentectomy）（図7）と非解剖学的な楔状切除術（wedge resection）からなる．区域切除術では肺門から末梢へ向け肺動脈・肺静脈・気管支を区域分岐レベルまで，肺実質切離予定の区域間を走る区域肺静脈に関しては可能な限り末梢まで剝離する．そのため，N1領域のリンパ節は評価・摘出が可能であることから，それが不可能な楔状切除術と比較して癌に対する根治度は高い．つまり，区域切除術では肺門と区域内のリンパ節を評価できる．さらに，解剖に沿った切除であることから肺機能が生理学的に温存され，胸膜面から深く離れた病変や触知不可能な病変に対しても適用できる．縮小手術は低肺機能症例においては消極的妥協的な適応として古くから行われているが，肺葉切除可能な症例に対する積極的根治的な適応は最近急増している小型腫瘍，具体的には2cm以下の腫瘍や3cm以下のすりガラス状陰影（ground-glass opacity：GGO）主体の腫瘍に対して考慮される．現在，日本と北米で縮小手術に関する大規模臨床試験（JCOG0802/WJOG4607L，JCOG0804/WJOG4507L，JCOG1211，CALGB-140503）が行われており，その結果が待たれる．

　術前に画像を詳細にチェックして，病変の位置と肺動静脈・気管支との関係を十分に把握することが最重要である．3D-CTを用いて区域レベルの肺動静脈の解剖を把握する試みが行われることもある．区域切除術のアプローチは肺葉切除術に準じる．中枢側から切除予定区域のみならず，その隣接区域の肺動脈，肺静脈，気管支を区域・亜区域レベルまで十分露出する．特に切離予定線上の区域・亜区域間肺静脈を可能な限り末梢まで露出することは解剖学的区域切除術においてキーポイントとなり，腫瘍とのマージンに

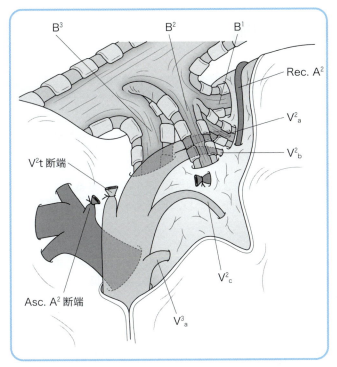

図7 右 S^2 区域切除術における後方からの肺門
(Illustrated Anatomical Segmentectomy for Lung Cancer, Springer, 2012 を参考に作成)

よってその区域・亜区域間静脈を切離するか温存するかを決定する．すなわち，腫瘍からの距離が十分ある場合にはその温存が可能である．血管を結紮切離したあと，区域・亜区域気管支を露出・確保する．この際，肺動静脈・気管支を末梢まで十分に剝離するので肺門から区域支レベルのリンパ節群は必然的に露出され，術中迅速病理診断に供する．区域間肺切離には麻酔科医のポジションから気管挿管チューブを介して細径気管支ファイバーを挿入する．ファイバー先端の光を標的に術野からその先端を責任気管支の分岐部まで誘導し，ジェット換気にて当該区域・亜区域のみに選択的に含気する．なお，ジェット換気によって急に大量に送気せず，徐々に空気を入れることが含気虚脱ラインを明確に出すコツである．切除する気管支を切断・閉鎖したあとに肺全体を含気させ，切除予定区域のみを虚脱させる従来の方法とは正反対の方法である．①含気虚脱ラインが瞬時に明確になる，②腫瘍が存在する切除予定区域が含気されているため，腫瘍と含気虚脱ラインとの距離が正確に把握できる，③肺の大部分が虚脱されるため胸腔内の良好な視野が得られるという利点がある[4]．解剖学的区域間の同定方法には気管支内や血管内へ色素を注入する方法もある[5,6]．術野から気管支内にニードルを穿刺し送気する方法において誤って肺静脈内に送気された結果，重篤な空気塞栓症の発生報告があり注意が必要である[7]．

次いでジェット換気を行った気管支を結紮，またはステープルで処理し，肺門側からは区域間肺区域・亜区域静脈に沿って，末梢側からは含気虚脱ラインに沿って電気メスを用いて切離を行う．重症肺気腫など肺瘻のコントロールが困難と予想される場合にはステープルを部分的に用いる．電気メスによる切離は自由な切除ラインの設定と必要十分なマージンの確保につながり，さらに術後に温存肺組織を最大限膨張させることができる．解剖学的な区域間で切離ができれば，肺瘻・出血はわずかである．電気メスでの区域間切離は温存区域の完全膨張と死腔の減量を得ることができ，術後肺瘻の防止にも貢献する．また，右上葉 $S^2b + S^3a$ 切除や下葉 S^{9+10} 切除など死腔が温存肺によって埋め尽くされる場合には，術後肺瘻の危惧は少ない．肺瘻の防止のため，切離断面は吸収性の PGA（ポリグリコール酸）シートとフィブリン糊で覆う．マージン不足による断端局所再発を避けることが積極的根治的縮小手術では最重要であり，複数区域や隣接亜区域の合併切除を躊躇しない．腫瘍の位置や胸腔内所見に加えて術中迅速病理診断にて進行癌が判明または疑われた場合，標準的な肺葉切除への変更を考慮する．また，中枢型早期病変に対しては sleeve segmentectomy も考慮できる[8,9]．

文献

1) Rendina EA et al. J Thorac Cardiovasc Surg 1993; **106**: 73
2) Okada M et al. J Thorac Cardiovasc Surg 1999; **118**: 710
3) Okada M et al. J Thorac Cardiovasc Surg 2019; **157**: 388
4) Okada M et al. J Thorac Cardiovasc Surg 2007; **133**: 753
5) Misaki N et al. J Thorac Cardiovasc Surg 2010; **140**: 752
6) Oh S et al. Ann Thorac Surg 2013; **95**: 2188
7) Otsuka T et al. J Thorac Cardiovasc Surg 2011; **142**: e151
8) Okada M et al. J Thorac Cardiovasc Surg 2004; **128**: 420
9) Nomori H, Okada M. Illustrated Anatomical Segmentectomy for Lung Cancer, Springer Japan, 2012

D 気管・気管支形成術

要点
❶気管支形成術は，通常の肺葉切除よりも術前の検討や準備がより重要である．
❷楔状切除と管状切除の特徴をよく理解する必要がある．
❸吻合における注意点をよく理解する必要がある
❹最も頻度の高い右スリーブ上葉切除の手順は習得する必要がある．
❺分岐部合併切除を伴う気管支形成術は，呼吸器外科領域の手術のなかでもかなり難易度の高い手術である．
❻非定型的気管支形成術は，根治性を損なわないで肺全摘を回避するための術式であり，気管支形成とともに肺動脈形成を要することがある．

Key Word 気管支形成術，楔状切除，管状切除，粘膜下縫合，テレスコープ吻合，減張，被覆，右スリーブ上葉切除，分岐部合併切除，montage 型，double-barrel 型，extended bronchoplasty，double sleeve 切除，自家肺移植，ベンチサージェリー

肺癌に対して気管・気管支形成術を要する症例は，肺門部の扁平上皮癌の減少とともにかなり減ってきており，各施設では肺癌手術例の数％程度になってしまっている．適応となる症例にいつ遭遇するかわからないが，本術式に対する基本的な知識を持っておくこととそのイメージトレーニングをしておくことが重要である．

a 気管・気管支形成術を行うための基本知識・留意点 レベルA

気管・気管支形成術の関する基本的な知識，手技上の留意点を以下に述べる．

1）気管支形成術の適応・意義

肺癌においては腫瘍の中枢方向への進展あるいは肺門部の転移リンパ節により，通常の気管支切離が困難な症例が適応になる．目的は患側他肺葉を温存し肺全摘を回避することにあり，その意義は非常に大きい．

2）吻合部の血流・治癒について

吻合部が良好に治癒するための重要な因子の一つは血流である．吻合部の血流不良は虚血による瘢痕狭窄や縫合不全の原因となり得る．吻合部の中枢側の血流は気管支動脈から供給される．リンパ節郭清のためにある程度の気管支動脈の切離はやむを得ないが，温存できる場合は温存し，気管支の剥離も必要最小限の範囲に留める意識が必要である．一方，吻合部末梢側においては，気管支動脈からの血流はほぼ皆無であり（特に管状切除の場合），末梢の気管支動脈－肺動脈吻合を介して肺循環から逆流した肺動脈血が主と考えられている．喀痰貯留による無気肺は上記血流の低下につながる可能性が高く注意を要する．7日目頃には吻合部周囲の新生血管によって動脈血が供給されるようになると考えられている．

3）気管支鏡検査による術前マッピングと術中の切離線の決定

腔内進展で気管支形成を要する症例では，術前の気管支鏡で病変部だけでなく正常にみえる箇所（切離予定線の部位）の生検も必要である（マッピング）．術中の切離線の決定については，26G 針を気管支壁に刺入しながら気管支鏡で観察し，予定していた切離線を再確認する．壁外からは気管支軟骨輪の数が確認しにくい場合があり注意を要する．気管支壁外からの浸潤の場合（転移リンパ節の浸潤など）には，術中の気管支壁からの剥離の状況で判断する．

切除後に気管支断端の迅速病理検査を行い，腫瘍の陰性を確認する．

4）気管支形成方法の選択（楔状切除と管状切除）と気管支切離

楔状切除は中枢浸潤の程度が軽度な場合に選択される．気管支壁が完全に離断されないため，吻合部の血流はある程度維持され，吻合時の糸かけが容易というメリットがある．気管支の切離は，二等辺三角形をイメージして行う（二等辺三角形の底辺の両端は腫瘍からの切離マージンによって，頂点は気管支軟骨に切り込む深さによって決定される）．底辺に対して頂点が浅いと，離断されない側の気管支壁が内腔に突出してしまい内腔狭窄の原因となり得る．特に，気管支軟骨が硬い症例ではこの変形が起こりやすく注意を要する．

管状切除はより広範囲の浸潤に対応できるが，吻合部の血流については楔状切除に比べて不利であり，最深部の糸かけ，糸さばきに注意を要する．気管支の切離は，原則として気管支軟骨間靱帯に沿って気管支の走行に垂直に切離する．膜様部は短縮するため，マージンが問題なければ凸状に長めに残す．切離のはじめは尖刃刀で行い，適時メッツェンバウム剪刀も使用する．

5）吻合における口径差の調整（管状切除の場合）

管状切除の場合は，吻合時の口径差が問題となる．多くの場合は糸の歩みで調整できるが，口径差が大きい場合は，膜様部の縫縮も考慮する．

術野最深部は，3～4針ほど糸かけしてから順次結紮する（術者側に出した最深部の糸の結紮はその手前の糸を結紮してから行う）．基本は腔外結紮とするが吸収糸による内腔結紮を行う場合もある．口径差を糸の歩みで調整する場合も，この最深部の3～4針は均等に糸かけを行い，術野が浅い部位になってから糸の歩みで調整を行う．視野が深い部位では，次の糸かけを行ってから手前の糸を結紮する．視野が浅い部位では軟骨部の糸かけをすべて行い，口径差が均等に調整されたことを確認してから結紮する．中枢側と末梢側で，必ずしも軟骨の端同士が合わさる必要はない．例えば頻度の高い右スリーブ上葉切除でも口径差のために1針ぐらいは主気管支軟骨と中間幹の膜様部に糸かけが行われることが多い．膜様部の糸かけは，最深部と手前に糸かけを行いその糸を張って膜様部を緊張させて膜様部の中央に糸かけをする．中央と両端の糸の間に何針必要かを判断してから間の糸かけを行う．

6）結節縫合とハイブリッド縫合，連続縫合

楔状切除後の吻合については，糸さばきの複雑さはなく結節縫合のデメリットはほぼない．管状切除後の吻合における結節縫合では術野最深部の糸かけが問題となる．まず3～4針をかけてから結紮するのが一般的であるが，この糸が絡みやすいことと，最初の結紮糸にどうしても緊張がかかってしまうことが難点である．近年，最深部のみを連続縫合，それ以外を結節縫合する，いわゆるハイブリッド縫合も報告されている．上述の糸さばきが不要な点と，パラシュートテクニックを用いることで糸にかかる緊張を分散できる点がメリットである．

鏡視下手術においては糸さばきが不要な連続縫合が主流であるが，正確な運針はもちろん，断端同士の距離が長い場合の緊張緩和が問題となりうる．肺移植においては一般的に連続縫合が行われている．

7）全層縫合と粘膜下縫合

吻合部の治癒の観点からみれば，粘膜下縫合のほうが理にかなっている．創傷治癒において重要な粘膜下層同士が接合されるからである．術後の気管支鏡検査でも内腔に縫合糸が見えず実に綺麗なものである．しかし，多くの施設ではより簡便な全層縫合が行われている．口径差のある気管支吻合では，末梢気管支を中枢気管支内腔にはまり込ませるテレスコープ吻合にすることが多く，その場合には必然的に全層縫合となる．

粘膜下縫合は，気管支壁が比較的肥厚した男性が適応になりうる．基本的には，粘膜下から内外に糸を出すように行い，気管支軟骨のカッティングを起こさないように注意が必要である．全層縫合の場合には，気管支の糸かけの長さ（bite）は末梢気管支が中枢気管支にはまり込む長さを意識してかける必要がある．縫合糸は，吸収性のモノフィラメント糸が多く使用されている．太さは，気管支同士の吻合では通常4-0の糸が頻用されているが，気管が関与する吻合では意見の分かれるところである．3-0を使用する施設もあれば，気管支のカッティングを懸念して4-0を使用する施設もある．

8）吻合部の緊張緩和（減張）

吻合部の過度の緊張は，種々のトラブルの原因となる．これを緩和するためには，中枢側の気管支周囲の剝離と末梢肺の授動が必要である．ただし前者については軟骨部の剝離にとどめ，膜様部の血流を極力温存する配慮が必要である．後者については肺靱帯の切離，下肺静脈周囲のU字心膜切開が有効である．気管支切離後に中枢，末梢にそれぞれ支持糸をかける．吻合をはじめる前に，この牽引糸を引き寄せてみて吻合部の緊張が許容範囲内かを確認する．また，結紮の際には，気管支のカッティングを避けるため末梢肺全体の牽引ならびに吻合部局所にかかる緊張を緩和する必要がある．

9）吻合部の被覆

吻合部の被覆の必要性は意見の分かれるところであるが，その目的は理解しておく必要がある．すなわち吻合部に肺動脈が直接当たらないようにするための介在物である．これにより，吻合部合併症が生じた場合の最大かつ致死的な合併症である気管支肺動脈瘻を回避することを目的としている．被覆に用いる組織としては，肋間筋，心膜脂肪組織（有茎または遊離）が一般的である．被覆による吻合部の血流改善や創傷治癒の促進は期待できないと考えられている．

b 定型的気管支形成術（肺葉切除に伴う気管支形成術） レベルA

先に述べた基本的な知識・留意点に加え，各術式の特徴も理解しておくことが必要である．

1）右スリーブ上葉切除（sleeve upper lobectomy）（動画⑯）

気管支形成術の中では，最も頻度の高い術式である．血管処理，葉間切離，縦隔リンパ節郭清までを先行し，気管支切離と吻合を最後に行う．中間幹を長く残し過ぎると吻合部の虚血をきたす可能性があるため注意が必要である．中葉入口部付近で離断するとよいが，切離長が長すぎると緊張が増すので，バランスを鑑みて切離ラインを決定する．

2）右スリーブ中下葉切除

吻合される右主気管支と右上葉支はかなりの口径差があるように思えるが，上葉支の末梢は気管支軟骨が飛び石状になっているため，吻合によって広がりやすい．そのため意外と主気管支側を縫縮しなくても可能となる．上葉の肺実質から上葉支断端までの距離が短いため，吻合部の虚血のリスクは少ない．念のために被覆を行う場合は，吻合部と肺動脈との間のスペースが狭いため心膜脂肪組織を用い

Ⅱ. 手術手技

るのが適当である．

3) 右スリーブ下葉切除

中間幹と中葉支との端々吻合になるため，口径差を調節する必要がありうる．

他肺葉と異なり，中葉を温存することのメリットは限定的である．呼吸機能に余力があれば，中下葉切除が選択されることが多いため本術式の頻度は少ない．

4) 左肺の気管支形成術

右肺に比べ肺動脈が視野の妨げとなりやすいため，テーピングをしてうまく除ける必要がある．一方で，定型的な（上葉や下葉切除に伴う）気管支形成であれば，吻合部に緊張がほとんどかからないところも右肺とは異なる点である．

C 分岐部合併切除を伴う気管支形成術
レベル C

分岐部合併切除を伴う術式としては，肺全摘に伴う場合（管状肺全摘）と右上葉切除に伴う場合が考えられる．術野挿管が必要となる点において，定型的な気管支形成術とは大きく異なる術式である．麻酔科医師やメディカルスタッフとの協力が不可欠である．

1) 肺全摘に伴う分岐部合併切除（管状肺全摘）
①右管状肺全摘（▶動画⑰）

気管の授動は，上縦隔郭清が終了後に，気管軟骨前面を用手的に甲状腺下極付近まで剥離しておく．左主気管支の授動は，気管支軟骨に沿って用手的に 2nd Carina 付近まで剥離しておく．気管のテーピングは血流維持のため膜様部の剥離を必要最小範囲にとどめてテーピングする．また，左反回神経を巻き込まないように注意して剥離する．左主気管支もテーピングしておく．左主気管支に挿入されたダブルルーメンチューブ先端を気管の中ほどまで引き抜いたあとに左主気管支を切離する．ショートカフのスパイラルチューブを用いて術野挿管を行う．チューブを左主気管支断端の気管支軟骨の右側に縫合固定し，分離換気に問題がないことを確認する．気管の切離を行い右肺および気管分岐部を摘出する．吻合においては固定された術野挿管チューブが視野の妨げとなる．最深部から半周程度を吻合した時点で術野挿管チューブを抜去し，ダブルルーメンチューブを進めて左主気管支に誘導する．その後に残りの縫合を行う．

②左管状肺全摘

解剖学的に右に比べ主気管支が長いため，本術式の適応となる症例は非常に少ない．楔状切除の場合（特に女性）には，左側後側方開胸からでも可能だが，管状切除が必要な場合には，胸骨正中切開やクラムシェルを考慮すべきである．

2) 右上葉切除に伴う分岐部合併切除・再建

右管状肺全摘の授動に加え，肺靱帯の切離と下肺静脈周囲の心膜切開を行い，右中下葉を十分に授動しておく．まず，左主気管支を切離して術野挿管による分離換気を確立する．そのあとに病巣に近い中間幹・気管の順に，落ち着いて切離を行う．管状肺全摘と比べ，分岐部再建が必要と

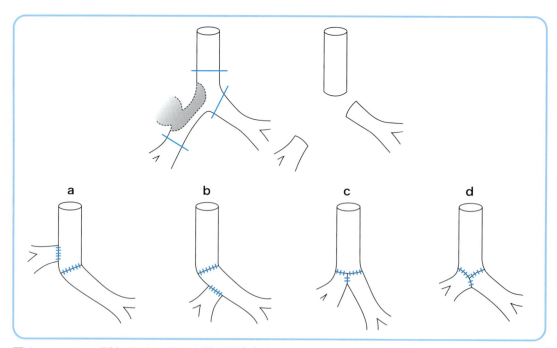

図 1　montage 型と double-barrel 型の再建方法
　a：Grillo 型，第 2 吻合．気管側壁と中間幹との側端吻合．
　b：inverted Barclay 型，第 2 吻合．左主気管支と中間幹との側端吻合．
　c：double-barrel 型．左右の気管支を側々吻合後，気管と端々吻合．
　d：double-barrel 変型．気管と左主気管支を約 2/3 周端々吻合し，残った 1/3 周を各々 1 軟骨輪ずつ追加切除・トリミングし，その部位に中間幹を端側吻合．
(Ishihara T et al. J Thorac Cardiovasc Surg 1985; 89: 665 [4]) を参考に作成)

表1　右上葉切除に伴う気管分岐部合併切除例における再建術式

	one-stoma 型	montage 型		double-barrel 型（＋変型）
		Grillo 型	inverted Barclay 型	
適応	○主気管支側壁浸潤例（分岐部側壁浸潤例）	○分岐部浸潤例（気管の切除範囲が長い症例）		○分岐部浸潤例（気管の切除範囲が短い症例）
利点	○吻合が1箇所	○第2吻合が，第1吻合（気管との吻合）の緊張緩和に働く	○Grillo 型に比して，末梢気管支の授動が少なくて済む	○スリーブ切除で最も張力のかかる気管・左主気管支吻合の右側壁の吻合がない ○分岐角を鈍にすることで，吻合部の"またたき"張力が軽減される（変型の場合）
欠点	○口径差が大きい	○断端の血流が悪くなると，端側吻合が狭窄しやすい		○吻合部にかかる張力の問題（呼吸の開排運動による"またたき"張力） ○T字吻合部の気密性の確保
		○十分な末梢気管支の授動が必要	○第2吻合の視野が不良 ○第2吻合壁（主気管支）が弱い	
吻合のコツ	○気管断端の一部縫縮 ○テレスコープ吻合	○気管や左主気管支の側孔は，第1吻合から3軟骨輪以上離す ○側孔壁への糸かけは，軟骨にかける（軟骨のカッティングに注意）		○T字吻合部には，U字縫合を用いる

(Ishihara T et al. J Thorac Cardiovasc Surg 1985; 89: 665 [4]) を参考に作成)

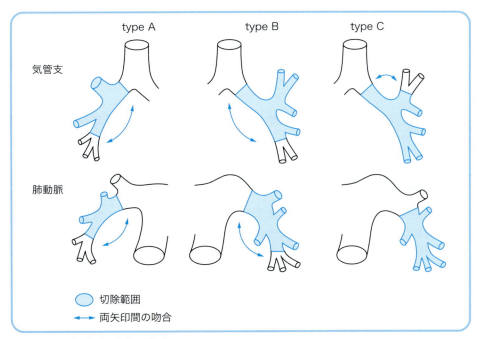

図2　複雑気管支形成の術式
（坪田紀明．イラストレイテッド肺癌手術，医学書院，2003 [1]) を参考に作成）

なるという点において難易度はさらに高い．再建方法の種類とそれぞれの利点や欠点を図1と表1に示す．inverted Barclay 型の再建を 動画⑱ で供覧する．

d 非定型的気管支形成術

代表的なものとして，複雑気管支形成術があげられる．

1）複雑気管支形成術（extended bronchoplasty） レベルC

肺全摘を回避しながらも根治性を損なわないために，肺葉切除に区域切除を加える術式であり，Type A，B，C に分類（図2）されている．

Type A は，右主気管支と底区気管支の吻合（±右肺動脈の管状切除），Type B は，左主気管支と底区気管支の吻合（±左肺動脈の管状切除），Type C は，左主気管支と上区支の吻合となる．いずれも口径差が大きい点，また，Type A，B では断端同士の距離が長くなり，Type C では断端同士の角度が直交する点において，吻合の難易度は高い．Type A，B においては肺動脈の管状切除を要する場合，すなわち double sleeve 切除となる場合が多い．

e 気管管状切除 レベルB

1）適応

原発の気管腫瘍，外傷性狭窄，気管チューブの長期挿入による瘢痕性狭窄などが適応となる．切除範囲の限界については議論があるが，一般的に切除長が4 cm 以上になった

Ⅱ. 手術手技

場合に吻合部合併症のリスクが高いといわれている．

2）アプローチ

頸部気管の管状切除・再建には頸部襟上切開や胸骨正中切開（半切開または全切開）を，縦隔気管の管状切除・再建には胸骨正中切開や右開胸が選択されることが多い．

3）基本的な手技

気管切離に際しては挿管チューブの引き抜きと末梢気管への術野挿管が必要となる．胸骨正中切開の場合には，最深部となる膜様部の吻合を連続縫合で行ってから，気管軟骨の吻合を結節縫合で行う手順が標準的である．より脆弱な膜様部からの吻合を要する点，また，その際に術野挿管チューブが視野の妨げとなる点に注意が必要である．気管軟骨の吻合の途中に術野挿管チューブを抜去して，引き抜いておいた挿管チューブを吻合部の末梢側に再挿入する．

本手術や先述の分岐部合併切除は基本的に術野挿管による分離換気を必要とする術式であるが，症例によっては高頻度ジェット換気（HFJV）も有用である．術野から末梢肺をHFJVすることで虚脱を免れ，術野挿管をしなくてもある程度の時間の酸素化は維持できる．

4）被覆

胸骨正中切開の場合には，気管に到達する前に剥離しておいた胸腺組織を気管支軟骨の吻合部に被覆する．

f 膜様部の補填（動画⑲）レベルD

気管の膜様部に広範に浸潤している肺癌は，通常は手術の適応はない．胸部食道癌などで限局的に膜様部に浸潤を認める症例では，その切除が可能と考えられる症例が存在する．補填物としては，肋間筋弁や広背筋弁を作製しておく．特殊な手術であるが，気管膜様部を分層に切除する非定型的な術式（気管膜様部粘膜温存筋層切除）も存在する（図3）．本術式の補填は肋間筋弁の被覆で十分であり，術後早期に放射線治療が可能となるメリットがある．

g 気管支形成術に伴う肺静脈のトランスポジション（自家肺移植）レベルD

気管支と肺動脈の管状切除，いわゆる double sleeve 切除において，断端同士の距離が特に長い場合（extended bronchoplasty Type A, Bなど）では，温存肺の肺静脈に牽引され気管支吻合部に過度の緊張がかかる状況がありうる．心膜切開などで肺静脈の緊張緩和を図ることが多いが，十分に緩和されない場合の対応策のひとつとして，肺静脈のトランスポジションがある．すなわち，温存肺の肺静脈をいったん切離して，上肺静脈の切離断端に再吻合することで肺静脈による牽引を解除するのである．気管支と肺動静脈のいずれもが切離，吻合される場合は，自家肺移植とも呼ばれる．ただし，肺門部の心膜切開でも十分な減張効果が得られる症例もある．

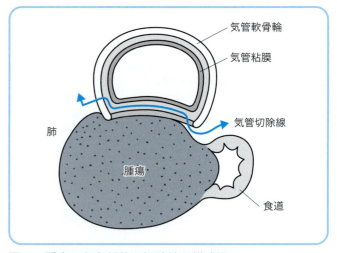

図3 腫瘍の存在部位と切除線の模式図
（末松惠一（監修），肺癌の最新医療，先端医療技術研究所，2010[5]）を参考に作成）

1）肺静脈のトランスポジションを考慮すべき術式

下葉あるいは肺底区域を温存する気管支形成術で必要となる可能性がある．

2）肺静脈トランスポジション（自家肺移植）の実際

以下の2種類に分けられる．

①胸腔内で行う場合（in vivo の自己肺移植）

通常の担癌部の切除から，気管支や肺動脈の形成に肺静脈のトランスポジションを行う．動脈系への空気塞栓には注意が必要である．留意点として肺静脈吻合後の血流再開においては肺動脈の遮断を解除して肺内の空気を十分にwash out してから左房側の遮断を解除する．

②患側肺の肺全摘後にバックテーブルで行う場合（ex vivo 自家肺移植）

この手技は，患側肺をまず肺全摘してから別の手術台（バックテーブル）で担癌肺葉を切除して非癌部の肺葉（区域）を作製するベンチサージェリーを行い，それを自家移植する．この利点は，良好な視野で自家移植肺を作製できる（担癌部分の切除が容易になる）ことと，肺還流と冷却による適切な肺保存処理を行うことで虚血再還流障害を防止できることである．

文献

1) 坪田紀明．イラストレイテッド肺癌手術，医学書院，2003
2) 土屋了介（監修）．専門医のための呼吸器外科手術の要点と盲点，文光堂，2010
3) 正岡 昭（監修）．呼吸器外科学，第3版，南山堂，2003
4) Ishihara T et al. J Thorac Cardiovasc Surg 1985; 89: 665
5) 末松惠一（監修）．肺癌の最新医療，先端医療技術研究所，2010
6) 中川 健．胸部外科 2004; 57: 284
7) Oto T et al. Eur J Cardiothorac Surg 2012; 42: 579

E 隣接臓器合併切除術

要点

1. 隣接臓器へ浸潤が疑われる症例では，詳細な術前の画像所見の解析が手術適応・手術戦略を立てるうえで極めて重要である．
2. 浸潤した臓器およびその部位，浸潤の程度・範囲により，手術のアプローチ，手術手順，再建法は異なるので症例ごとに戦略を立てる．
3. 隣接臓器合併切除の対象は局所進行癌であり，非治癒因子の除外に努める．

Key Word 切除，補塡材料，椎弓切除，椎体切除，interatrial groove，人工心肺，再建方法，人工血管，心膜，大動脈

a 胸壁 レベルB

術前のCT，MRI所見は，胸壁浸潤の有無，範囲に有用な情報を提供するが，疼痛や明らかな骨性胸郭の破壊がないと炎症性の癒着か癌の浸潤かの判断は難しい．胸腔鏡により浸潤（癒着）部位を把握することは開胸創の設定に有用であり，胸腔鏡の併用は有用である．壁側胸膜浸潤にとどまっていれば，壁側胸膜下の脂肪組織の層で剝離する壁側胸膜合併切除を行う．この状況で胸壁（骨性胸郭）の合併切除を行う意義はないとされる[1]．もちろん壁側胸膜外での剝離が困難あるいは腫瘍の露出が懸念される場合は胸壁を合併切除する．切除範囲の肋骨を2 cm ほど分節切除することで，視野と可動が得られ，その後の操作がやりやすくなる．切除断端は2～3 cm以上を確保する．胸壁再建の目的は，胸壁の安定性の確保，正常な呼吸運動の妨げとなる胸壁の奇異運動の防止である．前側胸壁の3肋骨以上の胸壁欠損は再建が必要とされる．胸壁背側上部の胸壁欠損は肩甲骨で覆われるため再建の必要はないが，第4～5(6)肋骨を切除した際は，この欠損部に肩甲骨がはまり込んでしまうので再建が必要である．補塡材料には，1～2 mm 厚のGORE-TEX シートを用いることが多い．シートに十分な緊張がかかるよう，肋骨自体あるいは肋骨を含むように，非吸収性の太い糸を用いて胸壁に縫着する（図1）．より大きな欠損にはmethylmethacrylate を用いた材料で補塡することもある．

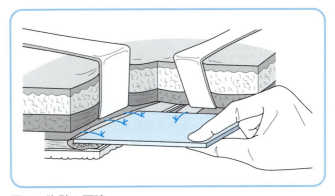

図1 胸壁の再建
頭側端は肋骨を回すように針糸をかける．十分な緊張に耐えられるよう左右は肋骨自体に穴をあけて針糸を通す．

b 横隔膜 レベルB

横隔膜は呼吸運動に伴って動きかつ肺とは連続していないため，肺癌の横隔膜浸潤は極めて珍しく，術前の評価も難しい[2]．切除自体は容易だが，視野展開には工夫を要する．範囲が狭ければ胸腔鏡下での切除も可能であるが，大抵は大きな腫瘍であり，その際は下位肋間に追加開胸を行うか，肋骨弓を切離することでかなり視野は良好となる．浸潤部位から距離を確保しつつ切離するが，可能な限り腹膜は温存する．横隔膜は強い収縮をする横紋筋であり，努責で腹腔からの強い圧力にもさらされるため，修復に際しては十分な強度を持たせる必要がある．安易な自動縫合器による切除は，横隔膜の離開などを併発するリスクがあり，避けるべきである．1-0か1号程度の非吸収性合成糸を用いて，結節縫合か水平マットレス縫合，Z縫合を行う．連続縫合は避けたほうがよい．単純縫合閉鎖では緊張が強い場合は，1～2 mm 厚の GORE-TEX シートやメッシュによる補塡を行う．固定は1-0か1号程度の非吸収性合成糸を用いて同様に縫合する．

c 椎体 レベルC

椎体近傍の腫瘍は浸潤部位により切除範囲が異なる（図2）．術前のCT，MRIは浸潤範囲の評価に有用で，画像診断を踏まえた適切な手術戦略（切除範囲，皮膚切開の位置，体位など）が重要である．肋骨頭に比較的近い部分での肋骨浸潤では横肋関節での切離で対応できる（図2a）．脊柱起立筋を背側へ圧排し横突起を露出，横突起と肋骨がつくる関節面に骨ノミを入れて関節を外す．浸潤がより強くなると，肋間の軟部組織で切除断端に腫瘍が露出する危険が生じる．この場合は椎体の部分切除が必要となる（図2b）．横突起を含めて椎体外側を骨ノミで削っていくが，可能であれば切除範囲の肋間動静脈を胸腔内よりあらかじめ結紮切離しておくと損傷出血のリスクが回避できる．肋骨・横突起・椎体が削られると可動性が得られるので軽く挙上し，椎間孔で脊髄神経根を切離する．注意すべきは，神経の引き抜き

Ⅱ. 手術手技

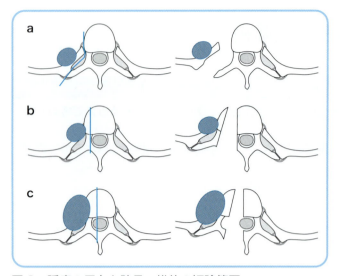

図2　腫瘍の局在と肋骨・椎体の切除範囲
　a：横肋関節での切離
　b：椎体部分切除
　c：椎弓切除を伴う椎体切除

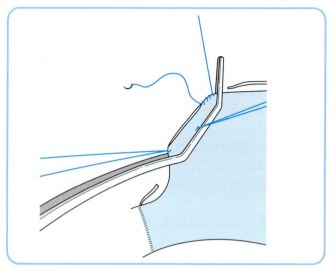

図3　左房合併切除
　万が一の鉗子の滑脱に備え，左房を切離する前に鉗子の末梢側で両端および中央に支持糸をかけておく．

による脊髄損傷と，硬膜の損傷による髄液漏である．また，椎間孔周囲は脊柱管につながる静脈叢が発達しており，止血に難渋することがあり，注意を要する．椎体への浸潤がさらに進んでいる場合には，椎弓切除と椎体半切除〜椎体全切除を要するが，この手術には熟練した整形外科医の協力が不可欠である（図2c）．脊椎の切除は通常腹臥位で行われるが，大動脈近傍など腹臥位では操作が危険と判断する際には，側臥位で胸腔内臓との関係を見ながら椎体切除を行うのが望ましい．ここは整形外科医と十分に相談を行うべきである．▶動画⑳は，右上葉肺癌で第2,3,4椎体部分切除を側臥位で行った症例である．手術に先立ち，あらかじめ胸腔内に非治癒因子がないか胸腔鏡などで確認しなければならない．

d 左房 レベルC

腫瘍が肺静脈基部へ浸潤または肺静脈内腔をポリープ状に左房内へ進展する場合に左房合併切除が必要となる．手術の要点は血管鉗子（DeBakey 型の弱彎）のかけ方である．左側では左心耳の背側で斜めに鉗子をかけると大きく左房をクランプできるが，右側では左房のクランプにゆとりが取れない．必要に応じて interatrial groove を剥離し，左房前壁を露出することでより大きく左房のクランプが可能となる．鉗子を腫瘍自体にかけると致命的な塞栓症を引き起こすので，術中エコーを活用し，腫瘍から十分に距離を取って鉗子をかけるよう細心の注意が必要である．あらかじめ切除肺が左房だけでつながっている状況まで処理しておき，切除肺を牽引しつつ鉗子をかけるのもコツである．左房に鉗子をかけたあと，循環動態に変化がないことを確認することが大事である．断端の確保が十分であれば自動縫合器での切離も可能であるが，多くは手縫いで対処する（図3）．▶動画㉑は左上葉の腫瘍が上肺静脈にポリープ状に進展していた際の左房部分切除術である．鉗子処理ができないときは人工心肺を用いるが，人工心肺を用いた左房合併切除のエビデンスはなく，適応は慎重に考えるべきである．

e 上大静脈 レベルC

腫瘍の上大静脈への浸潤範囲，程度により部分切除または人工血管による置換が行われる（図4）．浸潤の程度が軽微であれば血管鉗子をサイドクランプし5-0の非吸収性モノフィラメント糸で直接縫合する．30％を超える血管壁の切除では，直接縫合は上大静脈の狭窄をきたすので心膜を用いてパッチ形成を行う．▶動画㉒はクロスクランプでの上大静脈パッチ形成の手技を示す．パッチ形成には左右の腕頭静脈，奇静脈，上大静脈基部で血管遮断を要するが，遮断時間は30分程度が限度とされ，それ超えることが想定される場合は，あらかじめ内または外シャントを置き血流の維持を図る．以上の操作は右開胸でも行えるが，さらに浸潤の程度が強く人工血管による置換が必要なときは胸骨正中切開でアプローチする．人工血管は径8〜10mmのリング付きPTFEグラフトを用いる．まず，左腕頭静脈–右心耳または右房にグラフトを置き，上半身からの静脈還流を確保し，上大静脈の切除を行う．右心耳との吻合では肉柱筋を切離する．上大静脈切除後さらに右腕頭静脈–上大静脈基部にグラフトを追加すべきかどうかについては議論が多い．2本グラフトでは血流が低下しグラフトの閉塞をきたすリスクがあるため行ってはいけないという意見もある[3]．左腕頭静脈–右心耳バイパスの作製にあたっては，グラフトが長過ぎると屈曲狭窄や吻合部のねじれをきたすので注意する（図5）．

f 心膜 レベルB

心膜浸潤例では，ときに心嚢に播種していることがあるので心嚢水の細胞診を行っておく．心膜の欠損部が小さい，または心基部での欠損は補填の必要はないが，その他では

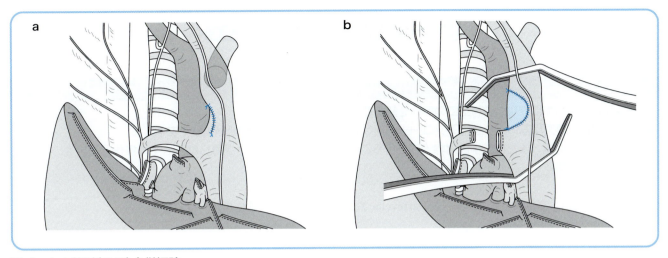

図4　上大静脈(SVC)合併切除
　腫瘍による直接浸潤でのSVCの部分合併切除．可能であれば単純閉鎖を行うが(a)，欠損部が大きく血流障害が懸念される際には，自己心膜によるパッチ閉鎖を行う(b)．

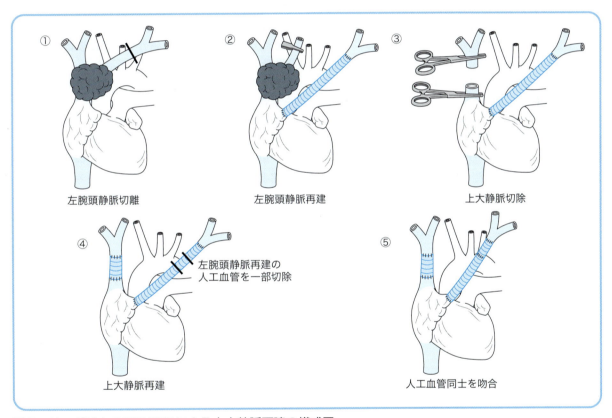

図5　リング付きGORE-TEXによる上大静脈再建の模式図

心臓脱の予防を目的に0.1 mm厚のGORE-TEXシートで補塡する．補塡の緊張が強過ぎると心臓の動きが障害され血圧低下を招くことがあるので注意する．

g 大動脈 レベルB

　大動脈浸潤を疑う症例のresectabilityは手術をしてみないとわからないのが現状であるが，外膜下層での剥離で切除を試みる．この層で剥離ができないときは，浸潤部位や範囲にもよるが根治性は低いと判断したほうがよい．特に術前のCT，MRIで明らかに大動脈壁全層に浸潤しているものは手術の非適応である．大動脈の切除の際，血管内ステントを術前に留置してから大動脈の一部を切除する方法も時々行われる．

文献
1) Kawaguchi K et al. J Thorac Cardiovasc Surg 2012; **144**: 431
2) Yokoi K et al. J Thorac Cardiovasc Surg 2000; **120**: 799
3) Macchiarini P et al. Thoracic Surgery, 2nd Ed. Churchill Livingstone, 2002: p1774

Ⅱ．手術手技

F 肺尖部腫瘍切除術 レベルC

要点

① 肺尖部腫瘍の切除に際し，胸郭出口の解剖を知ることは極めて重要である．
② 腫瘍の局在・浸潤臓器により手術アプローチが異なるため，術前の画像診断が重要である．
③ 術前に放射線治療，または化学放射線治療を行うことが多く，腫瘍の縮小が得られれば手術操作と根治性の双方に有利となりうる．

Key Word　TMA，高位後方アプローチ，Dartevelle アプローチ，鎖骨下動脈再建，椎骨動脈

　肺尖部に生じた肺癌は周囲を骨性胸郭に囲まれた非常に狭い空間に位置する．周囲への浸潤は，第1・2肋骨，椎体，交感神経，腕神経叢の一部（C8，Th1），鎖骨下動静脈などに及ぶ．これらを合併切除するためにはアプローチの選択が極めて重要であり，CT，MRI による術前画像診断で，腫瘍の局在・深達度の十分な評価が必須である．

　浸潤が胸郭出口の背側の構造すなわち椎体・肋骨・腕神経叢などで，鎖骨下動静脈には浸潤がない場合は，高位後方アプローチ（図1）[1]を選択する．一方，鎖骨下動静脈に浸潤が疑われる場合には，TMA（transmanubrial osteomuscular sparing approach）[2]（図2）または Dartevelle アプローチ[3]（図3）といった前方アプローチを選択する．鎖骨下動脈へ浸潤があり合併切除する際には，椎骨動脈，内胸動脈，甲状頸動脈，肋頸動脈，肩甲背動脈などの鎖骨下動脈からの分枝の確認・処理が必要となる．特に椎骨動脈は前方アプローチでも後方アプローチでも最も奥深く位置し，その処理にあたってはあらかじめ脳の cross-circulation（脳底における内頸動脈系と椎骨動脈系の交通，すなわち Willis 動脈輪の形成）を確認しておく．この交通がないと患側の椎骨動脈の切離・遮断で脳に虚血を起こす．鎖骨下動脈の再建にはリング付き e-PTFE もしくはヘマシールド 8～10 mm 径の人工血管を用いるが，鎖骨下静脈は必ずしも再建は必要としない．▶動画㉓は鎖骨下動脈に広範囲に接し，第1，2肋骨の全切除を要した症例を提示する．前方より TMA で鎖骨下静脈を離断し腕頭～椎骨～鎖骨下動脈の露出の手順を供覧している．

　肺尖部胸壁浸潤癌は狭い骨性胸郭のなかに位置しかつ重要な神経血管に囲まれており，これが手術操作の障害となる．術前に放射線化学療法もしくは放射線治療を行い腫瘍の縮小が得られれば，操作性がよくなると同時に根治性も高くなる．術前の化学放射線治療に関しては，2つの臨床試験によって導入療法の有効性が報告されている[4,5]．

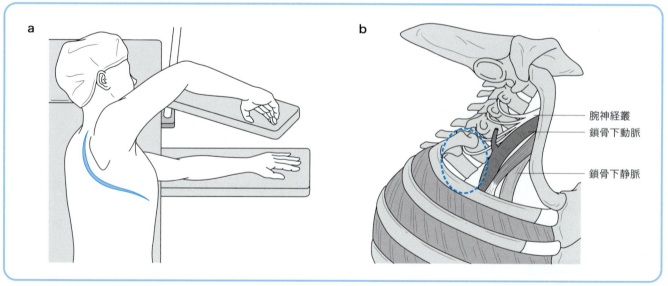

図1　高位後方アプローチ
a：皮膚切開を大きく高位頭側に延長し，肩甲骨・上肢後方を支持する筋肉を切離する．上肢を前方に偏位させ，胸郭出口に後側方から到達する．肩甲骨に釣上げ鉤を使用する際には，ポールを前方頭側に立て，腋窩を前上方へ挙上する．
b：胸郭出口の解剖．腫瘍を青点線で示す．後方アプローチで第1肋骨を切除する際には，鎖骨下静脈の走行を確認する．（近藤晴彦：拡大切除術と Pancoast 腫瘍切除術，癌の外科―手術手技シリーズ9　肺癌（垣添忠生　監修），メジカルビュー社，2005：p116 を参考に作成）

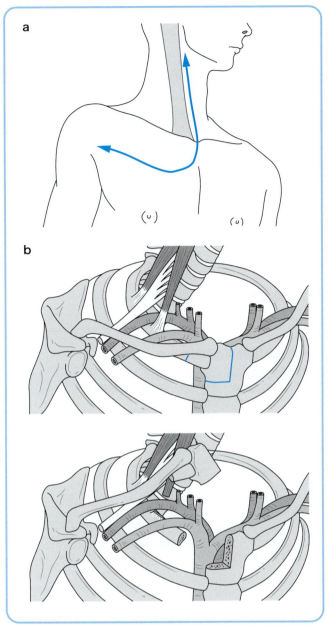

図2 前方アプローチ TMA
a：皮膚切開：仰臥位で顔を健側に向ける．
b：胸骨柄を半切し，第1肋骨を前方で離断することで，鎖骨下動静脈を露出させる．Dartevelle アプローチと異なり，胸鎖関節は温存される．

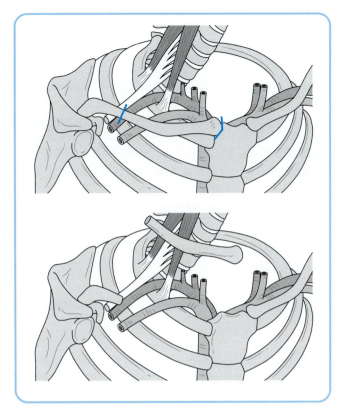

図3 前方アプローチ Dartevelle アプローチ
皮膚切開は TMA と同じである．鎖骨の内側 1/2〜2/3 を切除し鎖骨下動静脈へ到達する．切除部の鎖骨は再建しないので欠損することになり，外見上やや問題が生じる．最近ではほとんど行われていない．

文献

1) Shaw RR et al. Ann Surg 1961; **154**: 29
2) Grunenwald D et al. Ann Thorac Surg 1997; **63**: 563
3) Dartevelle PG et al. J Thorac Cardiovasc Surg 1993; **105**: 1025
4) Rusch VW et al. J Clin Oncol 2007; **25**: 313
5) Kunitoh H et al. J Clin Oncol 2008; **26**: 644

⑩ 胸壁

要点

1. 胸壁腫瘍の切除に際しては，腫瘍の特性，悪性度，MRIにより評価した浸潤範囲を考慮してマージンを設定する．
2. 悪性度の高い腫瘍では腫瘍に触れない en bloc 切除が重要で，MRIにより評価した浸潤縁から，健常組織(厚さ cm)＋barrier(換算 cm)で計算した3cm以上のマージンが必要である．
3. 胸壁再建の目的は，骨性胸壁支持力の補完による換気運動の維持，気密性の保持による感染防御，内部臓器の保護である．
4. 骨性胸壁の再建材料には，種々の人工物，生体材料がある．
5. 皮膚，軟部組織の再建には，種々の筋弁，筋皮弁を用いる．

Key Word 胸壁腫瘍，胸壁切除，胸壁再建，胸壁補填材料，筋弁，筋皮弁

胸壁切除再建の対象疾患を表1に示す．胸壁切除後には切除範囲，切除部位などによって胸壁再建の適応を考慮する．胸壁再建の際には骨性胸壁の再建と皮膚軟部組織の再建の2つの側面から計画を立案する[1]．

a 胸壁切除術

1) 胸壁腫瘍の切除　レベルA

悪性胸壁腫瘍切除手術で最も重要なことは完全切除することである．悪性度の高い肉腫では術中操作による播種から再発をきたすことがあるので，切除に際しては決して腫瘍を露出しないように，腫瘍にできる限り触れないように扱い en bloc 切除を心がける．この際にもし針生検を実施しているならば，生検針の刺入部位の皮膚，軟部組織も切除しておく必要がある．

適切な切除マージンは，腫瘍反応層の外で切除する広範切除マージンとされる[2]．腫瘍反応層とは，腫瘍の膜様組織とその周囲の出血巣，変色した筋肉，浮腫状の組織など肉眼的な変色部を指し，切除縁評価に際しては，腫瘍とみなす[2]．切除マージンと腫瘍間に barrier が存在するときには，原則としてこれが腫瘍に癒着しない場合に限り一定の厚さの組織として換算し，腫瘍・切除マージン間距離を算定する[3]．この距離算定に際しては，薄い barrier を2cm，厚い barrier を3cm，腫瘍外に正常組織を介して barrier があるときを barrier の厚さに関係なく5cm，関節軟骨を5cmとして換算する[3]．厚い barrier とは関節包，小児骨膜など下部組織が透見できない白い光沢を有する機械的に強い種々の厚さの膜様組織をいい，薄い barrier とは筋膜，成人の骨膜など下部組織が透見できるような薄さの膜組織をいう[3]．

骨・軟部高悪性肉腫での再発率は，腫瘍から2cm相当のマージンをとって切除した場合には7～13％，低悪性肉腫では1cm相当のマージンをつけて切除した場合10％とされる[4,5]．

切除マージンを術前にどう評価し(MRIのどの撮像条件を用い)どう設定すべきかなどにつき，現時点で明確な方針

表1 胸壁切除再建の対象疾患

Ⅰ．胸壁原発腫瘍
　1．悪性腫瘍：軟骨肉腫，悪性線維性組織球腫（MFH），Ewing family 腫瘍，など
　2．良性腫瘍：骨軟骨腫，軟骨腫，など
Ⅱ．転移性胸壁腫瘍
Ⅲ．他臓器から進展した腫瘍
　1．肺癌
　2．乳癌
Ⅳ．炎症性疾患
　術後感染，難治性放射線潰瘍，など
Ⅴ．外傷
Ⅵ．先天性欠損
Ⅶ．その他：ランゲルハンス細胞組織球症（histiocytosis X，好酸球性肉芽腫など）

は確立されていないが，高悪性度軟部肉腫145例の画像所見と組織学的所見を詳細に解析した2018年の報告では，gadolinium（Gd）造影MRIの脂肪抑制像が，MRIの short inversion time inversion recovery（STIR）像と比較し，組織学的浸潤所見とより強い相関があること，造影MRI脂肪抑制像の浸潤所見よりも最大で2.3cm離れた部位まで組織学的浸潤を認めること，画像上の浸潤所見の先端より2cmの切除縁を確保することで98％の断端陰性が得られることが示されている[6]．

現時点で，完全切除を得るためには，高悪性度肉腫では少なくとも3cm（腫瘍浸潤のない上下の肋骨1本ずつを含む：肋骨1本分は，上下の骨膜で2cm×2＋骨部分の厚さ cm で算定），高悪性度肉腫以外では2cm相当以上の健常組織をつけて切除すべきであり，重要なことは，術前に骨・軟部腫瘍専門の整形外科医，病理医，放射線診断医と腫瘍の組織型，悪性度，MRIで評価した浸潤範囲を綿密に討論し，慎重に切除マージンを設定することである．さらに，術中には健常部で表層の筋層を胸壁に縫合固定しておくなど，腫瘍が露出することがないよう細心の注意を要する．

デスモイド腫瘍は良性であるが，極めて局所再発しやす

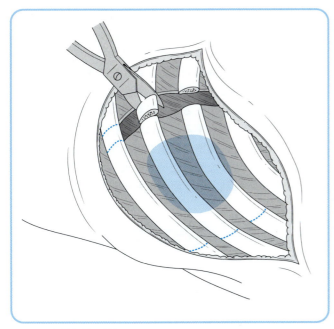

図1 胸壁切除手技

い腫瘍なので，高悪性度肉腫と同等のマージンを確保すべきである．転移性腫瘍，肺癌や乳癌などの胸壁浸潤では2〜3cmのマージンで完全切除可能な場合が多い．骨性胸壁を越えて軟性胸壁へ浸潤している場合には，前述のbarrierの考え方を適用し，腫瘍を被覆する筋層（筋膜は2cm相当，筋自体は画像上の厚さcmで算定）や，さらに皮下脂肪までの切除を考慮すべきで，皮膚への進展がみられるならばその切除も必要となる．特にincisional biopsy施行例や再発腫瘍の場合には，躊躇なく手術創部を含む皮膚，軟部組織を合併切除する．

2) 手術手技 レベルB

胸壁切除再建の際の体位や皮膚切開は，腫瘍の位置，穿刺生検を実施したならば，その部位，肺切除の可能性，軟性胸壁への浸潤の有無，再建のために筋弁を使用するか否か，使用するならばどの筋肉を使用するかによって異なってくる．

通常，胸骨や胸骨傍領域の腫瘍では胸骨切開やhemi-clamshellアプローチを実施するために仰臥位とする．筋弁を使用する際には同じ体位で形成が可能な大胸筋か腹直筋となる．側方や背部の腫瘍では側臥位がポピュラーで後側方切開が標準的である．再建に用いられる筋肉としては広背筋が最も応用範囲が広く，ときには前鋸筋も使用される．

術前のMRI画像をもとに，予め皮膚上に腫瘍の浸潤範囲，胸壁および腫瘍を被覆する筋層などの切除範囲をマーキングする．腫瘍を被覆する筋層をあらかじめ設定したマージンで切離したら，同筋層が剝がれて腫瘍が露出することがないように，切除縁を肋間筋あるいは肋骨骨膜に縫合しておく．腫瘍から十分な距離を確保して肋間で開胸したら胸腔内から腫瘍を触診する．胸腔側には軟部組織がないため，胸壁側からよりも腫瘍の辺縁を正確に見極めることが

できるので，マージンの妥当性を確認しておく．触診や胸腔鏡により胸膜表面および胸腔内への進展の有無を確認するとともに，肺への癒着，浸潤の有無も確認する．悪性度の高い肉腫の場合，術前のCT画像をもとに肺を触診して転移がないか否かも確認しておく．疑わしい結節があれば切除して診断を確定する．

肋骨の離断部位を決定したら当該部位を中心に2〜3cm肋骨骨膜に切開を加え，起子・骨膜剝離子を用いて骨膜を剝離後，肋骨剪刀にて離断し，1〜2cmの肋骨を切除しておく（図1）．切除によりスペースが確保できるため，のちの操作が容易となる．肋間筋，胸膜の切除範囲を胸腔内外から確認しながら切離する．肺切除を要する場合には胸壁を遊離したあとのほうが容易である．乳癌，難治性放射線潰瘍ではあらかじめ設定した皮膚切除部位に合わせて骨性胸壁を切除することとなる．

術中に切除断端の腫瘍残存の有無を診断可能なこともあるが，困難な症例も多い．肋骨は脱灰を要するため永久標本の病理診断結果を待たなければならない．軟部組織原発の腫瘍の切除断端は迅速診断では瘢痕組織や結合組織との鑑別が困難なこともまれではない．術前のMRI画像をもとに慎重に切除マージンを設定し，特に悪性度の高い腫瘍で3cmのマージンを取るのはこのためである．一方，骨髄内までの浸潤が疑われる症例では断端から骨髄を採取して迅速診断可能である．骨髄内に悪性細胞が存在すればすでに全身転移している可能性が高いが，局所制御を優先させるならば肋骨の全長切除が必要となる．

b 胸壁再建の適応 レベルA

胸壁再建の目的は胸壁欠損による脱落機能の補完である．胸壁の機能のうち重要なものは，①胸郭の気密性を保ち感染から防御すること，②固有の支持力により呼吸運動による胸腔内圧変化を円滑に肺に伝え，正常な換気運動を維持すること，つまり胸郭動揺による呼吸障害をきたさないこと，③呼吸筋の働きにより呼吸運動を補助すること，④心臓，肺，大血管などの重要臓器を外力から保護すること，の4点である．②を満足させる硬度を有するものは④をも代替可能であること，③については呼吸運動の大部分は横隔膜によって維持されており，胸郭呼吸筋の果たす役割は比較的少ないこと，またこのような筋肉の機能を代替しうる技術的背景を持たないこと，といった理由から①②の脱落機能を補うことが胸壁再建の最重要ゴールである[7]．美容的な観点からの術式の選択がその次のゴールとなる．

骨性胸壁再建の適応は，胸壁欠損の大きさ，部位，切除範囲（筋層，皮膚欠損の有無），患者の状態などを見極めて考慮する．通常骨性胸壁の欠損部が径4〜5cm以上の場合，また心臓直上の欠損では再建を実施しておく必要がある．背側では欠損部が肩甲骨に被覆される部位ならば再建は必要ないとされてきたが，第4から第5肋骨までの上位肋骨の切除では肩の運動により肩甲骨下角が骨性胸壁欠損部へ落ち込んで，ひどい疼痛をきたすことがあるため，再建をしておくか，肩甲骨下角を切除しておくべきである．最近

は扱いが簡便な胸壁補塡材料が開発され，再建が容易になったので，呼吸機能に余裕がない高齢者や肺切除例ではさらに小範囲の欠損でも再建を実施しておくことが多くなった．

C 胸壁補塡材料 レベルB

胸壁補塡材料は胸壁の支持力を補完するための材料である．再建材料としては種々の生体材料，人工材料が使用されてきた．使用頻度が高いものとして生体材料では，ヒト硬膜，ウシ心膜などがあり，自家材料として大腿筋膜，自家肋骨，種々の筋弁などがあげられる．人工材料は使用が簡便で，一定以上の強度を有しているので，広範囲の再建には好んで使用される．

人工材料でよく使用されるのはポリプロピレンメッシュ（Marlex mesh）または延伸ポリテトラフルオロエチレン（ePTFE）メッシュ（Dualmesh）やパッチ（soft tissue patch）である．Marlex mesh は網目に線維組織が入り込んで強固となり，術後に seroma を形成しにくいという利点がある．また，一般に感染に強く，たとえ感染しても取り除く必要がない場合が多い．ePTFE メッシュには組織浸潤面と癒着防止面があって胸腔内に癒着をつくりにくい工夫をしたものもある．ePTFE は穴がないので創部を密封可能で，肺切除後，特に全摘後などの胸水貯留が予想される場合に皮下へ滲出液漏出がない．厚さ 1〜2mm で，しなやかさがあるため縫合しやすく，太鼓のように緊張性を持たせて欠損部を補塡することが容易である．

メッシュやパッチは欠損部を平面で補塡するので広範囲欠損では胸郭の円みが消失し胸腔が縮小することになる．このような大きな欠損や心臓を被覆する必要がある場合，胸腔の縮小が無気肺をもたらす場合，美容的に外に凸な胸郭の形態を保持したい場合には Marlex mesh-methylmethacrylate（MMM）サンドイッチ[8]を使用する．これは 2 枚の Marlex mesh の間にメチルメタクリレイトを挟み込んだもので，非常に強固である．術中に作製する際に多少の注意が必要である（Side Memo 参照）．

どの補塡材料を使用するかは外科医の選択に任されているが，胸郭動揺を防止するためには支持力に優れたものが望ましい．特に骨性胸壁の欠損が広範囲な症例では MMM サンドイッチのような硬く支持力の大きな再建材料が術後呼吸器合併症の抑制という面からも有利である[9]．

> **Side Memo**
> 【MMM サンドイッチの作製】
> 2 枚のマーレックスメッシュの間に methylmethacrylate を挟んで作製する．methylmethacrylate をメッシュに塗布する際に周囲に 1〜1.5cm 程度の空白部分を残し，胸壁への縫合固定のための縫い代とする．methylmethacrylate は固まる際に発熱し熱傷の危険性があるので，患者の体に触れない場所で成型し，温度が下がってから胸壁に固定する．固まり出すとすぐに硬化するため胸壁の丸みに合わせて成型するにはタイミングをよく見計らう．

d 筋弁，筋皮弁 レベルC

筋弁の活用は重要で，小範囲の欠損ではそれのみでの被覆で事足りることが多く，また広範囲の欠損を人工材料で補塡した場合にはその被覆材料として使用される．全層欠損では筋皮弁が必須である．広範囲欠損部によく用いられるのは，広背筋弁，大胸筋弁，腹直筋弁で，それぞれ筋皮弁としても使用可能である．筋皮弁作製の際には切除範囲

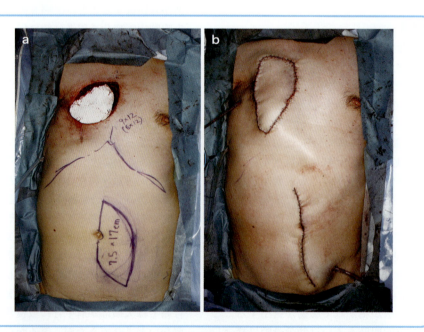

図 2 胸壁脂肪肉腫術後再発例に対する広範囲胸壁全層切除後の有茎腹直筋皮弁による胸壁再建
　　a：ePTFE メッシュによる骨性胸壁再建後の筋皮弁採取のためのデザイン．
　　b：腹壁皮膚はそのまま単純閉鎖した（上方が頭側）．

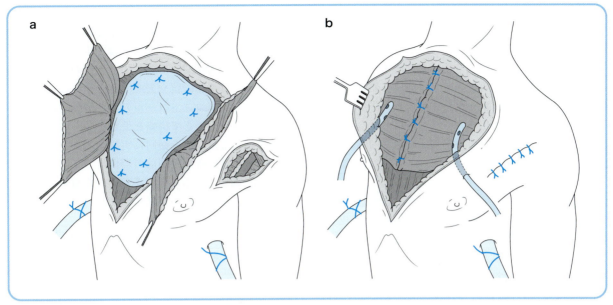

図3　胸骨切除後の大胸筋弁による補填材料の被覆
　a：大胸筋の両側上腕骨付着部，胸骨付着部，内胸動脈からの穿通枝を離断し，胸肩峰動脈の胸筋枝を栄養血管としてそれぞれ正中へ平行移動する．
　b：移動した大胸筋を正中で縫合して補填材料を被覆し，上腕骨付着部の切開創を閉創する．
（Graeber GM. Pearson's Thoracic & Esophageal Surgery, 3rd Ed, Churchill Livingstone Elsevier, 2008: p1306 [1]）を参考に作成）

と皮膚片採取部位のデザインが重要なので形成外科医にコンサルトしておく（図2a）．

　広背筋は最も応用範囲が広い筋肉で背側から前方まで胸壁全体の被覆が可能である．胸背動脈，肋間動脈からの血流を受ける．通常は胸背動脈を栄養血管とする筋弁または筋皮弁を作製し，欠損部を補填する．以前の手術で切断された等の理由で広背筋のみではvolumeが不足する場合は，胸背動静脈からの前鋸筋枝を温存し，前鋸筋との連合皮弁を作成することも可能である．大胸筋は，前方，胸骨部，頸部の被覆に有用で，栄養血管は胸肩峰動脈の胸筋枝と内胸動脈の貫通枝である．胸骨や肋軟骨部の再建に使用する場合には2つの方法がある．ひとつは筋束を上腕骨付着部で離断し，さらに胸肩峰動脈の胸筋枝を離断して対側へ翻転させるもので，もうひとつの方法は筋束を上腕骨付着部と胸骨側の付着部で離断しさらに内胸動脈の貫通枝も離断して，胸肩峰動脈の胸筋枝を栄養血管として正中方向へ平行移動する方法である．後者のほうがより正中まで被覆可能で，両側に施せば胸骨全体をほぼ被覆できる．腹直筋は前方や下部側方胸壁の再建に使用される．栄養血管は内胸動脈から続く上腹壁動脈で，筋弁作製の際には頭側へ翻転するために下腹壁動脈は離断される．したがって，腫瘍切除時に内胸動脈を離断した場合には使用できない．皮弁を採取した部分は植皮を要する場合がある．

e　胸壁再建手術手技

1）骨性胸壁の再建　レベルB

　胸壁補填材料を胸壁に縫合固定する際には補填物に緊張を持たせることが重要である．まず再建を始める前に腋窩枕を除去し，ベッドが屈曲しているならば体位をニュートラルポジションに戻して，欠損部を平坦にしておく．腋窩枕を除去しないまま縫合すると，いくら緊張を持たせて再建しても術後に頭尾方向の緩みが生じるからである．

　胸壁補填材料は胸壁の内側でも外側でもどちらに置いてもよい．内側では壁側胸膜と同一面になるので癒着が少なく再開胸に有利で，外側では全周を見わたせるので，緊張を持たせやすい．結紮糸は支持力を持った太い絹糸または非吸収性の編み糸を使用する．補填物の固定は，まず縫合糸を頭尾方向の肋骨にかける．肋間筋に固定してもよいが，肋骨にドリルで穴をあけて縫合糸を通すことにより緊張を得やすくなる．前後方向は，肋骨の切除端，胸骨に縫合固定する．固定する骨がない場合には肋間筋などの比較的厚く，引っ張っても移動しない筋肉を利用する．通常1番目の糸を肋骨にマットレス縫合で固定し，その対角線上に2番目の縫合糸をかける．角度をつけて3，4番目の縫合を置き，続けて同様に対角線方向に糸をかけることにより，補填材料の緊張を増すことができる．

　筋層が切除されている場合には補填物をできる限り周囲の筋肉で被覆しておく．感染や血流障害の可能性があるため，脂肪層と皮膚のみで被覆するとこは避けたほうがよい．この場合，欠損部位に応じて，広背筋，大胸筋，前鋸筋，腹直筋などの筋弁（rotation flap）を用いるとよい．

2）胸骨の再建　レベルC

　胸骨切除例ではすぐ下に心臓があること，胸郭動揺をきたしやすいことから再建は必須である．胸骨の50％未満の切除であれば，一般にメッシュやパッチでの再建がなされる．それ以上の切除の際は，MMMサンドイッチのような硬性補填物による再建を要する．人工物で補填した場合には感染防止のため軟部組織の再建を要する．解剖学的に胸

骨正中を越えて被覆可能な筋肉は大胸筋のみである．しかも左右の筋束が胸骨正中に付着しているため，大胸筋を左右引き寄せて縫合することはできない．このため補填物を大胸筋で被覆するためには工夫を要する．前述のように上腕骨付着部と胸骨側の付着部を離断して胸肩峰動脈の胸筋枝を栄養血管として正中方向へ平行移動する方法が有用である（図3）．腹直筋弁を使用する方法も有用であるが，創が腹部にまで及ぶ欠点があり，腫瘍切除に際し内胸動脈を結紮した場合には使用できない．

3）皮膚軟部組織（胸壁全層欠損）の再建 レベルC

局所再発乳癌，難治性放射線潰瘍など，切除により皮膚，軟部組織，骨性胸壁に及ぶ全層欠損を生じる場合には骨性胸壁の再建とともに皮膚軟部組織の再建が必要となる．通常，人工材料を用いて骨性胸壁を再建し，その上を筋皮弁で被覆することが多い（図2b）．切除範囲がさほど広くなければ，筋皮弁のみで胸壁支持材料を補填しなくとも胸郭動揺をきたすことはない．切除範囲が広範囲となって有茎筋皮弁での再建が不可能な場合には，血管吻合を伴う遊離筋皮弁や遊離筋弁を使用することもある．状況によっては，筋弁の上に植皮を併用することもある．血流障害が危惧される際には，有茎大網で筋弁，植皮片を裏打ちすることもある．

f 胸壁切除再建術後合併症，術後管理
レベルB

これまでの多数例の報告では，手術死亡率は3～7％，術後合併症発生率は25～46％とされている[9]．合併症のなかでも，肺炎，呼吸不全，無気肺などの呼吸器合併症の発生が20～24％と頻度が高い．これは，広範囲胸壁切除後，特に前方胸壁の切除では再建しても多少の胸郭動揺が出現するためで，分泌物貯留や去痰困難を伴うことによる．しっかりとした疼痛コントロールのもと積極的に呼吸リハビリテーションを実施して排痰を促すとともに，必要に応じて気管支鏡による吸痰を頻回に実施することが肝要である．次に多いのは胸壁再建創部の合併症で，創部感染，壊死，seroma，血腫などがある．それぞれの再建材料，再建方法の特長を熟知した術後管理を要する．

文献
1) Graeber GM. Pearson's Thoracic & Esophageal Surgery, 3rd Ed, Patterson GA et al (eds), Churchill Livingstone Elsevier, 2008: p1306
2) 日本整形外科学会診療ガイドライン委員会ほか（編）．軟部腫瘍診療ガイドライン2012，2021: p81
3) 日本整形外科学会 骨・軟部腫瘍委員会（編）．整形外科・病理 悪性骨腫瘍取扱い規約，第3版，2000: p56
4) Kawaguchi N et al. Clin Orthop Relat Res 2004; 419: 165
5) Manabe J et al. Mod Surg Challenges Musculoskel Sarcoma 2007; 16: 177
6) Iwata S et al. J Surg Oncol 2018; 118: 525
7) 丹羽 宏ほか．胸部外科 1982; 35: 287
8) McCormac P et al. Ann Thorac Surg 1981; 31: 45
9) Weyant MJ et al. Ann Thorac Surg 2006; 81: 279

胸膜

要点

- 悪性胸膜中皮腫（malignant pleural mesothelioma：MPM）は，胸膜に発生する比較的まれな難治性悪性腫瘍である．
- MPMに対する治療目的手術には，胸膜肺全摘術（extrapleural pneumonectomy：EPP）と胸膜切除/肺剝皮術（pleurectomy/decortication：P/D）がある．

Key Word　悪性胸膜中皮腫，胸膜肺全摘術，胸膜切除/肺剝皮術

悪性胸膜中皮腫（malignant pleural mesothelioma：MPM）は胸膜に発生し，早期から胸腔内に広くびまん性に発育する．このため，治療目的手術では壁側・臓側胸膜を一塊として摘出する必要があり，大侵襲手術にならざるを得ない．胸膜の手術手技のうち重要なのはMPMであるため，本項ではその概論を中心に解説する．

a MPM手術の特殊性　レベルA

MPM手術においては，剝離面が壁側あるいは臓側胸膜であるため切除マージンが存在せず，真の根治術は原理的に実施不可能である．そのためMPMの外科的治療の目標は肉眼的完全切除（R1切除＝macroscopic complete resection：MCR）になる[1]．

b 術式　レベルA

MPM治療目的手術には以下の2つがある．

1) 胸膜肺全摘術（extrapleural pneumonectomy：EPP）

EPPとは壁側および臓側胸膜を患側肺と一塊にして摘出する術式で，必要があれば横隔膜，心膜も一塊に摘出する．EPPはMPM以外に胸膜播種を伴う原発性肺癌や胸腺腫などにも行われることがある．

2) 胸膜切除/肺剝皮術（pleurectomy/decortication：P/D）

患側肺を温存しつつ壁側および臓側胸膜を切除する術式で，慢性膿胸に行われる剝皮術とはまったく別の手術である．術式は以下のとおりである[2]．

①extended P/D：壁側臓側胸膜とともに横隔膜または心膜を切除してMCRを達成すること．
②P/D：横隔膜・心膜の切除を伴わずに壁側臓側胸膜切除によってMCRを達成すること．
③partial pleurectomy：肉眼的な腫瘍残存を伴って壁側または臓側胸膜の一部を切除すること．姑息術あるいは診断目的に行われる．

c 外科的治療の歴史と現状　レベルB

MPMに対するEPPはButchartらにより1976年にはじめて報告されたが，その手術死亡率は31％と極めて高く生存率も不良だった[3]．1990年代になってRusch[4]やSugar-baker ら[5]により数％の手術死亡率と14～19ヵ月のMSTが報告され現在にいたっている．

MPMに対するpleurectomyは1976年にWaneboら[6]によりはじめて報告されたが，現在にいたるP/Dの考え方は1993年のRuschらの報告[7]から続いている．

いずれの術式も手術単独の成績は不良で，手術は化学療法や放射線療法と組み合わせた集学的治療の一環との位置づけである[8]．

現在，EPPにおいては術前化学療法→EPP片側全胸郭照射のtrimodality treatmentが，P/Dにおいては術前または/および術後化学療法との組み合わせが施行されることが多いが，確立された治療法は存在しない．

CaoらによるシステマティックレビューによればEPPの手術死亡率は3.7～7.6％，術後生存中央値（MST）は12～20ヵ月，P/Dの手術死亡率は0～3.4％，MSTは7.1～31.7ヵ月であった[9]．

現時点で手術が生存率改善に寄与するか否かは明らかでない．

手術（特にEPP）が大侵襲・ハイリスクでありながら生存成績が不良であるため手術の利益に否定的な意見も存在する[10]．2012年の国際中皮腫研究会声明では，「外科的腫瘍減量術は他の固形癌治療におけると同様にMPM集学的治療において極めて重要な役割を持つ」と，外科的治療の意義を認めている[11]．

d 術式の選択　レベルC

EPPとP/Dを直接比較した前向き試験はない．患者選択バイアスがあるため確定的ではないが，P/DはEPPと比較して周術期合併症・手術関連死亡が低く，同等かそれ以上

Ⅱ．手術手技

の生存成績がある可能性が示唆されている[9]．

2012年の国際中皮腫研究会声明では，EPPとP/Dの術式選択はいずれもMCR達成に有効な術式であり，その選択は臨床的な要素と個々の外科医の判断によるとされた[11]．

e 手術の要点 レベルB

①MPM手術は操作の大部分が鈍的剝離で成り立つ特異な手術である．薄い胸膜を確実に把持でき，微妙な力加減ができる綿手袋の使用が推奨される．

②EPPとP/Dは前半（壁側胸膜の剝離が終わり，肺・胸膜ブロックが肺門のみで体とつながっている状態まで）はまったく同一の手術である．

③片側胸郭はほぼ円錐形であるので，より尾側で開胸するほうが胸郭に負担をかけずに良好な視野を得られる（特に横隔面）．その代償に直視不可能となる肺尖部は胸腔鏡下手術（VATS）により問題なく操作可能である[12]．

f 手術の手順 レベルC

1）Step 1（EPP，P/D共通操作）
①Step 1-1：体位と開胸

左右分離肺換気下，側臥位，単純な第7肋骨床（EPPでは第8も可）後側方開胸（前肋骨弓切断などは行わない）．

②Step 1-2：壁側胸膜剝離開始

開胸部から主として鈍的剝離により胸膜外剝離層に入る．通常は容易に剝離可能であるが，剝離困難な場合は腫瘍の胸壁浸潤あるいは炎症による強度の癒着を考慮する．

通常，胸壁→肺尖部→縦隔・心膜→横隔膜の順で剝離するが，容易な部分から剝離を進めるのがよい．

③Step 1-3：縦隔胸膜剝離

右側では上大静脈から奇静脈起始部および肋間静脈・奇静脈接合部，左側では大動脈弓から下行大動脈が浸潤を受けやすい場所である．できるだけ早い段階で心囊液を採取し，術中迅速細胞診に提出する．心膜は可及的に温存する．

④Step 1-4：横隔面剝離

可及的に横隔膜筋層を温存するため，綿手袋で壁側胸膜と横隔膜筋層との境界線を強い力で引きちぎるようにして剝離する．腹膜は破らないよう細心の注意を払うが，損傷した際は直ちに修復する．

以上の操作で肺・胸膜ブロックが肺門のみで体とつながる状態になる（図1）．

2）Step 2a：EPP手術後半
①Step 2a-1：肺門処理

肺動静脈・主気管支を自動縫合器で切離する．続いてリンパ節郭清を行う．

②Step 2a-2：再建

必要に応じて心膜をゴアテックス0.1mmで，横隔膜をゴアテックス2mmで再建する．心膜再建時には心拡張障害とタンポナーデ予防のために，パッチをかなり緩めに粗く縫着する．

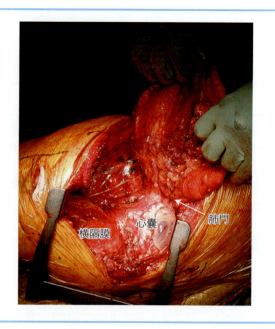

図1　Step 1終了時
胸膜・肺ブロックは肺門のみで体とつながっている．

図2　Step 2b-1 壁側胸膜切開
本症例では壁側・臓側胸膜間の癒着はほとんどなかった．

③Step 2a-3：閉胸

ドレーンは1本．全摘腔が残存するので，胸壁筋層・皮下組織の縫合は通常より密に行う．

3）Step 2b：P/D手術後半
①Step 2b-1：臓側胸膜剝離

壁側胸膜を切開し，肺を直視下に露出する（図2）．臓側胸膜剝離は通常S^8の平坦な面から開始する．なお，壁側・臓側胸膜間の癒着がある場合は壁側臓側胸膜を一塊に剝離できるので，手術操作が楽であるばかりでなく腫瘍の露出が少ないため根治性でも有利である．臓側胸膜を10cm程度切開して綿手袋で把持，肺実質からめくるようにして剝離を進める（図3）．通常は内・外弾性層間が剝離面となるが，臓側胸膜腫瘍細胞の肺実質浸潤の有無や炎症性癒着の程度により剝離面は変わりうる．臓側胸膜が肉眼的に正常

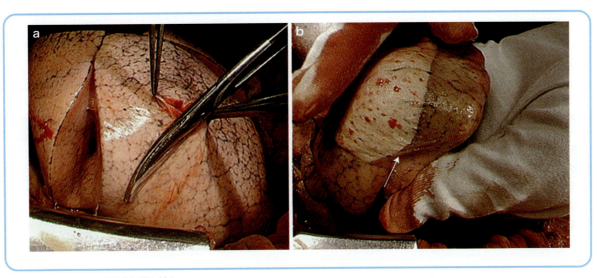

図3 Step 2b-1 臓側胸膜剥離
　a：S⁸ 臓側胸膜を2本の鑷子で把持しながらメッツェンバウム剪刀にて5mmほど切開．切開部からメッツェンバウム剪刀を臓側胸膜と肺実質の間に挿入して剥離しながら臓側胸膜を順次切開していく．肺実質が多少損傷するが後で修復可能．
　b：切開された臓側胸膜の一端を綿手袋で把持し，皮を剥くようにして剥皮する．矢印は胸膜剥離ライン，矢印の左側が剥皮された肺実質．

胸膜に近い場合もあるが，そのような場合でも臓側胸膜剥離は可能である（図4）．
　腫瘍が部分的に肺実質浸潤している場合には肺の部分切除，場合によっては肺葉切除も行う．肺の形状が鋭角的な部位での臓側胸膜剥離はやや困難で，自動縫合器による肺部分切除も行ってよい．

②Step 2b-2：肺実質修復
　臓側胸膜剥離による肺実質損傷は必発で，細気管支レベルでの損傷は縫合閉鎖，それ以外はフィブリン糊やPGAシートなどで修復するが，エアリーク対策の要は肺の完全再膨張である．シートの過剰使用は肺の膨張を阻害するので最小限にとどめる．

③Step 2b-3 再建・閉胸
　再建は Step 2a-2 と同様．ドレーンは少なくとも2本を肺尖部と横隔面に置く．

図4 一塊として摘出された臓側胸膜
　肉眼病変はなく，ほぼ正常胸膜にみえる．

g 術後管理 レベルB

　EPPでは長時間手術・大量出血・大量輸液・片肺の消失・胸郭運動の低化などの要因が重なり，術後管理（特に水分バランス管理）は困難を極める．また，全摘後の胸郭内感染は致命的となるため，感染コントロールには専門家のアドバイスが必要である．疼痛管理も非常に大切である．
　P/Dにおいては肺実質が温存されるため，心肺機能の維持と水分管理はEPPよりは容易である．しかし，ときとして術後の肺瘻が遷延し，長期化すれば膿胸や呼吸不全へ移行することがあるので慎重な管理が必要である．

文献
1) Sugarbaker DJ. J Thorac Oncol 2006; **1**: 175
2) Rice D et al. J Thorac Oncol 2011; **6**: 1304
3) Butchart EG et al. Thorax 1976; **31**: 15
4) Rusch VW et al. J Thorac Cardiovasc Surg 1991; **102**: 1
5) Sugarbaker DJ et al. J Thorac Cardiovasc Surg 1991; **102**: 10
6) Wanebo HJ et al. Cancer 1976; **38**: 2481
7) Rusch VW. Chest 1993; **103**: 382S
8) Scherpereel A et al. Eur Respir J 2010; **35**: 479
9) Cao C et al. Lung Cancer 2014; **83**: 240
10) Treasure T et al. Lancet Oncol 2011; **12**: 763
11) Rusch V et al. J Thorac Cardiovasc Surg 2013; **145**: 909
12) Hasegawa S et al. Semin Thorac Cardiovasc Surg 2019; **31**: 301

Ⅱ．手術手技

胸郭成形

要点

① 肋骨を切除し，胸郭の容積を縮小させる術式である．
② 肺結核の虚脱療法や膿胸腔の閉鎖手技として考案されたが，抗結核薬の開発により，虚脱療法としての意義は現在ではほとんどない．
③ 膿胸腔の閉鎖手技の一つとして筋肉弁充填術，大網充填術などの付加手術としての役割は現在も存在する．
④ 第1肋骨を切除，または肋骨切除数が多い場合には，遠隔期に側彎を主とする胸郭変形に起因する呼吸機能障害のおそれがある．

Key Word 虚脱療法，膿胸，充填術，側彎症，呼吸不全

胸郭成形は肋骨を切除して胸郭を縮小させ，胸腔の容量を減少させる手技である．これにより，肺内空洞を虚脱，あるいは感染性胸腔の容量を減少させる（図1）．

a 歴史的背景 [1,2] レベルB

有効な抗結核薬がなく，肺切除術が確立されていない時代には，肺結核に対する主たる外科的治療は虚脱療法であった．菌の排出源となる空洞を潰し酸素流入を遮断することによって，偏性好気性である結核菌の死滅を図ることが理論的根拠である．1885年に de Cerelille が結核性空洞に対してはじめて胸郭形成術を行った．初期には Sauerburch の全胸郭成形術が行われたが，死亡率が高いため第1肋骨から4～5本の上部肋骨切除に筋膜外肺尖剥離（extrafascial apicolysis）を加えた選択的胸郭成形術が開発され（図2），抗結核薬治療の発達に伴って第1肋骨は切除せず第2～5肋骨の切除に肺尖剥離（apicolysis）を加える術式へと変化してきた（図3）．肺結核空洞に対する胸郭成形術は一定の有効性を示したが，抗結核薬の開発とともに，治療としての役割を終えた．

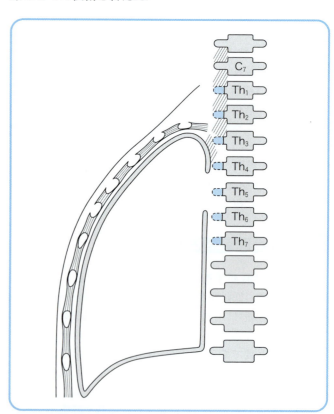

図1 胸郭成形術
肋骨は骨膜外に切除する．図では第1肋骨から第7肋骨までを，横突起とともに切除してある．肺尖部（★）に死腔が遺残しやすい．

図2 胸郭成形術＋筋膜外肺尖剥離術
肋骨を切除したあと，第1，2肋間筋を肋間動静脈・神経とともに脊柱近くで切断して，これらの組織とともに肺尖部を胸郭頂から剥離する．これにより，肺尖部の死腔遺残を防止できる．第1肋骨を温存する場合もある．

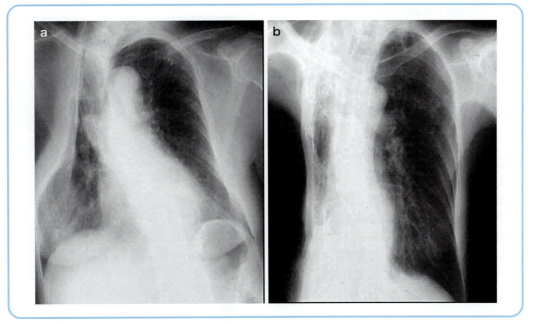

図3 胸郭成形術
a：右の第2～第5肋骨の切除による胸郭成形術
b：右の第2肋骨以下のほぼすべての肋骨を切除による胸郭成形術（不可逆的な拘束性呼吸機能障害にいたる）
（井内敬二先生の提供による）

　一方，膿胸に対する胸郭成形術は1878年のSchedeに始まり，その後，種々の改良が加えられた．慢性膿胸に対しては，胸郭の変形がより軽度で，同等以上の有効性が示されている筋肉弁充填術，大網充填術などに取って代わられている．しかし，筋肉弁の充填が困難な肺尖部に存在する遺残腔の閉鎖に対しては今日でも有効な手技であり，大網充填術においても付加されている場合がある．

b 胸郭成形術の術式[2～4] レベルC

1) 胸膜外胸郭成形術

　胸膜外胸郭成形術（extrapleural thoracoplasty）は，肺結核空洞の虚脱療法として考案された．初期の全胸郭成形術で問題となった出血や胸郭奇異性運動対策として，1937年にAlexanderが分割手術を報告した．第1期手術として第1～3肋骨を切除する．まず第3肋骨を骨膜下に切除，範囲は前方は内胸動脈近くの肋軟骨部，後方は肋骨頸と胸椎横突起とを同時に切除する．第2肋骨も同様に切除する．第1肋骨に際しては，鎖骨下静脈の損傷に注意しなければならない．第2期手術は第4，5肋骨を同様に切除するが，心臓を保護するために，前方は中腋窩線まででよい．さらに，第6肋骨を切除する際は，肩甲骨下角の第7肋骨下への陥入を防止するため，第7肋骨または肩甲骨下角を切除することが推奨される．

2) 胸膜内胸郭成形術

　胸膜内胸郭成形術（intrapleural thoracoplasty）は，1878年Schedeによって膿胸に対して始められた方法である．原法では肋骨とともに肋間筋，肋間神経，肋間動静脈も完全に切除される．そのために肋骨再生が起こらず，胸壁が骨性支持を失い，さらに腹壁の知覚麻痺が残るなどの欠点があったが，その後，種々の改良が加えられた．

①Grow-Kergin法

　肋骨を骨膜下で切除し，肋間筋束を胸内筋膜から剥離して温存する．
　胸内筋膜，壁側胸膜および線維性被膜は完全に切除し，温存しておいた肋間筋束を平行に並べて臓側硬膜上に沈下させる．この上に胸腔ドレーンを留置する．気管支瘻が存在する場合には肋間筋束を用いて被覆する．

②Andrewsの胸郭縦隔縫縮術

　原法は1961年にAndrewsによりthoracomediastinal plicationとして報告された．膿胸腔を覆う範囲の複数の肋骨を骨膜下に切除する．肋間筋，動静脈，神経は温存する．膿胸腔肥厚組織を切開し十分に搔爬したのち，壁側肥厚胸膜線維組織を鋭的に薄切し骨膜外筋弁を作成する．これと臓側胸膜あるいは縦隔側壁をマットレス縫合し膿胸腔を閉鎖する．膿胸が肺尖に及ぶ場合には，肺尖剥離を行う．横突起と第1肋骨の切除は通常必要ないので側彎は最小限とされている．

c 胸郭成形術後の合併症 レベルA

　胸郭成形術後の合併症として，第1肋骨切除，または肋骨切除数が多い場合には，側彎などの胸郭変形による美容的な観点に加え，肺機能障害があげられる．遠隔期の多くの患者に側彎を認め，肺活量や1秒量の減少により日常生活においても呼吸困難が生じる．さらに，心肺不全で死亡するものも多い．慢性膿胸に対して剥皮術や骨膜外air plombage[5]が行われた症例では術後早期には術前の肺機能はよく保たれていたという報告があるが，広範な胸郭成形術はすでに過去の術式であり，統計学的評価に耐えうる多数例を対象とした研究はない．

d 現時点における胸郭成形術の適応
レベルB

抗結核薬の出現により，肺結核に対する虚脱療法としての胸郭成形術の適応は現在では無くなった．ただし，肺切除が不可能な多剤耐性結核性空洞症例に対しては胸郭成形術を適応できる可能性はある．一方，肺全摘あるいは肺葉切除術後膿胸や陳旧性肺結核に続発する難治性慢性膿胸などに対しては，筋肉弁充填術などによって膿胸腔の閉鎖が十分に得られない症例に限り，遺残腔の閉鎖目的で小範囲の胸郭成形術を付加することが現在でも行われている（図4）．

文献
1) 長石忠三．結核 1975; **50**: 549
2) 鈴木千賀志．現代外科学体系 30A：胸膜，肺・気管支1，中山書店，1968: p76
3) Alifano M et al. General Thoracic Surgery, 8th Ed, LoCicero Ⅲ J et al (eds), Wolters Kluwer, 2019: p76
4) 塩沢正俊．現代外科手術学体系 7：胸部の手術，中山書店，1980: p287
5) 飯岡壮吾ほか．結核 1977; **52**: 627

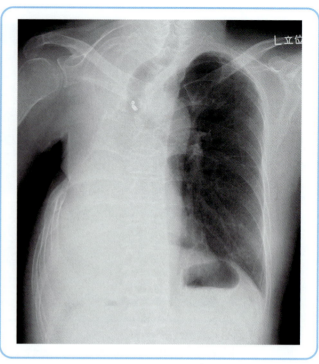

図4 右肺アスペルギルス症全摘術後膿胸症例
　陳旧性肺結核の空洞に肺アスペルギルス症を発症し，右肺全摘術を施行したが，術後遺残腔に膿胸を併発した．胃切除の既往があり大網充填術の適応はなく，広背筋は前回手術で切離されていたため，十分な筋肉弁の確保が困難であった．開窓術による膿胸腔浄化のあと，筋肉弁充填術に限局性の胸郭成形術を追加した．側彎を認める．

⑬ 縦隔

要点

❶縦隔腫瘍は腫瘍により好発部位があり，その局在や進展形式により適切なアプローチ法を選択する必要がある．
❷縦隔腫瘍に対する胸腔鏡下手術が増加傾向にあるが，それぞれの腫瘍の特性に応じたアプローチ法，術式を選択する必要がある．最近ではロボット支援下手術も開始されている．
❸重症筋無力症に対する術式としては拡大胸腺摘出術(extended thymectomy)が最も汎用されている．頸部脂肪組織も含めて縦隔脂肪組織をさらに広範囲に郭清する術式として超拡大胸腺摘出術(maximal thymectomy)がある．

Key Word　縦隔腫瘍，腫瘍の局在・特性，アプローチ法，胸腔鏡下手術，重症筋無力症

　縦隔腫瘍は縦隔内組織から発生した腫瘍の総称であるが，習慣的に真の腫瘍でない先天性の囊胞が含まれるのに対して，気管や食道などから発生した腫瘍は除外される．
　縦隔腫瘍は好発部位があり，上縦隔には甲状腺腫，神経原性腫瘍，リンパ腫などが発生する．前縦隔には胸腺から発生する胸腺腫，胸腺癌，胸腺カルチノイドなどの胸腺上皮性腫瘍と胚細胞腫瘍，心膜囊胞，リンパ腫などが好発する．中縦隔には気管支囊胞，心膜囊胞，リンパ腫などが多くみられる．後縦隔には神経原性腫瘍の頻度が最も高い．
　縦隔腫瘍の悪性度，治療方法は組織型によってまったく異なり，良性腫瘍であっても圧迫症状を示す可能性や悪性化の可能性もあるため，ほとんどが手術適応である．2017年の日本胸部外科学会集計の縦隔腫瘍手術数はⅨ章-3-A 表1を参照．縦隔腫瘍手術例では胸腺発生の腫瘍が最も多く，約半数を占める．近年，縦隔腫瘍に対する胸腔鏡下手術が著しく増加傾向にあるが，2018年からロボット支援下手術が保険適用となり，多くの施設で開始されている．特に胸腺腫をはじめとする前縦隔腫瘍はアプローチが難しい部位に存在しているため，通常の胸腔鏡手術よりもロボット支援下手術の方が容易であるとされている．局在や良悪性など腫瘍の特性に応じたアプローチ法，術式を選択する必要がある．
　ここでは種々の縦隔腫瘍へのアプローチ法と重症筋無力症に対する手術法について概説する．

ⓐ 縦隔腫瘍に対するアプローチ法　レベルB

1) 上縦隔腫瘍に対するアプローチ法

　上縦隔に発生する腫瘍としては，縦隔内甲状腺腫，副甲状腺腫瘍，神経原性腫瘍などがあげられる．頸胸部境界領域に発生した上縦隔腫瘍の腫瘍摘出へのアプローチ法として，頸部襟状切開（鎖骨上窩頸部切開），胸骨正中切開，側方開胸，胸腔鏡などのアプローチ法がある．この領域の手術では十分な術野が取りにくく，重要な血管や神経が密集する場所であるので，良好な術野展開が得られ，安全性を優先した術式の選択が望まれる．

①頸部襟状切開，鎖骨上窩頸部切開
　上縦隔腫瘍のなかで最もよくみられる縦隔内甲状腺腫は，甲状腺腫が縦隔内に進展したもので，ほとんどが良性の腺腫であり，体位は頸部を過伸展させた仰臥位とし，頸部襟状切開，腫瘍被膜を周囲臓器から鈍的に剥離することにより，腫瘍を縦隔から体外に脱転させて比較的容易に摘出することが可能である．

②T字切開，L字型胸骨小切開
　周囲臓器に浸潤を伴うような甲状腺癌や神経原性腫瘍，あるいは良性甲状腺腫でも縦隔内の腫瘍が巨大で腫瘍の下端が大動脈弓や奇静脈弓まで達する場合には，安全に手術を遂行するために頸部襟状切開（鎖骨上窩頸部切開）に胸骨正中切開を加えたT字切開やL字型胸骨小切開などの補助的アプローチの併用が必要である．
　L字型胸骨小切開は患側の頸部襟状切開と上部正中切開による皮膚切開のあとに，胸骨柄および胸骨体を第2肋間まで胸骨鋸(sternal saw)で縦切開し，さらに同肋間で患側に胸骨を横切開して縦隔に到達するアプローチ法であり，小開胸器で胸骨を開大することにより大動脈弓や奇静脈部までの前上縦隔が直視可能となる．
　また，術中に高度な浸潤を伴う悪性腫瘍と判明した場合や周囲の癒着が高度であった場合には，切開線を延長することで胸骨正中切開や前側方開胸，さらには，Grunenwaldら[1]の transmanubrial osteomuscular sparing approachへの移行も可能であり拡張性がある術式である．

③TMA (transmanubrial osteomuscular sparing approach) （Ⅱ章-9-F 参照）
　1997年にGrunenwaldらが報告したsuperior sulcus tumorに対する前方アプローチ法のひとつで，胸骨柄をL字切開することにより鎖骨の離断を行わずに胸腔頂の良好な視野が確保できる術式である．
　本アプローチ法はL字型胸骨小切開を行ったあとに，大胸筋の裏で第1肋軟骨を露出し，先端が細めのリュエル丸のみ鉗子を用いて胸骨柄の外側に沿ってこれらを離断する．その後，肋鎖靱帯，鎖骨下筋を鎖骨裏面に沿って電気メスで切離し，小開胸器で胸骨を開大することにより鎖骨下動

静脈を全長にわたって確認できる視野を得ることが可能となる．鎖骨下動静脈癒着，浸潤が予想されるような腫瘍の切除には有用なアプローチ法である．

④U字切開

U字切開（U-shaped approach，open door approach）は，上部前縦隔の腫瘍あるいは肺尖部肺癌で鎖骨下動静脈，腕神経叢の処理を必要とする場合に用いられる開胸法である．患側半周の襟状切開に胸骨上部3/4の縦切開と第4肋間前方開胸を加えた開胸法である．鎖骨の中央部から内側半分を除去するDartevelleら[2]のアプローチを加えることにより，さらに良好な鎖骨下動静脈周囲の視野を得ることができる．

2）前縦隔腫瘍に対するアプローチ法

前縦隔に発生する腫瘍としては，胸腺腫，胸腺癌，胸腺カルチノイドなどの胸腺上皮性腫瘍や胚細胞腫瘍など，胸腺発生の腫瘍が最も多いが，ほかに心膜嚢胞，リンパ腫，脂肪腫などがみられる．

①前縦隔切開（Chamberlain法）による生検

胸腺腫瘍では切除可能な腫瘍はあえて生検する必要はなく，診断と治療を兼ねた外科的切除を考慮するほうがよい場合が多い．しかし，診断によって治療法が異なるような場合には確定診断を付けることが重要である．たとえば，胸腺腫と胸腺癌との鑑別，胚細胞腫瘍の確定診断，セミノーマと非セミノーマの鑑別，悪性リンパ腫における組織型の確定のためには穿刺吸引細胞診や針生検では診断のために十分な検体を得ることができないため，腫瘍上の肋軟骨（第2あるいは第3肋軟骨）を一部切除して腫瘍を前方から生検する前縦隔切開（anterior mediastinotomy，Chamberlain法[3]）が有用である．

②胸骨正中切開

胸骨正中切開（median sternotomy）は，胸腺腫，胸腺癌，胚細胞腫瘍などの胸腺発生の腫瘍，重症筋無力症に対する胸腺摘出術などが第一選択となる標準的な術式である．

患者体位は仰臥位とし，肩の下に枕を入れて頸部を後屈させる．皮膚切開は胸骨上縁から剣状突起までとする．次に胸骨切断時の出血を少なくする目的で胸骨正中部の骨膜を電気メスで十分焼灼しておく．胸骨上窩から指を挿入して胸骨の頭側裏面を剝離．尾側は剣状突起と肋骨弓の間から胸骨の裏面に向かって指を挿入し，筋鉤で胸骨を持ち上げ，ケリー鉗子に付けたツッペルで胸骨裏面を剝離する．麻酔医に肺を虚脱させてもらって，胸骨鋸（sternal saw）で胸骨を切断する．縦隔側骨膜からの出血は電気メスで凝固止血し，骨髄からの出血は骨蝋を用いて止血する．

閉胸時には胸骨下縁のやや尾側から前縦隔にドレーンを挿入する．胸骨の閉鎖には胸骨ワイヤを5～6本用いてしっかりと固定する．

大型で浸潤性の前縦隔腫瘍に対しては，胸骨正中切開の変法としてT字型切開，L字型切開，U字型切開などが行われている．T字型切開は縦隔甲状腺腫や頸部食道癌に，L字型切開は浸潤性縦隔腫瘍に，U字型切開はPancoast肺癌などに用いられる．

③L字切開

L字切開（L-shaped approach，hemi-clamshell approach）は，大型の前縦隔腫瘍で肺や肺門部の処理が必要な場合に用いられる．胸骨を部分的に正中切開し，L字状に第4肋間に前方肋間開胸を加え，片側胸部を大きく開く開胸法である．

④Clamshellアプローチ

Clamshellアプローチ（transverse thoracosternotomy）は，両側胸腔に向かって発育する大型の前縦隔腫瘍が適応である．

Clamshellアプローチは元来，両側肺移植や両側肺転移症例，近年では，肺癌に対する管状肺全摘術などに用いられるアプローチ法である．本アプローチのメリットは左右胸郭，縦隔の露出が良好であると同時に開胸による呼吸筋の損傷が比較的少ないことなどがあげられる．

患者体位は仰臥位とし，両側乳頭下方（女性では乳腺下縁）に左右対称に側胸部にいたる皮膚切開を置き，大胸筋より前方の皮下組織（乳房を含めて）を大胸筋膜から剝離する．通常は左右の第4肋間開胸を行い，相当部位の胸骨を胸骨鋸で横断する．開胸器で上下に広げれば極めて良好な視野が展開される．開胸は第5肋間よりも第4肋間のほうが望ましい．第5肋間開胸では胸骨を横断する位置が胸骨と剣状突起との接合部（胸骨剣結合部）に近くなり，閉胸時の安定性に欠ける．胸骨の癒合不良が危惧されるため，胸骨を斜めに切断して接合面を広くしたり，肋骨ピンを使用するなどの安定性を高めるような工夫が必要である．

本アプローチの長所としては，①体位変換が不要，②両側広範囲にわたり視野を確保できる，③対側肺の状態を確認しながら手術を続行できる，④複数回の開胸が予測される疾患に対して次回開胸時（後側方開胸）での癒着が少ない，⑤呼吸筋の損傷が比較的少ない，⑥創部痛の訴えが比較的少ない，などがあげられる．短所としては，肺尖部と背側の視野が若干不十分であることがあげられる．

⑤有茎plastron作製による前方アプローチ

本術式は上大静脈や大血管に浸潤を認め，肺門部の処理や肺切除を必要とするような大型の前縦隔腫瘍に対して有用な手術術式である．漏斗胸に対する胸骨翻転術を応用した開胸法であり，極めて良好な両側の視野を得ることができる．

患者体位は仰臥位とし，胸骨上端から剣状突起までの皮膚切開，胸骨正中切開，大胸筋を骨性胸郭から電気メスで剝離し，患側の胸骨柄を第1肋間で横切開する．次に第2～5肋骨を肋軟骨移行部の外側（肋骨側）で切離して有茎腹直筋plastronを作製し，それを前下方に翻転させて胸腔，縦隔に達する開胸法である．肺門部背側まで広範な術野を確保することができ，肺門部の処理や合併肺葉切除も安全に行うことができる．両側の胸腔に及ぶような巨大な前縦隔腫瘍の場合には，胸骨正中切開はせず，胸骨柄を第1肋間で横切開し，両側第2～5肋骨を切断して有茎plastronを作製することにより両側広範囲にわたり視野を確保できる．本術式の利点は，皮膚切開が正中切開のみで美容上有利であること，肺尖部，背側を含めて胸腔全体の広範な術

野が確保できることがあげられる．

3）中縦隔腫瘍に対するアプローチ法

中縦隔には気管支嚢胞やリンパ腫，心膜嚢胞などが多くみられる．

気管支嚢胞の治療は外科的切除が原則である．最近は胸腔鏡下手術で摘出されることが多いが，発生部位が多彩で大きさも異なるため個々の症例ごとに適切なアプローチ法を選択する必要がある．無症状で偶然発見される症例が多いが，胸痛や咳嗽などの症状を認められる場合には切除に難渋することが多いとされており，注意が必要である．摘出に際しては嚢胞を完全切除することが重要であり，粘膜の一部を残した場合には再発する可能性がある．有症状例や気管分岐部に発生した嚢胞では胸腔鏡下手術に固執することなく，後側方開胸などの開胸手術も考慮すべきである．

心膜嚢胞は心膜の発生異常に起因するとされており，心横隔膜角部に発生するものが多い．治療は胸腔鏡下の摘出が第一選択であるが，小さいものでは経過観察も可能である．

縦隔リンパ腫は真性のリンパ性腫瘍とリンパ性増殖疾患を含み，前者は悪性リンパ腫である．悪性リンパ腫は原則として手術適応はなく，化学療法および放射線療法が行われる．しかし，確定診断や治療方法の決定のために病理組織診断が必要であり，針生検では十分な検体が得られないため手術的な生検が必要となることが多い．胸腔鏡を用いた腫瘍生検や前縦隔病変に対するChamberlain法による生検も有用である．

Castleman病は縦隔や肺門に孤立性の腫瘤を形成するリンパ増殖性疾患であり，限局型では外科的切除が適応となるが，癒着が強いことがあり，また血流が豊富であるため出血の可能性も考慮した術式の選択が必要である．

4）後縦隔腫瘍に対するアプローチ法

後縦隔腫瘍の多くは神経原性腫瘍であり，肋間神経，交感神経節などから発生し，肋横突関節付近に好発する．成人ではほとんどが良性腫瘍で，摘出は容易であり胸腔鏡下手術のよい適応である．2017年の全国統計（IX章-3-A 表1参照）では，日本における縦隔腫瘍切除例のうち神経原性腫瘍は9.4％（489/5,197）であり，そのうち91.4％（447/489）が胸腔鏡下手術によって摘出されている．また，後縦隔腫瘍もロボット支援下手術のよい適応であり，今後増加するものと予想される．

神経鞘腫では被膜を切開し，腫瘍を被膜下に剝離，核出して神経線維を残すようにする．特に反回神経より中枢の迷走神経や横隔神経発生の腫瘍では神経温存を心がけるべきである．また，神経節細胞腫は周囲組織に強固に癒着していることが多いため，その可能性を考慮してアプローチ法を選択する必要がある．

脊柱管の内外に発育する亜鈴型（dumbbell type），あるいは砂時計型（hour glass type）では脊髄損傷に十分に注意すべきであり，摘出手術に際しては整形外科医あるいは脳神経外科医との協力が重要である．胸腔内から腫瘍を強く牽引すると脊髄損傷を起こす危険性があるため，脊柱管内の操作を先行させるのが安全面からも勧められる．まず，患者体位を腹臥位として，椎弓切除により腫瘍の脊髄側の切離を行ってから，体位を側臥位とし，胸腔鏡を用いて胸腔側から腫瘍を摘出するのが安全で低侵襲である．

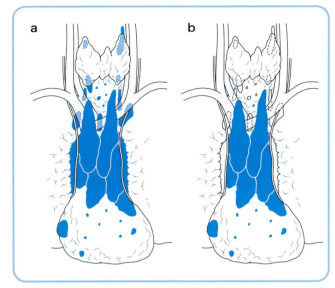

図1 各術式における郭清範囲
a：超拡大胸腺摘出術（maximal thymectomy）
b：拡大胸腺摘出術（extended thymectomy）
（Jaretzki A. Neurology 1997; 48: s52 [4]）を参考に作成）

b 重症筋無力症に対する手術方法　レベルB

重症筋無力症に対する胸腺摘出の範囲に関しては，MGFA（米国重症筋無力症財団）（2000年）から術式および摘除範囲に基づいた分類が提示されているが，拡大胸腺摘出術（extended thymectomy）が最も汎用されている手技である．

摘除範囲として最も広いものは頸部脂肪組織も広範囲に摘除する超拡大胸腺摘出術（maximal thymectomy）である．ただし，拡大胸腺摘出術と超拡大胸腺摘出術とのランダム化比較試験はなく，また予後における超拡大胸腺摘出術の優位性が明確でないこと，超拡大胸腺摘出術は拡大胸腺摘出術に比べて合併症の発生率が高いことから，日本においては拡大胸腺摘出術が主として行われている（図1）．

1）拡大胸腺摘出術

拡大胸腺摘出術（extended thymectomy）の術式の要点は，頸部伸展位，胸骨切痕から剣状突起までの皮膚切開を置き，胸骨正中切開で縦隔に達し，尾側は横隔膜，側方は左右横隔神経まで，頭側は甲状腺の下縁，胸腺上極までの範囲の胸腺を縦隔脂肪組織とともにen blocに摘出する方法である．

まず，横隔膜および心膜に付着している脂肪組織を頭側に向かって剝離していく．外側後方は横隔神経の前方に

II. 手術手技

沿って縦隔胸膜を切開し，横隔神経前方の縦隔脂肪組織を郭清し，横隔神経の背側の脂肪組織は残す．内胸動脈から分岐した胸腺動脈を処理し，左腕頭静脈に流入する胸腺静脈を結紮切離する．頭側は甲状腺の下縁まで露出し，胸腺上極を確認して胸腺を縦隔脂肪組織とともに摘出する．

重要な点は，背側は横隔神経より腹側の剝離にとどめて横隔神経に触らないこと，尾側の被膜がはっきりしない部分の脂肪組織を含めて横隔膜付近まで郭清すること，左腕頭静脈の背側に回り込んでいる胸腺を取り残さないこと，頭側では甲状腺下極まで必ず郭清してこの部分で胸腺と甲状腺との間の靱帯を結紮することである．

2) 超拡大胸腺摘出術

超拡大胸腺摘出術(maximal thymectomy)は，Jaretzki ら[4]が提唱した術式であり，甲状腺の側方，左側の大動脈と肺動脈の間(A-P window)，肺門部にも胸腺組織が存在するため，頸部を含めた縦隔を広範囲に郭清すべきであるとし，長期間の観察で重症筋無力症の寛解率が高いと報告している．

拡大胸腺摘出術と異なる点は，①頸部脂肪組織も広範囲に摘除する，②甲状腺周囲および両側胸腔内の結合組織も郭清する，③横隔神経よりも腹側の脂肪組織も郭清することである．

術式の要点は患者体位は仰臥位とし，皮膚切開は高位襟状切開と胸骨正中切開を別々に行う．胸骨正中切開で縦隔に達したあとに胸骨裏面の脂肪組織を郭清し，縦隔胸膜を前胸壁付着部で，横隔膜の高さから胸郭出口まで切開して開胸する．後側方の縦隔胸膜は横隔神経の腹側でこれに平行に切開し，前方に向かって胸腺および脂肪組織を郭清する．側方は横隔神経を越え肺門まで郭清する．次に頸部襟状切開から高さは甲状腺峡部まで，側方は外側頸部筋群，下方は腕頭静脈まで甲状腺周囲の胸腺組織と脂肪組織を郭清する．

3) 胸腔鏡による拡大胸腺摘出術

近年，胸腺腫非合併重症筋無力症に対しては胸腔鏡下の拡大胸腺摘出術が行われる症例が増加してきており，胸骨正中切開アプローチに並ぶ成績が報告されてきている．胸腔鏡下の胸腺手術では胸腺前方の操作空間の確保が重要であり，何らかの方法で胸骨(前胸壁)を挙上する必要がある．胸骨挙上法には消化器外科で使用されるラパロリフトシステムを用いて胸骨下部を吊り上げる方法や左右肋骨をフック型吊り上げ器で挙上する方法などがある．多くの場合両側胸腔から3ポートでアプローチされていることが多いが，必要に応じて頸部切開，胸骨下切開を追加する．最近では二酸化炭素を胸腔内に送気して視野を確保しながら行うロボット支援下拡大胸腺摘出術も行われている．ロボットを用いれば片側からのアプローチのみで拡大胸腺摘出術が施行可能であり，美容上も有利である．胸腺上極や左腕頭静脈裏面の胸腺を取り残さないことなど胸骨正中切開と同等の摘除をいかに行うかが重要である．

文献

1) Grunenwald D et al. Ann Thorac Surg 1997; **63**: 563
2) Dartevelle PG et al. J Thorac Cardiovasc Surg 1993; **105**: 1025
3) McNeill TM, Chamberlain MD. Ann Thorac Surg 1966; **2**: 532
4) Jaretzki A. Neurology 1997; **48**: s52

14 横隔膜

要点

1. 横隔膜にある3つの孔(大動脈裂孔，食道裂孔，大静脈孔)の解剖学的位置関係に注意する．
2. 横隔膜円蓋部の腱中心部は腹膜と癒合しており，部分切除の際は腹部内臓器の損傷に注意する．できれば横隔膜を全層切除して，腹腔内を確認し，腹部臓器を巻き込まないようにする．
3. 横隔膜筋層は裂けやすいためマットレス縫合を行う．
4. 人工材料を用いる際は肋間筋にマットレス縫合を行う．
5. 胸腔鏡下手術では，ポートの位置は病変部よりやや離れた位置がよく，しかも縫合予定線の延長上に置くことが重要である．
6. エネルギーデバイスは横隔膜部分切除に有用である．

Key Word 横隔膜切除，大動脈裂孔，食道裂孔，大静脈孔，エネルギーデバイス

横隔膜が手術の対象となることはまれであるが，胸腔内臓器である以上，横隔膜切除，あるいは胸腔内悪性腫瘍の合併切除としての切除，再建方法は呼吸器外科医として習熟しておく必要がある．術式としては横隔膜切除，横隔膜縫合術がある．切除範囲が広ければ人工材料を用いて横隔膜を再建する．

a 横隔膜手術の注意点 レベルB

1) 解剖[1]

横隔膜(diaphragm)は，腰椎部，肋骨部および胸骨部の体幹内壁から起始し，中央の腱中心といわれる円蓋部に付着する横紋筋である(図1)．

①腰椎部

腰椎部(pars lumbalis)は，第1〜4腰椎体からの右脚と第1〜3腰椎体からの左脚から起始し，第12胸椎の前で交差し，下行大動脈と胸管を通す大動脈裂孔(hiatus aorticus)をつくる．その上方で食道と迷走神経を通す食道裂孔(hiatus esophageus)をつくり，再び交差して腱中心に付着する．食道裂孔からヘルニアが起こることがある．右・左脚を内側脚といい，各脚の一部に大・小内臓神経と奇静脈と半奇静脈が通る．この外方で肋骨突起との間に張る内側弓状靱帯，および第12肋骨との間に張る外側弓状靱帯からも筋線維が起こる．これを外側脚といい，後者の深層を腰方形筋と大腰筋が通る．

②肋骨部

肋骨部(pars costalis)は，第7〜12肋軟骨内面から起始し，腱中心に付着する．最も広い部分である．

③胸骨部

胸骨部(pars sternalis)は，剣状突起と腹直筋鞘内面から起始し，腱中心に付着する．最も狭い部分である．

前記3部の境界のうち，腰椎部外側脚と肋骨部の間を腰肋三角といい，肋骨部と胸骨部の間を上腹壁動・静脈とリ

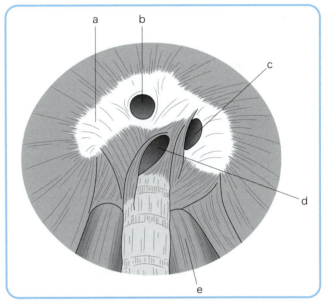

図1 横隔膜の解剖(腹腔側より)
a：腱中心，b：大静脈孔，c：食道裂孔，d：大動脈裂孔，e：腰方形筋．

ンパ管が通り胸肋三角という．これらの三角形の間隙は胸膜と腹膜が接し物理的に弱いため，腹部内臓が胸腔に入りヘルニアを起こすことがある．腱中心(centrum tendineum)は横隔膜の付着腱の集まりで，クローバー状の形をしている．右内側脚の前方には下大静脈と横隔神経の通る大静脈孔(foramen venae cavae)があいている．呼吸運動に際して，吸気に横隔膜が収縮し，ドーム状の円蓋部が下がり，胸腔内圧の陰圧が増し胸腔が拡大する．呼気では反対に円蓋部が上がり，陰圧が減少し胸腔が縮小する．支配神経はC_3〜C_5を根とする横隔神経である．手術の際は，下大静脈およびその分枝，横隔膜動脈の走行，各種肝靱帯の走行などに注意を要する．

2) 胸腔鏡下手術手技[2]

肋骨の走行と横隔膜は交差しているため，横隔膜の深部の操作には開胸のみのアプローチでは困難を伴う場合があり，胸腔鏡併用が有用である．胸腔鏡下手術の際のいくつかのポイントを示す．

①ポートの位置

横隔膜に存在する病変の位置により内視鏡手術器具の挿入方向を考慮してポートの位置を厳密に選ぶ必要がある．対策として，ポートの位置は病変部よりやや離れた位置がよく，しかも縫合予定線の延長上に置くことが重要である．

②ポートの数

横隔膜は周囲が胸壁で固定されたドーム状の形をしており，胸腔内で自由に動かすことはできない．したがって，胸腔鏡下ではかなりの制限を伴う．対策として，横隔膜の切除および縫合には横隔膜のドームの高さで平行にポートを2箇所置くことが重要である．

③出血対策

横隔膜は両面に血管が存在し，切離の際に切離断端からの出血を伴う．そのまま切離を行えばかなりの出血を伴い，胸腔鏡下では止血も困難である．対策として，まず病変部の近くに電気メスで小孔をあけ，内視鏡用縫合器を挿入し，病変の境界で切離と止血を同時に行う．特に筋肉部を含めて切除する場合にはこの方法が有効である．短い縫合器を用いて行うと操作性がよくなる．

④縫合の強度

横隔膜の縫合または縫縮には腹圧に耐える強度，また咳や吃逆に対しても破れない強度が必要である．自動縫合器による縫合では不十分で手縫い縫合が必要となる場合がある．対策として①および②で示したポートの位置を厳密に守ることが重要である．肺の縫合は肺門部だけで固定されているので胸腔内で移動や回転が可能で手縫い縫合も比較的やさしいと思われる．しかし，平面臓器である横隔膜は展開が困難で，良視野で縫合することは難しくなり，特に胸腔鏡下手術では注意が必要である．

b 対象疾患 レベルB

良性疾患では，先天性横隔膜ヘルニア，食道裂孔ヘルニア，外傷性横隔膜ヘルニア，横隔膜弛緩症，横隔膜麻痺症，月経随伴性気胸などで，悪性疾患では肺癌の横隔膜浸潤，胸膜中皮腫に対する胸膜肺全摘術（extrapleural pneumonectomy：EPP）などである．頻度は悪性疾患の肺癌の横隔膜浸潤に対する合併切除，あるいは胸膜中皮腫のEPPの際の横隔膜切除がほとんどである．

①食道裂孔ヘルニア（XII章-2参照）

滑脱型，傍食道型，および両者の混合型がある．左第7～8肋間で開胸，あるいはポートを挿入し，ヘルニア内容の還納とヘルニア門である横隔膜食道裂孔の修復を行う．

②Bochdalek孔ヘルニア（XII章-2参照）

先天性横隔膜ヘルニアの代表的疾患．生まれつき横隔膜の後方に欠損孔があり，腹部内臓が胸腔に脱出して心臓や肺を圧迫する．

③胸骨後ヘルニア（XII章-2参照）

先天性横隔膜ヘルニアのひとつで，右側はMorgagni孔ヘルニア，左側はLarrey孔ヘルニアという．

④外傷性ヘルニア

左側に多い．合併する臓器損傷により，アプローチとして開胸経路あるいは開腹経路を決定する．

⑤横隔膜弛緩症（II章-15参照）

第8肋間で開胸し，自動縫合器で弛緩した横隔膜円蓋部を切離し，横隔膜全体の緊張を保つように不要な部分を短縮する．あらかじめ横隔膜の当該円蓋部を一部全層切除し，腹腔臓器を巻き込む可能性を否定したほうがよい[3]．

⑥月経随伴性気胸

横隔膜，まれに肺実質に迷入した子宮内膜症により，月経周期に胸腔と穿通し，気胸を引き起こす．横隔膜上の穿孔部は多くは数箇所であり，これらを縫合閉鎖する．ホルモン療法を継続したほうが術後再発は少ない[4]．

⑦肺癌に対する横隔膜合併切除

現在でも肺癌の半数以上の患者が発見時に手術適応のない進行肺癌である．肺癌に対して横隔膜合併切除となる場合，近接臓器の合併切除を伴い，下葉に発生した巨大腫瘍（T3～T4）となる場合が多い．すなわち横隔膜を含めた，胸壁（T3），縦隔胸膜（T3），心大血管（T4）などの拡大合併切除となることがある．以前一部の施設で行われた胸膜播種性転移に対するEPPは行われなくなった．横隔膜浸潤肺癌は他のT3臓器と比べ5年生存率は低いことが報告されている[5]．他臓器合併切除の場合N因子および合併臓器数が少ないほど予後良好である[6]．

⑧胸膜中皮腫に対する胸膜肺全摘術（EPP）の際の横隔膜切除

横隔膜の切除は，前方の胸壁付着部から開始し，腹膜浸潤がなければ腹膜を切開し，腹腔内への腫瘍の進展を確認する．腹腔内に病巣を認めない場合には，前方，側方さらに後方の順で横隔膜を胸壁付着部から切離し，横隔膜を牽引しながら腹膜から切除する．腹膜を傷つけた場合や腹膜合併切除時には必ず修復しておく．直接縫合できない場合，ゴアテックスパッチなどの人工物を用いた横隔膜再建術を行う．パッチの前胸部と側胸部に相当する部分は，再建横隔膜の離脱を防止するため，第10または第9肋間筋の外側で結節縫合を行う．

c アプローチ レベルB

1）開胸法

側臥位で第7あるいは第8肋間側方開胸を行う．EPPの場合，側方開胸創を肋骨弓を越えてさらに腹側に延長すると十分な視野が得られるが，肋骨弓切断に伴う疼痛，肋骨壊死に注意する．

2）胸腔鏡下手術

ドーム状の横隔膜円蓋部の頂点の位置を予測し，ある程度離れた位置で，同じレベルのポート孔を2つ設ける．もうひとつは三角形の頂点に設け観察用とする．非常時に備

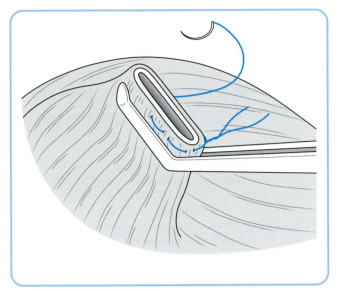

図2　横隔膜全層部分切除＋直接縫合（その1）
　横隔膜の腹腔臓器が巻き込まれないように確認したあと，横隔膜をケリー鉗子あるいは気管支断端鉗子で把持し，水平マットレス縫合を開始する．

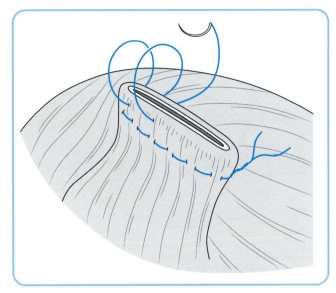

図3　横隔膜全層部分切除＋直接縫合（その2）
　水平マットレス縫合の後，鉗子を外して連続縫合を加える．胸腔鏡下手術では，ステープラーの位置，操作性に配慮し，腹腔臓器の巻き込みに注意する．

え，いつでも開胸できる準備が必要である．

d 横隔膜切除法 レベルB

1）部分切除＋直接縫合（図2，図3）

　横隔神経は心臓の横を尾側に下降し，縦隔側から横隔膜に分布する．切除に際して太い神経は可及的に温存する．横隔膜は血流が豊富なので，切離に際し止血をよく確認する．腹膜はできるだけ温存するが，横隔膜全層切除の際は腹腔臓器を傷つけないように慎重に操作する．直接縫合の際，筋層は裂けやすいためマットレス縫合を行うが，緊張が強い場合には無理をせず人工材料を用いて補塡する．

2）部分切除＋再建（図4）

　横隔膜再建法は人工材料を用いる方法が一般的であるが，有茎広背筋，肋間筋などの自家組織を用いる場合もある．人工材料は，マーレックスメッシュ，ゴアテックスシート，テフロンシートが用いられる（表1）．人工材料を用いた再建に際し，前述のようにパッチの前胸部と側胸部に相当する部分は，再建横隔膜の離脱を防止するため，第10または第9肋間筋の外側で結節縫合を行う．

e エネルギーデバイスの応用 レベルD

　近年，鏡視下手術の発展とともに新たなエネルギーデバイスが開発され，より簡便に横隔膜手術が行えるようなった（図5）．最近のエネルギーデバイスには，主に超音波振動の力で切開や凝固を行う超音波凝固切開装置（ハーモニック，ソノサージ）と，従来のバイポーラ鉗子型電気メスの機能を応用し，血管や組織をシールした後に，その間を切離するベッセルシーリングシステム（エンシール，リガシュ

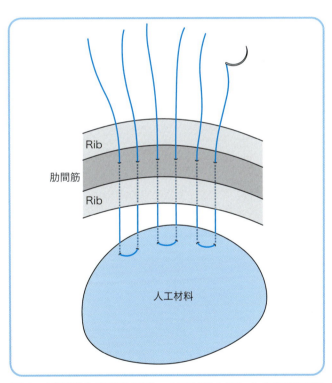

図4　横隔膜全層部分切除＋人工材料を用いた横隔膜再建
　人工材料を用いた再建に際し，パッチの前胸部と側胸部に相当する部分は，再建横隔膜の離脱を防止するため，第10または第9肋間筋の外側で結節縫合を行う．

表1　人工材料と成分

商品名	成分
マーレックスメッシュ	ポリプロピレン
ダクロンシート	ポリエチレンテレフタレート
ゴアテックスシート	ポリテトラフルオロエチレン（PTFEテフロン）

II. 手術手技

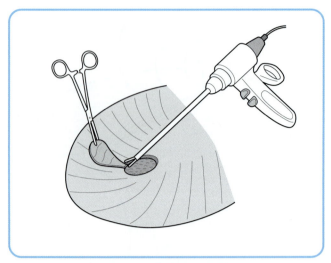

図5　エネルギーデバイスを用いた横隔膜部分切除

ア）の2つがあり，これらの器具は切離と止血が一連の操作でできるため，手術時間の短縮や出血量の減少に有用である[7]．機能的にも大きな隔たりはないが，重要なことは，それぞれのデバイスの特徴や，弱点，危険性を十分に理解した上で，自分の手術手技に適したデバイスを選択し使用することである．

文献

1) http://hanamaru-main.jugem.jp/?eid=31
2) http://blog.livedoor.jp/edoctorplus/archives/1032374.html
3) 西辻　雅ほか．日呼吸会誌 2002; **40**: 675
4) 竹内幸康ほか．日呼外会誌 2002; **16**: 697
5) Yokoi K et al. J Thorac Cardiovasc Surg 2000; **120**: 799
6) Goya T et al. Lung Cancer 2005; **50**: 227
7) https://www.jmedj.co.jp/journal/paper/detail.php?id=4083

15 横隔膜弛緩症と横隔神経麻痺に対する手術

要点
1. 症状を有する場合に，外科的治療の対象となりうる．
2. 手術は，弛緩した横隔膜の切除もしくは縫合による横隔膜の縫縮を行う．
3. 腹腔内臓器損傷を回避するための工夫を要する．

Key Word 横隔膜，弛緩症，横隔神経麻痺

a 横隔膜弛緩症の原因と病態 レベルA

横隔膜弛緩症は先天性と後天性に分類される．先天性では，横隔膜筋層の発育障害や横隔膜血管の変性による血流障害などが原因と考えられる．後天性の発症では，横隔神経への腫瘍の圧排による横隔神経麻痺や，心臓手術，縦隔手術，頸胸部の手術時における横隔神経損傷があげられる．筋層自体の退行変性で生じることもある．男性に多く，約8割が左側に生じるとされる[1,2]．弛緩部位により全横隔膜弛緩症と部分横隔膜弛緩症に分類される．呼吸器外科医が一般的に治療対象とするのは後天性疾患であり，横隔神経麻痺に起因することが多い．

多くは無症状であるが，労作時呼吸困難や咳嗽の持続増悪を認めることがあり，著明な呼吸機能障害にいたることもある．左側に発症した場合，心窩部痛，胸やけ，悪心，便秘のような消化器症状を認めることがある[3]．横隔膜弛緩症では横隔膜運動機能が完全または部分的に損なわれ，換気障害によって肺胞低酸素，換気血流不均衡が生じる[4]．

Side Memo
横隔膜の面積が300cm^2 とすれば1cmの挙上により300mLの換気量減少となり，1回換気量の60%に相当する．なお，肋骨により囲まれた固い胸郭よりも筋肉で構成される横隔膜のほうが少ないエネルギーで動き，換気効率がよい．

b 横隔膜弛緩症の診断 レベルC

吸気時に肋間筋やその他の呼吸補助筋群が収縮し胸腔内が陰圧となる．その際に横隔膜が上方に偏位し肺気量の減少をきたす奇異性呼吸がみられる．大部分の症例において胸部X線で横隔膜の著明な挙上を認め[4]，患側胸腔の容量が減少する．鑑別診断は腹部臓器が胸腔内へ逸脱する横隔膜ヘルニアであり，前額断・矢状断などの画像再構成を用いた胸部CTやMRIが鑑別に有用である．

c 横隔膜弛緩症の治療 レベルC

成人では手術適応に明確な基準はない．症状を有する場合に外科的治療の対象となりうる．無症状，呼吸機能障害をきたしていない症例では治療の対象とはならず経過観察を行う．医原性の神経損傷による横隔神経麻痺では神経機能が時間とともに改善される可能性があるため[5]，2年程度の観察が勧められる．しかし，呼吸困難などの症状が著明である場合，短い観察期間で手術を選択しなければならないこともありうる．

d 横隔膜弛緩症の手術 レベルA

横隔膜弛緩症に対する手術は1923年にはじめて報告された[6]．以来，様々な方法が報告されてきた．手術は，弛緩した横隔膜の切除もしくは縫合による横隔膜の縫縮を行うといった横隔膜縫縮術および横隔膜折り畳み術(diaphragm plication)が行われてきた[7,8]．アプローチには開胸手術と胸腔鏡下手術[9,10]がある．横隔膜の切除もしくは縫縮方法として，最近では自動縫合器を使用することもある[11]．ただし，筋層は裂けやすいため，水平マットレス縫合などの追加を考慮する場合もある．

胸腔内からの横隔膜切除，縫縮には腹腔内臓器(消化管，肝臓など)の損傷を回避する工夫が必要である．弛緩した横隔膜を切除する際に，腹腔内臓器を巻き込み，損傷する可能性があり注意を要する．Moonら[12]は鉗子で横隔膜を巻き取った部分を自動縫合器で切除する方法を報告した．横隔膜を鉗子に巻き付けて横隔膜下臓器の損傷を回避する(図1)．胸腔内をCO_2ガスによって人工的に4mmHg程度の陽圧の状態にしたうえで横隔膜を把持牽引することで同様の効果を得る報告もある[13]．自動縫合器，縫合針を横隔膜に刺入する際，横隔膜表面をしっかり把持し，十分に上方もしくは手前に牽引する(図2)．しかし，どのような方法でも腹腔内臓器損傷の可能性を完全には排除できない．腹腔鏡を併用して腹腔内からの観察を行う方法も報告されており，安全な方法である[14]．腹腔内からの観察で他臓器損傷を避け，腹腔内から光を当てて観察することで横隔膜の菲薄化した部分を明瞭に観察できる．自動縫合器で横隔膜を

Ⅱ．手術手技

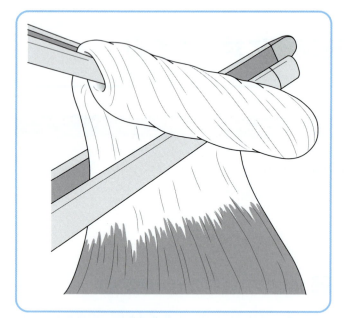

図1　弛緩した横隔膜の切除

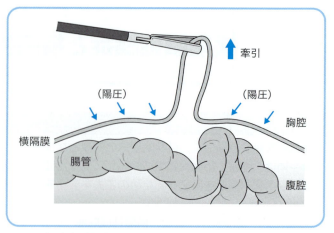

図2　腹腔内臓器損傷の回避

切除する際に横隔膜の切除量や切除方向に基準はない．手術によって腹部からの圧迫を軽減し，胸郭の奇異性呼吸を減弱させるため，症状軽快と呼吸機能改善を期待できる[15]．

e 術中の横隔神経損傷と麻痺 レベルC

　肺癌や縦隔腫瘍が横隔神経に浸潤している際に，横隔神経を合併切除したままの施設もあるが，横隔膜の縫縮を推奨する報告もある[16]．横隔膜を鉗子などで吊り上げて3-0プロリン糸などで縫縮し緊張を与える．これによって横隔膜の奇異運動が防止され，術後の呼吸運動障害が軽減すると期待される．

文献

1) Riley EA. Am J Med 1962; **32**: 404
2) Moinuddeen K et al. Chest 2001; **119**: 1615
3) Thomas TV. Ann Thorac Surg 1970; **10**: 180
4) Ridyard JB et al. Thorax 1976; **31**: 438
5) Summerhill EM et al. Chest 2008; **133**: 737
6) Morrison JMW. Arch Radiol Electrother 1923; **28**: 72
7) Graham DR et al. Ann Thorac Surg 1990; **49**: 248
8) Kuniyoshi Y et al. Ann Thorac Cardiovasc Surg 2004; **10**: 160
9) Mouroux J et al. Ann Thorac Surg 2005; **79**: 308
10) Suzumura Y et al. Chest 1997; **112**: 530
11) 大瀬尚子ほか．日呼外会誌 2014; **28**: 759
12) Moon SW et al. Ann Thorac Surg 2000; **70**: 299
13) Sato M et al. Pediatr Surg Int 2005; **21**: 34
14) 松平秀樹ほか．日呼外会誌 2006; **20**: 682
15) Freeman RK et al. Ann Thorac Surg 2009; **88**: 1112
16) Tokunaga T et al. Eur J Cardiothorac Surg 2010; **38**: 600

⑯ トラブルシューティング

要点

1. 術中トラブルで最も多いのは出血である．
2. 出血のトラブルが多いのは肺動脈である．
3. 肺動脈損傷は，心囊内解剖を熟知し動脈の中枢を確保する．
4. 肺静脈損傷は，左房損傷に準じて対応する．
5. 気管支損傷，神経損傷が出血に次いで多い．
6. 気管支損傷はときに気管支形成を要する．

Key Word 肺血管損傷，気管損傷，気管支損傷，肺損傷，断端不良肺，隣接臓器損傷

呼吸器外科医として独り立ちするための要件のひとつに，あらゆる不測の事態に対応できる能力がある．不測の事態を乗り切るために必要なことは基本である．基本的なトラブルシューティングを習熟することが極めて肝要である．

a 術中合併症の種類と頻度 レベルA

呼吸器外科の手術に胸腔鏡はなくてはならない時代になった．2018年日本内視鏡外科学会の集計によると，2017年の1年間に良性疾患には1,503例，悪性疾患には12,793例，それぞれ胸腔鏡が使用されている[1]．肺癌に関してははじめて胸腔鏡下手術が行われたのは1991年で，翌年が24例，それが2017年には10,186例となった[1]．この間，胸腔鏡で行われる手術手技は洗練され，今や全摘や気管支形成術といった開胸でも困難な手技が安全に行われたと報告されている[2]．一方で胸腔鏡の普及に伴い，開胸で経験されるものに加えて，胸腔鏡下手術における術中のトラブルも経験されるようになった．術中トラブルとそのリカバリーショットに習熟することによりはじめて高度な手術が展開できることは論をまたない．2018年日本内視鏡外科学会による1990年から2017年までに及ぶ集計によれば血管損傷は1,867例報告されている（表1）[3]．このうち肺動脈損傷が1,261例（68％）と最多であり，次いで肺静脈239例（13％）である．大動脈損傷は20例，上大静脈損傷は43例となっている．血管損傷の原因は手技の問題と不十分な視野がそれぞれ749例，421例と多く，次いで癒着，自動縫合器のミスファイヤーとなっている（表2）[3]．気道損傷は気管の損傷が7例と少ないのに対して気管支の損傷は83例と多い．神経損傷としては反回神経が最多で292例，次いで横隔神経となっている．術中1,000cc以上の出血をきたした症例は2010年77例，2011年85例，2012年97例，2013年110例，2014年81例，2015年85例，2016年84例，2017年80例と2013年をピークに減少している[3]．開胸移行症例は4,842例である（表3）[3]．2013年に日本胸部外科学会で日本胸部外科学会倫理・安全管理委員会の奥村らによって報告

表1 胸腔鏡における血管損傷報告例（1990〜2017年）

	数（％）
肺動脈	1,261（68％）
肺静脈	239（13％）
大動脈	20（1％）
上大静脈	43（2％）
内胸動静脈	24（1％）
肋間動静脈	72（4％）
その他	208（11％）
総数	1,867

（日内視鏡外会誌 2018; 23: 814-835[3] を参考に作成）

表2 胸腔鏡における血管損傷の原因（1990〜2017年）

	総数（％）
自動縫合器のミスファイヤー	75
クリップのミスファイヤー	13
癒着	316
不十分な視野	421
手技の問題	749
その他	150

（日内視鏡外会誌 2018; 23: 814-835[3] を参考に作成）

表3 胸腔鏡における気道損傷，神経損傷，その他の合併症，開胸移行症例（1990〜2017年）

		総数
気道損傷	気管	7
	気管支	83
神経損傷	反回神経	292
	横隔神経	160
	その他（肋間神経など）	61
その他		795
開胸移行症例		4,842

（日内視鏡外会誌 2018; 23: 814-835[3] を参考に作成）

Ⅱ. 手術手技

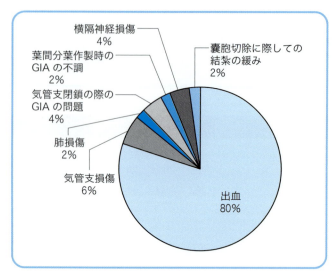

図1　胸腔鏡下肺切除の手術手技に関するヒヤリハット

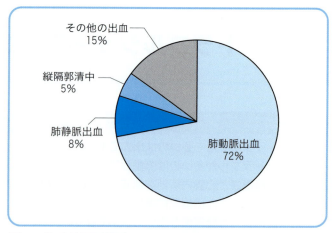

図2　胸腔鏡下肺切除における出血部位

された胸腔鏡手術の術中ヒヤリハットの調査では出血がその80％と最多であった（図1）．次いで気管支損傷が10％と多く，神経損傷と続く．出血部位はやはり肺動脈が最多であった（図2）．肺動脈の部位としては左のA^3が約半数を占めた（図3）．次いで右A^{1+2}または右のascending A^2が続く．

b 血管損傷

左右の血管で比較すると左の肺動脈損傷が右に比べて多いようである（図3）．また，右と左に共通していることは，血管損傷の多くは肺動脈の最初の分枝が最多で，次いで葉間A^6の近傍ということになる．右であればA^6とascending A^2の領域である．

1）緊急的大出血　レベルC
①左肺動脈

肺切除時に扱う血管は，肺動脈，肺静脈，そして気管支動脈である．緊急大出血は肺動脈から起こることが最も多い．かつてGinsbergは左のA^3とA^{1+2}の共通幹を"artery of sorrow"と呼んだ（図4）．つまりこの部位は最も出血しやすく，出血のコントロールも困難な場所であり，呼吸器外科医の最も注意すべき血管であるとしている．左右の肺動脈は正中よりも左寄りで分岐しているために，この部位で出血を起こした場合，その中枢を確保することは極めて困難になる．出血が危機的である場合，まずは圧迫止血する．用手的に行うのが安全である．最近の創長では手がすぐに入らない場合も多く，この場合はコットンなどで押さえる．肺動脈を圧迫止血する場合に最も重要なことは押さえる強さである．強過ぎれば肺動脈は容易に裂け，傷は広がる．肺動脈の拍動を感じることができる程度の圧迫がよい．完全に止血することよりも血管の損傷部を広げないことを重視する．この圧迫で出血がコントロールできないと判断すれば，開胸創を延長すると同時に経験のある呼吸器外科医

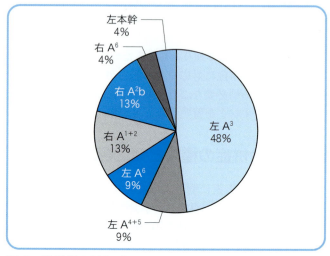

図3　胸腔鏡下肺切除における肺動脈出血部位

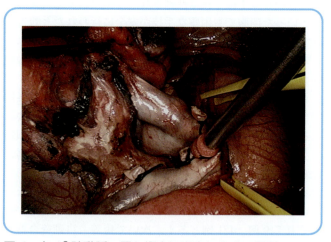

図4　左A^3肺動脈．最も術中に出血しやすい場所

に応援を要請する．開胸して用手的に圧迫しても出血がコントロールできなければ肺動脈をつまみ上げるように止血する．大量出血の場合，胸腔内の液面が出血点を覆ってしまうので，液面が上昇しないことをもって出血のコントロールと判断する．この体制を保ちながら中枢の確保に移るの

であるから，術者が使えるのは片手しかない．つまり助手の役割が極めて大きいのであるから，助手が経験不足であれば応援を頼む．この過程は省略してはならない．経験のある助手が来るまでじっと押さえることも重要である．体制が整えば心嚢を切開する．通常横隔神経に沿って心嚢を十分に頭尾側に切開する．心嚢内の肺動脈と上肺静脈の間に存在するMarshall's foldを剥離して左肺動脈中枢の確保を試みる．肺動脈を完全にテーピングし，cross clampできなくとも彎曲のない直線状の血管鉗子で肺動脈中枢を半分でもクランプすれば出血のコントロールに近づく．肺動脈中枢の確保が完了したら，末梢の確保を試みる．肺動脈末梢の確保に関しては左のほうがやさしい．中枢と逆である．左肺動脈は左主気管支を乗り越えるように走行しているので血管を確保できるポイントは多い．この点，右は上肺静脈と気管支の間を肺動脈は肺のなかに入り込んでいくので，特に分葉が不良な場合は末梢の確保は困難なことが多い．中枢と末梢を確保したら肺動脈の修復に移る．肺動脈の修復は通常，非吸収糸のモノフィラメントを用いる．6-0または5-0のプロリンが代表である．通常連続縫合で修復する．血管が脆くて裂けていくような状況では心膜を採取して，心膜パッチを適用する．

②右肺動脈

右の緊急的大出血はその第1分枝であるanterior branchで発生することが多い．この領域は腹側を上大静脈，頭側を奇静脈，背側を右主気管支，尾側を上肺静脈によって制限される領域で血管の確保は困難である．その場所を損傷した場合の修復は困難を極める．一方で肺動脈は左と異なり，主肺動脈の左右の分岐点から第1分枝までの距離は長い．この点は有利な点である．右肺動脈の第1分岐領域で血管を損傷した場合，上大静脈よりも左側，つまり上大静脈と大動脈との間で右主肺動脈を確保することができる．側臥位でも皮膚切開を腹側に延長することでこの操作は可能となる．右の問題は末梢である．分葉が不良な場合であれば末梢の確保が困難である．分葉良好であっても肺門部の分枝が多く，そのback bleedingをコントロールすることはしばしば困難となる．この場合に使えるのが肺静脈のクランプである．肺動脈の末梢がクランプできない場合，切除肺以外の肺静脈をクランプすることで，気管支動脈からの血流以外を遮断できる．これでかなり出血量が減少する．血管の修復に関しては左と同様である．

③肺静脈

肺静脈の損傷は左房損傷と同様に考える．損傷が末梢で起こったならばその中枢を確保するにとどまるが，そのためのスペースがないならば迷わず心膜を切開し，心嚢腔に入る．左房はちょっとした力加減でも裂けていくので極めて慎重に心嚢内操作を行う．

2) その他の肺動脈出血 レベルB

肺動脈損傷に対するトラブルシューティングは基本的に，中枢と末梢の確保，そして修復ということに尽きるのであるが，かなりの出血でも圧迫のみで止血できるのが実際である．たとえば細い肺動脈を結紮時に引き抜いてしまったなどの場合はまず太綿で圧迫する．前述のように強い圧迫は禁忌である．ピンポイントであった損傷が大きく広がるからである．肺動脈が裂ければ緊急大出血ということになる．もちろんタコシールのようなものを用いてもよいが，基本的には圧迫のみで止血可能であることが多い．たとえば，S^{10}区域切除のような肺内で分岐している肺動脈を損傷した場合，肺動脈の修復は極めて困難となる．この場合は肺動脈の中枢のみを血管鉗子でクランプすることも選択肢のひとつである．慢性閉塞性肺疾患(COPD)症例のように肺動脈圧が高く，肺動脈が脆いような症例の場合，このように肺動脈のフローを落として剥離をするのも有効である．

3) 自動縫合器のミスファイヤー レベルC

自動縫合器のミスファイヤーは0.1%程度であると報告されている[4]．どの時点で気がつくかということが最も重要で，ファイヤーする前か，ファイヤーした時点で感触からそれを知ることができれば，最良の状況といえる．自動縫合器をファイヤーし，リリースした時点で気がついたのでは遅い．ファイヤーする前に必ずカートリッジの装填異常がないことを確認する．血管の裏に通しているときにずれる可能性もあるので，留意する．ファイヤーした時点で強い抵抗を感じたら動作を止める．一方で優柔不断な動作であればロックがかかる場合もある．異常音，異常な感覚に気がつくようにたくさん正常な感覚を磨く必要があろう．太い肺動脈や肺静脈であればかなり重大な危機となる．この場合は出血点を押さえて，人工心肺などによるリカバリーが必要となる．ファイヤーした時点で気がついたのであれば，リリースせずにより中枢を確保することを試みる．この状況の自動縫合器が胸腔鏡のポート孔から挿入されている場合は極めて危険な状況といえる．バッキングが起これば血管が裂ける可能性があるからである．この場合は皮膚切開を延長し，可及的速やかに中枢を確保，自動縫合器をリリースできる環境を整える．

4) 血管の修復 レベルC

血管の修復は非吸収糸のモノフィラメントを用いるのが通常である．太さは5-0または6-0を用いる．修復で最も簡便な方法は連続縫合である．連続縫合の利点は縫合が直線であり，やさしいことであり，欠点は縫合のbiteが大きくなれば完成時に血管が狭小化する可能性がある．こうした危険がある場合は心膜を用いたパッチ閉鎖を行う．パッチで閉鎖できないような場合は，環状に切除し，端々吻合を行う．特殊な場合で血管の縫合に緊張がかかるような場合は，心膜を用いたconduitや肺静脈を用いたinterpositionを行う[5]．

C 気管・気管支損傷 レベルB

血管損傷に次いで神経損傷とともに多いのが気管損傷である．気管損傷は上縦隔リンパ節郭清において起こりうる合併症である．また，縦隔腫瘍の切除の際にも留意するべき合併症といえる．気管支の損傷は肺門リンパ節が節外浸

II．手術手技

潤している際に不適切な剝離により生じる．また，分岐部郭清のときに反対側の気管支に損傷を加える可能性がある．予防が第一であるが，万一損傷した場合にはその修復を行う．亀裂が生じた場合には縫合する．縫合により，修復が困難な場合は気管支形成術も辞さない．気管支胸腔瘻はしばしば致命的になり，その修復には妥協しないことが肝要である．

d 肺損傷・断端不良肺 レベルA

肺胞瘻は在院日数を規定する大きな因子である．喫煙者に肺癌が多いことを考慮すれば，気腫肺などの気漏が遷延する肺を切除しなくてはならないのが呼吸器外科医であるといえる．肺の損傷に関しては実質であれば縫合する．最近は自動縫合器で葉間を切離することが多いので，比較的気漏の発生は少ない．肺が明らかに裂けている場合は縫合する．stapler line の脇から気漏が生じている場合は sealent を用いてコントロールする．断端不良肺とは部分切除や区域切除の際に生じる肺切除断端部の換気血流不全に伴う不良肺のことである．その多くは不適切な区域面を切除したときや深部まで及ぶ部分切除の際に生じるもので，術後急性期のCT検査で認められる断端部近傍の無気肺やうっ血肺であり，慢性期には肥厚した線維化や続発性肺炎として認められる状態である．肺実質は気管支動脈と肺動脈の二重支配となっている．したがって，肺動脈か気管支動脈のいずれかが残っていれば肺実質は壊死に陥らない．具体的には肺動脈が切れていても気管支が残っている領域は生きる．最近区域切除が多く，区域切離面の設定が不適切であれば，断端不良肺を生じる．明らかに色調が悪ければ追加切除することも考慮する．一方で区域切除の際に残存肺に切り込み過ぎて気漏が多い場合は区域切離面を縫縮することも考慮する．

e 隣接臓器損傷

1）上大静脈・奇静脈 レベルB

上大静脈の損傷は右の上縦隔リンパ節郭清において発生する．最も注意するべきは左腕頭静脈の損傷である．その末梢を確保することが極めて困難であるからである．上大静脈に左右の腕頭静脈が合流する部分に下甲状腺静脈が流入する．右から上縦隔を郭清する際にこの下甲状腺静脈より左側の左腕頭静脈を損傷するとその修復は困難を極める．損傷した場合には 5-0 の非吸収糸，モノフィラメントを用いて修復する．

2）腕頭静脈 レベルC

右上縦隔郭清における左腕頭静脈の損傷については前述した．胸腔内癒着剝離の際に左右を問わず同側の腕頭静脈損傷が起こりうる．これも同様に中枢のクランプは容易であるが末梢がクランプできない．どうしても止血がままならない場合は，側臥位をやや正中に戻し，Grunenwald の報告した transmanubrial approach を追加して末梢を確保することが必要となる[6]．

3）腕頭動脈・左総頸動脈・左鎖骨下動脈 レベルB

いずれも上縦隔郭清または胸膜全面癒着の剝離において損傷の可能性がある臓器である．損傷した場合には胸骨正中切開などを加えて，縫合により修復する．

4）下大静脈 レベルC

下大静脈の損傷で最も危険な部位は肝静脈の合流部である．この部位は胸膜肺全摘術の際に剝離が必要となる．肝静脈の損傷は末梢の確保はほぼ不可能であり，この地点の剝離には細心の注意を要する．

5）左房 レベルB

肺静脈に腫瘍が迫り，心囊内に操作が及ぶとき，左房の損傷が起こりうる．左房は脆く裂けやすいので，損傷は最小限にとどめる必要がある．緊急大出血には人工心肺を要する．

6）大動脈 レベルC

大動脈損傷は左肺切除時の肺靱帯切離時に起こりうる．損傷が起こった場合はとにかく圧迫する．圧迫しつつ中枢と末梢をクランプするのであるが，大動脈を十分に剝離してはじめてクランプが可能となる．ときに肋間動脈を切離してクランプ鉗子のためのスペースを稼ぐ必要がある．

7）心膜 レベルA

心膜の損傷は必ずしも修復の必要はない．右の心膜合併切除の際には心臓脱の危険があるので心膜補塡する．左の場合は欠損が小さい場合に心臓の冠状動脈が嵌頓して心筋梗塞になったとの報告があり，修復する．一方，左心膜の大欠損は修復の必要は必ずしもない．

8）横隔膜 レベルB

横隔膜は弱い臓器であることを認識することが肝要である．胸膜癒着のある場合にしばしば横隔膜の癒着も認める．このときに肺と横隔膜の境界を見極めることが重要で不適切になれば横隔膜に切り込むことになる．横隔膜損傷の結果，起こることは2つである．横隔膜ヘルニアの発生と胸腔内術後出血である．前者は特に左の場合に発生する．右は肝臓が存在するため腹腔臓器が胸腔内にヘルニア状態になることはまれである．横隔膜は術後の咳嗽のたびに激しく動く臓器である．したがって，損傷部位が不適切に修復されていれば，その血管から出血する．横隔膜は血流が豊富であり，その出血量は無視できない．損傷した場合は単に縫合するのみでなく，プレジェットなどを用いてマットレス縫合することが，ときに重要である．横隔膜損傷を防ぐには適切な剝離と切離が重要であるが，そのためにはしばしば第8，9肋間での小開胸を併用する．

9）胸管 レベルA

胸管の損傷は術後の乳び胸にいたる．術後の乳び胸は致

命的合併症にはならないことが多いが，しばしば再手術を要する．術中に乳び胸にいたる胸管損傷を確認することは困難である．胸管損傷はリンパ節郭清によって起こることがほとんどである．乳び胸にいたる胸管損傷が起こる場所はリンパ節マップでは 4R，3p，5，6 である．これらのポイントではリンパ節郭清の際にリンパ管を結紮するなどの操作が必要である．

10）食道 レベルB

食道の損傷は分岐部郭清の際に起こりうるが，粘膜まで損傷がいたるようなことはまずない．腫瘍の浸潤がゆえに合併切除する際などに欠損部が生じるが，その際には直接縫合する．

f エネルギーデバイスによる臓器損傷 レベルB

最近，Ultrasonic device や Vessel sealing system などのエネルギーデバイスが多用されている．最近のデバイスはその安全性の観点からかなり改良されているが，基本的には active blade と inactive blade があり，active blade の扱いには十分に留意する．blind side での active blade による操作は，血管損傷や気管・気管支損傷に続くので可能な限り避ける．

文献

1) 内視鏡外科手術に関するアンケート調査―第 12 回集計結果報告．日内視鏡外会誌 2014; **19**: 569-582
2) Nwogu CE et al. Ann Thorac Surg 2015; **99**: 399-405
3) 内視鏡外科手術に関する第 14 回集計結果報告．日内視鏡外会誌 2018; **23**: 814-835
4) Asamura H et al. J Eur Assoc Cardio-Thorac Surg 2002; **21**: 879-882
5) Venuta F et al. J Thorac Cardiovasc Surg 2009; **138**: 1185-1191
6) Grunenwald D, Spaggiari L. Ann Thorac Surg 1997; **63**: 563-566

Ⅱ．手術手技

復習ドリル

問題❶

呼吸器外科的疾患とアプローチ法の組み合わせで適切でないものはどれか．2つ選べ．

- a. 胸郭出口症候群（第1肋骨切除） － Roos 法
- b. 脳死片肺移植 － semi-clamshell 開胸
- c. superior sulcus tumor － Chamberlain 法
- d. 縦隔悪性腫瘍 － hemi-clamshell 開胸
- e. 原発性自然気胸 － Hook 法

問題❷

後側方切開により第5肋骨床開胸を行う場合，通常は使用しない器械はどれか．2つ選べ．

- a. 起子（elevator）
- b. 骨膜剝離子（raspatory）
- c. 線鋸
- d. 後方肋骨剪刀
- e. 神経鉤

問題❸

3連ボトルシステムの簡略図を示す．実際の胸腔内圧はどの水位の合計か．2つ選べ．

- a. A
- b. B
- c. C
- d. D
- e. E

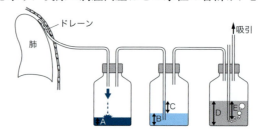

問題❹

解剖学的右 S^2 区域切除を行う際に切離する区域静脈はどれか．2つ選べ．

- a. V^2a
- b. V^2b
- c. V^2c
- d. V^3a
- e. V^2t

問題❺

解剖学的右 S^3 区域切除を行う際に境界となる区域静脈はどれか．2つ選べ．

- a. V^2b
- b. V^2c
- c. V^3c
- d. V^1a
- e. V^1b

問題❻

解剖学的左 S^{1+2} 区域切除を行う際に切離する区域静脈はどれか．2つ選べ．

- a. $V^{1+2}a$
- b. $V^{1+2}b$
- c. $V^{1+2}c$
- d. $V^{1+2}d$
- e. V^3c

問題 ❼

肺尖部肺癌の根治術に用いる開胸法として適切でないのはどれか．2つ選べ．

a. Hook approach
b. semi-clamshell approach
c. Dartevelle approach
d. Masaoka approach
e. Grunenwald approach

問題 ❽

胸腔鏡下手術について正しいのはどれか．2つ選べ．

a. 常に横隔膜面の視野が良好である
b. 参加者全員が同じ視野を共有できる
c. eye-hand coordination を必要とする
d. 手術操作は開胸術に比べ容易である
e. 手術器具は開胸術と同様で使用できる

問題 ❾

ロボット支援手術の特徴について誤っているはどれか．2つ選べ．

a. 3Dカメラで鮮明な立体画像が得られる
b. 自由度の高い鉗子操作ができる
c. 縫合時の手振れ防止に難点がある
d. 胸腔鏡下手術に比べて創が小さい
e. 開胸コンバートの訓練が必須である

正解：①c と e，②c と e，③c と e，④b と e，⑤b と e，⑥b と c，⑦b と c，⑧b と c，⑨c と d

第Ⅲ章
周術期管理と術後合併症

Ⅲ. 周術期管理と術後合併症

① 肺切除術の機能的適応

要点

❶ 肺切除術には，疾患による適応と患者の生理学的適応が存在する．
❷ 生理学的適応を決定するうえで呼吸機能検査は必須であり，特に ppo%FEV$_1$ と ppo%DLco の評価が重要である．
❸ 予測術後呼吸機能が不良な症例に対しては，6 分間歩行試験，シャトル試験，階段昇降試験などを用いて評価する必要がある．
❹ 循環機能の評価も重要であり，安静時心電図に加え，ハイリスク症例に対しては負荷心電図も推奨される．

Key Word Performance status，スパイロメトリー，負荷心電図，区域法，血流シンチ，6 分間歩行試験，シャトル試験，階段昇降試験

　肺切除術の適応を決定する際に検討すべき項目は，まずは疾患として外科的切除の適応があるかどうか，次に患者の生理学的機能が耐術可能かどうか，の 2 点である．

　疾患別の肺切除術適応については，ここでは簡潔に論ずるにとどめる．生理学的適応に関しては呼吸機能検査が最も重要であることは間違いないが，循環機能，運動負荷試験や体動時の最大酸素摂取量の評価も重要である．ここでは，ガイドラインを参考に肺切除術の適応について論ずる．

a 疾患別の適応　レベルB

1) 原発性肺癌

　原発性肺癌はわれわれ呼吸器外科医が最も多く遭遇する疾患であり，手術適応もガイドライン[1]に準拠して決定される必要がある．なお，日本呼吸器外科学会からリスク評価の指針が示されている（図1）[2]．

2) 転移性肺腫瘍

　転移性肺腫瘍に対する手術適応は様々であるが，1965 年に Thomford ら[3]が提唱した適応基準をもとに考えられることが多い（Ⅵ章-2-B 参照）．

　選択される術式は，肺転移巣の大きさや個数によって様々である．病巣が辺縁に限局する場合は部分切除が施行されることが多いが，肺門部近傍に存在する場合は区域切除や葉切除が必要となる．リンパ節郭清に関しては癌腫によっては施行したほうがよいとの報告も散見されるが，一定の見解は得られていない．

3) 囊胞性肺疾患

　自然気胸，気管支原性肺囊胞，巨大気腫性肺囊胞症などが手術適応のある疾患としてあげられる．通常，病変部の切除のみが施行されるが，気管支肺囊胞の場合，炎症の波及のために肺葉切除が必要となることもある．

4) 先天性肺疾患

①肺葉内肺分画症

　感染を反復するため，手術適応となる．呼吸機能温存目的で分画肺のみの切除が望ましいが，実際には炎症が波及しており，区域切除もしくは肺葉切除となることが多い．

②先天性肺気道形成異常（congenital pulmonary airway malformation：CPAM）

　以前は先天性囊胞性腺腫様奇形（congenital cystic adenomatoid malformation：CCAM）と呼ばれていた疾患で，その 8 割が 1 歳未満で発見され，残りの症例も呼吸器感染症などで幼児期までに発見されることがほとんどである．しかしながら，成人期になってから発見される症例も少数だが散見される[4]．感染を反復する症例は手術適応となるが，無症状の場合でも将来的に感染や悪性疾患を合併する可能性があるため，外科的切除が考慮される．

　術式として部分切除や区域切除が施行された場合，囊胞の不完全切除，同一残存肺葉内からの再発，悪性疾患の合併などが報告されている[5]．したがって，選択される術式は肺葉切除が一般的である．

5) 感染性肺疾患

①肺結核

　化学療法を中心とする内科的治療が基本である．よって，外科的治療を検討すべき状況は，①多剤耐性肺結核，②大量の喀血を繰り返す場合，③コントロール困難な気胸，などである．術式は，多剤耐性肺結核や喀血例では病変を含む肺切除が選択される．

②非結核性抗酸菌症

　結核と同様に治療の主体は化学療法であるが，排菌源となる主病巣が明らかで化学療法で排菌が停止しない症例，排菌が停止しても空洞性病変や気管支拡張病変が残存し再発再燃が危惧される症例は手術適応となる．また，喀血，繰り返す気道感染，アスペルギルス混合感染例などは排菌状況にかかわらず責任病巣が切除対象となる．

　術式は病変部を含む肺切除が基本であるが，全身状態不

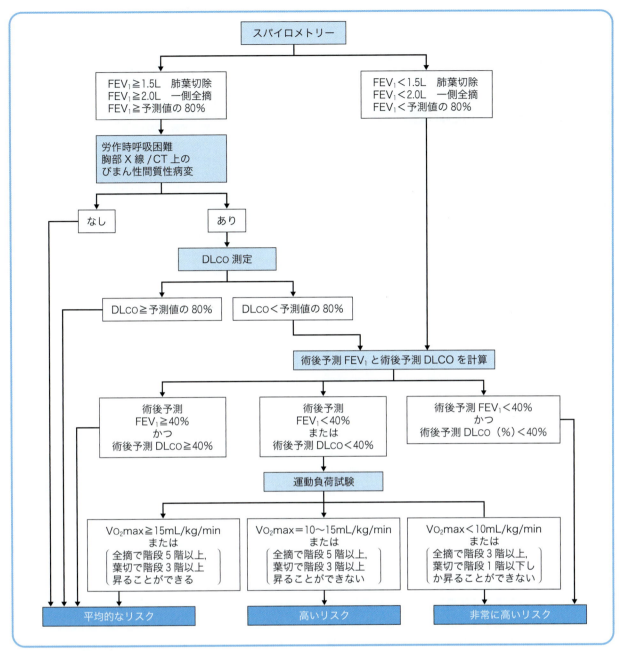

図1 肺癌手術の呼吸機能からのリスク評価の指針（日本呼吸器外科学会）
This figure demonstrates risk assessment of lung resection for lung cancer according to pulmonary function.
本図の原典は英語版となるので文献2を参照のこと

良例，強固な癒着が予測される症例では，菌量減少目的で空洞切開が行われることもある．外科治療の目標は病状のコントロールであり，病巣が限局している場合でも相対的治癒であって根治的治癒ではない．したがって，術前後の化学療法は必須である．

③肺化膿症，肺膿瘍

近年の抗生物質の発達により，まずは内科的治療が先行して行われることがほとんどである．内科的治療に対して反応不良な症例が手術適応となる．また，抗生物質投与後に膿瘍が残存し感染を繰り返す症例も手術適応となりうる．術式は病変の大きさ，炎症の波及の程度によって部分切除，区域切除，葉切除などが選択される．また，全身状態不良の症例に対しては経皮的空洞ドレナージが選択されることもある．

④肺真菌症

呼吸器領域で頻度の多い肺真菌症は，肺アスペルギルス症と肺クリプトコッカス症である．これらの疾患は抗真菌薬を用いた内科的治療が主体であるが，「深在性真菌症の診断・治療ガイドライン2014」[6]（Ⅴ章-1-C）では，肺アスペルギローマに対しては病変を含む肺切除が治療の第一選択として推奨されている．全身状態不良例，強固な癒着が予測される例に対しては，空洞切開，また，空洞切開に筋弁充塡術を加えることで良好な結果を得たとの報告もある[7]．

⑤気管支拡張症

近年の抗生物質の発達により，治療は内科的に行われることがほとんどである．また，喀血症例に対しても気管支動脈塞栓術（bronchial artery embolization：BAE）が行われることが多い．しかし，病変が限局し，内科的治療や気管

支動脈塞栓術を施行しても肺炎や喀血を繰り返す症例は手術適応となりうる．術式は病変部を含む肺切除であるが，術後の呼吸機能を温存するために，なるべく喀血や感染の責任病巣のみの切除にとどめることが望ましい．

b 全身状態，生理学的適応 レベルA

手術適応を決定するうえでの全身状態の評価には ECOG performance status（PS）[8] を用いる（表1）．一般的には PS 0〜1 が手術適応となり，PS 2 の症例は下記の心肺機能検査などを詳細に評価し，慎重にその手術適応を決定するべきである．

「肺癌診療ガイドライン2020年版」[1] では，「CQ1. 手術適応決定には，呼吸機能評価（spirometry）や循環機能評価（安静時心電図）をはじめ，血液・生化学所見や年齢などを総合的に評価・検討することが必要か？」に対して，「術前呼吸機能・循環機能をはじめ総合的に評価・検討を行うよう推奨する．［推奨の強さ：1，エビデンスの強さ：C，合意率：100％］」と記されている．

呼吸機能評価の項目としては1秒量（FEV_1）と肺拡散能（DLCO）の評価が手術適応を決定するうえで重要である．日本呼吸器外科学会はリスク評価として，後述する区域法もしくは肺血流シンチグラフィを用いた術後予測1秒率（predicted postoperative %FEV_1；ppo%FEV_1）と術後予測%DLCO（ppo%DLCO），さらには運動負荷試験を指標としたアルゴリズムを提唱しており，特に低肺機能患者の手術適応を決定する際には有用である[2]．

術前検査として，安静時心電図は基本的な機能評価として一般的に行われている．しかしながら，肺切除後は肺血管床が減少し心負荷が増大するため，安静時の心電図のみでなく負荷心電図を確認することを推奨する．負荷後の心電図で異常所見を認めた場合は循環器専門医に相談し，心エコーを含めた心機能評価や時に冠動脈造影などが必要となる．肺癌合同登録委員会の2004年手術例の報告では，併存疾患として負荷心電図陽性の虚血性心疾患を2.8％に，術後合併症としての不整脈を3.3％に認めたとしている[9]．

上記に加え，術前の血液検査で腎機能や肝機能が不良な症例に対してはそれに応じた術前および術後管理が必要となる．また糖尿病患者では周術期の厳重な血糖管理が必要となる．いずれにせよ，各分野の専門医と手術適応や周術期管理について詳細にディスカッションすることが肝要である．

c 術後呼吸機能予測 レベルB

部分切除を除く肺切除術では正常な肺組織も切除するため，手術によって呼吸機能がどの程度喪失するのかを定量的に把握しておく必要がある．

肺葉切除後の呼吸機能を予測する方法として，日本では，中原ら[10] が提唱した方法が簡便であり広く用いられている（図2a）．この方法は亜区域数から算出するものであり，右肺の亜区域数を22（上葉6枝，中葉4枝，下葉12枝），左

表1　ECOG performance status

ECOG PS	定義
0	○全く問題なく活動できる． ○発病前と同じ日常生活が制限なく行える．
1	○肉体的に激しい活動は制限されるが，歩行可能で，軽作業や座っての作業は行うことができる． 　例：軽い家事，事務作業
2	○歩行可能で自分の身の回りのことはすべて可能だが作業はできない． ○日中の50％以上はベッド外で過ごしている．
3	○限られた自分の身の回りのことしかできない． ○日中の50％以上をベッドか椅子で過ごしている．
4	○ほとんど寝たきりの状態で，自分の身の回りのことは全くできない． ○完全にベッドか椅子で過ごしている．

(Oken MM et al. Am J Clin Oncol 1982; 5: 649 [8] を参考に作成)

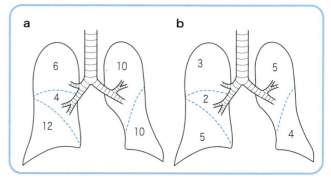

図2　術後予測1秒量を算出する際に用いる各肺葉の亜区域枝もしくは区域枝数
　a：中原らの亜区域枝数を用いた算出方法（中原数也ほか．肺癌 1982; 22: 429 [10] を参考に作成）
　b：Bolligerらの区域枝数を用いた算出方法（Bolliger CT et al. Respiration 2002; 69: 482 [11] を参考に作成）

肺の亜区域数を20（上葉10枝，下葉10枝）とし，下記の式で計算する．
　○ppoVC または FEV_1 = (1－A/B)×preoperative VC または FEV_1
　　A：切除肺葉の非閉塞亜区域枝数，B：全肺の非閉塞亜区域枝数，ppo：predicted postoperative（術後予測），VC：肺活量，FEV_1：1秒量

これに加えて中原らは，各亜区域には換気の不均等分布が存在するため補正が必要であるとしている．
補正を加えた式は下記のとおりである．
　○ppoVC または FEV_1 = (1－A(c)/B(c))×preoperative VC または FEV_1
　　c：補正値（上葉病変：0.676，中葉または舌区病変：0.699，下葉病変：1.010）

一方，欧米では Bolliger ら[11] が，中原らと同様な手法で術後予測1秒量の算出方法を提唱しているが，区域枝がベースのため算出方法が若干異なる（図2b）．右肺を10（上葉3枝，中葉2枝，下葉5枝），左肺を9（上葉5枝，下葉4枝）として計算することとなる．その式は下記のとおりである．

○ ppoFEV$_1$ = preoperative FEV$_1$×(1−y/z)
  y：切除肺葉の非閉塞区域枝数，z：全肺の非閉塞区域枝数

　手術適応の基準としてppoFEV$_1$ 800ccまたはppo%FEV$_1$（=ppoFEV$_1$/predicted FEV$_1$）≧40％が用いられることが多いが，それ以下でも耐術可能であるとの報告も散見される．肺全摘除を施行する際に，以前は一側肺動脈閉塞試験がよく施行されていた．右心カテーテルを切除側肺動脈に挿入後，カフを膨張させて患側肺動脈を閉塞し主幹肺動脈圧を測定する．

　近年は肺全摘除の適応評価には肺換気血流シンチグラフィがよく用いられる．換気シンチには^{133}Xeガスもしくは^{81m}Krガスが用いられ，血流シンチには^{99m}Tc-MAAが用いられる．それぞれの取り込みの比率から，術後の予測呼吸機能を算出する．以前から施行されてきた平面（プラナー像）撮像法に加えて，断面像を得られるSPECT（single photon emission computed tomography）がある．SPECTを用いることで，上肺野・中肺野・下肺野の換気・血流分布を詳細に数値化することが可能である．

d 運動負荷試験 レベルC

　日本呼吸器外科学会の提唱するアルゴリズムでは，ppo%FEV$_1$とppo%DLCOのいずれかが40％未満の場合，シャトル試験，階段昇降試験，6分間歩行試験などの運動負荷試験を追加で施行することを推奨している．そして最終的なリスク評価に用いる項目は，最大酸素摂取量（$\dot{V}O_2$max）か術式に応じた階段昇降の程度である．

　また，2013年版「ACCPガイドライン」[12]では，%ppoFEV$_1$と%ppoDLCOの両方もしくはいずれかが60％未満の症例に対しての耐術能評価法として，上記の運動負荷試験や最大酸素摂取量の測定などを推奨している．

1）シャトル試験（shuttle walk test）
①漸増負荷シャトル試験
　10mのコースを1分ごとに速度を増加させる漸増負荷試験である．歩行速度はレベル1（0.5m/sec）からレベル12（2.37m/sec）までであり，呼吸困難のため歩行維持が困難となった場合や歩行速度の維持ができなくなった場合に試験終了となる．歩行したシャトル数もしくは距離で評価する．また，最大酸素摂取量との相関関係も示されている．「ACCPガイドライン」では，25シャトル未満もしくは400m未満の患者に対しては正確な最大酸素摂取量の測定を推奨している．

②一定負荷シャトル試験
　一定の負荷でどれだけ長く歩けるかを評価する試験である．漸増負荷シャトル試験と同様に発信音に合わせ10mのコースを一定速度で歩行する．歩行速度は16段階に分けられ，漸増負荷シャトル試験で得られた最大酸素摂取量の85％に相当する負荷量（歩行速度）で最大20分実施し，終了基準は漸増負荷シャトル試験と同様である．

2）階段昇降テスト
　階段を患者自身のペースで昇り降りしてもらい，極度の疲労感，呼吸困難，下肢の疲労感，胸痛などを自覚した時点で試験を終了し，その時間と階段昇降長を記録する．階段の歩数，高さは様々であるが，Brunelliら[13]の報告では歩数を11ステップ，高さを0.155m/stepとしている．「ACCPガイドライン」[12]では階段昇降長が22m未満の患者に対しては正確な最大酸素摂取量の測定を推奨している．

3）6分間歩行試験（6 minutes walking test）
　30m以上の長さを有した室内の平坦な場所を歩行し，その距離を評価する．運動中のSpO_2の継続的なモニタリングは必要ではない．試験の再現性に影響を及ぼす要因として声かけがあげられているため，試験中の声かけの言葉も決まっており，それ以外のものを使用してはいけない．胸痛，呼吸困難，ふらつき，下肢の痙攣，多量の発汗，顔面蒼白あるいはチアノーゼの出現などを認めた場合には試験を中止する．

　最大歩行距離が最大酸素摂取量と相関（$r=-0.73$, $p<0.001$）し，算出方法は最大酸素摂取量=0.006×距離（フィート）+3.38である．これによって算出された最大酸素摂取量を「ACCPガイドライン」[12]のリスク評価に当てはめ，判定する．

4）最大酸素摂取量（$\dot{V}O_2$max）
　漸増運動で測定された酸素消費の最大量のことであり，トレッドミルや自転車エルゴメーターなどで測定される．有酸素運動能力を反映し，長時間の最大限下の運動持久力を決める重要な要素である．肺切除後は肺胞の面積および血管床が減少するため術側肺血流量および1回心拍出量が低下し，運動時に心拍数で代償しきれないため最大酸素摂取量は低下する．「ACCPガイドライン」[12]は，最大酸素摂取量が10mL/kg/min未満もしくは予測値の35％未満の症例に対しては，縮小手術や手術以外の治療法を推奨している．

文献
1) 日本肺癌学会（編）．肺癌診療ガイドライン2020年版，金原出版，2021
2) Sawabata N et al. Gen Thorac Cardiovasc Surg 2015; **63**: 14
3) Thomford NR et al. J Thorac Cardiovasc Surg 1965; **49**: 357
4) 川口　庸ほか．日呼外会誌2012; **26**: 739
5) 松岡弘泰ほか．日呼外会誌2017; **31**: 52
6) 深在性真菌症のガイドライン作成委員会（編）．深在性真菌症の診断・治療ガイドライン2014，協和企画，2014
7) Igai H et al. Ann Thorac Cardiovasc Surg 2012; **18**: 472
8) Oken MM et al. Am J Clin Oncol 1982; **5**: 649
9) 澤端章好ほか．日呼吸会誌2004; **49**: 327
10) 中原数也ほか．肺癌1982; **22**: 429
11) Bolliger CT et al. Respiration 2002; **69**: 482
12) Brunelli A et al. Chest 2013; **143**: e166S
13) Brunelli A et al. Chest 2002; **121**: 1106

III. 周術期管理と術後合併症

 術前管理

要点

1. 呼吸器外科手術における術前管理とは，術後合併症および手術関連死亡を低下させるための術前の準備や介入のことである．
2. 適切な術前管理には，心肺機能評価および術後合併症・手術関連死亡のリスク因子を評価することが不可欠である．
3. 呼吸器外科手術患者は高齢者の割合が高く，併存疾患への対応にとどまらず高齢者特有の臨床課題についての認識が術前から求められる．

Key Word 術前管理，NCDリスクカリキュレーター，間質性肺炎急性増悪スコア，禁煙，口腔機能管理，術前栄養管理，高齢者手術，併存疾患管理

　呼吸器外科手術における術前管理とは，術後合併症および手術関連死亡を低下させる目的で行う，術前の準備や介入のことである．適切な術前管理には，心肺機能を含めた耐術能と術後合併症・手術関連死亡のリスクをより正確に評価することが不可欠である．術後重篤な合併症は生存への悪影響があることも報告されており，手術関連死亡と同様に回避するため，術前から最善の対策が求められる．

　心肺機能評価については前項で詳述されているため，本項では，術後合併症および手術関連死亡のリスク因子と発生予測について取り扱う．

　術前管理における介入では，禁煙・術前呼吸理学療法が重要である．加えて口腔機能管理と栄養管理について呼吸器外科医として知っておくべき近年の知見についてまとめる．

　また，本邦における肺癌手術患者のうち，70歳以上の割合が50％を超える現状である．高齢者手術における術前管理の観点を踏まえた対策等が重要である．

a 術後合併症および手術関連死亡のリスク因子と予測 レベルA

1) 間質性肺炎急性増悪スコア

　日本胸部外科学会学術調査において，原発性肺悪性腫瘍手術の在院死亡および30日以内死亡の死因は，間質性肺炎が最も多く，次いで肺炎，心血管イベント，呼吸不全と続く．間質性肺炎の術後急性増悪は呼吸器外科手術において最重要のリスクである．日本呼吸器外科学会が実施した多施設共同後ろ向き研究によって，間質性肺炎を合併した肺癌に対する肺切除術時の間質性肺炎急性増悪の頻度は9.3％，死亡率43.9％と報告された[1]．また同研究では性別・術前ステロイド投与歴・術前急性増悪の有無・CT上UIPパターン・%VC低値・KL-6高値・術式が急性増悪の危険因子として同定された．これら7因子に関して多変量解析の結果得られたオッズ比をもとにしてリスクスコアが提唱されている（表1，表2）[2]．このリスクスコアについて

表1　間質性肺炎術後急性増悪のリスク因子とスコア

急性増悪の既往	あり	5点	なし	0点
CT所見	UIP pattern	4点	Non-UIP pattern	0点
術式	区域切除以上	4点	部分切除	0点
性別	男性	3点	女性	0点
術前ステロイド投与	あり	3点	なし	0点
KL-6	>1000U	2点	1000U≧	0点
%VC	80%≧	1点	>80%	0点

合計スコア（0～22点）を計算し，表2に当てはめる
(Sato T et al. Gen Thorac Cardiovasc Surg 2015; 63: 164[2] を参考に作成)

は検証研究が行われその結果の報告が待たれるが，現状においても実臨床に利用可能な有用なスコアである．

2) NCDリスクカリキュレーター

　National Clinical Database(NCD)では，フィードバック機能として原発性肺悪性腫瘍手術に対する待機的肺切除術症例における手術関連死亡・死亡または重篤合併症・気管気管支瘻・呼吸不全の発生予測率が計算可能となっている．web上のリスクカリキュレーターに性別・年齢・BMI・PS・呼吸機能・術前併存症・喫煙指数・術前導入療法・臨床的腫瘍最大径・cTNM・臨床病期・術式・気管支形成術・肺尖部胸壁浸潤の有無・リンパ節郭清度・合併切除部位・組織型を入力することで症例ごとの発生予測率が計算される．この機能は，NCDに登録されたNCD診療科長・NCD主任医長のみが利用可能である．術式別にリスクシミュレーションが可能であり術前の術式検討に有用である．さらに，肺切除範囲を縮小してもなお周術期死亡率が高く予測される場合には代替療法について検討する契機となるであろう．また，あくまで予測率であることを踏まえつつも，インフォームドコンセントにおいては個別性に配慮した情報提供が求められる観点から，特に高リスク患者においては利用が検討されるべきである．

表2　間質性肺炎急性増悪のリスクスコアと予測発症率

合計リスクスコア	予測急性増悪発症率（%）
0	0.4
1	0.5
2	0.7
3	0.9
4	1.3
5	1.8
6	2.4
7	3.2
8	4.4
9	6.0
10	8.0
11	10.7
12	14.1
13	18.4
14	23.6
15	29.8
16	36.8
17	44.5
18	52.4
19	60.2
20	67.5
21	74.0
22	79.6

(Sato T et al. Gen Thorac Cardiovasc Surg 2015; 63: 164[2]) を参考に作成)

b 術前管理としての介入 レベルA

1）禁煙

①喫煙歴

一般的に喫煙歴の問診には，喫煙指数（Brinkman index）（1日のタバコの本数×喫煙年数）あるいは pack-year（1日の喫煙本数/20×喫煙年数），喫煙開始時期，禁煙しているのであれば最終喫煙時期を聴取する．

②禁煙と術中術後合併症との関係

喫煙は周術期合併症の危険因子である．そして，術前禁煙により様々な周術期合併症の発生頻度が減少する[2]．呼吸器外科手術において，術前4〜8週間の禁煙により術後呼吸器合併症発生率が減少する．また，術前禁煙は創治癒改善効果をもたらすことが報告されている．一方で，北米における胸部外科医のアンケート調査では術前禁煙指導を行っている外科医の割合が必ずしも高くないことが報告されている．患者にとって癌の診断・告知・手術は，禁煙の動機づけとなる，いわゆる "teachable moment" として貴重な機会である．呼吸器外科医は待機手術患者に対する禁煙指導への関与を重要な責務と捉えるべきである．

③禁煙支援

術前の禁煙支援については，日本麻酔科学会から周術期禁煙ガイドラインが策定されている．外科医・麻酔科医から禁煙を強く指導し禁煙指導専門家への紹介が推奨されているが，医療者からの禁煙助言だけでも禁煙につながる可能性は高い．さらに禁煙補助薬による介入の有効性も報告されている．日本で認可されている禁煙補助薬には，ニコチン置換療法（NRT）：ニコチンパッチ・ニコチンガムと経口ニコチン受容体パーシャルアゴニストのバレニクリンがある．周術期使用にあたっては，バレニクリンは心血管イベントの発生を増加させないことが確認されたが，NRTにおいては動悸・頻脈といった軽微な心血管イベントが増加することが示されている．麻酔科医との事前調整が必要であろう．近年使用者が増加している非燃焼・加熱式タバコについても，主流煙に有害物質が含まれていることから中止を指導するべきである．

2）（呼吸）理学療法

周術期アウトカムを改善するための術前管理として，重要な介入である．別項で詳述されるため，本項では割愛する．

3）口腔機能管理

周術期口腔機能管理とは，口腔内感染源を除去すること，早期の経口摂取支援によって，医科疾患治療時の合併症を予防することである．肺癌術後の肺炎発症を低下させるというエビデンスも近年，本邦や米国において報告されている．口腔内感染源除去は，感染源をもつ歯の治療（抜歯など）とプラークや歯石除去，ブラッシング指導などの口腔ケアからなる．抜歯やプラークコントロールは手術の1〜2週間前までに施行するのが望ましい．また早期の経口摂取開始によって，口腔の自浄作用を回復することも咽頭貯留液中の病原性微生物を減少させるために有効である．手術までの日数が少ない場合でも，即時義歯や一時的ブリッジなどの補綴処置によって，咀嚼機能を維持し経口摂取支援につながる効果が期待される．周術期口腔機能管理の実施体制については，病院や地域ごとのリソースの違いによって様々である．歯科のない病院においても，地域歯科医師会との医科歯科連携による取り組みなどが広まってきている．

4）術前栄養管理

術前の栄養不良や栄養不足は周術期アウトカムにおけるリスク因子である．周術期の栄養管理ガイドラインとしてESPEN ガイドライン（European Society for Clinical Nutrition and Metabolism：ESPEN，欧州静脈経腸栄養学会）が公表されている．術前管理としては，栄養状態評価，術前絶食時間の短縮，術前炭水化物含有飲料などの経口補水療法が推奨されている．しかし，術前栄養療法として特定の栄養素補給に関する推奨は示されていない．注目すべき点として，このガイドラインのなかで，同学会から発表されたERASプログラム（Enhanced Recovery after Surgery：ERAS）が重要な柱となっていることがあげられる．ERASは，北欧の研究者らによって大腸切除患者を対象に，術後回復促進を目的とした栄養管理を含むエビデンスに基づいた包括的ケアプログラムとして提唱された．その後，他の

癌腫における待機的手術においても有効性を示す報告がされ広く認知されるにいたっている．肺癌手術においても，近年ERASを導入した観察研究が米国と英国において報告されている．英国の研究では，適応があると判断された患者に慢性閉塞性肺疾患で推奨されている栄養指導が行われたが，米国の研究においては，栄養療法は行われなかった．慢性閉塞性肺疾患やサルコペニアで推奨される高エネルギー・(分枝鎖アミノ酸を含む)高蛋白食や，免疫調整作用を有する免疫栄養素(アルギニン，ω3脂肪酸，核酸，グルタミンなど)の肺癌手術周術期における有効性については今後の研究課題である．(免疫栄養素の肺癌手術における有効性についての小規模な無作為化試験が1編報告されている)

C 高齢者手術としての術前管理 レベルA

呼吸器外科手術を受ける患者の多くが高齢者であり，非高齢者にはない周術期の特性に考慮しなければならない．高齢者は，術後に合併症を併発しやすく，術後に機能的減弱をきたしやすいため，結果として，日常生活における自立性が損なわれやすい．現在，日本呼吸器外科学会では，「高齢者肺癌に対する外科治療の安全性と有効性を評価するための多施設共同前向き調査研究」が行われている．高齢者肺癌手術における多くの示唆が得られることが期待される．米国においては，米国外科医師会(American College of Surgeons：ACS)と米国老年医学会(American Geriatrics Society：AGS)が共同で高齢者手術における術前評価のガイドラインを2012年に[3]，周術期管理のガイドラインを2016年に公開している[4]．いずれも多忙な外科医の実臨床において，参照可能で有用な情報と思われる(表3，表4)．

1) 事前指示書／アドバンス・ケア・プランニング

表3，表4に示したごとく，患者の事前指示書／アドバンス・ケア・プランニングや代理意思決定者について確認し記録しておくことが重要であるが，本邦では多くの場合，それらについて患者やその家族間で話し合われていない．近年，慢性疾患(腎不全，心不全，慢性閉塞性肺疾患など)のガイドラインにおいては，終末期医療(人生の最終段階における医療とケア)の在り方について患者の意向を確認するタイミングとして，入院加療を要する増悪時に相談を促すことが推奨されている．高齢者手術も同様に，治療が期待しない結果となった際の医療やケアについて話し合う好機であると考えられる．また，呼吸器外科医が率直に患者と向き合い協議することは重要であるが，事前指示書／アドバンス・ケア・プランニングの合意形成にいたるには話し合いを支援する医師以外の人材育成も課題である．米国においては，蘇生不要指示(DNAR: Do not attempt resuscitation)を事前指示／アドバンス・ケア・プランニングとして意思表明している高齢患者の待機手術についてすでに想定されていることが注目される．そして「蘇生不要指示についての再考を要求する」とチェックリストに示されている．再考の過程に呼吸器外科医が関わることは当然であるが，普遍的解決策が存在しない臨床倫理的課題に直面した際に，

表3 高齢手術患者における術前評価のためのチェックリスト

病歴聴取と身体診察に加えて以下の項目について術前に確認・評価することを推奨する．
- □ 予定手術を理解するための認知機能と理解力を評価する
- □ 抑うつについて検査する
- □ 術後せん妄の危険因子を同定する
- □ アルコールやその他薬物の乱用・依存について検査する
- □ ACC/AHAの定めた非心臓手術患者における術前心機能評価アルゴリズムに従った検査を行う
- □ 術後肺合併症の危険因子を同定し予防のための適切な方策を実施する
- □ 身体機能と転倒の既往について記録する
- □ フレイルについて評価する
- □ 栄養状態について評価し，高度な栄養リスクがあれば術前介入を考慮する
- □ 内服薬について(ポリファーマシーを含む)正確に把握し周術期の調整について考慮する
- □ 予想される治療結果を踏まえて患者自身の治療目標や治療への期待を明確にする
- □ 家族の支援や社会的支援サービスについて明確にする
- □ 高齢患者に必要な術前検査を適切に指示する

(Chow WB et al. J Am Coll Surg 2012; 215: 453 [3])を参考に作成)

表4 高齢者手術における術前管理チェックリスト

- □ 患者の治療目標と治療選好について，事前指示書も含めて確認し記録する
- □ 患者の医療委任状や代理意思決定者について確認し記録する
- □ 事前指示書を有する患者においては，手術に伴う新たなリスクについてや，生命に関わる潜在的事態の対処法について患者の価値観および選好に一致するよう協議する(蘇生不要指示について再考の要求)
- □ 絶飲食時間の短縮を考慮する(水分摂取は麻酔2時間前まで)
- □ 予防的抗菌薬使用や深部静脈血栓症予防のガイドラインを遵守する
- □ 不必要な内服薬の中止と必要な内服薬継続について確認する

(American College of Surgeons / American Geriatrics Society. Optimal Perioperative Management of the Geriatric Patient 2016 [4])を参考に作成)

院内や地域でどのようなリソース(臨床倫理コンサルテーションなど)が利用可能であるかは事前に知っておくべきである．同ガイドライン上の記載については，各自原文をあたっていただきたい．

2) 術後せん妄予防

高齢は術後せん妄のリスク因子であることが知られている．またせん妄は，肺炎などの更なる合併症のリスクになることや，転倒・転落，ドレーン類の事故的抜去などをきたす要因にもなりうる．したがって高齢者手術においては，他のせん妄リスクを術前に把握し可能な限り除去しておくことが大切である．せん妄のリスク因子として，疼痛・認知機能障害・抑うつ・貧血・低酸素血症・低栄養・脱水・電解質異常・向精神薬などの中枢神経系や神経伝達物質に何らかの影響を与える薬剤(ベンゾジアゼピン，抗コリン薬，抗ヒスタミン薬など)等があげられる．本邦において，睡眠導入剤としてベンゾジアゼピンが処方されることが多いが，せん妄のリスクとなるばかりでなく筋弛緩作用があ

り高齢者にとっては術後転倒・転落のリスクにもなりうる．術後の使用は厳に避けるべきである．

> **Side Memo**
> せん妄の予防と治療を含めた多職種アプローチ「DELTAプログラム」
> 手術そのものが，炎症や疼痛といった「せん妄」のリスク因子を惹起する特性を内在した外科診療においては，従来，せん妄対策は，せん妄を発症した後の薬物療法や転倒・転落予防策，興奮や混乱を鎮めるための看護やケアが中心であった．しかし，現在では，適切なアセスメントとケアによって予防するという取り組みが提唱されている．DELirium Team Approach(DELTA)プログラムは，国立がん研究センター東病院で開発された，多職種がチームとなってせん妄の予防と初期対応が出来ることを目的とした教育と実地運用プログラムである．DELTAプログラムの有効性についても報告されている(Support Care Cancer 2019; 27: 557)．同プログラムの紹介と「せん妄アセスメントシート」がweb上で閲覧可能である(https://www.ncc.go.jp/jp/epoc/division/psycho_oncology/kashiwa/090/20171115095243.html)．

d 併存疾患に対する術前管理 レベルA

NCDのデータセットから抽出された手術関連死亡モデルにおける併存疾患のオッズ比は，高い順に間質性肺炎，肝硬変，人工透析，虚血性心疾患であり，死亡・重篤合併症モデルにおける併存疾患のオッズ比は，高い順に間質性肺炎，不整脈，人工透析，未治療の糖尿病と続く[5]．

1) 間質性肺炎

NCDで集計される間質性肺炎は特発性間質性肺炎(idiopathic interstitial pneumonias : IIPs)だけではなく，「CTで明らかな所見」を有するという定義で登録された症例群であるため気腫合併肺線維症や膠原病肺なども含まれていると考えられる．術前管理に関するエビデンスは乏しいが，ピルフェニドンを用いた急性増悪の予防に関する有望な第Ⅱ相試験をもとに，現在第Ⅲ相試験が進行中である．

2) 肝機能障害(肝硬変)

待機的手術においては，肝硬変予後予測を含めて消化器内科等と代替療法の可能性など十分に検討する必要がある．肺切除術前管理に関するエビデンスは見当たらないが，術前留意することとしては，肝炎活動性の評価，腹水管理，凝固能や低アルブミン血症に応じた補充療法，食道胃静脈瘤の評価などがあげられる．

3) 人工透析を要する慢性腎不全

心血管系の評価が重要である．虚血性心疾患の併存割合が高いことや肺高血圧が周術期死亡率に影響することが報告されている．周術期の透析スケジュールについて腎臓内科医と事前に検討を行う．

文献
1) Sato T et al. J Thorac Cardiovasc Surg 2014; **147**: 1604
2) Sato T et al. Gen Thorac Cardiovasc Surg 2015; **63**: 164
3) Chow WB et al. J Am Coll Surg 2012; **215**: 453
4) American College of Surgeons / American Geriatrics Society. Optimal Perioperative Management of the Geriatric Patient 2016 https://www.facs.org/-/media/files/quality-programs/geriatric/acs-nsqip-geriatric-2016-guidelines.ashx
5) Endo S et al. Eur J Cardioythorac Surg 2017; **52**: 1182

III. 周術期管理と術後合併症

術中管理

要点
- ❶呼吸器手術に特有の術中病態生理の理解．
- ❷術中処置．
- ❸術中トラブルの原因精査と対応．

Key Word　分離肺換気，輸液管理，輸血，type and screen（T & S），移植片対宿主病（GVHD），輸血拒否，体外循環

呼吸器外科手術の麻酔は，分離肺換気など特有の処置が多く難易度も高い．術者も全身状態の監視が必要であり，麻酔医との緊密な連携が必要である．

a 全身麻酔下，側臥位の生理 レベルA

筋弛緩状態，側臥位での分離肺換気（one-lung ventilation：OLV）下では，特有の生理学的変化を生ずる．虚脱した上側肺を流れる血液はガス交換されないので，動静脈シャントを生じ低酸素を招く．一方，重力により約10％の血流が下側肺にシフトする．さらに肺動脈平滑筋は，肺胞気酸素分圧（PaO_2）が低下すると収縮する作用［低酸素性肺血管収縮（hypoxic pulmonary vasoconstriction：HPV）］を有し，換気血流比（$\dot{V}/\dot{Q}$）の低い上側肺への血流を抑制してシャントを減らそうとする．HPVはOLV開始後，20〜30分で作用するとされ，その後，酸素化は改善し安全なOLV下の手術が可能となる．一般に，吸入麻酔薬はHPVを抑制し，プロポフォールなど静脈麻酔薬はHPV抑制程度が少ないとされる（図1）．

b 呼吸管理—分離肺換気 レベルA

1) 分離肺換気の方法

OLVを行うための気管チューブは，内腔が分けられたダブルルーメンチューブ（double-lumen tube：DLT）と，バルーンで気管支を閉塞する気管支ブロッカー（bronchial blocker：BB）の2タイプがある．左用DLTが主流であるが，左主気管支に病変がある場合や，左肺全摘術などでは右用DLTが選択される．小児や小柄な成人，気管や左主気管支に病変があるなどDLT挿入が難しい場合は，BBが用いられる．

さらに小さな乳幼児では，人工気胸により術側肺を虚脱させることで手術を行う．

Side Memo

仰臥位で前縦隔に鏡視下アプローチする場合は，側臥位に比べて重力によるシャント抑制効果が減る．できるだけ手術台を術側上に傾けることで改善できるが，同時にそのほうが前縦隔への鉗子操作も容易になる（図2）．

---

2) ラリンジアルマスク（LMA）

ラリンジアルマスク（laryngeal mask airway：LMA）は，マスク様の形状で喉頭部分を覆い尽くすように気道確保する．気道の刺激が少なく，気道上部の手術操作やレーザー焼灼などの管理に有用である．多発ブラを有する症例などでは，気管チューブをLMAに入れ替えて，緩徐に麻酔から覚醒させることによって，咳嗽による急激な気道内圧上

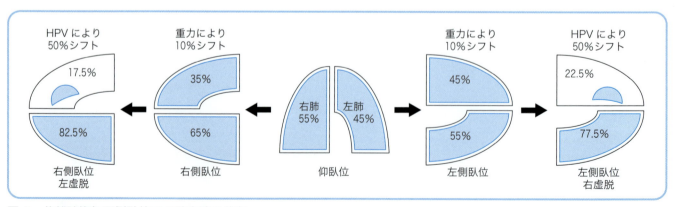

図1　分離肺換気下側臥位での肺血流の分布
（佐多竹良ほか．肺外科手術の麻酔，羊土社，2013[1]）を参考に作成）

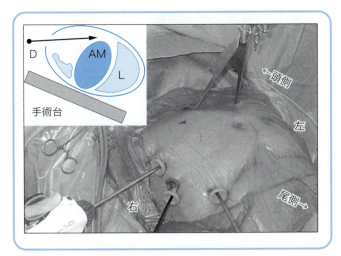

図2 仰臥位胸腔鏡手術の体位
AM：前縦隔，D：鉗子・スコープの方向，L：対側肺

昇を避けることができる．

C 輸液管理 レベルA

過剰な輸液は，間質への漏出によりガス交換能の悪化を招くため，控えめに「ドライ」に保つ．血圧，心拍数，尿量，中心静脈圧などをみながら，4～5 mL/kg/hr，尿量≧0.5 mL/kg/hr を目安に細胞外液補充剤を輸注する．特に片肺全摘術では，肺血管床が約1/2に低下することにより，右室の後負荷が増加し心拍出量が低下する．肺水腫を防ぐためにより「ドライ」な管理を心がけ，hypovolemiaや心拍出量低下がある場合には，膠質液やカテコールアミンの投与を検討する．

d 輸血 レベルA

1）適応
① 赤血球濃厚液（RCC-LR）
重要臓器への酸素供給が目的．一般に，ヘモグロビン値が7 g/dL 未満，循環血液量（70 mL/kg）の20～50％の出血などが基準であるが，総出血量，血圧，尿量など総合的に判断する．肺切除術では，ガス交換臓器そのものが侵襲を受けるため，一般外科手術より早期に輸血を検討するべきである．特に高齢，低肺機能，虚血性心疾患などの合併では早めに開始する．
② 新鮮凍結血漿（FFP-LR）
凝固因子の欠乏による出血傾向の是正，大量出血に伴う大量輸血時などが適応．止血効果改善のためには，FFPより凝固因子製剤が有効とされる．
③ 濃厚血小板（PC-LR）
待機手術前の血小板数が5万/μL以下，急速失血による大量輸血で血小板減少と出血傾向がみられる場合などが適応．投与された血小板は速やかに破壊されるので，手術や処置当日に輸血する．

④ アルブミン製剤
出血性ショックなど低蛋白血症に基づく病態の改善が目的．術中大量出血では血清アルブミン濃度3.0 g/dLを目標に2～3日分割投与する．急速投与は循環負荷の原因となりうる．

2）院内の準備体制（赤血球濃厚液）
予想輸血量が少なく不規則抗体が陰性なら，交差適合試験を行わず必要時に手術室に出庫する（type and screen：T&S）．標準的な肺切除術ではこの方法がとられる．臓器合併切除など一定量の初期輸血で対応可能と予想される場合は，前もって交差試験を6～10単位程度行い準備し，輸血しなかった場合は転用する．

3）輸血に伴う合併症
① アレルギー，アナフィラキシー
輸血中から輸血後数時間以内に皮膚粘膜症状として発症する．抗ヒスタミン薬，ステロイド投与を行う．血圧低下を伴う場合（アナフィラキシー）は，エピネフリンを投与する．
② TRALI
TRALI（transfusion-related acute lung injury）は，輸血開始から6時間以内に急激に発生する非心原性肺水腫．酸素化障害，発熱，血圧低下，泡沫痰を呈する．生体または輸血製剤中の抗白血球抗体などが原因とされる．輸血を中止，回路を交換し晶質液に変更，ステロイドを投与する．
③ TACO
TACO（transfusion-associated circulatory overload）は，輸血開始から6時間以内に生じる容量負荷が原因の心不全．酸素化障害，頻脈，血圧上昇などを伴う．輸血を中止し，利尿により水分バランスを補正する．
④ 血液型不適合輸血（ABO不適合，Rho(D)不適合）
急性輸血関連合併症（acute transfusion reaction：ATR）を疑う場合はまず鑑別すべき項目である．血管内溶血に伴うヘモグロビン血症，ヘモグロビン尿症を伴う．細胞外液の急速輸液と尿量確保を行う．
⑤ 輸血感染症
輸血血液中の病原微生物による感染症．初流血除去により採血時の皮膚からの細菌混入を予防している．B型肝炎ウイルス（HBV），C型肝炎ウイルス（HCV），ヒト免疫不全ウイルス（HIV）などのウイルス感染は，ウィンドウ期間（感染から検査陽性となるまでの期間）内の採血が原因となることが多い．
⑥ 輸血後移植片対宿主病（GVHD）
輸血後移植片対宿主病（post transfusion - graft-versus-host disease：GVHD）は，血液製剤（graft）に含まれるリンパ球が受血者（host）の組織を攻撃する病態．輸血1～2週間後に発熱や皮膚の紅斑で発症，さらに汎血球減少，敗血症などにいたり，いったん発症すると致死率は高い．免疫不全状態で起こるほか，組織適合抗原HLAの一方向適合（hostリンパ球がgraftを認識する方向では適合，逆にhost組織内に生着したgraftリンパ球がhost組織を認識する方

向では不適合)を主要な条件として発症する．その組み合わせの確率は，一般供血者の約1/300〜1/900に比して親子間では約1/50と高くなる．当初日本では，血縁者間の新鮮な血液の輸血が安全とされていたこともあり，海外より発症頻度が高かった．機序が解明されて，予防手段として，1996年日本血液学会から使用前の放射線照射の指針が示された．現在，各医療機関が照射済みの血液製剤を購入する体制が整っている．

4) 自己血輸血—同種輸血を回避，減少させる工夫
① 貯血法

術前に2〜3回採血を行い輸血する方法．分離や保存に特別な設備を要すること，貧血が進行する場合は必要量を確保できないことなどが欠点である．

② 希釈法

全身麻酔開始後に1,000 mL前後採血したのち，輸液を行い体内血液を希釈し，終了時に体内に戻す方法．採血量が限られることや循環動態に影響を及ぼす可能性があり一般的ではない．

③ 回収法(セルセーバーの使用)

術野の血液を吸引し遠心分離後フィルターを通して輸血する方法．出血量が予測できない手術や，大量出血した場合に有効である．一方，回収した血液に，投与中の薬剤や脂肪など非細胞成分が含まれることが欠点．また，膿胸など術野が汚染されている場合や，播種など腫瘍細胞が存在する場合は使用できない．

5) 宗教上輸血拒否への対応

エホバの証人では信者の間でも輸血の解釈に幅があるので，まず患者個々の意思確認が必要である．対応は，①たとえ生命の危機にいたるとしても，いかなる場合も輸血をしない(絶対的無輸血)，②無輸血治療のため努力するが，輸血しか救命法はないという状況に陥った場合は輸血をする(相対的無輸血)，の2つがある．あらかじめ施設としての方針を定め，内外に告知しておくことが重要である．

e 術中の問題と処置 レベルA

1) 分離肺換気中の低酸素血症

直ちにFiO_2を上げて酸素化の改善を図る．下側肺呼吸終末陽圧(PEEP)や患側肺持続気道内陽圧(CPAP)(2〜10 mmHgの陽圧で持続的に酸素投与)も検討するが，改善しなければ躊躇せず手術操作を中断して両側肺換気に戻す．原因を麻酔医と連携して究明する(表1)．聴診や気管支鏡により，チューブの接続や位置，血液や分泌物による気道閉塞を確認し対応する．

2) 気道内吸引

吸引チューブや気管支鏡による吸引操作は，咳反射を誘発する場合がある．特に血管切離など危険を伴う操作の際は麻酔医に報告し，必要があれば筋弛緩薬を追加する．

表1 分離換気中の低酸素血症の原因
- 血液や分泌物による気道閉塞
- 分離換気チューブの位置異常，屈曲，カフ損傷
- 対側の無気肺，気胸，肺水腫
- 呼吸器の設定
- 麻酔回路，輸液ルート，モニターの不具合

3) 気管支切離の際の注意

切離断端の状態や，温存した気管支に狭窄や屈曲がないかを気管支鏡で観察することは有用である．自動縫合器で気管支を切断する際は，吸引チューブが留置されているとともに切断される危険があるので，麻酔医に抜去を確認する．

4) water sealing test(リークテスト)

胸腔内に温生理食塩水をためて気漏の有無を確認する手技．気管支断端では20〜30 cmH_2O，肺実質切離部や気胸の気漏部位の探索では約15 cmH_2Oのプラトー圧をかけ，泡の有無と部位を観察する．

5) 術後胸部X線像のチェックポイント

複数のスタッフで系統的に確認する．①チューブ類の位置確認，②術側肺の拡張，③無気肺，肺水腫，胸水貯留，対側気胸，④心拡大，心ヘルニア(特に肺全摘術時)，⑤肋骨骨折，皮下気腫，⑥遺残物，⑦マーキングに用いたクリップの位置の確認．

> **Side Memo**
> 【間質性肺炎(IP)合併例ではFiO_2低めがよいか】
> 高濃度酸素の曝露は術後急性増悪の因子のひとつとされる．動物実験では長時間曝露の肺毒性が示されているが，肺切除術後で証明した臨床研究はない．SpO_2が90%保てればFiO_2は低めに維持することが望ましいとされる．他の増悪因子として，手術侵襲の程度や陽圧換気などが指摘されている．周術期のステロイドや好中球エラスターゼ阻害薬の予防効果のエビデンスはない．

f 体外循環

1) 人工心肺(図3) レベルB

開心術で用いる体外循環装置では，上・下大静脈あるいは右房から脱血し，上行大動脈へ送血する．一般に，左心系を切開する場合(図3a)は空気塞栓の問題から，冷却・心停止後，大動脈を遮断し心筋保護液還流を要する(完全体外循環)．弓部への浸潤(図3d)では，遮断する部位によっては低体温下脳分離体外循環を要する．一方，右心系(図3b, c)では心拍動下でも切開可能である(部分体外循環)．腫瘍が大血管中枢側にポリープ様に進展している場合は，鉗子遮断により腫瘍の先端を離断し腫瘍塞栓を招くおそれがあるので，血管を切開し内腔を十分観察して切離線を決める

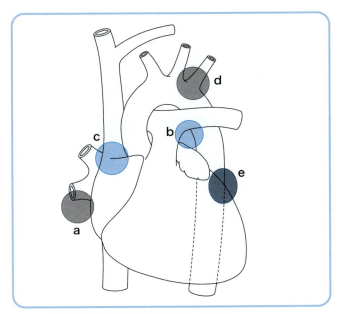

図3 体外循環を要する合併切除の部位
a：肺静脈，左房，b：主肺動脈根部，c：上大静脈，右房，d：弓部大動脈，e：下行大動脈

必要がある．

2) 体外式膜型人工肺（ECMO） レベルA

体外式膜型人工肺（extracorporeal membrane oxygenation：ECMO）［経皮的心肺補助装置（percutaneous cardiopulmonary support：PCPS）という場合もある］は，遠心ポンプと膜型人工肺との閉鎖回路からなる部分体外循環法で，経皮穿刺によりカニューレを挿入し，通常，大腿動・静脈から送・脱血する．回路充填が短時間で済み，移動も容易である．出血のほか，血栓塞栓症，下肢虚血，感染症に注意を要する．下行大動脈合併切除（図3e）では下半身への循環補助に有用である．主肺動脈根部の合併切除（図3b）では血流を減らして肺動脈（PA）圧を下げることで手術操作が容易になる．また，巨大な前縦隔腫瘍の全身麻酔導入時や，気管ステント留置など換気不全の危険がある場合は，前もってECMOカニューレの挿入を検討する．

文献
1) 佐多竹良ほか．肺外科手術の麻酔，羊土社，2013

④ 術後管理

要点

❶ 術直後は，呼吸数，心拍数，血圧，動脈血酸素飽和度などのモニターを行い，低換気，気道閉塞，不整脈などへの適切な対応を行う．
❷ 体液の移行を考慮しつつ過剰輸液を控え，肺水腫，心不全などを制御する．
❸ 疼痛は気道閉塞などの原因になるので，適切な対応が必要である．

Key Word 呼吸管理，循環管理，輸液，栄養，胸腔ドレーン

開胸および胸腔鏡下手術後の患者は，術操作による疼痛，肺容量減少を伴う心肺機能低下を背景としており，身体所見，モニターなどを参考に病態を理解した適切な対応が必要である．

a 呼吸・循環管理 レベルA

開胸および胸腔鏡下手術後の患者は術後患者用の部屋で管理すべきであり，胸腔ドレーンによるモニタリングに加えて，全身状態把握のために，呼吸数，心拍数，血圧，動脈血酸素飽和度のモニターを行うべきである．また，術直後の患者の換気状態を把握できるので，動脈血ガスを検査して PaO_2 に加えて $PaCO_2$ を測定することが望ましい．抜管後，鼻カニューレまたはマスクで酸素投与を行い，PaO_2 が少なくとも60 Torr を超えるように調節する．一過性の $PaCO_2$ の上昇は鎮痛薬の過剰投与，リバース薬の投与不十分，過剰な酸素投与などにより起こり得，再挿管を要することもある．再挿管にいたらない場合でも，バッグバルブマスク(AMBU bac)やジャクソンリース回路を用いて行いバイタルサインの安定を待つ場合もある．

術後に人工呼吸を行う基準は一般に room air で PaO_2 が50 Torr 未満，$PaCO_2$ が60 Torr 以上である．FiO_2 は0.5を基準とし，100％酸素の長期投与は避ける．この際，呼吸終末陽圧(positive end-expiratory pressure：PEEP)法などにより，PaO_2 を60〜80 Torr 程度に保つ．PEEP により虚脱した肺胞が伸展され，無気肺や肺水腫が改善される．PEEP 圧は5〜10 cmH$_2$O 程度とし，適切な PaO_2 が得られたら，FiO_2 を下げる．人工呼吸下に管理されている患者には，更に集中した管理を行い，血液ガス分析に加えて，必要であれば，Swan-Ganz カテーテル挿入下に心拍出量，左室前負荷(肺動脈楔入圧)，肺動脈圧，混合静脈血酸素分圧をモニターし，酸素運搬能，左室駆出量を求める．頸静脈怒張，浮腫・腹水，体重増加，肝肥大，右季肋部痛などの右心不全兆候が見られた場合，利尿薬，カテコラミンなどを適時適量投与するが，PEEP はできる限り避けたほうがよい．

非侵襲的陽圧換気療法(noninvasive positive pressure ventilation：NPPV)は自発呼吸があり，循環動態が安定しており(ショックでない)，気道分泌物のコントロールが可能な場合に適応がある．同方法の使用により気管内挿管による人工呼吸管理を回避できることが多く，院内感染などの合併症発生率の軽減などに資すると考えられており，使用の機会は増加している．

high-flow nasal cannula(高流量式鼻カニュラ)は，ベンチュリーマスクやネブライザー式酸素マスクなどと同じ高流量式酸素療法に分類される．これらは100％近い酸素濃度を供給できるが，患者の吸気量よりも下回るために FiO_2 は60％前後となる．同方法は鼻カニュラを用いて加湿・加温した酸素を高流量(30〜40 L/分)で投与することで，鼻腔を刺激せず，鼻腔・咽頭などの解剖学的死腔を酸素で置換することにより，設定した FiO_2 が下気道に到達するように設計されている．さらに，高流量のために気道内圧が上昇して PEEP に似た効果も発揮され(30〜40 L/分で2〜3 cmH$_2$O)，肺胞の虚脱を予防することも期待される．抜管直後で NPPV が必要な場合などに有用な方法であるが，高二酸化炭素血症($PaCO_2$＞48 Torr)や気胸を伴う場合には適応とはならない．

ECMO(extracorporeal membrane oxygenation)は重症呼吸不全や心不全で通常の人工呼吸管理で酸素化を改善できない場合に，生命維持を目的として用いられる方法であり，原疾患の治療にはまったく資さないため，ECMO の導入と併行して原疾患の治療を行うことが重要である．

ECMO の導入基準は，通常の人工呼吸管理で酸素化が維持できない場合に加えて，陽圧換気による肺障害(圧損傷)などで肺に不可逆的な損傷を与える可能性がある場合があげられる．酸素化障害の程度として，P/F 比(PaO_2/FiO_2 ratio)が80未満とされる．また，ECMO の除外基準として，重度の頭蓋内出血，明らかに不可逆的な肺疾患(肺移植の適応を有さない)があげられるが，それ以外は全身状態や合併症による相対的除外基準となるため，実臨床では適応の判断は難しく，施設による基準の違いなどが多く認められる．

ECMO は体外循環を用いた侵襲的な治療法であるとともに，多大な人的資源を要しコストが高いことなどを勘案すると，適応は重症肺炎，敗血症に伴う ARDS などの可逆的

表1 肺切除後の輸液

1. 術後の病態生理
1) 第1相（Adrenocortical Phase）
   - 手術侵襲→視床下部　下垂体後葉→ADH→集合管　水の再吸収→乏尿
   - 手術侵襲→視床下部　下垂体前葉→ACTH→副腎皮質→Aldosterone→遠位尿細管 Na再吸収→生体のNa貯溜 K排泄→尿中K排泄増加
   - 手術侵襲→視床下部　下垂体前葉→ACTH→副腎皮質→Glucocorticoid→糖新生，異化亢進，末梢組織での糖利用抑制（surgical diabetes）
2) 第2相（Corticoid Withdrawal Phase）
   - 第1相で大きく動いた内分泌環境が平常に戻り始める（Refilling）時期．手術侵襲により異なるが，肺切除の場合通常1～2日後．
3) 第3相（Muscle Strength Phase）
   - 脂肪組織を除いた組織での窒素の蓄積時期．
4) 第4相（Fat Gain Phase）
   - 回復過程が進み，脂肪組織に中性脂肪の型で炭素が蓄積する時期．

2. 術後輸液の実際
1) 輸液量
   - 基本量は，水分35～45mL/kg/日，Na 60～100mEq/日，K 20～40mEq/日
   - 評価点は，術中の水分出納，バイタルサイン，尿量である．このうち時間尿量（0.5mL/kg/hr以上の確保）は重要な指標となる．
2) 術後輸液の実際
   - 術直後～12時間は間質への移行を考慮し，時間尿量とバイタルサイン安定させる量の細胞外液補充液（肺全摘後では0.8mL/kg/hr，全摘以外肺切除では1.2mL/kg/hr）を投与する．
   - 術後2日目以降バイタルサインと尿量が安定してきたらK増量とNaの減量を図り維持液に変更する．

な急性呼吸不全に限定すべきで，移植の適応のない間質性肺炎やもともとのADL/performance statusが低い場合などは適応から外れることが多い．

ECCO₂R（extracorporeal carbon dioxide removal）（体外式炭酸ガス除去）はV-VECMOとも呼ばれる．低一回換気量による肺保護的換気が推奨されている急性呼吸窮迫症候群（acute respiratory distress syndrome：ARDS）患者では呼吸性アシドーシスのリスクがあるのでV-VECMOが有用との報告があり，実現可能・安全かを検証する臨床研究が行われている．

上室性不整脈は開胸および胸腔鏡下手術後にしばしば見られ，放置すると心筋虚血，うっ血性心不全，重症不整脈をきたすことがある．低酸素血症，徐脈，貧血，電解質異常，過剰輸液などで誘発されることが多い．フロセミド，カルシウム拮抗薬，βブロッカーなどを用いて適時治療する．

術後疼痛が強いと呼吸様式に異変をきたし，頻呼吸・低換気状態になりうる．その結果，機能的残気量が低下し，無気肺による気道閉塞をきたす．この状態は，咳嗽の減少により増強され，術後の気道内分泌物亢進も相まって，いっそう気道閉塞をきたす．その結果，換気・血流不均衡による低酸素血症を生じるので，疼痛コントロールは重要

である．疼痛コントロールは，かつては非ステロイド消炎鎮痛薬（non-steroidal anti-inflammatory drugs：NSAIDs）投与が主に用いられていたが，鎮痛薬の静脈内持続注入が行われるようになり，patients-controlled analgesia（PCA）の追加で疼痛の訴えは軽減されるようになった．脊髄後根にある特異的麻薬受容体をターゲットとした硬膜外腔麻酔薬注入も行われ，運動障害はほとんど見られず非常に効果的である．副反応として，呼吸抑制，尿閉塞，悪心，嘔吐，低血圧があり，特に低血圧に対する過剰輸液に注意を要する．傍椎体肋間神経ブロックも効果的とされ，硬膜外腔注入に比べて副反応が少ないとの報告もある．

b 輸液・輸血管理 レベルA

1) 輸液管理

かつてサードスペース（Third space）の概念があり，術後の輸液が大量に行われる傾向があったが，現在は見直されている．

Third spaceの"third（3番目）"は，血管内のスペースをあらわす"first"，血管外の細胞外液スペースであるが血管内と水分の交換が行われるスペース"second"と区別され，隔絶された水分の出入りのないスペースと考えられ，third spaceという「隔離された領域」というミステリアスな概念により，術後の浮腫形成は不可避であり輸液量に依存するものではないと考えられていた．このthird space分を補充するための輸液が必要であると考えられていたが，トレーサーを用いた近年の研究ではその存在は否定されている．

すでに1977年にMaddoxが外科手術のみで循環血漿量の減少を報告しているように，外科手術は体液貯留をもたらす．全身麻酔のみでも血漿量は下がり，間質に水分は貯留傾向となることが示されている．麻酔および手術に伴う間質への水分貯留は不可避であるが，その程度は水分制限により調節可能であり，third spaceを考えるよりはむしろfirst spaceとsecond spaceの単純なモデルを想定する方が現実に近い．

術後輸液は患者の病態（表1）を理解したうえで適切に行うべきである[1]．術中・術後を通じて過剰輸液を控え，肺水腫，肺コンプライアンス低下，肺胞ガス交換能低下，右心不全などを予防すべきである．特に，血管外体液が血管内に戻るrefilling期には肺水腫や右心不全をきたしやすく注意が必要であるが，ドライサイドに偏りすぎると有効循環血液量が減少し，上室性頻脈，心筋梗塞，脳梗塞を誘発することがある．

2) 術後輸液の実際

尿量，尿比重，血圧，心拍数を観察し，中心静脈カテーテルが留置されている場合は中心静脈圧を測定しながら，血管内脱水補正分，third space移行補正分と胸腔ドレーン排液量を，細胞外液組成輸液を用いて適時側管から必要量を補正する．

間質へ移行する水分は血管内細胞外液と同様の成分であり，細胞内液補充製剤で補正した場合，のちに希釈性の低

Na血症をきたすので，細胞外液補充製剤で補充することが望ましい．補液による容量負荷のみに頼ると過剰輸液になる場合もあるので，カテコラミン製剤を併用して血圧の維持を行うことが必要なこともある．

術後1日目の夕方からrefilling期に入ることが多く，肺水腫，発作性心房細動，発作性上室性頻拍が出現しやすいので，飲水，食事量，胸腔ドレーン排液量を目安に輸液量を調節する．体重測定によるモニタリングは輸液バランスを知るうえで簡便かつ有用な方法である．

3）輸血管理

周術期の輸血の適応であるが，society of thoracic surgeon(STS)のガイドライン[2]によると輸血の基本的な考え方として，輸血の合併症(安全性)，輸血資源の有限性(献血)，費用対効果をもとに次のように記載されている．

術後の輸血基準はHb値6g/dL未満でのRBC輸血は合理的であり，救命治療と言える．また，Hb値7g/dL以下ではほとんどの患者で輸血には合理性がある．

輸血副作用は血液製剤に存在する細胞および血漿成分が原因となり生じる．副作用の分類方法はいろいろあるが，輸血後，ただちに起きる急性型と遅れて見られる遅発性型との時間的差異で分けると理解しやすい．各々は，さらに，原因が免疫学的機序か非免疫学的機序かに分類される．急性型には，①溶血性輸血副作用(hemolytic transfusion reactions：HTR)，②非溶血性発熱反応(febrile non-hemolytic transfusion reactions：FNH)，③細菌感染症，④アナフィラキシー反応，⑤皮下の過敏性反応，⑥循環過負荷(transfusion associated circulatory overload：TACO)，⑦輸血関連急性肺障害(transfusion related acute lung injury：TRALI)があり，遅発型には，①遅発性溶血性反応，②輸血後GVHD(post transfusion - graft versus host disease：PT-GVHD)があり，それぞれ適切な対応が必要である．

c 栄養管理 レベルA

肺切除の場合，基本的に翌日から食事開始となるため，ほとんどの症例では特に栄養管理を考える機会は少ないが，術前に低栄養が続いている症例や術後何らかの理由で経口摂取が進まない場合積極的な管理が必要となる．術前からの低栄養は疾患によることが多く，術前に補正することが困難である場合が多い．このような症例では術後に気管支断端瘻を発生するリスクが高くなる．

術後2～4日までは異化が更新しており，体液管理が主になりカロリーを入れても効果はないが，それ以降は同化が始まるため積極的にエネルギー補給を開始する．その方法として中心静脈栄養と経腸栄養があるが，前者はカテーテル感染の問題があるので長期栄養管理には不向きである．何らかの理由で腸管が利用できない場合を除き，より生理的である経腸栄養が勧められる．

d ドレーン管理 レベルA

胸腔ドレーンドレナージユニットはthree bottle systemやデジタル化吸引システムがあり，いずれも吸引圧の調節，肺気漏の観察，排液量測定が可能であるが，後者は肺気漏の定量化が可能である．吸引圧は，水封，持続のいずれかを選ぶかは状況によるが，肺気漏の大きい場合は持続吸引にて健常肺への酸素供給が阻止され，低酸素血症に陥ることもある．

胸腔内圧は吸気時約$-8cmH_2O$，呼気時約$-4cmH_2O$であり，肺の膨脹が得られる最低の陰圧で持続吸引すればよい．ただし，片肺全摘後は水封を原則とする．

ドレーン抜去のタイミングであるが，肺気漏の消失と肺の膨脹があれば抜去可能である．微小肺気漏の有無を確認するために，抜去前に数時間ドレーンをクランプし，胸部X線で肺虚脱がないか確認する方法もある．

肺気漏を認めず，感染もなく，出血も認めずかつ経口開始後も乳び胸水がない場合，100～200mL/日になった時点でドレーン抜去を考慮する．

文献
1) 飯島毅彦. 日集中医誌 2012; **19**: 578
2) Ferraris VA et al. Ann Thorac Surg 2007; **83** (5 Suppl): S27
3) 藤本圭作. 日呼吸誌 2014; **3**: 738
4) Combes A et al. Intensive Care Med 2019; **45**: 592

⑤ 術後合併症

要点
1. 治療を要する合併症で頻度の高いもの（肺炎・不整脈・肺瘻・膿胸）を理解する．
2. 合併症に対する予防対策を理解し実践できる．
3. 再手術を要する合併症の手術を行うタイミングを理解し実践できる．

Key Word 合併症，心房細動，肺切除後咳嗽

　呼吸器外科領域の術後合併症・偶発症は手術を行う上で決して避けられない問題であり，その予防・治療は呼吸器外科医に求められる恒久的なテーマのひとつである．有害事象は Common Terminology Criteria for Adverse Event（CTCAE）によりグレードが規定され，これをもとに各評価事象に合わせて基準を設定することが多い．わが国では，外科系全般の術後合併症分類として，日本臨床腫瘍グループにより JCOG 術後合併症基準（Clavien-Dindo 分類）が公開されている．呼吸器外科領域術後合併症の統計は，肺癌手術症例に限られているが，日本肺癌学会肺癌登録合同委員会からの報告（肺癌外科切除例の全国集計に関する報告 1999 年・2004 年）や胸部外科学会・呼吸器外科学会合同登録症例の調査報告（2008 年度）がある．それ以降のまとまった術後合併症報告はなく，間質性肺炎や呼吸器合併症・気管支断端瘻など特定の偶発症に絞った研究が行われている．National Clinical Database（NCD）の症例登録フィードバック機能で死亡率・重篤な合併症発生率・気管支断端瘻発生率・呼吸器合併症発生率のリスクシミュレーターが利用でき，個々の症例に対してのリスク検討の一助となっている．

　術後合併症は手術手技や教育方法の変遷も重要で，開胸手術が中心であった 2000 年代，胸腔鏡手術やロボット手術が増加して手技の共有が可能である現在，そして安全技術認定導入などにより合併症の内容は変化してきている．また，元々は大腸癌が対象であった ERAS（Enhanced Recovery After Surgery）プロトコールによる術後回復強化介入が呼吸器外科領域へ導入されつつあるなど術後管理の変遷も合併症の内容に変化が現れる．ゆえに，これらの知識を常に最新に保つ必要がある．

　高頻度に発生する合併症のほか，発生がまれであっても手術介入が必要となるものや発症そのものが致命的である合併症についても注意が必要である．各合併症の発症しやすい時期を図1に示す．

a 肺炎・無気肺　レベルB

　呼吸器外科領域の周術期において，気道内分泌物は増加しやすい．これを排出できないと無気肺が生じ，併行して肺炎が引き起こされる．術後疼痛による咳嗽の抑制や体動の低下，気道内出血に加え，肺癌手術患者の6割が喫煙者であるなど，悪化因子は多い．側臥位で行う手術が長時間になると対側肺に分泌物が貯留し，無気肺を生じやすい．術直後に抜管せず人工呼吸器管理となる症例は人工呼吸器関連肺炎に注意が必要である．反回神経麻痺を合併した場合，声門の意図的閉鎖がうまくいかず咳嗽が困難になり排痰能力は低下する．自己排痰がうまくいかない場合，速やかな toileting が必要である．術翌日の X 線で無気肺が確認され，喀痰排出が困難であると判断したら，気管支鏡による toileting をためらってはならない．また，頻回の toileting が必要な患者には輪状甲状靱帯穿刺によるカニューレ挿入，重篤な誤嚥を繰り返す症例は気管切開が必要となることもある．また，肺全摘を行った場合，肺炎に対する注意はさらに厳重に行わなければならない．肺炎の予防として，早期離床，積極的な体動，周術期呼吸リハビリテーションの実施（咳嗽・痰喀出の補助など），気道クリアランスの上昇，術中・術後の積極的吸痰などが行われる．

b 肺瘻（肺胞瘻）　レベルB

　ほぼ術中操作に起因する合併症である．自動縫合器の staple line，癒着剥離部位，術野展開の把持部位に生じやすい．胸腔ドレーン抜去後に生じた場合は，虚脱の進行や酸素化能の低下が見られるものは速やかな再ドレナージが必要となる．後述の気管支断端瘻との鑑別が重要である．予防は愛護的な術中操作，手術における肺瘻修復，治療はドレーン管理，胸膜癒着療法，手術療法などである．

1）肺瘻存在下の術後ドレーン管理　レベルC

　Suction をかけるか water seal / low suction にするかに分けられる．$-20\,cmH_2O$ 管理と water seal の比較で，water seal のほうが早期に抜去可能であるが 25％前後に吸引を要する気胸が生じ，昼間 water seal で夜間 $-10\,cmH_2O$ 管理と全日 water seal 管理を比較するとドレーン抜去までの期間および在院期間が改善するとの報告がある．Evidence 的には肺瘻がある場合，$10\,cmH_2O$ 以下の吸引や water seal での管理が推奨される．実際はこれら evidence 以外にも蓄積された経験に基づく部分もあり，個々の症例

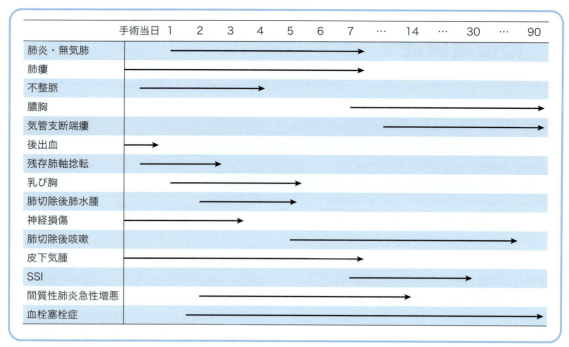

図1　各合併症の起きやすい時期

に対して最適なドレーン管理を行うことが重要となる．

2) 胸膜癒着療法 レベルC

　胸腔内に様々な物質を投与し，炎症反応を惹起させて肺瘻部位のフィブリン化を促進させる手法で，臓側胸膜もしくは臓側胸膜と壁側胸膜に癒着を形成させる手段である．投与物質として代表的なものは自己血，テトラサイクリン系抗生剤，OK432，talc，生物学的組織接着剤などがある*．投与後の体位変換，溶媒や投与物の増量，ドレーンバッグの吊り上げ(投与物曝露時間の延長)など工夫がなされているが，一部を除きその有無による比較試験はない(自己血は50mLより100mLのほうが効果的という報告がある)．気腫性変化が強く中枢気道と肺瘻部位の距離が短い症例は，胸膜癒着療法により投与物が中枢気道へ流入することがあるため注意が必要である．間質性肺炎合併症例など，炎症の惹起自体が疾患の悪化を招く場合，胸膜癒着療法はそのriskとbenefitを考慮して施行すべきである．

> **Side Memo**
>
> 【その他の癒着療法 agent】 レベルD
> iodopovidoneや50%ブドウ糖を用いることもある．

3) 肺瘻修復術 レベルC

　一定期間のドレナージ無効症例，胸膜癒着療法が無効であった症例，膿胸合併症例，肺の状態から胸膜癒着療法が危険である症例(間質性肺炎合併など)などが適応となり，早期に再手術を行う事もあれば，繰り返す非手術療法の後に行う事もある．持続する肺瘻が術後ドレーン留置日数平均値(もしくは中央値)を超えて停止が見られない症例は，ドレーン管理も含めて非手術療法を行うのか手術を行うのか定期的に検討することが重要である．

C 不整脈 レベルB

　呼吸器外科領域の術後に発生する不整脈は上室性不整脈が圧倒的に多く，心室性不整脈の頻度は低い．術後1～3日目に発生しやすい．心房細動(Af)，上室性頻拍，心房粗動，心室性期外収縮の順に多く，概して薬剤反応性はよい．発生リスク因子は高齢・男性・COPD・高血圧・心不全・弁膜症のほか心囊内操作を伴う肺全摘である．治療が必要な不整脈の診断において，冠動脈疾患や肺血栓塞栓症の存在の可能性もあり，少なくとも初回治療前に12誘導心電図検査を行うことが推奨される．治療は抗不整脈薬の使用，cardioversion，抗凝固療法などである．

・心房細動(Af)について レベルC

　術後発生Afの薬剤反応性はよいが持続する場合1.7%程度の脳血管障害発生リスクがある．治療に抵抗し洞調律化しない場合，出血リスクを考慮しつつ抗凝固療法を開始すべきである．予防投薬についてはβ遮断薬が各ガイドラインで最も推奨される薬剤であり，カルシウム拮抗薬やジギタリス製剤，海外ではアミオダロンやマグネシウムなどが用いられる．しかし予防的digitalizationは新規Afに対する初回治療で他の薬剤に比べmortality増加報告が多く推奨されない．

　β遮断薬は交感神経のβ受容体においてsecond messengerを介した細胞内へのCa流入抑制作用と膜安定化作用により，アドレナリンやノルアドレナリンによる刺激を抑制する薬剤である．とくに循環動態に関連するβ_1受容体を

抑制することにより心臓の変力作用と変時作用を低下させ，伝導速度の低下や自動能を低下させる．この結果，心拍数の低下やAfのrhythm発生源となる部位の異常興奮が抑制される．

d 術後膿胸・感染性胸膜炎 レベルB

術後7〜10日目に発生することが多い．診断は膿性排液や胸水中の病原体の証明で，vitalの安定と抗生剤投与を速やかに開始する．その後の対応を有瘻性膿胸と無瘻性膿胸に分けて述べる．

1）無瘻性膿胸

ドレナージが有効である滲出期や線維素膿性期の場合は速やかなドレナージを，器質化期の場合はドレナージ先行か手術先行かを判断する．胸膜腔にフィブリン隔壁が形成され，多房化している場合はドレナージでの軽快は困難で，出血のリスクと比較しつつfibrinolytic agent（t-PAなど）の投与を行うか，手術による膿胸腔郭清術を行うか判断する．器質化期の場合，膿胸腔郭清や剥皮術を行い，拘束性障害を解除した後にドレナージを行う．

2）有瘻性膿胸

気管支瘻，肺瘻問わず，まずドレーン挿入が必要である．ドレーン挿入が困難な場合，速やかに手術を行う．肺瘻の場合，ドレナージや胸膜癒着療法による加療を選択する余地があるが，気管支瘻の場合，手術を含めた瘻孔コントロールが必要である．全摘後の有瘻性膿胸は基本的に開窓術の適応である．

> **Side Memo**
> 近年シリコン製spigotによる瘻孔責任気管支閉鎖を行い無瘻性膿胸としての治療成功報告もみられている． レベルD

e 気管支断端瘻 レベルB

中枢気道と胸膜腔が交通し，大量の持続的なair leakageがみられ，呼吸音で独特な笛吹音（piping）が聴取されることがある．術式でのリスクファクターは右肺下葉切除や肺全摘除であり，全摘の場合はより右側がリスクとなる．健側肺や残存肺へのaspiration pneumoniaを防止するため速やかなドレーン挿入が必要で，患側を上にした側臥位は禁忌である．ドレーン挿入が困難な場合は早期に手術を行う．治療は瘻孔の閉鎖であるが，ほぼ膿胸を合併しているため有瘻性膿胸として治療を行う．瘻孔閉鎖は経胸腔的閉鎖と経気道的閉鎖があり，前者は手術による閉鎖，後者は気管支鏡下手技（polidocanol局注やシリコン製spigot留置，生物学的組織接着剤など）による閉鎖である．手術について，ごく早期の膿胸を合併していない場合は瘻孔の閉鎖（直接縫合や筋弁・大網などの縫着など）やさらに中枢での切り直し

が基本となる．早期でも膿胸合併例や死腔が大きい場合，開窓術も考慮する．慢性経過の場合，ほぼ膿胸を合併しており1期的閉鎖は困難なことが多い．

f 後出血 レベルB

止血操作時に見落とす出血より，閉胸後に起こる出血が中心で，術後4時間以内に生じることが多い．手術終了直後の体位変換も出血リスクの瞬間であり，体位変換後の胸腔ドレーンのチェックは必須である．止血術が必要な後出血は1〜3%との報告が多く，出血源の頻度は気管支動脈・肋間動脈・肺動静脈の順である．再手術時に出血部位を確認できない症例が40%程度見られるが，胸腔内血腫除去のメリットも大きいため適応と判断したら速やかに手術を行う必要がある．手術適応基準として，total 1000 mL以上の血性排液，200 mL/h以上の血性排液が4時間以上持続，バイタルの変動（HR上昇や血圧降下）などがあげられるが，血性排液内に凝血塊が見られる場合は排液量のいかんにかかわらず再手術を考慮したほうがよい．

g 残存肺軸捻転 レベルB

手術により残存肺の固定構造物が消失し捻転を起こす合併症である．術後1〜2日目に発覚することが多く，発熱・炎症所見上昇・頻脈・呼吸音消失・捻転肺の無気肺が見られる．気管支鏡で捻転肺気管支のfish-mouth様変化で確定診断となる．右肺上葉切除後の中葉軸捻転や左肺上区切除後の舌区軸捻転が起きやすい．治療は手術による捻転解除か捻転肺切除である．診断が発生からごく早期であれば捻転の解除を考慮するが，術中所見で切除となることが多い．肺切除の際，術操作のため捻転を解除することとなるが，必ず肺静脈処理を先行し，壊死組織からの物質（特にK）を体循環へ流入しないようにすることが重要である．Major fissureが非常にきれいな症例では，上葉切除後の中葉や上区切除後の舌区を下葉と固定して軸捻転予防が有効である．

h 乳び胸（リンパ漏） レベルB

リンパ節郭清時に損傷した大径リンパ管からのリンパ漏である．肺切除術後の発生頻度は0.7〜2.0%とされるが，近年リンパ節郭清に用いられるenergy deviceの進歩で減少傾向にあると思われる．術後食事が開始されてから発覚することが多く，白濁したmilkyな排液で診断は容易である．胸水中のトリグリセリドの増加（110 mg/dL以上）やリンパ球の増加（分画で90%以上），総蛋白の増加（血清総蛋白値に近似）が見られるためこれらの測定も診断の一助となる．治療は低脂肪食や中鎖脂肪酸トリグリセリド食による食事療法，絶食のうえ完全静脈栄養，胸膜癒着療法などがあるが，非手術的療法で7日以上改善がない場合や，1日に1000 mL以上の乳び胸水が排出される場合は速やかに胸管結紮術を行う必要がある．

> **Side Memo**
>
> 【その他乳び胸の治療】 レベルC
> ソマトスタチン製剤などで消化管ホルモン抑制を行い，乳び胸水減少を行う方法も有効である．また Lipiodol を用いたリンパ管造影はリンパ漏箇所の同定のほか瘻孔周囲の炎症を惹起し治療効果も期待できる．経鼠径部リンパ節リンパ管造影でも同様の効果が得られる．

i ARDS と肺切除後肺水腫 レベルB

急速に生じる低酸素と画像上の肺陰影を伴う一連の肺障害のひとつである Acute respiratory distress syndrome (ARDS)が胸部手術後の偶発症として発生することがある．麻酔中から術後管理中に発生し，周術期呼吸器関連死亡の一因となっている．陽圧換気による肺上皮損傷や，過度の輸液，高度の侵襲，長時間の片肺換気，術前低肺機能や術前療法の存在がリスクファクターとなる．治療は酸素化の改善が重要で愛護的肺換気(PEEP と最大吸気圧の制限)が基本となる．重症例には extracorporeal membrane oxygenation(ECMO)を使用する．

肺切除後の肺血管床減少に伴い右心系圧が上昇し，肺水腫が生じることがある．主に肺全摘後に生じるが肺葉切除でも起こりうる合併症である．リスク因子は術中の過剰輸液と術前放射線療法で，右肺全摘の方が左肺全摘よりも生じやすい．術後 2～4 日目で明らかになってくることが多い．診断は基本的に除外診断で，肺水腫の原因として直接原因(誤嚥など)や間接原因(全身性炎症性疾患，過大侵襲，敗血症や膵炎など)がないことの確認が必要である．治療は肺水腫に準じて行われる．

- ヒト心房性ナトリウム利尿ペプチド(human atrial natriuretic peptide：hANP) レベルC

呼吸器外科領域術後は，縦隔偏位，輸液負荷による循環血液量の増加，肺切除後血管床低下による右心系負荷の増加など，心房伸展刺激が加わりやすい．この刺激に対し，心房の心筋細胞から hANP が分泌される．hANP の作用は renin-angiotensin-aldosterone 系と拮抗するように働くため，心拍出量低下，血圧低下，利尿作用が得られる．この作用を利用し，肺水腫対策として肺切除後(特に肺全摘)の循環動態を早期に安定させるため hANP を投与する方法がある．

j 神経損傷 レベルB

神経損傷は術中操作に伴う合併症であり，悪性腫瘍の直接浸潤や神経原性腫瘍など意図的な切除に起因する場合と，牽引・自動縫合器誤操作による切断・電気メス等での直接損傷や side burn などによる不慮の損傷に起因する場合がある．神経損傷に伴う神経麻痺は永続性麻痺と一過性麻痺に分かれ，神経麻痺症状に対して症状を代償する治療やリハビリを行う．

1) 反回神経損傷

反回神経麻痺は，声帯の外転内転が消失し，患側声帯が正中の 2～3mm 外側で固定される．患側声帯は吸気時にあまり動かず，発声に伴って調節されずに動くようになる．意図的神経切除に伴うものもあるが，ほとんどが縦隔リンパ節郭清に伴う不慮の損傷で，右より左側に多い．嗄声，誤嚥，咳嗽困難，喀痰排出困難などが症状である．また，嗄声は抜管後の一時的な声帯浮腫に起因することもあるため，鑑別を要する．6ヵ月を超えて持続する場合の自然回復はあまり期待できない．片側の反回神経麻痺の場合は，嚥下訓練など誤嚥の防止が重要で，声質改善として声帯正中位固定術を行うことがある．

2) 横隔神経損傷

肺と縦隔や心嚢の癒着剥離のときに起きやすい合併症である．前縦隔腫瘍や SST に対する手術，右上縦隔郭清時などにも損傷しやすい．患側横隔膜の挙上固定のため，拘束性障害が生じる．肺全摘の場合，全摘後 space の縮小というメリットもあるが，左右横隔膜の同期運動による胸郭内圧コントロールが失われるため呼吸状態はむしろ悪化する．永続性横隔神経麻痺による拘束性障害に対して横隔膜形成(縫縮)を行うことがある．

3) 高位交感神経幹損傷

SST の手術や交感神経遮断術などで生じやすい交感神経幹損傷である．交感神経幹損傷はその支配神経領域の副交感神経優位症状が見られる．Th1 レベルより高位の損傷や星状神経節損傷が見られると，Horner's syndrome が生じる．

k 肺切除後咳嗽 レベルB

咳嗽に関与する神経線維として，有髄性神経である Aδ 線維と無髄神経である C 線維がある．C 線維は脊髄での反射経路に関与しており，求心性経路のほか，遠心性経路として肺や気道の直接経路と Aδ 線維に接続する経路がある．縦隔や気管支周囲組織の郭清で遠心性 C 線維が除神経されると，その標的器官において除神経性過敏が生じ(c fiber denervation hypersensitivity)，咳嗽の刺激に対する閾値が低下する．さらに肺葉切除などで生じた死腔をカバーするため縦隔偏位や横隔膜挙上のほか，残存肺の過伸展が生じ，胸膜伸展反射(Hering–Breuer reflex)による咳嗽刺激が起こり，呼吸に伴う咳嗽が生じやすい環境となる．寒冷刺激や異物などによる気道刺激にも過敏に反応し，咳嗽の他にも平滑筋収縮による気道狭窄も生じやすい．

l 皮下気腫 レベルB

皮下組織へ空気が流入した状態で，開胸創やポート孔・ドレーン孔を中心に発生する．肺瘻に随伴する場合や肺が

膨張する際に押し出された空気が入る場合、ドレーン刺入部から流入する場合がある．皮下気腫は流入する空気が多ければ広範囲に広がり、頸部、頭部や男性の場合陰嚢まで達することもある．皮下気腫が頸部に及び気道圧迫をきたす場合、脱気や挿管による気道確保が必要となる．それ以外の皮下気腫に対しての治療は不要であるが、その原因への対策は必要である．

m Surgical site infection レベルB

清潔手術がメインである呼吸器外科領域での発生は少ないが、虚血になりやすい部位（後側方切開の頭側端など）や電気メスによる皮膚熱傷部位（ポート孔など）で起きやすく、基本的に表在菌による感染である．長時間手術や外傷手術、感染症手術の場合、発生リスクが上昇する．膿瘍形成がある場合、胸腔内との交通の有無を確認する必要がある．開放ドレナージが基本であるが、胸腔内に達している場合閉鎖ドレナージも考慮する．

n 間質性肺炎急性増悪 レベルB

術前のCTで間質性肺炎の所見がある症例の約10%に生じ、発症した場合mortalityは40%を超える．術後2日目から10日目に多く、急性増悪の既往(5 or 0)、区域切除以上の術式(4 or 0)、UIPパターン(4 or 0)、男性(3 or 0)、術前からのステロイド使用(3 or 0)、KL-6 1000 U/mL以上(2 or 0)、%VC 80%(1 or 0)がリスク因子である．

> **Side Memo**
> 上記のリスク因子を用いてリスクスコア(0〜22)を算出し急性増悪リスクを予測する方法も用いられている．11点以上で中等度リスク、15点以上で高度リスクとなる．
> レベルD
> Ⅲ章-2の表1、表2参照．

o 血栓塞栓症（肺血栓塞栓症を除く） レベルC

Afなどで左房内に発生した血栓による動脈系の塞栓症（脳血管塞栓症や上腸間膜動脈塞栓症など）である．左上葉切除後に上肺静脈断端が長く残存し、心房内に発生した血栓による塞栓症にも注意が必要である．

p 多臓器不全症候群 レベルC

感染症に対する手術や外傷手術、過大侵襲を伴う手術の際、留意すべき合併症である．炎症が制御不能となり進行性に増悪し、恒常性維持が困難となる状態で、免疫系異常、凝固系異常、呼吸不全(ARDS/ALI)、心不全、肝不全、消化管出血、腎不全などの症状が出る．

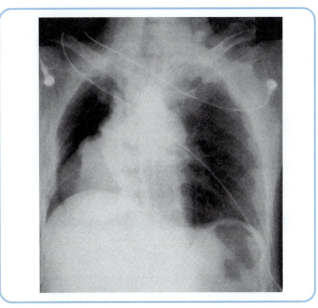

図2　心嚢合併切除を伴う右肺管状全摘術後の当日に発症した心臓脱
（菅本常夫ほか．日胸外会誌 1994; 42: 985-990 より転載）

q 心臓ヘルニア レベルC

心嚢切除を伴う手術に生じる致命的となりうる合併症である（図2）．頻度は不明であるが、右肺全摘後の右胸腔へのヘルニアは上下大静脈を中心に180°の捻転が起こりほぼ即死となる．左胸腔へのヘルニアは大血管の閉塞が起きにくく瞬間的な症状はあまり見られない．心嚢切除範囲が大きい場合のパッチ形成が予防となる．

文献

1) National Clinical Database ホームページ．
   http://www.ncd.or.jp/
2) Batchelor TJP et al. Eur J Cardiothorac Surg 2019; **55**: 91
3) Slinger P: Principles and Practice of Anesthesia for Thoracic Surgery, Springer Science + Business Media, LLC 2011
4) Sato T et al. J Thorac Cardiovasc Surg. 2014; **147**: 1604
5) Endo S et al. Gen Thorac Cardiovasc Surg 2019; **67**: 297
6) Sato T et al. Gen Thorac Cardiovasc Surg 2015; **63**: 164

⑥ 術前・術後の呼吸リハビリテーション

要点

❶ 術前の呼吸リハビリテーションは，術後の肺合併症を減らし，機能的回復を促進する．
❷ 術後の呼吸リハビリテーションは，可能な限り早期から開始したほうがよい．
❸ 術後の呼吸リハビリテーションは，患者の長期的な身体機能の予後を改善させる．

Key Word 呼吸リハビリテーション，肺切除，肺移植，早期離床，運動療法

呼吸器外科領域における呼吸リハビリテーション（以下，呼吸リハ）は，肺癌による肺切除を行う患者に対する介入が最も多く，その有効性について最近のシステマティックレビューでは，肺癌患者に対する術前の呼吸リハ（運動療法）は術後の肺合併症のリスクや，胸腔ドレーン使用期間，入院期間などを減少させ，運動能力や努力性肺活量を改善することが示されている[1]．

また，重症呼吸不全患者に対して実施される肺移植に対しても，呼吸リハは術前・術後を通じて欠かすことのできない治療介入のひとつである．このような周術期の呼吸リハは，術後に発生する肺炎や無気肺などの肺合併症や去痰困難などが起こってから開始するのでは遅く，術前・術後通じて実施することが大切である．

a 術前からの介入　レベルA

術前からの介入内容は，術前評価，術前呼吸リハである．

1）術前評価

外科手術を受ける患者に対する術前評価は，手術に対するリスク因子を明らかにし，術後に発生する問題点を予測することや，術前呼吸リハ（術前指導）に活かすことを目的に実施する．一般的に術後のリスク因子としてあげられるものは，高齢者，喫煙歴，呼吸機能（特にFEV_1やDLCO）の低下，運動耐容能の低下，栄養状態の不良などである．

2）術前の評価項目

肺切除術を受ける患者に対し，術前に評価すべき項目として，①呼吸器症状の有無（咳，痰，労作時の息切れの有無など），②運動耐容能，③咳嗽時の呼気流速（cough peak flow：CPF）などがある．また，肺移植を受ける患者に対しては，これらに加え④呼吸困難の程度，⑤下肢筋力，⑥日常生活動作能力，⑦健康関連QOL，などの評価を行う．

①呼吸器症状の評価

問診によって，普段の咳の頻度や誘発因子，痰の喀出頻度や量などを確認する．顕著な症状が認められる場合は，薬物などによる術前治療が必要となる．また，労作時の息切れがあるかを確認しておくことも重要である．

②運動耐容能の評価

運動耐容能の低下は術後の回復を遅延させ，術後合併症の発生率を高めることがこれまでの研究で明らかとなっている[2,3]．したがって，術前に運動耐容能の評価を実施しておくことは患者の術後経過を予測するうえで重要となる．運動耐容能の評価法には様々なものがあるが，以下に代表的なものをあげる．

ⅰ）心肺運動負荷試験による最大酸素摂取量（peak$\dot{V}O_2$）の測定：自転車エルゴメーターやトレッドミルおよび呼気ガス分析装置を用い，症候限界性の運動負荷試験により測定する．peak$\dot{V}O_2$は最大運動能力を示す最も客観的な指標であるが，特別な装置や機器が必要であり，高い運動負荷によるリスクを伴うため，ルーチンに実施することは難しい．

ⅱ）6分間歩行テスト（6MWT）：6分間歩行テスト（6 minutes walking test：6MWT）は，6分間に歩ける歩行距離を測定するものであり，American Thoracic Society（ATS）のガイドラインに準じて30mの直線歩行路を用いて実施する．歩行速度は患者の意志によるため$\dot{V}O_2$maxとの相関関係は低いものの，術前・術後の運動耐容能評価法として世界的に最も用いられている．

ⅲ）階段昇降テスト（stair-climbing test：SCT）：SCTは症候性限界まで階段昇段を負荷する試験であり，SCTにおける昇段高は肺切除術前患者の肺機能との間に正の相関関係があり，術前の昇段高は術後合併症や生存率を予測できるといわれている．またEuropean Respiratory Society（ERS）が作成した肺切除前の心肺予備能評価のアルゴリズムにおいては，6MWTに代わるテストとして推奨されている．

③咳嗽時の呼吸流速（CPF）

cough peak flow（CPF）とは咳嗽時の流速のことであり，この値が低いと痰の喀出が困難となる．CPFは通常ピークフローメーターを用い，最大咳嗽させた際の流速を測定する．American Thoracic Societyのガイドラインでは，日常的な咳嗽能力を維持するためにはCPFの値が270 L/min以上有している必要があるとしている．

④呼吸困難の評価

呼吸困難は呼吸器症状を最も反映しており，肺移植患者など重度呼吸不全患者では必須の評価項目である．一般的に呼吸困難は，運動負荷試験，6MWTなどにおける安静時

や労作時の直接的評価法として修正 Borg scale や Visual Analog Scale(VAS)などが，日常生活との関連した間接的評価法として modified MRC(mMRC)の息切れスケールなどが用いられる．

⑤下肢筋力の評価

肺切除術を受ける患者は，術前に筋力低下が認められることは少なく，また術後も臥床期間が短く，早期退院が可能な場合が多いため，入院中に下肢筋力が低下することも少ない．しかし，肺移植を受ける患者では，重症呼吸不全に伴う活動性の低下により，下肢筋力が著しく低下していることが多く，それらは術後の離床や身体機能の回復，さらには長期的な予後にも影響する．したがって，膝伸展筋力などを中心に，機器を用いた客観的な下肢筋力の評価を行っておく．下肢筋力の低下が著しい場合は，術前に可能な限り向上させる必要がある．

⑥frailty(フレイル)評価

frailty(フレイル)とは『虚弱』や『脆弱』を意味し，高齢者において生理的予備能力が低下した状態である．近年，このフレイル評価は待機的外科手術を受ける患者において術後合併症を予測できる[4]ことが示されており，また肺移植待機患者においても，重症度に関係なくフレイルが運動耐容能の低下に影響している[5]ため，術前にフレイル評価を実施することの重要性が注目されている．フレイルの評価としては Cardiovascular Health Study(CHS)の日本版である J-CHS が用いられる．

⑦日常生活動作能力

肺移植を受ける重度呼吸不全患者では，呼吸困難などにより日常生活動作が障害されている．したがって，術後の効果判定のためにも，日常生活動作能力の評価が重要となる．ただし一般的な評価尺度(Barthel index や Functional Independence Measure：FIM など)では反応性が低いため，呼吸器疾患特異的な評価表を用いるほうがよい．

⑧健康関連 QOL (health related quality of life：HRQOL)

近年，QOL は様々な疾患に対する医療介入の効果判定として用いられるようになっている．特に肺移植待機患者のQOL は著しく低下しているため，術前に評価しておくことで，術後にどの程度改善したかを確認することが可能となる．評価法として MOS 36-Item Short-Form Health Survey(SF-36)や COPD Assessment Test(CAT)などが用いられている．

b 術前呼吸リハビリテーション レベルA

1) 術前呼吸リハの意義・目的

呼吸器外科手術を受ける患者に対しては，術前から呼吸リハを開始すべきである．術前から行う目的は，術前に実施する評価結果からリスク因子の有無をスクリーニングし，術後に発生する可能性のある問題点を明確にすることであり，手術までの間に可能な限りの呼吸リハを実施しておくことで，術後のリスクをある程度減らすことが可能となる．術前呼吸リハ(運動療法)が術後の肺合併症の発生や入院期間を減少させるなどの効果[6]が示されており，さらに進行肺癌に対する導入化学放射線療法中の呼吸リハは，FVC や FEV$_1$ などの呼吸機能を改善する[7]ことが明らかとなっている．

2) 術前呼吸リハビリテーションの実際

術前呼吸リハとして，まずオリエンテーションを実施し，術前呼吸リハの目的や重要性，そして内容を説明し，患者の理解を得る．次に術後早期から開始する呼吸リハの進め方や内容を説明する．術前呼吸リハの内容として，①リラクセーション法，②横隔膜呼吸法，③咳嗽法などを指導する．オリエンテーションでは，特に術後に予想される呼吸機能の低下や肺合併症について説明し，その対策としての呼吸リハの重要性と内容を理解してもらう．リラクセーション法は，術後の緊張状態を緩和し，効果的な呼吸練習へとつなげるために必要であり，また可能な限り横隔膜(腹式)呼吸など効率のよい呼吸法を練習させておく．さらに術後は肺合併症予防のためにも痰の喀出が重要であり，中枢気道にある痰を効率よく排出するための咳嗽の方法(咳・ハフィング)を練習させる．

一般に，肺癌患者は術前の運動耐容能が低下していることは少ないが，運動耐容能の評価で低下が認められる患者に対しては，術前に可能な限り運動療法を実施するべきである．一方，肺移植待機患者に対しては，呼吸機能の低下とともに身体活動量が低下することで廃用症候群が進行しているため，下肢の筋力トレーニングや持久力トレーニングを中心とした運動療法を手術直前まで継続しておくべきである．

c 術後呼吸リハビリテーション レベルB

1) 術後呼吸リハの意義・目的

外科術後において重要なことは，肺合併症を予防し，早期離床を進め，早期退院を目指すことである．したがって，術後における呼吸リハの目的は，①無気肺の予防・治療のための換気の増大，②気道内分泌物(痰)の除去，③残存肺，虚脱肺の再拡張促進，④呼吸パターンの改善(呼吸仕事量の減少)，⑤関節可動域(上肢や胸郭)の改善，⑥廃用症候群の予防，⑦早期離床，などである．

2) 術後呼吸リハビリテーションの開始時期

術後呼吸リハの開始については，肺切除後であればクリニカルパスなどによってある程度決まっており，通常は術翌日から開始することが多い．しかし，肺移植後や術後合併症を起こしたリスクの高い患者に対しては，主治医の判断に従うことになる．早期介入に対するリスクと，介入が遅れることによるデメリットを考慮したうえで，開始時期を決定する．

3) 術後介入の実際

術後における呼吸リハの内容は，対象者の術後の状態に応じて以下の内容を実施する．①体位管理，②リラクセーション，③換気の改善，④気道分泌物の除去，⑤早期離床，⑥運動療法，などである．ただしこれらはすべて実施するわけではなく，あくまでも術後評価に基づき必要な場合に

行うと考えるべきである.

①体位管理(ポジショニング・体位変換)

外科手術直後や人工呼吸器管理中や鎮静状態にある患者,また術後合併症などで全身状態が悪化した患者の場合,体位変換を自力で行うことが困難なため,呼吸状態に応じて適切な体位変換やポジショニングが重要となる.ポジショニングとはある一定の体位をとることによって,換気やガス交換の改善,さらには気道内分泌物排出の促進を目的に行われる体位管理のことである.

肺癌手術の場合,切除範囲によって多少異なるものの,安静臥床が必要なのは基本的に手術当日のみであり,早期離床が可能なため,積極的な体位管理はあまり必要ない.しかし,術後の肺合併症(無気肺や肺炎など)が発生した場合や肺移植後の患者では,体位管理がとても重要となる.適切なポジショニングにより,換気・血流比の改善,呼吸仕事量の軽減,粘液線毛輸送能の改善,肺容量の増加などによる酸素化の改善などの効果が期待できる.また,無気肺に対する病変部位を上側にする体位は,換気と気道内分泌物排出能が改善するため有効である.ただし,心機能障害を合併する患者への体位変換は循環動態への影響が考えられるため注意が必要である.

②リラクセーション

外科術後患者は,手術による痛みや術後の精神的緊張などにより,全身の筋緊張が亢進していることが多い.胸腔鏡下手術(VATS)による肺切除の場合は比較的問題とならないが,広範囲な手術のための開胸(肺移植を含む)を行った場合は,硬膜外麻酔による鎮痛処置がされているにもかかわらず術創部周囲の痛みは残存しており,呼吸補助筋である肩甲帯周囲から頸部にかけての筋肉の防御的収縮が認められる.そのため,この状態で換気改善のための呼吸練習を実施しても有効な換気量を得ることが難しく,かえって呼吸仕事量を増加させてしまう.したがって,リラクセーション手技によって呼吸補助筋を含めた全身の筋緊張を軽減することが大切である.

③換気の改善(呼吸練習)

開胸手術の場合は,呼吸筋に対し直接侵襲が加わるため,呼吸運動に与える影響は大きい.また,術中の人工呼吸管理によって横隔膜の活動性は低下するため,横隔膜機能不全による換気量の低下は避けられない.実際に開胸術後の呼吸機能は,術直後には術前の40%程度まで低下する.さらに術後の痛みは深呼吸を抑制するため,肺が十分拡張するだけの換気が得られにくい.したがって,横隔膜運動の改善や肺の再膨張を促すために,横隔膜呼吸を促すことや呼吸介助手技などを用い,換気の改善(呼吸練習)を行っていく.ただし,深呼吸の練習では呼吸努力をさせず,ゆっくりとした呼吸をさせるように誘導する.

④気道分泌物の除去(排痰)

排痰は気道および肺胞内の分泌物(痰)の移動を促進し,肺胞におけるガス交換を改善する目的で行われる.また,排痰により気道抵抗が減少するため呼吸仕事量が軽減し,さらに感染症の予防にもつながる.

特に人工呼吸器管理下の患者は粘液輸送能が低下し,肺移植後の患者では迷走神経の切断により咳嗽反射の低下・消失が起こるため,気道内分泌物の排出が困難となる.したがって,肺合併症を予防する意味において排痰は必要不可欠である.

効率のよい排痰には体位(ポジショニング)が重要であるため,痰の貯留部位を上にした体位をとり,呼吸(胸郭)運動に合わせて排痰手技(スクイージング,呼吸介助手技)を実施し痰の移動を促進させる.中枢気道まで痰が移動してきたら,咳嗽やハフィング,さらには咳嗽介助手技などで喀出させるが,人工呼吸管理下の場合は気管チューブを通じて呼気の音に変化が生じるため,そのタイミングで気管内吸引を行う.これらの排痰援助は離床が可能な患者には必要なく,あくまでも臥床が続き,自力では喀出困難な場合にのみ実施する.

⑤早期離床(early mobilization)

肺切除術後は合併症などがない限り,通常術翌日には立位,歩行などが可能となるため早期離床を進めていく.また術後の合併症によって離床が遅れた場合や,人工呼吸器管理中であっても,全身状態が許す限り早期離床を積極的に進めるべきである.離床によって身体を動かすことは酸素需要の増加につながり,換気量が増大することで気道内分泌物の移動も促進されやすい.また早期離床は臥床によって減少する骨格筋量を維持するためにも重要であり,肺移植患者においても可能な限り早期から実施する.このように,術後早期からの離床はベッド上での呼吸練習と同様に肺合併症の予防や廃用性筋力低下の軽減などの効果が期待できるため,可及的早期より体位変換,四肢運動,ベッドアップ,坐位,立位,歩行などと段階的に進めていくべきである.ただし,離床にあたっては,循環動態の安定が条件であり,さらに心電図,血圧,SpO_2などのモニターに注意しながら実施する.

⑥運動療法

術後は可能な限り早期離床を促し,立位・歩行へと進めていくが,術後合併症などの影響で離床が進められず,臥床期間が長引いた場合,あるいは肺移植を受けた患者のように術前から身体機能の著しい低下が認められる場合は,運動療法により身体機能を高める必要がある.特に肺移植後の患者に対しては,術前からのディコンディショニング状態による全身の筋力低下が顕著であるため,運動療法では特に下肢を中心とした筋力トレーニングや全身持久力トレーニングが重要であり,通常の日常生活を自立して送れるだけの身体機能の獲得を目指したプログラムを実施する.また獲得した身体機能を維持するためには,退院後における身体活動量の維持・向上が重要である.

文献

1) Cavalheri V et al. Cochrane Database Syst Rev 2017; **6**: CD012020
2) Bolliger CT et al. Am J Resipir Crit Care Med 1995; **151**: 1472
3) Benzo R et al. Resipr Med 2007; **10**: 1790
4) Makary MA et al. J Am Coll Surg. 2010; **210**: 901
5) Layton AM et al. Respir Med. 2017; **131**: 70
6) Steffens D et al. Br J Sports Med. 2018; **52**: 344
7) Tarumi S et al. J Thoracic Cardiovasc Surg 2015; **149**: 569

復習ドリル

問題 1
術後 refilling 期に入るのはいつが多いか．1つ選べ．
a. 術直後
b. 術後 6 時間
c. 術後 12 時間
d. 術後 1 日目
e. 術後 5 日目

問題 2
救命治療といえる輸血はどれか．1つ選べ．
a. Hb 15 g/dL 以下
b. Hb 12 g/dL 以下
c. Hb 10 g/dL 以下
d. Hb 7 g/dL 以下
e. Hb 6 g/dL 以下

問題 3
カロリー注入を開始する時期で正しいのはどれか．1つ選べ．
a. 術直後
b. 術後 1 日目
c. 術後 2 日目
d. 術後 3 日目
e. 術後 4 日目

問題 4
気管支断端瘻について正しいのはどれか．2つ選べ．
a. 術後 4 週以降は発症しない
b. 断端を長く残すと予防できる
c. 肺全摘術では右側に多い
d. 気管支外膜を軟骨がみえるまで剝離すると予防できる
e. 術後早期の発症は再手術対象である

問題 5
術後乳び胸について正しいのはどれか．2つ選べ．
a. 手術治療は胸管結紮が原則である
b. B リンパ球が失われる
c. 原因は胸管の損傷が多い
d. 禁食で 30〜40％は治癒する
e. 胸水中の中性脂肪が高値になる

正解：①d，②e，③e，④c e，⑤a e

第Ⅳ章

一般外科・呼吸器外科に必要な循環器領域の病態

IV．一般外科・呼吸器外科に必要な循環器領域の病態

① 血管走行異常

要点
❶ 手術の基本は血管の同定と処理であり，血管走行の術前・術中把握は必須である．
❷ 血管走行異常に対する術前把握ができれば，重篤な合併症の予防になる．

Key Word 肺動脈走行異常（縦隔型舌区動脈），肺静脈還流異常，単一肺静脈，内臓逆位（右側大動脈）

呼吸器外科手術を行う際に，variation の存在はまれなことではない．ここでは肺動静脈の variation と，それ以外に特異な肺静脈還流異常や内臓逆位について述べる．なお，血管の分岐に関する研究は山下英秋先生の業績によるところが大きい[1]．

a 肺動脈異常

1）葉間を越える肺動脈 レベルB
他の肺葉から葉間面を越えて肺動脈枝を受ける症例があるが，多くは不全分葉症例であり，舌区や中葉に多くみられる．分葉不全症例に対して葉間形成を行う際には，他葉に入る肺動脈枝を切離しないように注意する必要がある．

2）縦隔型舌区動脈 レベルB
舌区動脈は葉間面より分岐する症例が最も多い（70～73％）が，縦隔型舌区動脈にしばしば遭遇する．これは左肺動脈の最初の枝（A^4, A^5）が舌区を支配する variation であり（18～27％）（図1），A^4 と A^5 が共通幹を形成した舌区動脈が，縦隔面から分岐して舌区気管支に伴走する．また，舌区動脈が縦隔面と葉間面の双方から分岐する variation も存在する（9～12％）．

3）その他の動脈異常 レベルC
舌区動脈が A^8 や上区の血管から分岐することもある．まれに，縦隔型動脈が肺底区を支配する症例も報告されている．右では中葉動脈が底区動脈より末梢から分岐している variation もある（4～8％）．

b 肺静脈異常

1）左房への流入異常 レベルB
通常は右上肺静脈と右下肺静脈は左房へ流入し，中葉静脈は上葉静脈と合流して右上肺静脈となる．これに従わない variation（32％）や左房に静脈が3本以上流入する variation がみられ（14～28％），この多くは中葉静脈が左房に直接入る variation である（8～26％）[2,3]．

2）中葉静脈と舌区静脈の流入異常 レベルB
中葉静脈が上肺静脈の枝（V^2, V^3）に流入する variation は27％あり，中葉静脈のすべてか一部が下肺静脈に流入する variation もときにみられる（3～6％）．
舌区静脈が下肺静脈に流入する variation がある（1～12％）．下葉切除の際に中葉静脈または舌区静脈の存在を確認する必要がある．

3）right top pulmonary vein（異常 V^2 走行） レベルC
右肺静脈（V^2）が中間気管支幹背側を走行する症例が報告され，胸部手術の際に損傷しないように注意喚起されている．この variation は呼吸器外科領域での報告はいまだ少ないが，放射線科や循環器内科では研究が進んでいる．右 V^2, V^6 が気管支背側を走行し，左房に直接流入，または主に上肺静脈に流入する variation がある（0.3～9.3％）（図2）[2,4]．right top pulmonary vein と呼ばれており，これを邦訳すれば右最上肺静脈であろう．

4）肺静脈共通幹 レベルB
上下肺静脈の左房への流入に関し，共通幹となり左房に入る variation が右側で2～13％，左側で14～33％にみられる[2,3]．共通幹を上肺静脈や下肺静脈と誤って切離しないように注意が必要である（図3）．

5）単一肺静脈 レベルC
左上肺静脈や左下肺静脈が直接左房に流入せず，不全分葉の上下葉間を経由して単一肺静脈（anomalous unilateral single pulmonary vein：AUSPV）となり左房に流入する variation が報告されている（図4）．肺葉切除の際に，残す肺葉静脈の有無を確認する必要がある．

c 肺静脈還流異常 レベルC

1）静脈還流異常
肺静脈還流異常には，部分肺静脈還流異常（partial anomalous pulmonary venous return または connection：PAPVR または PAPVC），全肺静脈還流異常がある．ここでは成人呼吸器外科で遭遇しうる PAPVR について述べる．

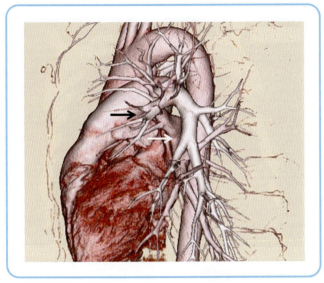

図1　縦隔型舌区動脈（黒矢印）．左側面像，3D-MDCT
葉間面から分岐する舌区動脈がみられない（白矢印）．
3D-MDCT：three dimensional multi-detector CT

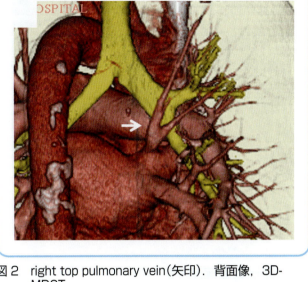

図2　right top pulmonary vein（矢印）．背面像，3D-MDCT
（Akiba T et al. Ann Thorac Surg 2013; 95: 1227-1230 より転載）

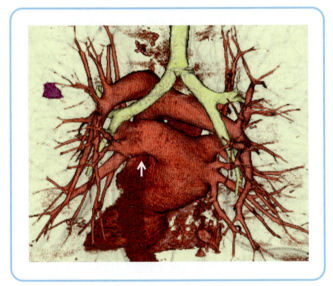

図3　肺静脈共通幹（矢印）．背面像，3D-MDCT
（Akiba T et al. Gen Thorac Cardiovasc Surg 2010; 58: 331-335 より転載）

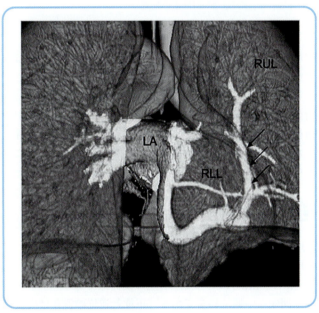

図4　単一肺静脈．背面像，3D-MDCT
LA：左房，RUL：右上葉，RLL：右上葉．Contrast-Enhanced
（Siu CW et al. Asian Cardiovasc Thorac Ann 2009; 17: 662 より転載）

2）部分肺静脈還流異常の分類

PAPVRは肺静脈の一部が左房以外へ還流する先天奇形である．PAPVRは典型的には，右上葉静脈と右中葉静脈が上大静脈の右房近傍に流入する．80％以上が心房中隔欠損を主体とする先天性心疾患に合併する[5]．まれに右上葉静脈や（図5），右肺静脈全体が右房に流入する．また，右肺静脈が下大静脈に還流すること（Scimitar症候群）や，左肺静脈が上大静脈左側壁や左腕頭静脈に還流することもある[5]．

3）Scimitar症候群

Scimitar症候群は，右肺静脈が下大静脈に還流するPAPVRを有するまれな先天奇形である．しばしば，右肺の低形成，右胸心，腹部大動脈から異常肺動脈が右下葉に還流（肺分画症），気管支奇形を有する[5]．この名称の由来は心臓右縁の下大静脈に流入する異常肺静脈がトルコの三日月刀（Scimitar）のようにみえるからである（図6）[5]．

4）部分肺静脈還流異常の肺癌手術

PAPVRは左右シャント量が少なく，無症状で臨床的に問題にならないことが多いが，成人して肺癌などの合併で肺切除を行う際に重篤な合併症を引き起こすことがある．PAPVRが切除肺に存在すれば問題にならないが，ほかの肺に存在すれば左右シャント量の増大により右心不全を起こ

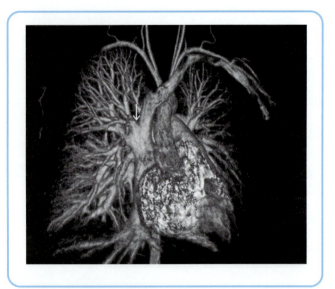

図5　部分肺静脈還流異常
　上肺静脈が上大静脈に還流している（矢印）．MRI-angiogram．
（Honjo O et al. Surgical consideration in pulmonary vein anomalies. Sabiston and Spencer's Surgery of the Chest, 8th Ed, Saunders Elsevier, 2010: p1818 より転載）

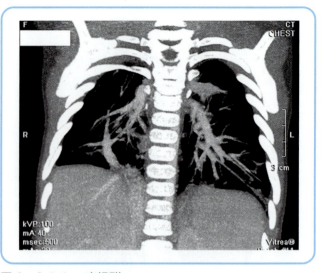

図6　Scimitar 症候群
（Odenthal C et al. J Med Imaging Radiat Oncol 2012; 56: 247-254 より転載）

す可能性がある．PAPVR に対し肺切除を行う際は，しばしば血行再建が必要である．

　したがって，PAPVR は術前に診断されるべきであるが，術前に異常静脈を診断し得た症例はまれで，多くは術中や術後に指摘されてきた．造影 MDCT や 3D-MDCT が普及した現在，本症を念頭に入れておけば PAPVR は術前に診断可能と考える．

d 内臓逆位（右側大動脈弓）　レベルC

1) 内臓逆位

　内臓逆位（situs inversus）とは内臓の全部または一部が正位（situs solitus）に対して左右逆の鏡面像であり，上下・前後は問題ない側位異常である．正位と逆位の混在は内臓錯位（situs ambiguus）といわれる[6]．

　完全内臓逆位は，胸腹部内臓が完全に鏡面像となっている．完全内臓逆位の頻度は 1/8,000〜1/25,000，不完全内臓逆位の頻度は 1.44/10,000 の頻度と推定される．前者は心臓や消化管の奇形を合併することもあるが，多くは無症状のため成人で偶然に発見される[6]．後者は高率に合併奇形，特に心奇形を有する．

2) Kartagener 症候群

　常染色体劣性遺伝の Kartagener 症候群は，完全内臓逆位，慢性副鼻腔炎，気管支拡張症を 3 主徴とし，反復性呼吸器感染症や男性不妊症に関連する[6]．

　完全内臓逆位の 20〜25％は Kartagener 症候群である．Kartagener 症候群は原発性線毛機能不全症（primary ciliary dyskinesia）のひとつであり，線毛運動に直接関与するダイニン蛋白異常により内臓逆位が発生する[6]（I 章-5　Side Memo 参照）．

3) 右側大動脈弓

　胎生期の大血管は，腹側大動脈と背側大動脈，両者をつなぐ 6 対の鰓弓動脈により構成される．右側大動脈弓（right aortic arch）は左第 4 鰓弓動脈の退縮と右第 4 鰓弓動脈の遺残により発生する．発生頻度 0.1％とされる先天性奇形である．右側大動脈弓は気管と食道を取り囲む血管輪（vascular ring）を形成する（図7）．心奇形を伴うことが多い．

　右側大動脈弓は Stewart らが 3 つのタイプに分類している（図7）[7]．Type 1 は，動脈分岐が正常大動脈の鏡面像を呈し，左鎖骨下動脈が左無名動脈から出る．Type 2 は大動脈の最後の枝となる異常左鎖骨下動脈を伴う（図7，図8）．Type 3 は左鎖骨下動脈が大動脈から孤立して存在する．

　Type 1 の頻度は 60％，Fallot 四徴症を主とする先天性心奇形を多く伴い（98％），新生児期に発見される．Type 2 は 40％で，先天性心奇形の合併は少なく（12％），Type 3 の頻度は 1％と報告されている．しかし，実際の頻度は Type 2 が Type 1 の 2〜3 倍の頻度と考えられている[7]．

4) Kommerell 憩室

　左鎖骨下動脈起始部に胎生期の左第 4 大動脈弓の遺残である大動脈憩室（Kommerell 憩室）が認められることがある（図7，図8）．Kommerell 憩室に関連した動脈瘤や気管・食道の圧迫症状が報告されている．

5) 右側大動脈弓と肺癌手術

　右側大動脈弓を伴った肺癌手術では，合併奇形の有無やその重症度診断が重要である．

　手術は正常解剖の概念を超えて注意深い操作が必要である．左側の縦隔郭清は容易であるが，右側は大動脈弓や下行大動脈があり郭清操作が困難と報告されている．反回神経の走行が問題になるが，右側大動脈弓において，右反回神経は右側大動脈弓下を反回し，左反回神経は動脈管（動脈管索）を反回すると類推されるが手術では慎重な確認が必要である[8]．

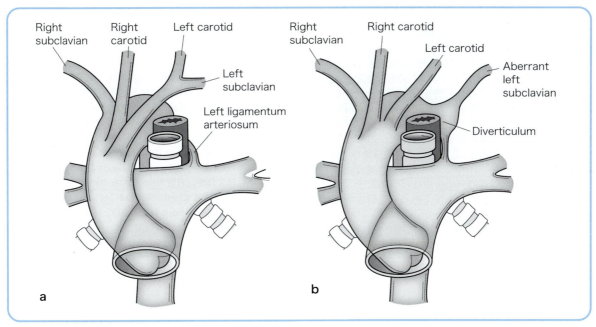

図7 右側大動脈弓
 a：Stewart Type 1，鏡面像．
 b：Stewart Type 2，異常左鎖骨下動脈．
 （Emani S. Patent ductus arteriosus, coactation of the aorta, and vascular rings. Sabiston and Spencer's Surgery of the Chest, 8th Ed, Saunders Elsevier, 2010: p1788 を参考に作成）

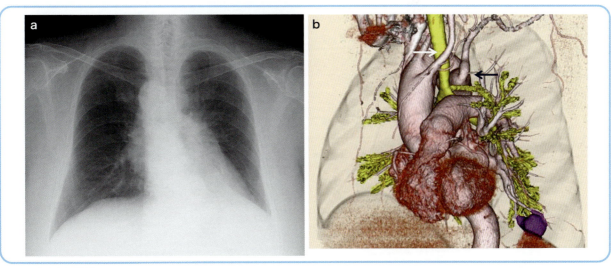

図8 右側大動脈弓
 a：胸部X線像
 b：左前斜位，3D-MDCT．左総頸動脈（白矢印），Kommerell 憩室と左鎖骨下動脈（黒矢印）．

e 一側肺動脈欠損 レベルC

　一側肺動脈欠損（unilateral absence of pulmonary artery）は右室からの主肺動脈が片側の肺動脈につながり，対側の肺動脈が欠損している先天性心疾患である．Fallot 四徴症，心室中隔欠損と合併することがあり，心不全，肺高血圧症を認めることがある[9]．他の先天性心疾患と独立した症例では，成人になり繰り返す肺炎や喀血などではじめて診断されることもある（図9）[10]．治療は手術が選択されるが，側副血行が発達しているため慎重な手術が必要である．

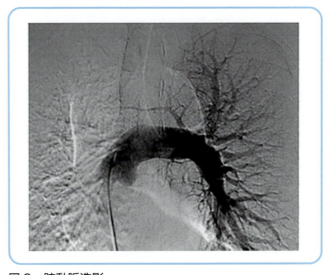

図9 肺動脈造影
 右肺動脈が欠損し，左肺動脈のみ造影される．

> **Side Memo**
>
> 外科手術における解剖の理解は必須である．近年の画像診断の進歩には目を見張るものがあり，術前に患者ごとの解剖をかなり正確に知ることができる．1列の検出器であった single-detector(SD)CT から，検出器が倍々と増加した multi-detector(MD)CT が開発され，短時間で CT 撮影が可能で，呼吸や心拍動の影響が少なく，細部の解剖が明らかになった．以前は冠状断の評価であったが，ボリュームデータを自由な平面で切り出した高画質な再構成画像 multi planar reconstruction(MPR)や3次元画像の作成が可能である．この3次元画像は臓器外の一点から眺めたモニター上の投影像であり，実は2次元画像である．気管支内腔から眺めれば仮想気管支鏡となる．

文献

1) Yamashita H. Roentgenologic Anatomy of the Lung, Igaku-Shoin, 1978
2) Akiba T et al. Gen Thorac Cardiovasc Surg 2010; **58**: 331
3) Marom EM et al. Radiology 2004; **230**: 824
4) Akiba T et al. Ann Thorac Surg 2013; **95**: 1227
5) Honjo O et al. Surgical consideration in pulmonary vein anomalies. Sabiston and Spencer's Surgery of the Chest, 8th Ed, Saunders Elsevier, 2010: p1817
6) Douard R et al. Surg Radiol Anat 2000; **22**: 293
7) Stewart JR et al. AJR Am J Rentgenol 1996; **97**: 377
8) 中村祐介ほか．日呼外会誌 2006; **20**: 980
9) Harkel D et al. Chest 2002; **122**: 1471
10) Ohtsuka T et al. Surg Today 2006; **36**: 525

2 虚血性心疾患，弁膜症，心筋症

要点

1. 循環器系の術前評価は，非侵襲的検査から侵襲的検査へと段階的に行う．
2. 術前評価の目的は，計画している手術の実施可否を決定すること，およびその手術を安全に行うための情報を得ることである．

Key Word 負荷心電図，心臓超音波検査，負荷心筋シンチ，冠状動脈造影，経皮的冠状動脈形成術(PCI)(ベアメタルステント：BMS，薬剤溶出ステント：DES)，冠状動脈バイパス術(CABG)

2009年の日本胸部外科学会学術調査[1]によると，原発性肺悪性腫瘍手術例の術前併存症のうち虚血性心疾患は4.3%である．また，2017年の同調査[2]によると，原発性肺悪性腫瘍手術例における術後死亡のうち，死因が心血管疾患であるのは8.4%と報告されており，周術期における心血管疾患の評価と管理は重要である．

a 心血管疾患の術前評価 レベルC

心血管疾患の術前評価を行う目的は，計画している手術の実施可否を決定すること，およびその手術を安全に行うための情報を得ることである．

非心臓手術における合併心疾患の評価と管理に関するACC/AHAガイドライン2014年版[3]（以下，ACC/AHAガイドライン2014）では，評価のアルゴリズムを提唱している．そこでは，手術の緊急度に応じて，必要十分な評価を段階的に非侵襲的検査から侵襲的検査へと進めていく，という考えが貫かれている．具体的には，①緊急度の判断，②急性冠症候群の除外，③周術期心血管合併症の発生リスク予測，④運動耐容能の評価，⑤各種負荷試験による心筋虚血の精査，⑥冠状動脈造影と冠血行再建術と進む．

1) 緊急度の判断

手術の計画から実施までの時間的猶予により，緊急度は以下の4つに分類される．
①Emergency：6時間までに行われないと，生命や四肢を失うおそれのある手術．
②Urgent：6〜24時間以内に行われないと，生命や四肢を失うおそれのある手術．
③Time sensitive：心血管評価およびその治療のため1〜6週間以上延期すると，予後に悪影響を及ぼす可能性のある手術．悪性腫瘍に対する根治手術の多くが，これに相当する．
④Elective：心血管評価や治療のため，1年程度の延期が可能な手術．

Emergencyでは，十分な術前評価を行う余裕はない．限られた情報をもとに手術を実施せざるを得ず，周術期モニタリングと心血管疾患を想定した集中的管理が必須となる．それ以外の場合は，状況が許す限り必要十分な心血管評価を行う．

2) 急性冠症候群の除外

問診および身体所見，心電図検査や心筋逸脱マーカーなどから，急性冠症候群（急性心筋梗塞，不安定狭心症など）が疑われる場合は，その評価と治療を優先する．

3) 周術期心血管合併症の発生予測

周術期心血管合併症の発生は，手術自体の侵襲度（手術因子）と，患者の心血管リスク（患者因子）の双方に依存する．ACC/AHAガイドライン2014では，手術因子および患者因子の両方に基づいた周術期心血管合併症の発生予測モデルを3つ紹介し，いずれかの予測モデルで心血管合併症の発生リスクが1%未満であれば，さらなる精査は不要とした．これらのモデルはすべて欧米のデータに基づくもので，そのまま日本人に応用することは困難であろう．現在，冠状動脈バイパス手術，弁置換術，大血管手術に限定したリスク予測モデルJapan SCOREがあるが，呼吸器外科手術を含む非心臓手術のリスク予測モデルはない．手術因子のみの評価では，肺切除術などの胸腔内手術は1〜5%の中等度リスクとされている（表1）[4]．今後は，日本においても，手術因子と患者因子の双方からなる非心臓手術のリスク予測モデルを構築することが望まれる．

4) 運動耐容能の評価

周術期心血管合併症の発生リスクが1%以上の場合，運動耐容能を評価する．負荷心電図検査では，トレッドミル試験や自転車エルゴメーターを用いて定量化した負荷を段階的に増加させ，心電図所見と対比する．下肢の疲労や心電図変化が現れた負荷量が運動耐容能の指標となる．簡便な方法では，身体活動能力質問票に基づく詳細な問診を通して，推定する[5]（表2）．

5) 各種負荷試験による心筋虚血の精査

運動耐容能が4METs未満に低下もしくは運動耐容能が不

表1 術式による心合併症発生率

心合併症発生率	手術種類
高度 5%超	大血管手術 末梢血管手術
中等度 1〜5%	腹腔内手術 胸腔内手術 頸動脈内膜剝離術 頭頸部手術 整形外科手術 前立腺手術
軽度 1%未満	内視鏡手術 体表手術 白内障手術 乳房手術 日帰り手術

(Fleisher LA et al. Circulation 2007; 116: e418 [4]) を参考に作成)

表2 身体活動能力質問票

活動の種類	METs
夜，楽に眠れますか	≦1
横になっていると楽ですか	≦1
一人で食事や洗面ができますか	1.6
トイレは一人で楽にできますか	2
着替えが一人で楽にできますか	2
炊事や掃除ができますか	2〜3
自分で布団が敷けますか	2〜3
雑巾がけはできますか	3〜4
シャワーを浴びても平気ですか	3〜4
ラジオ体操をしても平気ですか	3〜4
健康な人と同じ速度で平地を100〜200m歩いても平気ですか	3〜4
庭いじり（軽い草むしり）をしても平気ですか	4
一人で風呂に入れますか	4〜5
健康な人と同じ速度で2階まで昇っても平気ですか	5〜6
軽い農作業（庭堀りなど）はできますか	5〜7
平地を急いで200m歩いても平気ですか	6〜7
雪かきはできますか	6〜7
テニス（または卓球）をしても平気ですか	6〜7
ジョギング（時速8km）を300〜400mしても平気ですか	7〜8
水泳をしても平気ですか	7〜8
縄跳びをしても平気ですか	8≦

(Sasayama S et al. New Aspects in the Treatment of Failing Heart Syndrome, Springer-Verlag, 1992: p113-117 [5]) を参考に作成)

明の場合，ガイドラインでは計画中の手術を実施するか否か，今後の検査結果次第で冠血行再建術を受けるか否か，精査結果が周術期管理に影響を与えるか否かを患者と協議すべきであるとする．手術の実施や冠状動脈病変への治療意思があれば，薬物による負荷心筋イメージングを行い，虚血の有無を確認する．ジピリダモールやアデノシン負荷による心筋シンチグラム，もしくはドブタミン負荷による心臓超音波検査などがある．薬物による負荷は，下肢の問題で運動負荷をかけられない患者や，安静時心電図で左脚ブロック，ストレイン型ST低下を伴う左心肥大，ジギタリス効果を示す患者に対して有用である．心筋シンチグラムは心筋虚血が可逆性か否か，虚血部位や範囲について画像診断が可能である．

6）冠状動脈造影

負荷心筋シンチグラムで異常所見があれば，冠状動脈造影を行い，冠状動脈狭窄部位と程度を確認する．64列以上のマルチスライスCTによるCT冠状動脈造影は非侵襲的検査として広く実施されている．この結果，冠状動脈に狭窄がなければ，負荷心筋シンチに異常を認めなかったと同様に，侵襲的冠状動脈造影は行われない．

b 虚血性心疾患 レベルB

術前の冠血行再建術を考慮すべき高度な心筋虚血が判明した場合，ガイドライン[6,7]に従い冠状動脈バイパス術（coronary artery bypass grafting：CABG）もしくは経皮的冠状動脈形成術（percutaneous coronary intervention：PCI）を選択する．CABGが推奨される患者が高リスクのElectiveな手術を計画している場合は，血行再建術を優先する．PCIは，CABGが患者併存症のためリスクが高い場合や，緊急血行再建術が必要な急性冠症候群の場合に限るとされる．このような患者がTime sensitiveな手術を計画中の場合は，再血行再建率の低い薬剤溶出性ステント（drug-eluting stent：DES）を用いたPCIを検討すべきである．以前は，DES留置後の遅発性ステント血栓症の予防のため，長期間の2剤抗血小板投与（dual antiplatelet therapy：DAPT）を必要とするDESではなく，DAPT1ヵ月間で中止可能なベアメタルステント（bare metal stent：BMS）の使用が推奨されていた．近年，開発された新世代DESは，DAPT期間を1ヵ月間としても，BMSと比較してステント血栓症を増加させないことが臨床試験で示されており，新世代DESの，短期的・安全性における同等性と，長期的・有効性における優位性が示されたため，現在，国内外のガイドラインにおいて，すべてのPCIにおいて新世代DESを第一選択とすることが推奨されている．手術前に，DES留置を行った場合は，最低でも30日間のDAPTがステント血栓症の予防に必要とされる．計画中の手術はこの期間，延期することが望ましい．冠血行再建術が必須の状況で，手術もEmergencyやUrgentであれば，CABGとの同時手術も考慮する．

いずれの冠血行再建術も，その目的は患者の生命予後と狭心症症状を改善するためであって，計画中の手術の周術期合併症を減らすためではない．術前に冠血行再建術を行うことが，非心臓手術の周術期心血管合併症を減少させる明確なエビデンスはない．したがって，対象疾患と心疾患の予後，計画中の手術と冠血行再建術のリスク，抗血小板薬治療による手術延期と抗血小板薬中断によるステント血栓症のリスクなど，患者，主治医，循環器専門医，麻酔科医が協議したうえで方針を決定するべきである．

C 弁膜症 レベルB

心雑音が聴取された場合，その聴取部位と強度，拡張期か収縮期かなどから機能的心雑音か器質的心雑音かを判断する．心臓超音波検査（心エコー）を行い，弁膜症の有無と重症度を把握する．また，冠状動脈病変の合併についても評価を要する．

弁膜症の種類，病因病態，重症度，手術適応などに関してはここでは述べないが，弁膜症自体が侵襲的治療（弁置換術，弁形成術，カテーテル治療）の適応である場合，計画中のElectiveな手術より弁膜症の治療を優先させることで，心血管合併症のリスクを低下できる．一方，弁膜症自体が治療の適応とはいえない場合や弁膜症に対する治療が計画中の非心臓手術よりも圧倒的にハイリスクである場合，計画した非心臓手術の実施にあたっては術前の詳細な病態把握と熟練した麻酔科医による循環管理，必要に応じた中心静脈カテーテル，Swan-Ganzカテーテル，経食道心エコーなどによる術中の十分なモニタリングのもとでリスクの低減を図る．以下には大動脈弁および僧帽弁の弁膜症，人工弁置換術後の周術期管理について述べる．

1）大動脈弁狭窄症（aortic stenosis：AS）

非心臓手術において最もリスクの高い心合併症とされる．無症候性ASでは非心臓手術の実施が可能とされるが，周術期は洞調律と血圧の維持に努める．頻脈と低血圧は，心拍出量の低下，冠血流の低下をきたし，冠状動脈病変を合併している場合には特に有害である．

2）僧帽弁狭窄症（mitral stenosis：MS）

ASと同様，MS自体が治療の適応であれば，弁膜症の治療を優先させることが心血管合併症の低下につながる．無症候性MSは非心臓手術の実施が可能とされるが，周術期管理では血管内ボリュームを維持し，頻脈および低血圧を回避することが肝要である．体液管理の調節幅は狭く，輸液過多は左房圧上昇から肺毛細血管圧上昇をきたし，肺水腫を招来するため，輸液管理に十分留意する．

3）大動脈弁閉鎖不全症（aortic regurgitation：AR）

ARも周術期心血管合併症のリスクを高める．しかし，無症候性で左心機能が維持されている場合は，十分な管理のもと非心臓手術を実施することが可能とされる．左心機能の低下（駆出率＜55％），クレアチニン＞2mg/dL，手術自体がハイリスク，内科的治療の未施行例の4つが術後死亡の予測因子とされる．周術期は適正な前負荷の維持と後負荷の上昇を避ける．

4）僧帽弁閉鎖不全症（mitral regurgitation：MR）

AR同様，前負荷を維持すること，後負荷を上昇させないことが周術期管理の要点である．左心機能の低下（駆出率＜35％），心筋虚血が原因のMR，糖尿病の合併，頸動脈内膜剥離術の既往の4つが術後合併症の予測因子とされる．

5）人工弁置換術後

術前は心エコーにより弁機能，心機能の評価を行う．機械弁を使用していれば，ワルファリンによる抗凝固療法が行われているため，抗凝固療法の調節が必要である．また，術後菌血症を起こす可能性がある場合は，心内膜炎の発生予防に十分留意しなければならない．

d 心筋症 レベルB

心筋症の病因，病態に関する知見が蓄積され，従来の分類（拡張型心筋症，肥大型心筋症，拘束型心筋症，不整脈原性右室心筋症，その他分類不能の心筋症）とは異なる新たな定義が提唱されている．ここでは従来分類での拡張型心筋症，肥大型心筋症，拘束型心筋症の3つについて周術期管理の要点を述べる．

1）拡張型心筋症

心内腔の拡張と収縮不全が特徴である．臨床像は，心不全，肺うっ血，不整脈による症状が中心である．周術期管理は，後負荷の軽減，心収縮能の上昇，適切な前負荷が重要である．心室性および心房性不整脈とそれに伴う血栓塞栓症についての対策が必要で，重症の心室性不整脈は突然死の原因になる．

2）肥大型心筋症

心室中隔の非対称性肥厚を伴う心室の肥大と拡張不全を特徴とし，左室流出路閉塞の有無により2型に分けられる．周術期管理上の問題点は，不整脈と左室流出路障害による低心拍出である．心室頻拍は突然死の原因になる．後負荷の軽減，心収縮力の上昇，前負荷の減少は流出路障害を悪化させる．一般にカテコールアミンの使用は禁忌である．

3）拘束型心筋症

左室の拡大や肥大を伴わない，左室拡張能低下によるうっ血性心不全が病態である．収縮能は保たれていることが多い．周術期はうっ血性心不全と心房負荷による心房細動に留意する．心拍コントロールのため，心収縮能を低下する薬剤を使用する際は慎重に行わなければならない．

文献

1) Sakata R et al. Gen Thorac Cardiovasc Surg 2011; **59**: 636
2) Shimizu H et al. Gen Thorac Cardiovasc Surg 2020; **68**: 414
3) Fleisher LA et al. J Am Coll Cardiol 2014; **64**: e77
4) Fleisher LA et al. Circulation 2007; **116**: e418
5) Sasayama S et al. New Aspects in the Treatment of Failing Heart Syndrome, Springer-Verlag, 1992: p113-117
6) 安定冠動脈疾患の血行再建ガイドライン（2018年改訂版） JCS 2018 Guideline on Revascularization of Stable Coronary Artery Disease（日本循環器学会）
7) 急性冠症候群ガイドライン（2018年改訂版） JCS 2018 Guideline on Diagnosis and Treatment of Acute Coronary Syndrome

Ⅳ．一般外科・呼吸器外科に必要な循環器領域の病態

③ 周術期の心不全・不整脈管理

要点

1. 呼吸器外科手術の対象患者では循環器併存疾患の頻度が高い．
2. 呼吸器外科手術の周術期心血管合併症発生率は3％前後で中等度のリスクである．
3. 循環器リスク因子のスクリーニング，問題点の術前治療，適切な周術期管理で周術期の心血管合併症発生を抑制できる．

Key Word 左心不全，右心不全，上室性不整脈，心室性不整脈，脚ブロック，房室ブロック，洞不全症候群，中心静脈圧，心エコー，治療すべき不整脈の鑑別とその対応，ペースメーカー患者の対応

呼吸器外科手術対象患者の多くは高齢の喫煙者であり，循環器疾患と同様のリスク因子を有しているため，その併存頻度は高い．合併症発生時には，循環器内科医と協力して適切な治療を行う必要がある．

a 心合併症発症リスク因子の評価 レベルB

肺癌手術後の心臓イベント（心室細動，肺水腫，完全房室ブロック，心停止あるいは心臓死亡）の危険性は3％程度と報告されている[1]．合併症の危険性が比較的高いのは，肺癌患者では喫煙者が多く，喫煙に起因する心血管系の併存疾患が多いためである．肺癌手術患者における術後心臓合併症発生リスクのガイドラインがERS-ESTS joint task force[2]とACCP（the American College of Chest Physician）[3]から公表されており，特に後者は胸部手術に焦点を当てていることから，Thoarcic RCRI（Revised Cardiac Risk Index）と呼ばれる．以下にあげる4因子を同定し，それぞれに点数をつけてリスクを予想できるようにした．4因子（点数）は，冠動脈疾患の既往（1.5），脳血管疾患の既往（1.5），クレアチニン2mg/dL以上の腎機能障害（1.0），術式として肺全摘（1.5）である．心臓合併症の発生率は，合計点数が0点では1.5％に対して，2.5点以上では23％と有意に高いことが示された[3]．①スコアが2点以上，②治療を要する心疾患，③新規に発生した心疾患，④階段を2階以上まで登れない，以上の4つを基準として循環器検査の必要性と手術の可否を判断するアルゴリズムが提唱されている．上記の4項目を認めない場合には循環器の検査は不要である．一方，1つでも当てはまる項目がある場合には循環器内科医にコンサルトし，心エコー検査などの非侵襲的検査と病態に応じた治療を実施する．冠動脈疾患の治療を要する場合には，冠動脈治療後6週間は肺癌手術を延期することを推奨している．ACC/AHAガイドライン[4]では呼吸器外科手術は中程度のリスクとして分類されており，重大な危険因子として以下の4因子，すなわち，①不安定狭心症，②非代償性心不全，③顕著な不整脈（心拍数コントロール不良な上室頻脈，有症状の心室性不整脈，高度房室ブロック），④重症弁膜症（特に大動脈弁狭窄症，僧帽弁狭窄症）が術後心合併症に関連すると考えられている．これらのリスクが改善されなければ手術は行わないよう勧められている．特にうっ血性心不全を有する患者では術後合併症および死亡率が高いことが知られている．したがって，うっ血性心不全の有無を把握するのは極めて重要であり，問診で心不全や肺うっ血の既往の有無，身体所見の異常（心音のⅢ音聴取，頸静脈怒張）の有無を確認する必要がある．心不全の重症度は術後合併症と相関することから，心室機能を心エコー検査で評価する．

一方，上記のリスクがない場合には，患者が階段を1階以上昇れる，坂道を昇れる，短距離走れる，などの条件を満たせば，心機能の精査を行わなくても手術が可能と判断する．現在周術期の心不全を予防する有効な薬剤はないが，リスクを減少させる策として，周術期に血行動態をモニターすることが推奨されている．

b 周術期不整脈の診断と治療 レベルB

1）心房性不整脈

一過性心房細動，持続性心房細動，心房粗動を含め，肺切除後に経験する最も頻度の高い頻脈性不整脈である．その発生頻度は呼吸器手術後の10％前後である[5]．80％の患者では，術後24時間から72時間に発症する．発生原因としては，迷走神経の緊張増加，痛みや炎症による内因性カテコラミン分泌増加，交感神経心臓支配枝へのダメージなどが考えられている．その他に輸液負荷による心房の伸展，肺全摘術後にみられるような右心負荷，低酸素血症，心膜周囲の炎症，気管支拡張薬の投与なども心房性不整脈の原因となる．心房細動の危険因子としては，70歳以上の高齢者，不整脈の既往，高血圧があげられる．心房性不整脈に対する有効な予防策はないのが現状であり，術後不整脈発生を的確に診断し治療することが重要である．血行動態に悪影響を及ぼすことは少ないが，血栓塞栓症などの合併症発生や入院期間の延長につながる．これら不整脈に対する原則は，不整脈の発生原因を認識し可能なものは取り除く

3. 周術期の心不全・不整脈管理

こと，発生した場合には心拍数コントロールを第一に考え，次に洞性リズムに復帰させることを目指すことである．貧血や電解質異常は是正する必要があるし，無気肺や肺炎など低酸素血症の原因は積極的に治療する．何よりも，心不全や血栓塞栓症などの合併症を発生させないことが肝要である．

心房細動を発症してもほとんどの患者は6週以内に洞調律へ復帰する．不整脈治療の緊急性は血行動態に悪影響を及ぼすか否かで判断する．心房細動で130拍/min以上の心拍数が持続すると，左室拡張不全が生じうっ血性心不全を惹起する．器質的心疾患がなくても，高頻度の心拍数の心房細動が持続すると心不全となる．これを予防するために心房細動の心拍数を130拍/min以上にしないことが重要である．

①薬物治療の選択[6]

呼吸器の原疾患によってはβ遮断薬が病態を悪化させるので注意を要するが，そうでなければ以下のように心拍数調節，あるいは洞調律化を行う．

心拍数調節には，房室結節伝導を抑制する薬剤を選択する．β遮断薬，非ジヒドロピリジン系カルシウム拮抗薬(ベラパミル，ジルチアゼム)，ジギタリス，アミオダロンを選択する．短時間のうちに心拍数を減少させたいときには，ベラパミル，ジルチアゼム，ジギタリス，β遮断薬が推奨される．β遮断薬ではランジオロール($1 \sim 10 \mu g/kg/min$)あるいはプロプラノロールを用いる．ジギタリスは心収縮力の抑制がなく，房室結節での伝導を遅延させることで心拍数を減少させる．成人では0.25mgから0.5mgを静脈投与し，0.25mg/dayで維持する．経口投与で時間をかけて心拍数を低下させる薬剤としては，β遮断薬(ビソプロロール，カルベジロールなど)，カルシウム拮抗薬としてベラパミルとジルチアゼム，ジギタリスとしてジゴキシンがある．ただし，副伝導路を持つ心房細動では，上記の薬剤は投与しない．

急速に血行動態が破綻した場合には心房細動の停止が必要で，麻酔下にQRS波同期で100J以上の電気エネルギーで直流除細動を試みる．電気的除細動が90%以上の成功率で有効である．心房細動の除細動にあたっては，まず心房内血栓のないことが確認されているか，十分な抗凝固療法が行われていることが重要である．特に48時間以上持続している心房細動や持続時間の不明な心房細動では緊急性が高い場合を除き，塞栓症の可能性を最小限に抑える配慮が求められる．薬理学的除細動ではVaughan-Williams分類のIA群薬(ジソピラミド，プロカインアミド，シベンゾリン)やIC群薬(プロパフェノン，フレカイニド，ピルシカイニド)を使用する．経静脈薬ではIA群で$50 \sim 60\%$，IC群で$60 \sim 70\%$の停止率と報告されている．経口薬ではピルシカイニドは持続が7日以内の心房細動例に対する150mg単回経口投与が45%の停止効果をあげたことが示されている．再発予防にも心房細動停止と同じ抗不整脈薬が使用される．

②心房粗動

慢性閉塞性肺疾患(COPD)の患者で150拍/min程度の規則正しい頻脈をみたら，心房粗動を第一に考える．2:1の房室ブロックを意味し，治療は心房細動と同様である．

③術後心房細動に対する抗凝固療法の適応

誌面の都合で抗凝固療法の適応に関する詳細は，不整脈薬物治療ガイドライン[6]を参照していただきたいが，ここではガイドラインの発作性心房細動の項目を参考にして，重要な点をあげておく．患者の術後状態に応じて，抗凝固療法の適応を判断あるいは専門医に相談する必要がある．

1) 発作性心房細動は治療の有無にかかわらず7日以内に洞調律に復する心房細動と定義されるが，48時間未満の心房細動でも左房内血栓や塞栓症が生じ得ることが報告されている．

2) 心房細動患者において，血栓塞栓症のリスク評価を行うことは，実臨床でのマネジメント，特に抗凝固療法を実施するうえで重要である．

3) 非弁膜症性心房細動では，血栓塞栓症の危険因子が集積すると心原性脳梗塞の発症率が上昇するため，血栓塞栓症に対するリスク評価を行ったうえで適切な抗凝固療法を選択することが奨励される．

4) そのリスク評価に$CHADS_2$スコアを推奨しており，これは，心不全，高血圧，年齢(≥ 75歳)，糖尿病，脳卒中または一過性脳虚血発作(TIA)の既往からなり(各1点，脳卒中/TIAは2点)，0点を低リスク，1点を中等度リスク，2点以上を高リスクとする評価方法である．

5) $CHADS_2$スコア1点以上で，DOACを推奨，ワルファリンは考慮可となっている．

2) 心室性不整脈

頻発する心室期外収縮，多源性期外収縮は積極的な治療対象である．心室粗動，心室細動に対しては，躊躇せず，除細動が必要である．

3) そのほかの心電図異常対応

術前心電図で脚ブロックや右脚ブロックに左脚前枝あるいは後枝ブロックを合併することがあるが，重篤なブロックに発展する危険性は少ないので特に処置を要さない．一方，完全房室ブロックでは術前にペースメーカーを挿入する必要がある．一時ペーシング，ペースメーカー移植の選択は肺癌進行度により判断される．

4) ペースメーカー/ICD患者の周術期管理

手術部位によって電気メスの影響を受けやすい部位と受けにくい部位があるが，胸部手術はペースメーカーの位置と電気メス使用部位の関係から影響が大きい部位となる．電気メス使用の問題点として，①通電されている間ペースメーカーのパルス発振が抑制される可能性，②ペースメーカー本体近辺で使用すると，電気メスの電流が電極を経由し心筋に流れ，マイクロショックの原因となる可能性，③パルス発生器の電子回路の電源電圧の変動で，設定がバックアップモード(AOO, VOO, DOO)に変化する可能性があげられる．対応として以下の4点が推奨されている[7]．①電気メスを使用する部位および対極板の位置に注意する．

表1 ペースメーカー植込み患者の手術時設定変更

	自己脈なし		自己脈あり	
	推奨モード	推奨設定レート	推奨モード	推奨設定レート
洞機能不全症候群	DOO AOO	80	DDI VVI	45〜50 40〜50
洞房ブロック	VOO	80	VVI	40〜50
心房細動	VOO	80	VVI	40〜50

すなわち，電流が電気刺激発生器（ジェネレータ）または導線（リード）そのものや付近を通らないようにする．②連続して使用せず，断続的に使用する．③手術室入室後に心電図モニター下にプログラム（ペーシングモード，心拍数）を表1のように変更して使用し，術後は設定をもとに戻す．④ICD移植患者では電気メス使用中は非同期モードまたは自己心拍が確保できる設定にプログラムし，心電図を監視する．体外式電気的除細動器を待機しておくが，使用する場合は2つのパドルを結ぶ線とデバイス本体とペーシング電極を結ぶ線が直交するように配置する．以上の対応が必要であるため，手術内容と期日を臨床工学士，麻酔医に連絡し連携を取る必要がある．

C 循環器系合併症の術後発症予測と予防対策 レベルC

ANPは主として心房で，BNPは主として心室で合成されるナトリウム利尿ペプチドである．ANPは心房の伸展刺激により，BNPは心室の負荷により分泌が亢進し，血中濃度が上昇する[8]．両者の血中濃度は血行動態とよく相関するが，BNPは左室拡張末期圧をよく反映し，心不全の存在診断，重症度診断，予後診断の補助診断法として感受性，特異度の双方でANPより優位であるという報告が多い．呼吸器外科領域では，BNPが術前あるいは術直後に高い場合は，術後心房細動発生[9]の予測因子となることが報告されている．カルペリチド（遺伝子組み換えhANP）はα型ヒト心房性ナトリウム利尿ポリペプチド製剤で，細胞内cGMPを増加させ血管拡張作用，ナトリウム利尿作用，レニンやアルドステロン合成抑制作用などにより減負荷効果を発現し，肺うっ血，急性心不全に対してカテコラミンなどの強心薬と併用され治療効果を有する．

Side Memo
ペーシングモードの命名は国際コードが用いられる．第1文字はペーシング部位を，第2文字はセンシング部位を示し，Aは心房，Vは心室，Dは心房心室両方を，Oはセンシング機能のないことを示す．第3文字はセンシングした自己波形に対する刺激パルスの制御機能を示し，Iは抑制，Tは同期，Dは抑制と同期の両方，Oは機能なしを表している．

文献
1) Brunelli A et al. Ann Thorac Surg 2010; **90**: 199
2) Brunelli A et al. Eur Respir J 2009; **34**: 17
3) Brunelli A et al. Chest 2013; **143** (5 Suppl): e166S
4) Eagle KA et al. Circulation 2002; **105**: 1257
5) Vaporciyan A et al. J Thorac Cardiovasc Surg 2004; **127**: 779
6) 日本循環器学会/日本不整脈心電学会合同ガイドライン 2020年改訂版 不整脈薬物治療ガイドライン
7) An Updated Report by the American Society of Anesthesiologists Task Force on Perioperative Management of Patients with Cardiac Implantable Electronic Devices. Anesthesiology 2011; **114**: 247
8) Kinnunen P et al. Endocrinology 1993; **132**: 1961
9) Amar D et al. J Thorac Cardiovasc Surg 2012; **144**: 1249

④ 肺性心・肺循環の一般論

要点

1. 肺性心とは肺高血圧症により右心不全を生じた病態である．
2. 肺高血圧の原因は様々であるが左心不全からの右室肥大などは含まない．
3. 慢性肺血栓塞栓症は可能であれば手術療法が選択される．
4. 一般外科手術における深部静脈血栓症予防はリスクレベルにより選択される．

Key Word 肺性心，右心不全，肺高血圧症，慢性肺血栓塞栓症，深部静脈血栓症

肺性心は様々な肺疾患により肺高血圧症を生じ，右室に対する後負荷による右室拡大，右心不全を生じた疾患である．先天性心疾患や後天性弁膜疾患などによる左心不全による右室肥大などは含まない．

a 右室肥大，右心不全 レベルA

1）原因
様々な原因で生じる肺高血圧症で右心系に対する後負荷が生じる．

2）症状と身体所見
肺高血圧症と共通の症状として，労作時呼吸困難，息切れ，易疲労感，動悸，胸痛，失神，咳嗽，腹部膨満感がみられる．

右室肥大に伴う傍胸骨拍動，Ⅱ音肺動脈成分の亢進，三尖弁閉鎖不全による胸骨左縁下部の汎収縮期雑音，肺動脈弁閉鎖不全に伴う第2肋間胸骨左縁の拡張早期雑音（Graham Steel雑音），収縮期早期のクリック音，右室由来のⅢ音，Ⅳ音の聴取．進行すれば静脈怒張，肝腫大，下腿浮腫，腹水がみられる．

3）診断
①血液検査
肺高血圧症が軽度であれば血液所見に異常はみられないが，右心負荷，右心不全が生じた場合は血中のBNP，NT-proBNP，尿酸値が上昇する．高度の右心不全が生じれば肝機能異常が生じる可能性がある．
②心電図
心電図変化は右室肥大による右室ストレイン，V_1のR波増高，R/S比>1，右軸変異などや右房負荷による肺性P波がみられる．
③胸部X線像
右房，右室の拡張による心拡大が認められる．また，右心不全の進行による胸水貯留も出現する．

b 肺高血圧症[1] レベルC

1）肺高血圧症の定義
安静時に右心カテーテル検査で実測した際の平均肺動脈圧が25 mmHg以上と定義される．さらに肺高血圧症例中で肺動脈楔入圧が15 mmHg以下の場合を肺動脈性肺高血圧症（pulmonary arterial hypertension：PAH）とする．健常者の平均肺動脈圧は14±3 mmHg，正常上限を20 mmHgとし，平均肺動脈圧21〜24 mmHgの臨床的意義は今後の検討課題となっている．

2）肺高血圧症の臨床分類
2013年のニース会議で再改訂版肺高血圧症臨床分類が提示された．第1群に肺動脈性肺高血圧（PAH），第2群に左心性心疾患に伴う肺高血圧症，第3群に肺疾患および/または低酸素血症に伴う肺高血圧症，第4群に慢性血栓塞栓性肺高血圧症（chronic thromboembolic pulmonary hypertension：CTEPH），第5群に詳細不明な多因子のメカニズムに伴う肺高血圧症と分類された．

3）肺高血圧症の症状
主に右心不全による自覚症状は労作時呼吸困難が最も特徴的で早期に現れる．

4）肺高血圧症の診断
①血液検査，心電図，胸部X線
血液検査でのBNP上昇や心電図所見の右室ストレイン，肺性P波などは右心不全が生じたのちに出現する．肺高血圧による胸部X線所見では両側中枢側肺動脈の拡張と末梢肺動脈の狭小がみられる．長期の肺高血圧の場合，肺動脈壁に石灰化がみられることもある．
②心エコー
非観血的に肺動脈圧を推定することが可能である．連続ドプラ法を用いた三尖弁逆流速度から簡易Bernoulli式を用いた方法が一般的である．
③動脈血ガス分析
肺高血圧症の基礎疾患により様々であるが，過換気に伴

う低二酸化炭素血症を伴う低酸素血症が基本である．しかし，慢性閉塞性肺疾患（COPD）が原因の肺高血圧症では高二酸化炭素血症を認める．

④呼吸機能検査

基礎疾患により様々であるが，特発性/遺伝性肺高血圧症では拡散障害を伴う軽度から中等度の拘束障害を示す．COPDに伴う肺高血圧では閉塞性換気障害を示す．全身性強皮症に伴う肺動脈性肺高血圧症ではDLCOが低下する．

⑤肺換気-血流シンチグラム

特にCTEPHの診断に有用であるが，肺血流シンチのみでは肺炎，無気肺などでも画像欠損を認めるため，肺換気シンチを併用するか胸部CTなどを参考にする必要がある．

⑥CT・MRI

高分解能CTは特発性肺高血圧症と静脈閉塞疾患との鑑別や間質性肺疾患，肺気腫の評価に用いられる．CTEPHの診断には胸部造影CTが非常に有用である．

MRIは両心機能と右室肥大の評価が可能である．拡張終期容積，収縮終期容積，心筋量を計測し，1回拍出量，心拍出量，駆出率を算出できる．

⑦右心カテーテル

肺高血圧症の確定診断には必須である．測定項目は肺動脈圧，肺動脈楔入圧，心拍出量または肺血流量，肺血管抵抗，混合静脈血酸素飽和度である．

⑧肺動脈造影

CTEPH，大動脈炎症候群に由来する肺血管病変，肺動静脈奇形，末梢性肺動脈狭窄症などでは診断および治療法の決定に有用である．

⑨運動負荷

肺高血圧症の重症度と生命予後を評価するために行われる．6分間歩行距離は最大酸素消費量と密接な関連がある．

C 慢性肺血栓塞栓症[2] レベルB

1）定義・概念

器質化血栓により肺動脈が慢性閉塞することにより発症するもの．慢性とは3～6ヵ月以上の抗凝固療法にても血流分布と肺循環動態の異常に大きな変化がないものを指す．慢性肺血栓塞栓症が高度になって労作時の息切れなどの臨床症状が認められた場合，CTEPHという．厚生労働省が治療給付対象疾患に指定したときに命名した「特発性慢性肺血栓塞栓症（肺高血圧型）」と同義である．

2）疫学

日本では欧米に比べて発生頻度は少ないとされる．難病指定後に行われた疫学調査では毎年増加しており，2017年度のCTEPHの患者は3,439例であった．

3）病因・病態

通常欧米では急性肺血栓塞栓症からの移行を想定しているが，日本では急性期症例に比して慢性例の発症頻度が高いことや，深部静脈血栓症の頻度が低いことから急性例からの移行以外の発症機序の存在が示唆されている．日本の全国調査では急性肺血栓塞栓症の既往は29％，深部静脈血栓症の合併頻度は28％に過ぎなかった．CTEPHの基礎疾患として血液凝固異常14.6％（そのうち抗リン脂質抗体症候群75％），心疾患12.8％，悪性腫瘍9.8％などが認められたが，43.9％は基礎疾患がなかった．

①臨床症状

特異的なものはないが，労作時の呼吸困難が必発で，最終的には右心不全の症状となる．

4）診断

慢性血栓塞栓性肺高血圧症の診断基準が示されている[1]．

5）予後

安定期の平均肺動脈圧が30 mmHgを超える症例は肺高血圧が進展するが，超えなかった症例は肺高血圧が進展しなかったとしている．5年生存率は平均肺動脈圧が40 mmHg超える場合は30％，50 mmHgでは10％になる[3]．CTEPH症例の5年生存率は全肺血管抵抗値，＜500，500～1,000，1,000～1,500，1,500＜dyne・sec・cm^{-5}に分けると，それぞれ100％，88.9％，52.4％，40.0％となっている[4]．

6）治療

現在，CTEPHに対する根本的治療は肺動脈血栓内膜摘除術であるため，付着血栓が手術的に到達可能であり，他の重要臓器に障害がなければ外科的治療を考慮すべきである．

①内科的治療

外科的治療後の肺高血圧症の残存・再発例に対しては，抗凝固療法や酸素療法，右心不全に対する治療が行われる．抗凝固療法はワルファリンによる終生の抗凝固療法（INR 1.5～2.5程度）が必要といわれているが明瞭なエビデンスはない．血栓溶解療法は定義上，無効であるが，経過中に急速に悪化した際，Dダイマーなどの凝固・線溶系分子マーカーが高値の場合には試みることで症状の軽快が期待される．また，2014年よりリオシグアト（可溶性グアニル酸シクラーゼ刺激剤）が外科的治療後のCTEPHに対し適応が認められており治療効果が期待されている．肺高血圧症に対しては在宅酸素療法の保険適用があり，酸素投与で低酸素性肺血管攣縮の解除が期待される．右心不全対策としては，安静と水分摂取制限，利尿薬，経口強心薬の投与，カテコールアミンが投与される．一方，血管拡張薬は有効性を示すエビデンスはなく保険適用もないが，肺血行動態や6分間歩行距離が改善したとの報告が散見される．

②外科的治療

一般的に肺動脈血栓内膜摘除術（pulmonary endarterectomy：PEA）とバルーン肺動脈形成術（balloon pulmonary angioplasty：BPA）が行われる．中枢型CTEPHに対しては，超低体温法によるPEAが行われるようになり手術成績も向上してきている．カテーテル治療であるBPAは，バルーンカテーテルを用いて肺動脈の狭窄や閉塞を物理的に解除する治療である．わが国から報告されているBPAによる肺血行動態の改善度は，PEAに匹敵するほどであり，低侵襲で治療効果を得ることができる．一方，肺移植も治療

法として示されているが極めて困難といわざるを得ない．理由としては，肺の炎症のために胸膜癒着が著明であること，体外循環下でのヘパリン投与により胸膜癒着の剝離部からの出血コントロールが困難になること，胸膜癒着部分で胸壁側から肺への血管増生が出現することもあり癒着剝離に際しての出血のコントロールが極めて困難であることなどがあげられる．

　治療成績：CTEPH に対する PEA の手術成績は，早期成績は University of California, San Diego（UCSD）では死亡率 2.2％と極めて良好であり[5]，日本胸部外科学会の報告（2014 年）では 9.8％であった[6]．遠隔成績は UCSD は 5 年生存率 82％[5]，国内でも 84〜95％との報告[7]がある．

d 深部静脈血栓症[2] レベルB

1）定義
　深部静脈とは四肢の筋膜よりも深部にある静脈で，表在静脈と区別される．深部静脈血栓症（deep vein thrombosis：DVT）は発生部位（頸部・上肢静脈，上大静脈，下大静脈，骨盤・下肢静脈）により症状が異なる．

2）疫学
　日本静脈学会疾患サーベイ委員会は，1997 年に年間 506 人，2012 年には 1,162 人と報告している．しかし，2006 年の厚生労働省血液凝固異常症の研究における短期アンケート調査では，年間 14,674 人と推計されており，この 10 年間に約 30 倍増加したことになる．

3）成因と危険因子
①成因
　静脈血栓の成因には，①内皮障害，②血液凝固能亢進，③血流停滞があげられる．これらの要因が複合的に発生することで血栓が生じる．
②危険因子
　深部静脈血栓症の発生にかかわる危険因子は多岐にわたる[2]．背景として加齢や長時間の坐位，特に旅行や災害時に生じるとされる．外傷（下肢骨折，下肢麻痺，脊髄損傷），悪性腫瘍，先天性・後天性の凝固亢進，炎症性腸疾患，抗リン脂質抗体症候群が有名である．この他下肢静脈瘤や脱水・多血症，肥満，妊娠・産後があげられる．また，外科手術，女性ホルモンの服用，止血薬，長期臥床なども危険因子となる．
③発生部位，原因
　頸部・上肢静脈での深部静脈血栓症は，胸郭出口症候群に起因する Paget-Schroetter 症候群や鎖骨下静脈への輸液路やペースメーカーなどカテーテル留置により医原性に発症する．上大静脈では上大静脈症候群を生じる縦隔腫瘍・肺癌のリンパ節転移が原因となる．下大静脈では骨盤・下肢より進展することが多い．骨盤・下肢静脈では大腿静脈を圧迫することやカテーテルの挿入，運動制限下臥床により発生する．下腿部での初発発生部位は多くがヒラメ筋内静脈であるとされている．

4）病態
①血栓の形成
　血栓形成後数日で炎症性変化により静脈壁に固定され，器質化して退縮する．血栓性閉塞後の血流再開は急性期では溶解・退縮が主で，慢性期では器質化や再疎通が生じる．
②中枢進展と塞栓化
　深部静脈血栓は，中枢に進展する過程で剝離し塞栓する．関節周囲や下肢筋内での血栓は容易に塞栓化するため中枢進展が少なく反復塞栓する．白色血栓や混合血栓は静脈壁に固定されやすいが赤色血栓は固定されずに塞栓化しやすい．仰臥位や坐位では股関節や膝関節の運動により血栓が剝離され，立位・歩行運動では下腿筋ポンプ作用により血栓が駆出されると考えられている．塞栓化の時期は発生進展から 1 週間以内が多いとされている．

5）病型と病期
　骨盤・下肢静脈血栓症の場合，中枢型（膝窩静脈から中枢：腸骨型と大腿型）と末梢型（下腿型）を区別する．急性期深部静脈血栓症の中枢型では三大症候の腫脹・疼痛・色調変化がみられる．腸骨型で，急速発症で広範囲に閉塞した場合，高度灌流障害に伴う動脈灌流障害により静脈性壊死になることもある．一方末梢型の場合は疼痛がみられるが無症状のことが多い．身体所見では血栓化静脈の触知，圧痛とともに下腿筋の硬化が重要とされる．慢性期での再発では慢性灌流障害による静脈瘤，色素沈着，皮膚炎に加えて急性灌流障害の症候が出現する．

6）診断
　DVT は早期に確実な診断を行い治療介入すると，病態と予後の改善が見込めるため，なるべく速やかな診断を必要とする．
　まず，臨床所見から検査前臨床的確率（Wells スコア）で評価する（表 1）[8]．Wells スコアが低確率の場合の D ダイマー検査の陰性的中率は 99％，中確率の場合の陰性的中率は 96％であることから，まず D ダイマー検査を施行する．D ダイマー検査が陰性であれば，DVT は否定的である．D ダイマーが陽性であれば下肢超音波検査や造影 CT 検査などの画像による確定診断が必要となる．

7）治療
　治療目標は，①血栓伸展・再発の予防，②pulmonary thromboembolism（PTE）の予防，③早期・晩期後遺症の軽減である．理想的な治療法は，PTE の合併を防ぎ，速やかに静脈血栓を除去・溶解させ，再発を防ぐことにより，静脈開存性を確保して静脈弁機能を温存することである．
　中枢型 DVT には PTE と同様に抗凝固療法を行う．末梢型 DVT に対する抗凝固療法は，適応を含めてエビデンスは十分でない．スクリーニングや偶発的な検査によって発見された無症候性末梢型 DVT 症例は，超音波検査での経過観察がより推奨されるが，VTE 既往例，担癌患者，下肢整形外科手術患者など VTE リスクの高い術前症例では伸展リスクや出血リスクを慎重に検討し管理法を決定する．多くの

表1　Wells score DVT

	点数
活動性の癌（治療中，6ヵ月以内の治療や緩和治療を含む）	+1
完全麻痺，不全麻痺あるいは最近のギプス装着による下肢の固定	+1
臥床安静3日以上または12週以内の全身麻酔もしくは部分麻酔を伴う大手術	+1
下肢深部静脈の走行に沿った圧痛	+1
下肢全体の腫脹	+1
腓腹部（脛骨粗面の10cm下方）の左右差>3cm	+1
症状のある下肢の圧痕性浮腫	+1
表在静脈の側副血行路の発達（静脈瘤ではない）	+1
DVTの既往	+1
DVTと同等もしくはそれ以上の可能性のある他の診断がある	−2
低確率	0
中確率	1〜2
高確率	3以上

（Wells PS et al. JAMA 2006; 295: 199-207 [8] を参考に作成）

末梢型DVTの場合は，たとえ抗凝固療法を施行しても3ヵ月までの維持治療が妥当である．

また，抗凝固療法を施行しており，下肢疼痛が強くない，巨大な浮遊血栓を伴わない，一般状態が良好などの条件が揃えば，患者をベッド上安静にせず早期歩行させることにより，DVTの悪化防止と患者のQOLの向上が期待できる．

文献

1) 肺高血圧治療ガイドライン（2017年改訂版）
https://www.j-circ.or.jp/cms/wp-content/uploads/2020/02/JCS2017_fukuda_h.pdf
2) 肺血栓塞栓症および深部静脈血栓症の診断，治療，予防に関するガイドライン（2017年改訂版）
https://www.j-circ.or.jp/cms/wp-content/uploads/2017/09/JCS2017_ito_h.pdf
3) Reidel M et al. Chest 1982; **81**: 151
4) 中西宣文ほか．日胸疾会誌 1997; **35**: 589
5) Madani MM et al. Ann Thorac Surg 2012; **94**: 97
6) Masuda M et al. Gen Thorac Cardiovasc Surg 2016; **64**: 665
7) Ishida K et al. J Thorac Cardiovasc Surg 2012; **144**: 321
8) Wells PS et al. JAMA 2006; **295**: 199-207

⑤ 急性肺血栓塞栓症

要点
1. 深部静脈血栓症の合併症として発症することが多い．
2. 突然の頻呼吸を伴う呼吸困難，胸部不快感，胸痛に遭遇したら本症を疑う．
3. 外科手術後の発症に対する周術期の予防が重要である．

Key Word エコノミークラス症候群，ヘパリン，DOAC，組織プラスミノゲンアクチベータ，弾性ストッキング

肺血栓塞栓症(pulmonary thromboembolism：PTE)の成因・発症には深部静脈血栓症(deep vein thrombosis：DVT)が大きく関与しており，併せて静脈血栓塞栓症(venous thromboembolism：VTE)と総称される．PTEの塞栓源の約90％は下肢あるいは骨盤内の静脈で形成された血栓である．PTEは，急性と慢性に大別される．本項では急性PTEの病態，治療，予防について，関連学会による「肺血栓塞栓症および深部静脈血栓症の診断，治療，予防に関するガイドライン」(2017年改訂版)などをもとに概説する．

a 急性PTEの疫学 レベルA

急性PTEは本邦では，60歳代から70歳代の女性に多く，2006年の発症数は8,000例弱，2011年には16,000例を超え増加傾向にある．本邦の急性PTEの死亡率は11.9％で急性心筋梗塞の7.3％より高く，死亡は発症後早期に多い．

エコノミークラス症候群は，航空機利用に伴って生じたVTEとして知られているが，本邦での発症はまれである．一方近年では，地震などの災害に伴う避難時のPTEが注目されている．避難所生活や車中泊では，活動量の低下による血流の停滞や水分の摂取不足による血液の濃縮が生じやすいため，適切な水分補給，下肢の運動などの啓発が重要である．

手術後の発症はよく知られており，腹部，整形外科の手術後で長期の臥床を必要とした患者では要注意である．起立，歩行，排便などの際に下肢の筋肉が収縮，筋肉ポンプの作用により静脈還流量が増加し，塞栓源の下肢や骨盤内の静脈の血栓が遊離して発症すると推測される．入院生活での活動量の低下，手術侵襲および悪性腫瘍による凝固活性亢進は重要であり，2004年から周術期におけるVTEの予防対策に対し，予防管理料が認められ，弾性ストッキングや間欠的空気圧迫法に加え，低分子ヘパリンやXa阻害薬などの薬物による予防が可能となった．

b 急性PTEの病態 レベルA

急性PTEの主たる病態は，急速に出現する肺高血圧，右心負荷および低酸素血症である．肺高血圧の主な原因は，血栓塞栓による肺血管の機械的閉塞，ならびに塞栓子である血栓と流血中の血小板との相互作用の結果放出される，セロトニン，トロンボキサンA2などによる肺血管収縮，気管支収縮である．低酸素血症の主な原因は，肺血管床の減少による非閉塞部の代償性血流増加と，気管支攣縮による換気血流不均衡である．

c 急性PTEの症状と身体所見 レベルA

急性PTEの診断に直接つながる特異的な症状はなく，他の疾患で説明できない呼吸困難では，本症の鑑別が必要である．症状は呼吸困難，胸痛が主であり，発熱，失神，冷汗，咳嗽，喘鳴，動悸，血痰も起こる．

臨床経過・症状では，心筋梗塞との鑑別が必要である．特徴的な発症状況としては安静解除直後の最初の歩行時，排便・排尿時，体位変換時がある．

身体所見では，頻呼吸，頻脈が高頻度に認められる．その他，肺高血圧症のためⅡp音亢進，右心不全による頸静脈の怒張や右心性Ⅲ音・Ⅳ音，肺梗塞を伴うと断続性ラ音，胸水貯留により打診で濁音，DVTによる下腿浮腫などがある．ショックを発症すると低血圧となる．

d 急性PTEの診断のための検査 レベルA

急性PTEの検査とその所見を表1に示す．
急性PTEの胸部CT像を図1に示す．

e PTE症の危険因子 レベルA

血流停滞，血管内皮障害，凝固亢進が危険因子である(表2)．

f 急性PTEの治療 レベルB

急性PTEの治療は，肺血管床の減少により惹起される右心不全および呼吸不全に対する急性期の治療と，血栓源であるDVTからの急性PTEの再発予防のための治療とに大

表1 急性肺血栓塞栓症の診断のための検査
- 胸部X線写真
  - 心拡大，肺動脈中枢部拡張，肺野透過性亢進．
  - Westermark徴候（中枢肺動脈拡張とその末梢透過性亢進）
  - Knuckle徴候（中枢肺動脈拡張とその先の途絶所見）
- 心電図
  - 右側前胸部誘導の陰性T波，洞性頻拍
- 動脈血液ガス分析
  - 低酸素血症，低二酸化炭素血症，呼吸性アルカローシス
- D-ダイマー上昇
  - 感度は高いが特異度は低い
- 心エコー
  - 右室拡大，McConnel徴候（心尖部を除いた右室自由壁運動が阻害）
- 造影CT
  - 血栓とその範囲の診断
- 肺血流シンチグラフィ
  - 造影剤アレルギー症例に施行
- 肺動脈造影
- バイオマーカー
  - BNP，NT-proBNP

表2 急性PTEの危険因子
- 血流停滞
  - 長期臥床，肥満，妊娠，うっ血性心不全，慢性肺性心，全身麻酔，下肢麻痺，脊髄損傷，下肢ギプス固定，加齢，下肢静脈瘤，長時間座位
- 血管内皮障害
  - 先天性：高ホモシステイン血症
  - 後天性：手術，外傷，骨折，中心静脈カテーテル留置，カテーテル検査・治療，血管炎，膠原病，喫煙，抗リン脂質抗体症候群
- 凝固亢進
  - 先天性：プロテインC欠乏症，プロテインS欠乏症，アンチトロンビン欠乏症
  - 後天性：悪性腫瘍，手術，外傷，骨折，熱傷，妊娠，産後，感染症，脱水，ネフローゼ症候群，骨髄増殖性疾患，多血症，抗リン脂質抗体症候群

別される．呼吸循環動態を保ちながら，塞栓子である血栓の溶解を促進，血栓の局所進展を抑制し，血栓の塞栓化を予防することが目的となる．治療アルゴリズムを図2に示す．

g 急性PTEの呼吸管理 レベルB

1）酸素吸入療法

低酸素血症，低炭酸ガス血症を伴うⅠ型呼吸不全を呈する．酸素吸入が基本で，SpO_2が90％以上になるよう流量を調整する．鼻カニューレ5L/minでFIO_2は40％，酸素マスク6〜7L/minでFIO_2は50％，リザーバー付き酸素マスクで6〜7L/minでFIO_2は60％程度となる．

2）人工呼吸

SpO_2 90％以上が得られない場合は，人工呼吸が必要である．人工呼吸下では胸腔内圧の上昇により静脈還流が減少し右心不全悪化の可能性があり，PEEPの付加には注意が必要で，1回換気量は6mL/kgと少ない設定が推奨される．

3）NO吸入

NOは肺動脈を選択的に拡張させるので，換気血流不均等を改善，肺血管抵抗の低下が期待される．

h 急性PTEの循環管理 レベルB

1）薬物療法

イソプロテレノール，ノルエピネフリン，エピネフリン，ドパミン，ドブタミンやホスホジエステラーゼ（PDE）Ⅲ阻害薬などを用いて血圧，心拍出量の安定を図る．

2）補助循環

酸素療法，薬物療法にて呼吸循環を維持できない症例，

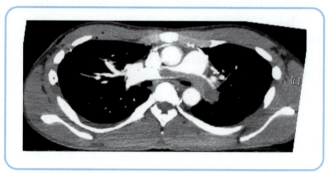

図1 21歳男性
気胸術後急性PTE，先天性アンチトロンビン欠乏症と判明

心肺停止で発症した症例では，速やかに体外式膜型人工肺（extracorporeal membrane oxygenation：ECMO）を導入して呼吸循環不全を安定化させる．しかし，術後は出血のリスクもあり，注意を要する．

i 急性PTEの薬物療法 レベルB

急性PTEの治療の中核は抗凝固療法ならびに血栓溶解療法である．急性PTEとその塞栓源のDVTは，1つの疾患が異なる形で現れたもので，治療も一体として行われる．

1）抗凝固療法

抗凝固療法の投与期間は一般的に初期（7日まで），維持期（3ヵ月まで），再発リスクの高い患者への延長期（3ヵ月以降）に分けられる．

初期は，未分画ヘパリンの投与を，80単位/kgあるいは5000単位を単回静脈投与し，以後，時間あたり18単位/kgあるいは1300単位の持続静脈投与を行う．APTTがコントロール値の1.5〜2.5倍となるように調整する．維持期以降はワルファリンまたはDOACを使用する．ワルファリンは至適治療域のPT-INR 2.0〜3.0にコントロールされるまでに少なくとも4〜5日を要するためヘパリンとの併用期間を要す．DOACはただちに抗凝固作用が発揮されるためヘパリンからの切替投与が可能であり，本邦ではエドキサバン，

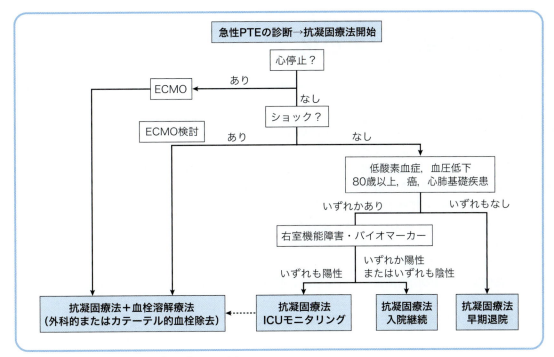

図2　急性PTE治療アルゴリズムの一例
（肺血栓塞栓症および深部静脈血栓症の診断, 治療, 予防に関するガイドライン（2017年改訂版）を参考に作成）

リバーロキサバン, アピキサバンがVTE治療に承認されている.

2) 血栓溶解療法 レベルC

遺伝子組み換え組織プラスミノゲンアクチベータ（tissue plasminogen activator：t-PA）であるモンテプラーゼが保険適用となっている.

j 急性PTEのカテーテル治療 レベルC

カテーテルによる肺動脈内で施行する治療として, 血栓溶解療法, 血栓吸引術, 血栓破砕術があり, ほとんどが血栓溶解療法を併用する.

k 急性肺PTEの外科的治療 レベルC

広範型PTEで血行動態が不安定な症例が適応で, 循環動態が保てない場合はECMO装着のうえ, 胸骨正中切開下に体外循環を開始して直視下に血栓を除去する.

l 急性PTEの予防 レベルA

DVTの予防として, 長時間にわたって同じ姿勢を取らない, 脱水にならないよう水分を取るなどがある. 長時間の手術に際しては, 早期離床, 積極的な運動, 弾性ストッキングの着用, 間欠的空気圧迫法による血液のうっ滞予防を行う. 血栓症のリスクが高い場合には, 予防的な抗凝固療法を行う. 下肢静脈に血栓が存在する場合には, 下大静脈フィルター留置を検討する.

Ⅳ．一般外科・呼吸器外科に必要な循環器領域の病態

⑥ 大動脈疾患，その他

要点
1. 大動脈瘤，および，大動脈解離の分類と病態を理解する．
2. 大動脈疾患を合併する患者，またその既往を有する患者の術前評価を立案できる．
3. 同患者の周術期管理上の留意点を理解する．
4. 大動脈ステント患者の周術期管理上の留意点を理解する．
5. 閉塞性動脈硬化症とBuerger病のリスク因子を理解する．
6. 末梢動脈閉塞症を合併する患者の周術期管理を把握する．
7. 頸動脈狭窄の診断法，手術適応を理解する．
8. 頸動脈狭窄を合併する患者の周術期管理上の留意点を把握する．

Key Word 大動脈瘤，大動脈解離，末梢動脈閉塞症，頸動脈疾患

呼吸器外科に必要な大動脈の主たる病態は瘤化病変である．呼吸器外科手術前や術後経過観察期間において，大動脈疾患を有する患者に対するアプローチについて概説する．

a 大動脈瘤の病態　レベルA

1）原因による大動脈瘤（aortic aneurysm）の病態
瘤を形成する原因には，動脈硬化性，外傷性，炎症性，感染性，先天性結合組織異常などがあるが，動脈硬化性，特に，粥状硬化性大動脈瘤が最も多い．

2）形態による分類
病理組織上3層の壁構造を保持する瘤は真性瘤とされ，肉眼形態上，紡錘状と囊状に分ける．一方で通常の動脈壁構造を有せず周囲の線維性結合組織により瘤壁が形成されるものは仮性瘤と称される．前者に比し発生頻度は低いが破断リスクは高い．大動脈解離後に径の拡張をきたしたものは解離性大動脈瘤と分類され，高血圧症をリスク因子として発症することが多いが，結合組織異常を背景に発症することも珍しくない．

3）瘤化部位とその範囲による分類
瘤化部位とその範囲によって，基部，上行，弓部，下行，胸腹部大動脈瘤と分類・呼称される．外科的治療のための様々な補助手段（体外循環法，低体温法），手術侵襲および手術成績が異なるため，部位別の考察が重要になる．

b 大動脈瘤の診断　レベルB

1）病態と症状
大動脈瘤による徴候は，①瘤の切迫破裂・破裂による疼痛，②瘤が周囲臓器へ及ぼす圧迫症状，③分枝血管の循環障害による臓器虚血症状に分類できる．①真性瘤のほとんどは無症状であるが，胸背部痛や腰痛をきたす場合があるため，疾患鑑別過程で大動脈瘤の切迫破裂・破裂を念頭に置くべきである．②瘤の存在部位によって，反回神経症状としての嗄声，嚥下障害，食道圧迫症状としての嚥下困難，肺圧迫と炎症の惹起に続発する切迫破裂の徴候としての血痰があげられる．③大動脈解離による分枝血流障害による臓器灌流障害は頭部から四肢末梢まで様々に生じうるが，真性瘤の場合，分枝血流障害はまれで，生じたとしても分枝入口部閉塞は慢性の経過で徐々に進行するため無症状であることが多い．その一方で，壁在血栓の塞栓による腎梗塞や下肢動脈血栓塞栓症は，急性症状として発症し好酸球増加を伴うことがある．その場合はshaggy aorta（Side Memo参照）の併存を考慮する必要がある．

> **Side Memo**
> 【shaggy aorta】
> shaggyとは布地などが粗毛な状態を指すが，shaggy aortaは大動脈壁に高度な粥状硬化性変化が生じ，造影CT検査上，不整形の壁在血栓が比較的広範囲に広がっている所見を指す．これらの高度の粥状硬化を有する大動脈由来の多数の微細なコレステロール結晶が末梢の中小動脈を閉塞し（コレステリン塞栓症），多彩な臓器障害を呈するとshaggy aorta syndromeと呼ばれるが，有効な治療がなく予後不良な病態として近年議論になっている．腎動脈塞栓による慢性腎機能障害や，足趾の紫紅色斑，疼痛症状を有するいわゆるblue toe症候群を呈することが多い．
> 呼吸疾患の術前に冠状動脈の評価が必要な際には，shaggy aortaを経由する心臓カテーテル検査は回避すべきであり，心電図同期冠状動脈造影CT検査により代用することが脳梗塞や末梢臓器虚血障害を未然に防ぐために肝要である．

2）画像診断
胸部X線検査は，縦隔陰影の拡大，右第1号や左第1号

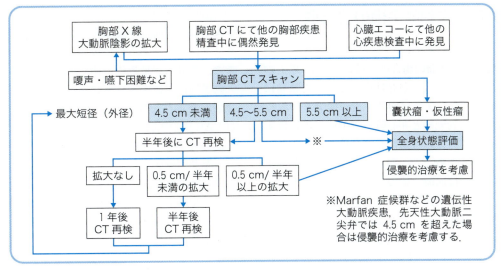

図1 胸部大動脈瘤の診断
(大動脈瘤・大動脈解離診療ガイドライン(2011年改訂版)[1]を参考に作成)

の拡大などを除き,スクリーニングとしての精度は低い.精査としてはCT検査であり,他の疾患の精査過程で偶然発見されることも少なくない.手術適応を決める重要な指標としての瘤径は横断面の最大短径で規定する.近年では3D-CTによる瘤径計測と詳細な形態描出による評価も加味する傾向にある.胸部大動脈瘤,大動脈解離の診断と治療に関するフローチャートと推奨内容をそれぞれ図1,表1に示す[1].

c 大動脈瘤の治療法 レベルB

基部から上行大動脈の瘤に対しては,基部置換術が施行される.人工弁を使用しない自己弁温存の大動脈基部再建術(remodeling法またはreimplantation法)も病態に応じて施行される.弓部大動脈瘤に対しては,4分枝付き人工血管を用いる完全弓部大動脈人工血管置換術が標準術式である.補助手段として選択的脳灌流法と低体温法が併用される.胸部下行大動脈瘤に対して,近年では多くの場合,ステントグラフト内挿術により低侵襲性に治療されている.胸腹部大動脈瘤では,左開胸から腹部にいたるspiral incisionからアプローチされ,左心バイパスか人工肺を用いるF-Fバイパスを補助手段として用い,低体温法も適宜併用する.腹部大動脈瘤に対しては,開腹下でのY型人工血管置換術,またはステントグラフト内挿術(EVAR)が施行される.

d 外科的治療の成績 レベルC

呼吸器疾患と大動脈瘤の併存症例における治療戦略構築に際して,大動脈瘤の外科的治療成績を理解しておく必要がある.基部,上行大動脈瘤に対する待機的な人工血管置換術,および大動脈弁温存基部再建術の周術期成績は一般に良好で,死亡率が約3%である.弓部大動脈瘤については,死亡率は6〜10%であり,永続する脳梗塞が3〜18%と報告されている.胸部下行大動脈瘤については手術死亡は

表1 大動脈解離の慢性期治療における推奨

Class I
1. 大動脈の破裂,大動脈径の急速な拡大(>5mm/6ヵ月)に対する外科的治療(レベルC)
2. 大動脈径の拡大(≧60mm)を持つ大動脈解離例に対する外科的治療(レベルC)
3. 大動脈最大径50mm未満で合併症や急速な拡大のない大動脈解離に対する内科的治療(レベルC)

Class IIa
1. 薬物によりコントロールできない高血圧を持つ偽腔開存型大動脈解離に対する外科的治療(レベルC)
2. 大動脈最大径55〜60mmの大動脈解離に対する外科的治療(レベルC)
3. 大動脈最大径50mm以上のMarfan症候群に合併した大動脈解離に対する外科的治療(レベルC)

Class IIb
1. 大動脈最大径50〜55mmの大動脈解離に対する外科的治療(レベルC)

(大動脈瘤・大動脈解離診療ガイドライン(2011年改訂版)[1]を参考に作成)

3〜12%であったがステントグラフト治療により低減している.胸腹部大動脈瘤では2〜27%で平均10%前後である.重篤な合併症としての対麻痺は瘤の進展範囲によってことなるが,3〜20%前後の報告がある.

e 大動脈瘤患者の術前評価 レベルB

大動脈瘤を合併する場合の術前検査の要点は,①瘤のサイズと形態をCT,MRI,超音波検査などで確認する.②高血圧症は潜在的な冠状動脈疾患を知る指標のため,高血圧症を合併していることが多い大動脈瘤患者では,術前に冠状動脈精査を行う.精査の方法としては心臓カテーテル検査による冠状動脈造影,または近年精度向上が著しい心電図同期3D-CTによる冠状動脈評価があげられる.③動脈瘤による血液凝固障害の有無を確認する[2].

f 呼吸器手術，大動脈手術の優先度 レベルC

　術野が異なる腹部大動脈瘤の場合は，最大径6cm以上の瘤であれば，たとえ呼吸器疾患が悪性疾患でも大動脈瘤に対する手術を先行するか，または同時手術が推奨される[2]．
　一方，一般に胸部大動脈瘤と非心臓血管手術との合併手術の報告は少ないため，その有効性や安全性に関して統一した考え方は現在のところない．胸部大動脈瘤との合併手術が少ない理由としては同時手術の侵襲が大きいこと，体外循環使用例では術後易出血性により重篤な急性期合併症につながるリスクが高いこと，免疫能低下などのため悪性疾患の増悪と転移を誘発するためと考えられる．同様の観点から，手術優先度としては大動脈瘤径が5cm以上で手術適応であっても緊急手術を要する病態でなければ，一般には悪性疾患の手術を優先させる．しかし，腫瘍の悪性度と進行度が低い場合には大動脈瘤手術を先行させるか，または，同時手術を考慮してもよいとされる[2]．最近はステントグラフト治療の発展により，胸部下行大動脈瘤のようなステントグラフト内挿術が可能な病変であれば，大動脈瘤治療を先行することが多いのが現況である．また，肺癌が大動脈壁まで直接浸潤していると考えられる症例には，肺切除時に大動脈壁を損傷する可能性があり，大動脈瘤ではなくても呼吸器手術前にステントグラフトを挿入しておく方法も報告されている．

g 周術期管理として留意すべきこと レベルC

　大動脈瘤を合併する場合の周術期管理の要点を以下に記す．①非心臓手術周術期における大動脈瘤破裂の頻度は明確ではないが，一般に手術侵襲に応じて炎症反応が亢進すること，また，大動脈瘤の破裂には瘤壁内での炎症細胞活性化と細胞外基質分解が深く関与していることを考慮すると，呼吸器外科手術も低侵襲化が望ましい．②複数の臨床的な危険因子を有し心血管合併症のリスクが高いと判断されβ遮断薬が投与されている症例にはβ遮断薬の周術期投与が推奨される．③周術期管理に関しては血圧調節と疼痛対策が肝要である．カルシウム拮抗薬や亜硝酸薬，β遮断薬などの点滴静注療法が推奨されている[2]．④人工血管置換術がなされている症例では，人工血管感染予防の観点から，肺切除後の気漏は防止したい．

h 大動脈ステント患者の周術期管理 レベルC

　胸部下行大動脈瘤に対するステントグラフト内挿術（thoracic endovascular aortic repair：TEVAR）は低侵襲性に加え，比較的安定した中期遠隔成績が確立されたことにより汎用性が高まっている．胸部大動脈にステントグラフトが留置されている患者の周術期管理として大切なことは，過去の画像との比較検討により，ステントグラフトのずれ（migration）や大動脈瘤内への造影剤の漏れ（エンドリーク）がないことを確認することである．エンドリークの種類とリスクは様々であるので専門医による評価が必要となる．また，胸腔内手術操作に関しては，ステントグラフト留置大動脈周囲には炎症性変化を伴っている場合があり，肺の癒着剝離操作を要することも想定しておく必要がある．TEVAR後の開胸操作時に最も留意すべきことは，脊髄血流の温存である．通常，脊髄はAdamkiewicz動脈に連続する主要肋間動脈から灌流されるが，ステントグラフトで広範囲に肋間動脈開口部が閉鎖されていると，胸壁を通る長胸動脈や肩甲下動脈などが脊髄への血液供給側副血行路となっている場合があるからである．したがって，そのような症例は筋肉をなるべく切開せず温存する術式を選択することが望まれる．

i 留意すべき病態 レベルC

1）喀血をきたす病態

　大動脈瘤が肺実質へ穿破すれば喀血を呈する．瘤の形態から肺への穿孔部位がわかる場合もあるが，必ず特定できるわけではない．また，遠位弓部大動脈の頭側へ向かう瘤化病変，すなわち，CT上，頸部分枝レベルでみられる瘤病変は見逃されることがあるが，その部位が喀血の原因となっている場合がある（図2）．治療としてはTEVARを考慮するが，TEVARにて大動脈瘤内から肺への血流が遮断されても，肺組織への炎症性変化が残存するために血痰や喀血が再発することもある．TEVARにて喀血がコントロールされない場合はOpen surgeryにより癒着した肺との合併切除となる．この場合術後の肺機能の低下を考慮し肺切除を避けるべきという意見もあるが，置換した人工血管近傍に肺との交通や肺内血腫が残存すると術後感染の原因となるので慎重な判断が必要である．また胸部大動脈瘤で喀血があると動脈瘤が原因と考えるが，まれに肺癌の大動脈浸潤という症例も報告されているので術前診断は重要である．

2）大動脈人工血管置換術後

　弓部置換後の遠位吻合部付近や胸部下行大動脈置換後の近位または遠位吻合部付近の自己大動脈部位に，吻合部瘤や感染に続発する仮性瘤が形成される場合があることを想定して，術前の精査と術中の手術操作に細心の注意を払う必要がある．また大動脈人工血管置換術後に動脈瘤壁で人工血管をラッピングしていない場合は，肺と人工血管との癒着が極めて高度になるため，その後の呼吸器外科手術を行う際には心臓血管外科医と十分な術前症例検討が必要である．

j 末梢血管病変と呼吸器外科手術 レベルC

　代表的末梢血管疾患である閉塞性動脈硬化症（arteriosclerosis obliterans：ASO）は，加齢とともに増加し65歳以上では10％の患者に合併する．特に同様の動脈硬化を基礎に発生する冠状動脈疾患患者では，その約半数にASOが合

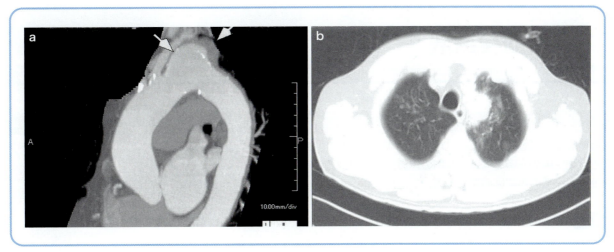

図2　見逃されやすい頭側へ進展する大動脈瘤の一例（矢印）

併するとされる．したがって，糖尿病，高血圧，高脂血症，喫煙歴など虚血性心疾患のリスク因子となる要因について術前に明らかにしておくことが肝要である．一方で，Buerger病は，50歳未満の若年男性発症が圧倒的に多く，ほぼすべてが喫煙者であり，下肢動脈閉塞に加え，上肢動脈閉塞と遊走性静脈炎を伴うことが多いという特徴があり，ASOとは異なる．

　ASOを合併している場合，問題となるのは周術期下肢動脈血行の急性増悪である．急性下肢動脈閉塞状態にいたった場合は，下肢切断のみならず再灌流障害が生じて多臓器不全へ進展する場合もあることを念頭に置き，低血圧や脱水に凝固亢進を伴って患肢の急性動脈閉塞をきたさないよう周術期管理に留意する．また，ステントによる血管内治療がすでになされている患者は複数の抗血小板薬が投与されていることがある．その場合，周術期の出血合併症のリスクが高くなる．また，急にそれらの薬剤を中止した際の血栓形成合併症も発症しうる．また，脳心血管疾患を合併しているときは，さらに注意が必要であり，症候性ASO患者に対して脳卒中予防のために抗血小板薬（アスピリン，クロピドグレル，シロスタゾール）の投与はクラスⅡa，エビデンスレベルCとされている．特に虚血性心疾患が併存している場合には，虚血性心疾患が無症候であっても抗血小板薬投与を含めたリスクファクター（血圧，血糖，脂質の適切なコントロール）の管理が必要である（クラスⅠエビデンスレベルA）[3]．

　頸動脈狭窄の場合，手術適応は，脳梗塞，脳一過性虚血発作，黒内障などの症状の有無を基準とし，内腔の狭窄度を最も重要な指標として決定される．したがって，まず頸動脈超音波検査を行い，同検査で病変が検出された場合は，MRI，CTアンギオ，脳血管撮影の適応となる．手術の決定においては，CT，MRIによる脳梗塞の評価，SPECT，PETによる脳血流状態，ならびに脳血流予備能の評価が推奨される．周術期管理としては脳梗塞発生を抑えることが重要である．したがって，周術期の脱水，低血圧を回避するための管理が重要となる．一般に，頸動脈狭窄合併例に対する推奨としては，有症状で70％以上の頸動脈狭窄例では同時手術を考慮に入れる．手術は頸動脈内膜摘除術が行われるが，ハイリスク症例では頸動脈ステント留置術が適応されることもある．悪性疾患の合併があり5年以上の生存が見込めない場合は，内科的治療が選択される．50〜69％の狭窄の症例では狭窄の性状を含めての検討が必要である．50％以下の狭窄の症例では原則として保存的に経過をみる．非心臓血管疾患に合併した症状のない頸動脈狭窄症は原則として内科的治療を選択する．

文献
1) 大動脈瘤・大動脈解離診療ガイドライン（2011年改訂版）
2) 非心臓手術における合併心疾患の評価と管理に関するガイドライン（2008年改訂版）
3) 末梢閉塞性動脈疾患の治療ガイドライン（2015年改訂版）

Ⅳ．一般外科・呼吸器外科に必要な循環器領域の病態

⑦ 抗血栓療法

要点
❶周術期には抗凝固薬（ワルファリン，DOACs），抗血小板薬使用に注意する．
❷抗血栓薬使用の病態を考慮し薬剤の休薬，ヘパリン置換を考慮する．
❸術後抗血栓薬の再開は必要である．

Key Word 抗血栓療法，ヘパリン，抗血小板薬，抗凝固薬，ワルファリン，新規経口抗凝固薬（DOACs）

　高齢化社会となるに伴い，心血管系疾患合併患者が増加している．抗血栓薬服用率も上昇し，周術期の抗血栓薬管理は重要である．抗血栓薬には抗凝固薬と抗血小板薬があり，基礎疾患に応じてそれら薬剤が投与されている．基礎疾患の血栓症リスクと抗血栓薬継続に伴う出血リスク，中止に伴う血栓発症リスクを考慮した周術期管理が必要である．

a 抗血栓薬の種類・作用機序と休薬期間 レベルA

　抗血栓薬には抗血小板薬と抗凝固薬がある．抗血小板薬は虚血性心疾患や慢性動脈閉塞症など主に動脈の血栓性疾患に用いられる．抗凝固薬は塞栓性脳梗塞，静脈血栓塞栓症など血流うっ滞，凝固系の活性化による疾患に使用されることが多い．

　抗血小板薬には作用が可逆性のものと不可逆性のものがあり後者に関しては血小板の代謝を考慮し最低7日間の休薬が必要である．抗凝固薬はこれまで経口薬としてワルファリンのみであったが，新規経口抗凝固薬（direct oral anticoagulants：DOACs）が使用出来るようになった．ワルファリンは肝臓でのビタミンK依存性凝固因子の合成抑制により抗凝固作用を発揮するため，服用後もすぐに効果は現れず，その半減期は40時間ほどで，休薬期間も約5日間を要する．それに対してDOACsは服用とともに効果を認め，休薬にて速やかに効果が消失する．休止した薬剤の開始は，患者の臨床状態に問題がなく出血がないことを確認してから，可及的速やかに再開する．表1に抗血栓薬の作用機序と術前休薬期間を示す．

b 周術期の抗血栓薬の継続・休止に関する原則 レベルB

　周術期抗血栓薬管理は
①出血リスクの低い処置や，体表の処置で術後出血の対応が可能な場合は抗血栓薬を中止しない．
②抗血栓薬中止による血栓塞栓発症高リスクで，処置による出血リスクが比較的低い場合はヘパリン置換を行う．
③抗血栓薬中止による血栓塞栓発症低リスクの場合はヘパリン置換を施行しない．
④抗血栓薬中止による血栓塞栓発症中リスクでは，処置と出血リスクとを勘案して検討する．
上記①～④が，大原則である．
表2にAmerican College of Chest Physicians（ACCP）のガイドライン[1]を示す．

　本邦における抗血栓薬中止による血栓塞栓症発症の高リスクに関しては「抗血栓薬服用者に対する手引き書―呼吸器内視鏡診療を安全に行うために」[2]にまとめられている（表3，表4）．これらの表に記載されている病態を有する抗血栓薬休薬に伴う血栓塞栓症発症中・高リスク患者に関しては周術期のヘパリン置換を考慮する．非弁膜症性心房細動において脳梗塞発症のリスクを評価する指標としてCHADS$_2$スコアがある[3]．

c ヘパリン置換のリスク レベルB

　Yongら[4]の経口抗凝固薬服用患者でのヘパリン置換におけるメタ解析の結果ではヘパリン置換群（10,313例）の血栓塞栓発症率は非置換群（25,631例）で差を認めなかった（OR 0.99，95%CI 0.49～2.00）．大出血発症頻度は，ヘパリン置換群が有意に高かった（OR 3.23，95%CI 2.06～5.05）．このメタ解析は，小手術から大手術までであり，患者背景が様々で，ヘパリン置換の方法も多様であるが，ヘパリン置換を行うことは決して血栓・塞栓イベントを有意に低下させるものではなく，常に出血リスクがあることを認識すべきで，術前に患者および家族に十分説明する必要がある．

d ヘパリン置換の方法[5] レベルB

　大手術の場合は，表1に示す抗血栓薬を中止期間に従って中止し，半減期の短いヘパリンによる抗凝固療法へ変更する．未分画ヘパリン（1.0万～2.5万単位/日程度）を静注もしくは皮下注し，活性化部分トロンボプラスチン時間（APTT）が正常対照値の1.5～2.5倍に延長するように投与量を調整する．術前4～6時間からヘパリンを中止するか，手術直前に硫酸プロタミンでヘパリンの効果を中和する．い

表1 抗血栓薬の作用機序と術前休薬期間

分類	一般名	作用機序	主な商品名	術前中止期間
抗血小板薬	クロピドグレル硫酸塩	血小板のADP受容体(P2Y12)に作用しADPの結合阻害	プラビックス クロピドグレル*	7〜14日
	チクロピジン塩酸塩	血小板のADP受容体(P2Y12)に作用しADPの結合阻害	パナルジン チクロピジン塩酸塩*	
	クロピドグレル硫酸塩/アスピリン	—	コンプラビン	
	プラスグレル塩酸塩	血小板のADP受容体(P2Y12)に作用しADPの結合阻害	エフィエント	
	アスピリン	シクロオキシゲナーゼ阻害によるTXA_2合成阻害	バイアスピリン タケルダ	
	イコサペント酸エチル	アラキドン酸代謝競合阻害	エパデール イコサペント酸エチル*	
	オメガ-3脂肪酸エチル	アラキドン酸代謝競合阻害	ロトリガ	
	シロスタゾール	ホスホジエステラーゼの活性阻害	プレタール シロスタゾール*	2日
	イフェンプロジル酒石酸塩	血小板膜安定化作用、TXA_2拮抗作用	セロクラール アポノール*	
	ベラプロストナトリウム	アデニレートシクラーゼの活性増強	プロサイリン ベラプロストNa* ベラサスLA	1〜3日
	サルポグレラート塩酸塩	選択的$5-HT_2$受容体阻害	アンプラーグ サルポグレラート塩酸塩*	
	リマプロストアルファデクス	アデニレートシクラーゼの活性増強	オパルモン リマプロストアルファデクス*	
	トラピジル	TXA_2合成および作用抑制、プロスタサイクリンの産生促進	ロコルナール	
	ジラゼプ塩酸塩水和物	血小板ホスホリパーゼ活性抑制、血小板放出反応抑制	コメリアン ジラゼプ塩酸塩*	1日
	ジピリダモール	ホスホジエステラーゼの活性阻害	ペルサンチン ジピリダモール*	
抗凝固薬	ワルファリンカリウム	肝でのビタミンK依存性凝固因子生成抑制	ワーファリン	3〜5日
	ダビガトランエテキシラート** メタンスルホン酸塩	トロンビンの直接阻害	プラザキサ	
	リバーロキサバン	第Xa因子の直接阻害	イグザレルト	1日(注1)
	エドキサバントシル酸塩水和物		リクシアナ	
	アピキサバン		エリキュース	

(注1) 出血の危険性が高い場合は2日以上の休薬が望ましい.
**：腎機能障害時作用時間延長
(日本呼吸器内視鏡学会 安全対策委員会編. 手引き書-呼吸器内視鏡診療を安全に行うために-(Ver. 4.0)[2] の表1を参考に作成)

ずれの場合も手術直前にAPTTを確認する．術後は，最低6時間は止血を確認し，止血が得られていると判断したら抗血栓薬を開始する．術前にワルファリンを服用している場合は，ヘパリンを再開する．病態が安定したらワルファリン療法を再開し，PT-INRが治療域に入ったらヘパリンを中止する．その間，血栓や塞栓症のリスクの高い症例では脱水の回避のための輸液を考慮する．DOACsに関しても手術部位からの明らかな出血がなければ再開してもよい．DOACsの特徴として，腸管内(特に上部消化管)の濃度が高いため消化性潰瘍がある場合は開始に際して注意が必要である．

e 周術期の出血リスクの評価 レベルB

呼吸器外科術後，特に肺切除術後の脳梗塞，周術期出血リスクに関して呼吸器外科専用のものはないが，ACCPのVTE予防ガイドライン[6]のなかに大出血のリスク因子が記載されている．その中で，呼吸器外科領域に関連するものを表5に列記した．出血リスクは，体表の処置など，出血しても圧迫などで対応できる場合は低いと判断し，不必要な抗血栓薬の中止はしない．胸腔鏡手術や開胸による肺腫瘍，縦隔腫瘍切除などは出血時には体表から十分な止血処置ができないため出血高リスク手術として対応する．日本呼吸器外科学会が調査した冠疾患・心房細動患者における

表2 ACCPガイドラインでの抗凝固薬中止に伴う血栓症発症リスク分類

リスク分類	機械弁置換後	AF	VTE
高[注]	○人工僧帽弁，ケージドボール型・傾斜ディスク型人工大動脈弁 ○6ヵ月以内の脳卒中またはTIA	○CHADS₂スコア5または6 ○3ヵ月以内の脳卒中またはTIA ○リウマチ性弁膜症	○3ヵ月以内のVTE ○重篤な血栓性素因（PC・PS・AT欠損症，高リン脂質抗体症候群，多因子による血栓性素因）
中	○人工二尖大動脈弁＋以下の危険因子を有するもの（AF，脳梗塞，TIA，高血圧，糖尿病，うっ血性心不全，年齢＞75）	○CHADS₂スコア3または4	○過去3〜12ヵ月以内のVTE ○重篤ではない血栓性素因（Factor V Leiden，プロトロンビン変異のヘテロ） ○再発性VTE ○活動性癌（6ヵ月以内の治療歴または姑息治療中）
低	○人工二尖大動脈弁でAFを有さないもの	○CHADS₂スコア0〜2（脳卒中，TIA既往なし）	○12ヵ月以前のVTEで危険因子なし

AF：心房細動，VTE：静脈血栓塞栓症，TIA：一過性脳虚血発作，PC：プロテインC，PS：プロテインS，AT：アンチトロンビン
CHADS₂：Congestive heart failure, Hypertension, age ≥ 75, DM, and Stroke or transient ischemic attack.
注：高リスクには脳卒中既往または TIA 発症3ヵ月以降でCHADS₂スコア5点未満，VK拮抗薬中止中のVTE発症，脳卒中やその他血栓塞栓症の発症リスクの高い術式（心臓弁置換術，頸動脈内膜摘除術，血管外科大手術）を受ける患者
(Douketis JD et al. Chest 2012; 141: e326S [1] のTable 1を参考に作成)

表3 抗血小板薬中止時の血栓症リスクの評価

	抗血小板薬（アスピリン・クロピドグレル・シロスタゾール）の投与目的を確認し中止時の血栓症リスクを評価する		
	低リスク：短期間中止可	中リスク：1剤に減量し原則継続	高リスク：抗血小板薬中止不可
STEP1	○短期間であれば，中止可． ○原則として，術後48時間以内に再開	○1剤（アスピリンまたはシロスタゾール）に減量し，原則として継続 ○中止する場合は，できるだけ短期間とし，術後48時間以内に再開	○完全中止でリスクが倍増するため，可能な限り手術延期 ○手術延期不可の場合は，ヘパリン置換を検討し，少なくとも1剤（アスピリンまたはシロスタゾール）は継続
冠動脈	○冠動脈治療歴なし ○心筋梗塞の既往なし	○ベアメタルステント留置後1ヵ月以降（BMS） ○薬剤溶出ステント留置後6ヵ月以降（DES） ○冠動脈バルーン形成術後14日以降（POBA） ○薬剤コーティングバルーン形成術後3ヵ月以降（DCB） ○冠動脈バイパス術後	○ベアメタルステント留置後1ヵ月以内（BMS） ○薬剤溶出ステント留置後6ヵ月以内（DES） ○冠動脈バルーン形成術後14日以内（POBA） ○薬剤コーティングバルーン形成術後3ヵ月以内（DCB）
脳血管	○脳血管治療歴なし ○脳梗塞の既往なし	○無症候性頸動脈・頭蓋内動脈狭窄 ○脳梗塞の既往 ○頸動脈・頭蓋内ステント留置後3ヵ月以降	○症候性頸動脈・頭蓋内動脈狭窄 ○脳梗塞6ヵ月以内 ○頸動脈・頭蓋内ステント留置後3ヵ月以内
大動脈 末梢血管	○PTA後（腸骨動脈） ○ステント留置後3ヵ月以降（腸骨動脈・浅大腿動脈） ○大動脈―鼠径部までのbypass 大動脈術後（TEVAR, EVAR）	○PTA後3ヵ月以降（下腿） ○ステント留置後3ヵ月以内（腸骨動脈・浅大腿動脈） ○薬剤溶出ステント留置後3ヵ月以降（浅大腿動脈） ○大腿・膝窩動脈バイパス後	○PTA後3ヵ月以内（下腿） ○薬剤溶出ステント留置後3ヵ月以内（浅大腿動脈） ○下腿・足部動脈バイパス後

(日本呼吸器内視鏡学会 安全対策委員会編. 手引き書 - 呼吸器内視鏡診療を安全に行うために - (Ver. 4.0)[2] の表2を参考に作成)

1254例の肺がん手術症例のデータではgrade 4/5の出血イベントは7例（0.6%），ステント閉塞以外の血栓塞栓症イベントは6例（0.5%），であり，ステント閉塞によるgrade 5が1例（0.1%）であった．単変量解析で抗血小板薬の中止，術前のヘパリン置換は出血イベントのリスク因子とはならなかった．

f 出血時の対応 レベルC

抗血栓療法中は一定の頻度で重篤な出血が起こりうること，抗血栓薬を併用するとそのリスクが高まることを認識する必要がある．

軽度の出血の場合は安易に休薬することなく，適切な抗血栓療法の継続を考慮する．中等度から重篤な出血ではク

表4　抗凝固薬中止時の血栓症リスクの評価

	抗凝固薬（ワーファリン，NOAC）の投与目的を確認し中止時の血栓症リスクを評価する		
	低リスク：短期間中止可	中リスク：短期間中止可（ヘパリン置換）	高リスク：可能な限り継続（ヘパリン置換）
STEP1	○ワーファリンの場合は5日前，NOACの場合は1～2日前より中止し，ヘパリン置換不要．術後48時間以内に再開	○ワーファリンの場合は5日前より中止し，4日前よりヘパリン置換 ○NOACの場合は1～2日前より中止し，ヘパリン置換不要 ○術後48時間以内に再開	○可能な限り継続し，中止する場合はヘパリン置換． ○術後48時間以内に再開．
機械弁	○大動脈弁置換術後で合併症なし	○大動脈弁置換術後で心房細動，脳梗塞，高血圧，糖尿病，心不全，75歳以上のいずれかを合併	○僧帽弁置換後脳梗塞発症後6ヵ月以内
心房細動	○$CHADS_2$=0, 1, 2（脳梗塞既往例を除く）	○$CHADS_2$=3 or 4	○$CHADS_2$=5 or 6 脳梗塞発症後3ヵ月以内
静脈血栓塞栓症（VTE）	○VTE発症後12ヵ月以上で合併症なし	○VTE発症後3～12ヵ月 VTE再発例癌治療後6ヵ月以内	○VTE発症後3ヵ月以内 ○血栓形成傾向あり（プロテインC・S・アンチトロンビン欠損症，抗リン脂質抗体症候群など）

$CHADS_2$スコア：心不全（1点），高血圧（1点），75歳以上（1点），糖尿病（1点），脳梗塞（2点）の合計，6点満点．
（日本呼吸器内視鏡学会 安全対策委員会編．手引き書-呼吸器内視鏡診療を安全に行うために-（Ver. 4.0）[2]の表3を参考に作成）

表5　VTE予防における大出血のリスク因子

【一般的な危険因子】
　○活動性出血
　○大出血の既往
　○既知の無治療の出血性素因
　○重度の腎・肝障害
　○血小板減少
　○脳卒中急性期
　○コントロール不良の高血圧
　○4時間以内または今後12時間以内の腰椎穿刺・硬膜外／腰椎麻酔
　○抗凝固薬・抗血小板薬・線溶薬の併用
【手技特異的な危険因子】
　○胸部外科
　○肺葉切除，拡大切除

(Gould MK et al. Chest 2012; 141: e227S [6]) の Table 8 を参考に作成)

ラスIとして抗血栓薬の中止，止血処置，適切な点滴による循環動態の安定化，および脳内出血やくも膜下出血時には十分な降圧を図る．ワルファリン療法中のPT-INRの是正に，クラスIとしてビタミンK，静注用ヒトプロトロンビン複合体製剤（ケイセントラ），クラスIIaとして新鮮凍結血漿や乾燥ヒト血液凝固第IX因子複合体（500～1,000U）（保険適用外），クラスIIbとして遺伝子組み換え第VII因子製剤（保険適用外）の投与が勧められる[7]．急速是正に最も速く確実な効果を示すのは，2017年に本邦でも保険承認された静注用人プロトロンビン複合体製剤の投与である．本薬剤はビタミンK依存性血液凝固因子第II，第VII，第IXおよび第X因子，ならびにプロテインCおよびプロテインSの濃縮物からなり，適応はビタミンK拮抗薬投与中の急性重篤出血時，または重大な出血が予想される緊急を要する手術・処置施行時の出血傾向の抑制である．ヘパリン療法中の是正にはプロタミン投与を行う．

DOACs投与中の出血緊急時，薬物血中濃度がピークに達する前なら胃洗浄や活性炭を投与して薬剤の吸収を抑制する．ダビガトランは透析で取り除かれる．DOACsの効果を是正する場合は，第IX因子複合体製剤（保険適用外），遺伝子組み換え第VII因子製剤（保険適用外），新鮮凍結血漿の投与が考慮される[5,8]．

Side Memo

【$CHADS_2$スコア】[3]
　非弁膜症性心房細動において脳梗塞発症のリスクを評価する．Congestive heart failure, Hypertension, Age≧75, Diabetes mellitus, Stroke/TIAの頭文字をとって命名されたスコアで，脳梗塞年間発症率が5～8%/year程度である前4つの項目で各1点を，12%/yearに達するStroke/TIAの既往には2点を付与し，合算して算出する（0～6点）．合計点が上がるほど脳梗塞発症リスクが高くなる．したがって$CHADS_2$スコアが上がるほどヘパリン置換が必要になる．

Side Memo

【エビデンスのクラス分類】
　クラスI：有益/有効であるという根拠があり，適応であることが一般に同意されている
　クラスIIa：有益/有効であるという意見が多いもの
　クラスIIb：有益/有効であるという意見が少ないもの
　クラスIII：有益/有効でないないし有害であり，適応でないことで意見が一致している

文献

1) Douketis JD et al. Chest 2012; **141**: e326S
2) 日本呼吸器内視鏡学会 安全対策委員会編. 手引き書 -呼吸器内視鏡診療を安全に行うために- (Ver. 4.0) 2017年10月改訂
3) Gage BF et al. JAMA 2001; **285**: 2864
4) Yong JW et al. BMC Cardiovascular Disorders 2017; **17**: 295
5) 循環器病の診断と治療に関するガイドライン. 循環器疾患における抗凝固・抗血小板療法に関するガイドライン(2009年改訂版) http://www.j-circ.or.jp/guideline/pdf/JCS2009_hori_h.pdf
6) Gould MK et al. Chest 2012; **141**: e227S
7) Kitamura Y et al. Ann Thoracic Surg 2017; **103**:432
8) 循環器病の診断と治療に関するガイドライン. 心房細動治療(薬物)ガイドライン(20013年改訂版) http://www.j-circ.or.jp/guideline/pdf/JCS2013_inoue_h.pdf

復習ドリル

問題 1
ペーシングモードでDDIに関して，誤ったものはどれか．2つ選べ．
a. 1文字目はペーシング部位を示す
b. 2文字目はセンシング部位を示す
c. 3文字目はセンシングした自己波形に対する刺激パルスの制御機能を示す
d. Dは左右両心房を示す
e. Iは同期を示す

問題 2
心房細動の治療で正しいものはどれか．2つ選べ．
a. 電気的除細動には100J未満の直流除細動を行う
b. 電気的除細動時は心室内血栓のないことを確認する
c. 薬理学的除細動にはVaughan-Williams分類ⅠB群薬を第一選択とする
d. 抗血栓療法にはDOACとワルファリンが使用される
e. 心拍数調節療法として，β遮断薬が使用される

問題 3
深部静脈血栓症に関して誤った組合せはどれか．2つ選べ．
a. 分類　　　　　　　　　　　－　　中央型と辺縁型
b. 成因　　　　　　　　　　　－　　血液凝固能亢進
c. 危険因子　　　　　　　　　－　　長時間の坐位
d. 発生部位　　　　　　　　　－　　頸部・上肢では医原性が多い
e. 血流再開　　　　　　　　　－　　急性期では器質化が主

問題 4
CCr 35 mLの腎障害の患者において高リスクの手術を行う際の休薬期間の組み合わせで間違っているのはどれか．
a. ワルファリン　　　　　　　－　　4日
b. バイアスピリン　　　　　　－　　7日
c. ダビガトランエテキシラート　－　24時間
d. リバーロキサバン　　　　　－　　48時間
e. アピキサバン　　　　　　　－　　48時間

問題 5
右肺全摘術後ヘパリン療法中に胸腔ドレーンからの出血が著明となったときの処置として正しいのはどれか．2つ選べ．
a. 血小板を輸血する
b. ビタミンKを投与する
c. プロタミンを投与する
d. ヘパリンを中止する
e. 胸腔ドレーンの吸引圧を上げる

問題 6
急性肺血栓塞栓症で正しいものはどれか．2つ選べ．
a. 血清D-ダイマー陰性ならほぼ否定される
b. 診断時から抗凝固療法を行う
c. 人工呼吸管理では，PEEPを高めに設定する
d. 人工呼吸管理では，一回換気量を高めに設定する
e. 循環虚脱では，ECMOを施行する適応はない

問題 ❼

抗血栓療法に関して正しいものはどれか．2つ選べ．

a. CHADS$_2$ スコアで2点の因子は糖尿病である
b. 機械弁での僧帽弁置換術後のワルファリン投与量は PT-INR が2から3で管理される
c. ワルファリンの中和にプロタミンを使用する
d. 冠動脈バイパス術後では，アスピリンはグラフト閉塞リスクを軽減する
e. ダビガトランエテキシラートの標的因子は第Xa因子である

第V章
肺の非腫瘍性疾患

V．肺の非腫瘍性疾患

1 肺感染症の外科

　結核外科全盛期と比べると頻度は減ってきているものの依然として外科治療が必要な肺感染症が存在する．多剤耐性肺結核，非結核性抗酸菌症，肺真菌症がその主な疾患である．

Ⓐ 結核

要点
1. 結核蔓延期においては，胸郭成形術，肺切除術が肺結核の根治療法であった．
2. 現在，肺結核で手術適応となるのは主として多剤耐性肺結核である．
3. 抗結核薬治療に抵抗性の胸囲結核は手術が必要となる．

Key Word　虚脱療法，直達手術，胸郭成形術，慢性膿胸，多剤耐性結核，超多剤耐性結核，荒蕪肺，気管支拡張症，Rasmussenの肺動脈瘤，喀血

ａ 肺結核（pulmonary tuberculosis）

1）結核と感染症法　レベルA

　結核は感染症法上2類感染症に分類される．医師は，①結核患者と診断した場合には，②結核の無症状病原体保有者と診断し，かつ，結核医療を必要とすると認められる場合（潜在性結核感染症）に限り，③結核の疑似症患者と診断するに足る高度の蓋然性が認められる場合には，法第12条第1項の規定による届出を直ちに行わなければならない．届出先は最寄りの保健所になる．

2）肺結核外科的治療の歴史　レベルB

　結核が国民病といわれた昭和20〜30年代では，有効な抗結核薬がなく外科的治療が唯一の根治療法であった．人工気胸術（図1）や胸郭成形術といった結核空洞を潰す虚脱療法から始まり，結核病巣そのものを切除する肺切除術（直達

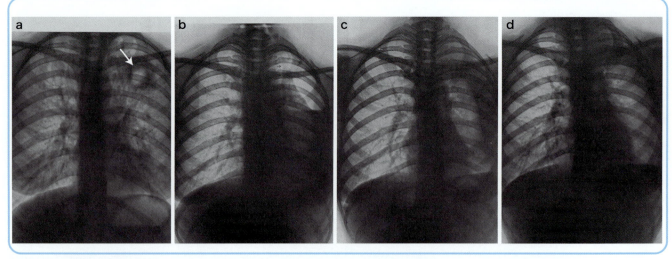

図1　人工気胸術の経過
　a：矢印は空洞を示す．
　b：人工気胸術により空洞が消失，胸水も貯留．
　c：胸腔内に胸水が充満．
　d：胸水の吸収とともに肺も再膨張する．
　以上の経過には年単位の時間がかかる．
　（井内敬二先生より提供）

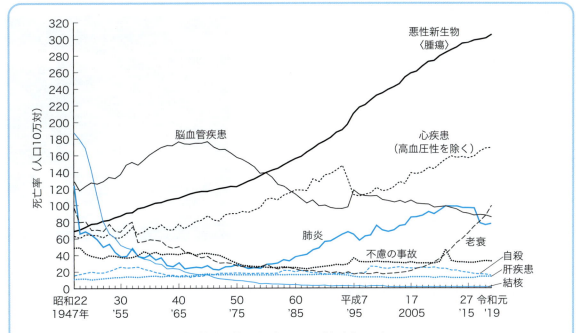

図2 主な死因別にみた死亡率(人口10万対)の年次推移
(厚生労働省の統計を参考に作成)

手術)へと発展した．現在の呼吸器外科の礎はこの時代に築かれたといっても過言ではない．またこの時代，喀血死する肺結核患者が多く，主因は結核空洞内の仮性肺動脈瘤（Rasmussenの肺動脈瘤）の破裂であった．

その後，相次いで抗結核薬が開発され，特に昭和46年にリファンピシン（RFP）が登場したことによって結核は薬で治る時代となり，昭和50年ころには結核に対する手術はほとんど行われなくなった（図2）．結核治癒後に患側肺が荒蕪肺化や気管支拡張症化した場合や，患側肺に慢性膿胸を合併した場合などで手術が必要となるのみとなった．

3) 多剤耐性結核菌の出現　レベルC

ところが平成の時代になると抗結核薬に耐性を獲得した結核菌が出現し，なかでも最も強力な抗結核薬であるイソニアジド（INH）とRFPの少なくとも2剤に耐性を獲得した結核菌は多剤耐性結核菌（multidrug-resistant tuberculosis：MDR-TB）と呼ばれ，その死亡率の高さから大きな社会問題となった．

4) 多剤耐性肺結核の外科的治療　レベルC

MDR-TBの治療成績を向上させるためにフルオロキノロンを加えた化学療法に結核病巣を切除する肺切除療法を組み合わせた治療法が導入された[1]．MDR-TBの手術適応を表1に示す．薬剤感受性試験の結果をもとに3ヵ月ほど最

表1　多剤耐性結核の手術適応

絶対的適応	化学療法にもかかわらず排菌が持続する． 理由：排菌源となっている主病巣（空洞）を摘除しない限り排菌停止は得られない．
相対的適応	化学療法で排菌は停止したが再発するリスクが高い． 理由：万一再発した場合薬がまったく効かない菌になっている危険性がある．

適な多剤併用療法を行ったうえで手術適応の有無を判断する．さらに術後も2年間は化学療法を継続して再発の防止を図る．

5) 超多剤耐性結核菌の出現　レベルC

最近では不完全なMDR-TB治療の産物としてフルオロキノロンと注射二次薬にも耐性を獲得した超多剤耐性結核菌（extensively drug-resistant tuberculosis：XDR-TB）（表2）が出現しており，MDR-TBのうちに完治させることがより重要になってきている．国内でMDR・XDR-TBの手術ができる施設は限られており，結核患者がMDR・XDR-TBと診断された場合は速やかに専門施設へ送るべきである．

6) 肺結核手術のポイント　レベルB

①空洞が胸壁と癒着している場合は，胸膜外剥離を行い，

V. 肺の非腫瘍性疾患

表2　多剤耐性結核菌，超多剤耐性結核菌の定義

多剤耐性結核菌	INH，RFP の少なくとも2剤に耐性
超多剤耐性結核菌	INH，RFP に加えてフルオロキノロンのいずれかと注射二次薬（カプレオマイシン，カナマイシン，アミカシン）の少なくとも1剤に耐性

空洞壁の損傷を防ぐべきである．
②リンパ節が肺動脈，気管支に強固に固着している場合は，肺動脈の末梢に向かって肺組織を分けていき，肺内で肺動脈を処理したほうが安全である．
③炎症によって気管支動脈が発達している場合は，肺静脈の切離を血管処理の最後に行わないと，肺がうっ血して肺切除が難しくなる．
④再切除の可能性を考慮して，肺動脈周囲の剥離は必要最小限にとどめる．

7）多剤耐性肺結核の新薬 レベルD

リファンピシン登場以降約40年間抗結核薬の新薬は開発されなかった．しかし2014年9月にデラマニド，2018年5月にベダキリンが発売になり，MDR・XDR-TB の治療薬として使用可能になった．

b 胸囲結核 レベルC

胸囲結核（pericostal tuberculosis）は，肋骨周囲膿瘍とも

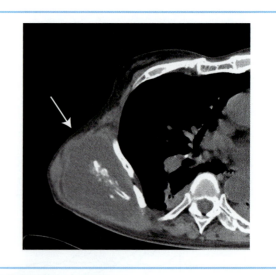

図3　胸囲膿瘍のCT画像
　肺結核に対して右胸郭成形術を施行されている．結核再燃時に右肋骨周囲膿瘍を発症．矢印は膿瘍を示す．右肩甲骨も破壊されている．

呼ばれる．肋骨カリエスと呼ばれた時代もあったが，病態としては肋骨の結核ではなく肋骨周囲のリンパ節結核である（図3）．結核性胸膜炎に伴うものもある（XI章-3 参照）．

文献
1) Chan ED et al. Am J Respir Crit Care Med 2004; **169**: 1103

B 非結核性抗酸菌症

要点

1. 肺非結核性抗酸菌症の患者数は増加している．
2. 肺MAC症が一番多く，肺kansasii症，肺abscessus症が続く．その他の菌種によるものはまれである．
3. 抗菌薬治療に抵抗性の症例では外科的治療を検討すべきである．

Key Word *M. avium*, *M. intracellulare*, *M. kansasii*, *M. abscessus*（薬剤抵抗性，急速進展）

a 非結核性抗酸菌症の疫学 レベルB

肺結核の罹患率が減少する一方，非結核性抗酸菌（nontuberculous mycobacteria：NTM）による肺感染症（肺NTM症）の患者数は増加しているといわれる．NTMは環境中に存在する菌で，現在120種類以上の菌種が確認されている．肺NTM症はヒト–ヒト感染を起こさず感染症法上は届出義務のない疾患である．しかし，治療の困難さから見過ごすことのできない肺感染症である．

数あるNTMの菌種のうちヒトに肺感染症を引き起こす菌種は限られている．最も頻度が多いのは*M. avium*と*M. intracellulare*を合わせた*M. avium* complex（MAC）であり，肺MAC症が肺NTM症の9割弱を占めている．次いで*M. kansasii*，*M. abscessus*が続く．それ以外の菌種によるものはまれである[1]．

b 肺MAC症

1）病型 レベルB

肺MAC症で外科治療の適応となるのは以下の2病型である．ひとつは結核に類似した空洞を呈する線維空洞型（fibrocavitary）（図1），もうひとつは気管支拡張を呈する結節・気管支拡張型（nodular bronchiectasis）（図2）である．両病型の特徴を表1に示す．

2）内科的治療 レベルB

肺MAC症の治療の主体は多剤併用の化学療法である．標準化学療法は2007年のATS/IDSAガイドライン[2]で推奨されているクラリスロマイシン（CAM），エタンブトール（EB），RFPの3剤に必要に応じてストレプトマイシンかアミカシン(注)を追加するレジメンである．しかし，薬剤感受性菌であれば化学療法で完治が可能な肺結核と比べると肺MAC症ではATS/IDSAが推奨するレジメンで治療しても満足な治療効果が得られない．そこで病巣が限局している場合は切除して化学療法の効果を高めるという集学的治療の考え方が必要になる．

（注：2019年2月に肺NTM症に対するアミカシンの点滴静注投与が保険適用となった．）

3）外科的治療 レベルC

2007年のATS/IDSAガイドライン[2]と2008年に日本結核病学会が発表した「肺非結核性抗酸菌症に対する外科治

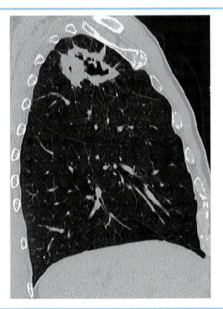

図1　線維空洞型肺MAC症
上葉に結核類似の空洞性病巣を認める．

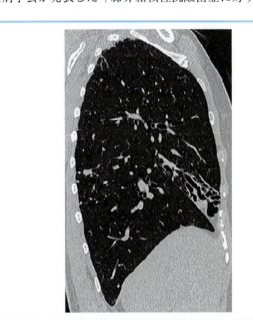

図2　結節・気管支拡張型肺MAC症
中葉に気管支拡張病変を認め，下葉に散布性小結節影を伴う．

V. 肺の非腫瘍性疾患

表1 肺MAC症の2病型の特徴

線維空洞型	結核類似の空洞を呈する，上葉優位，男性優位，進行は速い傾向
結節・気管支拡張型	気管支拡張像を呈する，中葉・舌区優位，散布性小結節影を伴う，女性優位，進行は比較的緩徐

療の指針」[3] に肺MAC症の手術適応が示されている（表2）．日本結核病学会のガイドラインで特徴的なのは「治療の目標は病状のコントロールであり，病巣が限局している場合でも相対的治癒であって根治的治癒ではない」と明記している点である．切除対象は空洞性病巣，気管支拡張病変といった主病巣である．MDR-TBと同様一定期間化学療法を行い内科的治療に対する反応をみたうえで手術適応の有無を判断する．術後も化学療法を行うが，どのくらい続けるのが至適かについては結論が出ていない．

c 肺kansasii症 レベルB

　肺kansasii症は肺NTM症のなかで唯一化学療法の効果が期待できる疾患であり外科的治療が必要となる症例はほとんどない．INH，RFP，EBの3剤併用療法が2007年のATS/IDSAガイドラインで推奨されている[2]．

d 肺abscessus症 レベルC

　肺abscessus症は有効な抗菌薬が存在せず化学療法の効果は期待できない．2007年のATS/IDSAガイドラインによれば，病巣が限局している症例では唯一根治が期待できる治療法は内科的治療を併用した外科的治療であるとされている[2]．

文献

1) Namkoong H et al. Emerg Infect Dis 2016; **22**: 1116
2) Griffith DE et al. Am J Respir Crit Care Med 2007; **175**: 367
3) 日本結核病学会非結核性抗酸菌症対策委員会．結核 2008; **83**: 527

表2 肺MAC症の手術適応

ATS/IDSAガイドライン[2]	①薬物治療に対する反応が悪い． ②マクロライド耐性のMAC症の発現． ③喀血などの重大な随伴症状がある．
結核病学会ガイドライン[3]	①化学療法にても排菌が停止しない，または再排菌があり，画像上病巣の拡大または悪化傾向がみられるか予想される． ②排菌が停止しても空洞性病巣や気管支拡張病変が残存し，再発再燃が危惧される． ③大量排菌源病巣からの増悪を繰り返し，病勢の急速な進行がある． ④喀血，繰り返す気道感染，アスペルギルスの混合感染例などでは排菌状況にかかわらず責任病巣は切除の対象となる．

（文献2，3を参考に作成）

C 肺真菌症

要点
① 肺アスペルギルス症が最も多く，ほかに肺クリプトコッカス症などがある．
② 肺アスペルギローマの手術は癒着剥離に技術を要する．
③ 肺切除術に耐えられない症例では，空洞切開術，菌球除去術などを考慮する．

Key Word　compromised host, アスペルギルス症, クリプトコッカス症, その他（ヒストプラズマ症, コクシジオイデス症, カンジダ症, など）

a 肺アスペルギルス症

1) 分類　レベルB

　肺アスペルギルス症(pulmonary aspergillosis)は血液疾患，臓器移植，HIV 感染を基礎に有する宿主，いわゆる compromised host に発生するものと，これら以外のリスク因子を有する宿主に発生するものとに大別される．真菌症フォーラムが2014年に発表した「深在性真菌症の診断・治療ガイドライン2014」[1]では compromised host 以外に発生する肺アスペルギルス症［慢性型，急性型(侵襲型)］を，①単純性肺アスペルギローマ，②慢性進行型，③侵襲型の3つに分類している(表1)．なお，アレルギー型は喘息患者にほぼ限定的に，またはまれに嚢胞性線維症患者にみられる．喘息症状に加え，湿性咳や，ときに発熱や食欲不振を伴う．

2) 外科的治療(図1)　レベルC

　単純性肺アスペルギローマ(SPA)では，根治のためには

表1　肺アスペルギルス症の分類

慢性型, 急性型(侵襲型)	単純性肺アスペルギローマ (simple pulmonary aspergilloma：SPA)
	慢性進行性肺アスペルギルス症 (chronic progressive pulmonary aspergillosis：CPPA) ①慢性壊死性肺アスペルギルス症 (chronic necrotizing pulmonary aspergillosis：CNPA) ②慢性空洞性肺アスペルギルス症 (chronic cavitary pulmonary aspergillosis：CCPA)
	侵襲性肺アスペルギルス症 (invasive pulmonary aspergillosis：IPA)
アレルギー型	アレルギー性気管支肺アスペルギルス症 (allergic bronchopulmonary aspergillosis：ABPA)

(深在性真菌症のガイドライン作成委員会. 深在性真菌症の診断・治療ガイドライン2014, 協和企画, 2014：p10 [1]を参考に作成)

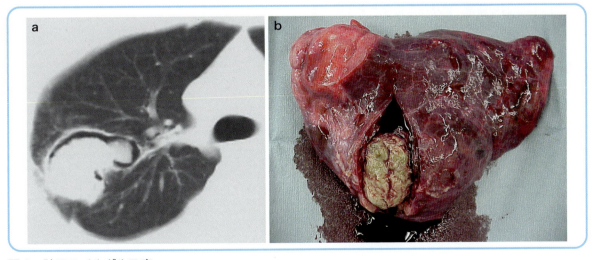

図1　肺アスペルギルス症
　a：真菌球の CT 画像
　b：右上葉切除肺と真菌球
　　(井内敬二先生より提供)

図2　単純性肺アスペルギローマ
　上葉の結核性遺残空洞内に菌球を認める．肥厚した空洞壁は胸壁・上縦隔と強固に癒着し剥離に難渋した．

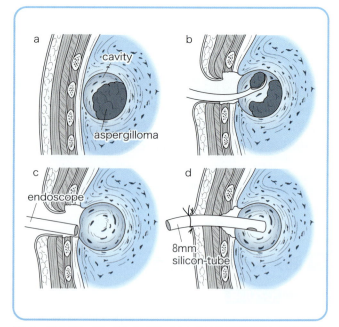

図3　肺アスペルギルス症に対する空洞切開術と真菌球除去
　空洞切開により真菌球を除去し，ドレナージする術式を示す．
（田中壽一先生，井内敬二先生より提供）

肺切除が第一選択の治療法となる．SPAは結核性遺残空洞（図2），気管支拡張症，肺嚢胞，肺線維症，じん肺，胸部術後肺など器質的肺病変に発症し，原則として1個の空洞に菌球を呈するものがSPAとされている[1]．複数の空洞内に菌球が認められる複雑性肺アスペルギローマは慢性空洞性肺アスペルギルス症に含まれ慢性進行性肺アスペルギルス症に分類されている．

　SPAに対する肺切除術は単純性という言葉に反して病巣と周囲臓器との癒着が高度で剥離に難渋する症例が多い．胸壁部では肋間動脈，肺尖部では鎖骨下動静脈，右縦隔では奇静脈，上大静脈，左縦隔では大動脈，反回神経の損傷に注意しながら剥離を進める必要がある．肺切除術に耐えられない症例では空洞切開術，菌球除去術などを考慮する（図3）．

b その他の肺真菌症　レベルC

　肺クリプトコッカス症は，健康診断や他疾患経過観察中に胸部異常陰影として発見されることが多い．肺癌や肺結核とは画像診断での鑑別は難しく胸腔鏡下肺生検が必要となることがある．ガイドラインでは診断が確定した場合，脳髄膜炎の合併を確認するために脳脊髄液の真菌学的検査を実施することを推奨している[1]．その他のまれな肺真菌症（ヒストプラズマ症，コクシジオイデス症，カンジダ症，など）に関しては成書[2]を参照されたい．

文献
1) 深在性真菌症のガイドライン作成委員会．深在性真菌症の診断・治療ガイドライン2014, 協和企画, 2014: p10
2) LoCicero J 3rd et al. Thorac Surg Clin, Elsevier, 2012 : p363

D 寄生虫疾患

Key Word　イヌ糸状虫症，肺吸虫症，エキノコックス症

生活環境の近代化に伴い寄生虫疾患は減少しているが，食生活の多様化，国内の流行地や海外渡航の増加でいまだに発生の報告がみられている．

a イヌ糸状虫症(図1) レベルC

イヌ糸状虫(Dirofilaria immitis)が終宿主であるイヌの右心系に寄生すると，血液中に多数の幼虫(microfilaria)が出現する．これを吸血した蚊が中間宿主となりヒトに感染する．ヒトでは幼虫は右心系に到達するが，成虫にまで発育することができず寿命を迎えると末梢肺動脈を塞栓し，梗塞した肺組織内で幼虫が被包化され肉芽腫を形成する．

胸痛，咳，血痰，発熱などの報告はあるが，症状を有することは非常に稀である．胸部X線像やCTで偶然発見され，2cm前後の辺縁整な孤立性結節陰影を呈し，胸膜変化を伴わないことが多い．免疫血清学的検査での診断は困難であり，外科的に摘出した検体の組織学的検査で確定診断される．

肺癌が否定できない症例では肺切除術の適応となる．ヒトでは薬物治療の適応はない．

b 肺吸虫症(図2) レベルC

日本ではウエステルマン肺吸虫(Paragonimus westermani)と宮崎肺吸虫(P. miyazakii)の2種が多い．モクズガニ，サワガニを中間宿主とし，イノシシを待機宿主とする．ヒトが肺吸虫メタセルカリアを保有するサワガニやイノシシ肉を生食することで感染する．終宿主であるヒトの体内では，メタセルカリアが小腸内から腹腔内へ出て腹壁筋内に侵入して発育し，再び腹腔に現れ，横隔膜から胸腔，そして肺実質に侵入して成熟する．

咳，痰，胸痛，発熱，血痰などを呈する．胸部X線像では肺内病変(結節影，空洞，浸潤影)だけでなく，胸膜病変(胸水貯留，気胸)がみられ多彩である．胸部CTでは肺吸虫が肺実質内を移行した痕跡と考えられる虫道(気管支血管束と無関係に走行する線状影)がみられることがある．

末梢血好酸球増多や総IgE上昇を伴うことが多い．確定診断にはELISAを用いた血清学的診断が有用である．胸水や気胸を伴う場合は胸水抗体値の測定を兼ねて積極的に胸腔ドレナージを行う．

治療はプラジカンテルの内服を行う．

c エキノコックス症(図3) レベルC

世界に広く分布する単包条虫(Echinococcus granulosus)によるものと，北海道を含む北半球に分布する多包条虫(E. multilocularis)によるものがある．単包条虫の終宿主はイヌで，中間宿主はヒツジなどの家畜動物である．多包条虫の終宿主はキツネやイヌで，中間宿主は野ネズミである．ヒトは中間宿主のみになり得て，終宿主からの虫卵を経口的に摂取することで感染する．単包条虫症では肺，肝あるいは両者に病巣を形成する．多包条虫症の場合はほとんどが肝臓に多包性の病巣を形成し，肺に病巣を形成することはまれである．

感染後潜伏期間が長く，偶然に胸部画像検査で発見されるか，囊胞の増大による臓器症状がきっかけで診断される．

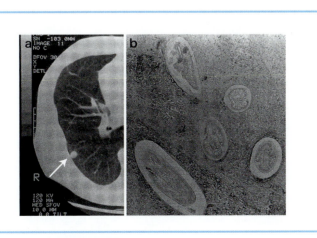

図1　イヌ糸状虫症の切除例
　a：右肺の結節．転移性肺腫瘍が疑われた(矢印)．
　b：病理組織像　虫体を示す．
（福瀬達郎ほか．日呼外会誌 1990; 4: 93-99 より転載）

V. 肺の非腫瘍性疾患

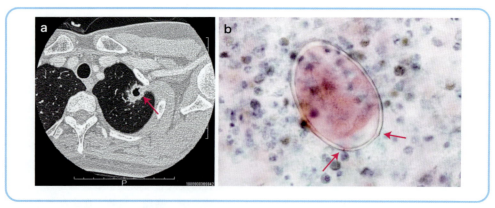

図2　ウエステルマン肺吸虫症
a：CT（肺野条件）．胸膜に接する空洞状の浸潤影を認める（矢印）．
b：細胞像．小蓋（矢印）のみられる卵円型吸虫卵を認める（パパニコロウ染色：×40）．
（岩松弘文．非悪性呼吸器細胞診アトラス，佐藤之俊，塩澤哲（編），南江堂，2020: p116-117 より転載）

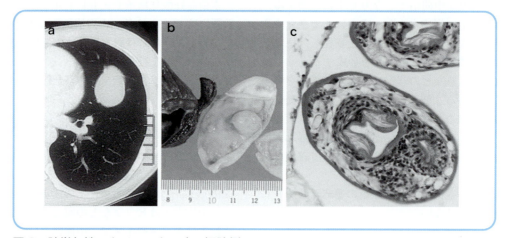

図3　肺単包性エキノコックス症の切除例
a：胸部 CT 像
b：切除肺と囊胞性病変
c：虫体の顕微鏡像
（妻鹿成治ほか．日呼外会誌 2008; 22: 799-804 より転載）

胸部 X 線像では単発性・多発性囊胞が認められる．CT で囊胞内に層状皮膜が浮遊している所見は"water lily sign"と呼ばれ，単包条虫症に特徴的である．

免疫学的診断法では ELISA 法や Western Blot 法が用いられる．治療は，外科切除が唯一の根治的治療法であり，単包条虫症の場合は肺切除術の対象となる．多包条虫症の場合にはほとんどが肝臓に病巣を有しており，両臓器の状態によって手術適応が決定される．薬物治療はアルベンザゾールが用いられる．

文献
1) 中村ふくみ．日胸 2014; 73（増）: S82
2) 下川秀彦ほか．日呼外会誌 2011; 25: 21
3) 大内政継ほか．日呼外会誌 2014; 28: 170

E 気管支拡張症

詳細は Ⅷ章-5 を参照．

F 肺放線菌症 レベルC

Key Word　口腔内感染症, 齲歯, low attenuation area, 嫌気培養

　口腔や大腸に常在する嫌気性あるいは微好気性 Gram 陽性桿菌である *Actinomyces* 属によって引き起こされる慢性化膿性肉芽腫性疾患である. 主に顔面頸部, 胸部, 腹部に認められ, 胸部型は全体の10〜20%とされている.

a 感染経路

　Actinomyces israelii の感染によるものがほとんどである. 口腔内の菌塊を誤嚥することにより発症する. 口腔内感染症(歯槽膿漏や齲歯)が関与することが多い.

b 臨床像

　男女比は3:1で, 好発年齢は30〜50歳代である. 基礎疾患として糖尿病やCOPD, 慢性気管支炎などがあげられる. 症状は血痰, 咳嗽, 発熱, 胸痛が多いとされるが約10%は無症状である. 膿性分泌物のなかに黄褐色の硫黄顆粒(Druse)を含有することが特徴とされる.

c 画像所見(図1)

　結節影, 腫瘤影, 浸潤影, 空洞形成, 無気肺などを呈し, また血管収束像, 胸膜陥入像, 胸膜肥厚, 胸壁浸潤, 胸水など様々な所見を認め, しばしば肺癌との鑑別が問題となる. CTでは, 病巣中心部の low attenuation area と周囲の気管支・細気管支の拡張が半数以上に認められ, また空洞壁は辺縁整で複数生じることが特徴とされている.

d 診断

　菌塊は病変の深部に存在し, 硬化した肉芽組織で囲まれているため, 気管支鏡下生検や経皮肺生検で放線菌が証明されるのは10%未満である. 抗体価など特異的な血清学的診断法はない. また嫌気性菌のため, 適切な嫌気培養を行わなければ検出は困難である.

e 治療

　肺癌との鑑別が必要な場合以外にも, 喀血, 慢性の瘻孔

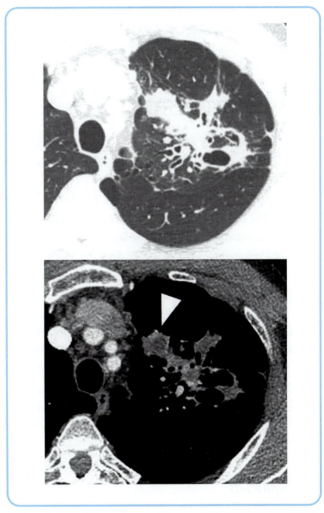

図1　中心部の low attenuation area(▷)と周囲の気管支拡張像

形成, 膿胸の合併などは外科手術の適応となる. 確定診断が得られたものに対してはペニシリン系抗生剤の投与が行われる.

文献
1) 藤原敦史ほか. 日呼外会誌 2015; **29**: 31
2) 高萩亮宏ほか. 日呼外会誌 2011; **25**: 776

G 肺膿瘍 レベルB

Key Word 喀血，手術適応，空洞内ドレナージ

肺膿瘍(lung abscess)とは化膿性炎症によって肺実質の壊死が起こり，膿瘍を形成したものである．日本で用いられてきた肺化膿症(肺壊疽と肺膿瘍)という病名は，最近では欧米と同様に肺膿瘍に統一される．

a 肺膿瘍の原因と分類

原発性と続発性に分類される(表1)．既存の肺囊胞などに感染を起こしたものは除外されるが，診断や治療においては同様に扱われる場合がある．

口腔咽頭内に存在する病原菌の誤嚥によるものが最も多い．好気性菌では，*Streptococcus* 属，*Staphylococcus aureus*，*Klebsiella pneumoniae*，*Pseudomonas aeruginosa* など，嫌気性菌では *Peptostreptococcus* 属などが多い．

b 臨床像

典型的な症状は，咳，痰，悪寒，発熱，倦怠感，体重減少，胸痛，呼吸困難などであるが，高齢者では症状が顕著でない場合がある．血痰を認めることがあり，ときに大量喀血により死亡する．画像所見では肺実質の壊死によって膿瘍を呈し，典型例では空洞を形成する(図1)．気管支と交通すると大量の喀痰を排出する．滲出性胸水や膿気胸を合併することもある．

c 診断方法

鑑別疾患として空洞を伴う肺癌，限局性の膿胸，感染性囊胞，肺結核，真菌症，放線菌症，多発血管炎性肉芽腫症(Wegener 肉芽腫)，肺梗塞などがあげられる．

起因菌は口腔内常在菌であることが多く，喀痰培養では正しく起因菌を同定できないことがある．このため気管支鏡による検体保護ブラシ(protected specimen brush：PSB)を用いる方法や，CT または超音波ガイド下の経皮肺生検を行う．

d 治療

治療の基本は抗菌薬の全身的投与である．「肺炎診療ガイドライン」に沿って薬剤を選択する．抗菌薬治療に抵抗する症例に対しては空洞内に経皮ドレナージを行う．

手術適応は，①抗菌薬が無効で，膿瘍壁の肥厚や気管支拡張を伴い増悪するもの，②径 6cm 以上の空洞，③繰り返す血痰や喀血，④膿胸や気管支胸膜瘻を併発したもの，⑤肺癌との鑑別が困難なものなどである．通常肺葉切除術か肺全摘術が行われるが，高度な手術手技を必要とし，手術死亡率は 14％程度と報告されている．

表1　肺膿瘍の原因による分類

【原発性】
- 誤嚥によるもの
  - 意識レベル低下(全身麻酔，アルコール依存症，薬物中毒，脳血管障害など)
  - 口腔衛生不良(歯肉炎，歯槽膿漏など)
  - 食道疾患(食道アカラシア，Zenker 憩室，胃食道逆流症など)
- 壊死性肺炎
  - 高病原性菌(*Staphylococcus aureus*, *Klebsiella pneumoniae*, *Friedländer's bacillus* など)
  - 肺真菌症，肺結核
- 免疫不全状態
  - 後天性免疫不全症候群(AIDS)，臓器移植，ステロイド治療，抗癌剤治療，糖尿病，低栄養など

【続発性】
- 気管支閉塞
  - 原発性肺癌，気道異物など
- 隣接臓器からの直接波及
  - 横隔膜下膿瘍，肝膿瘍，胸部外傷など
- 血行性波及
  - 感染性心内膜炎，各臓器感染症など

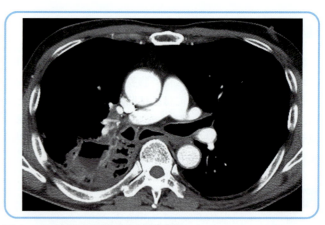

図1　多剤耐性肺炎球菌性肺膿瘍
肺全摘を要した．

文献

1) Takayanagi N et al. Respiration 2010; **80**: 98
2) 日本呼吸器学会(編). 成人肺炎診療ガイドライン, 2017
3) Schweigert M et al. Thorac Cardiovasc Surg 2017; **65**: 535

2 囊胞性肺疾患，その他

要点

1. 胸部 CT に精通することで多くの囊胞性肺疾患の鑑別診断は可能である．
2. 肺囊胞はしばしば気胸を発症する．病因によって形成過程が異なり，治療も病因により選択する必要がある．
3. 肺気腫および巨大肺囊胞症は主に喫煙が原因で発生する．したがって，肺癌発生母地として常に診断・治療上も考慮する．
4. リンパ脈管筋腫症（lymphangioleiomyomatosis：LAM）は画像上肺囊胞を形成し気胸を繰り返すが，囊胞性肺疾患ではなく全身性腫瘍性疾患として分類される．したがって，皮膚，腎，肺，骨盤にわたる全身的な診断治療を考慮する．
5. Birt-Hogg-Dubé 症候群（BHDS）は常染色体優性遺伝疾患で，皮膚，腎，肺にわたる診断治療を考慮する．

Key Word 呼吸不全，ブラ，ブレブ，巨大気腫性肺囊胞，肺容量縮小手術（LVRS），Naclerio-Langer 法，リンパ脈管筋腫症（LAM），Birt-Hogg-Dubé 症候群（BHDS）

　囊胞性肺疾患における肺囊胞の分類は現時点で完成されたものはなく，本項では代表的な肺囊胞，特殊な肺囊胞としてまれではあるが誤診を避けたい肺囊胞や最近注目されている肺囊胞について論じる（表1，表2）．

a 気腫性肺囊胞[1]

1）ブラ・ブレブ　レベル A

①病態（図1）

　肺囊胞は組織病理学的にはブラ・ブレブに分類される．ブラでは胸膜の内外弾性板は基本的に保たれている一方で，ブレブは内弾性板の破壊を認める．どちらも外弾性板が破壊されると気胸が発症する．臨床的にはブラとブレブを鑑別しにくいため，ともにブラと称されることが多い．肺囊胞は細気管支レベルのチェックバルブ現象により，エアートラッピングが進行することが原因と考えられている．

②診断

　肺囊胞の径が 1.5 cm 以上になると胸部 X 線での指摘が可能とされるが，確定診断は（高分解能）CT（HRCT）で行われる．肺尖部（S^1），下葉（S^6）の稜線部に好発し，両者が発生部位の 70％ を占める．

③治療

　自然気胸や感染が起こった場合に治療の適応となる．気胸に対するブラ切除後の残存肺ではブラが再発生しやすく術後再発が多い（詳細は X 章-2 参照）．

2）肺気腫　レベル B

　詳細は肺気腫（V 章-3-D）参照．

①病態（図2）

　肺気腫は末梢気道および肺胞レベルにおける気道閉塞，肺過膨張が本質的な病態である．進行すると気道の虚脱による気流閉塞を伴う疾患で，慢性気管支炎，気管支喘息を

表1　びまん性に肺囊胞を呈しうる疾患

- 慢性閉塞性肺疾患
- 転移性肺腫瘍
- リンパ脈管筋腫症（LAM）
- Birt-Hogg-Dubé 症候群（BHDS）
- リンパ球性間質性肺炎
- ランゲルハンス細胞組織球症
- シェーグレン症候群に伴う肺病変
- アミロイドーシス
- light-chain deposition disease

表2　肺囊胞を呈しうる遺伝性疾患

- Marfan 症候群
- Ehlers-Danlos 症候群
- α_1-アンチトリプシン欠損症
- リンパ脈管筋腫症
- Birt-Hogg-Dubé 症候群

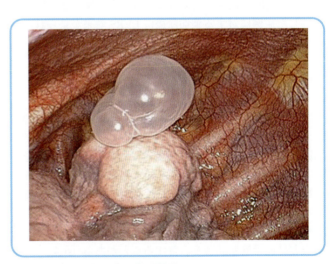

図1　ブラ・ブレブの胸腔鏡像
肺尖部に隆起型のブラを認める．

V. 肺の非腫瘍性疾患

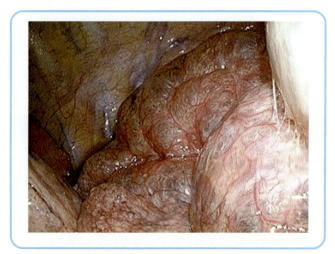

図2　肺気腫の胸腔鏡像
　胸腔鏡では大小様々の大きさで膜の厚さも不均一であり形状も様々である．毛細血管に炭粉沈着を認めて，慢性の炎症を示す．

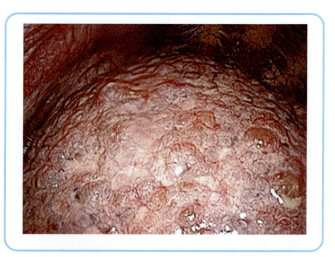

図3　LAMの胸腔鏡像
　胸腔鏡ではいわゆるイクラ状で重度のびまん性肺嚢胞を認める．それぞれは類円形を呈して膜の厚さ，色調は均一であり，全体に広がっている．肺気腫の胸腔鏡像との違いに注意．

合併する例が多く，慢性閉塞性肺疾患（COPD）に含まれるべき病態である．煙草に感受性のある喫煙者と関係が深い．気道感染（COPDの急性増悪）を繰り返しながら肺機能が徐々に低下していく．禁煙により肺機能の経年低下は軽減される．

②診断

　胸部X線やHRCT上，肺過膨張と肺血管影の減少や横隔膜の平低化が認められ，嚢胞性変化や低吸収域がしばしば上葉優位に認められる．肺機能検査で1秒量の低下が認められ，FEV_1%は重症度の分類に有用である．

③治療

　内科的治療と外科的治療に分けられる．外科的治療は肺容量縮小手術（lung volume reduction surgery：LVRS）[2]と肺移植，そして気胸を合併した場合の気胸手術が含まれる．LVRSは過膨張した肺を部分的に切除することで肺胞換気，呼吸筋の可動域，循環動態を改善させる治療であり，1990年代後半に世界的に広まった．しかし効果が術後2～6年しか得られないこと，肺気腫に対する薬物療法が進歩したことからLVRSは次第に行われなくなった．肺気腫と肺癌を合併した症例に対する葉切除後にLVRS効果が見られる症例があり，LVRSの原理を理解することは重要である．

3）特殊な肺嚢胞　レベルC

①リンパ脈管筋腫症（LAM）[3]（図3）

　リンパ脈管筋腫症（lymphangioleiomyomatosis：LAM）は，平滑筋様の腫瘍細胞（LAM細胞）が肺，体軸リンパ節（肺門・縦隔，後腹膜腔，骨盤腔など）で増殖して病変を形成し，病変内にリンパ管新生を伴う疾患である．臨床的には肺に多発性嚢胞を形成（図3）しながら緩徐に進行する，全身性の腫瘍性疾患である．通常，生殖可能年齢の女性に発症し，労作時息切れ，気胸などを契機に診断される．腎臓などに血管筋脂肪腫を合併することがある（図4）．肺病変が進行すると気胸を反復したり，呼吸機能が低下し呼吸不全を呈するが，進行の速さは症例ごとに多様である．結節性硬化症（TSC）の原因遺伝子として同定された*TSC*遺伝子の異常が発症に関与しているといわれている．治療としてホルモン療法が試されたが一定の効果は得られなかった．mTOR阻害作用のあるシロリムスはLAMの病勢進行を抑制することが示され，本邦で薬事承認された．気胸の再発を繰り返す症例では，胸膜癒着術を含めた侵襲的治療が考慮される．肺病変の進行により呼吸不全にいたった症例では呼吸リハビリテーション，酸素療法などの対症療法と同時に肺移植が検討される．しかし，肺移植後の移植肺にもLAMが発生し得ることが知られている．

②Birt-Hogg-Dubé症候群（BHDS）[4]

　皮膚科医Birt，病理医Hogg，内科医Dubéによって報告された常染色体性優性遺伝疾患である．皮膚の線維毛包腫（fibrofolliculoma），腎腫瘍，多発肺嚢胞の3つが特徴であるが，これら3徴を全て認める症例は多くない．発症のタイミングとして，日本人では気胸が腎腫瘍に先行することが多いとされる．多発肺嚢胞による反復性の自然気胸が問題となる．癌抑制遺伝子であるfolliculin（FLCN）が原因遺伝子と考えられており，本遺伝子の異常により腫瘍増殖が起こると考えられている．しかし肺内に形成される嚢胞に腫瘍性変化は確認できず，その成因は不明のままである．BHDSの肺嚢胞はいくつかの特徴を有する．CT上，肺底部，縦隔・心臓周辺，葉間部，肺血管周辺に様々な大きさ，形の肺嚢胞を認める（図5）．嚢胞内に肺血管が突出，露出する像は特徴的な所見のひとつである．病理学的に，肺嚢胞は小葉間隔壁に隣接して存在することが多いとされる．病勢の進行は緩徐であることが多く，呼吸不全にいたることは稀である．気胸に対する外科治療は一般的な自然気胸の手術に準じて行われることが多い．

b 巨大肺嚢胞症[5] レベルB

1）病態

　巨大肺嚢胞（giant pulmonary bulla）は臨床的には胸部X

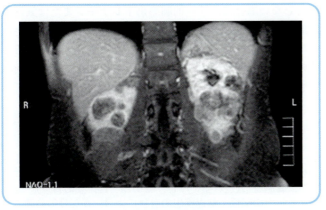

図4 TSC-LAMにおける腎血管筋脂肪腫（MRI）
　腎には両側に多発する血管筋脂肪腫が認められる．

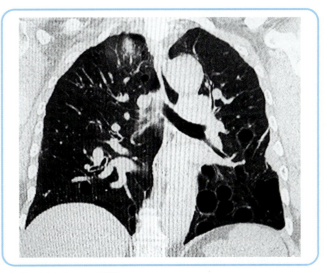

図5 BHDSのCT像
　CTでは下葉の肺底部，縦隔部，葉間部に大小不同の多形性囊胞を認める．

線において肺野の1/3以上を占める肺囊胞と定義されている．多くは喫煙が原因である．巨大肺囊胞は単独で存在することはまれで多房性や小さい囊胞が周辺に存在することが多い．ブラと同様にエアトラッピング機序が関与している．囊胞の基底部に気腫性変化が存在してエアトラッピングと同時に気腫化した脆弱領域が進行性に破壊され空間をつくっていく．形態学的分類としてReidの分類が簡便で理解しやすく，Ⅰ型（頸部狭小型），Ⅱ型（表在広基型），Ⅲ型（深部広基型）がある．

2）診断

　胸部X線で両側上肺野を中心に拡大した囊胞の像を認める．囊胞により肺実質が頭尾側方向に圧排され，囊胞部には肺紋理を認めないvanishing lungと呼ばれる所見を呈する．CTでも同様に肺囊胞が多房性に存在する（図6）．

　巨大肺囊胞が片肺の全肺野を占めるときに胸部X線のみの評価では気胸による肺の完全虚脱と誤診されることがある．巨大肺囊胞の可能性を念頭におき，胸腔ドレナージを行う前にCTでの注意深い評価が重要である．

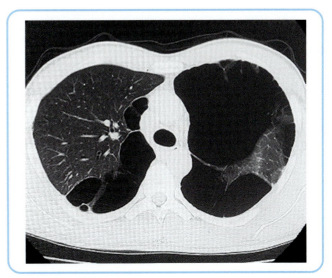

図6 巨大肺囊胞のCT像
　CTでは左肺に大きな囊胞と周辺にも囊胞が存在する．

3）治療

①手術適応（図7）

　①囊胞が年単位で増大する，②呼吸困難や呼吸機能低下を認める，③気胸を合併する，④感染を合併する，⑤血痰や喀痰の既往がある，⑥社会的適応としてパイロットや気圧の変動する職業あるいは就職上制限を受ける，⑦肺癌の合併が疑われる場合．

　手術適応として以上の7点があげられるが，囊胞以外の残存肺に気腫性変化が強い場合は，術後の機能改善はあまり期待できない．

②Naclerio-Langer法

　Naclerio-Langer法が従来より行われている．この方法で肝要なのは，チェックバルブの存在する囊胞基部の肺実質を直視下に縫合閉鎖することである．しかし，囊胞基部の肺実質は脆弱であることが多く，縫合部の裂傷により空気漏れを生じやすいこと，遺残する囊胞壁が肺癌の発生母地

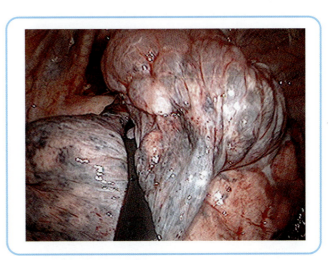

図7 巨大肺囊胞の胸腔鏡像
　臓側胸膜は肥厚して炭粉沈着が多数存在する．巨大肺囊胞は多房性で形成されている．

になりうることが問題点である．

③胸腔鏡下手術

　現在では術後の肺機能保持の観点から胸腔鏡手術が選択される．巨大囊胞の基部と肺門との距離が十分であれば囊胞基部の縫合糸を牽引したうえで自動縫合器を用いることで囊胞壁を完全に切除することが可能である．自動縫合器が使用できない部位の巨大囊胞に対しては裂傷の予防のために生体吸収性のシートを補強材として用いた縫合が行われる．

C 感染性肺囊胞 レベルA

1）病態

　感染性肺囊胞（infectious bulla）は一般的に上気道感染に続発する．原因ウイルスや細菌は同定されないことが多いが，原因菌としては肺炎球菌やブドウ球菌が一般的である．まれに結核菌，非結核性抗酸菌や真菌の場合もあり，同定検査は必須である．肺化膿症（肺膿瘍）に含まれる病態である．

2）診断

　胸部X線上肺囊胞内に鏡面像をつくる．胸部CTでも同様の像を認める．喀痰培養検査，咽頭培養検査を行う．

3）治療

　抗生物質の全身投与が原則で，多くの場合は改善する．改善しない場合には経皮的肺膿瘍ドレナージまたは気管支鏡的ドレナージを行う．それでも改善傾向がみられない場合は，胸腔鏡下手術によって感染した肺囊胞を切除する．この際，胸腔内の細菌拡散を防ぐため，バッグによる回収と胸腔内洗浄を十分に行う．

Side Memo

　肺囊胞の鑑別診断には高分解能CT（HRCT）が多くの情報を与えてくれる．肺囊胞の数，大きさ，形状（多房性），分布，囊胞壁の性状（壁の厚さ，壁の均一性，壁の有無），血管走行との関係，基礎疾患の有無により，かなりの範囲で鑑別診断が可能である．

　しかし，依然として原因不明の肺囊胞症も存在する．治療では気胸に対して行われることが多いが，切除のみでは不十分なことも多い．被覆や胸膜補強という方法も重要で，胸腔鏡下手術の進歩によって術式も変遷してきている[6]．

文献

1) 日本気胸囊胞性肺疾患学会（編）．気胸・囊胞性肺疾患規約・用語・ガイドライン，金原出版，2009
2) 伊達洋至ほか．肺気腫の外科治療，第1版，金芳堂，1997
3) 平間未知大ほか．呼吸と循環 2009; **57**: 395
4) 江花弘基ほか．呼吸と循環 2014; **62**: 1087
5) 千原幸司ほか．日呼外会誌 1989; **3**: 511
6) Kurihara M et al. Gen Thorac Cardiovasc Surg 2010; **58**: 113

③ その他の外科的肺疾患・血管疾患

Ⓐ 先天性疾患

要点
❶ 先天性疾患には胎児治療が必要な重篤なものから，成人になり偶然発見されるものまで様々である．
❷ 先天性嚢胞性肺疾患は，胎児期の気管支閉鎖の時期，部位，程度の違いでそれぞれの疾患が発生する．
❸ 合併する他の奇形と総合して治療計画を立てる必要がある．

Key Word　肺形成不全，肺分画症，Pryce 分類，肺葉性肺気腫，先天性嚢胞性腺腫様奇形，Stocker 分類，気管支閉鎖症，気管・気管支軟化症，気管狭窄症，先天性気管食道瘻

a 肺形成不全 レベル B

　肺・気管支の形成不全は，発生過程における分化停止や分離不全により発生する．肺形成不全は Schechter の分類上，aplasia（両側ないし一側肺の気管支と肺胞の欠如），dysplasia（肺胞の欠如），hypoplasia（気道と肺胞の量的・質的減少），ectoplasia（一側もしくは一部の肺が食道から発生しているもの）に分けられる．先天性横隔膜ヘルニア，先天性嚢胞性肺疾患などの胎児異常に伴って発症するものが多い．外科対象は，ectoplasia と hypoplasia の一部の疾患である．診断には合併奇形の検索を含めて造影 CT が有用である．

表 1　肺葉内分画症と肺葉外分画症

	肺葉内分画症	肺葉外分画症
頻度	約 75%	約 25%
性別	同等	男性＞女性
合併奇形	まれ	多い
横隔膜ヘルニア合併	なし	30%
胸膜	正常肺と共通	独立
異常動脈	体動脈	体動脈
還流静脈	肺静脈	体静脈（奇静脈，半奇静脈）
気管支との交通	ある場合がある	なし

b 肺分画症

1）病態 レベル A

　肺分画症（pulmonary sequestration）とは，正常な気道系と交通のない肺組織（分画肺）が存在し，大循環系から血液供給を行う異常動脈が存在することを特徴とする先天性疾患である．分画肺が正常肺と同じ臓側胸膜で覆われている肺葉内分画症と，正常肺と独立した胸膜で覆われている肺葉外分画症に分類される（表 1）．肺葉内分画症には Pryce 分類が用いられ[1]，このうち Pryce I 型は，異常動脈が正常肺に分布するもので，現在では肺底区動脈大動脈起始症といい，肺分画症からは除外されている．Ⅱ型は，異常動脈が分画肺と正常肺ともに流入するもの，Ⅲ型は，異常動脈が分画肺のみに流入するものである．

2）症状と診断（図 1）レベル B

　肺葉内分画症は，本来は正常気管支と交通はないが，感染などに伴い気管支との交通が分画肺に生じ，分画肺に感染を繰り返すようになる．そのため，咳，喀痰，血痰，発熱，胸痛などを呈する．胸部 X 線や CT で，多くは下葉に多発嚢腫状陰影を呈するが，気管支拡張像，腫瘤影，浸潤影など多彩な陰影を示す．肺葉外分画症は，無症候性であり，先天性横隔膜ヘルニアや心奇形などの合併奇形症状をきっかけに肺下葉と横隔膜の間に充実性腫瘤として発見されることが多い．確定診断は，造影 CT，3D-angio CT，血管造影で，大動脈系（大動脈や腹腔動脈など）から分岐し肺に流入する異常血管の証明である．

3）治療 レベル C

　確定診断が得られれば，原則的に手術適応である．肺底区動脈大動脈起始症では，正常肺領域の肺高血圧症を生じるため，手術適応となる．手術の原則は，異常血管の切離と分画肺の切除である．感染を繰り返している症例では，分画肺のみの切除は困難で，区域切除，もしくは肺葉切除が適切である．

c 肺葉性肺気腫（CLE）レベル A

　肺葉性肺気腫（congenital lobar emphysema：CLE）は，一肺葉に限局する気腫を特徴とし，多くは生後 6 ヵ月以内

V. 肺の非腫瘍性疾患

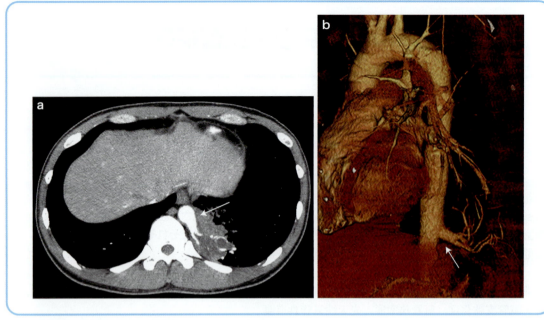

図1　肺葉内分画症．39歳男性
　a：造影CT
　b：3D-angio CT．矢印は下行大動脈からの異常動脈

に発症するが，うち3分の1は生後数日で発症する．葉気管支の狭窄に基づくエアトラッピングの結果生じ，気管支軟骨の欠如や動脈管や肺動脈の拡張などが原因として指摘されている．左上葉，右中葉，右上葉の順に頻度が高く，下葉はまれである．頻呼吸，喘鳴などの呼吸障害で発症し，チアノーゼを呈する．画像的には，透過性亢進，罹患肺葉の過膨張による正常肺の圧排，縦隔の健側変位を示す．治療は気腫化肺葉の切除である．

d 先天性肺気道形成異常（CPAM）

1）病態　レベルA

先天性肺気道形成異常（congenital pulmonary airway malformation：CPAM）は，以前は先天性嚢胞性腺腫様奇形（congenital cystic adenomatoid malformation：CCAM）と呼ばれていた疾患で，終末細気管支組織のadenomatoid様増殖により嚢胞性変化と成熟肺胞の欠如をきたした疾患で，1肺葉に限局する場合が多い．胎生期の気管支・細気管支形成期（7〜17週）での気道閉鎖に伴い発生すると考えられている[2]．病理学的には，嚢胞壁は線毛円柱上皮に被われ，嚢胞粘膜がポリープ状に増殖する．実質内には気管支粘液腺や軟骨組織が欠如する．

肉眼的に嚢胞のパターンから3タイプに分類される（Stocker分類[3]，図2）．

　Ⅰ型：2cmを超す嚢胞が単房性または多房性に存在するもの（55%）
　Ⅱ型：1cm未満の小嚢胞が多発するもの（40%）
　Ⅲ型：実質組織で構成され，小嚢胞は欠如するもの（5%）

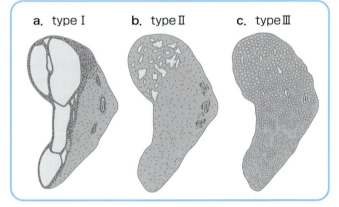

図2　Stocker分類
（Stocker JT et al. Hum Pathol 1977; 8: 155 [3] を参考に作成）

2）症状と診断　レベルB

嚢胞のサイズが小さい場合は無症状のことも多いが，大きい嚢胞では肺の低形成や肺炎をきたし，また，出生直後に重篤な呼吸不全で人工呼吸管理が必要となる場合もある．胎児期の超音波検査で発見されることが多くなってきている．診断はCTが有用である．先天性肺葉性肺気腫との鑑別に注意を要するが，肺葉性肺気腫ではびまん性気腫に対し，CPAMでは多房性嚢胞が特徴である．

3）治療　レベルC

呼吸困難，感染などの症状を有する場合は治療の適応となり，罹患肺葉の外科的切除である．無症状で嚢胞の増大がなければ経過観察のこともある．しかし，肺腺癌，肺芽腫，横紋筋肉腫などの悪性腫瘍の発生も少なからずあり，

慎重な観察を要する．

e 先天性気管支閉鎖症（CBA） レベルB

　先天性気管支閉鎖症（congenital bronchial atresia：CBA）は，胎生期に気管支が中枢気道との連続を断たれた状態で，胎生16週以降の気管支の血流障害と考えられる．感染を繰り返す例や，気腫化の進行例，気胸合併例などは手術適応とされる．

f 気管・気管支軟化症 レベルB

　気管および気管支壁の支持性が減退し，呼気時に内腔の虚脱をきたす疾患である．気道狭窄の形態から，両側壁が接近する刀鞘型と，気管膜様部が気管前壁へ接近する三日月形に分類される．症状は，支持性喪失で起こる気道閉鎖による呼出性換気障害に起因し，犬吠様咳嗽や，喘鳴，呼吸困難，喀痰の増加や排出障害，肺炎，気管支拡張が生じる．重度の場合，窒息や咳嗽時の失神などの症状も出現する．呼吸運動中や強制呼出時の中枢気道の狭窄を気管支鏡で直接観察することで診断される．また，胸部X線や胸部CTで，吸気相と呼気相で，50％以上の気道内腔の狭窄を認めた場合に本疾患と診断される．

　小児の気管・気管支軟化症は成人と異なり，病変が小範囲で，末梢気道病変を伴っていないことが多く，非進行性であり，自然寛解するものもある．生命の危険がある例や，長期人工呼吸器が必要な例は手術が考慮される．胸骨への上行大動脈固定術が有効である．

g 気管狭窄症 レベルB

　気管膜様部の欠損により気管軟骨の後壁開口部の閉鎖を呈する極めてまれな疾患である．出生後から呼吸困難・チアノーゼを呈し，感染を反復する．標準治療といえるものはなく，試行錯誤的に行われている．

h 先天性気管食道瘻 レベルB

　通常，食道閉鎖と合併し，新生児救急手術の対象である．出生3,000〜4,000人に1人の頻度．本症の病態は，気道閉塞と，胃内容液の肺内流入による肺障害である．Gross分類が用いられ，尾側の食道が気管とつながっているGross-C型が80％以上を占める．治療は気道と食道の連絡の遮断と食道の再建である（Ⅷ章-3図1参照）．

文献
1) Pryce DM. J Pathol Bacteriol 1946; **58**: 457
2) Langston C. Semin Pediatr Surg 2003; **12**: 17
3) Stocker JT et al. Hum Pathol 1977; **8**: 155

V. 肺の非腫瘍性疾患

Ⓑ 肺血管・その他の疾患

要点

❶肺動静脈瘻は，肺動脈と肺静脈が異常短絡をきたし，右→左短絡による症状を呈する．
❷肺動静脈瘻の治療は，その病型に応じて外科的治療もしくは塞栓術を選択する．
❸肺血栓塞栓症は，重篤例では致死率が高く，迅速な診断を要する．

Key Word　肺動静脈瘻，遺伝性出血性毛細血管拡張症（Rendu-Osler-Weber 病），脳膿瘍，肺血栓塞栓症，下肢深部静脈血栓症，肺高血圧症，肺動脈瘤，肺静脈瘤

ⓐ 肺動静脈瘻（AVF），肺動静脈奇形（AVM）

1）病態[1] レベルA

肺動静脈瘻（pulmonary arteriovenous fistula：AVF），肺動静脈奇形（pulmonary arteriovenous malformation：AVM）は，先天性の中胚葉性の血管形成不全による肺動脈と肺静脈が異常短絡をきたした疾患である．本疾患は遺伝性出血性毛細血管拡張症（hereditary hemorrhagic teleangiectasia：HHT，Rendu-Osler-Weber 病：ROWD）の一部分病である場合がある．ROWD は常染色体優性遺伝性疾患であるが，欧米では肺動静脈瘻の約 70％に ROWD を合併し，ROWD の約 20％に肺動静脈瘻が存在するのに対し，日本では，ROWD の合併率は 10〜20％程度である．肺動脈–肺静脈の右→左短絡に伴う病態が主体である．ヘマトクリット上昇に伴う血液粘性の上昇から瘻内に血栓を生じ，これが脳血管に流れて脳梗塞を呈したり，肺での毛細管網の欠如から細菌が左心系に達し脳膿瘍を形成するのもこの疾患の特徴である．ROWD の場合には，肺以外の臓器にも動静脈瘻が多発するため，皮膚粘膜の毛細血管の拡張，鼻出血，消化管出血なども呈する．

2）症状と診断（図1） レベルB

肺動脈–肺静脈の短絡，すなわち右→左短絡に伴う低酸素血症によるチアノーゼ，労作時呼吸困難，赤血球増多症，ばち指などの症状を呈する．破裂すると血痰，喀血，血胸が生じる．聴診にて，病変部位に一致する収縮期雑音と吸気時に増強する拡張期雑音を聴取する．胸部 X 線では，境界明瞭な楕円形ないし不整形の腫瘤影を認め，肺門と索状につながる所見を示す．造影 CT，3D-angio CT や肺動脈造影で瘻部分および流入動脈と流出静脈が描出される．短絡率の計算には心カテーテル検査が行われる．腫瘍と間違い，生検を行うことは禁忌である．

3）治療 レベルC

AVF の大きさが 2〜3cm 以上あるいは流入動脈径が 3mm 以上の例では早期介入が望ましい．短絡血流の遮断の適応で，瘻を含む肺切除もしくは interventional radiology（IVR）による塞栓術が行われる．切除の適応は，単発例で胸膜直下の症例，瘻破裂による出血例（血痰，喀血），塞栓術の適応とならない大きな瘻症例などである．病変部位により楔状切除，区域切除，葉切除を選択する．肺高血圧症

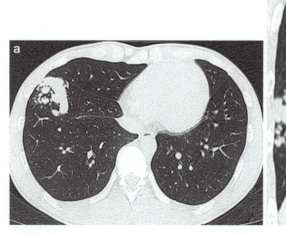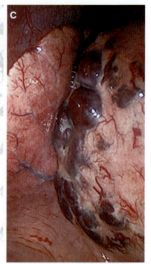

図1　肺動静脈瘻
　a：胸部 CT の水平断，b：冠状断，c：術中写真

を有する症例は切除の適応はない．一方，肺動静脈瘻の多くは塞栓術の適応になる．特に多発例はよい適応である．塞栓物は血管閉塞用コイル，ゼラチンスポンジなどがあるが，通常コイルが用いられる．塞栓術による制御率は約75％で[2]．再開通例や，塞栓物が静脈側に逸脱すると左心系の他の部位へ塞栓を起こすことがある．

b 肺血栓塞栓症（PE）

Ⅳ章-5 を参照．

c 肺高血圧症 レベルB

安静時肺動脈平均圧が 25 mmHg 以上の場合を肺高血圧といい，特に肺動脈楔入圧が 15 mmHg 以下の場合を肺動脈性肺高血圧という．ダナポイント分類では，第1群：肺動脈性肺高血圧（PAH），第2群：左心疾患による肺高血圧，第3群：呼吸器疾患による肺高血圧，第4群：慢性血栓塞栓性肺高血圧，第5群：原因不明あるいは複合的な要因による肺高血圧とされた．第1群のなかに，特発性（IPAH），遺伝性（HPAH），薬物・毒物誘発性などがある．

症状は，労作時呼吸困難，動悸，胸痛，失神，咳嗽などで，聴診上，Ⅱ音の亢進，収縮期早期のクリック音，Ⅲ音，Ⅳ音の聴取，三尖弁閉鎖不全症に伴う胸骨左縁下部での収縮期雑音（Rivero-Carvallo 徴候），肺動脈弁閉鎖不全症に伴う胸骨左縁第Ⅱ肋間での拡張早期雑音（Graham Steel 雑音）などがある．診断には，心エコー，右心カテーテル法を用いた肺血行動態の計測，肺動脈造影を行う．

IPAH/HPAH の治療としては，心不全の治療に加えて，肺動脈圧低下治療を行う．肺血管反応試験での反応例にはカルシウムチャネル拮抗薬を，非反応例では非特異的 PAH 治療薬を開始する．内科的治療法に反応しない例は肺移植の適応となる．

近年，肺高血圧症に対する薬物療法が進歩し，PGI_2（フローラン），エンドセリン受容体拮抗薬（ボセンタン），PDE-5 阻害薬（シルデナフィル）などで，肺高血圧症のコントロールが長期にわたって可能になってきているが，数年の経過のあとに両肺移植が必要になることも多い．

d 肺動脈瘤，肺静脈瘤 レベルB

肺動脈瘤はまれな疾患で，大動脈瘤と比べて発生頻度が250分の1とされている．Marfan 症候群における中膜壊死に伴うものや，結核，梅毒など感染に伴うものがある．多発性の肺動脈瘤，血栓塞栓症，血栓性静脈炎の合併はHughes-Stovin 症候群と呼ばれる．肺動脈瘤は，破裂のリスクがあり，単発性であれば外科的処置の対象となる．肺静脈瘤には末梢肺静脈の拡張と，中枢側の拡張がある．いずれも破裂のリスクは少なく，出血や血栓塞栓症を合併するような症例において，手術が選択される．肺動脈瘤，肺静脈瘤ともに造影 CT で診断可能であるが，肺動静脈瘻を鑑別する必要がある．

e 奇静脈瘤 レベルC

奇静脈瘤は非常にまれな疾患であり，ほとんどの場合は自覚症状を認めない．そのため他疾患の精査の際に偶発的に発見されることが多い．治療は多くの場合，肺血栓塞栓症の予防目的に早期に外科的切除が行われている．

文献
1) Gossage JR et al. Am J Respir Crit Care Med 1998; **158**: 643
2) Remy-Jardin M et al. Radiology 2006; **239**: 576

V. 肺の非腫瘍性疾患

C 外科的生検

要点

1. 外科的肺生検は間質性肺炎や未確診肺結節の診断を目的として主に胸腔鏡下に行われる．
2. 特発性肺線維症（IPF）は急性増悪などのリスクを伴うため注意が必要である．

Key Word 間質性肺炎，間質性肺炎をきたす疾患，胸腔鏡下手術（VATS）（全身麻酔下，局所麻酔下），肺腫瘤

外科的生検は，内科的手技での診断が困難なびまん性肺疾患や胸膜直下付近の結節に対し，主に全身麻酔下で肺の部分切除が行われる．

a びまん性肺疾患 レベルA

胸部X線やCT上，両肺野にびまん性陰影を認める疾患は，間質性肺炎，慢性好酸球性肺炎，過敏性肺炎など多岐にわたり，「びまん性肺疾患」と総称される．間質性肺炎の原因としては，薬剤や健康食品，粉じんの吸入，サルコイドーシスや膠原病などの全身疾患に伴うものなど種々のものがある．原因が特定できないものは特発性間質性肺炎として区別する．確定診断法として，気管支肺胞洗浄（bronchoalveolar lavage：BAL）や経気管支鏡的肺生検（transbronchial lung biopsy：TBLB）が行われる[1]．

1）特発性間質性肺炎（IIPs）

特発性間質性肺炎（idiopathic interstitial pneumonias：IIPs）は従来の分類が改訂され，病理組織学的所見に基づき主要なIIPs，まれなIIPs，および分類不能IIPsに分類される（表1）．その前提として問診，身体所見，胸部X線写真，呼吸機能検査，血液検査などによって，原因の明らかなびまん性肺疾患は除外される．

特発性肺線維症（idiopathic pulmonary fibrosis：IPF）はその中心的疾患で，これを適確に診断することが重要である．IPFは原因不明で，拘束性換気障害や拡散障害などの検査異常をきたし，高分解能CT（HRCT）で特徴的な蜂巣肺を肺底部に認める．さらに①50歳以上，②緩徐（潜行性）な発症，③3ヵ月以上の経過，④両側下肺野のfine crackles（捻髪音）の4項目のなかで3項目を満たせば臨床的に診断可能とされている（表2）．典型的なIPFといえない場合，BALやTBLBなどの気管支鏡検査が行われるが，検体量がわずかで診断が困難である場合は外科的生検が考慮され，IPFとそれ以外の疾患の組織診断がなされる[1]．

2）外科的肺生検の適応と方法 レベルB

本検査はIPF以外のIIPsの診断にとって必須であり，臨床像や画像所見と併せて総合的に判断される．アプローチには開胸と胸腔鏡があるが，低侵襲な後者が選択されることが多い．検体は複数の部位から小指頭大以上の十分な大きさを採取するのが望ましいとされている．すなわち，高分解能CT（HRCT）で①病変の強い部位，②最も初期変化があると思われる部位，そして③双方の中間的病変の3箇所を含むことであるが，自動縫合器の使用本数の制約などから常に理想的な採取ができるとは限らない．採取に際しては，各葉の先端，特に中葉や舌区の先端は非特異的炎症所

表1 特発性間質性肺炎（IIPs）の新分類

[主要なIIPs]
- 特発性肺線維症（idiopathic pulmonary fibrosis：IPF）
- 非特異性間質性肺炎（idiopathic nonspecific interstitial pneumonia：NSIP）
- 呼吸細気管支炎を伴う間質性肺疾患（respiratory bronchiolitis-associated interstitial lung disease：RB-ILD）
- 剥離性間質性肺炎（desquamative interstitial pneumonia：DIP）
- 特発性器質化肺炎（cryptogenic organizing pneumonia：COP）
- 急性間質性肺炎（acute interstitial pneumonia：AIP）

[まれなIIPs]
- 特発性リンパ球性間質性肺炎（idiopathic lymphoid interstitial pneumonia：idiopathic LIP）
- 特発性胸膜肺実質線維弾性症（idiopathic pleuroparenchymal fibroelastosis（idiopathic PPFE）

[分類不能IIPs]
- 分類不能特発性間質性肺炎（unclassifiable IIPs）

表2 特発性肺線維症（IPF）の臨床診断基準

以下の主診断基準のすべてと副診断基準4項目中3項目以上を満たす場合，外科的肺生検を行わなくても臨床的にIPFと診断される．

[主診断基準]
- 薬剤性，環境曝露，膠原病など，原因が既知の間質性肺疾患の除外
- 拘束性障害（VCの低下）やガス交換障害（安静時や運動時のA-aDo$_2$の増大，安静時または運動時のPaO$_2$の低下，あるいはDLcoの低下）などの呼吸機能検査異常
- HRCTで両肺底部・胸膜直下優位に明らかな蜂巣肺所見を伴う網状影とわずかなすりガラス陰影
- 経気管支肺生検（TBLB）や気管支肺胞洗浄（BAL）を行った場合は，その所見が他疾患の診断を支持しない

[副診断基準]
- 年齢＞50歳
- 他の原因では説明し難い労作性呼吸困難の潜伏性の進行
- 罹病期間≧3ヵ月
- 両側肺底部に吸気時捻髪音（fine crackles）を聴取

見を伴いやすいので避けるべきとされている．採取した肺組織はステープラーを外してから膨らませる．無菌状態でステープラーをハサミで切り取り，その一部は培養などの検体とする．26〜28Gのツベルクリン針を用いて，肺切離面・胸膜面の数箇所からゆっくりと過膨張を避けて，固定用ホルマリンを注入する[1]．

外科的生検による問題点として，①胸腔鏡では，分離肺換気による麻酔維持が困難なため開胸や両側換気を行わざるを得ない場合があること，②肺実質の硬化している部に自動縫合器を用いる場合，切除断端が離開する場合があること，③間質性肺炎の急性増悪が起こりうることがあげられる．

全身麻酔では死亡や重篤な術後合併症を伴いうる問題に対して，局所麻酔下の胸腔鏡下生検が報告された．その後の同施設を中心とした多施設共同研究では，全身麻酔へのコンバート例は5％程度，平均手術時間は29分，手術死亡はなく認容可能とされている[2]．

b その他の肺疾患 レベルA

主に，末梢肺の結節や腫瘤に対して，悪性疾患との鑑別診断を目的として，外科的切除生検が行われる．結果的に炎症性腫瘤や良性肺腫瘍と診断されることは，実地臨床において少ないことではない．

Ⅴ. 肺の非腫瘍性疾患

D その他

要点

1. 気腫性肺の分布が不均一な慢性肺気腫では，肺容量縮小手術（LVRS）の適応が考慮される．
2. 気腫化が上葉優位型のものがよい適応である．
3. 気腫合併肺線維症は肺癌の合併が多く，通常の呼吸機能検査で異常を認めないが，拡散能が低下する．

Key Word　呼吸機能，慢性呼吸不全，肺容量縮小手術（LVRS），気腫合併肺線維症

a 肺気腫 レベルB

肺気腫は1秒率（$FEV_1\%$）の値が70％未満で，進行に伴い$FEV_1\%$が低下し，慢性呼吸不全を呈する．抗コリン薬やβ刺激薬など気管支拡張薬を中心とした内科的治療が行われるが，一部の患者には運動能力とQOLの改善を目的に，肺容量縮小手術（lung volume reduction surgery：LVRS）が考慮される．適応基準で重要なことは，肺の過膨張が著明で，かつ気腫性肺の分布が不均一なことである．気腫化が上葉優位型のもので予後がよいとされ，肺の弾性が改善，平低化していた横隔膜が挙上しドームが形成され，胸郭過膨張の改善とともに呼吸筋としての形態・機能が回復する．肺血管床の減少を伴うため適応には慎重を要し，また症状や呼吸機能の改善期間が術後数年の間しか得られないため，施行例は減少している．一般的な適応基準を表1に示すが，あくまでも目安で個々の症例に応じて判断する．

アプローチは胸骨正中切開による開胸と，胸腔鏡によるものがある．近年は，気腫領域に交通する気管支に一方向弁，コイルなどを留置する方法や，気腫肺に隣接する気管支を開窓のうえステントを留置し気腫肺の減圧を図る気管支鏡下肺容量縮小術などが試みられ始めている[3]．

b 気腫合併肺線維症（CPFE） レベルB

気腫合併肺線維症（combined pulmonary fibrosis and emphysema：CPFE）は，2005年に報告がなされてから，注目され始めた疾患である．全例が喫煙者あるいは喫煙経験者で，呼吸機能検査では努力肺活量と$FEV_1\%$はほぼ正常であったがDLCOが低く，歩行時の低酸素血症が著明であった[4]．典型例では上葉に小葉中心性の肺気腫，下葉に間質性肺炎の画像所見を示す（図1）．線維化の合併により，通常の呼吸機能検査では気流閉塞がマスクされる．日本では1960年代から線維化を伴う慢性肺気腫の存在は認識されていたが，呼吸器外科的には肺癌の合併が多いことが問題で，手術などに伴い増悪のリスクが高いこと，肺拡散能の評価が重要であることを熟知しておく（Ⅲ章-2 Side Memo）．

表1　肺容量縮小手術の適応

適切な内科的治療にもかかわらず，安静時あるいは労作時呼吸困難により日常生活が障害されている肺気腫患者
- 原則的に80歳未満（75歳以下が望ましい）
- 肺の過膨脹（％TLC＞120％，RV/TLC＞50％など）
- 閉塞性換気障害（FEV_1＜1.0L，20％＜$FEV_1\%$＜40％など）
- 画像上不均一性の肺気腫（切除ターゲットは上葉優位型が望ましい）
- 3ヵ月以上の完全禁煙

【適応除外基準】
- 肺高血圧症（収縮時動脈圧＞45mmHg あるいは平均肺動脈圧＞30mmHg）
- コントロール困難な気管支喘息の合併
- 著明な胸膜癒着，開胸術後
- 気管支拡張症，肺炎の合併
- 高炭酸ガス血症（$PaCO_2$＞60mmHg）
- 肺以外の重篤な臓器障害の合併

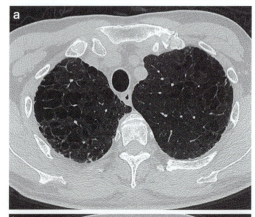
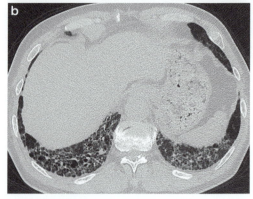

図1　気腫合併肺線維症（CPFE）のCT像

文献

1) 日本呼吸器学会（編）．特発性間質性肺炎診断と治療の手引き，第2版，南江堂，2011
2) Pompeo E et al. Ann Thorac Surg 2013; **95**: 445
3) 日本呼吸器学会（編）．COPD（慢性閉塞性肺疾患）診断と治療のためのガイドライン，第4版，メディカルレビュー社，2013
4) Cottin V et al. Eur Respir J 2005; **26**: 586

復習ドリル

問題❶
肺抗酸菌症で正しいものはどれか．2つ選べ．
a. 多剤耐性結核菌とはイソニアジド，リファンピシンの2剤に対して同時に耐性を獲得している結核菌のことである．
b. 多剤耐性結核菌に対しては外科的治療以外に治癒する方法はない．
c. 肺非結核性抗酸菌においては，すべての病巣を切除することができる場合以外は手術適応ではない．
d. *Mycobacterium abscessus* が検出された場合，外科的治療を考慮する．
e. 肺抗酸菌症と診断された場合，感染症法上2類感染症に分類され，すべての医師は最寄りの保健所に届け出なければならない．

問題❷
若年者の肺囊胞について正しいのはどれか．2つ選べ．
a. 肺囊胞の分布は下葉に多く気胸を起こしやすい．
b. ブラとブレブがあり，自然気胸になるのはブラが多い．
c. 肺囊胞が発見された時点で切除するのが望ましい．
d. 原発性気胸は年齢が進むと発病しない傾向にある．
e. 胸腔鏡下手術で切除すると術後にブラが新生して再発しやすい．

問題❸
LAMについて正しいのはどれか．2つ選べ．
a. 常染色体性劣性遺伝である．
b. 腎癌が高率に合併する．
c. 右側の気胸が多い．
d. 乳び胸を伴う場合は乳び内にLAM細胞を認めることが多い．
e. 肺移植の適応疾患のひとつである．

問題❹
BHD症候群について正しいのはどれか．2つ選べ．
a. 常染色体性劣性遺伝疾患である．
b. 皮膚病変は結節性硬化症である．
c. 肺癌の発生率が高い．
d. 肺囊胞は肺底部，縦隔部，葉間部にみられる．
e. 確定診断には遺伝子検査を行う．

問題❺
巨大肺囊胞症について正しいのはどれか．2つ選べ．
a. 囊胞が増大すると気胸になりやすい．
b. 囊胞は喫煙が原因で増大し，喫煙を中止すると縮小する．
c. 囊胞が大きい場合，気胸の完全虚脱と間違えることはない．
d. 肺癌合併率が高い．
e. 巨大肺囊胞症の手術は肺が脆弱で術後空気漏れが続きやすい．

正解：①a,d, ②d,e, ③d,e, ④d,e, ⑤d,e

第VI章
肺の腫瘍性疾患

VI. 肺の腫瘍性疾患

① 原発性肺癌

A 肺癌の疫学

要点
1. 現在の肺癌の罹患数や死亡数などの実態と今後の動向を理解できている．
2. 喫煙と肺癌の危険度を認識し，禁煙の重要性について客観的に説明できる．
3. 肺癌の発癌危険因子についての知識を持っている．

Key Word 将来予想，喫煙の疫学，喫煙，重金属，クロム，カドミウム，死亡率，罹患率

肺癌は，諸外国と同様に日本でも最も重要な悪性疾患のひとつである．部位別死亡数の最も多い疾患であり，今後も増加が続くと予測されている．

a 肺癌の死亡，罹患数 レベルA

1）現状とこれまでの動向

2018年度概算の死亡数は136万2,482人で，人口千人に対する粗死亡率は11.0人である．このなかで死因統計のWHOの疾病および関連保健問題の国際統計分類第10回（ICD-10）に準拠して作成されたものによると，第1位は悪性新生物で37万3,547人（人口10万人対死亡率300.7），第2位は心疾患20万8,210人（人口10万人対死亡率167.6），第3位は老衰10万9,602人（人口10万人対死亡率88.2）などとなっている．これら悪性新生物の死亡数は1981年以来，常に第1位である．

そのなかで肺の悪性新生物の占める割合は，男性では24.0％，女性は14.1％となっており，男性で1位，女性では大腸に次いで2位となっている．2017年の肺癌死亡数は，男性5万3,002人，女性2万1,118人である[1]．年齢調整死亡率の推移をみると，男女とも1998年頃まで大きく上昇していたが，近年は微減傾向となっている．1955年と比較すると，男は5.3倍，女は4.1倍である．2016年の肺癌罹患数は，男性83,790人，女性41,634人であり，男性で3番目，女性で4番目である．一般的な国内癌統計では，罹患については4～5年，死亡については1～2年遅れて発表されることが多い．これに対し海外と同じ短期推計手法を用いた場合，2019年の罹患数は，男性82,700人，女性で39,600人とおよそ122,300人とされる（図1）．

2）今後の罹患数と死亡数の動向

今後5年ごとの肺癌罹患予測をみてみると，2015-2019年期間での年平均肺癌罹患数は，男性で現在の86,390人に比べ10年後には99,980人に増加，女性では43,820人より55,740人に増加することが予測されている．年齢構成別でみると，男女とも75歳以上の増加が著明である．他の年齢

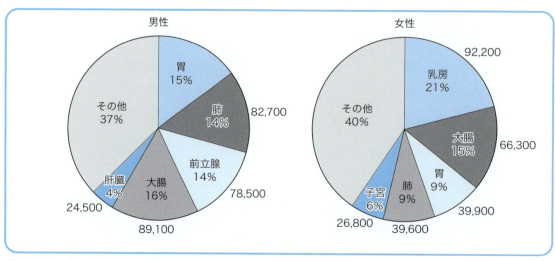

図1　予測癌罹患数の割合（2014年）

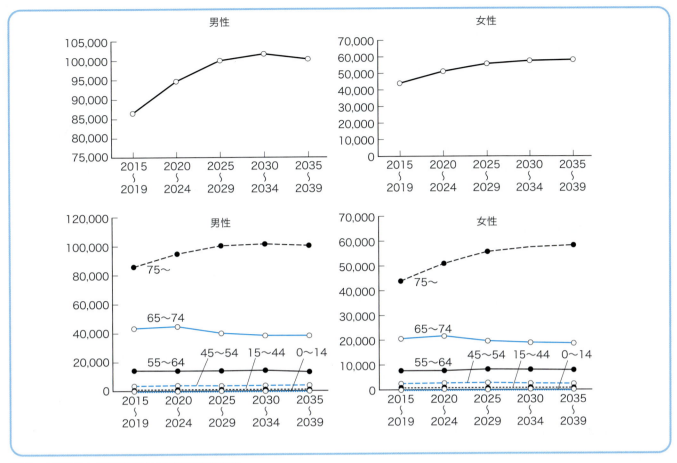

図2　性別および年齢別の肺癌予測罹患数

層はプラトーか，減少していくと考えられる（図2）．一方死亡数は，男性で54,380人から57,810人に増加を続けて，女性でも22,080人から24,990人とわずかに増加するものと予測されている．年齢構成別の死亡数では，男女とも75歳以上が全体の増加の要因になっている．

3）海外との比較

2012年の海外からの統計報告では，世界では新たに180万人（死亡数は160万人）の肺癌患者の発生があり，全癌患者の13%に相当する．男性で肺癌の占める割合が高い地域は，北米，欧州，東アジアで，女性においても北米，欧州，オーストラリア，ニュージーランドなどがある[2]．西欧では喫煙率の減少により肺癌の減少がみられる．米国，英国，デンマークなどの男性は減少傾向にあり，女性はプラトーになっている．しかし，喫煙率のピークが遅れているスペインやポルトガルでは女性肺癌の持続的な増加がみられる．中国やインドネシア，アフリカ諸国ではさらに今後数十年は増加していくと予測されている．

米国での肺癌罹患率の変化をみると，男性で1990年以降減少が続き，女性は2003年まで一貫して上昇したあとは，横ばい状態である．肺癌死亡率も男女とも同様の傾向を示している．しかし，喫煙率低下幅が小さい州では，依然女性の肺癌罹患率と死亡率が上昇している．

b 肺癌背景因子 レベルA

1）喫煙

喫煙は肺癌における発癌への寄与が最も高い重要な因子である．男性喫煙者は，非喫煙者に比べ死亡率は4.5倍，女性では4.2倍とされる．これはさらに喫煙本数の増加に伴いさらに増加するといわれている．喫煙の寄与危険率（肺癌に喫煙がどの程度関与したか）は，男性で71.6%，女性で15.6%とされ，さらに喫煙経験のある肺癌患者ではそれぞれ77.5%，57.3%が発症に関与しているとの報告がある．すなわち禁煙が発症予防につながることは明らかである．喫煙者が非喫煙者の発症リスクまで低下するには禁煙が20年以上必要とされ，また喫煙者をすべて非喫煙者にできれば男性で59%，女性で18%肺癌が減るとの報告もある．

2）受動喫煙

非喫煙者にも喫煙の影響が及ぶことに注意が必要である．たとえば，非喫煙妻の場合，夫による喫煙寄与危険度は約30%増加するといわれている．また，喫煙男性の妻の肺癌死亡率も，非喫煙男性の妻より明らかに喫煙量とともに高くなり，妻の肺癌の相対危険度は1.3〜1.5倍ともいわれている．このような背景もあり厚生労働省は，家庭だけではなく職場での受動喫煙を防止するための様々な取り組みを行うようになった．

3）喫煙の動向

最近の厚生労働省からの喫煙率推移報告では，昭和40年以降のピーク時と比較すると大きく減少している．2012年の調査では，日本人の喫煙率は17.8％で，男性の喫煙率は27.8％で，減少し続けている．20歳代〜40歳代が増加している．諸外国と比べると，いまだ高い状況にあり，約1,400万人が喫煙していると推定される．一方，女性の喫煙率は8.7％で，20歳代から40歳代が13.6％と高く，それ以降は低い値を示している．男性に比べ，1989年より9〜12％の間を上下しながら漸減している（図3）．

C 発癌病因 レベルB

1）喫煙

たばこは，肺癌の原因として最も高い寄与因子である．たばこの煙には，そのなかに含まれる物質や不完全燃焼することによって生じる物質など3,000〜4,000種類以上の化学物質が含まれ，そのうちに多くの有害物質や発癌物質が含まれる．最もよく知られた肺癌誘導物質に，ベンゾピレンなどの芳香族アミンがある．これらは体内で様々な形式で酵素活性化されDNAに結合し障害を与え遺伝子の変異を引き起こす．癌遺伝子，腫瘍抑制遺伝子，DNA修復遺伝子などに影響を与え，これらが順次積み重なり肺癌が発症すると考えられている．

2）環境曝露，化学物質

①大気汚染

大気汚染の高い都市部が，低い地方より肺癌の発生率が高いこと，ディーゼル排ガスの動物実験などからの関連性も報告されている．最近ではPM2.5（微小粒子状物質）が注目されている．WHOの推測によると，年間120万人の死亡が大気汚染で引き起こされ，肺癌死亡の8％が大気汚染により引き起こされていると推測されている．欧州での最新の研究では，大気中の浮遊粒子状物質の径が10マイクロ以下で肺癌リスクが1.22倍，2.5マイクロ以下で1.18倍高くなり，腺癌ではさらに1.5倍高くなると報告されている[3]．

②ラドン

自然起源の無色無臭の気体で，WHOは喫煙に次ぐ肺癌のリスク要因としている．住居内におけるラドン濃度と肺癌リスクは相関し，小細胞肺癌のリスクが高くなる．米国では，年間15,000〜22,000人がラドンによる肺癌で死亡するともいわれている．

③重金属

ⅰ）クロム：メッキとしての用途から社会的需要が多い．クロム単体や必須栄養素の3価のクロムには毒性がないが，6価のクロム化合物は毒性が高いとされ，4価のクロム化合物は発癌性があると警告されている．多量の吸入により長期的に肺癌を生じる可能性がある．

ⅱ）カドミウム：カドミウム曝露により4.7倍の肺癌増加がみられたとの報告がある一方で，肺癌の死亡率と累計曝露との間に有意な関連はみられなかったとする報告もある．WHOの外部組織である国際癌研究機関（International

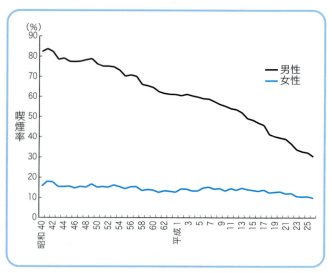

図3　喫煙率推移（男女：全年齢）

Agency for Research on Cancer：IARC）からの発癌評価分類では，カドミウムおよびその化合物は現在Group 1に分類されている．

ⅲ）ベリリウム：曝露と肺癌リスクの関係について古くから報告されており，現在のところ同じGroup 1に分類されている．

ⅳ）アスベスト：高いリスク要因で，中皮腫のみならず肺癌との強い相関がある．蛇紋石系（クリソタイル）と角閃石系（クロシドライト，アモサイトなど）に大別される．アスベストはWHOの国際癌研究機関によりGroup 1の発癌性因子である．角閃石系のクロシドライト（青石綿），アモサイト（茶石綿）のほうが蛇紋石系のクリソタイル（白石綿）よりも発癌性が高いとされている．肺癌の危険性は喫煙と相乗的に高くなることが知られている．国内では，建築物の解体によるアスベストの排出量が2020年から2040年ころにピークを迎え，これに伴う肺癌の増加が予測されている．

④遺伝的な要因

肺癌家族歴がある集団では，ない集団より肺癌に罹患する危険性が2倍ほど高く肺癌になりやすい傾向にあると報告されている．この傾向は，男性1.7倍，女性2.7倍で女性にやや高く，喫煙したことのない人で明らかであったとされる．このことは，もちろん家族での生活環境が類似していることもあるが，遺伝的要因で肺癌になりやすさを示唆している可能性もある[4]．遺伝疾患のLi-Fraumeni症候群は，まれな疾患で，生殖細胞系列における*TP53*遺伝子の病的変異を原因とする様々な臓器で悪性腫瘍を多発するリスクが高いことが知られており，喫煙しているLi-Fraumeni症候群患者では肺癌リスクが高くなるとされる．その他，家族性肺癌家系に対する研究で，*EGFR* T790M変異の胚細胞変異が報告されている．

以上，肺癌発症に関与する主な危険因子を表1にまとめた．

表1 肺癌の発症にかかわる主な危険因子

環境	○喫煙・受動喫煙 ○大気汚染物質：微小粒子状物質（PM2.5, PM10），ディーゼル排気ガス ○アルミニウム精錬従事者，ヒ素含有環境，コークス製造，石炭ガス製造 ○放射性物質：屋内ラドン222
化学物質	○アスベスト ○グループとして評価：ヒ素と化合物，ベリリウムと化合物，カドミウムと化合物 ○ニッケルと化合物，六価クロム化合物，コールタール ○X線照射，γ線照射，中性子線，プルトニウムと放射壊変物，ラジウムと放射壊変物
遺伝要因	○家族性肺癌遺伝子（Li-Fraumeni症候群など） ○その他

（ヒトに対して十分な根拠がある発癌物質）

Side Memo

【日本の統計】
　日本の罹患率は実測されておらず正確に算出されていない．あくまで一部の地域癌登録データをもとに全国値推計が行われている．癌患者の登録から罹患率算出までに年数がかかっている．年齢調整をしていない場合は，粗死亡率や粗罹患率として表す．癌は高齢になるほど死亡率や罹患率が高くなるので，年齢構成が異なる集団間を比較する場合や，同じ集団で年次推移をみる場合にこの年齢調整を行い年齢構成の影響を除去した年齢調整死亡率や罹患率が用いられる．

【院内癌登録】
　医療施設における診療支援と癌診療の機能評価を第一の目的として実施するその施設におけるすべての癌患者を対象とする癌登録のこと．各医療施設での登録の精度の高さは地域でまとめる情報の精度を左右することから，院内癌登録の整備は，地域癌登録にとって必要不可欠である．

文献

1) 厚生労働統計協会．国民衛生の動向―厚生の指標 2019/2020: p63
2) American Cancer Society. Global Cancer Facts & Figures, 3rd Ed, American Cancer Society, 2015
3) Sax SN et al. Lncet Oncol 2013; **14**: e439
4) Nitadori J et al. Chest 2006; **130**: 968

B 肺癌の分子生物学

要点

1. 肺癌には多くの遺伝子異常があるが，癌の発生進展に極めて重要な役割を果たし，その異常に癌細胞の生死が依存しているようないわゆるドライバー遺伝子変異は少数である．
2. 主なドライバー遺伝子には EGFR，ALK，ROS1 などの受容体型チロシンキナーゼ，BRAF のような細胞質のセリン・スレオニンキナーゼ遺伝子がある．これらに対する分子標的治療が大きな成果をあげており，さらに新しい標的が見出されている．
3. 次世代シーケンス技術による包括的解析は新しい標的を発見する一方，癌ゲノムが空間的，時間的に非常に多様で複雑でありかつ可塑性に富むことを明らかにした．このことが癌の治療を困難としており，その克服が今後の治療戦略開発上重要である．

Key Word 癌の hallmark，ドライバー遺伝子，oncogene addiction，EGFR，KRAS，ALK，分子標的治療，次世代シーケンス，ゲノム

a 癌の hallmark と癌細胞にみられる遺伝子変化 レベルB

Hanahan と Weinberg[1] によれば，癌の特性となる形質とは，表1に示す10個とされている．これらの形質は独立しているわけではなく相互に複雑に関連し合っている．たとえば，TP53 変異は増殖抑制因子不応をもたらすのみでなく，細胞死抵抗性，血管新生，浸潤，ゲノム（Side Memo 参照）不安定性などにも広く関連し，AKT は増殖シグナルのほか，浸潤転移，血管新生，細胞死抵抗性に関連している．さらに最近の包括的癌ゲノム解析は，これらに加えて，染色体構造の制御，DNA メチル化，ヒストン修飾，RNA スプライシングなどにかかわる遺伝子変異による転写調節の異常といったより根源的な細胞機能異常が上記の hallmark に加えて存在することを明らかにした．

一般に，細胞増殖を促進するなどの機能のスイッチがオンとなって（gain of function）癌化に寄与しているような遺伝子を癌遺伝子（oncogene），逆に細胞増殖のブレーキ役を担っていて，そのスイッチがオフとなることで（loss of function）癌化に寄与している遺伝子を腫瘍抑制遺伝子（tumor suppressor gene）という．また，これらの変化が遺伝子産物である蛋白の質的異常による場合と量的異常による場合に二大別できる（表2）．さらに，このような異常が DNA 塩基配列の変化（ゲノム変化）による場合と塩基配列の変化を伴わない変化（エピゲノム変化）による場合とに分けることができる（表2）．このエピゲノム変化には，DNA のメチル化，ヒストン修飾，マイクロ RNA 変化（Side Memo 参照）などがある．

このような遺伝子変化は他の臓器癌に共通していることも，異なることもある．RAS や TP53 遺伝子は多くのヒト腫瘍で変異している一方，EGFR 遺伝子のキナーゼ領域の突然変異はほぼ肺腺癌特異的である．ALK 遺伝子は神経芽細胞腫では点突然変異によって，肺癌や未分化リンパ腫では転座によって活性化しているが，転座の相手となる遺伝子は異なる．また，EGFR 変異，KRAS 変異，ALK 転座等受容体キナーゼなど受容体チロシンキナーゼ同士，S 期進入に対して同様の結果をもたらす p16INK4d と RB など機能的類似の遺伝子変異は相互排他的であることが多い．

> **Side Memo**
>
> **【ゲノム】**
> ヒトゲノム全体は約30億塩基対からなるが，ゲノムの約半分は反復配列である．約21,000ある遺伝子をコードしている部分は，アミノ酸の配列情報となっているエクソン（ゲノムの1.5%＝4,500万塩基対）と大部分であるスプライシングによってメッセンジャー RNA から切り出されるイントロン（25%）よりなる．残りは蛋白に翻訳されず，反復配列でもない配列で，15%を占めるノンコーディング RNA（転移 RNA，リボソーム RNA，マイクロ RNA など）や遺伝子プロモータ配列を含む．
>
> **【マイクロ RNA（miRNA）】**
> 21-23 ヌクレオチドの短く蛋白には翻訳されないノンコーディング RNA でメッセンジャー RNA に相補的な配列をもって結合することにより，蛋白翻訳をブロックしたり，メッセンジャー RNA を分解する．その発現低下はマイクロ RNA の遺伝子欠損，メチル化，転写異常により，過剰発現は遺伝子増幅，転写因子異常，脱メチル化などによるとされている．癌においては癌遺伝子を標的とするマイクロ RNA の発現低下や腫瘍抑制遺伝子を標的とするマイクロ RNA の過剰発現によって，癌化に広くかかわっている．今まで癌において発現の上昇あるいは低下だけが知られていたことにマイクロ RNA がかかわっていることが今後も明らかにされていくことであろう．

b 肺癌の組織型別にみた遺伝子異常の種類と頻度 レベルB

近年の塩基配列解析技術の進歩と相まって，多くの癌のゲノム情報は急速に集積されつつある．特に米国の The

表1 癌を特徴づける形質（hallmark）とそのメカニズム

	メカニズム	例（肺癌に限らない）
増殖シグナルの恒常化	増殖因子産生	腫瘍細胞自身（オートクリン），EGF（炎症細胞），HGF（線維芽細胞）
	受容体発現亢進	EGFR発現
	受容体そのものの活性化	EGFR変異，ALK転座
	増殖シグナル下流分子の活性化	KRAS変異，BRAF変異，PIK3CA変異
増殖抑制因子への不応	腫瘍抑制遺伝子の異常	RB変異，TP53変異
	接触阻止の破綻	NF2, LKB1変異
	TGFb経路の破綻	TGFb受容体変異，SMAD変異
細胞死の抵抗性	抗アポトーシスシグナルの亢進	Bcl2族遺伝子発現増加
	DNA損傷センサーの破綻	TP53変異
	オートファジーの阻害	Pi3K/AKT/mTOR経路の活性化，Bec;lin-1阻害
細胞不死化 永遠の寿命の獲得	テロメアの維持	テロメラーゼ発現
血管新生	血管内皮の増殖	VEGF/VEGFR発現（腫瘍，間質細胞）
	骨髄由来の血管内皮細胞の動員	
浸潤と転移	接着分子発現の変化	Eカドヘリン低下，Nカドヘリンの上昇
	上皮-間葉移行（EMT）	Snail, Slug, Zeb1/2発現
	間質細胞の関与	間葉幹細胞（CCL5/RANTES供給）
	プロテアーゼの分泌	腫瘍，炎症細胞より分泌される
ゲノム不安定性と変異	DNA損傷検出の欠陥	TP53変異
	DNA修復の欠陥	MLH1/MSH2・MSH6/PMS2変異，BRCA1/2変異
	変異原の解毒機構の欠陥	NFE2L2/CUL3/Keap1変異
腫瘍促進性の炎症	炎症局所の免疫細胞が腫瘍促進的に働く	増殖因子，生存因子，血管新生因子，細胞外マトリックス酵素，活性酸素の放出
エネルギー代謝の変化	好気的解糖の促進	グルコーストランスポーター発現亢進，HIF1a/2aによる解糖促進
	異常代謝物2-ヒドロキシグルタール酸の蓄積	イソクエン酸脱水素酵素1/2の活性化変異
免疫監視からの回避	免疫抑制物質の産生	TGFbなど
	免疫抑制性炎症細胞の動員	Treg（調節性T細胞），myeloid derived suppressor細胞
	免疫チェックポイント機構（サイドメモ）	CTLA4/B7, PD-L1/2-PD-1系などによる免疫抑制

(Hanahan D et al. Cell 2011; 144: 646[1] を参考に作成)

Cancer Genome Atlasプロジェクトによる精力的な解析の貢献は大きい．多くの重要論文にもウェブサイトからアクセスできる（https://www.cancer.gov/about-nci/organization/ccg/research/structural-genomics/tcga/publications）．

1）腺癌[2]

230例の切除肺腺癌の包括的解析によると，肺腺癌ではエクソン100万塩基あたり中央値で5.8個（レンジ0.5〜48）の変異が見出された．ゲノム全体では20個から2,000個近くに分布することになり，個数だけみても大いなる多様性があることがわかる．一般に喫煙者の肺癌では変異数が多く，またCからAへの塩基置換が多い．腺癌でみられる主なドライバー遺伝子（Side Memo参照）変異は受容体チロシンキナーゼとその下流のシグナル伝達，細胞周期関連遺伝子，転写調節関連のなどが高頻度なことがわかる（表3，図1）．

①EGFR（epidermal growth factor receptor）遺伝子

EGFRは受容体型チロシンキナーゼであり，主にRAS-RAF-MAPK経路，PI3K-AKT経路，STAT経路に細胞増殖や生存シグナルを伝えている（図1）．EGFR変異はほぼ肺腺癌に特異的であり，東洋人，女性，非喫煙者に高頻度という特徴がある．特に日本人の腺癌ではおよそ半数に変異を認めるが，欧米では15％程度である．EGFR変異は細胞内のチロシンキナーゼドメインに起こるが，特に頻度が高いものはエクソン19のコドン746-750を中心とする部位の欠失変異と，エクソン21のコドン858においてロイシンからアルギニンに変化する（L858R）点突然変異で，この2つで90％近くを占める．EGFR変異を有する肺癌ではゲフィチニブ，エルロチニブ，アファチニブ，ダコシチニブ，オシメルチニブなどのEGFRチロシンキナーゼ阻害薬（TKI）の感受性が一般に高く，投与の際には遺伝子検査による患者選択が重要である．2020年にはオシメルチニブが術後補助療法として切除EGFR陽性肺癌の無病生存期間を著明に延長することも示された．

表2 癌における遺伝子の質的，量的異常のメカニズムと肺癌におけるその例

				癌化促進遺伝子 （癌遺伝子）	癌化抑制遺伝子 （腫瘍抑制遺伝子）
質的変化 蛋白活性化/不活化	ゲノム変化	突然変異	ミスセンス変異[1]	KRAS, EGFR, BRAF	TP53, RB1, P16
			in/del 変異[2]	インフレーム EGFR, HER2	フレームシフト TP53, RB1
			ナンセンス変異[3]		TP53, RB1
			スプライス変異[4]	MET	フレームシフト TP53
量的変化 蛋白発現量増加/減少	ゲノム変化	遺伝子転座[5]		ALK, ROS1, RET	
		遺伝子増幅[6]		EGFR, MET, MYC	
		遺伝子欠損			TP53, P16, RB, LKKB1
	エピゲノム変化	DNAメチル化[7]			P16, RASFF1A, APC, CDH13
		ヒストン[8]	脱アセチル化		○
			メチル化		○
		マイクロRNA (miRNA) （サイドメモ）	発現低下 (tumor suppressor miRNA)	let-7 (RAS), miR-15/16 (BCL2, CCND1, JUN), miR200 (Zeb1/2), miR-34 (CDK4, CDK6, cyclinE2)	
			過剰発現 (onco miRNa)	miR-17-92 (E2F1, PTEN, p21), miR21 (PTEN), miR155 (SOS1)	

[1]：アミノ酸の変化をもたらす変異
[2]：DNAに塩基の挿入（insertion），欠失（deletion）をもたらす変異．この場合，挿入される変異数が3の倍数の場合はインフレームといわれ，それぞれ正常蛋白にアミノ酸が挿入あるいは欠失されることになる．一方，3の場合でない場合は，コドンの読み枠がそれ以降かわってしまうため，その後のアミノ酸はまったく変わってしまい，多くはストップコドンが早期に現れて短い蛋白が合成される．
[3]：塩基置換のためにアミノ酸をコードしていたコドンがTAAやTAGといった終止コドンに変化するもので短い蛋白が合成される．
[4]：DNAからmRNAが転写される際に，イントロン部分が跳ばされエキソン部分がつながるスプライシングが起こる．イントロン－エキソン境界部に塩基置換が起こったりするとこのスプライシングに異常をきたすことがある．
[5]：異なった遺伝子同士が結合して融合蛋白が合成される場合．
[6]：通常1つの細胞のなかのある遺伝子は父方と母方由来の2コピーあるのが正常だが，これが数コピーから数十コピーへ増幅する場合あるいは欠失して1コピーとなる場合（ヘテロ接合性消失）あるいは遺伝子がまったく欠失する場合（ホモ欠失）がある．
[7]：遺伝子プロモーターに存在するシトシン－グアニン配列のシトシンがメチル化を受けると下流の遺伝子発現は抑制されることが多い
[8]：DNAはヒストンに巻き付いてヌクレオソームを形成しているが，ヒストンのリジン残基の脱アセチル化やメチル化，セリンのリン酸化などの修飾を受け転写活性が制御されている．通常ヒストン脱アセチル化では遺伝子発現が抑制されるが，メチル化は抑制，活性化の両方があるが活性化のことが多い．肺癌ではアセチル化酵素のCREBBP, EP300, メチル化酵素のSETD2, MLL2の変異が知られている

②ALK (anaplastic lymphoma kinase), ROS1 遺伝子転座, NTRK 遺伝子転座

これらの3遺伝子も受容体型チロシンキナーゼをコードしている．ALK遺伝子の活性化はEML4遺伝子との第2染色体短腕内の転座による融合によることが多く，結果としてEML4の三量体化ドメインのためにリガンド結合なしに三量体化し活性化すると考えられる．転座の検出は転座により増量したALK蛋白を検出する免疫染色法，蛍光ハイブリダイゼーション（FISH）次世代シーケンシングが保険適用されている．ALK転座は肺腺癌の5％程度に認められ，若年者（平均で10歳程度若年），非喫煙者，独特の組織型（腺房型，篩状構造，印環細胞癌との関連）などの特徴を有する腺癌に多い．このような肺癌に対してALKチロシンキナーゼ阻害薬であるクリゾチニブ，アレクチニブ，セリチニブ，ブリガチニブ，ロルラチニブなどの効果は大きい．

ROS1もALK類似の受容体型チロシンキナーゼの遺伝子であり，同様に遺伝子転座によって活性化される．その頻度はさらに低く，腺癌の1～2％程度である．この遺伝子異常を有する肺癌もクリゾチニブ，エヌトレクチニブがよく奏効する．

NTRKは神経栄養因子の受容体であるが，この遺伝子転座も非常にまれに（<1％）肺癌に存在し，この治療薬であるエヌトレクチニブもすでに承認されている．

③BRAF V600E

BRAFはEGFR-RASの下流に位置し，さらに下流のMEK, ERKへシグナルを伝える．BRAF遺伝子変異の頻度は肺腺癌の2％程度で，様々なコドンに起こるが，その半数はV600E変異である．この変異を有する肺癌についてはBRAF阻害薬であるダブラフェニブとMEK阻害薬であるトラメチニブによって治療される．MEK阻害薬が必要な理由は，MEKからのネガティブフィードバックがRASにおよぶために，MEKの活性化がCRAFを介して起こるためである．

④新規の肺癌のドライバー遺伝子（driver gene）

上記の他にHER2変異，RET遺伝子転座，METエクソ

表3 組織型別にみた肺癌の遺伝子異常の頻度（％）

			腺癌	扁平上皮癌	小細胞癌
受容体チロシンキナーゼ		EGFRm,a/ERBB2m,a/ERBB3m	11/3/0	9/4/2	
		FGFR1a,e/FGFR2m/FGFR3m		7/3/2	6/0/0
		METm/ALKt/RETt/ROS1t	7/1/<1/2		
RAS/RAF/MAPK 経路		KRASm,a/HRASm/NRASa/RIT1m/NF1m	32/0/0/2/11	3/3/<1/0/0	
		BRAFm	7	4	
PI3K/AKT/mTOR 経路		PIK3CAm,a	4	16	
		PTEN d,e,m	3	15	10
		AKT1m/AKT2a/AKT3e	1	<1/4/16	
		STK11（LKB1）m	17	2	
		TSC1m/TSC2m		3/3	
細胞周期		p16INK4d,me, m/ARFd	43	73	
		RB1m,d	4	7	100
		TP53m, d	46	81	100
		CCNE1a/CCND1a	3/4	0/12	8/0
		CDK4a	7		
		MDM2a	8		
		ATMm	9		
		MGAm/MYCa/MYCLt	8/0/0	0/6/0	0/18/19*
		FBXW7m		6	
テロメラーゼ		TERTa	21		
転写調節関連	ヒストン調節 メチル化	SETD2m/MLL2m	9/0	0/20	0/10
	アセチル化	CREBBP/EP300m		8	18
	RNA スプライシング	U2AF1m/RBM10m	4/9		
	染色体リモデリング	ARID1Am/ARID1Bm/ARID2m/SMARCA4m	7/6/7/6	0/0/0/4	
分化関連遺伝子	末梢肺分化	NKX2-1（TTF1）a	24		
	扁平上皮分化関連	TP63a,e/NOTCH1m/NOTCH2m/ASCL4m/FOXP1d		16/8/5/3/4	
	幹細胞関連	SOX2a, e		21	27*
細胞骨格	アクチン細胞骨格の調節	SLIT2m/EPHA7m			10/10
酸化ストレス経路		KEAP1 m	19	12	
		NFE2L2 a, m/CUL3m	3/0	19/7	
主要組織適合性抗原		HLA-Am		4	

m：突然変異，a：遺伝子増幅，t：遺伝子転座，e：発現異常，d：遺伝子欠失，me：プロモーターメチル化
赤字：gain-of-function, 青字：loss-of-function
*：Rudin et al. Nat gen 2012; 44: 1111-1115 による．
（文献2～4を中心に要約）

ン14スキッピング変異などがその他の受容体型チロシンキナーゼのドライバー遺伝子変異であり，それぞれの特異的阻害薬による治療が開発されている．MET 阻害薬であるテポチニブ，カプマチニブは 2020 年に承認された．さらに HER3，HER4 のリガンドである NRG1 遺伝子の転座が浸潤性粘液性腺癌の一部に認められ，HER3 阻害薬を治療応用する試みがされている．しかし，一般にこれらの変異の頻度は少なく，効率的なスクリーニング法の開発が重要な問題となっており，わが国でも次世代シーケンシング技術による遺伝子検査の保険償還が 2019 年より始まった．

⑤KRAS 遺伝子

受容体型チロシンキナーゼシグナルの下流に位置する GTPase 活性を持つ蛋白で，肺癌では主にコドン 12 の点突然変異により活性化されている．この変異は浸潤性粘液性腺癌に多いとされる．欧米人の腺癌では 30％程度に認められるのに対して日本人では 10％強程度であり，EGFR 変異と逆の関係にある．KRAS は癌遺伝子としては最も古く，1980 年代より知られているにもかかわらず現在まで治療への応用がなされていない．肺癌において KRAS コドン 12 の変異の約 1/3 は G12C 変異であるが，これに対して最近特異的阻害薬が開発され将来が期待されている．なお，GTP 結合した活性型 KRAS を GDP 結合した不活性型に戻す NF1（神経芽細胞腫遺伝子）の不活性変異が 11％，RAS サブファミリーに属する RIT1 の活性化変異 2％が KRAS 変異と相補的に認められる．

⑥細胞周期関連遺伝子

p16INK4d，TP53 の不活化の頻度が高い．図1に示すように p16 の不活化はサイクリン–サイクリン依存性キナーゼ

VI. 肺の腫瘍性疾患

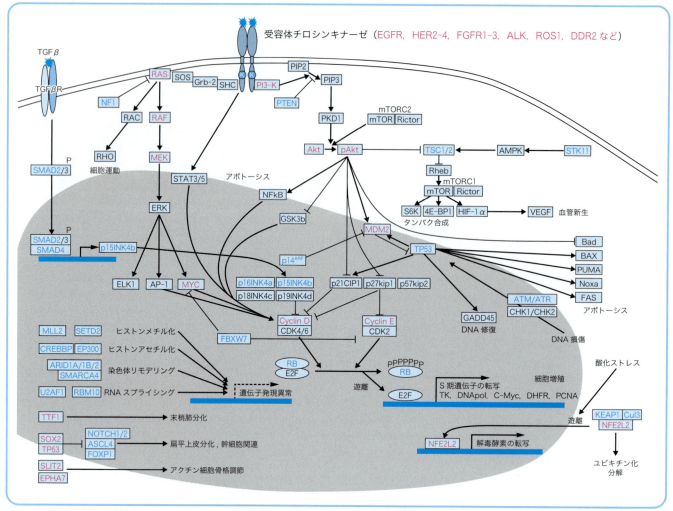

図1　肺癌において変異のある遺伝子とその機能
癌遺伝子であって，肺癌において変異により活性化されるものを赤字，腫瘍抑制遺伝子であって変異により不活化されるものを青字で示した．

(CDK)活性上昇→RBリン酸化とRBの不活化はともに転写因子E2Fの放出という同じ効果をもたらすが，一般に非小細胞肺癌ではp16の不活化，小細胞肺癌ではRBの不活化がみられる．TP53は細胞周期のみならず，アポトーシスにも重要な役目を果たしており，すべての種類の癌で最も高頻度に不活化している遺伝子といえる．

> **Side Memo**
> 【ドライバー遺伝子】
> 癌に多数みられる遺伝子異常の大半は遺伝子不安定性や多くの細胞分裂のためにたまたま起こる変異であり，癌の表現型すなわち増殖や浸潤といった形質の獲得に対しては中立的であり，パッセンジャー遺伝子変異と呼ばれる．一方で，癌の発生や進展に必須な遺伝子はドライバー遺伝子と呼ばれ，その異常はひとつの癌あたり1～数個であると考えられている．EGFRやALKは典型的なドライバー遺伝子であり，これらが突然変異などで活性化している肺癌に対してこの機能を薬理学的に阻害すると癌細胞に効率よく細胞死を誘導できる．この現象をoncogene addiction（癌遺伝子依存性）と呼び，分子標的治療の理論的根拠となっている．

2) 扁平上皮癌[3]

扁平上皮癌においても受容体型チロシンキナーゼ，その下流の経路，細胞周期関連遺伝子変異が高頻度に認められている．特にp16とTP53の変異は高頻度である．また，SOX2，TP63など扁平上皮分化関連遺伝子の活性化も比較的頻度が高い．また，酸化ストレスにかかわる遺伝子，KEAP1，NFE2L2（あるいはNRF2），CUL3のいずれかの異常は40%の症例で観察されている．NFE2L2は酸化ストレスによってCUl3とKEAP1より遊離されて活性化し，解毒酵素の転写にかかわる．したがって，正常な細胞では癌化を抑制しているとともに，癌においては抗癌薬の耐性にかかわっていることが示されている．この経路の異常は腺癌でも20%程度で見出されている．

扁平上皮癌で認められるFGFR1(fibroblast growth factor receptor 1)増幅やDDR2(Discoidin domain receptor tyrosine kinase 2)変異など受容体チロシンキナーゼが活性化しているものは，腺癌同様にこれらを標的とした薬物治療が開発されつつある．

3) 小細胞肺癌[4]

小細胞肺癌では組織検体が非小細胞肺癌より入手しにく

いために研究がやや遅れているが，ほぼ全例にRB遺伝子とTP53遺伝子の不活化を認める．エピジェネティックな調節に関わる遺伝子変異の頻度は比較的高頻度でヒストンアセチル化にかかわるCREBBPまたはEP300の不活化変異は10〜20％に認められる．最近，ASL1（ASH1），NeuroD1，YAP1，POU2F3という転写因子の発現によって4つのタイプに亜分類できることが提唱されており，今後治療戦略への応用が期待される．

c 癌の多様性と可塑性 レベルC

種々の癌で一人の患者の異なった腫瘍部位，ひとつの腫瘍のなかの異なった部位のゲノム解析が行われている．他の多くの癌と同様に，肺癌でも一患者の複数部位で変異を比較した場合，共通である変異は30％程度に過ぎないという．しかし，EGFRなどのドライバー遺伝子は共通して存在する傾向にある．この空間的な多様性のほかに，特に治療が入るとその選択圧力によって耐性獲得される過程でさらにゲノムは多様になっていく．このことがドライバーに対する分子標的治療において治癒がもたらされない原因と考えられる．

d 肺癌の分子生物学の臨床応用と呼吸器外科医の役割 レベルC

肺癌の分子生物学的理解の初期の成功としてEGFRやALK遺伝子異常を有する肺癌に対する分子標的治療がある．現在も安全性・有効性の面からより優れた薬物の開発，耐性への対応，あるいは新規の分子標的の同定を目指して多くの研究が行われている．最近，免疫チェックポイント阻害薬（Side Memo参照）がメラノーマ，腎癌のみならず肺癌にも高い抗腫瘍効果をもたらすことが明らかとなり，精力的な臨床開発が行われている．その他に，診断面では遺伝子異常を指標とした微量の癌の検出や，血漿中の可溶性DNAにおける癌特異的遺伝子変異を検出する（リキッドバイオプシー）ことによる癌治療のモニタリングの検討も行われている．

このような大きなパラダイムシフトのなかで，当然呼吸器外科医もその役割について考え直す必要があろう．ますます重要性を増している良質な腫瘍検体の供給を担うことのほかに，周術期の分子標的治療の併用の意義の確立，肺癌の分子異常に応じた手術術式の最適化，分子標的治療耐性の際にみられる限局した転移病巣に対する外科的切除の意義の確立，などが求められている[5]．

Side Memo

【免疫チェックポイント】

免疫チェックポイント機構は自己免疫を抑制する機構であるが，癌がこの機構を悪用して免疫監視から逃れていることが明らかとなった．たとえば，PD-L1を発現している癌はリンパ球に発現しているPD-1と結合してリンパ球の細胞障害活性を抑制する．したがって，PD-1やPD-L1に対する抗体を投与しこの相互作用をブロックすることで抗腫瘍効果が得られることが期待される．また，別のチェックポイント機構であるCTLA4に対する抗体はメラノーマなどで高い抗腫瘍抗腫瘍効果を示している．肺癌においても持続する強い抗腫瘍効果が得られており新しい治療手段として熱い注目を浴びている．

文献
1) Hanahan D et al. Cell 2011; **144**: 646
2) The Cancer Genome Atlas Research Network. Nature 2014; **511**: 543
3) The Cancer Genome Atlas Research Network. Nature 2012; **489**: 519
4) Peifer M et al. Nat Gen 2012; **44**: 1104
5) Mitsudomi T et al. Nat Rev Clin Oncol 2013; **10**: 235

C 肺癌の組織型分類

要点

1. WHO 肺癌組織型分類（第4版）を理解する．
2. 肺腺癌の新分類では，前浸潤性病変として異型腺腫様過形成（AAH）と上皮内腺癌（AIS）が分類されたこと，微少浸潤性腺癌（MIA）が規定されたこと，組織亜型が改訂されたことを理解する．
3. 神経内分泌腫瘍というカテゴリーが加わり，小細胞癌，大細胞神経内分泌癌，カルチノイドなどが含まれる．

Key Word WHO 分類，神経内分泌腫瘍，異型腺腫様過形成，上皮内腺癌，微少浸潤性腺癌，置換性増殖

肺癌の病理組織分類は診断・治療に極めて重要な情報を提供するものであり，それらを的確に理解する．なお，肺癌の組織型分類は 2015 年 4 月に改訂された WHO 肺腫瘍分類（第 4 版）に基づく分類が推奨される．表 1 にその概要を示す．

a 腺癌

WHO 分類（第 4 版）では，腺癌（adenocarcinoma）分類が大きく改訂された．要点は，野口分類 Type A, B にあたる腺癌が上皮内腺癌として，上皮内癌から浸潤癌になる前の癌が微少浸潤性腺癌として分類されたことである．また，優位な組織亜型を主たる診断名にすることになった（表 2）．TNM 分類の改訂によって T 因子と，浸潤径，全体径，組織診断が密接に関連しているため，細かく規定された pTis/pT1 の評価方法を図に示す（図 1）．

1）前浸潤性病変 レベルC

細気管支肺胞上皮癌という診断名は廃止され，異型腺腫様過形成（atypical adenomatous hyperplasia）と上皮内腺癌（adenocarcinoma in situ：AIS）が前浸潤性病変（preinvasive lesions）に分類される（図 2a）．後者は大きさ 3 cm 以下で置換性増殖を示す癌である．完全切除例の無病生存率は 100％である．ほとんどの AIS は非粘液産生性である．

表 1 肺腫瘍の WHO 組織分類（第 4 版）の概要

1. 腺癌　adenocarcinoma
2. 扁平上皮癌　squamous cell carcinoma
3. 神経内分泌腫瘍　neuroendocrine tumours
4. 大細胞癌　large cell carcinoma
5. 腺扁平上皮癌　adenosquamous carcinoma
6. 肉腫様癌　sarcomatoid carcinoma
7. 分類不能癌　other and unclassified carcinoma
8. 唾液腺型腫瘍　salivary gland-type tumours
9. 乳頭腫　papillomas
10. 腺腫　adenomas
11. 間葉系腫瘍　mesenchymal tumours
12. リンパ組織増殖性腫瘍　lymphohistiocytic tumours
13. 異所性腫瘍　tumours of ectopic origin
14. 転移性肺腫瘍　metastatic tumours

表 2 肺腺癌の WHO 組織分類（第 4 版）

腺癌　adenocarcinoma
　　置換型腺癌　lepidic adenocarcinoma
　　腺房型腺癌　acinar adenocarcinoma
　　乳頭型腺癌　papillary adenocarcinoma
　　微小乳頭型腺癌　micropapillary adenocarcinoma
　　充実型腺癌　solid adenocarcinoma
特殊型腺癌　variants of adenocarcinoma
　　浸潤性粘液性腺癌　invasive mucinous adenocarcinoma
　　粘液・非粘液混合腺癌　mixed invasive mucinous and non-mucinous adenocarcinoma
　　コロイド腺癌　colloid adenocarcinoma
　　胎児型腺癌　fetal adenocarcinoma
　　腸型腺癌　enteric adenocarcinoma
微少浸潤性腺癌　minimally invasive adenocarcinoma
　　非粘液性　non-mucinous
　　粘液性　mucinous
前浸潤性病変　preinvasive lesions
　　異型腺腫様過形成　atypical adenomatous hyperplasia
　　上皮内腺癌　adenocarcinoma in situ
　　　　非粘液性　non-mucinous
　　　　粘液性　mucinous

pT	pTis	pT1mi	pT1a	pT1a	pT1b	pT1c
浸潤径	0	≦0.5cm	≦0.5cm	0.6〜1cm	1.1〜2cm	2.1〜3cm
全体径	≦3cm	≦3cm	>3cm	>0.6cm	>1.1cm	>2.1cm
組織診断	上皮内腺癌（AIS）	微少浸潤性腺癌（MIA）	置換型腺癌	置換型腺癌 乳頭型腺癌 腺房型腺癌 充実型腺癌 微小乳頭型腺癌		

図1 腺癌のpTis/pT1評価法
(Travis WD et al. J Thorac Oncol 2016;11(8):1204-23 より引用改変)
(日本肺癌学会（編）．臨床・病理 肺癌取扱い規約，第8版，金原出版，p.124, 2017[3] より許諾を得て転載)

2) 微少浸潤性腺癌（MIA） レベルC

微少浸潤性腺癌（minimally invasive adenocarcinoma：MIA）は，大きさ3cm以下の置換性増殖主体の腫瘍で，浸潤巣の大きさ5mm以下のもの（図2b）．完全切除例の無病生存率はほぼ100％である．ほとんどのMIAは非粘液産生性である．

3) 浸潤性腺癌 レベルB

浸潤性腺癌（invasive adenocarcinoma）の5つの組織亜型（表2）の占める割合を5％刻みで評価し，最も優勢なものを診断名とする．その他の亜型の占める割合も表記する．悪性度の面からは置換型は低悪性度，腺房型および乳頭型は中悪性度，微小乳頭型および充実型は高悪性度とされている．

① 置換型腺癌

置換型腺癌（lepidic adenocarcinoma）は，置換性増殖のみの場合は3cmを超えるか，3cm以下の場合は5mmを超える浸潤部があるもの．置換性増殖は，肺胞隔壁肥厚，あるいは弾性線維増生を伴う虚脱がみられる場合があるが，線維芽細胞の増生巣や脈管浸潤，胸膜浸潤などがない．浸潤性増殖は粘液非産生性の腫瘍細胞からなる．免疫染色では，核にTTF-1が陽性になる．EGFR遺伝子の変異を高頻度に認める．

② 腺房型腺癌

腺房型腺癌（acinar adenocarcinoma）は，腺管状増殖を呈する．気管支上皮細胞類似あるいは気管支腺に分化した腫瘍細胞からなることが多い．免疫染色ではTTF-1陽性が多い．

③ 乳頭型腺癌

乳頭型腺癌（papillary adenocarcinoma）は，線維血管間質を有する乳頭状構造を呈し，既存の肺胞構造を破壊し増殖する．立方状あるいは高円柱状の気管支上皮類似細胞からなる．免疫染色ではTTF-1陽性が多い．

④ 微小乳頭型腺癌

微小乳頭型腺癌（micropapillary adenocarcinoma）は，線維血管間質を欠く偽乳頭状増殖を示し，花冠状の小型細胞集塊を形成し，気腔内に浮遊するという特徴がある（図2c）．指輪状の場合もある．

⑤ 充実型腺癌

充実型腺癌（solid adenocarcinoma）は，腺房，腺管，乳頭状構造を欠く低分化な増殖を示し，構造上は腺癌と診断することが困難であるが，腫瘍細胞内の粘液を確認できるもの．

4) 特殊型腺癌 レベルC

特殊型腺癌（variants of adenocarcinoma）は，4亜型に分類される（表2）．なお，淡明細胞癌（clear cell carcinoma），印環細胞癌（signet ring cell carcinoma）は独立した特殊型としないが，印環細胞癌とALK異常は極めて関連が深いので，診断に付記することが望ましい．非粘液性腺癌（non-mucinous adenocarcinoma）はEGFR変異と関係するが，KRASとの関係は薄い．

① 浸潤性粘液性腺癌

浸潤性粘液性腺癌（invasive mucinous adenocarcinoma）は，細胞質内に豊富な粘液を有する円柱から高円柱状腫瘍細胞が，肺胞上皮置換性に増殖する．従来mucinous BACと呼ばれていた一群が本型としてまとめられた．KRASの

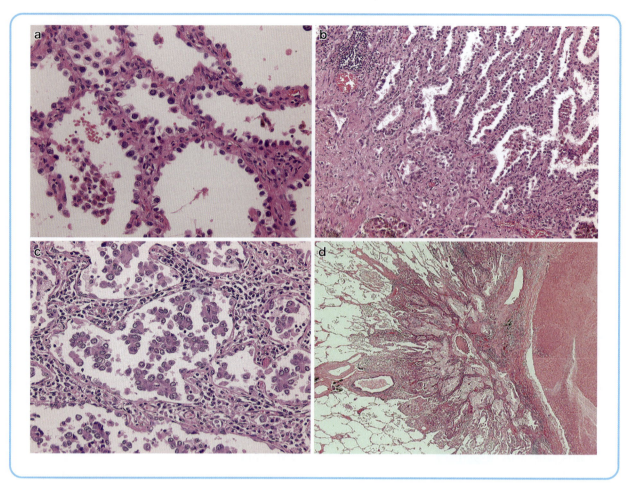

図2 腺癌の組織像
a：上皮内腺癌
b：微少浸潤性腺癌
c：微小乳頭型腺癌
d：腸型腺癌

点突然変異と関係が深い．通常型の腺癌と比較しリンパ節転移は少ない．

②コロイド腺癌

コロイド腺癌（colloid adenocarcinoma）は，豊富な細胞外粘液により肺胞腔が拡張し既存構造が破壊される腺癌で，膠様癌成分が優位なものに限られる．なお，粘液嚢胞腺癌（mucinous cystadenocarcinoma）はコロイド腺癌に統合された．

③胎児型腺癌

胎児型腺癌（fetal adenocarcinoma）は，胎生肺の気道上皮に類似し，グリコーゲンに富む無線毛円柱上皮からなる腺管構造を示す．低悪性度と高悪性度に分ける．前者は複雑な乳頭状構造とモルラ形成を示す純粋な胎児肺類似構造を有し，後者は少なくとも50%に胎児肺類似構造を有する．

④腸型腺癌

腸型腺癌（enteric adenocarcinoma）は，大腸癌に酷似する腺癌で，免染ではTTF-1やNapsin Aが陰性，CDX2やCK20が一部陽性となる．EGFR変異頻度は低く，KRAS変異頻度は高い（図2d）．

b 扁平上皮癌 レベルB

浸潤性扁平上皮癌（squamous cell carcinoma）は主に，角化型，非角化型，類基底細胞型の3型に分けられる．

1）角化型・非角化型扁平上皮癌

角化型・非角化型扁平上皮癌（keratinizing and non-keratinizing squamous cell carcinoma）は，角化あるいは細胞間橋を示すもの．免疫組織化学的に扁平上皮癌マーカー（表3）の発現がみられる未分化型非扁平上皮癌も含む．ほとんどの扁平上皮癌は中分化または低分化である．非角化型や生検材料では診断に免疫染色が必要で，p40，CK14，CK5/6の陽性所見が役立つ（表3）．TTF-1（弱陽性の細胞が10%未満）や粘液染色は陰性か，または部分的に陽性のみである．

肺癌中の扁平上皮癌の割合は約30%程度で，男女比は10：1，好発年齢は65歳で，腺癌よりやや高齢者に多い．約2/3は中枢発生であるが，末梢発生が約50%との報告もある．

中枢型は気管支腔内に多結節状あるいはポリープ状隆起

を形成する．末梢型は塊状に増殖する．角化や細胞間橋は小範囲にしかみられないが，多くの部位で胞巣形成と，その中心部に向かう求心性配列をみる．

2）類基底細胞型扁平上皮癌 レベルC

類基底細胞型扁平上皮癌(basaloid squamous cell carcinoma)は，立方状ないし紡錘形で細胞質に乏しい小型腫瘍細胞が，胞巣を形成し胞巣辺縁で核の柵状配列が顕著な未分化癌．角化型あるいは非角化型扁平上皮癌を伴うことがあるが，基底細胞成分が50％を超える場合に本腫瘍とする．予後は病期依存であるが，一般に他の非小細胞癌よりやや不良である．

全例でp40，p63，サイトケラチンの発現がみられ，TTF-1の発現はみられない．10％に神経内分泌マーカーが限局的陽性である．

3）前浸潤性病変 レベルC

前浸潤性病変(preinvasive lesion, squamous cell carcinoma in situ)には，異形成と上皮内扁平上皮癌が含まれる．異形成は軽度，中等度，高度に分類される．

C 神経内分泌腫瘍 レベルC

神経内分泌腫瘍(neuroendocrine tumours)は，肺癌の約15％を占め，小細胞癌，大細胞神経内分泌癌，カルチノイド，および前浸潤性病変［びまん性特発性肺神経内分泌細胞過形成(diffuse idiopathic pulmonary neuroendocrine cell hyperplasia：DIPNECH)］がその亜型である．一般に，ロゼットの形成，鋳型状配列molding，腫瘍胞巣の柵状構造，類器官構造が含まれる．

1）小細胞癌 レベルA

小細胞癌(small cell carcinoma)は，小型細胞からなり，細胞質に乏しく，核クロマチンは微細顆粒状で，核小体はないか，あっても目立たない．以前は，気管支に存在するKulchitsky細胞と同じ起源という説があったが，Ⅱ型肺胞上皮細胞との共通性が強いという報告から神経内分泌細胞起源の説は否定的である．肺癌の15～20％で，中枢型が多いが，約5％は末梢発生．手術例での頻度は2～4％といわれる．喫煙と深く相関し，発見時に広範なリンパ節転移をきたした状態が多い．

核所見と鋳型状配列が重要で，核の大きさは静止期リンパ球の約3倍である．通常，免疫組織化学では，クロモグラニンA，シナプトフィジン，CD56(NCAM)などの神経内分泌マーカーが陽性になるが，診断に際して免疫染色は義務づけられない．混合型小細胞癌(combined small cell carcinoma)は，小細胞癌成分のほかに腺癌，扁平上皮癌，大細胞癌または大細胞神経内分泌癌を含むもので，腺癌との混合例が多い．

2）大細胞神経内分泌癌(LCNEC) レベルC

大細胞神経内分泌癌(large cell neuroendocrine carcino-

表3 腺癌，扁平上皮癌，大細胞癌の特殊染色・免疫組織化学的染色による鑑別

抗体ほか	腺癌	扁平上皮癌	大細胞癌
PAS	＋(粘液)	＋(グリコーゲン)	－
Alcian-blue	＋	－	－
TTF-1	＋	－	－
SP-A	＋	－	－
NapsinA	＋	－	－
p40	－	＋	＋(部分的)／－
CK14	－	＋／－	－
CK5/6	－	＋	＋(部分的)／－

－：陰性，＋：陽性，＋／－：陽性または陰性

ma：LCNEC)は，従来は非小細胞肺癌である大細胞癌の亜型であったが，今後は神経内分泌腫瘍のひとつとして明示された．肺癌の3～5％で，高齢者，男性に多く，喫煙との関連が深い．多くは肺末梢の孤発性腫瘍として発見され，予後不良であるが，化学療法の感受性が比較的高く小細胞癌に近い奏効率を示すという報告が多い．

大型の核と比較的豊かな細胞質を持つ異型細胞が神経内分泌形態を示し，充実性ないし柵状に増殖する．核分裂像は，高倍率10視野で最低11個以上，通常は50～80個認められる．神経内分泌マーカーが陽性でなければならず，推奨されるのはクロモグラニンA，シナプトフィジン，NCAMである．本腫瘍に，腺癌，扁平上皮癌などが合併した場合は，混合型(combined)LCNECと診断される．

3）カルチノイド腫瘍 レベルC

カルチノイド腫瘍(carcinoid tumours)は，低から中間悪性度の性質を有する．肺癌の0.5～1％で，中枢発生が多いが，約1/3は末梢発生．45～50歳に好発，性差はなく，喫煙との関連性は乏しい．予後は一般に良好(5年生存率87％以上)であるが，化学療法・放射線治療への感受性が低く，外科的切除が主体となる．

定型(typical)カルチノイドと異型(atypical)カルチノイドに区別され，前者は核分裂像が2mm^2(およそ10高倍率視野)あたり2個未満で壊死のないもの，後者は核分裂像が同2個以上11個未満あるいは壊死のあるものとする．診断の際に神経内分泌マーカーの免疫染色は義務づけられていないが，その発現の確認が必要である．神経内分泌マーカーがびまん性に強陽性となる．

4）前浸潤性病変［びまん性特発性肺神経内分泌細胞過形成(DIPNECH)］ レベルC

前浸潤性病変(preinvasive lesion)［びまん性特発性肺神経内分泌細胞過形成(DIPNECH)］は，非浸潤性の神経内分泌腫瘍で，切除例の約0.3％．閉塞性細気管支炎，テューモレット，カルチノイドをしばしば伴い，非喫煙者に比較的多いことからカルチノイドの前駆病変と推定されている．偶発的に指摘されることが多い．ごくまれにmultiple endocrine neoplasia(MEN)type 1 の一部としてみられる．終末細気管支領域に発生し，小型の肺神経内分泌細胞が粘膜内に小集塊あるいは単層に増殖する．神経内分泌マーカーが陽性を示す．

d 大細胞癌 レベルB

大細胞癌(large cell carcinoma)は，未分化な悪性上皮性腫瘍で，神経内分泌癌，腺癌，扁平上皮癌への分化を欠いている．1990年代は肺癌の約10％と言われていたが，大細胞癌の定義に免疫染色による判定が導入され，その頻度は近年減少している．大部分が喫煙者である．

e 腺扁平上皮癌 レベルB

腺扁平上皮癌(adenosquamous carcinoma)は，扁平上皮癌と腺癌の成分からなり，それぞれの成分が少なくとも腫瘍の10％以上を占めるものである．男性に多く，喫煙との関連が示唆される．頻度は0.4〜4％である．

f 肉腫様癌 レベルC

肉腫様癌(sarcomatoid carcinoma)には，以下の5型がある．

1) 多形癌，紡錘細胞癌，巨細胞癌

多形癌(pleomorphic carcinoma)は，紡錘細胞あるいは巨細胞を含む腺癌，扁平上皮癌，大細胞癌，あるいは紡錘細胞と巨細胞のみからなる癌である．癌腫成分は腺癌が最も多く，大細胞癌，扁平上皮癌が続く．紡錘細胞癌(spindle cell carcinoma)は，紡錘形の腫瘍細胞のみからなる．巨細胞癌(giant cell carcinoma)は，高度の多形性を示す単核あるいは多核巨細胞からなる．

2) 癌肉腫

癌肉腫(carcinosarcoma)は，扁平上皮癌や腺癌などの非小細胞癌と，横紋筋肉腫，軟骨肉腫，骨肉腫などの肉腫が混在し，男性の重喫煙者に好発する．発見時の約半数にリンパ節転移などを伴い予後不良である．

3) 肺芽腫

肺芽腫(pulmonary blastoma)は，低悪性度胎児型腺癌と未熟な間葉細胞成分からなる二相性腫瘍で，全肺癌切除例の0.1％未満である．

g 分類不能癌 レベルC

分類不能癌(other and unclassified carcinomas)には，リンパ上皮腫様癌(lymphoepithelioma-like carcinoma)とNUT carcinomaがあげられている．前者は，リンパ球浸潤の目立つ未分化な形態を呈し，in situ hybridizationでEBER1が癌細胞の核内に証明される．後者は予後不良な腫瘍で，NUT遺伝子の転座t(15;19)により定義される．

h 唾液腺型腫瘍 レベルC

唾液腺型腫瘍(salivary gland-type tumours)は，唾液腺腫瘍類似の腫瘍で，気管・気管支腺に由来する．良性として，粘液腺腺腫，多形腺腫，筋上皮腫があり，悪性として，粘表皮癌，腺様嚢胞癌，腺房細胞癌，上皮筋上皮癌がある．唾液腺型癌の大部分は粘表皮癌と腺様嚢胞癌である．

1) 粘表皮癌

粘表皮癌(mucoepidermoid carcinoma)は，肺腫瘍の1％未満．30〜40歳代に好発し，性差はなく，喫煙と関連しない．中枢気道に発生するが，気管発生はまれ．気管支内腔に結節状に突出し，表面は気管支粘膜に覆われ通常平滑である．粘液細胞，中間細胞，扁平上皮細胞からなる．

2) 腺様嚢胞癌

腺様嚢胞癌(adenoid cystic carcinoma)は，肺腫瘍の1％未満．40〜50歳代に好発し，性差はなく，小児ではほとんど認めず，喫煙と関連しない．中枢に発生し気管発生が多い．粘膜下の浸潤傾向や壁外進展が目立ち，画像や肉眼所見で想定される範囲を超えて広がることがあり，手術時に断端や剝離面での腫瘍陽性に注意する．

導管上皮様細胞と筋上皮細胞の2種類の細胞からなり，篩状，管状，充実性構造を呈する．篩状構造が典型で，病巣内に小嚢胞がみられ，その多くは偽腺腔である．

> **Side Memo**
> WHO分類(第4版)の腺癌では，組織亜型の優位なものを主たる診断名にする．しかし，浸潤性腺癌のうち，微小乳頭型腺癌でリンパ節転移のない早期病変では微小乳頭状増殖の存在そのものが予後不良因子となる．したがって，本増殖の優位性が問題なのではなく，その存在を正しく診断することが重要である．

文献

1) 深山正久ほか(編)．腫瘍病理鑑別診断アトラス—肺癌．文光堂，2014
2) WHO Classification of Tumours of the Lung, Pleura, Thymus and Heart, 2015
3) 日本肺癌学会(編)．臨床・病理 肺癌取扱い規約，第8版．金原出版，p67-124, 2017
4) Pass HI et al. The IASLC Multidisciplinary Approach to Thoracic Oncology, IASLC, 2014

D 肺癌のTNM分類(UICC-8)と病期 レベルA

要点

1. TNM病期分類は，癌などの悪性腫瘍の進行度の指標であり，癌の進展範囲を解剖学的に記述するものである．
2. TNM病期分類は，治療法の選択，予後の推定，治療成績の施設間，成績の国際比較などのためには欠かせない情報である．
3. 肺癌治療に当たっては，TNM病期分類によって癌の拡がり，進行度を正しく評価することが治療計画策定の前提となる．
4. 現行の肺癌のTNM病期分類は，第8版が使用されており，2017年から使用されている．

Key Word 肺癌，病期，TNM，腫瘍径，胸膜浸潤，無気肺，リンパ節転移，リンパ節マップ，遠隔転移，予後

a TNM病期分類とは何か？

現在，肺癌の進行度は，"癌病巣の解剖学的な進展範囲，拡がり"として認識されている．このために，主腫瘍 tumor (T)，リンパ節転移 lymph node metastasis (N)，遠隔転移 distant metastasis (M) の状態を総合的に評価しそれらを組み合わせて，病期 stage として定義している（TNM病期分類）．今日では，この病期は，治療法の選択，予後の推定，治療成績の施設間，成績の国際比較などのためには欠かせない情報となっている．癌の日常診療においては，TNM病期分類によって病期を正確に評価して決定することから診療が開始される．国際的な規約であるTNM病期分類は，UICC (Union for International Cancer Control) と AJCC (American Joint Committee on Cancer) によって維持，改訂が行われており，これらの目的は，

1. 臨床家が治療計画を立てる一助となる
2. 予後に関する示唆を与える
3. 治療結果を評価する手助けとなる
4. 治療機関の間での情報交換を円滑にする
5. ヒト癌の持続的研究に貢献する

など多岐にわたっている．現行のTNM病期分類は，2017年に発効した第8版が使用されており，第9版は2023年の発効を目指して改訂が進んでいる[1,2]．

TNM病期分類の改訂作業については若干の補足説明が必要であろう．TNM病期分類が，UICCとAJCCによって改訂，維持されていることはすでに述べたが，重要なことは，両者の定義は基本的には同一であるということである．さらに日本肺癌学会は，肺癌取扱い規約のなかでTNM病期分類を定義しているが，これも日本独自のものではなく，UICC，AJCCの定義を踏襲した上で，若干の補足を行うという立場でつくられている．本邦では，いくつかの臓器の癌で，取扱い規約の中で日本独自のTNM病期分類が定義されているが（膵癌，食道癌，肝癌など），病期分類本来の目的に立ち返って考えれば，望ましい姿ではなかろう（例えば，治療成績の国際比較ができないなど）．

b 現在のTNM病期分類とその改訂作業

TNM病期分類の歴史は古く，フランスのDr. Denoixによって1950年代に創始された．癌と言う病気の進行状態を，解剖学的に腫瘍，リンパ節，遠隔臓器の状態によって記載しようという発想は，当時としてきわめて傑出したものといえるであろう．このような，実際の臨床的な観察によって得られた着眼点は，今でも多くの癌でそのまま通用するものであるが，その一方で，比較的悪性度の低い腫瘍や非上皮性腫瘍（肉腫など）ではもともとリンパ節に転移し難いなどの特性があって，同じリンパ節転移の予後的な意義が上皮性腫瘍と異なるなどの側面もある．しかし，いずれにせよ，T，N，Mの3者によって癌の状態を記載することの病理学的，臨床的な妥当性は，半世紀以上にわたってこれが使用され現在にいたっている事実によって，十分証明されていると言ってよいであろう．

胸部領域においては，肺癌のみならず，悪性胸膜中皮腫，胸腺上皮性腫瘍についても，TNM分類が定義されつつある．これらのTNM分類の改訂作業は，実質的には世界肺癌学会（IASLC）が作業を担当している[3]．IASLCは，その改訂案をUICCとAJCCに提案し，両者がこれを承認するという過程が定着している．このように，当該国際学会が実質的な改訂作業を行う方式は，胸部悪性腫瘍においてのみ行われており，エビデンスに基づく科学的な改訂と言えるであろう．

c TNM病期分類第8版(UICC-8)の内容

すでに述べたように，第8版はUICCにおいては2017年1月1日に，AJCCにおいては2018年1月1日に発効しており，これに連動して，日本肺癌学会の肺癌取扱い規約第8版も2017年1月1日に発効している．

1) T因子

肺癌のT分類は，基本的には腫瘍の大きさ（腫瘍径）と浸

潤性増殖の程度を捉えて，分類がなされている．第8版のT分類については，腫瘍径による予後の差を重要視する一方で，データベース上該当する症例数の少ないものについては重要性が低いと判断して，T因子から排除するという方針がとられた結果完成されたものである．

①腫瘍径によるTの定義

Tのカテゴリーについては，腫瘍径3cm以下をT1とし，腫瘍径が3cmを越えるものをT2とすることには従来通りであるが，腫瘍径1cm毎に細分化し，下記の如く分類された．また，臓器浸潤がなくとも，腫瘍径のみによってT3とT4が下記のように定義されている．これは腫瘍径の予後に対する影響の大きさを考慮したものである．

T1a：腫瘍径1cm以下．
T1b：腫瘍径1cmを超えるが2cm以下．
T1c：腫瘍径2cmを超えるが3cm以下．
T2a：腫瘍径3cmを超えるが4cm以下．
T2b：腫瘍径4cmを超えるが5cm以下．
T3：腫瘍径5cmを超えるが7cm以下．
T4：腫瘍径7cmを超える．

ここで，"腫瘍径"に関する若干のコメントが必要であろう．TNM分類における腫瘍径とは，浸潤性増殖を示す部分についての腫瘍径を指すとされてきた．この立場は現在においても踏襲されている．"癌とは浸潤するものをいう"という，欧米の病理学者の立場を反映するものである(その意味で，本邦で定義される粘膜にとどまる"早期胃癌"は癌ではないことになる)．乳腺のDCIS(ductal carcinoma in situ)を例にあげて，腫瘍径全体が2cmであっても，浸潤部の径が0.5cmであれば，このDCISの腫瘍径は0.5cmとすることが明記されている[4]．その意味で，肺癌の腫瘍径の定義について注意する必要のある病変が，肺門部の中枢気管支の粘膜内にとどまる扁平上皮癌と肺野末梢のいわゆるすりガラス病変(ground glass opacity：GGO)を呈する腺癌 adenocarcinoma in situ である．これらの病変はいずれも浸潤性病変ではないため，TNM分類上，腫瘍径として算定することはできない．図1にすりガラス病変(病理学的には非浸潤性増殖とみなされる)を含む肺野末梢発生の腺癌を例に，腫瘍径の定義を示す．腫瘍径は，浸潤性増殖を示す部分(充実部分)のみであることに注意が必要である．

②臓器，隣接構造物への浸潤によるTの定義

T3とされる浸潤．壁側胸膜，胸壁，横隔神経，壁側心膜．

T4とされる浸潤．横隔膜，縦隔，心臓，大血管，気管，反回神経，食道，椎体，気管分岐部．

このうち，第8版で新たにT4と定義されることになったのが，横隔膜浸潤である．横隔膜浸潤肺癌の予後が，他のT4肺癌なみに不良であることがその理由である．

③胸膜浸潤によるTの定義

壁側胸膜，胸壁への浸潤はT3とされるが，臓側胸膜に浸潤する場合には，腫瘍径に関わらずT2である．臓側胸膜に浸潤せず肺実質に囲まれる腫瘍は，腫瘍径が3cm以下であれば，T1である．

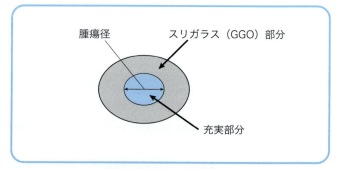

図1　すりガラス陰影(非浸潤性増殖を示すと考えられる部分)を含む病変における腫瘍径の計測

すりガラス陰影の部分を含めずに，充実部分のみ(矢印)を腫瘍径として計測する．

④肺内転移によるTの定義

肺癌の肺内転移は，しばしば同時多発癌，他臓器癌の肺転移との鑑別が問題となることが多く，それぞれTNM分類の規則の適用が異なってくる．ここでは鑑別の問題は取り扱わず，肺内転移であることを前提に，TNM分類の規則を述べる．主腫瘍と不連続な副腫瘍結節 separate tumour nodules(＝肺内転移)が主腫瘍と同一肺葉内にある場合，病変全体をT3とする．副腫瘍結節が同側の他肺葉にある場合，病変全体をT4とする．副腫瘍結節が対側肺にある場合，M1aとして他臓器転移のカテゴリーで(Mとして)で取り扱う．

⑤腫瘍による無気肺あるいは閉塞性肺炎

第7版では，肺門に到達する肺葉以下の無気肺をT2，一側無気肺をT3としていたが，第8版では，無気肺の範囲を問わずに，肺門に及ぶか全肺に及ぶ無気肺あるいは閉塞性肺炎がある場合には，T2とする．

⑥腫瘍の主気管支内先進部の位置

第7版では，主気管支内で腫瘍の先進部が気管分岐部より2cm以遠であればT2，以内であればT3とされていたが，第8版でこの項は棄却された．すなわち，主気管支内の腫瘍先進部の位置はT分類には関与しないこととなった．

以上の定義によって決定されるT因子毎の生存曲線をc-T，p-T毎に示す(図2)[5]．T因子は第8版になりかなり細分化されたが，それぞれの生存曲線はよく分離しており，この分類が概ね妥当であることが示されている．

2) N因子

IASLCリンパ節マップによって定義されるリンパ節部位への転移の有無によってN分類は規定される．転移リンパ節の個数によって分類される他臓器の癌と異なり，肺癌では，転移リンパ節の解剖学的部位が問題となる．現在では，IASLCによって提唱されてリンパ節図譜(マップ，チャート)に則り，転移リンパ節の解剖学的部位が決定されている．

①リンパ節マップ[6]

世界的に使用されていたリンパ節マップは，日本の成毛らによるいわゆる"Naruke map"(現在でも肺癌取扱い規約に収載)と，これをmodifyした"ATS map"あるい

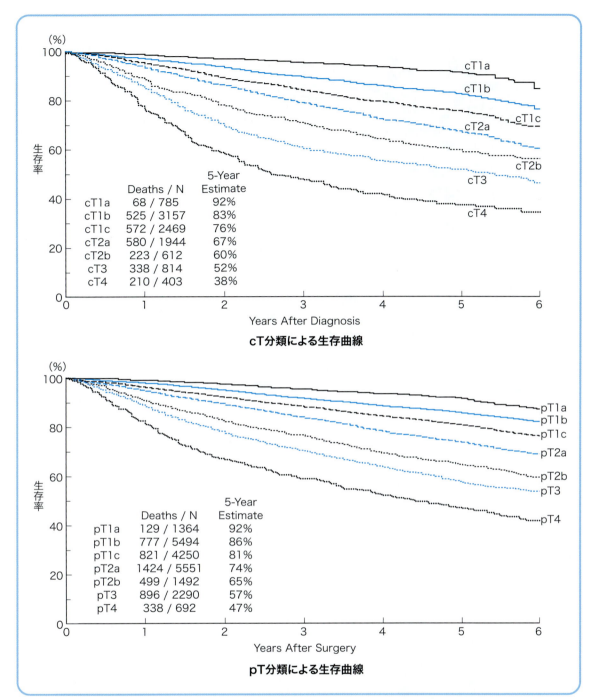

図2 T因子による予後(cTとpT)
(Rami-Porta R et al. J Thorac Oncol 2015; 10: 99 [5] を参考に作成)

は"Mountain-Dresler map"などがあったが，第7版の改訂を機に，これらを統一して新たな"IASLC map"が作成された（図3）．その際の基本方針は，①N1とN2の領域を胸膜翻転部とする定義（"Mountain-Dresler map"）をやめる，②各ステーション（レベル）を解剖学的に定義し，隣接領域との境界を明確にする，③定義は解剖学的指標を用いて記載する，というものである．このマップの押さえておくべき点として，今までN3領域としてリンパ節マップには表示されなかった鎖骨上窩領域を#1としたこと，上縦隔における左右の境界を，気管正中線でなく気管の左縁としたこと，気管分岐部を従来より大きな3角形のエリアとしたこと，などである．

②N分類

リンパ節転移がないものがN0，同側の肺内（#12-14），肺門（#10），葉間リンパ節（#11）への転移がN1，同側縦隔リンパ節（#2-6，8-9），気管分岐下リンパ節（#7）への転移がN2，同側あるいは対側の鎖骨上窩（#1），斜角筋リンパ節，対側縦隔・肺門への転移がN3，と規定されている．この定義は，第8版になっても変更されてはいない．

注意すべき点として，pN因子の決定に当たって，どの程度のリンパ節の病理学的検索が必要かということである．規定によれば，最低6個/箇所のリンパ節/リンパ節部位か

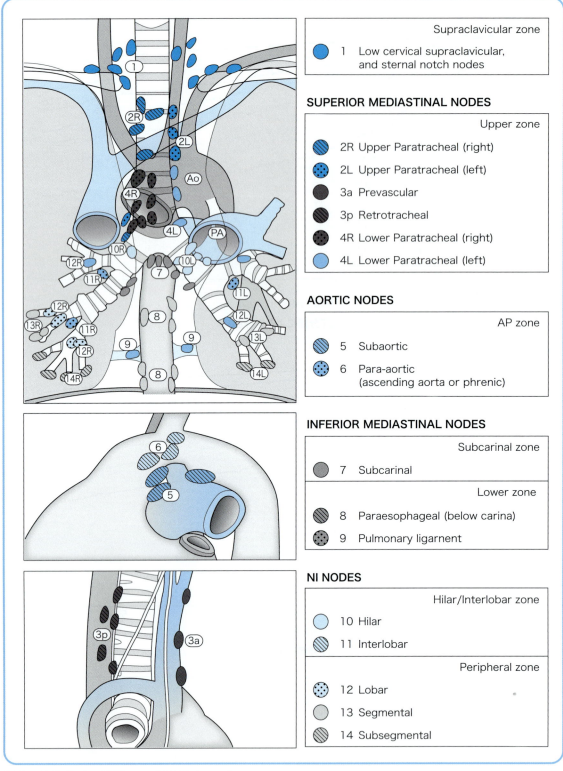

図3 IASLC リンパ節マップ(IASLC map)
(Rusch VW et al. J Thorac Oncol 2009; 4: 568[6]) を参考に作成)

ら摘出したリンパ節の検索が必要であるとされ, そのうち3個/箇所については気管分岐下を含む縦隔リンパ節を検索することとされている. 検索したリンパ節数がこの基準に満たない場合でも, それらに全て腫瘍の転移を認めなかった場合にはpN0としてもよいとされている.

N因子による予後をc分類, p分類毎に示す(図4)[7]. 肺癌においては, 転移リンパ節の解剖学的な位置によるN分類の方法が踏襲されているが, その妥当性は繰り返し示されていると言える.

3) M因子

M因子は, 遠隔他臓器転移の状態をいうが, 予後不良の局所進展病変を含む. M1a, M1b, M1cの3つの病態が区別されている. M1aは, 遠隔転移と同様に予後不良の局所進展病変で, 胸膜および心膜播種, 悪性胸水, 悪性心嚢水に加え, 対側肺内転移(副腫瘍結節)である. M1bとM1cは

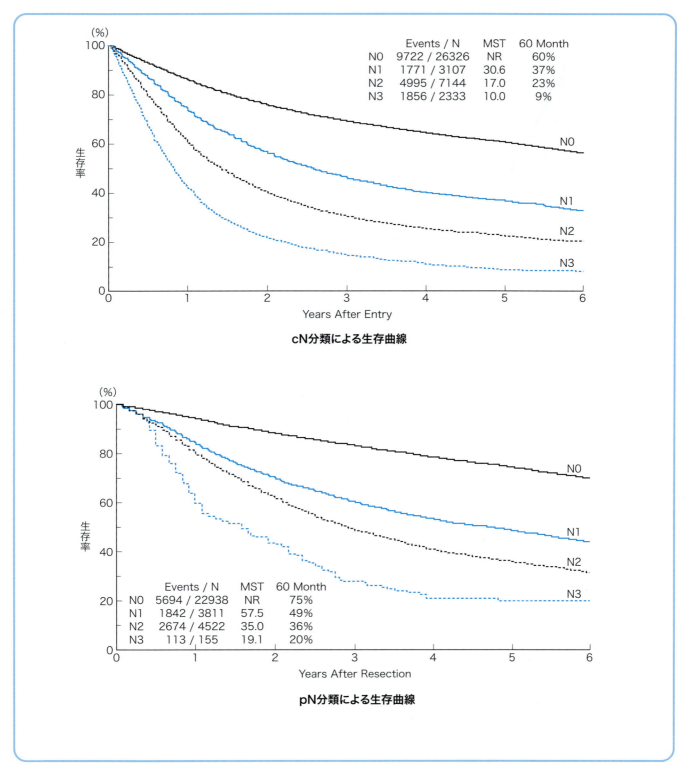

図4　N因子による予後（cNとpN）
（Asamura H et al. J Thorac Oncol 2015; 10: 1675 [7] を参考に作成）

Ⅵ. 肺の腫瘍性疾患

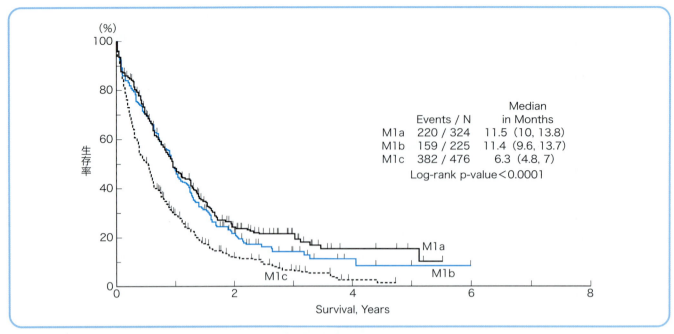

図5　M因子による予後
M1aとM1bは，M1cよりも良好な予後であることがわかる．
(Eberhardt WEE et al. J Thorac Oncol 2015; 10: 1515 [8] を参考に作成)

ともに血行性の他臓器転移である．単臓器単発転移がM1b，単臓器多発転移と多臓器多発転移がM1cである．

図5にM因子による予後を示す[8]．肺癌において，M因子はもともと予後不良を示すが，そのなかでも多臓器多発転移と単臓器多発転移であるであるM1cはM1a，M1bと比較してより予後不良であるという認識が必要である．

4) 病期グルーピング Stage grouping [9]

Tカテゴリーが細分化されたので，T，N，Mの組み合わせからなる stage grouping はかなり複雑となった．注意すべき点を列挙すると，

① 第7版と第8版を比較すると，ⅡA期からⅡB期に移動となったのはT1aN1M0，T1bN1M0，T2aN1M0である．

② T3については，T3N0M0はⅡB期，T3N1M0はⅢA期，T3N2M0はⅢB期，T3N3M0はⅢC期である．

③ T4については，T4N0, 1M0はⅢA期，T4N2M0, はⅢB期，T4N3M0はⅢC期である．

④ N1は，ⅡB以上となる．T1a-c, T2a, bN1M0はⅡB期，T3, 4N1M0はⅢA期である．

⑤ N2は，ⅢA以上となる．T1a-c, T2a, bN2M0はⅢA期，T3, 4N2M0はⅢB期である．

⑥ N3は，T1a-c, T2a, bN3M0はⅢB期，T3, 4N3M0は特に予後不良であることから新たにⅢC期となった．

などである．組み合わせはかなり複雑化しており（予後に基づいているため），もはや直感的に記憶することが困難になったと言えよう．図6に病期毎の予後を示す[9]．

TNM病期の組み合わせ表を常に手元に置き，参照することが推奨される．

文献

1) UICC International Union Against Cancer. TNM Classification of Malignant Tumours. 8th Ed,. New York: Wiley-Blackwell, 2017
2) American Joint Committee on Cancer. AJCC Cancer Staging Manual. 8th Ed, New York: Springer; 2017
3) Rami-Porta R et al. J Thorac Oncol 2014; **9**
4) Witekind C, Briely JD, Lee A, Van Ecycken E. TNM Supplement. A commentary on uniform use. 5th Ed, Wiley Blackwell, 2019
5) Rami-Porta R et al. J Thorac Oncol 2015; **10**: 99
6) Rusch VW et al. J Thorac Oncol 2009; **4**: 568
7) Asamura H et al. J Thorac Oncol 2015; **10**: 1675
8) Eberhardt WEE et al. J Thorac Oncol 2015; **10**: 1515
9) Goldstraw P et al. J Thorac Oncol 2016; **11**: 39

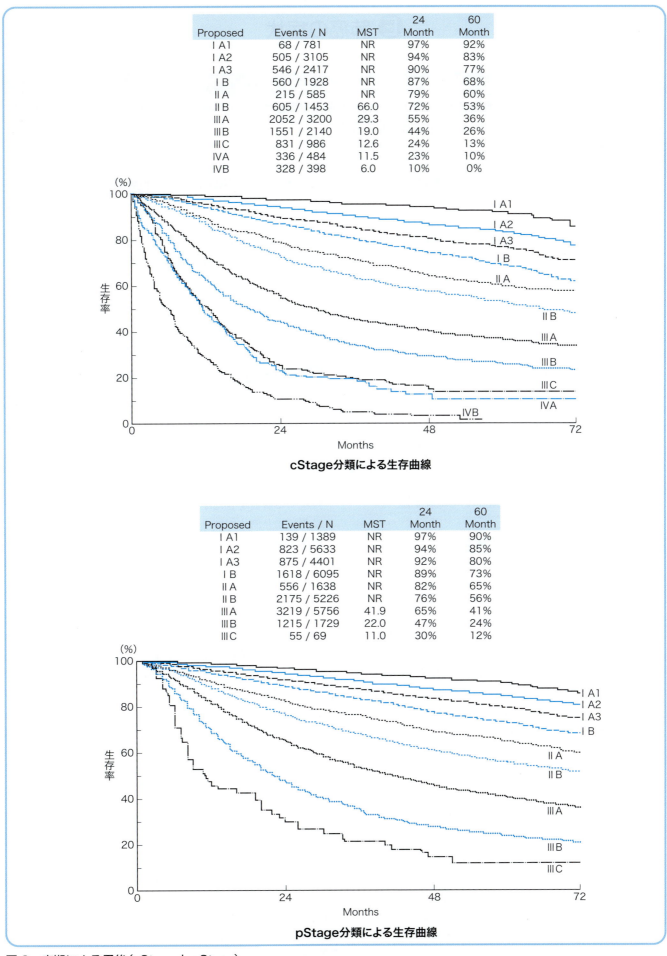

図6 病期による予後（cStage と pStage）

（Goldstraw P et al. J Thorac Oncol 2016; 11: 39 [9]）を参考に作成）

E 肺癌の症状

要点

1. 肺癌は，初期には多くの場合無症状であるが，進行が進むと局所症状として咳嗽，喀痰などの呼吸器症状，隣接臓器浸潤による症状，遠隔転移による症状が出現してくる．
2. 隣接臓器浸潤による症状には，腫瘍の局在・浸潤部位によって特徴的なものがある（Pancoast 症候群，Horner 徴候，上大静脈症候群など）．
3. 組織型によって特有な腫瘍随伴症候群を呈することがある（小細胞癌での SIADH，扁平上皮癌での高カルシウム血症など）．

Key Word 局所症状，隣接臓器浸潤，腫瘍随伴症候群（paraneoplastic syndrome），ばち状指，反回神経麻痺，肺尖部胸壁浸潤肺癌（superior sulcus tumor：SST），Pancoast 症候群，Horner 徴候，肺性肥大性骨関節症，SIADH，上大静脈（SVC）症候群，Lambert-Eaton 筋無力症候群（LEMS）

われわれ呼吸器外科医が遭遇する肺癌の多くは検診などを契機に発見されることが多く，無症状のものが多い．そのため，ともすれば肺癌の症状は忘れがちである．しかしながら，症状から肺癌の存在あるいは再発を疑ったり，肺癌の進行度や組織型が推測できる場合もあるため，肺癌の症状に対する理解は重要である．肺癌により生じうる症状としては様々なものがあるが，大別すると①局所症状，②隣接臓器浸潤による症状，③遠隔転移による症状，④腫瘍随伴症候群（paraneoplastic syndrome）の4つに分類することができる．本項ではそれぞれについて概説する．

a 肺癌の局所症状 レベルA

肺癌が肺内に留まる段階では多くの場合無症状であるが，局所進展が進むと咳嗽，喀痰などの呼吸器症状が出現してくる．これらの症状は呼吸器感染症などでも生じることがあり，必ずしも肺癌に特異的な症状ではないが，持続する場合は精査を要する．腫瘍の気道内露出や腫瘍による気道閉塞は血痰や呼吸困難を引き起こす．気道閉塞後の肺炎（閉塞性肺炎）によって発熱が生じることもある．また，腫瘍が太い肺血管に浸潤した場合には，血痰の増加や，時に喀血をきたす場合もある（窒息死にいたりうる）．いずれの症状も扁平上皮癌や小細胞癌など肺門部に発生する肺癌で出現しやすく，腺癌に代表される末梢型肺癌では腫瘍がある程度の大きさに成長しても無症状の場合も多い．

b 隣接臓器浸潤による症状 レベルA

肺癌の局所進展が進み，原発巣もしくは転移リンパ節が隣接臓器へ浸潤するようになると様々な症状が出現する（表1）．逆に，これら隣接臓器浸潤による症状が出現している場合は，肺癌が進行していることを示唆する．末梢型肺癌が胸膜・胸壁に浸潤すると胸膜刺激症状，胸壁破壊により持続する胸痛をきたす．また，胸膜播種や胸膜下リンパ管浸潤により胸水貯留をきたすと呼吸困難が出現する．上大静脈や腕頭静脈への浸潤（図1）は，顔面・頸部・上肢の浮腫，胸壁側副血行路の発達をきたし，いわゆる上大静脈（SVC）症候群をきたす．SVC症候群は，小細胞肺癌のように増殖速度の早い肺癌では顕著に出現することが多い．また，腫瘍の直接浸潤や転移リンパ節の浸潤により反回神経が侵されると，反回神経麻痺による嗄声が起こる．解剖学的特性から左肺癌に発生しやすく，誤嚥を併発する場合も多い．横隔膜・横隔神経に浸潤すると横隔神経麻痺による呼吸困難が出現する場合がある．肺尖部胸壁浸潤肺癌（superior sulcus tumor：SST）は，肺尖部に発生し，胸郭入口付近の肺尖胸壁に浸潤する肺癌であるが[1]，肺尖胸壁周囲には，腕神経叢や交感神経幹，星状神経節などが存在するため，これらの構造物に浸潤が及ぶと特徴的な神経症状を

表1 肺癌の隣接臓器浸潤に伴う諸症状

浸潤臓器	起こる病態	症状
胸膜・胸壁浸潤	胸膜刺激症状，胸壁破壊，胸水貯留	持続する胸痛，呼吸困難
上大静脈，腕頭静脈浸潤	上大静脈（SVC）症候群	上肢，顔面の浮腫，前胸部における側副血行路の増生
反回神経浸潤	反回神経麻痺	嗄声，誤嚥
横隔膜・横隔神経浸潤	横隔神経麻痺	無症状のことが多いが，ときに呼吸困難
心囊浸潤	心囊水貯留，心タンポナーデ	呼吸困難，チアノーゼ，起坐呼吸
腕神経叢浸潤	Pancoast 症候群	患側の肩〜尺骨神経領域に沿った上肢の疼痛，感覚障害，筋萎縮
高位交感神経幹・星状神経節浸潤	Horner 徴候	患側の眼瞼下垂・縮瞳・眼球陥凹・発汗低下

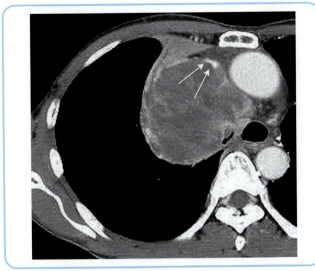

図1　上大静脈(SVC)症候群をきたした肺癌症例
矢印：上大静脈．

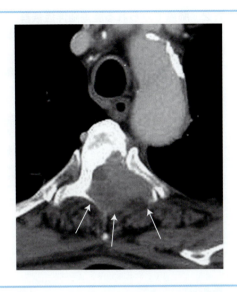

図2　胸椎転移により脊髄圧迫をきたした肺癌症例(矢印)

呈する[2]．腕神経叢(C5～C8，Th1で形成される)への浸潤は，通常，腕神経叢下方から起こるためC8-Th1が侵される．その結果，C8-Th1の支配領域である尺骨神経の領域に障害が出現し，肩～上肢内側(尺側)の疼痛，感覚障害(小指のしびれ)，筋萎縮(母指球，小指球の萎縮)が出現する．これらは，Pancoast症候群と言われる．また，高位の交感神経幹・星状神経節へ浸潤が及ぶと，Horner徴候(患側の眼瞼下垂，縮瞳，眼球陥凹，発汗低下)をきたす．

c 遠隔転移による症状　レベルA

肺癌の好発転移臓器は，脳，骨，副腎，肝などであるが，転移の症状が肺癌の発見動機となる場合も多いので，転移による症状の理解は重要である．脳転移では，頭痛，嘔気，嘔吐の他，意識障害，失見当識，片麻痺，失語，眩暈，痙攣などが出現する．脳転移の部位によっては，健忘症，認知機能低下が前面に出ることもあり，高齢者が多い肺癌では，認知症と誤認されることもあるので注意が必要である．骨転移では，持続する疼痛，病的骨折をきたす．肺癌の骨転移は，脊椎骨への転移が多く，脊髄圧迫(図2)により，疼痛に加え，突然の四肢麻痺，膀胱直腸障害(失禁)が出現する場合がある．副腎転移の多くは無症状であるが，副腎機能の低下により著しい食欲不振，るい痩をきたす場合がある．肝転移では悪心，早期満腹感，黄疸が出現する場合がある．また，消化管(胃，小腸)や腹腔内への転移をきたすと，消化管運動障害や腹水貯留によって腹部膨満感やイレウスが出現する．肺癌は稀に脈絡膜に転移をきたすことが知られており[3]，その場合，視力障害(視力低下，眼痛，飛蚊症，視野欠損など)が出現する．癌の進行により複数の遠隔転移が出現すると，体重減少や食欲低下，全身倦怠感などの全身症状も出現する．また，癌の進行により癌細胞が肺内のリンパ管に進展すると癌性リンパ管症をきたす．癌性リンパ管症は肺内のリンパ流が阻害され一種の肺水腫をきたす疾患であり，呼吸不全となることもある．腺癌に多く，発症すると数ヵ月以内に死亡することが多い．

d 腫瘍随伴症候群　レベルB

腫瘍随伴症候群(paraneoplastic syndrome)とは，腫瘍およびその転移巣による浸潤，圧迫などの直接的な症状ではなく，腫瘍が産生するホルモンなどの生理活性物質や腫瘍によって誘導される異常な免疫反応による間接的症状のことを指す．肺癌の約10～20％に腫瘍随伴症候群を合併するとされるが，特に小細胞癌に多い．臨床的には，肺癌の画像所見あるいは再発診断よりも先に認められる場合があるため，概要を理解しておくことは，病状の早期発見のために重要である．腫瘍随伴症候群は，その内容によって，①内分泌症候群，②神経症候群，③血液症候群，④その他の4つに分類される[4]．肺癌で認められる腫瘍随伴症候群を表2に示す．

1) 内分泌症候群
①抗利尿ホルモン不適合分泌症候群(SIADH)

腫瘍から産生される抗利尿ホルモン(antidiuretic hormone：ADH)の持続分泌によって，腎における水分の再吸収が亢進するにもかかわらず，Naの排泄が持続し，水分貯留，低Na血症をきたす病態である．特に，小細胞癌に認められ，低Na血症により診断されるが，低Na血症に伴う全身倦怠感，食欲不振，意識障害がきっかけとなって発見される場合もある．SIADHの診断基準は，①脱水所見を認めない，②血漿浸透圧低下，③高張尿，④尿中Na排泄増加，⑤腎・副腎機能が正常，である．原疾患である肺癌の治療によって改善する場合が多いが，シスプラチンなどの化学療法によってSIADHが惹起される事例も報告されている．

②腫瘍随伴Cushing症候群

腫瘍からの副腎皮質刺激ホルモン(adrenocorticotropic

表2 肺癌でみられる腫瘍随伴症候群

種類	主な組織型	臨床症状	検査所見
内分泌症候群			
SIADH	小細胞癌	食欲不振，悪心，意識障害	低ナトリウム血症，血漿浸透圧低下，高張尿，尿中ナトリウム上昇，正常腎・副腎機能
腫瘍随伴 Cushing 症候群	小細胞癌 カルチノイド	筋力低下，浮腫，高血圧	低カリウム血症，高血糖，血清 ACTH 上昇
高カルシウム血症	扁平上皮癌	脱水，全身倦怠感，食欲低下，意識障害，悪心	腎機能障害
神経症候群			
Lambert-Eaton 筋無力症候群（LEMS）	小細胞癌	四肢近位筋（下肢有意）の易疲労性，脱力，筋力低下，眼症状（眼瞼下垂，複視），自律神経異常	誘発筋電図での「waxing 現象」
亜急性小脳変性症	小細胞癌	急性，亜急性の小脳失調（起立歩行不能）	抗 Hu 抗体陽性
腫瘍随伴脳脊髄炎	小細胞癌	認知機能低下，せん妄，錐体外路症状	抗 Hu 抗体陽性
腫瘍随伴性網膜症	小細胞癌	視力低下，視野障害，光過敏，夜盲	抗リカバリン抗体陽性
皮膚筋炎	小細胞癌	四肢近位筋の筋力低下，筋肉痛，顔面・頸部・四肢の浮腫状紅斑	CK 上昇，抗 Jo-1 抗体陽性 など
血液症候群			
白血球増多症	大細胞癌，多形癌	発熱	白血球数増加，CRP 上昇，血小板数増加
その他			
肺性肥大性骨関節症	非小細胞癌（腺癌，扁平上皮癌）	四肢遠位部の骨・関節炎，長管骨の骨膜下骨新生，ばち状指	骨シンチグラフィーでの長管骨優位の左右対称性集積

hormone：ACTH）分泌によるもので，多くは小細胞癌に認められる．臨床症状としては，一般的な Cushing 症候群と同様，低 K 血症，浮腫，高血圧，満月様顔貌，中心性肥満などがあげられるが，満月様顔貌や中心性肥満は，症状出現まで比較的時間を要することもあり肺癌に随伴する Cushing 症候群では認められないことも多い．診断基準は，①血清コルチゾル，ACTH 高値，②尿中遊離コルチゾル高値，③下垂体腺腫がない，④デキサメタゾン抑制試験に反応しない，である．治療は，原疾患（肺癌）に対する治療が基本であるが，Cushing 症状への対症療法として，血圧，電解質（特に K のコントロール），血糖のコントロールも重要である．また，肺癌の治療により血清コルチゾルが正常化しない場合には，メチラポンやミトタンなどの副腎ホルモン合成阻害薬の使用も検討する．

③高カルシウム血症

腫瘍の骨転移でも高カルシウム血症が生じるが，骨転移がなくとも高カルシウム血症が生じうる．これを，腫瘍随伴性の高カルシウム血症と呼ぶ．機序としては，腫瘍により産生された副甲状腺ホルモン関連蛋白（parathyroid hormone related protein：PTHrP）が，腎におけるカルシウムの再吸収を促進することによって発症する．多くは扁平上皮癌に認められる．症状は，口渇，脱水，悪心，食欲不振などであるが，急性または亜急性に出現することが多く，無治療の場合は意識障害に陥る．治療は，原疾患（肺癌）の治療に加え，生理食塩水や利尿薬によってカルシウム排泄の促進を図る．また，病態によって，ビスホスホネート製剤などの骨吸収抑制薬も用いる．

2）神経症候群

①Lambert-Eaton 筋無力症候群（LEMS）

下肢を有意とした四肢近位筋の易疲労性，筋力低下を主徴とする自己免疫性疾患であり，眼症状（眼瞼下垂，複視），自律神経異常，小脳失調の合併がある．LEMS の 50～60％に小細胞肺癌が合併しており，機序としては，癌抗原に対する自己抗体が，コリン作用性末梢神経終末の電位依存性カルシウムチャネル（volatage-gated calcium channel：VGCC）と交差反応を起こすことによって発生する．鑑別は，重症筋無力症であるが，重症筋無力症と異なり，誘発筋電図で漸増減少（waxing）が見られ，抗コリンエステラーゼ薬に反応しない．治療は，原疾患（肺癌）に対する治療であるが，LEMS の症状が改善しない場合には，ステロイドの投与や血漿交換も検討される．

②その他

亜急性小脳変性症，腫瘍随伴脳脊髄炎，腫瘍随伴性網膜症，皮膚筋炎などがある．各症候群の症状を**表2**に示す．いずれも小細胞癌に合併しやすい．

3) 血液症候群
①白血球増多症
　腫瘍細胞による顆粒球コロニー刺激因子(granulocyte-colony stimulating factor：G-CSF)，IL-6などのサイトカイン過剰産生が原因で生じる．大細胞癌や多形癌など低分化な腫瘍に多い[5]．症状は，発熱であるが認めないこともある．血液検査所見上，感染源が判然としないにもかかわらず白血球増多がみられ，CRP高値，血小板数増加を認める場合も多い．手術など肺癌の治療により，白血球数は改善がみられるが，白血球増多症をきたす肺癌の予後は不良とされる．

②血液凝固異常
　悪性腫瘍には血液凝固亢進により血栓塞栓症の原因となることが知られており，静脈血栓症，肺塞栓症，非細菌性血栓性心内膜炎，動脈血栓症を発症することがある．悪性腫瘍に伴う血液凝固亢進により脳梗塞症状を生じる病態があり，Trousseau症候群として知られている．

4) その他
①肺性肥大性骨関節症(HPO)
　肺性肥大性骨関節症(hypertrophic pulmonary osteoarthropathy：HPO)は，四肢遠位部の骨・関節腫脹と疼痛，ばち状指(clubbed finger)を主症状とする．長管骨(上腕骨，大腿骨，脛骨など)の骨膜周囲に骨新生を伴う炎症がみられ，骨シンチグラフィーで左右対称性の骨膜周囲集積を認める．非小細胞癌(腺癌や扁平上皮癌)に多いとされる[6]．本症の発生機序はいまだ明らかでないが，成長ホルモンなどによる長管骨骨膜内の血流増加の可能性が示唆されている[7]．肺癌の治療により，症状ならびに骨シンチグラフィー所見の改善がみられることが多い．

文献
1) Detterbeck FC. Ann Thorac Surg 2003; 75: 1990
2) Pancoast HK. JAMA 1932; 99: 1391
3) 高橋和久．肺癌のすべて　腫瘍随伴症候群，文光堂，2007: p104
4) Singh N et al. Medicine (Baltimore) 2012; 91: 179
5) 瀬川正孝ほか．日呼外会誌 2007; 21: 544
6) 井原大輔ほか．日呼吸会誌 2011; 49: 765
7) Mito K et al. Intern Med 2001; 40: 532

F 肺癌の診断法

要点
1. 肺癌診療の各時期でどの画像診断が必要か理解できる．
2. 気管支解剖を正確に把握し，各種気管支鏡の適応を理解できる．
3. rapid on-site cytological evaluation(ROSE)を理解する．
4. バイオマーカーの定義とその利用法について理解する．

Key Word CT，PET/CT，EBUS，気管支鏡，経皮針生検

呼吸器外科医にとって，肺癌の診断法は，肺癌発見のためのスクリーニング（検診），その後の確定診断のための検査，治療前病期診断のための検査，術中迅速診断，術後のコンパニオン診断などがあげられる．このように，肺癌診療の時期・目的によって様々な方法が存在する．

a 画像診断 レベルA

1) 肺癌診療における各種画像診断

肺癌の画像診断で重要なものは，胸部X線，CT，およびPET/CTなどがある．それぞれの画像所見については成書に譲る．ここではCT，PET/CTの肺癌診療における意義と適応，そして具体例について述べる．

外来診療において，危険因子例・有症状例に対して肺癌を疑う場合，まず胸部X線を撮り，中枢型肺癌を疑う場合は喀痰細胞診と胸部単純CTを，あるいは胸部X線で異常が疑われる場合に胸部単純CTを追加する．胸部X線を撮らずにいきなり胸部CTを撮ったり，腫瘍マーカーを測ったり，PET/CTを行うのは不適切である．

以上の画像または喀痰細胞診の組み合わせで肺癌が疑われた場合，次の2つの方針に分かれて検査をしていくことになる．一方は，その肺癌を疑う部位が気管支鏡や経皮針生検で確定診断が可能な場合，速やかにその検査を行う．他方は，そのような確定診断を得にくい部位の場合，質的画像診断の意義が問われることになる．高分解能CT，造影CT，PET/CT，CTによる経時的変化の観察などがある．どれも決定的ではないがこれらのなかで良悪性の鑑別には，高分解能CTが最も有用とされている．PET/CTは肉芽腫・炎症性疾患で偽陽性となることがある．

病巣が肺癌と診断されたあとの段階として，病期診断が必要となる．肺癌病期診断決定に，腎機能障害がある患者など一部の例外を除き造影CTは必須である．また，原発巣が2cm以下のGGN(ground-glass nodule)でconsolidationの比率が25％以下の症例を除き，一般的にはPET/CTと頭部造影MRI(CT)による病期診断を行う．特に骨転移に対しては，感度・特異度ともより良好であるPET/CTが，骨シンチグラムよりも推奨される．ただしPET/CTが行えない場合は，胸腹部の造影CTと骨シンチグラムを行うべきである．以上の検査で縦隔リンパ節転移の疑いがあり，その有無で治療方針が異なる場合は，後述するEBUSなどで治療前確定診断を得ておく．他臓器の単発遠隔転移が疑われた場合は，他の画像診断や生検などにより治療前M因子を決定しておく．

2) 肺癌の経時的CT所見

画像診断の後半として，実際の，肺癌のCT画像の経時的変化について概説する．肺結節影の診療方針についてはCT検診学会でガイドライン（「低線量マルチスライスCTによる肺がん検診：肺結節の判定と経過観察の考え方（第5版）」，日本CT検診学会ホームページ参照）が出ているので，ぜひ参照されたい．いくつか大事な点を述べる．solid，GGN(GGO)にかかわらず，増大傾向を認めたら，確定診断を得る．また，part-solid nodule または pure GGN は，炎症性病変の可能性もあるため，3ヵ月後にthin-section CT(TS-CT)を撮り，その時点で対応を判断する．最大径15mm未満で，solid成分5mm以下のpart-solid nodule または pure GGN は2年間の経過観察でサイズなどが不変であっても，精密医療機関で年1回の経過観察CTが必要である．

ここで，CT画像による経過が追えた肺癌症例2例と，肺癌手術症例1例を提示する．

図1は微小結節の症例である．人間ドックで4mm大の左S^9微小結節を指摘され（図1a），経過観察されていた．4年後，最大径9mmとなった（図1b）．肺癌の診断で，左下葉切除を行った．術後病期T1aN0M0，Stage IAの腺癌であった．

図2は検診で胸部X線異常影を指摘されCTを撮影した．右S^9胸膜直下に25×16mmの胸膜陥入を伴う結節影を認めた（図2a）．精査を勧められたが本人の都合で受診しなかった．1年後，再び検診異常影を指摘され，CTを撮影した．主病巣は25×20mmとわずかな増大を認めたが，中枢側中心に気管支血管鞘の肥厚と網状影が出現，そして両肺に多発小結節影を認めた（図2b）．精査の結果，肺腺癌であり癌性リンパ管症と対側肺転移を認め，cT2aN3M1a, StageⅣで化学療法を行うこととなった．

最後に手術症例を提示する．図3で右上葉に part-solid nodule を認めた．3D再構成を行い血管および気管支の確認を十分行ったあと，右S^1区域切除を行った．肺腺癌，

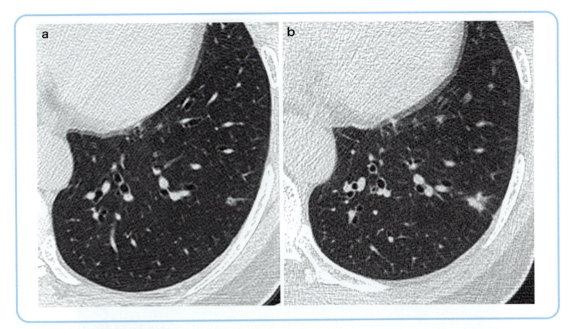

図1　肺癌の経時的 CT 所見
a：人間ドックではじめて指摘された左下葉微小結節影.
b：4年後の CT 所見.

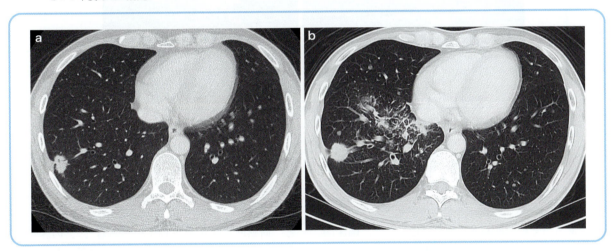

図2　肺癌の経時的 CT 所見
a：胸部異常影を指摘され精査目的の CT 所見.
b：1年後の CT 所見．気管支血管鞘の肥厚と網状影出現に注意．癌性リンパ管症の典型的な所見である.

pT1aN0M0, Stage IA であった.

b 内視鏡診断　レベルA

　気管支鏡所見は大きく2つに分けられる．ひとつは，肺末梢病変がどの気管支領域にあるかという局在についてである．もうひとつは，中枢可視病変の進展・病態を正確に把握することである．どちらも，呼吸器外科医にとっては必須の習熟項目である．たとえば末梢病変を区域切除する際，術野からの気管支分岐の解剖同定・判断が正しいかどうかを確認する必要がある場合，当該気管支を内視鏡で正確に把握する必要がある．一方，中枢病変に関しては，気管・気管支の切除ラインを術前に想定し，気管・気管支形成の必要性について検討しておきたい．

1）末梢病変の気管支鏡所見

　気管支鏡所見を第三者にも理解できるように記載することが肝要である．気管支鏡所見については，「肺癌取扱い規約（第8版）」に詳しい[1]．特に，末梢病変の場合，生検鉗子がどの気管支分岐から到達したかを正確に記載する．たとえば $B^1ai\alpha$ は，B^1a の2分岐あるうちの上方，後方または外側方にある分岐で (i)，さらにその奥の分岐で上方，後方または外側方にある分岐 (α) ということになる．

2）中枢病変の気管支鏡所見

　もうひとつ内視鏡所見で大事なのは，可視範囲の正常所見と病変を正確に分類・記載できることである．非早期肺癌の内視鏡所見である，粘膜型，粘膜下型，壁外型の3型は，その直接所見，間接所見から判断される．一方，内視鏡的早期肺癌の診断基準は，治療方針を決定するうえで非

Ⅵ. 肺の腫瘍性疾患

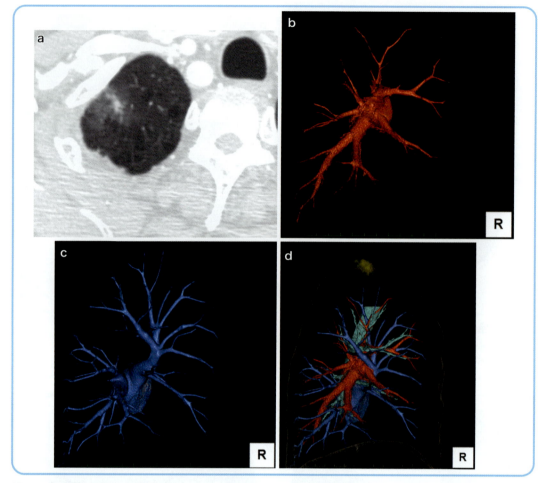

図3 右上葉肺癌のCT所見
 a：右上葉 S¹a の part-solid nodule.
 b：肺動脈の 3D-CT.
 c：肺静脈の 3D-CT.
 d：気管支・肺動脈・肺静脈混成画像.

常に重要である．その診断基準を簡略に述べると，臨床的に主病巣およびリンパ節・遠隔転移が画像所見で見当たらないことと，内視鏡的には亜区域支までに限局し，病巣末端が可視でき，長径2cm以下の扁平上皮癌である．

3) EBUS-TBNA

コンベックス型気管支腔内超音波断層法(EBUS)は主にリンパ節転移診断に使用され，リンパ節転移診断率，感度がともに飛躍的に向上した[2]．これにより，術前N因子や術後リンパ節再発のより正確な診断が可能となり，治療戦略の幅も広がった．EBUS下の経気管支針生検(endobronchial ultrasound guided transbronchial needle aspiration：EBUS-TBNA)のリンパ節転移診断の感度は縦隔鏡とほぼ同等で，その侵襲度の観点からも，縦隔鏡に優先する検査となった．ただし，EBUS-TBNAの限界も知っておく必要がある．縦隔リンパ節のうち #5，#6，#8，#9 は到達不可能で，#4L の生検にはやや習熟を要する．

C 生検，迅速診断 レベルB

生検には，末梢病変の感度40〜80%の気管支鏡下生検と，同感度90%の経皮針生検がある[3]．どの診断法がよいかは，その施設の環境，考え方により異なり，一概にはいえない．どちらの方法にしても共通の合併症として気胸と出血があるが，特にCTガイド下針生検における，頻度は少ないものの重症度の高い空気塞栓と胸膜播種について銘記しておく必要がある．図4は胸壁播種の症例である．

迅速診断では，検査時の迅速細胞診(rapid on-site cytological evaluation：ROSE)と術中迅速病理診断について簡略に述べる．ROSEはCTガイド下針生検や気管支鏡下生検，特にEBUS-TBNAなどの生検採取検体をその場で鏡検し，検体が適切に採取されているかどうか，良悪性はどうかを診断する方法で，不要な追加処置や穿刺回数を減らすことができる[4]．

一方，肺癌手術における術中迅速病理診断は，歴史的には術中肉眼所見と比較して，その有効性が示された[5]．その後は，様々な場面で術中迅速病理診断が行われるようになった．たとえば，胸腔鏡下肺生検を行い，迅速病理診断で悪性が証明された場合，速やかに根治的切除を行う．気管支や胸壁などの腫瘍浸潤部の切離断端を確認して，追加切除の適応を決める．などなどがあるが，すべての呼吸器外科施設で術中迅速病理診断が可能であるわけではなく，

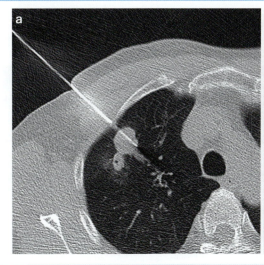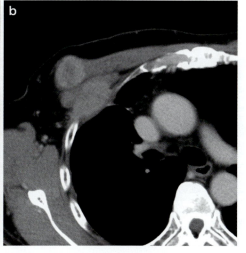

図4 いわゆる needle tract implantation
a：右上葉結節に対し気管支鏡下生検で診断がつかず，CT ガイド下針生検を行った．
b：同症例で右上葉切除 3 年後胸壁再発を認めた．

それが行えない施設では，術前の念入りなシミュレーションと術中の適切な対応が必要となる．

d バイオマーカー レベルB

正常または病理学的な生物学的過程の，または治療介入に対する薬理学的応答の指標として，客観的に測定され評価されるもの，と定義される[6]．

ここでは肺癌の診断に臨床応用されているマーカーについて述べる．

1）診断またはモニタリングマーカー（血清腫瘍マーカー）

肺癌のみに特異的なマーカー，早期診断に有用なマーカーはなく，肺癌検出の目的では用いられない．腫瘍の病期，治療効果判定や再発予測に用いられる．癌胎児性蛋白として CEA，癌関連抗原として SCC，CYFRA2，単クローン性抗体認識抗原として NCC-ST-439，CA130，SLX，ホルモン産生として ACTH，pro-GRP，癌性アイソザイムとして NSE，などがある．

2）患者層別化マーカー

EGFR 変異，ALK-EML4 融合遺伝子，K-ras 変異など，腫瘍を特徴づける遺伝子マーカーがある．特に，前者 2 つについては，遺伝子変異陽性と治療薬の効果に強い相関があり，これらの遺伝子変化を検査することをコンパニオン診断という．

3）予測マーカー

抗癌薬治療による効果・副作用予測に有用と考えられるマーカーである．

最初に効果予測マーカーを述べる．以下のマーカーは腫瘍組織内での発現をみる．ERCC1（excision repair cross-complementing group 1：除去修復交差相補群 1）とプラチナ製剤，RRM1（ribonucleotide reductase M1：リボヌクレオチド還元酵素 M1）とゲムシタビン＋プラチナ製剤，β チューブリンとタキサン製剤などで，腫瘍内発現と薬剤治療効果予測がいわれている．ただし，測定法の問題などがあり，いまだ実用化にはいたっていない．

一方，化学療法の有害事象の予測マーカーとしては，UDP グルクロン酸転移酵素（uridine diphosphate glucuronosyltransferase：UGT）のひとつである UGT1A1 の遺伝子多型とイリノテカン毒性には強い相関が認められており，遺伝子解析キットが保険適用となっている．

4）遺伝子パネル検査

近年，前述 2）の肺癌の遺伝子変異の解明が進んでおり，治療標的とする Precision Medicine が浸透してきている．そのため近年特に注目されてきているのが遺伝子パネル検査である．2019 年 6 月に「OncoGuide™ NCC オンコパネルシステム」と「FoundationOne CDx がんゲノムプロファイル」が保険適用になった．標準治療が終了またはない患者が対象であり，さらにパネル検査でも必ずしも治療薬が見つかるわけではないなど，様々な問題があり，今後の動向が注目される．

文献

1) 日本肺癌学会（編）．臨床・病理 肺癌取扱い規約，第 8 版，金原出版，2017：p150-165
2) Kinsey CM et al. Am J Respir Crit Care Med 2014; **189**: 640
3) The American Thoracic Society and The European Respiratory Society. Am J RespirCritCare Med 1997; **156**: 320
4) Martina B et al. Chest 2014; **145**: 60
5) Nashef SAM et al. Thorax 1993; **48**: 388
6) Biomarkers Definitions Working Group. Clin Pharmacol Ther 2001; **69**: 89

G 肺癌の検診

要点

1. 日本の現行肺癌検診は，40歳以上全員に対する胸部X線と50歳以上の重喫煙者(喫煙指数600以上)に対する喀痰細胞診である．
2. 肺癌CT検診は低線量で行う必要がある．有効性に関しては議論があるため日本のガイドラインではいまだ推奨にいたっていない．
3. がん検診では精度管理が重要である．精密検査結果を自治体や検診機関に報告することは，個人情報保護法の例外規定として法的に適切とされている．

Key Word 胸部X線，ハイリスク患者，喀痰細胞診，低線量胸部CT，有効性評価，精度管理，個人情報保護法

分子標的治療薬の登場によってもなお，進行肺癌の予後は不良である．肺癌の診療において早期発見はやはり重要であり，検診の果たすべき役割は大きい．現在日本で肺癌検診として広く行われている方法は，胸部X線と喀痰細胞診の併用法である．最近，一部で胸部CTを実施するところが出てきた．

a 現行法：胸部X線と喀痰細胞診の併用法 レベルA

日本で主に行われている肺癌検診は，胸部X線と喀痰細胞診の併用法である．標準的方法が「肺癌取扱い規約」[1]に定められている．

①対象：胸部X線は40歳以上の全員．喀痰細胞診は50歳以上で喫煙指数600以上の者に追加
②検診間隔は年1回
③直接・間接・デジタル撮影の条件を規定
④2人の医師による読影(二重読影)
⑤前年との比較(比較読影)
⑥喀痰細胞診は3日分の蓄痰で集細胞法あるいは直接塗抹法(集細胞法が主流)
⑦細胞診のスクリーニングは日本臨床細胞学会認定細胞検査士が行う

というものである．また，目標として，

⑧発見肺癌のうち臨床病期I期が50％以上，というものもあげられている．

胸部X線は主として末梢型肺癌を検出するためのものであるが，みつけられる大きさは，末梢でよくみられる腺癌では2cm前後からであることが多い．その大きさでは，すでにリンパ節転移や遠隔転移を有した進行癌が10～30％程度含まれていることが知られている．心陰影や横隔膜の裏側など読影困難な部位も多く，読影方法・注意点などに関して日本肺癌学会からテキスト[2]が出版されている他に，日本肺癌学会の会員限定ではあるが，インターネット上での読影演習システムが構築され使用できる状態となっている．これを一般医家でも使用できるようにすることを検討中である．

喀痰細胞診は主に中心型の胸部X線無所見肺癌を発見することを目的とした検査で，重喫煙者以外に検診として行うことは意味がない．ほとんどの胸部X線無所見肺癌はCTでも所見を認めないので，要精検者には気管支鏡検査も必ず行う必要がある．特に最近は，一部の施設を除き「喀痰細胞診陽性で胸部X線無所見の肺癌」「気管支原発早期扁平上皮癌」などを診断する機会が減少しているため，それらの検査に関するノウハウが継承されないことが危惧されていたことから，肺癌取扱い規約第8版には診断の手順などが詳細に記されたので診断に携わる医師はぜひ参考にされたい．

b 低線量CTによる肺癌検診 レベルA

標準的な胸部CTの被曝線量は胸部X線の数十倍に及び，無症状者に対する検診としては，放射線被曝による害のほうが大きいとされている(症状や異常所見があっての精密検査目的であれば，利益が上回るので問題ない)．残念ながら日本では，人間ドックなどを中心に標準線量による胸部CTが検診として行われている．「有効性評価に基づく肺がん検診ガイドライン」[3]および「肺癌集団検診ガイドライン(https://www.haigan.gr.jp/uploads/files/photos/249.pdf)」でも，「標準線量によるCTは被曝の面から健常者への検診として勧められない」とされている．

胸部CTを検診として行う場合には，必ず低線量CT(low-dose CT)で行うべきである．読影は二重読影とし，過去画像との比較読影が望ましい．標準となる撮影方法が「肺癌取扱い規約」[1]「日本CT検診学会ホームページ(https://www.jscts.org/index.php?page=guideline_index)」などで述べられているが，自動電流調整装置の普及など被曝線量低減と画質改善に関する不断の機器改良がなされているため今後も改訂を続けていく必要がある．

胸部CT検診では，末梢型の数mm程度の陰影から発見が可能で，肺癌発見率は受診者10万対数百以上と胸部X線の10倍以上に及ぶ．臨床病期I期肺癌割合も80％程度と高く，発見肺癌患者の5年生存率も80％以上と高いが，次項で述べるように死亡率減少効果があるかどうかは完全に

c がん検診の有効性評価 レベルA

「がん検診が有効である」ことは「がん検診を受けることにより当該癌で死ににくくなる」と同義であるが、そのことをどのようにして知ることができるだろうか。これまで数多く行われてきたのは、検診発見例と症状発見例の生存率の比較で、その多くは検診発見群の予後が有意に良好であった。しかし、バイアスの存在のため、そのような結果だけでは有効性の証明にはならない。検診の有効性にかかわるバイアスとしては、lead-time bias, length bias, self-selection bias, overdiagnosis bias が主要なものである。たとえば、lead-time bias とは、「検診で発見された癌は、症状が出現する前に発見されたのであるから、症状が出現してから診断される症状発見群に比較して、症状が発現するまでの期間分長生きする」というバイアスである。効果がまったくない場合でも見かけ上の「生存期間」は検診発見癌がはるかに長いため、「生存率が高いから有効である」とはいえない。同様に、overdiagnosis bias とは「検診でみつけなければ他疾患で死亡するまで症状も出さず死亡にも関連しなかったはずなのに、みつけたために癌の診断がついたが、その癌では死亡しないため発見率や生存率が見かけ上高くなる」というバイアスである。

d 肺癌検診の有効性評価に関するこれまでの研究とガイドライン レベルB

前述のように、発見率や生存率では評価不能であり、有効性を判断するためには「検診受診者全体の死亡率が下がった」ことを確認する必要がある。これまで以下のような研究が行われてきた。

1) 1980年代までの研究[3]

1970〜1980年代初頭に米国で無作為化比較試験(RCT)が行われた。そのうち特に重要な Mayo Lung Project では、45歳以上の男性高喫煙者で Mayo Clinic の外来患者約9,000例を無作為割付し、検診群には4ヵ月に一度の胸部X線2方向と喀痰細胞診を6年間強力に勧奨、対照群には年に一度の検診受診を勧めるのみとした結果、両群の肺癌死亡率には有意差を認めなかった。ただし、検診群の受診率が75%まで低下し、対照群の73%が胸部X線を研究外で受けていたこと、術前CTが必須でなかったことなど様々な問題が指摘されている。

2) 1990〜2000年代の日本での症例対照研究[3]

Mayo Lung Project の結果を受け、日本でも有効性評価研究が行われた。厚生省成毛班・金子班でひとつずつ症例対照研究が行われたあと、厚生省藤村班で全国4地区において同時に症例対照研究が遂行された。6研究のすべてにおいて肺癌死亡減少の傾向がみられ、4研究では有意な値であった。これらを受けてガイドライン[3]では「胸部X線と喀痰細胞診の併用法は、検診が有効と考えられる相応の根拠があり対策型(住民検診型)検診として勧めるが、二重読影・比較読影などの標準的な方法が行われていない場合には有効とする根拠があるとはいえないので勧められない」とされている。また、同時に行った検討では、検診の効果が1年しか持続しないことが判明した。

3) PLCO[4]

米国で行われた Prostate, Lung, Colorectal & Ovarian Cancer Screening Trial (PLCO) では、55〜74歳の男女約154,000例を対象として、研究群には年1回、計3〜4回の胸部X線を行い、対照群には行わず、その後フォローを行った。その結果13年間の追跡で両群の死亡率に有意差がなかった。しかし、本研究では3〜4年の検診後に追跡のみを行う期間が10〜11年あり、肺癌のように症状が出現するまでの期間が1〜4年しかないものに対しては長過ぎる。事実、5〜8年目ごろに両群の死亡率の差が最も大きくなり、最大で11%も検診群の死亡率が減少しており、これが真の効果に近い可能性がある(https://www.haigan.gr.jp/modules/important/index.php?content_id=30)。

4) 低線量CT検診の有効性評価に関する研究

低線量CTによる肺癌検診は当初から期待を集めていたが、死亡率減少効果についての研究は、初期の小規模コホート研究、モデル解析、小規模RCTのすべてが否定的な報告であった。しかし、National Lung Screening Trial (NLST)[5] の結果が2011年に報告され、状況は一変した。

NLST は、55〜74歳の男女の重喫煙者約53,000例を無作為割付し、研究群には低線量胸部CTを年に1回3年間、対照群には胸部X線を年に1回3年間行い以後はフォローを行った。その結果、研究群で肺癌死亡率が20%減少した。ただし、要精検率が20%を超えるなどの問題点もあった。

NLST の結果により重喫煙者に対するCT検診は有効である可能性が高まったが、検診の効果は医療や保健の体制によっても変わるため他国の1つの研究結果では自国でも通用する保証はない。NLST の後は小規模RCTである DLCST および MILD では肺癌死亡が減少せず、ITALUNG でも減少傾向ながら有意差には達しなかったため、肺癌死亡減少効果を示すことはできなかった。2018年秋に大規模RCTの NELSON の結果速報が世界肺癌会議で報告され、有意な肺癌死亡減少効果を示す結果であった。2020年1月に論文が公表され[6]、有効性を示す大規模RCTが2つとなった。今後、研究内容の批判的吟味が十分に行われることが期待される。現在、日本のガイドライン[3]ではいまだ「有効性を判断できる証拠が不十分なため対策型検診としては推奨しない。任意型(人間ドック型)検診として行う場合には、効果の有無が不明であることと不利益について適切に説明すること」とされているが、今後は何らかの改訂がなされると思われる。

一方、非喫煙者に対する有効性評価研究は、現在まで論文化されたものは日立のコホート研究などごくわずかである[7,8]。欧米では「非喫煙者には被曝の悪影響のほうが問題

であり，低線量といえども CT 検診を行うべきではない」という考え方が主流であるが，日本では効果がむしろ高いと想定する研究者もいる．その検証のため厚労省の班研究（JECS Study）で，非/軽喫煙者を対象とした RCT が開始されている．日本で開発された低線量 CT 検診の有効性を日本発で世界に示していけるような体制づくりを進めていく必要がある．

e 肺癌検診現行法における課題 レベルC

肺癌検診現行法における課題として，いくつかの問題があげられる．まず，現行法の有効性は，日本では確立していると考えられているが，世界的にはそうではない．その差は，日本からの報告への信頼性をどの程度に見積もるか，およびその研究の外的妥当性（結果を自国において適応できるか否か）をどう評価するか，という点に違いがあるためである．当然のごとく，日本の研究の外的妥当性は，日本のガイドラインでは高く見積もられ，他国では低く見積もられる．また日本の研究は，すべてが厚生省・厚生労働省の班研究の形で行われ，日本の肺癌検診の主要な研究者が疫学者を含めて参画しており，計画から論文化までのすべてにおいて研究過程が公開されつつ進められたことで，方法論における信頼性が著しく高いが，他国での日本の研究への評価はそこまで高くはないと考えられる．

次の課題として，全国的に読影の精度をどう保つか，というのも浮上しており，前述したテキスト[2]や読影演習システムの開発もその対策として作成された．読影医を将来的に確保することの困難性も指摘されている．

また，喀痰細胞診受診者の固定化と減少化も問題である．最近，喀痰細胞診発見肺癌の全国調査なども学会主導で行われつつあり，今後の方向性が検討されている．

最後に「精度管理」が重要な課題である．精度管理のレベルは地域によって相当な差があることは事実であり，全国的に適切な精度を維持できるような体制を構築する必要がある．なお，検診の精密検査の結果照会に対して，個人情報保護を盾に回答しない事例が散見されるが，それは法律に対する無知であり，検診の精密検査結果を自治体や検診機関に知らせることは，個人情報保護法の例外として，法的に認められている（個人情報保護法第 23 条 3 号）．

f 低線量 CT による肺癌検診における課題 レベルB

低線量 CT 検診では，第一に有効性（死亡率減少効果）を確実に立証できるかどうかということが重要である．特に「重喫煙者」においては，NELSON 研究結果により「有効性が確立」する可能性があるが，その際に日本国内にどのような形でなら導入が可能なのかを検討しておく必要がある．一方，「非/軽喫煙者」に関しては有効性評価研究を粛々と進める必要がある．

それ以外の課題としては，やはり精度管理の問題がある．具体的には，①標準線量での検診は害のほうが大きいので施行しないこと，②インフォームドコンセントを適切に取ること，③要精検者のフォローを確実に行い把握漏れがないようにすること，④手術を含めた不要な治療や検査を行わないこと，⑤可能ならば受診者全例のフォローを行い偽陰性例・検診外発見例を把握すること，などを全国の CT 検診を行っている施設のすべてに対して徹底させることが重要である．特に呼吸器外科医に対しては④を強調したい．

組織学的には「癌」であっても増大速度が極めて緩徐で，症状が出ることも生命を脅かすこともないようなものがある．CT 検診ではそのようなものが大量に発見される．これまでは，ごく小さなすりガラス様陰影を呈する AIS（adenocarcinoma in situ）を切除しても，患者も医師も「小さいうちに取れて良かった」と，不要な手術であるにもかかわらず誰からもフィードバックがかからずに行われていた可能性があるが，これからは「癌であること」と「切除すべきかどうか」は異なることに留意していただきたい．日本 CT 検診学会の「低線量 CT による肺がん検診の肺結節の判定基準と経過観察の考え方（https://www.jscts.org/pdf/guideline/gls5th201710.pdf）」でも 100％すりガラス陰影は，常に「すぐに手術」という方針は取らず，フォローにより増大傾向の有無を確認するようになっている．

文献

1) 日本肺癌学会（編）．臨床・病理 肺癌取扱い規約，第 8 版，金原出版，2017：p187
2) 日本肺癌学会集団検診委員会胸部 X 線による肺癌検診小委員会．肺がん検診のための胸部 X 線読影テキスト，金原出版，2012
3) 厚生労働省「がん検診の適切な方法とその評価法の確立に関する研究」班．有効性評価に基づく肺がん検診ガイドライン，2006
4) Oken MM et al. JAMA 2011; **306**: 1865
5) National Lung Screening Trial Research Team. N Engl J Med 2011; **365**: 395
6) de Koning HJ et al. N Eng J Med 2020; **382**: 503
7) Nawa T et al. Jpn J Clin Oncol 2019; **49**: 130
8) Nawa T et al. Lung Cancer 2012; **78**: 225

Ⓗ 肺癌の外科的治療

Key Word　根治手術，拡大手術，縮小手術，肺全摘術，肺葉切除術，区域切除術，楔状切除術，sublobar resection (JCOG0804/0802)，リンパ節郭清，ACOSOG Z0030 trial，Lung Cancer Study Group，Intergroup 0139 trial，胸腔鏡手術，RATS lobectomy，サルベージ手術，肺尖部胸壁浸潤肺癌，胸壁浸潤癌，心大血管浸潤，気管支形成術，N2 disease，外科治療成績，小細胞肺癌の手術適応，気管支瘻と膿胸，術後再発，VATS，Robotic，オリゴメタスタシス

現在，わが国において呼吸器外科で扱う疾患の約半数は肺癌(原発性肺癌)である．2017年では，全呼吸器外科手術85,307件中44,140件(51.7%)が肺癌であった[1]．個々の肺癌症例に対して適切な治療方針を判断して，患者・家族が十分納得できるような説明するためには，肺癌外科治療の位置付けおよび関連する最新のエビデンスについて十分理解しておく必要がある．ここでは，肺癌に対する外科治療全般について要約して述べる．なお，日本肺癌学会のホームページには，EBMに則り様々なCQ(Clinical Question)に対応した「肺癌診療ガイドライン」[2]が掲載，随時改訂されているので，それらも参考にしていただきたい．

ⓐ 歴史 レベルA

肺切除については1800年代末からわずかに報告がなされていたが，肺癌に対しての外科治療を行って長期生存が得られた例としては，1933年のGrahamらによる左肺全摘の報告が最初である[3]．当初は，肺門部の一括集束結紮法がなされていたが，次第に肺血管・気管支を別個に処理する解剖学的切除が行われるようになってきた．Cahanらは，1960年にすでにradical lobectomyという名称で，現在にも通ずる「肺門縦隔リンパ節郭清を伴う肺葉切除」の概念を報告している[4]．以後，欧米やわが国においては，肺癌自体の増加，麻酔法の進歩，周術期管理や術式の洗練化とともに，拡大手術や気管支形成術など肺癌の外科治療は大いに発展してきた．近年は，早期肺癌例も増加しており，機能温存の縮小手術や低侵襲な胸腔鏡手術(ロボット支援手術を含む)が普及してきている一方，進行肺癌に対しては集学的治療のなかでの最も有効な局所療法としても外科治療が位置づけられている．

ⓑ 適応 レベルA

一般に悪性腫瘍に対する手術適応には，根治手術(radical surgery)と姑息手術(palliative surgery：すなわち，症状緩和目的の手術)とがある．消化器癌においては閉塞や出血・穿孔などに対して姑息手術もしばしば行われるのに対し，肺癌では，有症状の場合はその多くが遠隔転移などの存在により手術適応外となるので，無症状の症例に対しての根治手術が大部分を占めることになる．したがって，十分な術前評価を行ったうえで，外科治療について患者によく説明して納得を得る必要がある．

根治を目的とした肺癌の手術適応は，患者側の因子(すなわち，心肺予備能や併存疾患，社会的背景など)と，腫瘍側

	N0	N1	N2	N3
Tis　M0	0期　S* (or f/u)			
T1mi　M0	ⅠA1期　S*			
T1a　M0	ⅠA1期　S*	ⅡB期　S+A	ⅢA期　IT+S or CRT/RT+M*	ⅢB期　(CRT or RT)+M*
T1b　M0	ⅠA2期　S*	ⅡB期　S+A	ⅢA期　IT+S or CRT/RT+M*	ⅢB期　(CRT or RT)+M*
T1c　M0	ⅠA3期　S (+A*)	ⅡB期　S+A	ⅢA期　IT+S or CRT/RT+M*	ⅢB期　(CRT or RT)+M*
T2a　M0	ⅠB期　S (+A*)	ⅡB期　S+A	ⅢA期　IT+S or CRT/RT+M*	ⅢB期　(CRT or RT)+M*
T2b　M0	ⅡA期　S (+A*)	ⅡB期　S+A	ⅢA期　IT+S or CRT/RT+M*	ⅢB期　(CRT or RT)+M*
T3　M0	ⅡB期　S**+A		ⅢB期　(CRT or RT)+M*	ⅢC期　(CRT or RT)+M*
T4　M0	ⅢA期　IT+S or CRT or RT	ⅢA期　IT+S or CRT or RT	ⅢB期　(CRT or RT)+M*	ⅢC期　(CRT or RT)+M*
AnyT　M1	Ⅳ期　M			

図1　TNM病期分類(第8版)ごとの治療方針

f/u：経過観察，S：手術(標準手術)，S*：手術(Tis，T1a，T1bでは縮小手術も考慮)，S**：手術(肺尖部胸壁浸潤肺がんでは，IT後の手術)，A：術後補助化学療法(プラチナ製剤を含む)，A*：術後補助化学療法(テガフール・ウラシル配合錠)，RT：放射線療法，CRT：化学放射線療法，M*：全身薬物療法，IT：導入(化学/化学放射線)療法

の因子（すなわち，組織型と腫瘍の進展範囲（臨床病期））から決定される．前者は（Ⅲ章-1）において述べているので，ここでは割愛する．

1) 非小細胞肺癌 レベルB

腫瘍側の因子としては，組織型とTNM病期分類（Ⅵ-1-D参照）が重要である．肺癌の大多数を占める非小細胞癌（non-small cell carcinoma：NSCLC）の臨床病期Ⅰ・Ⅱ期は，手術の絶対適応であり，局所に限局はしていても切除困難な隣接臓器浸潤を伴うⅢB期とN3のⅢC期，ならびに遠隔転移や胸膜播種などを伴うⅣ期は，手術適応外である．TNM臨床病期分類（第8版，2017年）ごとの治療方針を図1に示す．

ⅢA期，特にcN2臨床病期ⅢAのNSCLCに対しては，様々な方針が考えられ，現在も多くの臨床研究の対象となっているが，現時点では以下の点を念頭に手術適応を考えるべきである．

cN2といっても様々な場合があること．つまり，いわゆる「bulkyまたはinfiltrative N2」ともいわれる完全切除が困難なN2に対しては，化学放射線療法が標準治療であるが，腫大リンパ節の完全切除が比較的容易な「discrete N2」と呼ばれるcN2もあるので，特に後者でpN2かどうかが治療方針に影響がある場合は，画像のみからではなく組織学的にN2の確定診断をつける必要がある．縦隔リンパ節の組織学的評価法としては，PET-CTだけでは断定できないこともありEBUS-TBNAや縦隔鏡検査などで確定診断をつけることが望ましい[2]．

組織学的に証明されたN2に対しては，外科単独療法は推奨されておらず，集学的治療を考慮するべきである[2]．

集学的治療としては，外科的な完全切除術が先行して行われた場合には術後補助化学療法が推奨されている．また，手術を前提として導入療法（すなわち，（放射線）化学療法を先行した後の切除）を考慮してもよい[2]（Ⅵ-1-I参照）．

ⅢA期cN2 NSCLCに対して，根治的化学放射線群と化学放射線療法後に切除した群とを比較したINT0139 study[5]では，全生存においては有意差が認められなかった．しかし，サブセットの解析では，全摘となった場合は予後不良であったが葉切除群では予後がよいことや，病理でダウンステージが得られたypN0群では41％と良好な5年生存率が報告されている．なお，切除可能なcN2に対して，切除後に補助化学療法を行うのがよいか，導入療法後の切除がよいのかについては，現時点ではコンセンサスはない．

近年は，上皮成長因子受容体（epidermal growth factor receptor：EGFR）遺伝子変異，あるいは腫瘍細胞におけるPD-L1発現率などのバイオマーカーの有無によって分子標的薬や免疫チェックポイント阻害薬の効果と予後が大きく異なることが明らかになっており，集学的治療においては，これらのバイオマーカー結果も加味しての方針検討が必要となってきている．分子標的薬や免疫チェックポイント阻害薬と外科治療の組み合わせによってより有効な治療方針の臨床研究もなされているが，現時点（2020年前半）でのコンセンサスはいまだない．今後，外科治療を組み合わせた様々な新しい治療戦略のエビデンスが出てくることが期待されるので，個々の症例については集学的治療チームで治療方針を検討することが望ましい[2]．

また，サルベージ手術といって，当初は手術適応とされずに他の治療がなされた後に根治を目指して手術を行うことがある．サルベージ手術の定義は一定していないが，本来は適応外である病期の肺癌に対して薬物治療や放射線治療が奏効した後に唯一遺残した病巣の切除，あるいは一旦完全寛解（complete response：CR）になったのちに原発巣のみが再増殖した際の切除，また，当初放射線治療が施行された後の再増殖した原発巣の切除などを称することが多い．

さらに，N0症例での単発脳転移症例において脳はガンマナイフで，肺の原発巣は外科切除で治療するというように，M1b（転移巣が単一臓器への単発転移）やオリゴメタスタシス（oligometastasis：少数個の遠隔転移）に対する治療として，Ⅳ期であっても全身薬物療法のみでなく手術や放射線照射などの局所治療を付加することが有効な場合もあるといわれている[6]．

2) 小細胞肺癌 レベルB

小細胞癌（small cell carcinoma：SCLC）に対しては，頻度は少ないが，臨床病期Ⅰ期ならびにⅡA期に対しては「外科治療＋術後補助化学療法」が推奨されている[2]．わが国の肺癌合同登録委員会（Japanese Joint Committee of Lung Cancer registration：JJCLCR）での検討では病理病期ⅠA期のSCLCで術後5年生存率は72.3％と報告されている[7]．Ⅰ期とⅡA期以外の限局型SCLCでは化学放射線療法が標準であり，内科治療後の遺残あるいは局所再発に対してのsalvage手術として適応を考える場合もあるが，少なくとも外科治療を先行するべきではない．

C 術式

1) 標準術式 レベルA

肺癌に対する標準術式は，肺葉切除以上（二葉切除，肺全摘を含む）である．その根拠は，Lung Cancer Study Group（LCSG）が，T1（3cm以下）のNSCLCに対して肺葉切除と縮小手術（後述）との多施設共同無作為比較試験を行った結果，縮小群で局所再発が3倍多く，5年生存率でも劣るとした1995年の報告である[8]．これに対し，以下に述べる縮小手術を行う場合があるが，その際にも現時点ではあくまで標準治療は肺葉切除以上の手術であるということを説明した上で治療方針を提示すべきである．

2) 縮小手術 レベルA

肺癌に対して，区域切除術あるいは部分（楔状）切除術（これらを総称してsublobar resectionとも呼ぶ）を行う場合を，縮小手術（limited resection）と呼ぶ．縮小手術には，併存疾患や心肺機能低下のため葉切除を行うとリスクが大きい場合に行う「消極的縮小手術」と，葉切除は耐術であるが微小な末梢早期肺癌であるため葉切除と同等の予後が期待できると見込まれる症例に対して行う「積極的縮小手術」と

がある．縮小手術を行う場合には，このどちらの適応であるのかを明確にしておかねばならない．特に，微小病変でかつ手術リスクがある程度ある症例において縮小手術をする場合には，どちらの理由で縮小としたのか記録しておくべきである．

先に述べたLCSGのstudyでは，対象となったNSCLCの腫瘍径は3cm以下であり，充実性のいわゆる浸潤癌が主体となっていたと考えられる．しかし，近年わが国では，より小型の末梢肺癌，あるいは，CT上すりガラス陰影を主体とした浸潤傾向のほとんどない肺腺癌が多く発見されており，そのようなより微小，より早期と考えられる病変に対しては積極的縮小手術で良好な予後が得られるとの報告がいくつかなされた．それらを踏まえて，現在，日本臨床腫瘍研究グループ(JCOG)を中心として多施設共同の前向き研究が複数施行されており，その長期予後の結果が待たれているところである[9]（JCOG0804：2cm以下の画像上非浸潤癌を対象とした楔状部分切除のsingle arm study，JCOG0802：上記以外の2cm以下の肺野末梢小型肺癌に対する肺葉切除と区域切除の無作為比較試験，JCOG1211：3cmまでのすりガラス陰影主体病変も含めた区域切除のsingle arm study）．肺癌診療ガイドラインにおいても，「臨床病期ⅠA期，2cm以下のNSCLCに対しては病巣の位置や画像を勘案して縮小手術も提案する」とされているが[2]，上記の臨床試験の長期成績が明らかになるまでは，(特にCT画像上充実成分が多い浸潤癌の可能性がある肺癌に対して)実地医療として積極的縮小手術を行う場合には，オプションの術式であるという認識が必要である．

3) 拡大手術 レベルA

標準術式の範囲を超えて，直接浸潤のある隣接臓器の合併切除を行う場合，これを拡大手術(extended resection)と呼ぶ．通常合併切除される臓器としては，TNM分類でT3とされている壁側胸膜，骨性胸郭(胸壁)，縦隔胸膜，心膜や(合併切除は比較的容易でも予後不良なので)TNM第8版においてT4に格上げとなった横隔膜などがある．現時点ではT3N0-1M0のNSCLCに対しては隣接臓器合併切除の適応があるとされている[2]．T4臓器については，胸椎椎体や心大血管とくに左房，下行大動脈などの合併切除で長期生存が得られたという報告もあるが，通常は，腫瘍学的あるいは解剖学的に手術適応外となることが多い．また，(Pancoast腫瘍やSuperior Sulcus Tumorなどの呼称を含む)肺尖部胸壁浸潤肺癌(T3-4N0-1M0)に対しては，術前化学放射線療法を施行後に外科治療を行うことが推奨されている[2]．肺内転移(PM)については，同一肺葉内(PM1)であれば肺葉切除で切除範囲に含まれるので通常手術適応であるが，同側他肺葉(PM2．T4と分類される)や対側肺(PM3)の肺内転移の手術適応については明確ではない．

4) リンパ節郭清 レベルB

肺癌手術におけるリンパ節郭清(lymph node dissection)の意義は，正確なstagingと治癒可能性とである．非浸潤癌を除くと，転移の有無を正確に診断して術後補助化学療法の適応を判断するには肺門縦隔リンパ節郭清が必要であり，また，転移があった場合(pN1，pN2)でもある確率で郭清によって治癒の可能性がある．縦隔郭清の予後改善効果については，いくつかの無作為比較試験(RCT)の報告があるがエビデンスとしては十分ではない．1,111例もの大規模RCTを行ったACOSOG Z0030試験の報告(2011年)でも予後改善効果は示されなかった[11]が，これは術中サンプリングでN0と評価された後に，さらに縦隔郭清を追加するか否かの比較試験であったためと考えられている．ちなみに縦隔郭清を追加することで有意な合併症の増加はなかったとされている．現時点では，少なくとも画像上浸潤癌である可能性のある，すなわちリンパ節転移を起こしうる肺癌に対しては，肺門・縦隔のリンパ節郭清(あるいは系統的なサンプリング)を行うべきである．

リンパ節郭清の範囲としては，「肺癌取扱い規約」ではND0～3に分類されているが[9]，通常施行される縦隔リンパ節郭清はND2a-1およびND2a-2である．ND2a-1は「選択的郭清」とも称され，上葉原発の肺癌においては気管分岐下(#7)の郭清は省略して上縦隔のみを郭清し，下葉原発の肺癌においては上縦隔郭清を省略し気管分岐部を含む下縦隔を郭清するというものである．これは，上葉原発の肺癌では#7への転移頻度は低く，かつ#7に転移があった場合には予後不良であり郭清による予後改善効果が低いこと，一方，下葉原発では上縦隔リンパ節転移について同様である[12]．なお，中葉および左舌区原発では，気管分岐下および上縦隔ともにある程度の転移頻度が報告されており，これらを含めて郭清するものをND2a-1とし，ND2a-2は規定されていない．縦隔リンパ節郭清に伴う合併症の増加も危惧して近年はND2a-1を施行する施設が多くなっているが，そのエビデンスを出すためのND2a-1とND2a-2を比較する臨床試験(JCOG1413)が現在施行中である[9]．

5) 気管支形成 レベルA

肺門部の腫瘍(扁平上皮癌やカルチノイド腫瘍など)で主気管支付近へ病変が及ぶ場合に，根治性を損なわず肺全摘を避けて機能温存する術式として，気管支形成術がある(Ⅱ-9-D参照)．近年は，末梢小型肺癌の増加と喫煙率の減少に伴って肺門部扁平上皮癌の割合が減っており，気管支形成術を伴う肺癌手術は約1％強の頻度である．実地で習得する機会は減っているが，呼吸器外科においては必要な技術であるので，様々な機会を利用して技術を修練していくことが望ましい．

6) アプローチ レベルA

肺癌手術における胸腔内へのアプローチ法としては，開胸か胸腔鏡手術，すなわち，いわゆるVATS(video-assisted thoracic surgery)とに分けられることが多い．腹腔鏡のようにCO_2送気を必要としない呼吸器外科手術においては，完全鏡視下のみでなく胸腔鏡補助下の小開胸手術もVATSと称され，開胸手術との境界が判然としなかったが，現在，呼吸器外科学会としては，VATSを「最大創長8cm以下で主たる操作をモニター視下で行うもの」と定義している．

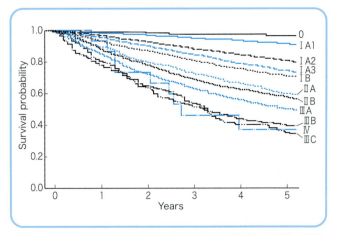

図2 わが国における2004年の肺癌切除例の術後成績（UICC TNM分類，第8版 c-stage）

（Okami J et al. J Thorac Oncol 2018; 14: 212 [13]）を参考に作成）

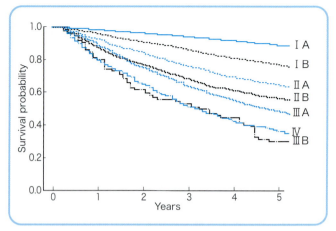

図3 わが国における2004年の肺癌切除例の術後成績（UICC TNM分類，第7版 p-stage）

（Okami J et al. J Thorac Oncol 2018; 14: 212 [13]）を参考に作成）

また，ロボット支援胸腔鏡手術も2018年度から保険収載されて普及してきている．さらに単一のポートからの手術（Uniportal VATS）なども施行されてきており，今後の手術機器と技術の進歩によって，さらなる低侵襲なアプローチが開発されていくと考えられる．

開胸による手術とポート孔のみで手術操作を行う完全鏡視下手術とでは，後者において触診や器具の自由度など施行可能な手術操作の点で制限があることは事実であるが，一方，胸壁へのダメージの点で侵襲に大きな違いがあることも明らかである．いずれにせよ，肺癌の手術において重要な点は，安全性と根治性を損なわないことであり，腫瘍の大きさや浸潤度等および術者の技術度に応じて，同等の操作が可能である場合には低侵襲なVATSを行っていくことが推奨される．しかし，繰り返しとなるが，低侵襲アプローチを優先して安全性や術後再発リスクをおろそかにすることは厳に慎まねばならない．

d 手術記載 レベルA

手術所見，施行術式等の記録については，「肺癌取扱い規約」に掲載されている「肺癌手術記載」[10]に則って記載することが推奨される．根治度については，かつては完全切除と非完全切除に分類されていたが，現在はTNM分類と整合性のあるR分類で記載するようになっている：R0（肉眼的にも顕微鏡的にも腫瘍遺残なし），R1（顕微鏡的腫瘍遺残），R2（肉眼的遺残），RX（遺残腫瘍判定不可）など．

e 成績 レベルB

わが国の肺癌手術成績については肺癌合同登録委員会から報告されているが，世界的にみても優れている．2010年に切除された18,973例の検討[13]では，術後30日ならびに90日以内の死亡率はそれぞれ0.43%，1.26%であり，長期成績としては手術例全体の5年生存率は74.3%である．各c-stage，p-stageごとの生存曲線は図2，図3に示す．臨床病期（c-stage：TNM第8版）別の術後5年生存率は，それぞれ，0期97%，ⅠA1期91.6%，ⅠA2期81.4%，ⅠA3期74.8%，ⅠB期71.5%，ⅡA期60.2%，ⅡB期58.1%，ⅢA期50.6%，ⅢB期40.5%，ⅢC期37.5%，Ⅳ期36.0%，病理病期（p-stage：TNM第7版）別では，それぞれⅠA期88.9%，ⅠB期76.7%，ⅡA期64.1%，ⅡB期56.1%，ⅢA期47.9%，ⅢB期30.2%，Ⅳ期36.1%となっている．

術後早期の成績，すなわち合併症については，Ⅲ-5を参照されたい．

文献

1) Shimizu H et al. Gen Thorac Cardiovasc Surg 2020; **68**: 414
2) https://www.haigan.gr.jp/modules/guideline/
3) Graham EA et al. JAMA 1933; **101**: 1371
4) Cahan WG et al. J Thorac Cardiovasc Surg 1960; **39**: 555
5) Albain KS et al. Lancet 2009; **374**: 379
6) Levy A et al. Eur J Cancer 2019; **122**: 109
7) Takei H et al. J Thorac Oncol 2014; **9**: 1140
8) Ginsberg RJ et al. Ann Thorac Surg 1995; **60**: 615
9) http://jcog.jp/basic/clinicaltrial/
10) 日本肺癌学会：臨床・病理 肺癌取扱い規約，第8版，金原出版，2017: p51
11) Darling GE et al. J Thorac Cardiovasc Surg 2011; **141**: 662
12) Hishida T et al. J Thorac Oncol 2016; **11**: 1529
13) Okami J et al. J Thorac Oncol 2018; **14**: 212

肺癌の併用療法

要点

1. 完全切除後の補助化学療法は，Stage I 腫瘍径2cm超ではテガフール・ウラシル配合(UFT)の投与が推奨される．
2. 完全切除後の補助化学療法は，Stage II-IIIA ではシスプラチン(CDDP)を含む2剤併用療法が推奨される．
3. 完全切除後の補助放射線治療は Stage IIIA-N2 に対して考慮してもよいが，その根拠は弱い．
4. Stage IIIA-N2 肺癌に対する集学的治療に関しては，呼吸器外科・呼吸器内科・放射線治療医合同のグループで決定し，そのなかで手術療法は肺葉切除で切除可能な場合は考慮してもよいがその根拠は十分ではない．

Key Word 術前化学療法，術前放射線化学療法，術後化学療法，術後放射線治療

a 非小細胞肺癌(NSCLC)の併用療法

NSCLC は完全切除を行っても術後の再発は少なくないため，再発を減らす目的で周術期に化学療法や放射線治療を追加することが試みられてきた．周術期治療のエビデンスについては，1) 遠隔転移を減らすための周術期化学療法，2) 術後放射線照射，3) 臨床病期 IIIA-N2 NSCLC に対する集学的治療，の3つの状況に分けて解説する．

1) 遠隔転移を減らすための周術期化学療法 レベルA

1995年に発表された術後補助化学療法のメタアナリシスが周術期化学療法の開発が本格的に進むきっかけとなった．そのメタアナリシスでは術後化学療法の手術単独に対するハザード比はアルキル化剤で1.15，UFT で0.89，シスプラチンベースの化学療法が0.87であり，シスプラチンを含む化学療法では p 値が0.08であり，術後補助化学療法の開発が加速した．その後，大規模な術後化学療法の臨床試験が1994年ころより多数開始になり(表1)，2004年に IALT がはじめて術後補助化学療法の有効性を証明した．IALT はシスプラチン+(エトポシド56.9%，ビノレルビン26.8%，ビンブラスチン11%，ビンデシン5.8%)を使用し，切除単独と比較したもので，症例数は3,300例の予定が1,867例で終了となったが，手術単独群と比較し化学療法群の予後が有意に良好であった(5年生存率：39.4% vs. 34.3%，$p=0.03$)．その後2005年には JBR10，2006年には ANITA と次々にポジティブな結果が発表され，2008年に大規模臨床試験のうちシスプラチンを用いた5つの試験の個々の患者データを集めて解析した LACE メタアナリシスが発表され，術後補助化学療法は標準治療として確立された[1]．LACE で注目すべきは術後化学療法の効果が病理病期で異なるということであった．LACE の病期毎の HR は IA 期で1.40，IB 期で0.93，II 期で0.83，IIIA 期で0.83であり，IA 期では逆に予後を不良にする結果であった．CALGB は中間解析で有効中止となったものの，最終的には有意ではなくなったが，IB 期のみが対象であった．ポジティブであった4つの臨床試験の Stage 毎の効果を見ても，I 期で有意であったものはなく，II 期あるいは IIIA 期でのみ有効な結果であった．このことは，プラチナベースの化学療法の寿命に対するマイナス効果を上回るプラスを出すためには，化学療法が有効な本来再発するであろう患者の割合が高い II 期以上である必要があると言うことであろう．レジメンに関しては JBR10，ANITA で使われ，IALT でも約1/4で使用されていたシスプラチン+ビノレルビンのエビデンスが最も多いため，最も使われるレジメンとなっている．日本において，そのシスプラチン+ナベルビンに対してより高い効果が期待できるシスプラチン+アリムタを比較する臨床試験が行われ(JIPANG)，その結果は2019年の ASCO で発表された．結果は，シスプラチン+アリムタはシスプラチン+ビノレルビンと比較し期待に反して優越性は証明されなかったが，ほぼ重なる生存曲線で，副作用はより少ないことが示された．

①術前化学療法の大規模臨床試験

術前に化学療法を行うという考え方は，①早期に全身治療を行い微小転移をたたく，②腫瘍を縮小することで切除を容易にする，③化学療法の効果が見えるという3つのメリットにて進められてきた．術前化学療法の有効性が最初に示されたのは小規模だがともに有効中止であった Roth および Rosell らによる2つの臨床試験であった．両試験ともに大きな差を示したことから術前化学療法に対する期待は大きくなった．また，1999年に Depierre らの試験で N2 よりも N0-1 で術前化学療法の効果が高い可能性が示され，より早期を対象に大規模臨床試験が1997年ころより多数開始になった(表1)．しかし，数年先行して始まった大規模な術後化学療法の臨床試験で Positive な結果が複数出た影響で，術前化学療法の臨床試験は多くが中止に追い込まれた．理由は手術単独群が倫理的に問題になったためである．その影響もあり術前化学療法は軒並みネガティブに終わった．しかし，術前化学療法でもメタアナリシスが行われた結果，術前化学療法の HR は0.87であり，術後の HR0.89 とほぼ同じであり，有意に予後を改善することが示された[2]．また術前と術後化学療法を直接比較した唯一の臨床試験である NATCH 試験では，全体では差がなかったが，約1/3を占める II 期の患者では5年 DFS は手術単独25%，術前36.6%，術後31%であり，術前が一番高い数値であった．

②術後 UFT

一方で日本においては UFT の臨床試験が行われてきて，

表1 周術期化学療法のエビデンス1

試験名	開始年	発表年	症例数	ステージ	結果	結果
術後化学療法						
BLT	1995	2004	381	Ⅰ-Ⅲ	Negative	HR 1.02
IALT	1995	2004	1,867	Ⅰ-Ⅲ	Positive	HR 0.86
JBR10	1994	2005	482	ⅠB-Ⅱ	Positive	HR 0.69
ALPI	1994	2005	1,088	Ⅰ-ⅢA	Negative	HR 0.96
ANITA	1994	2006	840	ⅠB-ⅢA	Positive	HR 0.80
CALGB	1996	2008	344	ⅠB	Positive	HR 0.83
LACE[1]	Meta	2008	4,584	Ⅰ-Ⅲ	Positive	HR 0.89
UFT JLCRG	1994	2004	999	Ⅰ	Positive	HR 0.71
UFT	Meta	2005	2,003	Ⅰ	Positive	HR 0.74
術前化学療法						
Roth	1987	1994	60	ⅢA	Positive	3年 OS 56% vs. 15%
Rosell	1989	1994	60	ⅢA	Positive	MST 26 vs. 8ヵ月
Depierre	1991	2001	355	ⅠB-ⅢA	Negative	MST 37 vs. 26ヵ月
JCOG9209	1993	2003	62	ⅢA	Negative	5年 OS 10% vs. 22%
MRC LU22	1997	2007	519	Ⅰ-Ⅲ	Negative	HR:1.02
S9900	1999	2010	354	ⅠB-ⅢA	Negative	HR 0.79
NATCH	2000	2010	624	ⅠB-T3N1	Negative	HR Neo 0.88, Adj 1.01
Ch.E.S.T	2000	2011	270	ⅠB-ⅢA	Positive	HR 0.63
Preope CT[2]	Meta	2014	2,385	Ⅰ-Ⅲ	Positive	HR 0.87

MST : median survival time, HR : hazard ratio, OS : overall survival, Neo : neoadjuvant chemotherapy, Adj : adjuvant chemotherapy.

1995年のメタアナリシスでもその他の薬剤として評価され，手術単独群と比較しHRは0.89であった．その後，2004年に999人の病理病期Ⅰ期腺癌患者を登録して行った大規模な第Ⅲ相試験にて手術単独群と比較しUFTの2年間投与群の優越性が証明された（表1）．その試験では腫瘍径3cm以上においてUFT群の有効性が高かった（HR 0.48）．また2005年に発表された6つの試験を合わせたメタアナリシスでもUFT治療のハザードは0.74とⅠ期肺癌において有効性が示された．そのなかでⅠA期とⅠB期に効果の差は認めなかったが，2009年のメタアナリシスの追加解析でⅠA期をT1aとT1bに分けて検討した結果，治療効果はT1a（≤2cm）では差が小さく，T1b（>2cm）でのみ有意な改善効果が示された[3]．このことより2cm以上のⅠ期肺癌に対してはUFT治療が日本では標準治療として広く行われている．

③術後 EGFR-TKI

肺癌術後にEGFR-TKI内服治療にて再発を抑制しようとする試みが3つ報告されている．最初の試験はBR19で術後ⅠB期からⅢA期までのNSCLC患者503例に術後にゲフィチニブかプラセボを2年間内服する試験であったが，ゲフィチニブのOSのハザードは1.24と逆に予後が悪かった．EGFR遺伝子変異を認めたものは15例のみであり，うち7例にゲフィチニブが投与されたが，ゲフィチニブ投与のハザードはDFSが1.84，OSが3.16という結果であった．2つ目はRADIANT試験であり，EGFRのIHC陽性またはFISHでの増幅例を対象とした術後エルロチニブ治療の効果を検証する試験であったが全体としては有効性は証明できず，EGFR遺伝子変異例161例での検討ではDFSの中央値が46.4 vs. 28.5ヵ月と延長していたが，OSは改善していなかった．3つ目は中国で行われたADJUVANT/CTONG1104であり，EGFR遺伝子変異がある術後病期Ⅱ-ⅢA（N1-N2）222例を対象として，ゲフィチニブ2年間投与とシスプラチン＋ビノレルビン4サイクルを比較した試験である．Primary endpointはDFSであり，ゲフィチニブ群はシスプラチン＋ビノレルビン群と比較して有意にDFSの延長を認めた（28.7ヵ月 vs. 18.0ヵ月）．しかし，DFSは両群とも4年前後にゼロになっており，根治を増やすかどうかは不明である．

2）術後放射線照射（PORT） レベルA

局所再発を減らす目的で肺門縦隔にPORTを行う臨床試験が行われてきた．しかし，1998年のメタアナリシスにて全体としてはPORT群のほうが予後不良であり，その理由は癌死以外の死因による死亡の増加であった．つまり化学療法と同じように放射線治療も基本的に寿命に対してマイナス効果を有しており，トータルでプラスにするにはそのマイナスを上回る効果が必要になるということである．ステージ別に見ると，Ⅰ期が最もマイナスが大きく，次がⅡ期で，Ⅲ期だとわずかにPORT群がよい結果であった．またこのメタアナリシスに含められた多くの試験で古い放射線技術が使われており，このことがマイナスが大きくなった原因と考えられている．メタアナリシス後にPORT施行の割合は減少したが，欧米では現在でも一定割合使用され続けている．実際，術後補助化学療法の有効性を検証する大規模臨床試験でもPORTは許容されており，IALTでは全体で27%，N2に限っては64%でPORTが行われていた．

ANITA においても全体で 28%, N2 では 52%で PORT が行われていた. この ANITA では PORT の有無を施設毎にあらかじめ決めておくというものであり, PORT および化学療法の有無で病期別の生存率を検討した研究が報告されている. それによると, N2 例では化学療法の有無にかかわらず PORT 施行群の 5 年生存率のほうが高かった. さらに前向きに登録された大規模データベースを用いた研究も複数行われており, 多くの研究で N2 では PORT 群のほうが予後がよい結果であった. また N2 のなかでもより予後が悪い群(転移リンパ節ステーション数が多い, 転移リンパ節割合が高いなど)で PORT の効果が高い可能性を示唆する研究もいくつか報告されている. これらのエビデンスより N2 例全体もしくは選択した症例に対する現在の技術を用いた PORT は有効な可能性が高いが, エビデンスレベルは低い. 現在行われている唯一の臨床試験である Lung ART の結果が待たれる.

3) 臨床病期 N2 ⅢA 期 NSCLC に対する集学的治療
レベル A

cN2 肺癌の治療に関しては, 手術療法の意義を含めて確立されていない点が多い. ①集学的治療のなかでの局所療法としての手術療法と放射線治療(RT)の比較, ②術前治療としての化学放射線治療(CRT)と化学療法単独(CT)との比較の 2 つの観点に分けて cN2 肺癌の臨床試験の結果を紹介する.

①集学的治療の中での手術 vs. RT

表 2a に集学的治療の中における局所療法の比較を行った臨床試験を列挙する. 大規模臨床試験である直近の 3 つの臨床試験を含めて, RT と手術療法のいずれかが優れているという結果は出ていない. EORTC による試験は導入化学療法後に縮小が見られた症例を手術か RT に振り分けた試験であったが, ほぼ重なる生存曲線であった. INT0139 は最初にランダム化し, CRT 後に RT を行う群と CRT 後に手術を行う群に振り分けた試験であった[4]. PFS では手術群の生存が有意に良好(HR 0.77, $p=0.017$)であったが, OS では有意な差は認ず(HR 0.87, $p=0.24$)ネガティブスタディであった. しかし, 追加された探索的なサブセット解析において肺葉切除が可能な集団では手術群の予後が有意に良好であった(5 年生存率 36% vs. 18%). この結果から, 肺全摘術がさけられる場合 CRT 後の手術療法は治療選択のひとつとなっている.

②術前治療として CRT vs. CT

表 2b に cN2 に対する術前治療としての CRT と CT との比較を行った臨床試験を示す. 最初の Fleck らの報告では術前 CT と比較して CRT のほうが PFS が良好であった. しかしそれ以降最も大規模な臨床試験である Thomas らが報告した German Lung Cancer Cooperative Group による臨床試験においても, CT と比較して CRT が有意に生存を改善するという結果はひとつも出ていない[5]. 術前に RT を追加している分だけ CRT 群の病理学的奏功割合は多くの臨床試験で高いが, それが PFS や OS の改善につながっていないのが現状である. CT 群における術後 RT の追加がその原因の可能性もある. 最近発表されたスイスグループによる臨床試験でも DFS に有意な差は認めておらず, 現時点では cN2 肺癌に対する術前治療として, CRT と CT のいずれも用いられているのが現状である.

表 2 Ⅲ期 NSCLC の集学的治療のエビデンス

著者	発表年	試験アーム	患者数	結果
a) 局所療法の比較				
Shepherd	1998	RT	15	OS 16.2 ヵ月
		CT→S	16	OS 18.7 ヵ月
Johnstone	2002	CT→RT→CT	33	4yOS 22%
		CT→S→CT	29	4yOS 22%
Stephens	2005	CT→RT	24	2yOS 16%
		CT→S	24	2yOS 15%
van Meerbeeck (EORTC)	2007	CT→RT	165	5yOS 14%
		CT→S	167	5yOS 15.7%
Albain[4] (INT0139)	2009	CRT→RT→CT	194	5yOS 20%
		CRT→S→CT	202	5yOS 27%
b) 術前治療の比較				
Fleck*	1993	CRT→S→RT	48	3yPFS 40%
		CT→S→CT	48	3yPFS 21%
Sauvaget*	2000	CT→CRT→S	48	OS 18.5 ヵ月
		CT→S	44	OS 19 ヵ月
Thomas[5] GLCCG	2008	CT→CRT→S	264	5yPFS 16%
		CT→S→RT	260	5yPFS 14%
Katakami WJTOG	2012	CRT→S	29	OS 39.6 ヵ月
		CT→S	29	OS 29.9 ヵ月
Pless SAKK	2015	CRT→S	117	DFS 12.8 ヵ月
		CT→S	115	DFS 11.6 ヵ月

*ASCO abstract のみ
OS: overall survival, PFS: progression-free survival, DFS: disease-free survival

文献

1) Pignon JP et al. J Clin Oncol 2008; **26**: 3552
2) NSCLC Meta-analysis Collaborative Group. Lancet 2014; **383**: 1561
3) Hamada C et al. J Thorac Oncol 2009; **4**: 1511
4) Albain KS et al. Lancet 2009; **374**: 379
5) Thomas M et al. Lancet Oncol 2008; **9**: 636

J 非小細胞肺癌の化学療法/薬物療法

要点

1. 非小細胞肺癌における薬物療法は，根治を目指す術後補助化学療法・化学放射線療法と，生存期間の延長とQOLの維持・改善を目指す薬物療法に大別される．
2. 非小細胞肺癌の薬物療法に用いる薬剤には，細胞傷害性抗癌薬と分子標的治療薬がある．
3. 非小細胞肺癌の薬物療法で用いる分子標的治療薬の種類には，キナーゼ阻害薬，血管新生阻害薬，免疫チェックポイント阻害薬がある．
4. IV期非小細胞肺癌に対する薬物療法は，病期，バイオマーカー(ドライバー遺伝子異常の有無やPD-L1蛋白質の発現細胞割合(tumor proportion score：TPS))，組織型，performance status(PS)，年齢などを考慮し総合的に選択する．
5. いずれの薬物療法においても，副作用に対する治療(支持療法)と癌の症状に対する治療(緩和療法)を併用する．

Key Word 細胞傷害性抗癌薬，分子標的治療薬，ドライバー遺伝子異常，キナーゼ阻害薬，免疫チェックポイント阻害薬，血管新生阻害薬，維持療法，支持療法，緩和療法

原発性肺癌に対する薬物療法の目的は，早期あるいは局所進行期非小細胞肺癌に対する手術療法や根治的放射線療法の根治性を高めること(補助療法)と，切除不能かつ根治照射不能の進行・再発非小細胞肺癌の生存期間の延長とQOLの改善を図ることである．非小細胞肺癌の治療に用いる薬物は，細胞傷害性抗癌薬(化学療法薬)と分子標的治療薬からなり，分子標的治療薬にはドライバー遺伝子変異を認める場合に使用するキナーゼ阻害薬，他の薬剤と併用する血管新生阻害薬，単剤または併用で用いる免疫チェックポイント阻害薬が含まれる．それぞれの薬剤の適応は，病期，ドライバー遺伝子異常の有無やPD-L1蛋白質の発現細胞割合(TPS)などのバイオマーカー，組織型，PS，年齢，臓器機能，併存合併症，および各薬剤の毒性の特長などから総合的に判断する．使用する薬物およびその組み合わせにより，副作用も多岐にわたるため，治療を担当する者は，副作用に対する薬物療法・非薬物療法に関する知識を必要とする．呼吸器外科医としては，日本肺癌学会編集「肺癌診療ガイドライン」の内容を基礎知識としておさえておくことが重要である．

a 非小細胞肺癌における薬物療法の基本的な治療戦略 (図1) レベルA

1) 病期による治療戦略

① I～IIIA期：細胞障害性抗がん薬による術後補助化学療法．
② III期：切除不能かつ根治的放射線照射可能の局所進行非小細胞肺癌に対してはプラチナ併用療法と胸部放射線療法(同時照射)．放射線治療終了後に免疫チェックポイント阻害薬の維持療法．
③ IV期：バイオマーカー，組織型，年齢，PSなどから，プラチナ併用療法を主体とする細胞障害性抗がん薬，キナーゼ阻害薬，血管新生阻害薬，免疫チェックポイント阻害薬を単剤あるいは併用で使用．

2) バイオマーカーによる治療戦略

① ドライバー遺伝子異常陽性：EGFR遺伝子変異，ALK融合遺伝子，ROS1融合遺伝子，BRAF遺伝子変異がコンパニオン診断もしくは遺伝子パネル検査で陽性である場合，それぞれのキナーゼ阻害薬を単剤または併用で用いる．
② TPS：ドライバー遺伝子異常陰性の症例において，腫瘍組織におけるPD-L1蛋白質発現細胞の割合をもとに，免疫チェックポイント阻害薬ペムブロリズマブの適応を決定する．

3) 組織型による治療戦略

① 非扁平上皮癌：細胞障害性抗がん薬(ペメトレキセド)，血管新生阻害薬(ベバシズマブ)を使用できる．
② 扁平上皮癌：抗EGFR抗体薬ネシツムマブを使用できる．

4) 年齢による治療戦略

非小細胞肺癌においては75歳以上を高齢者と定義し，細胞障害性抗がん薬を使用する場合は高齢者用のレジメンを推奨する．

5) PSによる治療戦略

ドライバー遺伝子異常陽性例では例外的にPS3以上にも薬物療法を使用するが，他の場合は原則としてPS3以上では薬物療法の適応とはならない．PS2ではPS不良例として別のレジメンを推奨する場合がある．

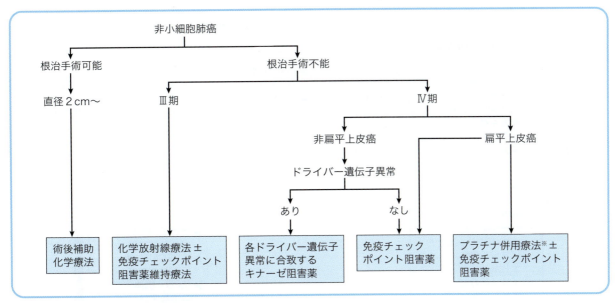

図1 非小細胞癌に対する薬物療法の基本戦略
上図に加えて年齢(75歳以上かどうか),PSなどを考慮して薬剤を選択する.
※ プラチナ併用に関しては組織型別に使用する薬剤が異なる.

b 細胞傷害性抗癌薬の適応と副作用
レベルB

1) 細胞傷害性抗癌薬の種類(図2)

非小細胞肺癌の治療に使用される主な細胞傷害性抗癌薬は,プラチナ製剤(シスプラチン,カルボプラチン,ネダプラチン),代謝拮抗薬(ゲムシタビン,ペメトレキセド,テガフール/ウラシル配合薬),トポイソメラーゼ阻害薬(イリノテカン,アムルビシン),微小管作用抗癌薬(タキサン系:パクリタキセル,ドセタキセル,nab-パクリタキセル,ビンカアルカロイド系:ビノレルビン),など10種類以上にのぼる.

2) 細胞傷害性抗癌薬の適応

①Ⅰ~Ⅲ期の適応(術後補助化学療法/化学放射線療法)

病理病期 ⅠA/ⅠB/ⅡA期(第8版)完全切除腺癌(腫瘍径2cm以上)の場合,治癒切除後の術後補助化学療法としてUFT単剤療法が用いられる.Ⅱ期-ⅢA期(第8版)の場合は,シスプラチン+ビノレルビンを代表とするシスプラチン併用療法の適応となる.臨床病期 Ⅲ期症例で根治的放射線照射可能な場合,プラチナ併用療法を同時に施行する.いずれの化学療法も,PSおよび腎機能などの臓器機能が適応の判断に用いられる.

②Ⅳ期の適応(一次治療)

臨床病期Ⅳ期でPS 0~1の非小細胞肺癌に対する細胞障害性抗がん薬による薬物療法は,扁平上皮癌と非扁平上皮癌で使用する薬剤が異なる.扁平上皮癌に対しては,一次治療としてプラチナ製剤+タキサン系抗癌薬(パクリタキセル,ドセタキセル,nab-パクリタキセル),プラチナ製剤+代謝拮抗薬(ゲムシタビン,S-1)が用いられる.カルボプラチン+nab-パクリタキセルは免疫チェックポイント阻害薬ペムブロリズマブまたはアテゾリズマブと併用可能である.シスプラチン+ゲムシタビンはEGFR抗体薬ネシツムマブと併用可能である.

非扁平上皮癌においては,一次治療としてプラチナ製剤+ペメトレキセド,プラチナ製剤+タキサン系抗癌薬などが選択される.これらのレジメンは免疫チェックポイント阻害薬(ペムブロリズマブ,アテゾリズマブ)や血管新生阻害薬(ベバシズマブ)との併用も可能である.治療レジメンの選択は,その副作用プロファイルと患者の希望する生活とを照らし合わせて決定する.

③維持療法

ペメトレキセドはプラチナ製剤との併用で使用された場合,4コース後に不変もしくは有効であれば,ペメトレキセド単剤を維持療法として使用できる(continuation maintenance).ペメトレキセドは他のプラチナ併用療法後の維持療法としても使用できる(switch maintenance).

④二次治療

一次治療が不応あるいは再燃した場合は,二次治療としてドセタキセル,ペメトレキセド,S-1を単剤で用いる.この場合,一次治療で用いられた薬剤は使用しない.ドセタキセルは血管新生阻害薬ラムシルマブとの併用が可能である.

⑤高齢者(75歳以上)の治療

75歳以上であってもPS,全身状態および臓器機能が良好であれば,非プラチナ単剤治療またはカルボプラチン併用療法を一次治療として選択可能である.

⑥PS不良(PS 2以上)例の治療

PS 2に対しては非プラチナ単剤治療またはカルボプラチン併用療法の適応となる.細胞障害性抗がん薬はPS 3以上に適応とならない.

⑦副作用

細胞傷害性抗癌薬は,DNA合成阻害や分裂期阻害作用があるため,正常細胞の分裂阻害作用を有することから,副

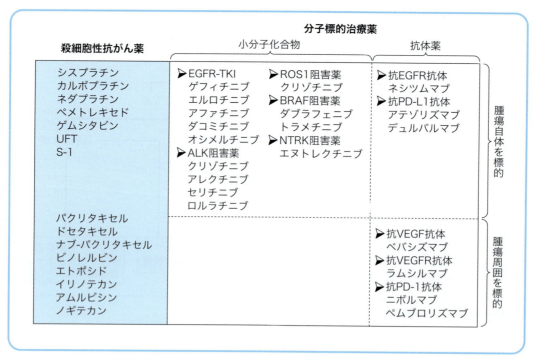

図2 肺癌治療に使用する薬剤(2020年1月1日現在)

作用の発生は避けられない．主な副作用としては，骨髄抑制(造血障害)，消化器毒性(嘔吐，下痢，食欲不振など)，腎・膀胱障害，呼吸器合併症(薬剤性間質性肺炎)，循環器障害(心筋障害)などである．

C 分子標的治療薬の適応と副作用 レベルB

1) 分子標的治療薬の種類(図2)

非小細胞肺癌における分子標的治療薬(molecular target drug)は，EGFRチロシンキナーゼ阻害薬(EGFR-TKI)5剤(ゲフィチニブ，エルロチニブ，アファチニブ，ダコミチニブ，オシメルチニブ)，ALK阻害薬4剤(クリゾチニブ，アレクチニブ，セリチニブ，ロルラチニブ)，ROS1阻害薬2剤(クリゾチニブ)，RAF/MEK阻害薬2剤(併用：ダブラフェニブ＋トラメチニブ)，NTRK阻害薬1剤(エヌトレクチニブ)，血管新生阻害薬2剤(ベバシズマブ，ラムシルマブ)，抗EGFR抗体薬ネシツムマブの延べ16薬剤が使用可能である．さらに免疫チェックポイント阻害薬として，抗PD-1抗体薬2薬剤(ニボルマブ，ペムブロリズマブ)，抗PD-L1抗体薬2薬剤(アテゾリズマブ，デュルバルマブ)の4薬剤がある．

2) 分子標的治療薬の適応

①Ⅰ～Ⅲ期の適応(術後補助化学療法/化学放射線療法)

Ⅰ期～Ⅱ期における分子標的治療薬の使用は推奨されない．Ⅲ期で使用する分子標的治療薬は免疫チェックポイント阻害薬であるデュルバルマブのみである．化学放射線治療後6週間以内にG2以上の放射線性肺臓炎が生じていない場合にデュルバルマブ投与を開始し1年間継続する．

②Ⅳ期の適応(一次治療)

ドライバー遺伝子異常を認める場合に，対応する遺伝子異常に基づきEGFRチロシンキナーゼ阻害薬(EGFR-TKI)，ALK阻害薬，ROS1阻害薬，BRAF/MEK阻害薬を治療に用いる．

非扁平上皮癌でドライバー遺伝子異常を認めず，気管・大血管への浸潤などベバシズマブのリスク因子を認めない場合は，白金製剤併用療法に加えて血管新生阻害薬であるベバシズマブを併用することが可能である．

ドライバー遺伝子異常を認めない場合，プラチナ併用療法あるいはプラチナ併用療法＋ベバシズマブに免疫チェックポイント阻害薬(ペムブロリズマブ，アテゾリズマブ)を併用する場合もある．TPSが50％以上の場合はペムブロリズマブ単剤治療も推奨される．

③維持療法

ベバシズマブや免疫チェックポイント阻害薬はプラチナ併用療法終了後(4～6コース後)に不変あるいは有効であると判断された場合，維持療法として使用してもよい(continuation maintenance)．

④二次治療

EGFR遺伝子異常変異陽性例に対し，一次治療でEGFR-TKIが使用されたあとの二次治療としては，耐性遺伝子変異(T790M)の有無を確認したうえで，T790M陽性かつ一次治療でオシメルチニブを使用していなければオシメルチニブの適応がある．ALK融合遺伝子異常陽性例に対し，一次治療で使用していないALK阻害薬の使用は可能である．ドライバー遺伝子異常に対する他のキナーゼ阻害薬の適応がないと判断される場合は，プラチナ併用療法が推奨されるが，ベバシズマブのリスク因子が陰性である場合はプラチナ併用療法＋ベバシズマブも選択可能である．ドライバー

遺伝子異常陽性例に対する免疫チェックポイント阻害薬の使用については推奨するだけのエビデンスがない．

ドライバー遺伝子異常陰性で，一次治療でプラチナ併用療法が使用された場合，二次治療として免疫チェックポイント阻害薬(ニボルマブ，ペムブロリズマブ，アテゾリズマブ)単剤治療が使用可能である．

血管新生阻害薬ラムシルマブは二次治療においてドセタキセルとの併用で使用可能である．

①高齢者(75歳以上)の治療

ドライバー遺伝子異常陽性の場合，キナーゼ阻害薬の使用は原則として年齢に制限されない．血新生阻害薬に関しては75歳以上の高齢者に対する適用に関して安全性が確認されておらず推奨されない．免疫チェックポイント阻害薬の高齢者への適応についてはエビデンスが不足しており使用に関しては他の要因も加味して検討されるべきである．

②PS不良(PS 2以上)例の治療

ドライバー遺伝子異常陽性例に対しては，PS 2においてはドライバー遺伝子異常に対応するキナーゼ阻害薬が推奨されるが，PS 3以上においてはキナーゼ阻害薬の提案程度となる．血管新生阻害薬に関しては，PS不良例に対する適用はない．免疫チェックポイント阻害薬に関しては，PS 2かつTPS 50％以上の症例において，ペムブロリズマブ単剤治療を行うことが弱く推奨されるのみで，他の使用は積極的に推奨されない．

③副作用

分子標的薬には標的による特徴的な有害事象があり，EGFR阻害薬は皮膚障害や下痢など，血管新生阻害薬には高血圧，蛋白尿，出血，血栓・塞栓症などがある．キナーゼ阻害薬には共通の重篤な有害事象として間質性肺炎・急性肺障害があり注意が必要である．免疫チェックポイント阻害薬には免疫関連有害事象とよばれる自己免疫疾患に類似した特徴的な有害事象が生じる．代表的なものとして甲状腺機能障害や副腎機能障害，下垂体炎，腸炎，筋炎・筋無力症，脳炎，劇症1型糖尿病などである．

d 支持療法 レベルB

細胞傷害性抗癌薬は，治療関連死亡を誘発する血液毒性や苦痛の程度の大きい悪心・嘔吐などの非血液毒性が強く，治療アドヒアランスを維持する意味においても，QOLを保つ意味においても，予防および早期の適切な支持療法が必要である．分子標的治療においては，皮膚障害，下痢，間質性肺炎・急性肺障害に対する支持療法が重要である．免疫チェックポイント阻害薬では免疫関連有害事象が生じるため，支持療法だけでなく関連する他診療科(代謝内分泌内科，膠原病内科，消化器内科，循環器内科，神経内科，皮膚科，眼科など)との連携が必要である．

1) 血液毒性に対する支持療法
①白血球減少症/好中球減少症

好中球減少症は，細胞傷害性抗癌薬の治療関連死亡の原因である発熱性好中球減少の引き金になる有害事象である．プラチナ製剤併用やドセタキセル単剤治療においては臨床試験で10～20％の発熱性好中球減少が報告されており，リスク因子(65歳以上，過去の発熱性好中球減少の既往，化学放射線療法の既往など)を有する場合は，持続型G-CSF製剤による予防的G-CSF投与の適応となる．

②赤血球減少・血小板減少

有害事象以外の理由で生じる場合もあり，病態の探索が重要である．有害事象で生じたと判断される場合には，全身状態や薬物療法の目的などを総合的に判断し，輸血を考慮する．

2) 消化器症状
①悪心・嘔吐

薬物療法後24時間以内に生じる急性嘔吐，24時間以降数日持続する遷延性悪心・嘔吐，前回治療で悪心・嘔吐を経験したことが誘因となる治療前の予測性悪心・嘔吐がある．薬剤の嘔吐誘発の強さと患者側の因子により個人差があるが，予防が一番重要であるため，薬剤・レジメンに対応する形で制吐薬(デキサメサゾン，アプレピタント，5-HT3受容体拮抗薬，オランザピンなど)を使用する．

②下痢

細胞傷害性抗癌薬ではイリノテカン，分子標的治療薬ではEGFR-TKI，特にアファチニブの代表的有害事象である．NCI-CTCAEのグレード2までで，感染徴候を有さない場合はロペラミドの投与を行う．グレード3以上の際は脱水や電解質以上に留意しながら補液などの処置を追加する．免疫チェックポイント阻害薬による下痢は免疫学的機序が考えられるため，ステロイド薬およびインフリキシマブなどの使用が必要である．

3) 皮膚障害

EGFR-TKIや抗EGFR抗体薬の皮膚障害に対する支持療法が重要である．治療標的であるEGFRが正常皮膚の基底層にも発現しており，EGFR-TKIによるシグナル阻害により皮膚にニキビ様皮疹，剥離，乾燥，亀裂，爪変形など様々な障害を生じる．基本的にはステロイドの塗布および乾燥予防にて対処する．

4) 間質性肺炎・急性肺障害

日本人は薬剤性肺障害のリスクが高く，特にEGFR-TKIやALK阻害薬など，チロシンキナーゼ阻害薬で重篤な間質性肺炎・急性肺障害を発症することが知られている．喫煙による既存の肺構造の破壊や間質性陰影の存在，PS不良などリスク因子が知られており，リスクが高い症例に対しては慎重な投与が必要である．発症時期は投与後2～4週以内が最も多いため，患者の症状，身体症状や酸素飽和度，画像などで早期発見することが重要である．いったん発症した場合はステロイドを中心に薬剤性肺炎・間質性肺炎急性増悪に対する治療に準ずる．免疫チェックポイント阻害薬でも肺障害を生じるがチロシンキナーゼ阻害薬の肺障害と異なる病型を取ることもあるため注意が必要である．

e 緩和療法 レベルA

がん対策基本法に基づくがん対策推進基本計画における重点項目のひとつに，診断されたときからの緩和ケアの提供があげられており，癌診療にかかわるすべての医師が癌診療連携拠点病院で開催される緩和ケア研修を受講することが義務づけられている．癌診療に携わる医師は，癌薬物療法の対象となる患者においても，診断と同時に痛みや呼吸困難などの身体的苦痛，不安や抑うつなどの精神・心理的苦痛，就労や経済問題などの社会的苦痛，霊的苦痛のアセスメントを行い，より早期に適切な緩和治療を提供しなければならない．

文献

1) 日本肺癌学会(編)．肺癌診療ガイドライン2020年版，金原出版，2021
2) 日本臨床腫瘍学会(編)：発熱性好中球減少症(FN)診療ガイドライン(改訂第2版)，南江堂，2017
3) 日本癌治療学会(編)：制吐薬適正使用ガイドライン，金原出版，2015
4) 日本臨床腫瘍学会(編)：がん免疫療法ガイドライン(第2版)，金原出版，2019
5) 日本肺癌学会(編)：患者さんのための肺がんガイドブック，金原出版，2019

K 非小細胞肺癌の放射線治療

要点
1. 放射線治療の目的には，根治照射・姑息照射・緩和照射がある．
2. 根治照射の適応は，手術のできない Ⅰ/Ⅱ期症例と対側肺門転移のない Ⅲ期症例である．
3. Ⅰ期症例に対しては，体幹部定位放射線治療や粒子線治療などの高精度放射線治療が施行される．
4. Ⅲ期症例に対しては化学放射線療法後にデュルバルマブによる地固め療法を施行することで予後の改善が得られる．

Key Word 放射線治療，非小細胞肺癌，根治照射，姑息照射，緩和照射，高精度放射線治療，体幹部定位放射線治療，強度変調放射線治療，粒子線治療，化学放射線療法，免疫化学放射線療法

放射線療法は外科的治療と同じ局所療法であり，肺癌に対して様々な目的で用いられる．根治的な放射線治療としては高齢や合併症などにより手術のできない早期非小細胞肺癌(non-small cell lung cancer：NSCLC)に対する放射線単独療法，および局所進行 NSCLC に対する(免疫)化学放射線療法などが行われている．放射線療法を外科的治療と同時に用いることは少なく，標準的治療として行われているのは肺尖部胸壁浸潤癌に対する術前化学放射線療法のみである[1]．日常臨床では，Ⅲ期 NSCLC に対する術前化学放射線療法や術後リンパ節再発への照射なども行われている．

近年，放射線治療の物理的進歩により，画像を利用して高精度に放射線治療を行う画像誘導放射線治療(image-guided radiotherapy：IGRT)や不均一な放射線強度を持つビームを多方向から照射することで病巣に最適な線量分布を得る強度変調放射線治療(intensity-modulated radiation therapy：IMRT)，様々な呼吸性移動対策など新しい技術が開発され，正常組織への照射線量を可及的に低くし腫瘍へ高線量を照射することが可能になった．手術不能，拒否の末梢型早期非小細胞肺癌に対しては体幹部定位放射線治療(stereotactic body radiation therapy：SBRT)が標準治療として広く施行されるようになった．一方，Ⅲ期 NSCLC に対しては同時化学放射線療法のあとに免疫チェックポイント阻害薬であるデュルバルマブによる地固め療法を追加する免疫化学放射線療法にて画期的な予後の改善が得られ，同療法が新しい標準治療となった．本項作成(令和3年1月)時点で重粒子線治療や陽子線治療などの粒子線治療は肺癌について保険適用されておらず，限局性肺癌，局所進行非小細胞肺癌に対して先進医療として実施されている．

a 放射線治療の基本

1) 放射線治療の目的 レベルA

放射線治療の目的は，治癒を目指す根治照射，腫瘍を縮小させて延命を図る姑息照射，症状を軽減し，生活の質(quality of life：QOL)を向上させるための緩和照射に分けられる．姑息照射と緩和照射を分けずに用いることもある．それぞれの目的に応じて，照射部位や線量分割など照射の方法を決定する．すなわち，根治照射の場合には，腫瘍存在部位すべてを照射野に含み，かつ治癒線量を照射する．一方，緩和照射の場合には症状の原因となる部位に限局した照射野で，症状の改善が得られる線量を少ない回数で照射する．高精度放射線治療は，基本的には根治照射として用いられるが，再照射などで正常組織への線量を可及的に減ずる必要がある場合には姑息照射・緩和照射として用いることもある．

2) 放射線治療の方法
① 3 次元放射線治療(3D-CRT) レベルA

放射線治療は CT を用いた 3 次元治療計画に基づく 3 次元放射線治療(three-dimensional conformal radiotherapy：3D-CRT)が一般的に用いられている．3D-CRT とは，標的体積およびリスク臓器(脊髄，食道，主気管支，心臓など)の位置関係を CT により 3 次元的に把握し，治療ビームの線質や入射方向および照射野などを決定し，適切なアルゴリズムによって線量計算を行う正確な放射線治療法のことをいう．肺癌の 3 次元治療計画における標的を表1に示す．3 次元治療計画により，標的体積やリスク臓器の照射線量や線量均一性などが把握できるようになった．リスク臓器のひとつである正常肺に関しては線量体積ヒストグラム(dose-volume histogram：DVH)解析を用いた V20(20Gy以上照射される肺体積の全肺体積に対する割合)や平均肺線

表1 肺癌の3次元治療計画におけるターゲット(標的)

GTV		肺野条件 CT で認められる原発巣，および短径 10mm 以上あるいは PET 陽性の転移の疑われる肺門・縦隔・鎖骨上窩リンパ節．気管支鏡による浸潤範囲も参考にする．
CTV	IF	GTV 周囲の 5〜10mm の領域
	ENI	同側肺門，気管分岐リンパ節から上縦隔リンパ節まで．対側肺門は CTV に含めてはならない．
PTV		CTV に体内臓器の動きによる影響と毎回の治療における設定誤差を加える．
リスク臓器		脊髄，肺，食道，心臓，腕神経叢，腹部臓器

GTV (gross tumor volume)：肉眼的腫瘍体積，CTV (clinical target volume)：臨床標的体積，PTV (planning target volume)：計画標的体積，IF (involved field)：病巣部照射野，ENI (elective nodal irradiation)：予防的リンパ節照射

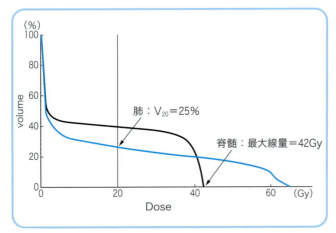

図1 線量体積ヒストグラム（DVH）
　DVHとは，CT治療計画で輪郭を囲んだ標的やリスク臓器などの関心領域ごとに，線量とその線量が投与された体積との関係を示したものである．リスク臓器として肺では，指標にV20（20Gy以上照射される肺体積の全肺体積に対する割合）を用いることが多い．この症例のDVHでは，正常肺のV20は25%，脊髄の最大照射線量は42Gyを示している．

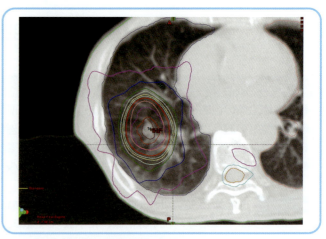

図2 体幹部定位放射線治療（SBRT）
　SBRTの線量分布を示す．多方向から集中して照射することにより，病変部に限局して高線量を照射することができる．

量（mean lung dose：MLD）により放射線肺臓炎の重症度の予測ができるようになった（図1）．

②体幹部定位放射線治療（SBRT）　レベルA

　定位放射線治療は高い精度で病変を正確に同定し，放射線を集中させることによって，周辺の正常組織への照射を可能な限り減少させ，かつ腫瘍への照射線量の増加を狙う治療法である．1990年代になり画像誘導や呼吸移動対策技術を用いて体幹部にも高い照準精度が得られるようになり，体幹部定位放射線治療（SBRT）が可能になった（図2）．SBRTの特徴はa）高精度の位置合わせ（毎回の治療前の位置精度が5mm以内），b）病変への多方向からのビーム集中（3次元で7～10門の固定ビーム，または多軌道の回転ビーム）c）1回高線量（通常1回2Gyのところを6～20Gy），d）短期間治療（通常6～7週のところを1～2週）e）ターゲットの体内移動対策（息止め，同期，追尾など）の5点である．末梢型のcT1N0M0のNSCLCを対象とすることが多く，良好な局所制御と低毒性が報告されている[2,3]．

③強度変調放射線治療（IMRT）

　逆方向治療計画（inverse plan）に基づき，空間的，時間的に不均一な放射線強度を持つビームを多方向から照射することにより，病巣部に最適な線量分布を得る放射線治療法である．正常組織への照射線量を可及的に低くし腫瘍へ高線量照射するという放射線治療の目的にとって，理想的な照射法である．しかし，IMRTは線量勾配が急峻であり毎回の照射ごとに正確な位置合わせが必要となり，呼吸性に標的が移動する肺癌においては，さらに高い精度が要求される．また，正常肺に照射される低線量域が広くなることにも注意が必要である．

④画像誘導放射線治療（IGRT）　レベルB

　非侵襲的に体内の病変を治療する放射線治療では，外から「みえない」腫瘍にいかに正確に照射するかということが大きな課題とされてきた．近年，放射線治療における画

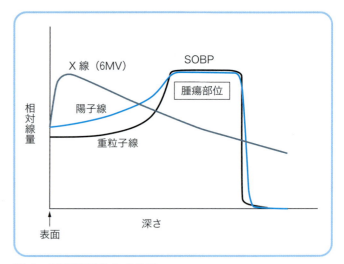

図3 深部線量分布の比較
　X線と粒子線の体の深部での線量分布の比較を示す．粒子線ではブラッグ・ピークを腫瘍の大きさに拡げた拡大ブラッグ・ピーク（spread-out Bragg peak：SOBP）を病巣に一致させることで優れた線量分布が得られる．また，粒子線では腫瘍の奥側の線量のみならず，手前側の線量も大幅に低くできる．

像取得技術が飛躍的に向上し，治療時に取得する画像情報をもとに照射位置を調整する画像誘導放射線治療（IGRT）が確立された．現在のIGRTではミリ単位での精密な位置合わせが可能となっている．IGRTはSBRT・IMRTといった高精度放射線治療に必須の技術である．

④粒子線治療　レベルB

　粒子線治療は陽子を用いる陽子線治療と，陽子より質量の大きい粒子（重粒子）を用いる重粒子線治療がある．現在臨床応用されている重粒子は炭素イオンのみであり，現状重粒子線治療は炭素イオン線治療のことを指す．両者の共通した特徴として良好な線量集中性があげられる．X線は体の深部に進むに従って少しずつ減弱しながら体内を貫通する．一方，粒子線では線量のピークを病巣に一致させることで優れた線量分布を得ることができる（図3）．また，重粒子線はX線や陽子線と比較して生物学的効果比（rela-

表2　Ⅰ期NSCLCに対するSBRTの治療成績

著者	試験タイプ	病期(UICC ver.7)	手術可否	症例数	年齢中央値	線量分割	3年局所制御率	3年全生存率	毒性
Timmerman, 2010[2]	p-Ⅱ	T1-2N0	不能	55	72	54Gy/3Fr	97.60%	55.80%	G3：12.7% G4：3.6% G5：0%
Nagata, 2015[3]	p-Ⅱ	T1N0	可能	64	79	48Gy/4Fr	85.40%	76.50%	G3：6.2% G4：0% G5：0%
			不能	100	78	48Gy/4Fr	87.30%	59.90%	G3：10.6% G4：1.9% G5：0%

tive biological effect：RBE)が2～3倍と大きいため，癌細胞に対しより強いDNA損傷を与えることができる．また，低酸素細胞に対しても本来の効果を発揮できるほか，細胞周期による放射線感受性の差が少ないことなどが知られている．したがって，重粒子線は放射線抵抗性の腫瘍に対しても十分な効果を発揮できると考えられる．一方，陽子線はX線と同様に低LET放射線に属しRBEはX線とほぼ等しいため，局所進行肺癌に対する同時化学放射線療法において用いやすいという利点がある．

＊呼吸性移動対策

肺癌は呼吸性に移動するため，全呼吸位相の腫瘍をカバーするように照射野を設定すると，大きな腫瘍や下葉原発の腫瘍では，照射野が広くなり肺障害のリスクが高くなる．照射範囲を合理的に小さくし肺障害のリスクを低減することを目的として，一定の呼吸移位相で息止めをして照射を行う息止め照射法，自由呼吸下で一定の部分の呼吸位相にのみ照射する呼吸同期照射法，腫瘍の近傍にマーカーを留置し，透視下でマーカーがある一定の領域を通過するときのみ照射する動体迎撃照射法などの呼吸移動対策が開発され，上記①～④に治療に適用されている．

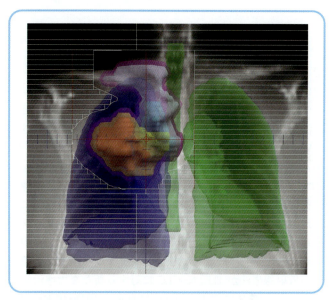

図4　予防的リンパ節照射(ENI)を含む照射野

治療計画CT上に，標的やリスク臓器の輪郭を描き，これらの位置関係を3次元的に把握し，照射野を決める．ENIを含む照射野の一例を示す．

b 根治照射の適応

1) Ⅰ/Ⅱ期NSCLC レベルA

高齢，重篤な合併症，PS不良などの理由により切除不能なⅠ/Ⅱ期NSCLCは，根治的な放射線単独療法の適応である[1]．特にⅠ期NSCLCに対しては，SBRTや粒子線治療などの線量集中性を高めた高精度放射線治療を用いる．1回大線量・寡分割照射法を用いることにより高い抗腫瘍効果を得ることができる．SBRTでは，1回12Gyを4回，総線量48Gy照射する方法が多く用いられている．また，重粒子線治療では1日1回のみの照射で終了する方法も行われている．SBRT，粒子線治療ともに，従来の通常分割照射法に比して，高い局所制御率が得られるようになった．表2にⅠ期NSCLCに対するSBRTの代表的な治療成績を示す．

2) Ⅲ期NSCLC レベルA

切除不能な局所進行NSCLCに対する標準的治療は，プラチナ製剤を含む化学療法と放射線治療の同時併用療法後にデュルバルマブによる地固め療法を1年間行うものである[1]．放射線治療は，1日1回，1回線量1.8Gyから2Gyの通常分割照射法を用い，総線量60Gy以上を照射する．照射野については，従来，予防的縦隔リンパ節照射(elective nodal irradiation：ENI)を含めた照射野が用いられてきた(表2，図4)．ENIとは，臨床上明らかなリンパ節転移は認めないが，腫瘍の進展形式から微小転移が高頻度に起こりうるリンパ領域への予防的な照射のことである．ENIの照射線量は，通常40Gy/20回が用いられている．一方，原発巣と臨床上転移が疑われる腫大リンパ節のみ，すなわち肉眼的腫瘍体積(gross tumor volume：GTV)のみをターゲットとした照射野のことを病巣部照射野(involved field：IF)という．IFを用いる場合は，線量増加による局所制御の向上と照射野縮小による有害事象の軽減を目的とする．このIFを用いた高線量照射法と標準線量照射法を比較する第Ⅲ相比較試験が行われた．その結果，74Gyの高線量照射群のほうが60Gyの標準線量照射群に比して有意に予後不良

表3 Ⅲ期NSCLCに対する（免疫）化学放射線療法の治療成績

著者	症例数	群分け	全生存期間中央値	無増悪生存期間中央値	点推定全生存率
Segawa, 2010 [4]	200	MVP	23.7M	10.5M	48.1%（2年）
		CDDP + DTX	26.8M	13.4M	60.3%（2年）
Yamamoto, 2010 [5]	440	MVP	20.5M	8.2M	17.5%（5年）
		CBDCA + CPT-11	19.8M	8.0M	17.8%（5年）
		CBDCA + PTX	22.0M	9.5M	19.5%（5年）
Bradley, 2015 [6]	544	60Gy	28.7M	11.8M	57.6%（2年）
		74Gy	20.3M	9.8M	44.6%（2年）
		セツキシマブ（−）	24.0M	10.8M	50.1%（2年）
		セツキシマブ（＋）	25.0M	10.7M	52.3%（2年）
Antonia, 2017 [7,8]	713	プラセボ	28.7M	5.6M	55.6%（2年）
		デュルバルマブによる地固め	not estimated	16.8M	66.3%（2年）

であった[6]ため，日本肺癌学会「肺癌診療ガイドライン」では，74Gyの高線量照射は行わないよう勧められている[1]．化学療法のレジメンは，カルボプラチン・パクリタキセル療法あるいはシスプラチン・ドセタキセル療法が推奨されている．これらの化学放射線療法による治療成績は，各々，中間生存期間で22ヵ月，27ヵ月，2年生存率で46%，60%，5年生存率で20%，24%であった[4,5]．化学放射線療法後に免疫チェックポイント阻害薬のデュルバルマブによる地固め療法とプラセボとを比較する第Ⅲ相比較試験が行われ，デュルバルマブ群が優位に予後を改善することが示されたことから，化学放射線療法＋デュルバルマブの免疫化学放射線療法がⅢ期NSCLCに対する新たな標準治療となった[7,8]．表3にⅢ期NSCLCに対する（免疫）化学放射線療法の代表的な治療成績を示す．

C 姑息照射・緩和照射の適応 レベルA

姑息照射とは腫瘍を縮小させることによる予後の延長を目的とする照射のことである．肺癌術後のリンパ節再発への照射，単発性脳転移に対する定位手術的照射などがあげられる．ときとして治癒に結びつくこともあるので，根治線量を用いることが多い．

また，肺癌は遠隔転移や隣接臓器浸潤が多いため，緩和治療においても放射線治療は重要な役割を果たしている．脳転移に伴う頭痛・悪心・神経症状，骨転移に伴う疼痛や神経症状，上大静脈症候群，気道狭窄に伴う呼吸困難，血痰などが対象となる．症状改善のみが目的であるので，症状の原因となっている責任病巣に限局した小さい照射野で症状軽減に必要な線量を照射すればよい．

文献

1) 日本肺癌学会（編）．肺癌診療ガイドライン2020年版，金原出版，2021
2) Timmerman R et al. JAMA 2010; **303**: 1070
3) Nagata Y et al. Int J Radiat Oncol Biol Phys 2015; **93**: 989
4) Yamamoto N et al. J Clin Oncol 2010; **28**: 3739
5) Segawa Y et al. J Clin Oncol 2010; **28**: 3299
6) Bradley JD et al. Lancet Oncol 2015; **16**: 187
7) Antonia SJ et al. N Engl J Med 2017; **377**: 1919
8) Antonia SJ et al. N Engl J Med 2018; **379**: 2342

L 肺癌の術後フォローアップ

要点

1. 肺癌術後のフォローアップの目的は，術後の有害事象（合併症）や生活状態（QOLなど）を監視し，再発および異時性多発肺癌（二次肺癌）を早期に発見することで，そのアウトカムは生命予後と生活の質の改善に結びつくことである．
2. 本邦ガイドラインでは，外科切除後の非小細胞肺癌に対して定期的な経過観察（フォローアップ）を行うことを推奨している（推奨度：レベル1，エビデンス：レベルC，合意率：90％）．
3. しかしアウトカムを検証した臨床研究は少なく，定期的なフォローアップ観察法（以下，フォローアッププログラム：観察期間，間隔，検査方法など）の意義は明確には示されていない．

Key Word 術後再発，術後合併症，異時性多発肺癌，ガイドライン，CT検査

「肺癌診療ガイドライン2020年版」[1]によれば，「外科切除後の非小細胞肺癌に対しては定期的な経過観察を行うよう推奨する」と示している．推奨の強さは1であるが，そのエビデンスの強さはレベルCにとどまり，その合意率は100％である．前版の当テキスト（2014年版の肺癌診療ガイドラインから引用）では「外科切除後の非小細胞肺癌に対しては定期的な経過観察を行うよう勧められる」（グレードB）であったが，2018年より推奨の判断表記が変更されているが，推奨に対する程度は変わっていない．

肺癌術後の定期的な経過観察（フォローアップ）は，本来，科学的エビデンスに則り，医療制度や経済的影響を十分に考慮しながら行う必要がある．しかしまだ臨床研究の結果が乏しく，科学的エビデンスに基づくフォローアップのプログラムは明示されていない．一方，実地臨床では，術後のフォローアップ診療は行われ，患者からのニーズも大いにある．そのメリットに，術後合併症の発見，術後状態（QOLなど）の把握，精神的支援，再発診断，異時性多発肺癌の発見などの側面をもつため，強い推奨度となっている（推奨の強さ：1）．なお，外科切除後の小細胞肺癌に対するフォローアップの記載はない[1]．

a 肺癌の術後フォローアップの目的は？
レベルA

肺癌術後患者に対するフォローアップの目的は，
①術後の合併症（有害事象）に対する対応
②術後状態（QOLなど）の監視や精神的支援
③再発の早期診断と対応
④異時性多発肺癌の発見であり，そのアウトカムは患者の生命予後や生活の質（QOL）が改善することである[1~4]．

1）術後の合併症（有害事象）に対する対応[2~4]

肺癌術後のフォローアップ中，早期の時期では，切除後の肺機能低下に伴う呼吸器合併症（有害事象）の監視が目的である．近年の呼吸器合併症による肺切除後90日以内再入院頻度は3％程度とする報告があるが[5]，早期肺癌症例の増加，手術の低侵襲化，疼痛管理の進歩により，その頻度は改善がみられる．退院後の主な呼吸器合併症には，細菌性肺炎，間質性肺炎，気胸，膿胸，瘻孔，胸水貯留，呼吸困難などがある．さらに手術に関連した再入院の原因には，循環器系，食欲不振など消化器系合併症，発熱，慢性疼痛などもあげられる．通常は肺切除後6ヵ月程度で肺機能は安定化するとされているが，外来診察時には呼吸器合併症に関連した症状や訴えを注意深く問診し，適切に対応することが求められる．

2）術後状態（QOLなど）の把握や精神的支援[2~4]

通常は肺癌術後6~9ヵ月までに，生活の質（QOL）は回復し安定化する．しかしそれ以降も，QOLを問診および診察でフォローアップを行うことは重要である．特に進行期肺癌患者，呼吸器併存症（慢性閉塞性肺疾患など）をもつ患者，片肺摘除や拡大手術患者などでは，インテンシブな監視が求められる．また肺切除による日常生活や社会復帰（就労・就学なども含む）に対する不安や，慢性疼痛，再発への不安や苛立ちなど精神面で不安定な状態が持続することがあり，必要に応じて適切な精神的支援を行う．

また，後述する禁煙状況のチェックも重要で，万一，喫煙再開には禁煙の指導も必要である．

3）肺癌術後再発のサーベイランス[1~4]

最近の本邦における肺癌手術成績の報告によれば[6]，各病理病期の無病生存率（disease-free survival）は，術後5年の時点で，ⅠA期84.3％，ⅠB期65.8％，ⅡA期49.7％，ⅡB期46.3％，ⅢA期27.8％で，全体では67.8％であった（病理病期は第7版）．すなわち各病期において，5年以内に一定の頻度で再発が発生していることになる．初発再発部位については，遠隔再発が13.9％で，多い順に，肺5.6％，骨3.6％，脳3.5％，肝1.5％などである．一方，局所再発は12.6％で，多い順に，肺門・縦隔リンパ節6.8％，切除断端3.3％，胸膜播種3.1％などと報告されている[6]．このように海外からの報告も含めると，再発率は13~26％とされ，再発時期については術後2年以内までにピークがあり，その後4年まではある一定の頻度で発生する．再発時期はおよそ95％が5年以内とする報告があるが[7]，術後

の腫瘍遺残量と増殖速度，術後補助療法の効果，宿主側の腫瘍免疫力などの影響を受けるため，たとえば，緩徐な発育を示す腺癌の局所再発が5年以降に明らかになったり，カルチノイド腫瘍で10年以降の再発例も報告されている．また局所進行肺癌でも，近年の周術期治療（導入療法や術後補助療法）の普及により術後5年以降の再発はまれでない．

術後フォローアップの目的のひとつに，再発を無症状で早期発見して積極的治療を行うことで予後改善を図ることがあげられる．かつては肺癌術後患者に対し胸部X線像やCT検査を用いた画像診断を積極的に行っても，そうでない患者と比べ生命予後は変わらないとされ，最近でも同様の報告は散見される（表1）．一方，定期的にCT検査を導入することで術後成績が改善する報告も見られる[8]（表1）．さらに最近は，非小細胞肺癌の再発時期や発生頻度などのデータに基づいて個別化したプログラムによるフォローアップも提示されている[7]．しかしフォローアップが肺癌術後の予後改善に結びつくのか，そのエビデンスはいまだ乏しい．

4）異時性多発肺癌の発見[2〜4]

近年の早期肺癌手術例の増加と手術成績の向上により，同時性のすりガラス陰影の経過観察や，異時性多発肺癌（二次肺癌）を発見する機会が増えている．本邦の最近の報告では，一次肺癌（原病）の手術時に同時性に見つかった多発肺癌を経過観察している頻度は5％程度にも及び[6]，さらに肺癌ハイリスク因子（喫煙歴，肺併存症など）を有する患者を含め，異時性多発肺癌を新たに発見する頻度は10〜20％ともいわれている．Hannaら[8]は，術後のフォローアップにより多発肺癌の早期発見と治療により生存率改善に結びついたと報告している．しかし5年以内の新たな肺陰影は再発癌（肺癌肺転移）か二次肺癌か実際は鑑別困難な場合も多いことや，5年以降のフォローアップではむしろ肺癌検診の役割も担うことになり，その科学的なデータは不十分である．

b 主な肺癌術後フォローアップに関するガイドライン（表2）レベルB

1）本邦のガイドライン（日本肺癌学会 肺癌診療ガイドライン2020年版）[1]

非小細胞肺癌術後のフォローアップの概要は冒頭に記載したが，ただし本邦の大腸癌（日本大腸癌研究会による大腸癌治療ガイドライン医師用「大腸癌手術後のサーベイランス」，2019年版）や，胃癌（日本胃癌学会による胃癌治療ガイドライン「胃癌手術後のフォローアップ」，2014年版）のガイドラインに示されているような観察期間，間隔，検査方法を具体的に示したプログラムの一覧はない．

要点を並べると，

○肺癌術後のフォローアップにより生命予後が延長するかについては，以前の報告（1995年以前）では否定的であったが，最近の報告では生存率改善もみられる．

○早期の非小細胞肺癌術後のフォローアップについては，ESMOのガイドラインを引用し，術後2〜3年までの半年ごとの受診（問診と診察），術後1年後と2年後のCT検査を行うことが紹介されている

○非小細胞肺癌術後のフォローアップの検査方法に胸部CT検査を行うことが予後改善するかについて，肯定的

表1　フォローアップ観察方法の違いによる術後生存期間への影響の比較

著者名	文献	研究方法	フォローアップ方法		全生存期間	無再発生存期間	備考
			積極的（実験的）方法	コントロール（従来）の方法			
Virgo KS et al. 1995	Ann Surg	後方視	年4回以上の診察，血液，胸部X線，年1回のCT，喀痰細胞診，気管支鏡	術後最初の画像診断でCTを取らない（胸部X線）	改善なし	改善あり	
Nakamura R et al. 2010	Onkologie	後方視	呼吸器内科医 CT 6ヵ月ごと，胸部X線併用，3年まで3〜5ヵ月ごと	左記以外	改善あり	−	フォローアップを呼吸器内科医が行う
Hanna WC et al.[8] 2014	J Thorac Cardiovasc Surg	前向き（ランダム化）	低線量CT 3，6，12，18，24，36，48，60ヵ月後	外科医　胸部X線3〜5ヵ月ごと	改善あり	−	治療可能例の増加による全生存期間の延長
Crabtree TD et al. 2015	J Thorac Cardiovasc Surg	後方視	CT 2〜3年まで6ヵ月ごと，5年まで1年ごと	胸部X線 3，6，12，18，24，36，48，60ヵ月後	改善なし	−	対象は病期Ⅰ期肺癌術後患者
Backhus LM et al. 2016	J Surg Res	後方視	CT 術後最初の画像検査4〜8ヵ月後	胸部X線 3，6ヵ月以降左と同じ間隔	改善なし（病期Ⅰ期のみでは，改善あり）	−	対象は病期Ⅰ，Ⅱ期術後患者（SEER-Medical data）
McMurry TL et al. 2018	Ann Surg	後方視	CT 術後最初の画像検査3，6，12ヵ月後の3群撮影の比較		3群に差なし	再発後の生存率改善なし	National Cancer Database のデータ

な報告とあまりそうでない報告があり，明らかでない．
○PETは，ESMOのガイドラインを引用して，推奨しない．

2) 海外の代表的ガイドライン

海外の代表的なガイドラインについて紹介するが，ただし肺癌診療体制や保険制度などの医療事情が異なることには留意を払うべきである．

NCCN(National Comprehensive Cancer Network)ガイドライン(Ver. 2, 2018年版)[2] では，
○非小細胞肺癌の術後については「根治的治療完了後」のサーベイランスの項目に記載され，病期Ⅰ～Ⅱ期と病期Ⅲ～Ⅳ期を分けて，診療アルゴリズムが示されている．
○サーベイランスの基本的な方法は，初期(2～3年)には造影(または単純)胸部CTと「病歴と診察」を6ヵ月ごとに行い，それ以降も1年ごとの低線量単純CTと「病歴と診察」が推奨されている．

ESMO(European Society for Medical Oncology)ガイドライン(2017年版)[3] では，エビデンスレベル(レベルⅠ～Ⅴ)と推奨度(グレードA～E)を用いて推奨を表し，その要点を以下に示す．
○非小細胞肺癌外科根治術後については「根治的治療完了後」に記載され，サーベイランスの目的は術後合併症，治療可能な再発の発見，二次肺癌の発見である(レベルⅢ，グレードA)．
○2年以内は，6ヵ月ごとの「病歴と診察」，1年ごとのCT検査(造影CTが好ましい)を行い，以降は1年ごとの「病歴と診察」および二次肺癌にも留意してCT検査を行う(レベルⅢ，グレードB)．
○3年以内の6ヵ月ごとのCT検査を行うことで，局所(救済)治療が可能となる症例がある(レベルⅢ，グレードB)．
○PETは偽陽性も多いことから，その適応は極めて限定的である．
○禁煙支援の必要性

ACCP(American College of Chest Physicians)ガイドライン(3rd, 2013年版)[4] では，推奨度(グレード)を示しながら，以下のように示している．
○非小細胞肺癌外科根治術後については「根治的治療完了後」に記されている．
○2年以内の6ヵ月ごとのCT検査，それ以降の1年1回のCT検査を行う(グレード2C)
○フォローアップ中も，肺癌治療にかかわった医師が治療方針の決定にかかわるべきである(グレード1C)
○PET，シンチグラム，腹部超音波検査は推奨しない(グレード1C)
○診察時のQOLチェック(グレード2C)
○腫瘍マーカー測定検査は，臨床試験以外は奨めない(グレード2C)

C 術後フォローアップの実際 レベルA

1) 観察期間と間隔

定期的なフォローアップの「問診(病歴)と診察」や検査間隔については，術後2～3年までは6ヵ月ごと，以降は1年に1回が，本邦の日常臨床においても最も一般的である．その根拠は腫瘍の倍加時間を算出するとCT検査の間隔を最短で7ヵ月ごとにすると見落としが少ないとの報告があるためで，再発しやすい時期，部位，頻度などを考慮して，術後2～3年まで，術後2～3年から5年まで，5年以降の3群に分け，前半は3～6ヵ月ごと，中期では6～12ヵ月ごと，後期では1年ごとの間隔が適切であると示している[1~4]．なお術後のフォローアップの終了時期については明確でない．

表2　代表的ガイドラインに示されているフォローアッププログラム

ガイドライン	対象	術後2年または3年まで	術後2年または3年～5年	術後5年以降
NCCN[2] 2018	非小細胞肺癌(Ⅰ～Ⅱ期)	問診＋診察(6ヵ月ごと) 胸部CT(造影または単純，6ヵ月ごと)	病歴＋診察(1年ごと) 低線量胸部CT(1年ごと)	病歴＋診察(1年ごと) 低線量胸部CT(1年ごと)
	非小細胞肺癌(Ⅲ～Ⅳ期)	問診＋診察(3～6ヵ月ごと，3年間) 胸部CT(造影または単純，3～6ヵ月ごと，3年間)	病歴＋診察(6ヵ月ごと，2年間) 胸部CT(造影または単純)(6ヵ月ごと，2年間)	病歴＋診察(1年ごと) 低線量胸部CT(1年ごと)
ESMO[3] 2017	非小細胞肺癌	問診＋診察(6ヵ月ごと，2年間) 胸部CT(造影または単純)(6ヵ月ごと，少なくとも1～2年間)	病歴＋診察(1年ごと) 胸部CT(1年ごと)	病歴＋診察(1年ごと) 胸部CT(1年ごと)
ACCP[4] 2013	非小細胞肺癌	問診と診察(6ヵ月ごと，2年間) 胸部CT(6ヵ月ごと，2年間)	問診＋診察(1年ごと) 胸部CT(1年ごと)	問診＋診察(1年ごと) 胸部CT(1年ごと)
日本肺癌学会[1] 2020	非小細胞肺癌	定期的な経過観察(期間，検査方法などの指定なし)		

10年以上は費用効果の面から奨められず，7~8年までが適切ではないかと提案している報告がある[7]．

フォローアップ間隔を，NCCN ガイドライン[2]では，病期別（Ⅰ~Ⅱ期とⅢ~Ⅳ期）に区別してそのプログラムが示されていることは前述したが（表2），本邦でも，再発頻度を高リスク群，中リスク群，低リスク群に分けてフォローアップ間隔を変えたプログラムや[7]，再発しやすい時期に合したフォローアッププログラムが提案されている（表3）．高率に再発するⅢ期例を対象に頻繁にフォローアップ検査を行った研究で生存率改善のメリットがなかったとする報告もあるが，病期Ⅰ（~Ⅱ）期例に限っては，再発リスク程度や時期を考慮したプログラムの個別化は重要で，その研究成果を期待したい．

5年以降のフォローアッププログラムについては，晩期再発，肺癌ハイリスク因子と二次肺癌，QOL，医療費などの課題点が残っており，さらに今後の検討が必要である．

2）検査方法など

問診と診察は，術後6ヵ月までは呼吸状態，喀痰，咳，発熱の有無，体重変化などを，特に術後合併症に留意して監視する．加えて，以降も performance status（PS），QOL，社会生活（社会復帰状況），創痛，精神状態などのチェックは重要である．必要に応じて，酸素飽和度の測定や，肺機能検査，心電図，心超音波検査などの検査を追加する．

画像検査には，以前は胸部X線または胸部CT検査とされていたが，Hanna ら[8]により胸部X線をコントロールとした（低線量）CT を用いたインテンシブなフォローの前向き比較試験で，再発の早期発見が可能となり，生存率の改善も示されている（表1）．したがって主なガイドラインでは，術後2~3年間は胸部CT検査を，中長期では（低線量）CT検査を推奨している[1~4]．CT検査の撮影範囲については，多くは胸部CT検査としているが，Sawada ら[7]は甲状腺下極から上腹部副腎までを奨めている．最近，肺癌検診では，低線量CT検査が胸部X線より生存率が改善することをはじめて証明したが，この研究では肺癌術後患者は対象外であった．したがって中・長期のフォローアップの（低線量）CT検査の有用性については，診療体制や医療費の問題も含め，今後も検討が必要である．

主なガイドラインでは[1~4]，脳 MRI 検査，腹部超音波検査，骨シンチグラム，PET 検査などの画像検査は，インテンシブなフォローアップには推奨されていない[1~4]．

腫瘍マーカー検査については，非小細胞肺癌では前立腺癌（PSA），卵巣癌（CA125）のような優れたマーカーが無いため，ACCP ガイドラインでは勧めていない[4]．本邦のガイドラインも記載はないが[1]，日常臨床では CEA や CYFRA が測定されていることが多く，再発例の10％が腫瘍マーカーの上昇を契機に再発発見されるとの報告がある[7]．

3）フォローアップは，誰が担当する？

肺癌の術後フォローアップを誰が担当するかは，ガイドラインではほとんど記載がない．担当医師には，呼吸器外科医（手術担当医），胸部外科医（循環器外科も含む），内科診断医，腫瘍内科医，かかりつけ医（家庭医）などが考えられるが，少なくとも術後2~3年間は呼吸器外科医（手術担当医）のかかわりは重要である．中・長期では内科医やかかりつけ医（家庭医）が担当することも示されている[2~4]．

厚労省「がん診療連携拠点病院等の整備について」によれば，「地域連携クリティカルパス（パス）」を用いたがん診療体制の構築を推進している．たとえば肺癌術後のフォローアップをがん拠点病院医師と地域の「かかりつけ医」がパスを共有しながら共同診療を行うことになるが，このパスそのものがフォローアップのプログラムに該当する．この場合には，「2人主治医（がん拠点病院医師とかかりつけ医）」がフォローを担当することになる．

4）フォローアップケアについて

海外のガイドラインによれば，非小細胞肺癌治療後の生

表3　再発リスク別によるフォローアッププログラム案

術後（ヵ月）		1	3	6	9	12	15	18	21	24	27	30	33	36	42	48	54	60
高リスク例	診察	●	●	●	●	●	●	●	●	●	●	●	●	●	●	●	●	●
	採血	●	●	●	●	●	●	●	●	●	●	●	●	●	●	●	●	●
	胸部X線	●	●			●				●				●		●		●
	CT検査			●		●		●		●		●		●	●	●	●	●
中リスク例	診察	●	●	●		●		●		●		●		●		●		●
	採血		●	●		●		●		●				●		●		●
	胸部X線	●	●															
	CT検査			●		●		●		●				●		●		●
低リスク例	診察	●		●		●				●				●		●		●
	採血			●		●				●				●		●		●
	胸部X線	●	●															
	CT検査					●				●				●		●		●

●は，施行する日を示す
(Sawada S et al. Gen Thorac Cardiovasc Surg 2015; 63: 231[7] を参考に作成)

存者に対し，生活の質(QOL)の改善を図るため，看護師，呼吸療法士，カウンセラーなど多職種によるフォローアップケアを行うことが紹介されている．また，禁煙に関する情報提供や指導は重要である．さらに健康管理，予防接種，健康促進のためのカウンセリングなど「癌サバイバーシップ」の取り組みも，フォローアップに関連したプログラムとして紹介されている[2～4]．

d 最近のトピックス レベルC

日常臨床で行われる肺癌術後フォローアッププログラムはいまだ様々で，ガイドラインに準拠しない検査も頻繁に行われているのが現状である[2～4,9]．最近，STS(米国胸部外科学会)，ESTS(欧州胸部外科学会)とJACS(日本呼吸器外科学会)の3学会会員に対して肺癌術後フォローアップに関するアンケート調査を行ったところ[9]，JACS会員は病期Ⅰ期肺癌の術後6ヵ月目のフォローでは，胸部X線，脳MRI，PET，骨シンチなどガイドラインで推奨していない検査を多用していることが明らかになっている．また，フォローアップの意義(予後改善など)を期待する医師の割合がSTSよりJACSとESTS会員に多い傾向も示されている．非小細胞肺癌の外科治療後のフォローアップのエビデンスが乏しい理由に，各国の医療事情(診療体制，保険制度，検診体制など)や医療者間の温度差に大きく影響を受けていることがわかる．

文献

1) 日本肺癌学会(編)．肺癌診療ガイドライン2020年版，金原出版，2021
2) NCCNガイドライン
https://www2.tri-kobe.org/nccn/guideline/lung/english/non_small.pdf
3) Postmus PE et al. Ann Oncol 2017; **28** (Suppl 6): vi89
4) Detterbeck FC et al. Chest 2013; **143** (Suppl): e437S
5) Ogawa F et al. J Surg Res 2015; **193**: 442
6) 岡見次郎ほか．肺癌 2019; **59**: 2
7) Sawada S et al. Gen Thorac Cardiovasc Surg 2015; **63**: 231
8) Hanna WC et al. J Thorac Cardiovasc Surg 2014; **147**: 30
9) Pompili C et al. Inter Cardiovasc Thorac Surg 2019; **29**: 532

Ⅵ. 肺の腫瘍性疾患

M 肺癌に対するインターベンション治療

要点
1. 経気道的手技，経皮的手技のインターベンションについて概説する．
2. 気道狭窄に対しては治療のオプション選択が重要で，適応・合併症に関する理解が必須である．

Key Word 光線力学療法，ステント，凍結療法，ラジオ波焼灼

　肺癌に対するインターベンション手技は，経気道的手技と経皮的手技に分けられる．経気道的手技として，①中心型早期肺癌に対する光線力学治療（photodynamic therapy：PDT）と②進行肺癌もしくは腫瘍の縦隔リンパ節転移などによる中枢気道の狭窄（central airway obstruction：CAO）に対する狭窄解除を目的としたインターベンション手技が行われている．経皮的手技として手術不能の高リスク患者に対するラジオ波焼灼（radiofrequency ablation：RFA），凍結療法について概説する．

a 中心型早期肺癌に対するPDT レベルB

　光線力学治療（PDT）は，腫瘍組織や新生血管への集積性がある光感受性物質を投与した後，組織にレーザーを照射することにより光感受性物質に光化学反応を引き起こし，細胞を変性および壊死させ殺細胞効果を生じさせる治療法である．腫瘍親和性光感受性物質が光線に曝露されると光エネルギーを吸収し励起状態に転位する．これが再度基底状態に変位する際に生じるエネルギー転換の結果発生する活性酸素が細胞を変性および壊死させると考えられている．腫瘍親和性光感受性物質は静脈投与後腫瘍細胞に集積し，その部位を選択的に治療ができるため正常組織に大きな障害を与えることがない[1]．

　PDTで使用されるレーザーは，CAOの解除目的として腫瘍の焼灼のために使用されるネオジウム・イットリウム・アルミニウム・ガーネット（Nd-YAG）レーザーやダイオードレーザーとは異なり低出力レーザーであるため高熱とならない．焼灼を目的としない低出力レーザーを用いたPDTは，穿孔の危険が少なく焼灼により発生する有害ガスの発生もないため安全性の高い治療法であるといえ，中心型早期肺癌に対する根治的治療法として確立されてきた．光感受性物質としてポルフィマーナトリウム（フォトフリン）が従来使用されてきたが，第2世代光感受性物質といわれるタラポルフィンナトリウム（レザフィリン）が使用されるようになった．タラポルフィンナトリウムはPDTの問題点のひとつとされてきた光線過敏症が軽度となり入院期間も短縮が可能となり，レーザー機器も小型化が可能となった．

1）PDTの適応
　PDTの適応は，腫瘍径が1cm以下で内視鏡的に病巣全容が観察可能で腫瘍の末梢辺縁が確認できる病変である．中心型早期肺癌は内視鏡的に3タイプに分類される．すなわち平坦型，結節型そしてポリープ型である．タイプ別のPDTによるcomplete response rateはポリープ型がやや不良であったとの報告がある．

2）PDT施行時の留意点
　患者および術者，助手の目の保護のためレーザー光をカットするゴーグルを装着する．ヘモグロビンによるレーザー光の吸収はPDTの効率を下げる要因となり，また視野の妨げになるため，気管支鏡による接触出血などが生じないように適宜プロポフォール，ミダゾラムなどによる鎮静を行う[1]．

3）PDT施行後の遮光とフォローアップ
　光感受性物質投与後は遮光が必要である．ポルフィマーナトリウム投与後は4週間後，タラポルフィンナトリウム投与後は2週間後に光線過敏反応試験を施行する．ポルフィマーナトリウム投与後は少なくとも1ヵ月間は直射日光を避け，薄暗い室内で過ごすように指導する．タラポルフィンナトリウムは投与後2週間で日焼けをほとんど認めないため外出も可能となる．PDTは反応に時間を要するため，PDT施行後は定期的に気管支鏡を施行し，壊死物質および凝結塊などの除去を行うことが必要となる[1]．

4）進行癌によるCAOに対するPDT
　本邦では平成22年度の診療報酬改訂により進行癌によるCAOに対するPDTは保険認可され保険上は施行可能となった．すでに欧米では姑息的治療として確立されており，Nd-YAGレーザーによる治療との比較では再狭窄までの時間，生存期間ともにPDTが優っていた．またPDTはレーザーによる焼灼ではないためNd-YAGレーザーより酸素投与も安全に行える利点があるものの，PDTは反応に時間を要するため即効性がなく適応には慎重を期すべきと考える[1]．

b 進行肺癌もしくは腫瘍の縦隔リンパ節転移などによるCAOに対するinterventional pulmonology（IP）レベルC

　肺癌をはじめとする悪性腫瘍によるCAOに対するinterventional pulmonology（IP）は，純粋にpalliative therapyであり手術適応外の症例にのみ施行される．例外として，中枢型肺癌に対してIPを行うことによりCAOを解除でき

呼吸状態が改善することで手術適応と判断される症例や，IPにより末梢気道のクリアランスが良好となることにより末梢側の観察が可能となり切除マージンが確保されると判断される症例は，IPが気道再建を伴った根治術を行うためのbridging therapyになりうる．

肺癌症例では腫瘍もしくはリンパ節転移による圧排もしくは直接浸潤，そして気道内へ転移した粘膜病変によりCAOをきたす．CAOに対する腫瘍のdebulking，ステント留置術などによる気道狭窄解除は，呼吸状態を改善させることによりperformance status(PS)の改善に寄与するとされている[2]．化学療法などの治療施行中の症例では，CAOによる呼吸状態の悪化によりPSが低下し治療継続が困難となることがあるがIPによるPSの改善は治療の継続もしくは他の治療オプションへの変更を可能とする．未治療症例ではPSを改善させることにより治療が開始可能となるため，initial temporary therapyとして有用であり後治療の導入に必須と考えられる[2]．ターミナルステージ症例ではPSおよびMedical Research Council dyspnea scaleの改善が得られCAOにより引き起こされる合併症が減少し，生存率が改善したとする報告がある．

1) 狭窄の種類による治療の選択

IPに用いられるオプションは高周波電気メス，レーザー焼灼，凍結療法，ステント留置術，core outをはじめとするdebulkingなど各種用いられている（表1）．悪性腫瘍によるCAOのタイプは，extrinsic compression type（EC：壁外圧排型），endoluminal type（EL：粘膜内浸潤型），mixed type（混合型）に分けられる．EC typeの狭窄は良性疾患，悪性腫瘍により招来されステント挿入の適応となることが多い．粘膜病変を認めないためレーザー，高周波電気メスなどの治療よりもステント挿入が選択されることが多い（図1a）．EL typeの狭窄は，さらにexophytic, infiltrative, strictureに分類される．腫瘍性病変ではexophytic typeとなり，後二者では良性疾患によるものが多い．腫瘍性病変では，硬性気管支鏡(rigid bronchoscopy：RBS)を用いた腫瘍のdebulkingを行うことにより狭窄症状は改善され，通常はステント留置を必要としない（図1b）．混合型の狭窄は通常悪性腫瘍により招来され，CAOに占める割合は62.5%と報告されており最も多い．腫瘍のdebulkingのみでは気道の再狭窄をきたすため，多くの症例は気道の確保目的でステント留置を追加することが多い．ステントの選択に関しては，狭窄病変の位置や距離，前治療の有無，全身状態などを考慮して行っている．特に未治療の症例では抜去容易なシリコンステントを選択することが多い．またステントの留置前には十分に前拡張を行っておくことが重要と考えており，焼灼，core outなどによるdebulkingを施行した後に留置を行う．

2) CAOに対するステント留置術の適応

中枢側気道の狭窄があること，末梢側気道および肺が健在であること，呼吸困難などの症状があることであり予防的留置術は施行しない．解剖学的には，輪状軟骨より末梢側，葉気管支分岐より中枢側の病変であり，かつ狭窄部位の末梢の葉気管／区域気管支の入口部が健在であることが適応となる．肺動脈の狭窄などにより狭窄部位の末梢側の肺への血流が欠損している場合は，気道狭窄の解除によっても酸素化の改善につながらないことがあり，適応にならないことがある．手術治療が可能と考えられる症例では，手術拒否症例，手術ハイリスク症例，手術までの待機時間が長期になる症例，長期余命が期待できない症例などがステント留置の適応となりうる．また手術治療不能例では，EC typeの狭窄，再発するEL typeの狭窄，再発するstricture病変，化学放射線治療中の一時的留置などが適応となる[3]．

3) ステントの種類の選択

理想のステントとは，①挿入が容易で位置変更，取り出しが容易であること，②腫瘍のingrowthがないこと，③耐用性に優れ長期留置が可能であること，④安価であること，

表1　狭窄のタイプ別治療法の選択

オプション	EL type	EC type	mixed type
電気メス	◎	×	◎
レーザー	○	×	◎
凍結療法	○	×	◎
ステント	×	◎	○
debulking	◎	×	◎

EL：endoluminal，EC：extrinsic compression

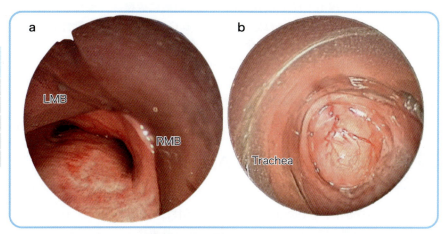

図1　硬性気管支鏡下に観察した気道狭窄
　a：縦隔リンパ節転移による extrinsic compression 型狭窄
　b：気管原発腺様嚢胞癌による endoluminal 型狭窄
　（LMB：left main bronchus，RMB：right main bronchus）

⑤挿入前容積が小さい，⑥前拡張を必要としない，⑦拡張力が強い，⑧内腔保持力が強い，⑨屈曲・変形部位にもスムーズに適合する，⑩気管・気管支粘膜を損傷せず，繊毛運動を障害しない，を満たすステントである．しかしながらすべての長所を満たし，欠点のないステントは存在しない[4]．シリコンステントは①～④のポイントで優れており，⑤～⑩のポイントでは self-expandable metallic stent (SEMS) が優れている．病変の種類，位置，気道の状態（偏位の有無），周囲臓器の状態，患者の治療の状況（治療前か，ターミナルステージか，放射線治療の既往の有無など）を考慮して留置すべきステントの選択を行う必要がある．

4）IP，ステント留置に伴う合併症

多くの合併症は RBS 挿入の際のテクニックが不十分なことにより引き起こされる．多くの合併症は術者の技量が上昇すれば減少するという報告もあり，未熟な術者による手技は RBS 使用の禁忌ともいえる．狭窄の部位・状態から合併症の発生率を検討すると，病変が気管分岐部に及ぶ症例，気道閉塞を伴った症例では合併症が多い．これらの症例では，IP 施行中の出血や腫瘍片などの末梢気道への吸引，たれ込みが起こることにより酸素化を悪化させ，術中術後の呼吸管理を困難にする．術中の頻回の吸引，患側に傾ける体位変換による健側へのたれ込み防止などにより術中の低酸素状態を防ぐことが重要である．

ステント留置に伴う合併症は，malposition, obstruction by granulation tissue or tumor, migration, infection (MOMI) に関連したものが致命的になりうることがあり注意を要する．malposition は，RBS の技術が十分でなかったり，留置したステントの種類，サイズなどが適切でなかったりすることに起因する．留置したステントによる健常気道の閉塞，血管の閉塞，また気道の穿孔による縦隔へのステントの迷入などをきたしうる．肉芽組織もしくは腫瘍による閉塞は，SEMS では9～67％，シリコンステントでは6～15％と報告されている．ステント留置後の肉芽組織は，ステントによる過剰な気道壁への圧力による毛細血管の閉塞により虚血性壊死をきたし形成される．すなわち粘膜血流の低下により，線毛上皮が fibroblast や肉芽組織に置換される．ステントの migration は悪性腫瘍による CAO より良性疾患による気道狭窄で高率に発生する．悪性腫瘍ではステントの両端の腫瘍が外圧性に圧排し，Migration が起こりにくくなるためである．気道内腔径に対してステント径が大きいステントは肉芽形成が生じやすく，ステント径が小さすぎると migration をきたしやすくなる．

C 経皮的ラジオ波焼灼（RFA）と凍結療法
レベル B

現在イメージガイド下での thermal ablation 手技は，心肺機能低下などの理由で手術不能の早期肺癌，孤立性再発・転移病変や再発・転移病変による疼痛緩和に対する姑息的療法として用いられている[5]．重篤な肺機能低下により長期予後が望めない症例（1年未満）には適応は少ないと考えられる．RFA のエネルギーは心臓に留置されている種々の機器（ペースメーカー，implantable cardioverter-defibrillator のリード線など）があれば影響を与える可能性があるため，そのような症例の治療の際には循環器内科医師の協力を得て，対外ペーシング，体外除細動の準備を行っておく必要がある．また凍結療法の際に肋間神経の凍結による無痛症をきたしたとする報告もある[5]．近年，系気道的に凍結療法が可能なプローブも開発され，治療のみならず生検にも使用されている．

1）ラジオ波焼灼（RFA）

RFA では RFA ジェネレーターを目標組織に直接挿入する．ラジオ波の周波数は 460～480 KHz で通電し，目標温度は 60～100℃ である．この温度で組織は壊死に陥ると考えられている．RFA に要する時間は 20～120 分程度であり，腫瘍の位置，深度そして周囲組織の状態により異なる．RFA 終了後には RFA の電極を抜去し気胸の有無を確認しておく必要があり，複数病変を治療する際には一病変終了毎に気胸の有無の確認が必要である．

2）凍結療法

凍結療法は目標組織に cryoprobe を挿入し−160℃ まで冷却する．凍結終了後はヘリウムガスを用いてプローブを加温する．凍結と加温を複数回繰り返すことにより手技を終了する．凍結療法は細胞内器官の破壊による細胞死と微小循環の破壊による壊死を，凍結融解を繰り返すことで引き起こす．内皮細胞の障害は血小板凝集と微小血管の血栓化を引き起こすと考えられている．凍結療法の利点としては放射線治療などと異なり，反復して施行が可能であることである．また気管支鏡下に cryoprobe を用いた腫瘍剔除も行われるようになっている[6]．その際 cryoprobe の先端は最低−89℃ まで冷却され，先端が接触することにより周囲の組織が冷却されそのまま引きちぎることにより腫瘍の除去ができ，従来硬性気管支鏡で行っていた腫瘍の debulking も軟性気管支鏡下に施行可能となっている．

文献

1) Reddy C. Principles and Practice of Interventional Pulmonology, 1st Ed, Springer, 2013: p377
2) Ernst A et al. Am J Respir Crit Care Med 2004; **169**: 1278
3) Morgan RK. Principles and Practice of Interventional Pulmonology, 1st Ed, Springer, 2013: p73
4) Murgu SD. Interventions in Pulmonary Medicine, Springer, 2013: p185
5) Dupuy DE. Principles and Practice of Interventional Pulmonology, 1st Ed, Springer, 2013: p535
6) Hetzel J et al. Eur Respir J 2012; **39**: 685

② 転移性肺腫瘍

A 転移性肺腫瘍の総論

要点
1. 転移性肺腫瘍の手術適応がその理論背景をもとに説明できる．
2. 転移性肺腫瘍の画像的・病理学的特徴が原発腫瘍ごとに説明できる．
3. 切除される頻度の高い腫瘍についてその生物学的特徴が説明できる．
4. 化学療法の奏効度と外科的治療の適応が個々の腫瘍ごとに説明できる．
5. 転移性肺腫瘍の外科的治療の予後因子の主なものが説明できる．

Key Word カスケード理論，Thomford の手術適応，切除頻度が高い腫瘍

a 転移性肺腫瘍の手術根拠（カスケード理論[1]） レベルB

肺は血液中に流出した腫瘍細胞の最初のフィルターと考えることもできる．そう考えれば原発巣さえコントロールしておけば，あとは肺というフィルターに引っかかった腫瘍を丹念に摘出していけば転移をそれ以上拡げずに済むと考えることもできる．これが転移性肺腫瘍に対する外科的治療のそもそもの根拠である．有名な Thomford ら[2]の転移性肺腫瘍の手術適応（Ⅵ章-2-B 表1参照）にも原発巣が切除されており他臓器転移がないことが謳われているが，まさにこの理論を拠り所にしていると考えられる．残念ながらこの理論の信憑性をきちんと証明した研究はこれまでにない．ただし，大腸癌の肺転移では転移巣が大きくなるほど肺より下流域の臓器への転移の頻度が増すことが報告[3]されており，間接的な証明のひとつと考えられる．

肺に流入する血液の経路としては，大腸癌などの門脈，肝静脈を経由するもの，直腸癌，子宮癌，頭頸部癌などのように大静脈を経由するもの，肺癌の肺転移のように肺動脈を経由するものがある．その他の可能性としては，腹部傍大動脈リンパ節や縦隔リンパ節から胸管を経て静脈角から上大静脈を経由するもの，気管支動脈から流入するものも考えられるが，一般的ではない．これらのなかで門脈，肝静脈を経由するものについては上記のフィルターの理論に従えば，血中に放出された腫瘍細胞は肺のフィルターにかかる前に肝臓のフィルターにかかることになる．フィルターで止まっている限り全身に拡がったとみなさないのであれば，肝転移巣，肺転移巣ともに積極的に摘出していくことは予後の改善につながる可能性がある．実際，大腸癌については 2019 大腸癌診療ガイドラインにおいて，"肝転移と肺転移の双方を同時に有する症例に対する切除の有効性が示されており，切除可能な肝肺転移に対しては，切除することを弱く推奨する"と記載されている[4]．また，oligometastases[5]（局所療法によって長期生存または治癒を達成することが期待できる数個以内の遠隔転移と定義されている）という考え方も転移性肺腫瘍に対する外科的治療を支持する概念である．

b 転移臓器としての肺の選択特異性 レベルB

カスケード理論にしたがって，原発巣がコントロールされているすべての転移性肺腫瘍が切除術の対象になるかといえば，現実には原発腫瘍ごとに転移性肺腫瘍が手術される頻度には大きな差がみられる．すなわち肺転移巣発見時に，真に肺にだけ（あるいは肝と肺だけ）に転移巣がみられるものと，ほぼ同時期に多彩な臓器に転移巣が出現するものがあることは臨床上よく知られている．大腸癌や腎臓癌，子宮癌などは比較的前者の傾向を示すためその肺転移巣が手術される頻度が高くなるが，逆に乳癌や胃癌では全身転移の一部として肺転移が出現することが多いため肺転移巣に対して摘出が試みられることが少ない（表1）．これは腫瘍細胞が肺毛細血管床に単純に捕捉されることによって転移が成立するのではなく，腫瘍細胞の着床には腫瘍細胞と血管内皮細胞表面のリガンドやレセプターが関与しているためと考えられている．したがって，臨床的には各腫瘍の一般的な転移の形態を理解しておくことが重要で，たとえば乳癌の肺転移を疑った場合には他臓器転移について入念に検索し，仮に肺単独転移であっても時間差で他臓器転移が出現してくることも想定しておく必要がある．

表1 原発腫瘍別転移性肺腫瘍切除件数
（転移性肺腫瘍研究会登録症例，1984〜2018年）

原発腫瘍	組織型	手術症例数
大腸癌		2,957
頭頸部癌	扁平上皮癌	356
	腺癌	108
	腺様嚢胞癌	96
腎癌		379
乳癌		323
軟部組織の肉腫		364
骨肉腫		240
子宮癌	扁平上皮癌（頸癌）	127
	腺癌（体癌）	148
肝癌		124
食道癌		142
精巣・睾丸腫瘍		81
胃癌		93
卵巣癌		38
メラノーマ		18

主な腫瘍のみ掲載

c 原発腫瘍とその肺転移巣の画像的特徴　レベルC

　一般に転移性肺腫瘍は原発性肺癌に比べ辺縁がシャープ（周辺肺との境界が明瞭）で類円形を特徴とする．実際，大腸癌，腎癌，甲状腺癌などの癌腫や，骨肉腫などの肉腫では類円形の転移巣を形成することが多い．一方，乳癌，頭頸部癌（腺様嚢胞癌を除く），食道癌，胃癌などの肺転移では不整形の転移巣を形成していることが多く，単発の場合，原発性肺癌と画像からは鑑別が困難な場合が少なくない．転移性肺腫瘍の特殊な形態として空洞形成がみられる．これは末梢の気管支内腔が腫瘍により狭窄することによりチェックバルブ機構が働きその末梢が嚢胞化するという説明が一般的である．大腸癌などでは腫瘍内に空洞が形成されたような壁の厚いものもみられるが，こちらは内容物が壊死などにより流出した可能性も否定できない．嚢胞を形成する転移巣で注意を要するのは血管肉腫に代表される胸膜直下の薄壁空洞化した転移巣で，その破綻により難治性の気胸と癌性胸膜炎を発症するので，仮に一般的な手術適応がなくてもこういった病変だけでも切除することは後の良好なQOLにつながる可能性がある．
　多発の小型結節に対して化学療法を選択しようとする場合，画像的には転移性肺腫瘍の特徴を満たしていても，臨床的にクリプトコッカスなどの感染症や他の炎症性肺結節を否定できない場合には，結節のうちの1〜2個を切除し病理学的に診断を確定しておくことが勧められる．転移であることが未確診のまま化学療法を行うことはリスクを伴う．

d 肺転移巣の病理的特徴　レベルC

　肺転移巣の診断において，原発性肺癌との区別や，複数のがんの既往がある場合はどの癌の肺転移なのかを鑑別する必要がある．肺転移巣の病理所見は，原発腫瘍のそれと類似することが多く，診断には既往の腫瘍組織との比較が不可欠である．既往腫瘍と組織型が同一な場合には転移性肺腫瘍の可能性が高まるが，原発臓器に特徴的な所見や分化度も参考に診断を進める．しかしそれだけでは原発性肺癌との鑑別が困難な場合がある．腺癌の場合には様々な免疫染色や遺伝子検査にてこの問題を解決できることも多いが，扁平上皮癌においては一部の原発臓器を除き有効な検査法がなく，臨床経過から判断せざるを得ない場合も少なくない．
　また，術中の迅速診断で検査可能なのは通常HE染色までであり，組織型の判別のみで術式を決定しうる場合以外は，永久標本での診断結果を待たなければならないことが多い．以下に一部の原発腫瘍別転移性肺腫瘍の病理学的特徴・診断のポイントをあげる．

①大腸癌
　進行大腸癌の既往がある場合は診断が容易なことが多い．大腸癌の多くは腺癌であるが，高円柱状の細胞形態や壊死など，肺転移巣においても大腸癌に特徴的な所見を認める傾向にある．免疫組織化学的の検討は必須ではないが，CK7，CK20，CDX2などの免疫染色が大腸癌の転移であることの確認に有用である．大腸癌の既往がない場合は腸型肺腺癌との鑑別が問題となる．この場合は消化管病変の有無を精査することが最も重要であるが，病理学的には通常型肺腺癌成分の混在の有無やβ-cateninの免疫染色（大腸癌ではしばしばWntシグナル経路の異常を伴う）が鑑別に有用である．

②乳癌
　乳癌は原発性肺腺癌に類似した組織像をしばしば呈するため，術中迅速診断では通常鑑別困難である．乳癌ではER，HER2，GCDFP15，Mammaglobin，GATA3がしばしば陽性となるため，これらの免疫染色を参考に診断する．なお，乳癌は手術後2〜3年で転移することが多いが，10年以上経過後に転移再発することもあるため，注意が必要である．

③肝癌
　肝細胞癌では好酸性細胞質を有する腫瘍細胞の索状〜充実性増殖からなる特徴的な組織像を示すことが多いため，肝細胞癌の既往がわかっていれば診断は容易である．Hep Par 1，α-fetoprotein，Glypican-3，Arginase 1などの免疫染色も診断に有用である．

④腎細胞癌
　転移性肺腫瘍としては比較的頻度が高いが，腎細胞癌の多くは淡明細胞型であり，特徴的な細胞像や細網状の血管構築を呈するため診断は容易なことが多い．PAX8やCD10の免疫染色が有用である．なお，腎細胞癌も10年以上経過後に転移することがある．

⑤他臓器扁平上皮癌
　原発臓器としては頭頸部，肺，食道，子宮頸部などの頻度が多いが，一般的に扁平上皮癌の場合は原発性か転移性か病理学的に鑑別することは困難なことが多い．しかし胸腺原発扁平上皮癌の場合はCD5，子宮頸部や中咽頭などヒ

トパピローマウイルス関連の扁平上皮癌の場合はp16が免疫染色で陽性となるため，これらの臓器が原発の場合は肺病変が転移性かどうか診断可能なことがある．

⑥骨軟部腫瘍

骨軟部腫瘍は通常肉腫であるが，肺原発の肉腫はまれであるため，既往がはっきりしていれば診断は難しくない．

⑦悪性黒色腫

肺原発の悪性黒色腫はまれであり，既往があれば診断は容易である．しかし悪性黒色腫は症例によって組織像が多彩であり，既往がはっきりしない（原発病変がみつかっていない）場合は診断に難渋することがある．S-100，HMB-45，Melan Aなどのマーカーが悪性黒色腫の診断に有用である．

e 小型病変に対する考え方 レベルC

開胸術が主流であった当時，転移性肺腫瘍の手術では術中の触診が重視された．断層写真や旧式のCTで検出できる転移巣の数より術中触診で発見される転移巣の数のほうが多かったからである．その後，胸腔鏡下手術が登場すると，術中に十分な触診ができないことが問題となった．しかし，multi detector CT（MDCT）の登場によりthin sliceで高分解能を有する画像を得ることが可能になると，CT画像の肺内腫瘤の検出能力は飛躍的に向上し数mm大の小結節が複数描出されるようになった．こうなるとそれが良性か悪性かという問題だけでなく肺内リンパ節などの正常構造物の一部をみている可能性も考慮しなければならなくなった．そもそも画像で写っているもの，あるいは触診で触れるものはすべて摘出しなければならないのか，あるいは何mm以上の腫瘤は摘出するべきかという問題について明確な解を持つことなく転移性肺腫瘍の手術は行われてきた．実際の臨床では画像上明らかに腫瘍として認識され，急に出現あるいは増大傾向を示すものを転移巣と予想してそれらを切除しているに過ぎない．しかし，その結果として前向きの比較試験ではないものの，切除が生存期間の延長に寄与していると思われる多くのデータが得られているのであって，それが現在も外科的治療が続けられている根拠ともなっている．倫理的な面も配慮すれば，あらかじめ転移が疑われるものを残してくるのは許容されにくいことであるが，それ以外の小型病変を（実は正常構造物かもしれないが）神経質に追い続けることはこの手術の根本を否定することになると割り切るほうがよいだろう．そう考えれば，あらかじめCTで強く転移が示唆された病変をきちんと摘出できるのであれば，アプローチ法は胸腔鏡下であろうと開胸下であろうとどちらでもよいことになる．

ただし，目標とする腫瘍が小型で深部に存在するとき，CTの診断能力は触診の能力を超えてしまっている．肺葉切除が許容される場合はよいが，多発転移など肺機能上それが許容されない場合は区域切除とするか，術前のCTガイド下マーキング，VAL-MAPなどの工夫が必要である．

f 転移性肺腫瘍の外科適応に対する考え方の変遷 レベルA

Thomfoldらが転移性肺腫瘍の外科的治療成績を報告した当時は，カスケード理論に従って手術を行えばⅣ期の悪性腫瘍であっても一定の5年生存率が得られることに関心が集まっていた．肺がフィルター臓器としてその先への転移を防いでいるという理屈に立って手術を行うわけであるから，その手術適応は，①原発巣がコントロールされていること，②他臓器転移がないこと，③両側肺転移でないこと，④手術に耐えうる全身状態であることの4つがあげられている．その後，麻酔技術や周術期管理技術の向上とともに両側転移は手術適応とされるようになり，また他臓器転移であっても大腸癌における肝転移についてはカスケード理論の門脈系への適応を理論的背景としたうえでさらに実際の治療成績を踏まえて肝の局所制御がついていれば（あるいはつけられることが予期できれば），肺転移巣に対する外科的治療は積極的に適応に加えられるようになった．このように外科的治療がその適応を拡大してきた一方，1990年代以降は化学療法や分子標的治療，さらに近年は免疫療法の躍進により，それらが肺転移巣に対して一定の制御力を示すようになった．これに伴い，薬剤選択のためのバイオマーカー検索を目的に生検としての肺切除を行う症例も増えつつあり，現在外科的治療の役割は大きく変わりつつある．

g 化学療法（あるいは分子標的治療・免疫療法）の奏効度による外科的治療の位置づけ レベルB

ここでいう化学療法（あるいは分子標的治療・免疫療法）の奏効度とは，ある特定の組織型に対する包括的な評価を指すのではなく，あくまでも個々の腫瘍が治療に対してどのように反応したかという個別化治療的な判断を基本とする．ただし，その腫瘍が属する組織型が一般に有する生物学的性質（多発肺転移を起こしやすいとか他臓器転移を伴いやすいなど）も念頭に入れておくことは必要である．

1) 化学療法で治癒が期待できる腫瘍

典型的なのが絨毛癌の肺転移である．本腫瘍の肺転移は1960年代から1970年代にかけて盛んに切除が行われたが，1980年代に化学療法で治癒が期待できるようになると，その後，外科手術は急速に行われなくなった．現在では睾丸腫瘍（胚細胞腫瘍）もこのグループに属している．まれに化学療法により瘢痕化した組織に遺残細胞が疑われる場合に限り，診断的な意味で切除が行われることがある．

2) 化学療法が非常に有効であるが局所の完全制御までは困難な腫瘍

化学療法により肺転移巣の数が減少または縮小した病変に対して，腫瘍細胞残存の有無を検索し，化学療法の継続の可否を判断する材料としたり，あるいはadjuvant surgeryとして局所の完全制御を目的に手術が行われることがある．

3) 化学療法がある程度有効な腫瘍

化学療法により延命は可能であるが治癒は期待しづらい腫瘍では，手術により局所制御を加えることで化学療法の導入時期を先に延ばしたり，あるいは化学療法の休止期間を少しでも長くすることを目的に外科的治療を組み込むこともみられる．大腸癌では遠隔転移巣切除後の再発率は50〜70％と高いが，肝転移以外の術後補助化学療法に関するランダム化比較試験はないため，後方視的検討の結果から，遠隔転移巣治癒切除後の術後補助化学療法については"弱く推奨"とされている[4]．このように両者を組み合わせることでさらに生存期間の延長が得られることが期待されるが，エビデンスは不足している．また，どのように組み合わせることが効果的かは今後の課題である．

4) 化学療法があまり効かない腫瘍

このグループが従来転移性肺腫瘍で手術適応が論じられてきた集団である．これらの腫瘍で原発巣がコントロールされ，肺以外の臓器に転移がないものについて手術適応を検討するわけであるが，一般的な肺切除の適応（残存肺機能，切除が予後に与える意義など）からすれば，両側合わせて5〜6個ぐらいまでが明確な根拠のないおおよその手術適応であろう．もちろん発育速度が極めて遅いものや，肺以外の臓器にまったく転移が出現しないなどの個々の腫瘍の事情によっては10個以上の転移巣を切除することが有効な場合もまれではあるが確かにある．ただし，最初から多数の肺転移がほぼ同時期に出現してくる甲状腺癌のようなタイプは手術適応とはならない．

一方，肺転移数が3〜4個以下であっても切除後すぐに他臓器にも転移が出現しやすい乳癌，胃癌，食道癌，肝癌などの肺転移は手術適応とはなりにくいと考えられてきた．しかし，新たな化学療法の開発などによりその状況は変化しつつあり，どの癌種においても1〜3ヵ月の観察期間内に数的増加を認めないようであれば手術適応として検討する価値はあるであろう．

h 予後因子に関する研究 レベルB

転移性肺腫瘍に対する手術が比較的多数行われている大腸癌，子宮癌，軟部組織肉腫などの解析から予後に関係すると思われる因子としては，転移個数，最大腫瘍径，無症候期間（disease free interval：DFI），肺門・縦隔リンパ節転移，CEAなどの腫瘍マーカーなどがこれまで指摘されてきた．ただし，同一腫瘍であっても研究ごとに予後因子となるものが異なる場合が多い．このような臨床研究は呼吸器外科医側から行われるものが多く，集められる臨床情報に制約と偏りが多いことも関係しているものと思われる．また，症例蓄積期間が長いことも問題で，その間の化学療法，分子標的療法，免疫療法の変遷が結果に影響を及ぼしていると考えられる研究も多く，最新治療に基づく明確なエビデンスを示すことは難しい．症例数の多い大腸癌では症例を年代で分けることで，化学療法の変遷と予後との間に相関がみられることを示した報告もみられる．

文献

1) Viadana E et al. Cascade spread of blood-born metastases in solid and nonsolid cancers of humans. Pulmonary Metatstasis, Weiss L, Gilbert HA (eds), Martinus Nijhoff Medical Division, 1978: p142
2) Thomford NR et al. J Thorac Cardiovasc Surg 1965; 49: 357
3) Iida T et al. Ann Surg 2013; 257: 1059
4) 大腸癌研究会（編）．大腸癌治療ガイドライン 医師用 2019年版, 金原出版，2019
5) Hellman S, Weichselbaum RR. J Clin Oncol 1995; 13: 8

B 転移性肺腫瘍の手術適応

要点

1. 転移性肺腫瘍の手術適応は，その成り立ちや病態を十分理解したうえで決定すべきである．
2. 転移性肺腫瘍の手術適応を決定する際に，胸部X線，胸部CTとともに，PETやPET/CTが非常に重要となる．
3. 転移性肺腫瘍の手術適応は，Thomfordの原則をもとに，耐術性と，腫瘍を制御しうること，ほかによい治療法がないことを重視し決定すべきである．

Key Word Thomfordの原則，PET，oligometastases

転移性肺腫瘍は，ある臓器において形成された悪性腫瘍巣から，①血行性転移，②リンパ行性転移，③経管腔性転移（経気道性転移）の3つの経路を経由して腫瘍細胞が肺にいたり，発育する病態と考えられる．このうち転移性肺腫瘍をきたす経路は，ほとんどが①の血行性転移だといわれている．

また，転移性肺腫瘍の診断，治療に関する基準を作成するにあたって困難である理由のひとつは，その原発巣が多彩であることに他ならず，転移性肺腫瘍自体が単一の疾患ではないことは常に念頭に置いて診療することが必要である．

a 転移性肺腫瘍の診断 レベルA

転移性肺腫瘍の診断に最も重要なのは，悪性腫瘍の既往あるいは存在である．もし対象となる患者がそれらを持ち合わせていた場合，原発性肺癌と同様に，まず胸部単純X線が第一選択となる．これは主に肺転移巣の有無を検索することを主眼とするもので，転移巣を発見，あるいは疑われた場合には，胸部CT撮影を行う．また肺転移巣の発見精度という面から胸部CT撮影を優先するという考えもある．近年技術的進歩により高分解能CT（high-resolution CT：HRCT）やmulti detector CT（MDCT）による撮影が可能になり，これらによってさらに詳細な形態学的検討が可能となっている．

これら形態学的検討ののち，positron emission tomography（PET）あるいはPET/CT（図1）を行う．本検査では機能的検討を加味することによって，より診断の精度を高めることが可能とされている．ただし，PETによっても，原発性肺癌や炎症性肺腫瘤と転移性肺腫瘍を厳密に鑑別することは困難である．

しかし，PETには，特に転移性肺腫瘍の診断においてもうひとつの大きな意味を持っている．全身における悪性腫瘍の有無を一度に調べることができるという特徴から，原

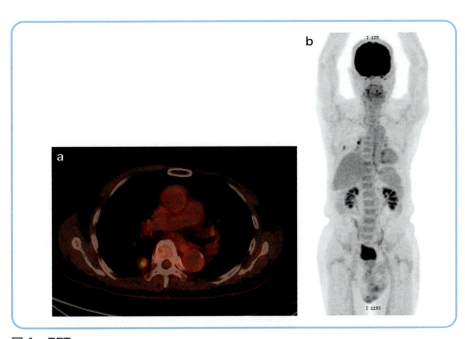

図1 PET
a：結腸癌患者の局所画像（肺転移巣）
b：結腸癌患者の全身画像

Ⅵ. 肺の腫瘍性疾患

発巣における再発の有無や活動性の程度，肺転移巣の状態を把握するのみならず，全身にほかの転移巣や悪性腫瘍が存在しないかどうかを診断するのに極めて有用である．そしてこれは転移性肺腫瘍の手術適応決定にとって不可欠といっても過言ではない．

b 転移性肺腫瘍の手術適応 レベルB

転移性肺腫瘍に対してどの治療を選択するかに関しては，手術であれ，化学療法であれ，放射線療法であれ，生存期間を延長する証拠を示すような前向きのランダム化比較試験は存在しない．したがって現在われわれは，基礎となる腫瘍学に基づいて，様々な治療法を考えて適応していかねばならない．

転移性肺腫瘍に対する手術適応に関しては，1965年Thomfordらの必要基準(necessary criteria)(表1)が若干の改編を加えられながらも用いられてきた[1]．

これらの条件のほとんどは，十分今でも通用するが，医学や技術の進歩に伴って，いくつかの条件は時代にそぐわなくなってきており，そういった点は様々に改変しながら使われてきた．1978年にはMcCormackらによって，①原発巣がコントロールされているかあるいはコントロール可能である，②肺外転移巣を認めない，③外科的リスクが低い，④非外科的な有効な治療法がない，というふうにmodifyされた[2]．

以上現在でもThomfordらの基準を中心に適応は考慮されているが，現在最もそぐわなくなってきているのは，④の肺転移巣が片肺に限局している，という条件であろう．近年は，当時と比べて現在の麻酔，手術技術，手術器具などの進歩から，比較的安全に両側肺の切除術を行うことが可能になってきている．また③の肺以外の臓器に遠隔転移や再発を認めない，という条件も，たとえば肺転移切除対象として最も頻度の高い結腸・直腸癌の肝・肺同時転移症例に対する外科的治療に関して，肝・肺転移をともに切除することによって予後改善に寄与する症例が存在することが報告されている．しかし，報告されているのはすべて後ろ向き研究であるため，手術適応基準を確立するためには更なる検討が必要と考えられる．

現在までに転移性肺腫瘍に関するランダム化前向き試験は存在しないが，大規模な後ろ向き試験として，1997年にThe International Registry of Lung Metastasesにより，5,206例の転移性肺腫瘍に関するデータが解析され，報告された[3]．この報告では，prognostic factorとして，①完全切除されている，②無症候期間(disease-free interval：DFI)が長い，③肺転移巣の個数が少ないこと，が切除後の良好な予後に関与しているとしている．このデータのみから新たな適応基準を確立することは難しいが，完全切除は当然のこと，DFIの長さや転移個数は，転移巣を完全切除しうるか否かにかかわっていると考えられるため，転移性肺腫瘍の手術適応を考慮するうえで重要なファクターとなると考えられる．

これまでのことを考慮したうえで現在考えうる転移性肺

表1　Thomfordらの手術適応基準

1. the patient must be a good risk for surgical intervention
2. the primary malignancy is controlled
3. there is no evidence of metastatic disease elsewhere in the body
4. roentgenologic evidence of pulmonary metastasis is limited to one lung

(Thomford NR et al. J Thorac Cardiovasc Surg 1965; 49: 357 [1]を参考に作成)

腫瘍の切除に関する手術適応としては，①体力的，肺機能的に手術に耐えうること，②原発巣，転移巣ともに，手術をはじめとする治療によって遺残なく腫瘍細胞を制御しうること，③手術よりほかにより有効な治療法がないこと，の3点が重要と考えられ，この基準に従って症例ごとに検討する必要があると考えられる．

また転移性肺腫瘍を全身性疾患と捉えると，当然局所治療法である手術とともに化学療法を中心とした全身的治療法を併用することが考慮されるべきであるが，その方法や効果についてはいまだ一定の評価を得ていない．

さらに近年，分子生物学や腫瘍免疫学の飛躍的な進歩が臨床の場にも多くの変化をもたらしてきていることより，これらの知見をもとに使用が可能となった様々な分子標的治療薬や免疫チェックポイント阻害薬などが本分野の治療法を大きく変えていく可能性も考えられる．

c 転移性肺腫瘍に対する新たな局所療法 レベルC

以前は転移性肺腫瘍に対する局所療法といえば外科的切除術か，あるいは通常分割照射による放射線療法であった．しかし，近年さらに低侵襲を目指したインターベンションによる治療法が開発，適応されるようになってきた．ひとつは定位放射線療法で，リニアックやガンマナイフあるいはサイバーナイフなどにより，病巣に対し多方向から放射線を集中させることによって，従来の放射線治療と比較し，周囲の正常組織に当たる線量を極力減少させ，患部に限局して高線量を照射することが可能となった．さらに経皮的ラジオ波焼灼療法や，凍結療法なども臨床応用され，その効果が多数報告されてきている．しかし，いずれの方法も肺切除術に比べて歴史も浅く，データも不十分であるため，今の時点においては，「転移性肺腫瘍に対して局所療法の適応であるが，肺切除術が不可能である症例」に対して適応とするべきであろう．しかし今後は，それらと肺切除術の適応ならびに棲み分けも考慮していく必要があろう．

Side Memo

【oligometastases と oligo-recurrence】

oligometastases は局所療法によって長期生存または治癒を達成することが期待できる1〜5個の遠隔転移と定義される[4]. ここで最も重要な予後因子は, 原発巣の状態である. また oligo-recurrence は, 原発巣が制御されているという条件下で, 局所療法により治療することができる1〜5個の異時性遠隔転移と定義される[5]. これらの概念は, もちろん癌腫などにも左右されるのであるが, 肺転移巣に対する切除術をはじめとする局所療法(もちろん全身的治療の併用も含めて)の適応を考慮する際に有用な概念といえよう.

文献

1) Thomford NR et al. J Thorac Cardiovasc Surg 1965; **49**: 357
2) McCormack PM et al. Chest 1978; **73**: 163
3) Pastorino U et al. J Thorac Cardiovasc Surg 1997; **113**: 37
4) Hellman S et al. J Clin Oncol 1995; **13**: 8
5) Niibe Y et al. Gynecol Oncol 2006; **103**: 435

C 転移性肺腫瘍の手術術式

要点

1. 転移性肺腫瘍の切除術の多くは楔状切除であり外科断端の確保が重要である．特にステープラー使用時の局所（断端）再発には注意を要する．
2. 3cm 超の転移腫瘍では肺葉切除が必要なことが多い．
3. リンパ節転移を有する肺転移例は予後不良であり，リンパ節郭清の治療意義は低い．
4. 鏡視下での切除機会が増加してきているが，触診が行いづらいというデメリットを十分理解した手術戦略が必要である．特に多発病変では適応を慎重に考慮すべきである．

Key Word 転移性肺腫瘍，楔状切除，胸腔鏡視下手術，反復手術

転移性肺腫瘍の手術は基本的に，①肺切除術式（楔状切除・区域切除・肺葉切除・全摘除），②リンパ節郭清，③アプローチ（開胸・胸腔鏡）の組み合わせにより決定される．それらの選定因子として局所根治性（局所再発の根絶）および生命予後の担保・肺機能温存・手術侵襲の軽減などについて十分に考慮されなければならない．根治的な切除がなされれば，大腸癌の場合で40～70％の5年生存率が得られる[1～5]．

a 肺切除術式 レベルA

1）楔状切除（部分切除）

1990年以降のCTの普及に伴い，原発性肺癌のみならず転移性肺腫瘍も小型サイズでの発見と加療が可能となった．基本的に転移性肺腫瘍は全身性疾患であることや多発病変への対応や再切除の可能性などから肺機能温存を考慮した縮小手術が主体となる．なかでも楔状切除（部分切除）が実際に最も多く選択される術式である．しかし，楔状切除（部分切除）後，特にステープラー使用後の局所（断端）再発は20～40％との報告もあり注意が必要である[1,2]．癌腫転移の切除においてのサージカルマージンは組織学的検索で陰性であることはもちろん，おおむね10～15mmのマージンが必要と考えられる[3]．

肺門側におけるマージン確保のためには立体的な切除デザインが重要である．すなわち，腫瘍の肺門（中枢）側断端面を頂点とした円錐台内に腫瘍が収まるのが理想的と考えられる（図1）．このような切除が十分に可能なのは，おおむね外套1/3に存在する2cm以下の孤立性病変である．腫瘍径や局在によって，十分なマージンが得られないと判断されれば区域切除や肺葉切除を積極的に選択すべきである．開胸で触診を利用し，エネルギーデバイス（レーザーなど）で切除するならば腫瘍の相似形（球形に近い形）で切除することが可能であり，断端再発低下に有用との報告もある[2]．現実的にはステープラーを使用する頻度が高くマージンの確保の意識と工夫が大切である．

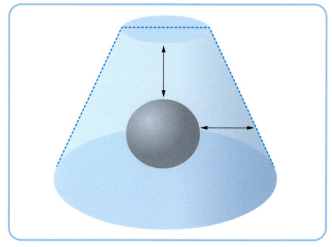

図1 部分切除のイメージ
ステープルラインのマージン確保には，肺門中枢側を上面とした円錐台状の切除を心がける．

2）肺葉切除・全摘術

癌腫病変で腫瘍径が3cm以上の場合は，十分な外科断端確保（周囲への微小転移・経気道散布・脈管浸潤）のために肺葉切除が望ましい[1～3]．根治的切除のためには，目的病変の一部を取り残さないこと，複数病変の一部をとり残さないこと，いずれもがたいへん重要である．そのために，転移性肺腫瘍に対する根治術としての肺摘除の効果も報告されているが[4]，その適応は限定的と考えられる．

b リンパ節郭清 レベルA

肺門や縦隔リンパ節転移を伴う転移性肺腫瘍は予後不良であり，治療としての郭清効果は否定的である．大腸癌の場合でリンパ節転移陰性例での術後5年生存率は39～70％であるのに対して，転移陽性例の術後5年生存率は0～34％と不良である[5]．予後予測や術後治療方針検討のためのサンプリングとしての意義はあっても，根治目的の系統的郭清を行う意義は低いとされる[5]．

c 反復手術 レベルB

術後の肺内への再再発に対する再切除は，他臓器転移がなく明らかなリンパ節転移が認められなければ5年生存率で25～50％程度とその治療効果が認められている．

d アプローチ レベルB

胸腔鏡と開胸によるアプローチがある．胸腔鏡アプローチでは開胸に比べ明らかに触診が困難であり，転移巣遺残の観点から術前画像診断の精度と術中の局在同定法（術前および術中のマーキング）が重要である．胸腔鏡アプローチでは転移巣の見落としが増加するという報告と近年の画像診断の向上にてその差がないとする報告があり，いまだ結論は出ていない[6,7]．多発病変では術前マーキングでは対応しきれない場合もありcone-beam CTによる術中の確認なども利用されつつある[8]．転移性肺腫瘍は全身疾患であることから，特に単発・寡少病変では低侵襲手術と考えられる胸腔鏡アプローチがまず優先されるべきアプローチである．しかし，根治性が担保されなければ侵襲の軽減は無意味である．腫瘍径・転移個数・腫瘍の局在により慎重にアプローチを選ぶべきである．胸腔鏡下手術といっても多様な手法が混在していること，また技量の差も見過ごせないことから，3cm以上の病変・多発病変・深部病変などでは根治性確保のためには開胸アプローチをためらう必要はない．また，耐術能に問題がなければ両側同時手術（開胸・胸腔鏡）も行われる．

e 原発巣による相違 レベルC

1）癌腫

大きさが3cmを超えるとリンパ節転移や周囲の微小転移率が高くなるため，肺葉切除を含め十分なマージン確保が必要である．特に頭頸部原発の癌腫転移ではリンパ節転移率が高いとされる．大腸癌や乳癌などでは腫瘍辺縁での肺胞上皮置換性増殖（lepidic pattern）が珍しくなく，触診を併用しても上述のごとくマージンが不十分になる可能性を考慮すべきである．

2）肉腫

一般に周囲への微小転移やリンパ節転移の頻度が低いとされる．血気胸などのリスクが癌腫転移より高いことから，根治目的でなくQOL確保を目的に手術される場合もある[9]．基本的な術式は癌腫転移と大きな違いはない．

f まれな転移様式 レベルC

腎癌や大腸癌においては気管支腔に転移する場合があり，肺切除のみならず気管支形成術の適応となる場合がある．

Side Memo

【ベバシズマブ】
近年，大腸癌の治療におけるベバシズマブの導入に代表される分子標的療法薬が転移性肺腫瘍の治療にも大きな影響を及ぼしている．分子標的治療薬が著明に奏功した結果，難治性の気胸を併発して呼吸器外科治療を要することが経験される．また，ベバシズマブ治療後の症例では，創傷治癒の遅延が経験されるので手術にあたっては留意する必要がある．

文献
1) 呉屋朝幸，土屋了介．癌と化学療法 1990; **17**: 771
2) 坂尾幸則ほか．日本呼吸器外科学会雑誌 1994; **8**: 686
3) Mohiuddin K et al. J Thorac Cardiovasc Surg 2014; **147**: 1169
4) Koong HN et al. Ann Thorac Surg 1999; **68**: 2039
5) Shiono S et al; The Metastatic Lung Tumor Study Group of Japan. Eur J Cardiothorac Surg 2015; **20**: pii: ezu533
6) McCormack PM et al. Ann Thorac Surg 1996; **62**: 213
7) Diederich S et al. AJR Am J Roentgenol 1999; **172**: 353
8) Jin KN et al. Eur Radiol 2010; **20**: 2108
9) Billingsley KG et al. Cancer 1999; **85**: 389

Ⅵ. 肺の腫瘍性疾患

D 大腸癌肺転移の手術成績と予後因子

要点

1. 手術成績は原発巣術後早期の発見，適切な患者選択，そして薬物療法の進歩によって近年著しく向上し，5年生存率は50%に達しつつある．
2. 有力な予後因子として，病変数，術前CEA値，無症候期間（disease free interval：DFI），リンパ節転移があげられる．
3. 多剤併用療法（FOLFOX，FOLFIRI）や分子標的治療薬の導入は，切除不可能であった大腸癌肝転移を切除可能とし，結果的に肺転移切除の適応はさらに拡大している．

Key Word 病変数，無症候期間（disease free interval：DFI），腫瘍径

大腸癌は世界的にみて最も高頻度にみられる癌腫のひとつであり，2018年の統計では罹患率3位，死亡原因としては2位である[1]．

日本においては人口の高齢化を背景に罹患数，死亡数ともに増加し続けているが，年齢調整率で見た場合，近年の傾向は罹患，死亡とも横ばいである．2019年の部位別癌死亡数は，男性が肺癌，胃癌に次いで3位，女性は1位である．

大腸癌治療の成否は早期診断に負うところが大きいが，発見時15～25%の患者はすでに転移をきたしており，全経過中には50～60%の患者に転移が起こる．一般に遠隔転移は全身性疾患と見なされ積極的な外科的治療の対象となりにくいが，大腸癌治療の歴史においては一定の条件を満たす患者群に対しての肝転移切除は予後を改善する効果があると考えられており，肺転移についても切除が推奨されてきた．

現在呼吸器外科医が最も頻繁に遭遇する転移性肺腫瘍が大腸癌肺転移である．日本胸部外科学会学術調査を遡ると転移性肺腫瘍全体の手術件数は一貫して漸増しており，2017年度は8,950件に達した．そのうち大腸癌肺転移が4,240件とほぼ半数を占めているが，この割合は過去10年以上にわたってほぼ一定である．

a 治療方針 レベルA

大腸癌肺転移の治療は，全身薬物療法と局所療法に大別される．局所療法には肺切除，放射線療法，それ以外の選択肢としてラジオ波焼灼療法や凍結凝固療法が含まれる．

適切に選択された症例に対する肺切除は他の治療法では得られない良好な成績が示されており，肺転移巣の切除が可能であればまず肺切除を考慮する．ただし，大腸癌に対する薬物療法は近年，長足の進歩を遂げつつあり，局所療法としての肺切除の意義は常に全身薬物療法との協働として検討されるべきである．

肺切除には解剖学的切除と楔状（非解剖学的）切除があるが，転移巣の数，大きさ，部位により切除断端距離を確保した完全切除ができる術式を選択する．解剖学的切除を施行する場合には肺門・縦隔リンパ節郭清ないしはサンプリングを検討する．

肺切除のタイミングについては肺転移が発見された患者の約半数に間もなく新病変が発見されるという報告もあり，不顕性転移を除外するために2～3ヵ月間の観察期間を置くことを推奨する意見がある．

b 手術適応 レベルA

現在の手術適応は簡潔に3項目に要約される．

①原発巣が制御されている

原発巣が切除不能の場合，生命予後は明らかに不良である．肺転移が有症状であり緩和的な意義がある場合を除いては手術適応とは考えにくい．

直腸癌は局所再発が最も高頻度にみられる再発形式であるが，化学療法や放射線療法でコントロールされている場合は，手術適応に含めてもよい．

②制御不可能な肺外転移がない

肝転移との同時転移については肺切除の有効性を示唆する報告があるが，他臓器転移についての報告はほとんどない．しかし，oligometastasesの観点からは手術も許容される．

③十分な肺機能の維持を伴う完全切除が可能である．

c 手術成績 レベルB

完全切除例の5年生存率は24～72%とばらつきが大きいが，肝転移のみでなく肺転移切除例に関しても，FOLFOXやベバシズマブ導入後の予後改善を示唆する報告が認められる[2]．そこで症例登録の期間によって分類すると，2000年までに終了している報告例の5年生存率が24～62.7%（中央値38%）であったのに対して，1995年以降に開始された報告例では43～72%（中央値48%）であった（表1）．

原発巣切除術後のスクリーニングが体系化され肺転移が早期に発見されるようになった点や，手術成績の解析が進み適切な患者選択が行われるようになった点も手術成績の向上に寄与していると考えられるが，この間に薬物療法の

表1　1995年以降の手術成績（R0のみ）

著者	報告年	症例登録年	症例数	生存期間中央値(月)	5年生存率(%)	個数	CEA	DFI(月)	リンパ節転移	その他
Lin	2009	1997〜2006	63	N/A	44	×	×	○(12)	×	
Rama	2009	1998〜2005	61	67	48	○	○	○(36)	N/A	
Landes	2010	1996〜2009	40	N/A	43	×	N/A	×	×	肝転移切除
Hwang	2010	2001〜2007	125	37	48	×	○	○(6)	○	肝転移切除
Suemitsu	2011	1996〜2008	57	65	54	×	×	×	×	原病巣進行度（Ⅰ/Ⅱ）
Zabaleta	2011	1998〜2008	84	72	54	○	×	○(48)	×	肝転移切除
Hawks	2012	1997〜2009	51	N/A	72	×	×	×	×	
Sclafani	2013	1997〜2009	127	49	45	○	N/A	×	×	
Zampino	2014	1998〜2008	199	53	47	○	○	×	○	
Bolukbus	2014	1999〜2009	165	36	54	○	N/A	×	×	直腸癌，化学療法抵抗性
Javed	2014	2004〜2010	66	45	N/A	×	×	×	×	腫瘍径（20mm）

進歩が果たした役割は非常に大きい．

d　予後因子 レベルB

メタアナリシスで明らかな予後因子と認められているものを表2に示す[3,4]．

①病変数

最も多くの報告で予後因子とされている．単発と複数の比較がほとんどであるが，3個以上や両側転移を予後不良因子とする報告もある．

何個までなら手術適応とするか，明確なコンセンサスは存在しないが，完全切除可能であれば2〜4個は手術適応とするのが一般的である[4]．

②術前CEA値

以前に比べると最近の報告で取りあげられることは少ない．

予後因子としての意義は薄れても，術後に低下するか，経過中に再上昇しないか，という治療効果の指標としては依然有用である．

③原発巣切除後の無症候期間（disease free interval：DFI）

術前CEA値とともに古典的な指標であるが，有意差を認める期間について6ヵ月から48ヵ月までと一定の見解はなく，臨床的に活用することは難しい．

④肺門・縦隔リンパ節転移

術者が症例を選択して郭清を行った場合の転移陽性率は11〜19％であり，いずれも全手術例の7〜8％に収束した．これに対して全例に系統的郭清を行った場合の転移陽性率は22〜44％に上昇し，症例を選択して郭清を行うと15〜35％程度のリンパ節転移は見落とされていることになる．

しかし，全例に系統的郭清を行った報告においてリンパ節転移は必ずしも予後因子とはなっておらず，一律に系統的郭清を行う意義は判然としない．

⑤腫瘍径

原発性肺癌において腫瘍径は病期を決定する重要な因子であり予後に及ぼす影響も大きいが，大腸癌肺転移の予後

表2　有力な予後因子
○病変数
○術前CEA値
○無症候期間（disease free interval：DFI）
○肺門 and/or 縦隔リンパ節転移

因子とした報告は少ない．

転移性肺腫瘍研究会からの報告は日本国内26施設から大腸癌肺転移のみ1,030例という多数例を集計したものであるが，このなかで個数，CEA，リンパ節転移と並んで腫瘍径20mmが予後因子と判定された．

さらに肺転移切除後の再々発例を検討すると，肺より下流の遠隔臓器に再々発した症例では初回再発時の腫瘍径が有意に大きかった．この結果より，肺の血管床がフィルターとして機能し，転移巣が一定以上の大きさとなってその機能が破綻すると下流臓器に転移が起こるとするsemi local diseaseのコンセプトを提唱している[5]．肺転移に対して外科的治療を施行する論理的な根拠となりうる可能性がある．

⑥原発巣の部位（直腸癌）

結腸と直腸という発生部位の違いが予後に与える影響については，あまり注目されることがなかった．大腸癌全体でみると遠隔臓器への転移部位としては肝臓が最も多く，次いで肺という認識であるが，直腸癌に限定すると最も転移しやすい臓器は肺であり，その頻度は結腸癌の約2倍である．直腸からの静脈還流は近位3分の1が門脈系に，肛門側3分の2は内腸骨静脈を経由して下大静脈に流入するので，直腸癌は肝より肺に転移しやすいと考えられる．

さらに系統的リンパ節郭清を全例に施行した報告では，縦隔リンパ節転移も直腸癌に多かった．結腸癌よりも早い時点で全身転移をきたしやすい可能性が示唆される．

⑦肝転移切除の既往

大腸癌患者全体の5〜10％に肝転移と肺転移の両者が発生する[4]．FOLFOX導入以降，肝転移の治療成績が著しく

向上したため，肝転移切除後の肺転移切除例も増加している．肝転移切除の既往については，単独の肺転移切除と遜色ない成績（5年生存率60～70％）も報告されているが，2007年以降の報告例を対象としたメタ解析では有意な予後不良因子と判定された．

⑧原発巣の病期（T因子，N因子）

大腸癌研究会の肺転移プロジェクト研究（2010年）では肺転移単独の場合，T4とN3が予後不良因子であった．また，肝転移切除後症例は有意に予後不良であった．これら原発巣にかかわる因子と肺転移に関する因子を組み合わせて「肺転移症例のGrade分類」が考案され，大腸癌取扱い規約に収載されている．

文献
1) GLOBOCAN 2018．https://gco.iarc.fr/
2) Riquet M et al. Ann Thorac Surg 2010; **89**: 324
3) Pfannschmidt J et al. Ann Thorac Surg 2007; **84**: 324
4) Gonzalez M et al. Ann Surg Oncol 2013; **20**: 572
5) Iida T et al. Ann Surg 2013; **257**: 1059

Side Memo

【FOLFOXやベバシズマブ導入後の転移切除】

現在，大腸癌に対する全身薬物療法の中心的薬剤であるオキサリプラチンやイリノテカンはいずれも1990年前後に開発が進んだ．日本ではまずイリノテカンが1995年に臨床使用可能となり，オキサリプラチンはかなり遅れて2005年から使用可能となった．それまでの主流であった5-フルオロウラシル＋ロイコボリン療法にこれら新規抗癌薬を加えたFOLFOX，FOLFIRI，FOLFOXIRIといった多剤併用療法が考案され，臨床試験の結果，原発巣切除術後，切除不能進行大腸癌いずれの予後も改善することが明らかになった．この過程で，薬物療法が著効し当初は切除不能であった転移巣の切除が可能となる（コンバージョン切除）症例が報告された．コンバージョン切除の意義を検証するために行われた複数の前向き研究では切除率は32～40％に達した．薬物療法なしで切除可能な場合より再発率は有意に高いものの，非切除症例に比べると予後は良好であった．

2000年代前半には分子標的治療薬の開発が進み，血管内皮増殖因子（VEGF）を標的とした血管新生阻害薬であるベバシズマブ，さらにはヒト上皮細胞増殖因子受容体（EGFR）を標的としたセツキシマブ，パニツムマブが登場した．多剤併用療法にこれらの薬剤を追加することによる，切除不能StageⅣ大腸癌の成績向上を期待して複数のランダム化試験が実施され，無増悪生存率・全生存率の有意な向上が認められた．コンバージョン切除率も分子標的治療薬を追加することで2倍となり，最近ではR0切除後の5年生存率46％という良好な長期成績が報告されている．

以上は新規抗癌薬導入後の転移切除についての経緯であるが，対象となった症例はほとんどが肝転移であり，肺転移例に関するまとまった報告は存在しない．今後もコンバージョン切除の対象となる肺転移症例はごく限られた数にとどまるであろうが，肝転移に対する切除既往のある症例や肝・肺同時転移症例の増加が予想される．

E 大腸癌以外の肺転移の手術成績と予後因子

要点

❶転移性肺腫瘍は原発巣により肺転移切除の意義が異なる．
❷共通した予後因子としては転移個数，無症候期間(disease free interval：DFI)，根治度があげられ，単発転移，DFIが長いもの，完全切除が予後良好である．
❸手術適応を決定する際は腫瘍の性質とともに予後因子も考慮に入れるべきである．

Key Word 転移性肺腫瘍，手術成績，予後因子

肺転移は予後不良な病態であるが，他に治療の手段がない，化学療法に抵抗性があるなどの場合に肺転移切除の意義がある．大腸癌肺転移が手術対象となることが多いが，その他に骨軟部腫瘍，腎臓癌，頭頸部癌肺転移が手術対象になる頻度が高い(図1)．本項では大腸癌以外の肺転移での手術成績と予後因子について述べる．

a 予後因子 レベルB

転移性肺腫瘍は原発臓器によるが，肺転移切除後はおおむね30%程度の5年生存率が得られている．また転移性肺腫瘍の手術適応を決める際には心肺機能の評価，一般的な転移性肺腫瘍の適応基準のほかに，予後因子についても考慮する必要がある．予後因子として組織型，腫瘍の悪性度，腫瘍マーカー，転移個数，転移側(両側か片側か)，無症候期間(disease free interval：DFI)，腫瘍倍加時間，発生時期(同時性か異時性か)，根治度，リンパ節転移などがあげられる．

1) 転移個数

転移個数は単発のほうが予後がよい．特に肺に孤立性の転移をきたした場合は良好な予後が期待できる．しかし，複数個の肺転移でも予後良好な場合もあり，切除個数については明確な基準はない．

2) 無症候期間(DFI)

無症候期間(disease free interval：DFI)は原発巣の切除後から肺転移発見までの期間を指すことが多い．腫瘍によって，あるいは報告によって異なった値が報告されているが，DFIの長い場合の予後は良好である．しかし，DFIは経過観察期間，経過観察に用いた検査に左右されることは留意すべきである．

3) 根治度

多くの転移性肺腫瘍で完全切除が重要な予後因子である．このため完全切除を目指すためには他の遠隔転移を除外する必要がある．欧米を中心とした多施設共同研究の報告[1]に

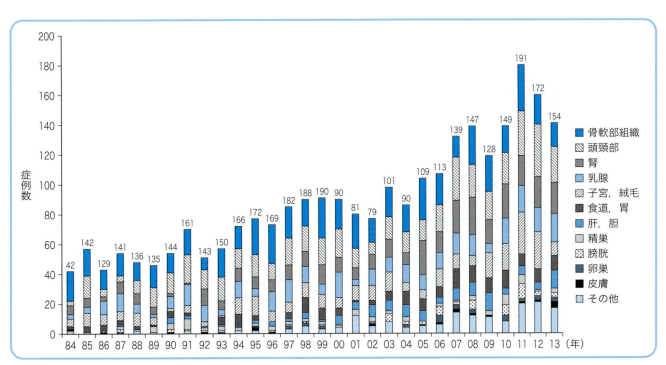

図1 大腸癌以外の転移性肺腫瘍研究会登録例

よれば完全切除された場合の5年生存率，10年生存率は36％，13％であったのに対し，不完全切除の場合は5年生存率，10年生存率は26％，7％であった．不完全切除でも差がない場合は，化学療法が有効であったり肺転移切除以外の因子が関与している可能性がある．

4）リンパ節転移

肺門・縦隔リンパ節転移は原発巣により異なるが20％前後に認められる．転移性肺腫瘍でリンパ節転移を有する場合の予後は不良である．転移性肺腫瘍でリンパ節郭清を行う意義としては，進行度の評価，局所制御などが推察される．しかし，リンパ節郭清により生存期期間の延長が得られるかどうかは不明である．

b 各腫瘍ごとの手術成績と予後因子
レベルC

1）頭頸部癌肺転移

頭頸部扁平上皮癌は病理学的にも肺扁平上皮癌との鑑別診断が困難である．よって頭頸部扁平上皮癌既往例での肺結節に対しては，肺癌に準じた術式が必要な場合もある．また，肺転移切除の手術成績は5年生存率で26.5％であった[2]．男性，肺転移切除時のリンパ節転移，口腔癌，不完全切除が予後不良因子とされる．口腔癌肺転移の切除後の予後は極めて不良で5生率が9.2％であったとされ，肺転移切除は勧められない[2]．甲状腺癌肺転移は多発することが多いため報告は少ない．Mayo Clinicからの報告[3]では甲状腺癌肺転移切除後の5年生存率は60％と良好で，組織型が乳頭癌，甲状腺癌切除時の年齢が45歳未満，3年以上のDFIを有する症例の予後がよい．なお最近では免疫チェックポイント阻害薬の有用性も報告され，今後治療方針が変遷する可能性がある．

2）腎癌肺転移

腎臓癌は肺に転移しやすい傾向にある．しかし，最近の分子標的薬の登場にも関わらず完全奏功を得ることは困難で肺転移切除も積極的に行われる．肺転移切除の予後因子には根治度，DFI，転移個数，肺転移の大きさおよび肺転移時のリンパ節転移などがあげられる．特に肺転移の完全切除は重要な予後良好因子である[4]．腎癌肺転移の特徴のひとつにリンパ節転移が多いことがあげられる．Kudelinらは116例の手術例の検討で肺門または縦隔リンパ節転移が46.6％にも認められたと報告し[5]，リンパ節郭清の必要性も論議されている．また，腎癌肺転移では晩期再発が少なくない．晩期肺転移例の予後が良好か否かは不明であるが，肺癌と鑑別も問題になるため積極的な切除が勧められる．

3）乳癌肺転移

乳癌肺転移切除後の5年生存率は45％と報告されているものの，一般的に乳癌は全身病と考えられ，さらに乳癌肺転移切除例の解析からも不完全切除でも完全切除成績と予後が変わらなかったとのデータもあり[6]，肺転移切除による予後の改善は期待できない．完全切除，単発，3年以上のDFIを有する場合には予後良好との報告もあるが[7]，肺転移した乳癌の自然予後をみているに過ぎない可能性もある．このため乳癌肺転移切除の適応は厳密に予後因子から選択された場合，肺癌との鑑別が必要な場合，またはホルモン受容体の検索などに限られる．

4）骨軟部腫瘍肺転移

骨軟部腫瘍は血行性転移が多く骨肉腫では再発時80％程度に肺転移が発生する．化学療法後のサルベージ手術や，肺転移切除後再発に対する複数回切除も行われる．肺転移切除後の5年生存率は15～51％であり，時代の変遷とともに改善がみられる[8]．完全切除，転移個数が少数，DFI 12ヵ月以上が予後良好因子としてあげられ，一般に軟部肉腫のほうが予後不良である．

骨肉腫では原発巣治療後再発例の予後が良好である．日本のデータでは骨肉腫治療後に発生した肺転移の肺転移発見時からの5年生存率が31％で，肺転移同時発生あるいは化学療法中に発生したものの5年生存率が0～18％であったのに対し有意に予後良好である．軟部肉腫でも完全切除，平滑筋肉腫，転移個数が少数，DFI 12ヵ月以上，片側転移，複数回切除が予後良好因子である．ただ複数回手術例が良好な理由は，早期に肺転移をきたした場合は再切除が考慮されていない可能性がある．組織型では脂肪肉腫，Ewing肉腫，滑膜肉腫肺転移例が予後不良である．

骨軟部腫瘍は化学療法が有効であった場合と無効であった場合には予後に大きな差がある．このため肺転移出現時の化学療法のタイミングについては集学的治療チームでの十分な検討が必要である．

5）子宮癌肺転移

子宮癌肺転移切除後の5年生存率は0～60％と幅広い．日本からの子宮癌肺転移の研究では5年生存率が54.6％と比較的良好である[9]．しかし，組織学的には差異があり絨毛癌と子宮体癌が子宮頸癌に比し予後良好である．予後良好な因子はDFI 12ヵ月以上，腫瘍径3cm未満，転移個数3個以下である．子宮頸癌肺転移の検討では肺転移個数が2個以下，扁平上皮癌の予後がよいとされる．

6）胸腺上皮性腫瘍肺転移

胸腺腫，胸腺癌からの肺転移もときに経験される．胸腺腫の遠隔転移部位としては肺の頻度が高い．胸腺腫では再発巣が切除可能であれば，その切除により生存の延長が見込まれるので，肺転移の切除も積極的に考慮すべきである[10]．

7）その他の腫瘍

胃癌肺転移は多発することや癌性リンパ管症で発症することもあり症例数は多くない．ただし，日本では最も多い癌種であり，DFIが長い症例で切除可能であれば手術適応がある．非セミノーマ性胚細胞腫瘍は化学療法に対する感受性が高く，手術適応になる場合は化学療法施行後の残存病変の切除であり，組織学的な効果判定の生検目的で行わ

表 1　原発巣毎の肺転移切除後の手術成績と肺転移切除に関する予後因子

原発	5年生存率	予後因子	備考
頭頸部扁平上皮癌	26.5〜59.4%	DFI，原発部位，リンパ節転移，根治度	口腔癌予後不良
甲状腺癌	60%	DFI，組織型，年齢	乳頭癌，若年者予後良好 手術適応例少ない
乳腺	36.0〜59.6%	DFI，個数，腫瘍径，ホルモンレセプター	手術の意義は不明
食道	29.6%	DFI	
胃	28.0%	DFI	
肝	32.2〜66.9%	DFI，個数，腫瘍マーカー，再発歴	PIVKA-Ⅱ，AFPが低い場合予後良好
腎	36.9〜53.0%	DFI，個数，腫瘍径，根治度，リンパ節転移	
子宮	0〜60%	DFI，個数，腫瘍径，組織型	絨毛癌と子宮体癌が子宮頸癌に比し予後良好
尿路系（腎除く）	46.5〜50%	個数，腫瘍径，根治度，肺のみの再発	
骨軟部	15〜51%	DFI，根治度，個数	化学療法の役割も大きい 軟部肉腫は予後不良
皮膚（悪性黒色腫）	22〜39%	DFI，個数，根治度，肺のみの再発	
非セミノーマ性胚細胞腫瘍	73〜94%	個数，腫瘍マーカー，根治度，残存腫瘍の割合	効果判定の生検目的で行われることも多い

れることもある．悪性黒色腫は30%に遠隔転移をきたし予後は不良であるため，肺転移切除の可否については議論が分かれる．術前いかに肺以外の遠隔転移を除外するかが重要になる．

各腫瘍毎の手術成績と予後因子を表に示した（表1）．転移性肺腫瘍は全身病の一形態であり，肺転移切除は化学療法，放射線療法などの集学的癌治療の一環として捉えるべきである．また転移性肺腫瘍の外科的切除には強固なエビデンスは存在しないため，各症例ごとにデータに基づいた治療方針を検討すべきで，集学的治療チームでの十分な検討が望ましい．

文献
1) Pastorino U et al. J Thorac Caridiovasc Surg 1997; **113**: 37
2) Shiono S et al. Ann Thorac Surg 2009; **88**: 856
3) Porterfield JR et al. Eur J Cardio-thorac Surg 2009; **36**: 155
4) Pfannschmidt JR et al. Ann Thorac Surg 2002; **74**: 1185
5) Kudelin N et al. Ann Thorac Surg 2013; **96**: 265
6) Plachard D et al. Cancer 2004; **100**: 28
7) Friedel G et al. Eur J Cardio-Thorac Surg 2009
8) Treasure T et al. BMJ Open 2012; **2**: e001736
9) Anraku M et al. J Thorac Cardiovasc Surg 2004; **127**: 1107
10) Mizuno T et al. J Thorac Oncol 2015; **10**: 199

③ その他の腫瘍性疾患

Ⓐ 良性上皮性腫瘍

要点
❶ 良性上皮性腫瘍には乳頭腫と腺腫がある．
❷ それぞれには病理組織学的に数種類の亜型が分類されている．
❸ いずれもまれな腫瘍であるが再発をきたしうる腫瘍もあるので，治療に際しては注意が必要である．

Key Word 良性腫瘍，上皮性腫瘍，乳頭腫，腺腫

　肺良性腫瘍は原発性肺腫瘍の2〜5%とされ，その頻度は低い．日本胸部外科学会による手術統計では，日本における2017年の肺良性腫瘍切除例は2,197件で全呼吸器外科手術件数の2.6%であった[1]．しかし，呼吸器外科医にとって肺悪性腫瘍との鑑別が重要となるので基本的な知識は十分に習得しておく必要がある．肺良性腫瘍で最も頻度の高いものは肺過誤腫であり，次いで硬化性肺胞上皮腫であるが，そのほかにもまれではあるが多くの良性腫瘍が存在する．

　現在用いられている「肺癌取扱い規約(第8版)」[2]の組織分類は，WHO分類(第4版)[3]に準拠しており，本項では「肺癌取扱い規約(第8版)」で乳頭腫と腺腫に分類される腫瘍について解説する(表1)．いずれもまれな腫瘍であるが再発をきたしうる腫瘍もあるので，治療に際しては注意が必要である．

　なお，硬化性肺胞上皮腫(sclerosing pneumocytoma)は腺腫に分類されているが，後述の「その他の腫瘍」項で述べられるので，ここでは割愛する．

表1　良性上皮性腫瘍

乳頭腫
　扁平上皮乳頭腫
　腺上皮乳頭腫
　扁平上皮腺上皮混合型乳頭腫
腺腫
　硬化性肺胞上皮腫
　肺胞腺腫
　乳頭腺腫
　粘液嚢胞腺腫
　粘液腺腺腫

(肺癌取扱い規約第8版より抜粋)

ａ 乳頭腫　レベルC

　乳頭腫(papilloma)は主に気管・気管支壁から内腔に向かって発育する腫瘍であり，扁平上皮乳頭腫，腺上皮乳頭腫，扁平上皮腺上皮混合型乳頭腫に分類される．

1) 扁平上皮乳頭腫

　扁平上皮乳頭腫(squamous cell papilloma)は気管あるいは気管支上皮から発育する良性腫瘍である．多くは気道内にポリープ状に発育する外方性(exophytic)であるが，間質内に発育する内反性(inverted)のものも存在する．若年発症例と高齢発症例があり，喉頭から気管・気管支にかけて広範囲に発生しうる．孤立性と多発性に分類され，孤立性扁平上皮乳頭腫は肺腫瘍の0.5%未満と極めてまれである．病理学的には多層の扁平上皮に覆われた線維性血管性組織よりなる．好発年齢は50歳代であり男性に多い．喫煙との関連は明らかではなく，ヒトパピローマウイルス(human papilloma virus：HPV)6，11型の感染が原因と考えられている．

　約1/3の症例では無症状で胸部CTなどにより偶然発見されるが，気管支の狭窄に伴う症状を契機に発見される場合が多い．診断は気管支内視鏡下の生検で行われる．病理学的には扁平上皮癌との鑑別が難しい場合もあり，また切除断端再発が約20%に認められたという報告や，切除部位に扁平上皮癌が発症した症例報告もあることから，潜在的な悪性腫瘍との考え方もある．

　治療に際しては完全切除が重要であり，電気やレーザーによる安易な凝固療法は局所再発のみならず腫瘍の気道内播種をもたらす危険性がある．多発症例や気道内の散布例は乳頭腫症(papillomatosis)と呼ばれ，ときに気道を狭窄させて予後不良となる．

2) 腺上皮乳頭腫

　腺上皮乳頭腫(glandular papilloma)は気道内に発育する良性腫瘍で立方細胞もしくは杯細胞の増殖よりなる．極めてまれな腫瘍で，性差はなく年齢中央値は68歳である．多くは気道の狭窄による症状で発見される．不完全な切除によって局所再発をきたすことがあるが，悪性に転化した症例は報告されていない．

3) 扁平上皮腺上皮性混合型乳頭腫

扁平上皮腺上皮性混合型乳頭腫（mixed squamous cell and glandular papilloma）は扁平上皮成分と腺上皮成分の両者を併せ持つ良性腫瘍である．極めてまれで，これまでに7例の報告があるのみである．完全切除により予後は良好である．

b 腺腫 レベルC

腺腫（adenoma）は気管支腺あるいは細気管支肺胞上皮から発生する良性腫瘍で，硬化性肺胞上皮腫，肺胞腺腫，乳頭腺腫，粘液囊胞腺腫，粘液腺腺腫に分類される．

1) 肺胞腺腫

肺胞腺腫（alveolar adenoma）は主に肺の末梢側もしくは臓側胸膜下に発生するまれな良性腫瘍である．報告例の年齢中央値は53歳で，やや女性に多い．多くは無症状で，胸部X線やCTで偶然発見され，硬化性肺胞上皮腫，リンパ管腫や肺腺癌との鑑別が必要となる．画像所見では境界が明瞭で内部が均一な結節影として描出されるが，造影CTやMRIで内部に囊胞状構造を有することが特徴的である．病理学的には，腫瘍は主にⅡ型肺胞上皮細胞からなり，内部の囊胞にはPAS陽性の粘液が充満し，合わせて周辺部には肺胞に類似した気腔を有する．完全切除により予後は良好である．

2) 乳頭腺腫

乳頭腺腫（papillary adenoma）は肺の末梢側に発生する良性腫瘍である．病理学的にはⅡ型肺胞上皮細胞とClara細胞からなり，多分化能を有する幹細胞から発生すると考えられている．これまでに約20例の報告しかないまれな腫瘍で，年齢は2ヵ月から60歳に分布し，やや男性に多い．大多数は無症状で，胸部X線やCTで境界明瞭な結節影として発見される．切除により予後は良好であるが，病理学的に浸潤部を有する乳頭腺腫が報告されており，潜在的な低悪性度腫瘍との考えもあるので慎重な経過観察が必要である．

3) 粘液囊胞腺腫

粘液囊胞腺腫（mucinous cystadenoma）は肺の末梢側に発生する非常にまれな良性腫瘍である．好発年齢は50～60歳代で性差はないが，喫煙に関連するといわれている．薄い線維性の被膜に被われた囊胞性病変であり，内部にはコロイド様物質が充満している．多くは無症状であり，胸部X線で偶然発見されることが多く，気管支囊胞や粘液産生性細気管支肺胞上皮癌との鑑別が必要となる．切除後4～20年後に局所再発した症例も報告されており，十分な断端距離を取った完全切除が必要である．

4) 粘液腺腺腫

粘液腺腺腫（mucous gland adenoma）は気管支の粘液腺細胞から発生するまれな良性腫瘍で，気管支内腔にポリープ状に発育する．過去の報告例の年齢は25歳から67歳で中央値は52歳であり，性差はない．比較的中枢の気管支から発生することが多く，そのため咳，血痰，繰り返す肺炎などを契機に発見されることが多い．低悪性度粘表皮癌との鑑別が必要である．経気管支的切除，あるいはレーザー焼灼，凍結療法などで予後は良好であり，外科的切除を行う場合も可能な限り肺を温存する術式が推奨される．

5) 多形腺腫

多形腺腫（pleomorphic adenoma）は，「肺癌取扱い規約（第8版）」では唾液腺型腫瘍に分類されているが，第7版では腺腫に分類されていたまれな良性腫瘍である．病理学的には上皮成分と結合組織成分が混在しており，多くは比較的中枢の気道内にポリープ状に発育するが，ときに肺実質内に発生することもある．60～70歳代に好発し性差はない．気道に発生した場合は咳，気道閉塞の原因になりうる．肺実質に発生した場合は無症状が多く，胸部CTでは境界明瞭な充実性結節として描出される．造影CTでは内部は不均一に濃染する．

多形腺腫は良性腫瘍に分類されるが，局所再発や転移例が報告されており，腫瘍径，浸潤の有無，細胞分裂の多寡が予後因子とされている．治療は外科的完全切除が第一選択であるが，長期間にわたる経過観察が必要である．

文献

1) Shimizu H et al. Gen Thorac Cardiovasc Surg 2020; **68**: 414
2) 日本肺癌学会（編）．臨床・病理 肺癌取扱い規約，第8版，金原出版，2017: p71
3) Travis WD et al. WHO Classification of Tumours of the Lung, Pleura, Thymus and Heart, 4th Ed, WHO Classification of Tumours, IARC Press, 2015: p10
4) Shields TW et al (eds). General Thoracic Surgery, 7th Ed, Lippincott Williams & Wilkins, 2009: p1571

B 間葉系腫瘍

要点

1. 炎症性筋線維芽細胞腫は，炎症性偽腫瘍のサブグループであるが，臨床的には間葉系の腫瘍と捉える．
2. 組織診断には免疫染色が欠かせないため，診断目的の生検でも可能であれば組織検体を採取するよう試みる．
3. 肺原発の間葉系腫瘍はいずれも頻度は少ないため，肺に認められた際には他臓器に原発巣がないかどうかの検討が必要である．

Key Word 間葉系腫瘍，炎症性筋線維芽細胞腫，類上皮血管内皮腫，滑膜肉腫，血管周囲上皮様細胞由来腫瘍

肺腫瘍のなかでも，間葉系腫瘍に分類されるものは，いずれもまれな疾患である．2015年のWHO分類では，肺の間葉系腫瘍として表1の各疾患が示されている[1]．軟部腫瘍の肺転移として経験することはあっても，肺原発腫瘍として普段経験することはまれであるが，知識として知っておくことは必要である．肺の間葉系腫瘍のなかでも，比較的頻度が高く，手術症例として遭遇する可能性の高い炎症性筋線維芽細胞腫（inflammatory myofibroblastic tumour）を中心に，各疾患について述べる．なお，肺過誤腫については，後述の「その他の腫瘍」項で述べられるため割愛する．

a 炎症性筋線維芽細胞腫（IMT）レベルB

炎症性筋線維芽細胞腫（inflammatory myofibroblastic tumour：IMT）は，炎症性偽腫瘍（inflammatory pseudotumoures）という広いカテゴリーのなかのひとつのサブグループであり，筋線維芽細胞に類似した紡錘形細胞の増殖とリンパ球や形質細胞などの炎症細胞浸潤が主体の腫瘍と定義されている．一方，炎症性偽腫瘍というカテゴリーは，本来，間葉系細胞や炎症細胞，膠原線維などが混在して増殖している非腫瘍性の病変として考えられており，そのなかに腫瘍性病変であるIMTが分類されているために，しばしば混乱が生じている．現在まで様々な報告や評論が示されているが，このなかにはIMTと炎症性偽腫瘍が混在しており，注意が必要である．

1999年に改訂されたWHO分類（第3版）ではtumour-like lesionsの項にinflammatory pseudotumour（inflammatory myofibroblastic tumour）と分類されていたが，その後，腫瘍の性格を強く有する疾患として，2015年のWHO分類（第4版）ではIMTは独立した間葉系腫瘍の位置づけで分類された．

1）臨床背景

IMTは肺，腹腔内臓器や後腹膜に好発するが，その他全身各臓器にも認められる．しかし，肺切除例のなかでIMTが占める割合は0.04～0.3％と報告され，まれな疾患である[2]．乳幼児から70歳代までみられるが，小児期から青年期に多く認められる．性差は認めない．約半数で，臨床症状（咳，発熱，胸痛など）を認める．

表1 肺の間葉系腫瘍（WHO分類，2015より）

- pulmonary hamartoma（肺過誤腫）
- chondroma（軟骨腫）
- PEComatous tumours（血管周囲上皮様細胞由来腫瘍）
- congenital peribronchial myofibroblastic tumour（先天性気管支周囲性筋線維芽細胞腫）
- diffuse pulmonary lymphangiomatosis（びまん性肺リンパ管腫症）
- inflammatory myofibroblastic tumour（炎症性筋線維芽細胞腫）
- epithelioid hemangioendothelioma（類上皮性血管内皮腫）
- pleuropulmonary blastoma（胸膜肺芽腫）
- synovial sarcoma（滑膜肉腫）
- pulmonary artery intimal sarcoma（肺動脈血管内膜肉腫）
- pulmonary myxoid sarcoma with EWSR1-CREB1 translocation
- myoepithelial tumours/ myoepithelial carcinoma（筋上皮腫/筋上皮癌）
- other mesenchymal tumours

2）検査と診断

画像所見は，図1のように境界明瞭で辺縁整，ときに分葉状の孤立性結節として確認されるものが典型的である．単発病変が多く，ごくまれに多発病変が認められる．空洞化を示すことはほとんどなく，石灰化を伴う割合は10～25％と報告される．まれに縦隔や気管支への浸潤を伴い不整形の陰影として認められる場合や，全身検索で遠隔転移を認める例もある．FDG-PET検査では，高い集積を示すものが多い．

病理組織学的診断には，難渋することが多い．筋線維芽細胞類似の紡錘形細胞の増殖浸潤や膠原線維，炎症細胞の混在する像（図2a）は，微小検体では全体像を捉えにくく，炎症組織と混同されるおそれがある．一定の大きさを持つ検体を用いて上記の構造を把握し，免疫染色の併用が必要である．vimentin，α-smooth muscle actinは高頻度に陽性となり，cytokeratinやS-100は多くで陰性となる．また，*ALK*融合遺伝子の存在がIMTでは以前から指摘されており，ALKの免疫染色は50～70％で陽性となる（図2b）．さらにALK陰性のIMT中，約10％に*ROS1*融合遺伝子が認

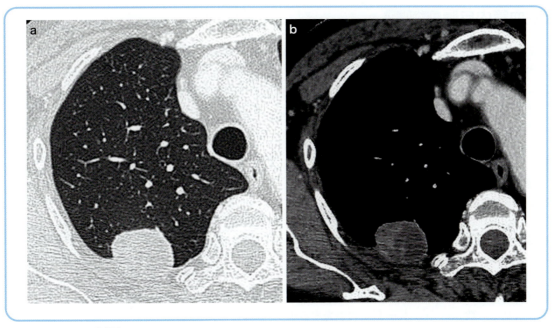

図1　IMTのCT所見
a：肺野条件．境界明瞭，辺縁整，充実性の腫瘤影．
b：縦隔条件．やや内部不均一な造影効果が認められる．

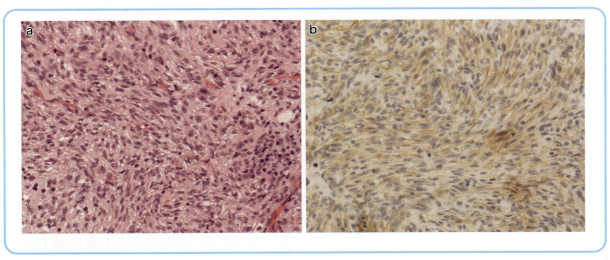

図2　IMTの病理所見
a：HE染色．紡錘形細胞が束状に増生し，間に膠原線維や炎症細胞が混在している．
b：ALKの免疫染色が陽性となっている．

められるという報告もある[3]．

術前の気管支鏡生検や針生検では正しい診断をつけることが困難であり，多くの場合は手術標本の病理検査で診断確定される．

3）治療と予後

治療は手術による完全切除が基本である．5年生存率90％前後と報告され[4]，完全切除された症例は予後良好であるが，腫瘍径の大きなものや不完全切除となった症例では，局所再発や遠隔転移を認めている．再発時期も，術直後から7年後まで様々な経過がみられるため，慎重な経過観察が必要である．

進行期の症例に対する手術以外の治療は，確立されたものがない．抗癌剤や放射線治療の有効性は明らかではなく，縮小効果が得られたという報告が散見されるのみである．一方，ALK融合遺伝子やROS1融合遺伝子の存在するIMTに対しては，クリゾチニブが有効であったという報告があり[5,6]，切除不能のIMTに対する治療として期待したい．

> **Side Memo**
>
> 【IMTの遺伝子変異】
> IMTのALK融合遺伝子陰性例にROS1融合遺伝子が一定の割合でみられることは本文中に述べた．ALKやROS1融合遺伝子陰性IMTの多くは別の遺伝子変異がみつかっている．RET，NTRK3，PDGFRβなどの融合遺伝子が報告されており，今後新たな分子標的治療薬の開発や効果も期待される．

b 類上皮血管内皮腫 レベルB

類上皮血管内皮腫(epithelioid hemangioendothelioma)は、緩徐な発育傾向を示す血管内皮細胞由来の低〜中悪性度の腫瘍であり、軟部組織や肺、肝臓、骨などに好発する。肺に生じたものは、pulmonary epithelioid hemangioendothelioma(PEH)と呼ばれる。

1) 臨床背景

PEHは、発症の平均年齢は40〜50歳代で、女性にやや多く認められる傾向がある。最近の報告では、半数以上は無症状であり、まれに咳や胸痛、血痰などの症状を認める。PEHの頻度は日本の過去の報告が70例に満たず、肺腫瘍のなかでもまれな疾患である。

2) 検査と診断

PEHの画像所見は、数mmから2cm以下の多発する小結節が両側もしくは片側に散在する像を呈することが多い。まれに3cmを超えるものや単発病変、胸水を伴うものが報告される。CT画像上、転移性肺腫瘍や炎症性肉芽腫などが鑑別疾患となる。FDG-PET検査では、集積がない、もしくは弱い場合がほとんどである。まれに、腫瘍径の大きなものや増大速度の速いもので、高い集積を示す場合もある。

診断には、外科的切除が有用である。腫瘍径が小さく、経気管支肺生検(TBLB)では腫瘍組織を正確に採取することが困難であり、TBLBで確定診断が得られる率は10%以下である。免疫染色では、血管内皮マーカーであるCD31、CD34、factorⅧが陽性となり、診断に有用である。

3) 治療と予後

多発症例が多いため、手術治療には限界がある。診断的外科的切除は行われるが、根治手術が可能な症例は少ない。また、薬物治療で確立されたものもない。非常に緩徐な増大経過を示すものも多く、そのような症例には経過観察が推奨される。

予後については、急速に悪化するものから十数年経過のみられるものまで様々である。予後不良因子として、有症状、胸水貯留などがあげられており、胸水貯留を認めない症例では5年生存率70%以上と報告されている。

c 滑膜肉腫 レベルB

滑膜肉腫は、比較的若年の四肢関節近傍の軟部組織に発生することが多い悪性腫瘍である。肺原発滑膜肉腫(synovial sarcoma)はそのなかでもまれであり、日本では今までに50例前後の報告にとどまっている。したがって、肺に滑膜肉腫が認められた場合は、他臓器からの転移の可能性も念頭に置いた、十分な全身検索が必要である。

1) 臨床背景

平均発症年齢40歳代で、性差は認めない。咳や血痰、呼吸困難などの症状を示す場合もあるが、無症状での検診発見例も多い。

2) 検査と診断

画像所見は、多くが境界明瞭な充実性の腫瘤として認められる。軟部組織発生の滑膜肉腫と比べ、肺原発滑膜肉腫では内部石灰化の生じる頻度は少なく、10%前後である。FDG-PET検査は陽性となることが多く、他臓器に原発腫瘍があるかどうかの確認にも有用である。

滑膜肉腫は、上皮細胞と紡錘形細胞の2種類が、単相もしくは混在した二相で存在するが、肺原発滑膜肉腫はそのほとんどが紡錘形細胞による単相型である。紡錘形細胞単相の腫瘍は他の肉腫との鑑別が困難であることが多く、診断には難渋する。近年、滑膜肉腫に特異的な SYT-SSX 融合遺伝子の存在が報告されており、現在は FISH や RT-PCR を用いた SYT-SSX 融合遺伝子の検出が診断確定に重要となっている。

3) 治療と予後

治療は、手術による完全切除が標準となる。しかし、広範囲切除した例でも再発する危険性は高く、約70%で局所再発を認める。10年以上の経過で再発を生じる場合もあるが、まれに急速な増大や転移再発をきたす例もあり、切除後は慎重な経過観察が必要である。

切除不能滑膜肉腫に対する治療として、軟部組織の滑膜肉腫ではイホスファミドを用いた薬物治療で一定の効果が示されているが、肺原発軟骨肉腫に対しての効果は不明である。放射線治療は、不完全切除例などへの追加照射の報告が散見されるが、有効性については意見がまとまっていない。

肺および縦隔原発の滑膜肉腫の予後は5年生存率50%前後であり、完全切除を行っても予後は不良である。

d 血管周囲上皮様細胞由来腫瘍 レベルB

血管周囲上皮様細胞由来腫瘍(PEComatous tumours)は、血管周囲上皮様細胞(perivascular epithelioid cells:PECs)への分化を示す腫瘍の総称である。肺に発生するものとしては、平滑筋様細胞(LAM細胞)が全身性に増殖進行するリンパ脈管筋腫症(lymphangioleiomyomatosis:LAM)と、淡明な細胞が孤立性に増殖するPEComaと呼ばれる形態が知られており、どちらもまれな疾患である。

1) リンパ脈管筋腫症(LAM)

LAMは、平滑筋様細胞(LAM細胞)が全身性に増殖進行する難治性の呼吸器腫瘍性疾患である。妊娠可能年齢の女性に発症が認められるが、日本では、100万人あたり数例の発症頻度である。労作時呼吸困難や咳、血痰などの自覚症状、あるいは気胸の発生を契機に発見されることが多い。

CT画像上、両側びまん性の細かい薄壁囊胞が認められる。組織診断にて、LAM細胞はHMB-45、α-smooth muscle actinが高頻度で陽性となる。

近年、結節性硬化症(tuberous sclerosis complex:TSC)

の原因遺伝子である TSC 遺伝子の異常が LAM 細胞より検出された．この遺伝子異常の経路に関与する mTOR 阻害薬であるシロリムスは，LAM 細胞の増殖を抑制して病状の進行を抑えるという報告が認められ，日本でも 2014 年より使用が可能となっている．また，呼吸不全が進行した場合は肺移植の対象となる．疾患としては緩徐な進行であるため，予後は 10 年生存率 76％ と報告されている．

2) PEComa

LAM よりもさらにまれな疾患であり，肺の PEComa はグリコーゲンの豊富な淡明細胞からなることが多く，clear cell sugar tumor (CCST) とも称される．孤立性の腫瘍として認められるものが多く，組織診断にて LAM 同様に HMB-45 が高率で陽性となる．孤立性の腫瘍は外科的切除が可能であるが，まれにびまん性や遠隔転移を伴う PEComa の場合は，シロリムスの使用も今後検討される可能性がある．

e 肺動脈血管内膜肉腫 レベルC

肺動脈血管内膜肉腫 (pulmonary artery intimal sarcoma) は，血管内膜由来のまれな未分化間葉系悪性腫瘍である．呼吸困難や胸背部痛などの自覚症状を伴い，造影 CT では血管内腔を占拠する腫瘍が認められ，肺動脈幹に高頻度に発生する．症状と画像所見から，肺動脈血栓塞栓症と誤認されることも多い．

組織診断では vimentin が陽性となる．未分化の一部が骨，軟骨，筋などへ分化してみられる場合もある．

外科的切除が基本となるが，血管外への浸潤を認めることもあり，完全切除ができなかった場合の予後は 1 年未満と極めて不良である．

f 軟骨腫 レベルC

軟骨腫 (chondroma) は良性腫瘍であり，肺に発生する頻度は極めてまれである．多くの場合，胃消化管間質腫瘍 (GIST)，傍神経節腫と肺軟骨腫の 3 疾患を合わせて Carney's triad という疾患群を構成する要素とされている．

画像所見は，境界明瞭で辺縁に石灰化を伴う腫瘤影として認められる．両側に多発して認められることが多い．Carney' triad に伴う肺軟骨腫は，多発する肺結節でみつかることが多く，自覚症状も少ないため，治療の対象となることは少ない．緩徐な増大に伴い，胸痛や血痰などの自覚症状が出現する場合，切除を考慮する．

g 胸膜肺芽腫 レベルC

胸膜肺芽腫 (pleuropulmonary blastoma) は，乳幼児の肺・胸膜に生じるまれな腫瘍であり，腫瘍の性状により 3 タイプに分類される．嚢胞成分主体の Type Ⅰ，嚢胞＋充実腫瘍の混在する Type Ⅱ，充実成分主体の Type Ⅲ である．1 歳未満で Type Ⅰ として発症し，3 歳前後に Type Ⅱ，あるいは Type Ⅲ へと進行していく．Type Ⅰ は 5 年生存率約 85％ と予後良好であるが，Type Ⅱ，Type Ⅲ となるに従い予後不良となり，5 年生存率はそれぞれ約 60％，40％ と低下する．

腫瘍は，片側発生が多いが，両側発生も認める．性差は認めない．頻度はまれであり，日本では約 30 例の報告がある．Type Ⅱ，Ⅲ では高率に遠隔転移を生じるため，Type Ⅰ の状態で発見し，手術切除を考慮することが望ましい．乳幼児に嚢胞性肺病変を認めた場合は，慎重な経過観察が必要である．

h びまん性肺リンパ管腫症 (DPL) レベルC

びまん性肺リンパ管腫症 (diffuse pulmonary lymphangiomatosis：DPL) は，幼小児，若年者に発症例が多い，まれな疾患である．

呼吸困難や大量胸水あるいは乳び胸水にて発見されることが多く，CT 画像所見ではリンパ管の増生による小葉間隔壁の肥厚を認める．組織学的には良性であるが，浸潤傾向を伴うびまん性の進行のため予後は不良である．びまん性肺リンパ管腫症に対する確立した治療法はなく，胸水や乳び胸水に対する対症治療などが行われる．

i 先天性気管支周囲性筋線維芽細胞腫 レベルC

先天性気管支周囲性筋線維芽細胞腫 (congenital peribronchial myofibroblastic tumour) は，世界でも 20 例前後の報告例にとどまる，極めてまれな先天性の腫瘍疾患である．

胸腔内を腫瘍が占拠することで，出生直後から呼吸不全を起こしやすい．腫瘍摘出により治癒した例も報告されている．

文献

1) Travis WD et al. WHO Classification of Tumours of the Lung, Pleura, Thymus and Heart, 4th Ed, WHO Classification of Tumours, IARC Press, 2015: p116
2) Cerfolio RJ et al. Ann Thorac Surg 1999; **67**: 933
3) Chang JC et al. J Thorac Oncol 2019; **14**: 825
4) Fabre D et al. J Thorac Cardiovasc Surg 2009; **137**: 435
5) Ogata M et al. Intern Med 2019; **58**: 1029
6) Mai S et al. Lung Cancer 2019; **128**: 101

… VI. 肺の腫瘍性疾患

C リンパ増殖性腫瘍

要点

1. 肺粘膜関連リンパ組織リンパ腫は肺に発生する低悪性度 B リンパ腫である.
2. 粘膜関連リンパ組織リンパ腫は 11 番染色体と 18 番染色体の転座によって生じた MALT1 融合遺伝子を高頻度で認める.
3. リンパ腫様肉芽腫症は Epstein-Barr ウイルス感染 B リンパ球の増殖性疾患である.
4. 肺 Langerhans 細胞組織球症は煙草の煙を抗原とした Langerhans 細胞による増殖性疾患である.

Key Word　粘膜関連リンパ組織リンパ腫, びまん性大細胞型 B 細胞リンパ腫, リンパ腫様肉芽腫症, 肺 Langerhans 細胞組織球症, 血管内大細胞型 B 細胞リンパ腫

　肺原発リンパ増殖性腫瘍(lymphoid/histiocytic tumours)はリンパ球または樹状細胞から発生した腫瘍性疾患である. WHO 分類ではリンパ球から発生した腫瘍として粘膜関連リンパ組織リンパ腫(extranodal mucosa-associated lymphoid tissue lymphoma：MALT lymphoma), びまん性大細胞型 B 細胞リンパ腫(diffuse large B-cell lymphoma：DLBCL), リンパ腫様肉芽腫症(lymphomatoid granulomatosis：LYG)があげられている. また, 樹状細胞から発生した腫瘍として肺 Langerhans 細胞組織球症(pulmonary Langerhans cell histiocytosis：PLCH)があげられている. 非常にまれではあるが血管内大細胞型 B 細胞リンパ腫(intravascular large B-cell lymphoma：IVLBCL)も独立した疾患として 2008 年より WHO 分類で扱われている.

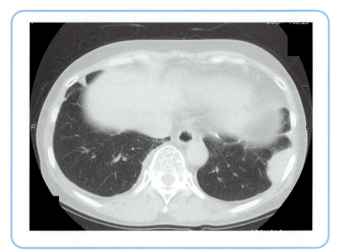

図 1　粘膜関連リンパ組織リンパ腫の CT 所見

a MALT リンパ腫[1] レベル B

1) 疫学

　MALT リンパ腫はリンパ節外に発生する低悪性度 B リンパ腫で, 非 Hodgkin リンパ腫全体の 5〜15% を占める. 発生部位としては胃, 肺, 甲状腺, 唾液腺などがあげられる. 肺腫瘍の観点からみるとリンパ増殖系肺腫瘍の 70〜90% を占める. しかし, 肺原発腫瘍全体では 0.5% 以下とまれである. 患者は 60 歳代以上の高齢者に多く, 若年発生はまれである.

2) 病態

　肺原発 MALT リンパ腫は炎症や自己免疫反応などが原因で二次的に発生するとされている. しかし, 胃の MALT リンパ腫の原因が *Helicobacter pylori* 感染刺激とされているような, はっきりとした原因は明らかにされていない.

3) 臨床像

　特徴的な症状は存在せず, 進行に伴い咳嗽, 呼吸困難, 胸痛, 血痰などの一般的な呼吸器症状が出現する. 腫瘍は単発または多発性に末梢肺に発生する. 胸部 X 線像や胸部 CT では, 単発または多発の腫瘤影や気管支含気像を伴うすりガラス様陰影など多彩な像を呈する(図 1). 診断は気管支鏡下生検や経気管支生検で行われるが, まれに外科的生検が必要な場合もある. 肺胞洗浄液や穿刺吸引生検を用いる場合は B リンパ球のクローナリティーの検討が必要である. 組織学的には T リンパ球を背景としてモノクローナルに増殖した B リンパ球が CD20 または CD79a で染色される(図 2). 免疫グロブリン遺伝子のモノクローナルな遺伝子改変がみられ, それは全例サザンブロットで証明される. 11 番染色体と 18 番染色体の転座 t(11;18) (q21;q21)によって生じた 18q21 に存在する MALT1 遺伝子はアポトーシス制御因子と考えられており, API2 遺伝子とキメラ遺伝子を形成して腫瘍化に関係するといわれている. この遺伝子異常は肺原発 MALT リンパ腫の 50〜60% に認められる.

4) 治療と予後

　外科的切除可能な場合は切除により寛解期間の延長が期待できる. そのため片側発生で切除可能な場合は部分切除が行われる. 両側発生や片側発生でも切除不能な場合はリンパ腫に準じた治療が行われる. 高齢の患者の場合は経過観察のみの場合も多い. 5 年生存率は 84〜94% である. まれではあるが一部の症例で高悪性度の DLBCL へと移行す

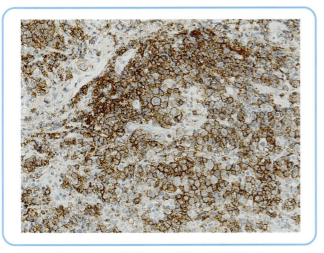

図2 粘膜関連リンパ組織リンパ腫の病理所見（CD20免疫組織化学的染色）

図3 びまん性大細胞型B細胞リンパ腫（CD20免疫組織化学的染色）

ることがある．

b びまん性大細胞型B細胞リンパ腫（DLBCL）[2] レベルB

1）疫学
肺原発の悪性リンパ腫のうち5〜20%を占める．性差はなく，50〜70歳代に発症する．

2）病態
免疫抑制状態の患者に発生する傾向がある．

3）臨床像
咳嗽，血痰，呼吸困難などの症状を伴うことが多い．病変の局在に特徴はないが，単発の腫瘤，しばしば多発の腫瘤が肺末梢に発生する．病理学的には肺以外のDLBCと同じ像を呈する．大型の核と胞体を有する腫瘍性Bリンパ球の増殖を特徴とする．CD20またはCD79a陽性である（図3）．末梢血のBリンパ球から発生することが多いが，MALTリンパ腫から移行する場合もある．

4）治療と予後
単発の肺腫瘍として切除され，術後にDLBCLと診断されることもあるが，多くは治療として化学療法が行われる．5年生存率は0〜60%と報告されている．

c リンパ腫様肉芽腫症（LYG）[3] レベルB

1）疫学
中年に発症する非常にまれな疾患である．特発性の発症もあるが，多くは後天性免疫不全症候群（AIDS），Wiskott-Aldrich症候群，臓器移植後，悪性リンパ腫の治療中などの免疫抑制状態の患者に発症する．

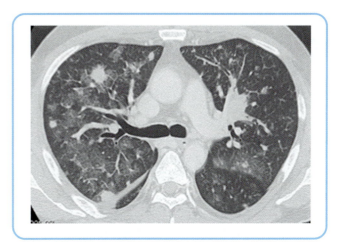

図4 リンパ腫様肉芽腫症のCT所見

2）病態
免疫不全状態の患者に好発するEpstein-Barrウイルス感染Bリンパ球の増殖性疾患であり，反応性増殖から，化学療法を要する腫瘍性病変までの幅広いスペクトラムを示す．

3）臨床像
症状は発症部位による．70%は両側多発性に発症する．胸部X線像や胸部CTで浸潤影，境界不明瞭な両側多発大小円形結節，空洞や癒合など多彩な像を呈する（図4）．気道に潰瘍性病変を起こすこともある．

4）治療と予後
外科的治療の対象になることはない．治療は悪性リンパ腫に移行した場合は悪性リンパ腫に準じた化学療法が行われるが，悪性度が低い場合はインターフェロンα投与が行われる．無治療で回復したとの報告もあるが，多くは死の転帰をとる．生存期間の中央値は2年と報告されている．

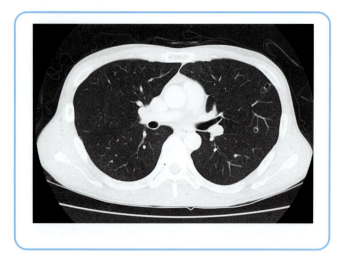

図5　肺Langerhans細胞組織球症のCT所見

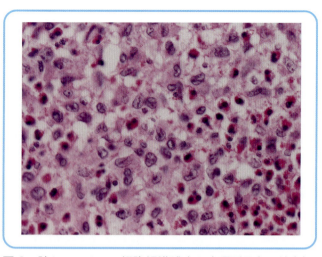

図6　肺Langerhans細胞組織球症の病理所見（HE染色）

d 肺Langerhans細胞組織球症（PLCH）[4] レベルC

1）疫学
PLCHは間質性肺疾患（interstitial lung disease）のまれな一亜型である．患者は40歳代を中心に広い年齢に分布している．95％以上の患者が喫煙者あるいは元喫煙者である．

2）病態
PLCHは煙草の煙を抗原としたLangerhans細胞の反応性・非腫瘍性増殖と考えられていたが，BRAF変異が多くの症例で見出され腫瘍性増殖である可能性も指摘されている．

3）臨床像
約1/4の患者は無症状であるが，多くは咳嗽，呼吸困難や胸痛などの呼吸器症状や体重減少や発熱などの全身症状を認める．約15％の患者で肺外病変を伴う．呼吸機能は85％以上の患者で閉塞性あるいは拘束性換気障害や拡散能の異常を認める．胸部X線像や胸部CTでは肺上中部を中心として充実性の結節や空洞を伴う結節，嚢胞が混在する（図5）．病理学的には末梢気道に沿ってLangerhans細胞の増殖を認める．Langerhans細胞はエオジン陽性の淡い胞体と切れ込みを伴った特徴的な核を有する（図6）．また，S-100蛋白やCD1a陽性である．

4）治療と予後
治療としてステロイドが用いられる．喫煙が原因と考えられていることから，禁煙も治療的に重要である．難治性の場合は免疫抑制療法も行われる．約15％の患者で進行性の経過をたどって致死的になることがあるため，肺移植の適応疾患にあげられている．しかし，進行は緩徐で数十年の経過をとる．

e 血管内大細胞型B細胞リンパ腫（IVLBCL）[5] レベルC

IVLBCLは毛細血管や微小血管内腔で増殖するまれな節外発生の大細胞型B細胞リンパ腫である．中枢神経系，皮膚，腎，肺に認めることが多いが，肺原発はまれである．血管閉塞による症状が主体であるため，発熱，体重減少，発汗以外に疾患特異的な症状を認めない．肺に病変を認める場合は咳嗽や喀痰を認める．特徴的な症状がないため診断が難しく予後不良である．

文献
1) Nicholson AG et al. World Health Organization Classification of Tumours. Pathology and Genetics of Tumours of the Lung, Pleura, Thymus and Heart, 4th Ed, WHO/IARC, 2004: p88
2) Nicholson AG et al. World Health Organization Classification of Tumours. Pathology and Genetics of Tumours of the Lung, Pleura, Thymus and Heart, 4th Ed, WHO/IARC, 2004: p91
3) Koss MN et al. World Health Organization Classification of Tumours. Pathology and Genetics of Tumours of the Lung, Pleura, Thymus and Heart, 4th Ed, WHO/IARC, 2004: p92
4) Colby TV et al. World Health Organization Classification of Tumours. Pathology and Genetics of Tumours of the Lung, Pleura, Thymus and Heart, 4th Ed, WHO/IARC, 2004: p95
5) Chen Y et al. J Thorac Dis 2014; **6**: E242

D その他の腫瘍

要点

1. 肺の良性腫瘍で最も多いものは過誤腫であり、約半数を占める.
2. 硬化性肺胞上皮腫は過誤腫に次いで多く、最近増加傾向にある.
3. 迷入性組織から発生する腫瘍など、まれな腫瘍についても存在を意識しておくこと.

Key Word 過誤腫、硬化性肺胞上皮腫、淡明細胞種、胚細胞腫瘍、肺血管の腫瘍

肺の非上皮性の良性腫瘍、その他のまれな腫瘍について述べる。これらの疾患はまれであるが、呼吸器外科医としては、肺の結節性病変の手術適応に際し鑑別診断を行うための知識として必要である。これらの病変の多くは鑑別診断目的で手術がなされるが、有症状化する症例もあり、手術適応を理解しておく必要がある。なかでも過誤腫と硬化性肺胞上皮腫は遭遇する頻度が高く、知識としては必須のものである.

a 肺過誤腫 レベルA

1) 定義

過誤腫 (hamartoma) は非上皮性の良性腫瘍のひとつであり、腫瘍の発生部位にもともと正常に存在する細胞や組織が異常に増殖し混在した形で腫瘍が形成されるものである。どの臓器にも発生しうるが、病理学的に診断される機会は肺過誤腫が多い。肺過誤腫は組織学的にみると軟骨、脂肪、結合組織、平滑筋などの間葉系成分が様々な比率で混在した腫瘍である。典型的にはこれらの間葉系成分に囊胞状ないし分岐した気管支上皮が隣接して存在している像が観察される (図1). これらの構成組織は正常な気管支構成成分と同一であり、成熟した細胞で占められている.

2) 疫学・臨床像

日本胸部外科学会の2017年の集計では518件の切除例が報告されており、良性腫瘍切除例全体 (2,197件) の約24%を占める[1]. 全良性肺腫瘍中最大のpopulationの疾患である。臨床的に発見される孤立性結節影の4〜8%を占めるといわれている。男女比は2〜3:1で男性に多い。好発年齢は30〜60歳で、小児例はまれである.

発生部位は末梢型が多く、基本的に無症状で、画像診断の際に偶発的に発見される。また、1割程度に中枢型で気管支内腔に発育するものがあり、この場合は咳嗽や発熱、胸痛などの症状を呈することがある。発育速度は遅く、ダブリングタイムは23ヵ月〜15年と報告されている。大きさは教科書的には4cm以内とされており、日本の集計報告では平均1〜2cm程度である.

発生に関する明らかなリスク因子は報告されていないが、染色体転座をはじめとした遺伝子異常の存在が報告されている。肺癌との同時発生が多いとの報告もあるが、過誤腫

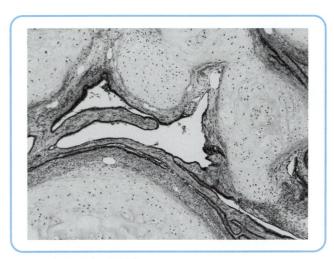

図1 肺過誤腫. 組織像

の多くが偶発的発見であることから、バイアスがかかっている可能性が高く、共通の病因を有することは証明できないと思われる.

3) 診断・治療

末梢型の場合、多くは胸部X線では境界明瞭な結節影を呈する。胸部CTでは典型的なものはnotchを伴う分葉状輪郭 (図2a) やpop corn様 (図2b) を呈する。この形態は、軟骨成分の不均等な発育に起因していると考えられる (図3). MRIは画像診断に有効であり、軟骨成分が同定されれば、本疾患である可能性が高いと考えられる.

気管支鏡などによる生検では組織学的診断が得られることは少なく、多くの場合は鑑別診断目的での切除が行われた結果、確定診断が得られる。臨床診断で確実に本疾患と判断され、無症状の場合は基本的に経過観察でよい。中枢型で有症状の場合は切除手術の適応を考慮する。占拠部位がより中枢の場合、狭窄解除目的での気管支鏡下のレーザー焼灼術も検討の余地がある。良性腫瘍であるので、切除後の予後は良好である.

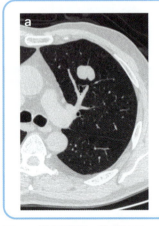

図2　肺過誤腫．胸部 CT

b 硬化性肺胞上皮腫 レベルB

1) 定義

硬化性肺胞上皮腫（sclerosing pneumocytoma）は，組織学的には血管の増生と著明な硬化，出血巣，充実性成分，乳頭状成分の混在を特徴とした良性腫瘍である（図4）．乳頭状成分はⅡ型肺胞上皮の増生で被覆されている．以前は肺硬化性血管腫（sclerosing hemangioma）と呼ばれていたが，血管は腫瘍成分の本体ではなく，血管腫とは異なる腫瘍である．免疫組織化学的染色の結果からは未分化な primitive respiratory epithelium を起源とした上皮性の腫瘍であることが確認されている[2]．

2) 疫学・臨床像

肺の良性腫瘍切除例のうちでは，肺過誤腫に次いで2番目に多い．日本胸部外科学会の2017年の集計では76例が報告されている[1]．発症年齢は中年に多く，80%が女性．日本を含む東アジアで多く発見されるが，欧米ではまれである．近年，報告例が増加している．多くは末梢型であるが，気管支内腔に発生した症例も報告されている．多発例は約4%に認められる．リンパ節転移がまれにみられるため，悪性腫瘍としての性質を潜在的に持つものと考えられている．多くは無症状であり，画像診断にて発見される．症状発見例では，血痰，咳嗽，胸痛などが報告されている．

3) 診断・治療

胸部X線像（図5a），胸部CT画像（図5b）では，境界明瞭な結節影を示す．内部に囊胞性の変化をきたすことがある．造影CTで濃染が確認されるが，構成成分の比率により必ずしも濃染とならないこともある（図6）．MRIで内部に出血巣が確認される場合，本疾患である可能性が高くなる．良性腫瘍であるが，FDG-PETで集積亢進がみられるとの報告が散見されるので注意が必要である．気管支鏡下の生検などで確定診断の得られることは少ない．通常は鑑別診断目的での切除が行われる．切除例の予後は良好である．リンパ節転移も予後不良因子ではない．

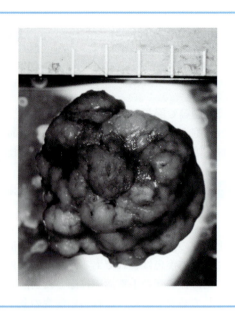

図3　肺過誤腫．摘出標本

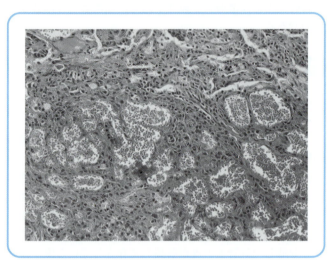

図4　硬化性肺胞上皮腫．組織像

c 淡明細胞腫 レベルC

1) 定義

淡明細胞腫（clear cell tumor）は血管周囲類上皮細胞由来の良性腫瘍の一種であり，明るい空胞状の細胞質を持つ腫瘍である．細胞質には多くのグリコーゲン顆粒を含む．sugar tumor, PEComa, myomelanocytoma も同義である．

2) 疫学・臨床像

発生は極めてまれである．男女比ではやや女性に多い．末梢肺野の孤立性結節影として，偶発的に発見される．

3) 診断・治療

鑑別診断目的で切除される．切除例の予後は良好である．

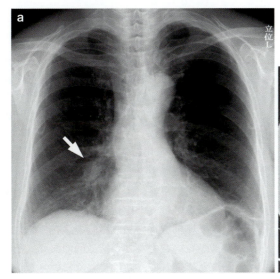

図5　硬化性肺胞上皮腫
　a：胸部X線（矢印）
　b：胸部CT　肺野条件

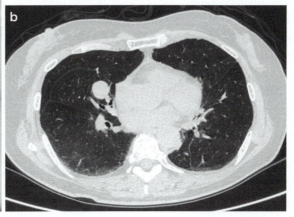

図6　硬化性肺胞上皮腫（矢印）．造影CT

d 奇形腫 レベルC

1）定義
奇形腫（teratoma）は高分化または未分化な胚細胞腫瘍で，2胚葉性以上の成分を含む．縦隔に比べ頻度は低いが，迷入性の腫瘍としてまれに肺にも発生することが知られている．肺原発であることを証明するには，腫瘍が確実に肺内に存在すること，他の臓器に胚細胞腫瘍が存在しないことを確認する必要がある．

2）疫学・臨床像
発生は極めてまれ，発見年齢は1歳未満から68歳まで幅広く報告されているが，20歳代にピークがあり，やや女性に多い．自覚症状としては，胸痛，血痰，咳嗽，など．肺に穿破することで，毛髪を含む囊胞内容物の喀出がみられることがある．

3）診断・治療
CT画像では縦隔奇形腫と同様，皮膚，軟部組織，膵組織，骨形成など，様々な成分を含む像がみられる．囊胞形成が高頻度でみられる．有症状化の症例はもちろん切除手術の適応である．無症状な症例でも，将来的に破裂の危険性があり，また，悪性の症例が約30％にあると報告されており[3]，切除が望ましいと考えられる．

e 肺内胸腺腫 レベルC

1）定義
肺内胸腺腫（intrapulmonary thymoma）は縦隔における胸腺腫と同じものであるが，肺内に迷入した胸腺組織から発生したと考えられる．

2）疫学・臨床像
最新の集計によると，これまで31例が報告されている[4]．発生部位以外の臨床像は縦隔の胸腺腫と比べて明らかな差は認められない．重症筋無力症の発生例も報告されている．血痰，胸痛，咳嗽などの症状もみられるが，多くは無症状で，胸部X線，CTなどで偶然発見されている．

3）診断・治療
切除手術が基本である．リンパ節転移を認めることが知られているため，リンパ節郭清を考慮すべきであると考えられている．

f 悪性黒色腫 レベルC

1) 定義
　悪性黒色腫 (melanoma) はメラノサイト由来の悪性腫瘍であり、皮膚、眼窩内組織など他臓器の悪性黒色腫と基本的に同じものである．肺原発のものは迷入性組織が原因であると考えられている．

2) 疫学・臨床像
　極めてまれな腫瘍で、全肺腫瘍の 0.01％との報告がある．他部位の悪性腫瘍と同様、基本的に予後不良である．

3) 診断・治療
　悪性黒色腫は肺転移が多い疾患である．肺原発の悪性黒色腫であることを証明するためには、他領域に現在、悪性黒色腫の病変がなく既往もないこと、腫瘍と離れた部位の気管支上皮に junctional change の存在を認めること、が条件である．治療は、切除可能な場合は、切除手術とリンパ節郭清が推奨される．

g 線毛性粘液結節性乳頭状腫瘍 (CMPT) レベルC

1) 定義
　線毛性粘液結節性乳頭状腫瘍 (ciliated muconodular papillary tumor：CMPT) は、2002 年石川[5]がはじめて提唱した比較的新しい疾患概念で、末梢肺に発生し、粘液産生を伴う線毛円柱上皮、粘液細胞、移行上皮様細胞、扁平上皮が乳頭状、肺胞置換性に増殖する良性腫瘍である．
　2021 年より WHO 分類にて bronchial adenoma (BA) という呼称が併記されて BA/CMPT と表記されることになった．

2) 疫学・臨床像
　末梢肺に発生するまれな腫瘍であるが、近年その概念が普及したことから報告例は増加している[6]．CT 画像上はすりガラス状陰影を呈するものから充実性陰影を呈するものまで多彩であり、年単位の非常に緩徐な腫瘍径の増大を示すことが多い．

3) 診断・治療
　術前の気管支鏡生検による確定診断は困難である．細気管支ないしは細気管支上皮化生に由来すると考えられ、線毛円柱上皮と杯細胞様の粘液細胞の存在、基底細胞の存在や核分裂像がないことなどが特徴的であり、その特徴的な所見を認識していれば診断は難しくない．しかし線毛上皮を見落とした場合には、異型性に乏しい粘液産生性腺癌などと誤診させる可能性があり、とくに術中迅速病理診断での両者の鑑別が困難な場合がしばしばある．切除術式は縮小手術（部分切除または区域切除）で根治可能である[6]．

文献
1) Shimizu H et al. Gen Thorac Cardiovasc Surg 2020; **68**: 414
2) Travis WD et al. WHO Classification of Tumours of the Lung, Pleura, Thymus and Heart, 4th Ed, WHO Classification of Tumours, IARC Press, 2015: p110
3) Travis WD et al. WHO Classification of Tumours of the Lung, Pleura, Thymus and Heart, 4th Ed, WHO Classification of Tumours, IARC Press, 2015: p114
4) Katsura M et al. Gen Thorac Cardiovasc Surg 2015; **63**: 56
5) 石川雄一．病理と臨 2002; **20**: 964
6) Kamata T et al. J Thorac Oncol 2016; **11**: 261

復習ドリル

問題❶

誤っているのはどれか．2つ選べ

a. 有病率とは，ある1時点において疾病を有している人の割合である．
b. 罹患率とは，一定期間にどれだけの疾病者が発生したかを示す指標である．
c. 粗死亡率は，年齢調整が行われている．
d. 日本の罹患率は，すべての都道府県データを統計したものである．
e. 男女とも75歳以上の肺癌患者の増加が著明である．

問題❷

誤っているのはどれか．2つ選べ

a. 米国，英国，デンマークの男性の肺癌は減少傾向にある．
b. 喫煙肺癌患者における喫煙寄与は女性が男性はより高かった．
c. 日本の女性喫煙率はピーク時より漸減し横ばいである．
d. 大気汚染の高い都市部が，低い地方より肺癌の発生率が高い．
e. 径が小さい遊粒子状物質は，肺癌の原因になりにくい．

問題❸

正しい組み合わせはどれか．2つ選べ．

腺癌	－	a
扁平上皮癌	－	b
粘表皮癌	－	c
大細胞神経内分泌癌	－	d
カルチノイド	－	e

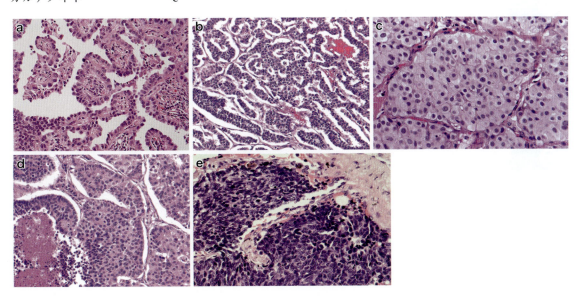

問題❹

転移性肺腫瘍について正しいのはどれか．2つ選べ．

a. 主にリンパ行性転移により生じる．
b. 腫瘍倍増時間の短いものは予後良好である．
c. 肝転移を伴う大腸癌の肺転移では肺の切除適応はない．
d. 骨肉腫の胸膜下転移では血胸を生じる．
e. 単発転移は予後良好である．

問題 ❺

肺癌の症状について誤っているのはどれか．

a. 中心型肺癌でみられる発熱は閉塞性肺炎を示唆する所見である．
b. 肺尖部胸壁浸潤肺癌では，尺側神経領域の知覚障害が生じる．
c. 小細胞肺癌は腫瘍随伴症候群を起こしやすい．
d. 腫瘍随伴性の高カルシウム血症は小細胞肺癌でよくみられる．
e. Lambert-Eaton 筋無力症候群(LEMS)でみられる誘発筋電図の所見は waxing 現象である．

問題 ❻

分子標的治療薬とその標的の組み合わせで正しいのはどれか．2つ選べ．

a. トラスツズマブ　　－　　EML4-ALK
b. ゲフィチニブ　　　－　　EGFR
c. ベバシズマブ　　　－　　VEGF
d. リツキシマブ　　　－　　HER2
e. イマチニブ　　　　－　　B-RAF

問題 ❼

76歳女性が，EGFR遺伝子変異陽性Ⅳ期肺腺癌と診断された．咳嗽を認め，まれに苦痛を訴えるが，日常生活には支障ない．治療について推奨されないのはどれか．1つ選べ．

a. ゲフィチニブを開始する
b. カルボプラチン併用療法を開始する
c. 鎮咳薬を開始する
d. ベバシズマブ併用療法を開始する
e. ドセタキセル単剤治療を開始する

問題 ❽

Epstein-Barr ウイルス感染と関連があるのはどれか．

a. 粘膜関連リンパ組織リンパ腫
b. びまん性大細胞型 B 細胞リンパ腫
c. リンパ腫様肉芽腫症
d. 肺 Langerhans 細胞組織球症
e. IgG4 関連性肺疾患

問題 ❾

喫煙と関連があるのはどれか．

a. 粘膜関連リンパ組織リンパ腫
b. びまん性大細胞型 B 細胞リンパ腫
c. リンパ腫様肉芽腫症
d. 肺 Langerhans 細胞組織球症
e. IgG4 関連性肺疾患

正解：①c d，②b e，③a d，④d e，⑤d，⑥b c，⑦d，⑧c，⑨d

第VII章
胸部外傷・その他

VII. 胸部外傷・その他

1 概論

要点
❶ 外傷初期診療手順にそって迅速かつ見落としのない評価と対応を行う．
❷ 外傷の種類，受傷機転を手掛かりに重要臓器の損傷と重症度を想定し，診断確定のための検査を行う．
❸ primary survey に続く蘇生として，確実な気道確保，胸腔ドレナージ，蘇生的開胸術を熟知する．

Key Word ABCDE アプローチ，primary survey と蘇生，FAST，受傷機転

a 胸部外傷の特徴・病態生理 レベルA

日本外傷データバンク報告 2019[1] によると，本邦の外傷における三大受傷機転は交通事故 32.3％，転倒 29.7％，墜落・転落 20.9％であり，中でも重篤な臓器損傷につながる交通事故と墜落・転落で 50％を超える．損傷部位別にみると，胸部は下肢，頭部に次いで 3 番目に多い．胸部外傷は生命維持に不可欠な気道・呼吸・循環の異常をきたし，直ちに酸素化や組織灌流障害につながる緊急性の高い病態である．abbreviated injury scale（AIS）による重症度評価においても軽症，中等度，重症，重篤，瀕死，即死の 6 段階評価のうち重症以上が約 8 割を占める．

緊急性の高い病態生理には，気道閉塞，呼吸障害，閉塞性ショック（緊張性気胸や心タンポナーデ），循環血液量減少性ショック（大量血胸），心原性ショック（鈍的心損傷）がある．いずれの病態も，救命のためには迅速かつ的確な評価と対応が必要である．

b 外傷初期診療の流れ (図1) レベルA

初期診療では，迅速かつ的確に見る・聞く・触ることで患者の生理学的徴候を捉え生命の危機を把握する診察 (Primary survey) と，危機を回避する処置 (蘇生) を行う．

primary survey は，ABCDE アプローチ (図2)[2] にそって生命維持に直結する生理機能の異常 (A：気道, B：呼吸, C：循環, D：中枢神経の異常, E：脱衣体表観察と保温) を評価する．ここで行われる画像診断は，胸部と骨盤のポータブル X 線撮影と迅速簡易超音波検査法 (focused assessment with sonography for trauma：FAST) であり，A, B, C の異常を検出するための必要最小限の検査である．

primary survey と蘇生により，呼吸と循環が安定化すれば治療を要する臓器損傷を同定する secondary survey へ進む．このとき，受傷機転から重症度と起こりうる損傷を想定することが重要である．問診や全身の診察から得られた症候・身体所見と，造影 CT や内視鏡検査を含む各種画像検査・血液検査などを組み合わせて臓器損傷を診断する．既往歴やアレルギー歴，服薬歴などは直ちに把握できなくても可能な限り情報収集し，リスク因子の同定に努める．

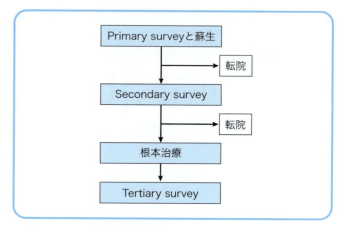

図1 外傷初期診療の手順

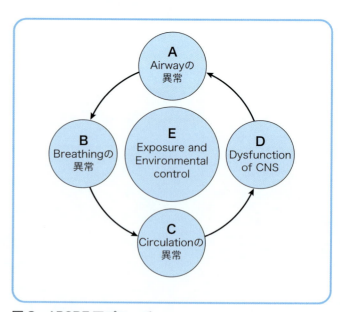

図2 ABCDE アプローチ

secondary survey で診断された臓器損傷に対しては，根本治療を行う．根本治療の過程においても，他に見落としがないか検索する tertiary survey を行う．

primary survey と secondary survey のいずれの段階においても，自らの診療技量や自施設の対応能力を超えると判

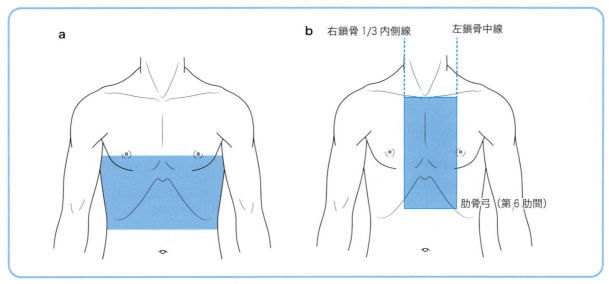

図3　穿通性外傷の刺入点からみた損傷臓器
　a：左右の乳頭を結ぶ線より下の胸部に穿通性外傷がある場合は，横隔膜を介した腹部臓器損傷の危険性があり，腹部の検索も必要である．
　b：Sauer's danger zone（上縁は鎖骨上窩，左縁は左鎖骨中線，右縁は右鎖骨近位1/3，下縁は心窩部）の穿通性外傷では，心損傷を考慮する．

断された場合は，応援医師の要請や転院の必要性を判断する．

外傷初期診療ガイドラインJATECは，外傷の初期診療手順を標準化したテキストである．外傷患者の初期診療にあたる医師を対象に書かれており，ぜひ参考にされたい．

c 胸部外傷のprimary survey　レベルB

ABCDEアプローチのうち，特にA：気道，B：呼吸，C：循環に重点を置いた身体診察および胸部X線検査とFASTから，緊急処置を要する致死的胸部外傷を同定する．

胸部X線写真では気管・気管支を圧排する血腫や組織の不連続性，周辺の気腫，血胸・気胸の有無と程度，フレイルチェストの原因となる多発肋骨骨折，大血管損傷や心タンポナーデを示唆する縦隔影の拡大，横隔膜の高さ，挿入されたカテーテル類の位置確認などに留意する．FASTは心嚢，胸腔，腹腔への出血の有無を検出する目的で行う．心窩部，モリソン窩，右胸腔背側，脾臓周囲，左胸腔背側，ダグラス窩の順にプローベを当て，液体貯留の有無を短時間で検索する．初回FASTが陰性（液体貯留なし）であった場合も，必ず時間をおいて繰り返し再評価する．また，超音波検査は気胸の検出にも有用であり，FASTに気胸の検出を加えた方法はextended FAST（EFAST）と呼ばれている[3]．ポータブルX線写真では検出しにくいわずかな気胸は，エコーの方が検出に優れる．一方で，皮下気腫を伴う場合や高度肥満の場合には超音波による診断能は低下することに留意する．

primary surveyで同定すべき致死的胸部外傷は，気道閉塞，肺挫傷を伴うフレイルチェスト，開放性気胸，緊張性気胸，大量血胸，心タンポナーデであり，これらを認めた場合は直ちに蘇生を行う．

secondary surveyで診断された胸部臓器損傷に対する根本治療については，各項を参照されたい．

d 胸部外傷の代表的な受傷機転　レベルB

受傷機転は人体に作用したエネルギーの大きさ，範囲，方向，作用時間など，外傷の重症度と臓器損傷を想定するために欠かせない情報である．

1）穿通性外傷

穿通性外傷には，鋭利物による刺創，銃器による銃創，先端が鈍な長尺物による杙創がある．創が胸腔に達すると，開放性気胸を生じ，換気不全や緊張性気胸を引き起こす．刺創では，刺入点の位置により腹部臓器や心大血管の損傷を合併する場合がある（図3）．また，刺入点が小さくても内部の損傷は広範囲の場合もあり，刃物の性状や長さの把握が必要である．

2）鈍的外傷

鈍的外傷は鈍な形状物によって生じる外傷であり，本邦の外傷の大半を占める．交通事故や墜落・転落などでは大きな運動エネルギーが組織の破壊に変換するため重症化する可能性が高く，高エネルギー事故と呼ばれる．

以下の3つの受傷機転が重要である．

①直達外力

胸部への直達外力は肋骨・胸骨・椎体の骨折や胸壁軟部組織の挫傷をきたす．また肺や心臓にも外力が伝わり，肺挫傷や鈍的心損傷をきたす．骨折した肋骨により臓側胸膜が断裂すると肺裂傷となる．

②内圧伝播
　声帯が閉じたまま急激に胸部が圧迫されると，気道内圧が急激に上昇し，気道や肺の破裂を生じる．同様な機序で，腹腔が急激に圧迫されると横隔膜破裂をきたす．

③加速度による剪断外力（減速作用機序）
　衝突や追突，墜落により動いている人間が急激に減速すると，胸郭内臓器の固定性の違いにより剪断力が生じ，胸部大動脈損傷や気管・気管支損傷が生じる．大動脈は，交通外傷など水平方向の剪断力では縦隔に固定されている左鎖骨下動脈分岐部と下行大動脈の間で断裂し，墜落など垂直方向の剪断力では縦隔に固定されている上行大動脈と心嚢内で可動性のある心臓との間，つまり大動脈基部での断裂が生じやすい．気道は縦隔で固定されている気管と可動性のある肺門部との間が損傷されやすく，気管分岐部より2.5cm以内の気管・気管支損傷が7～8割を占める[4]．

e 蘇生とそのピットフォール

　蘇生とは，primary survey で同定された致死的外傷に対して救命のために行う処置のことである．初期診療医としてみずから実施できなければならない蘇生のほか，呼吸器外科専門医として初期診療医から求められる高度な蘇生もある．代表的なものには，確実な気道確保と胸腔ドレナージ，蘇生的開胸がある．

1) 確実な気道確保　レベルB

　気道閉塞，低換気，低酸素血症，ショック，切迫する中枢神経障害などでは確実な気道確保が必要であり，気管挿管を行う．近年はビデオ喉頭鏡の使用が一般的になっているため，使える場合は声門を観察しながら挿管する．原則は経口挿管であるが，開口障害がある場合は，経鼻挿管を行う．primary survey で無呼吸，無反応，瀕死の呼吸状態が観察されれば，気道緊急ありと判断し，直ちに経口気管挿管により確実な気道確保を行う．頸椎損傷が疑われ頸部伸展禁忌の場合には，気管支鏡ガイド下の気管挿管も考慮する．
　経口または経鼻による気管挿管が不可能の場合，もしくは上気道の閉塞病変のため声門経由での気道確保が不可能の場合は，声門より下部での外科的気道確保が必要である．緊急時は輪状甲状靱帯穿刺キットによる緊急気道確保を行う（図4）[5]．12歳未満には禁忌であることに注意する．通常の甲状腺尾側で行う気管切開術は，頸部伸展を要することと所要時間から，緊急時には行うことが推奨されていない．しかし，輪状甲状靱帯が同定できないなどの理由で気道確保できない場合には，気管切開術へ移行できるよう常に準備が必要である．

2) 胸腔ドレナージ　レベルA

　primary survey で緊張性気胸や大量血胸を認める場合は，胸腔ドレナージを行う．緊急時の胸腔ドレーン挿入は，体位の制限や高度皮下気腫の合併など平常時とは異なる点がいくつかある．

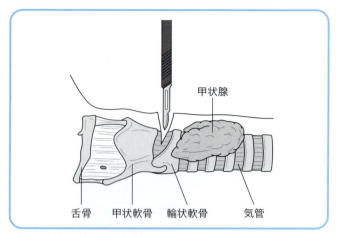

図4　輪状甲状靱帯穿刺
　頸部を伸展させ輪状甲状靱帯を確認する．呼吸により頭尾側方向に動くので，穿刺後ミニトラックなどを挿入する場合は呼吸運動に同調させ，靱帯貫通部を見失わないようにする．留置後は穿刺による気道内出血が収まるまで数分は吸引を繰り返す．

　体位は側臥位とし，上肢を可能な範囲で広く外転させ，第4か第5肋間の前～中腋窩線からアプローチする．肋骨上縁に十分な長さの皮膚切開をおき，皮下組織と筋層，壁側胸膜をペアン鉗子で鈍的に剝離して，胸腔内に到達する．必ず，空気または血液の噴出を確認する．示指を挿入して胸腔内を審査し，胸腔内癒着や血腫があればそこを避けてドレーンを挿入しなければならない．内筒芯つきのトロッカーカテーテルを挿入する場合は，先端が胸腔内に入ったら，内筒芯を約1cm程度手前に抜いて先端の鋭な部分が露出しない状態で胸腔内へ誘導する．内筒芯のないドレーンの場合は，先端から1cm程度手前までをペアン鉗子で把持して誘導する．呼吸運動に同期してドレーン内腔が曇ることや，血液が流出することにより，確実に胸腔内に留置されたことが分かる．ドレーンをいったんクランプし，皮膚に縫合固定して，刺入部は確実に縫合閉鎖する．ドレーンを持続吸引器に接続し，回路リークがないことを確認してから，ドレーンのクランプを開放する．
　緊張性気胸で心停止が切迫している場合は，まず第2肋間鎖骨中線に18G以上の血管留置針を刺し，外筒のみを留置して減圧を図ってから，上述のように胸腔ドレーンを挿入する．

3) 蘇生的開胸術と下行大動脈・肺門遮断　レベルC

　胸腔内大量出血では，不安定なバイタルサインや頸椎・骨盤部などの合併損傷を有する場合が多く，患者を側臥位にすることができない．そのため，上肢を可能な限り広く外転した仰臥位で開胸する．第5肋間前側方切開が基本である（図5a）．
　下行大動脈遮断は，主として横隔膜下の大量出血に対して循環血液を上半身に集中させ，冠血流確保による心停止の回避と脳血流の維持を意図して行う．肺門遮断は，肺損傷による大量出血に対する止血のために行う．その他，肺損傷による血痰や高度気漏を伴う患者において，陽圧換気

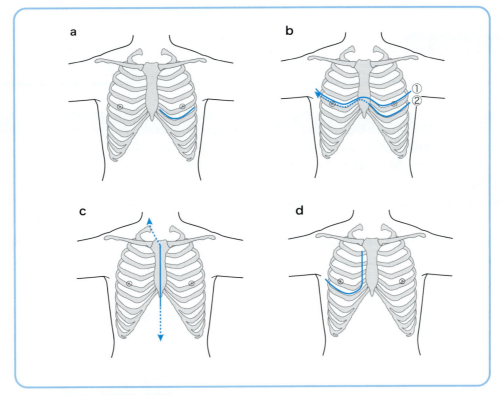

図5　緊急時の仰臥位開胸法
　a：基本の第5肋間前側方開胸．
　b：①；クラムシェル開胸．胸骨を横断し，第4肋間で開胸する．②；左第5肋間前側方開胸から延長する場合は，右は第4肋間に連なるようにする．
　c：胸骨縦切開．合併損傷に応じて頸部，腹部への創延長が容易である．
　d：前側方–傍胸骨での開胸．第5肋間で開胸し，第3または第2肋軟骨まで剪刃で切断すると，肺門遮断も可能な大開胸が得られる．

開始後に不整脈や意識障害が出現することがある．このような場合も空気塞栓を疑い，肺門遮断を行う．

そのほかの開胸法としては，縦隔の大血管損傷や心損傷へのアプローチに有利なクラムシェル開胸や胸骨縦切開などがある（図5b，c）．胸骨縦切開では頸部，腹部への創延長も容易である．

前側方切開をさらに傍胸骨にそって頭側に延長し，第3または第2肋軟骨までを剪刃で切断すれば非常に良好な視野が得られ（図5d）[6]，肺門遮断にも有利である．本法はスターナルソーが不要であり，救急外来やICUでの緊急蘇生的開胸術において大変有用である．

文献

1) 日本外傷データバンク報告 2019（2014-2018）
　https://www.jtcr-jatec.org/traumabank/dataroom/data/JTDB2019.pdf（2020/1/31 閲覧）
2) 日本外傷学会，日本救急医学会（監修），日本外傷学会外傷初期診療ガイドライン改訂第5版編集委員会（編）．外傷初期診療ガイドライン JATEC，第5版，へるす出版，2016: p.2
3) 日本外傷学会，日本救急医学会（監修），日本外傷学会外傷初期診療ガイドライン改訂第5版編集委員会（編）．外傷初期診療ガイドライン JATEC，第5版，へるす出版，2016: p.82
4) 日本外傷学会，日本救急医学会（監修），日本外傷学会外傷初期診療ガイドライン改訂第5版編集委員会（編）．外傷初期診療ガイドライン JATEC，第5版，へるす出版，2016: p.244
5) 野村岳志．日臨麻会誌 2014; **34**: 613
6) 千田雅之．呼吸器外科ハンドブック，近藤　丘（編），南江堂，2015: p.66

2 胸郭損傷

要点

1. 穿通性外傷のうち心大血管損傷の危険が高い領域を Sauer's danger zone と呼ぶ.
2. 胸郭動揺（フレイルチェスト，flail chest）は，大きな外力が胸郭にかかることで発生し，肺実質損傷（肺挫傷）や血気胸を合併し致死率が高い.
3. 銃創および爆傷は頻度は少ないが，その病態の特殊性を理解し，治療を行う必要がある.

Key Word　穿通性外傷，非穿通性外傷，挫傷，多発肋骨骨折，胸郭動揺（フレイルチェスト），奇異呼吸，内固定，外固定，Sauer's danger zone，ドレナージ，血胸，銃創，爆傷

胸郭損傷の分類は，2008年に作成された「胸郭損傷分類2008」が広く用いられている（表1，図1）[1].

形態分類として，軟部組織のみの損傷をⅠ型，骨性または軟骨性胸郭の損傷をⅡ型，胸郭動揺（フレイルチェスト，flail chest），圧挫損傷（crush injury）などの軟部組織と骨性胸郭の両者の合併損傷をⅢ型とした．Ⅰ型は，壁側胸膜を穿通していない「非開放型（Ⅰa）」と，壁側胸膜を穿通している「開放型（Ⅰb）」に細分類している．Ⅱ型は，2本以下の肋骨骨折，転位・変形の少ない鎖骨骨折，胸骨骨折の「単純骨折型（Ⅱa）」と，3本以上の肋骨骨折，転位・変形のある鎖骨骨折，胸骨骨折，開放骨折の「複雑または開放骨折型（Ⅱb）」に細分類している．Ⅲ型は，「片側性（Ⅲa）」と，損傷が両側に及ぶもの，および前方型の flail chest, stove-in chest, crush injury の「両側性（Ⅲb）」に細分類している.

なお胸郭損傷における，挫傷（Ⅶ章-3），ドレナージ（Ⅶ章-3），血胸（Ⅹ章-3）の解説は他項に譲る.

表1　日本外傷学会による胸郭損傷分類

Ⅰ型　軟部組織損傷　soft tissue injury
　a．非開放型　closed injury
　b．開放型　open injury
Ⅱ型　骨性胸郭損傷　bony tissue injury
　a．単純骨折型　simple fracture
　b．複雑または開放骨折型　complex or open fracture
Ⅲ型　複合損傷　complex injury
　　　　　　　　（flail chest or stove-in chest）
　a．片側型　unilateral type
　b．両側型　bilateral type

（日本外傷学会臓器損傷分類委員会．日外傷会誌 2008; 22: 268 [1] を参考に作成）

a 穿通性外傷：軟部組織の損傷（Ⅰ型）
レベルB

Ⅰ型は皮膚および皮下組織の切創，刺創などの鋭的損傷が主な原因であり，いわゆる穿通性外傷のことである．日本では鋭的な刃物による切創，刺創が多いが，欧米では銃

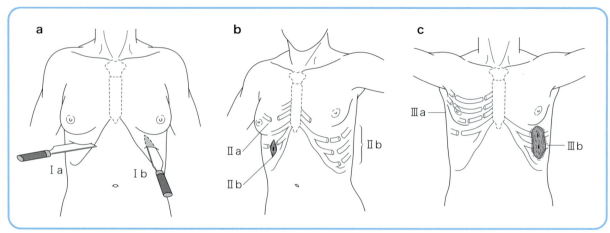

図1　日本外傷学会による胸郭損傷分類2008
　a：Ⅰ型損傷
　b：Ⅱ型損傷
　c：Ⅲ型損傷
（日外傷会誌 2008; 22: 268 [1] を参考に作成）

創によるものが多い．

1) Sauer's danger zone

心大血管損傷は極めて重篤な病態であり，Sauer's danger zone[2]に穿通性の外傷を認めた際は，速やかに心大血管損傷の有無を評価し，適切に対応する必要がある（Ⅶ章-1 図3参照）．

2) 血胸（Ⅹ章-3 参照）

鋭的・鈍的損傷によって生じる血管損傷（大動脈，大静脈，肺動静脈，肋間動静脈，内胸動静脈，奇静脈），臓器損傷（肺，心臓，食道），骨折などによる出血が胸腔内に貯留したものである．血胸に対しては胸腔ドレナージ（Ⅶ章-3 参照），血管塞栓術（interventional radiology：IVR），外科的止血術などの治療を要する．

b 非穿通性外傷：骨性胸郭の損傷（Ⅱ型），複合損傷（Ⅲ型） レベルB

交通事故や高所墜落などの高エネルギー外傷，直接衝突などで生じ，肋骨，胸骨，脊椎骨などの骨性胸郭の骨折とともに気管，肺，心大血管，食道などの臓器損傷を合併する．若年者では骨が柔軟なために骨折が少ない割に内臓器損傷が激しいことがあり，注意が必要である．

多発肋骨骨折による胸郭動揺や奇異呼吸は緊急度の高い損傷であり，内固定や外固定の治療を要する（図2）．

1) 胸郭動揺（フレイルチェスト，flail chest）

胸郭動揺は日本外傷学会のガイドラインでは「2か所以上の肋骨・肋軟骨骨折が上下連続して複数本存在する場合や胸骨骨折を伴う連続した肋骨・肋軟骨骨折の場合に，吸気時に陥没し，呼気時に膨らむ奇異性胸郭運動を示す胸郭損傷」とされている．

胸郭動揺は交通事故，墜落外傷，狭圧外傷などの大きな外力が胸郭にかかることで発生する．本病態そのものが直接的死亡原因とはならないものの，肺実質損傷や血気胸を高率に合併し，胸郭ばかりでなく頭部，腹部，骨盤臓器損傷も同時に起こしていることが多く，10〜20％の死亡率がある[3]．

2) 奇異呼吸

奇異呼吸（paradoxical respiration（breathing））は，胸郭動揺と同義に用いられ，胸壁の一部が正常胸郭との骨連続性を失ったときに発生する．自発呼吸では吸気時に胸腔内が陰圧となり支持性を失った骨折部の分節（フレイルセグメント）が胸腔内圧に引っ張られ陥凹し，呼気時には逆に胸腔内が陽圧となり胸壁が突出する（図3）．

3) 胸郭動揺の病態と治療（表2，表3）

胸郭動揺だけで呼吸不全に陥る頻度は低く，胸郭動揺を引き起こすほどの強い外力により肺実質の損傷や血気胸などの合併により呼吸不全が起こる．さらに骨折による疼痛で，呼吸抑制，深呼吸・咳嗽の制限が起こり，気道内血液・分泌物貯留による無気肺や呼吸筋疲労を合併し呼吸不全を悪化させる．また，頭部，腹部，骨盤の損傷も合併していることが病態を複雑化する．

診断は臨床症状のほかに，全身CTにて胸部および他臓器損傷の評価を行い，損傷の見落としを防ぐ．その際には患者の状態に応じていつでも蘇生などの対応ができる体制を整えておくことも肝要である．

治療などのエビデンスとしては，Eastern Association for the Surgery of Trauma Practice Management Guideline が参考となる（Web閲覧可能）[4,5]．胸部外傷は発生頻度が低いものの重症度が高いため，治療に関する前向きな大規模研究を行うことは非常に困難であり，推奨レベル1の治療方針はない．

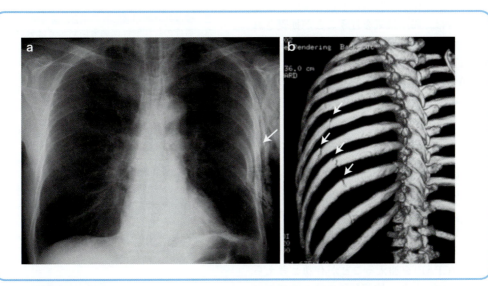

図2　肋骨骨折の画像
　a：左の肋骨の骨折と皮下気腫（矢印）
　b：左第6〜第9肋骨の骨折の3D-CT

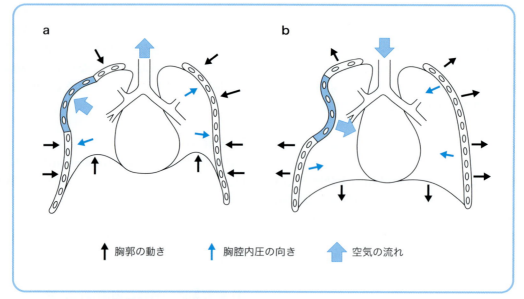

図3 奇異呼吸：胸壁の動きと胸腔内圧の関係
a：呼気
b：吸気

表2 胸郭動揺（フレイルチェスト）の病態と呼吸状態に及ぼす影響

病態	呼吸状態に及ぼす影響
骨折	疼痛⇒呼吸抑制（深呼吸・咳嗽の制限）
胸郭動揺	胸郭コンプライアンス低下
肺挫傷，血気胸	肺コンプライアンス低下，分泌物増加⇒無気肺
他臓器損傷	全身状態悪化

鎮痛による無気肺の予防は重要であり，呼吸抑制の少ない持続硬膜外麻酔や神経ブロックが有効である．また，無気肺の予防には理学療法が非常に重要であり，十分な体位変換，早期からの肩関節の可動域訓練を含むリハビリテーションは，機能を改善させる可能性が高い（推奨レベル2）[4]．

呼吸不全を伴う場合は，陽圧換気を行うことが推奨されており，鎮痛，理学療法，陽圧換気でも回復が困難な症例では観血的整復固定術（外固定）も適応となる（図4）．

胸郭動揺，肺挫傷に対する治療としてステロイドの有効性は明らかでなく，ガイドラインでは使用すべきでない（推奨レベル2）[4]とされている．

4) 内固定

気管挿管を行っての陽圧による人工呼吸治療で，internal pneumatic stabilization と呼ばれる[3]．これまで内固定が広く行われていたが，その根拠は乏しく，呼吸不全を伴わない場合は避けることが望ましい（推奨レベル2）[4]．人工呼吸器の設定に関しても根拠は乏しいが，呼吸終末陽圧／持続的気道内陽圧（PEEP/CPAP）を加えることが有効と考えられている（推奨レベル2）[4]．近年，胸郭動揺や軽度肺挫傷に対する非侵襲的陽圧換気療法（NPPV）の有効性が報告されつつあり，日本呼吸器学会のNPPVガイドラインでは，胸

表3 肺挫傷および胸郭動揺に対する EAST ガイドライン

＜推奨レベルⅠ＞
なし
＜推奨レベルⅡ＞
1. 極端な輸液の制限をすべきでなく，組織灌流を適切に維持する膠質液などによって蘇生する．蘇生後は，不必要な輸液は避ける．過剰輸液を避けるうえで肺動脈カテーテルは有用である可能性がある．
2. 呼吸不全を伴わない場合は，人工呼吸は避けるべきである．
3. 肺挫傷，胸郭動揺を伴い人工呼吸を必要とする患者は，可能な限り早く人工呼吸器から離脱させる．人工呼吸器にはPEEP/CPAPを行うべきである．
4. 人工呼吸が必要な呼吸不全に対しては，適切な鎮痛と積極的な理学療法を行い，人工呼吸管理を最小限とする．硬膜外麻酔が望ましい．
5. ステロイドは肺挫傷の治療に用いるべきではない．
＜推奨レベルⅢ＞
1. 意識清明で協力的な患者に対してはマスクCPAPを考慮すべきである．
2. 硬膜外麻酔が適応外の場合，傍脊椎麻酔を考慮しても良い．
3. 重症の片側肺挫傷患者に対しては分離肺換気を考慮しても良い．
4. 鈍的胸部外傷患者において，通常の人工呼吸換気モードで呼吸状態の改善をみない場合，high-frequency oscillatory ventilation を考慮すべきである．
5. 循環動態が安定している，もしくは心不全で溢水状態の患者に対しては利尿薬を使用してもよい．
6. 開胸術が必要な患者に対しては外科的固定術（外固定）を考慮してもよい．
7. 肋骨骨折の固定術には肋骨プレートや wrapping devices が使用されるべきである．
8. 看護の疼痛管理，呼吸療法などを集学的に行うことは胸部外傷の治療成績を向上させる可能性があり考慮すべきである．

(Simon B et al. J Trauma Acute Care Surg 2012; 73: S351 [4])
を参考に作成）

郭損傷を伴う急性呼吸不全に対して，NPPVを試みてもよいとしている（エビデンスレベルⅡ，推奨度C1，経験があ

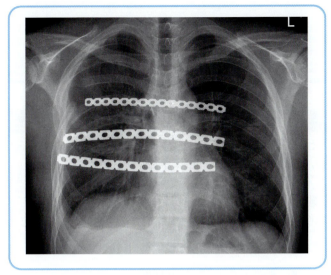

図4　胸郭動揺に対する金属プレートによる外固定

ればB)[6]．NPPV装着後30～60分で改善が得られなければ気管挿管に切り替え，1週間程度内固定をしても人工呼吸器から離脱できない場合には外固定を考慮する．

5) 外固定

外固定は外科的治療である観血的整復固定術のことである[3]．単純な肋骨骨折に外固定の適応はなく，胸郭動揺や陥没変形の著しいstove-in chest，開胸を要する場合などが適応となる．鈍的外傷による肋骨骨折に対する観血的肋骨固定術に関するEASTガイドラインでは，成人の胸郭動揺患者において，非手術法と比較して観血的肋骨固定術では，①死亡率低下，②人工呼吸期間の短縮，③ICU在室および入院期間の短縮，④肺炎合併率低下，⑤気管切開施行例の減少，が期待できることから弱く推奨されている(推奨レベルⅢ)[5]．

胸郭動揺での固定対象部位は胸部の後方よりも前方・前側方で，また上部よりも下部が多い．肋骨は厚さ8～12mm，皮質の厚さは1～2mmであり，斜骨折となることが多いため固定性を得ることは困難である．固定具，固定方法には，Kirchner wire法，金属プレート法(図4)，rib stapler，持続的創外牽引固定，肋骨ピン法，ロッキングプレート法など，様々なものが報告されている．EASTガイドラインでは肋骨プレートやwrapping devicesが好ましいとされている(推奨レベル3)[4]が，適応や有効性は定まっていない．

C 銃創および爆傷 レベルB

本邦では，銃創や爆傷は珍しいものであるが，2020年開催予定であった東京オリンピック・パラリンピック開催に合わせ，日本外傷学会で「銃創・爆傷患者診療指針」が作成された[7]．

1) 胸部銃創

心・大血管，肺の損傷を合併することが多く，循環動態が安定か不安定かによって治療のアプローチが異なる．循環動態が不安定な場合，胸骨正中切開やclamshell開胸を行い，出血部位や損傷臓器を同定し，ダメージコントロール手術(可及的な止血と損傷部の汚染処理のみで速やかに手術を終了し，生理的循環改善から救命へと導く治療戦略)を行う．循環動態が安定していれば，損傷臓器に合わせた胸腔ドレナージや開胸処置を行う．

すべての銃創をデブリードマンする必要はなく，血管損傷や大きな血腫を伴わない軟部組織や筋肉だけを通過した単純な銃創は経過観察可能といわれている．ただし，感染リスクが高いと考えるべきであり，早期の創洗浄が推奨されており，抗菌薬投与も考慮する[7]．

2) 爆傷

爆傷とは，爆発によって生じる様々な外因性の影響が同時に生じる外傷である．飛来物による穿通性外傷や爆風による鈍的外傷は比較的生存率が高いが，開放空間に比べて地下鉄や室内といった閉鎖空間では衝撃波(爆轟)や熱(爆燃)の影響が大きくなるため重症化しやすい．

日本外傷学会外傷専門診療ガイドライン改訂第2版では，第一次爆傷は衝撃波による外傷で，空気を含有する臓器(肺・鼓膜・腸管など)や眼・脳に障害を及ぼす．第二次爆傷は飛来する異物による穿通性外傷などである．第三次爆傷は爆風によって体が飛ばされて生じる鈍的外傷である．第四次爆傷は熱傷である．第五次爆傷は化学損傷，放射線障害である[3]．なお，他の分類では区分が異なっている場合がある[7]．

胸部爆傷では，通常の胸郭損傷に対する対応のほか，爆傷肺，迷走神経反射に対する治療が重要である．また，第一次から第四次の爆傷が同時に発生していることが多く，治療を困難にする．胸部外傷では出血や熱傷には輸液を必要とする一方で，爆傷肺は輸液により悪化しやすく，人工呼吸を行う場合，気道内圧を上げると空気塞栓が起こりやすい．飛来物には人体の一部もありうるため，破傷風のほか，肝炎，HIVに対する感染対策を考慮する必要がある．

文献

1) 日本外傷学会臓器損傷分類委員会．胸郭損傷分類2008(日本外傷学会)．日外傷会誌 2008; **22**: 268
2) Sauer PE et al. Arch Surg 1967; **95**: 7
3) 日本外傷学会外傷専門診療ガイドライン改訂第2版編集委員会(編)．外傷専門診療ガイドラインJETEC，第2版，へるす出版，2018
4) Simon B et al. J Trauma Acute Care Surg 2012; **73**: S351
5) Kasotakis G et al. J Trauma Acute Care Surg 2017; **82**: 618
6) Akashiba T et al. Respir Investig 2017; **55**: 83
7) 横田裕行ほか．日外傷会誌 2018; **32**: 1

Ⅶ. 胸部外傷・その他

③ 肺損傷

要点

1. 肺損傷は，開放性外傷や骨折肋骨端などにより生じる肺裂傷と非開放性外傷などにより生じる肺挫傷に大別される．
2. 肺裂傷では，気胸・血胸・気道内出血・空気塞栓に伴う症候，肺挫傷では低酸素血症に伴う症候が主に認められ，多くは保存的に対処可能である．
3. 開放性気胸や緊張性気胸は生命維持にとって緊急度の高い病態であり，直ちに胸腔ドレナージなどの処置を行う．
4. 刺創では突き刺さった刃物の安易な抜去は大出血の原因となりうること，開放創では創が小さくても破傷風の予防に留意することが重要である．

Key Word　肺裂傷，空気塞栓，刺創とその処置，気胸，緊張性気胸，胸腔ドレナージ，肺挫傷

　肺損傷（pulmonary injury）は，①開放性（または穿通性）外傷や骨折した肋骨端による損傷などにより生じる肺裂傷（pulmonary laceration），②主として非開放性（または非穿通性）外傷により生じる肺挫傷（pulmonary contusion）に大別される．他にまれな肺損傷として外傷性肺仮性嚢胞（traumatic pulmonary pseudo-cyst）などがある．これらの肺損傷は胸郭損傷などの胸部外傷や頭部・腹部などの他臓器損傷と複合して生じることが多いので注意を要する（図1）．

a 肺裂傷とその治療　レベルA

1）肺裂傷とその発生機序

　肺裂傷は，ナイフや包丁などによる刺創・切創，また日本では少ないが銃創などによる開放性外傷により生じる．ただし，頻度的には非開放性外傷による肋骨骨折の際の，骨折した肋骨端によるものが最も多いとされている．非開放性外傷による強いショック波や運動エネルギーの高い銃創などでは肺破裂にいたることもある．肺裂傷が肺門部に及んだ場合や肺破裂では大量出血や空気塞栓により生命の危機にいたることがある．

2）肺裂傷の症候と診断

　肺裂傷の際には外傷の種類や程度に応じて，気胸・血胸・気道内出血などが複合して生じるので，胸部X線像およびCTにより的確に診断することが重要である．肺裂傷や肺門損傷に伴う肺静脈損傷部位からの空気が混入したり，損傷された気管支・肺胞内の空気が努力呼吸や陽圧換気により肺静脈内に混入すると，左心系を通して冠状動脈や脳に空気塞栓が生じて重篤な心脳血管障害を引き起こしうる．急速な循環動態悪化や意識障害などを認める場合は，空気塞栓を念頭に置く．

3）肺裂傷の治療

　肺裂傷の多くは，気胸・血胸に対する胸腔ドレナージ，

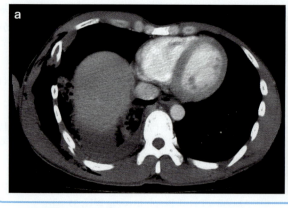
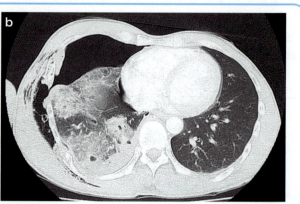

図1　肺損傷の胸部CT
　a：縦隔条件
　b：肺野条件
　鈍的胸部外傷にて救急搬送された30歳代の男性．右多発肋骨骨折・気胸・皮下気腫・胸腔内液体貯留（血胸）を認める．肺野条件にて右肺には広範な浸潤影を認め肺挫傷と診断されたが，酸素化は保たれておりマスクによる酸素投与のみとし集中治療室に入院となった．血気胸に対して胸腔ドレナージのみで保存的に治療を行い，10病日に軽快退院となった．

必要があれば低酸素血症や気道内出血に対する気管挿管・陽圧換気・気管内吸引など，により保存的に治療可能である．肺破裂や肺門損傷などによる大量出血や空気漏れに対しては手術を考慮する．刺創の場合には空気塞栓症のリスクが高いので，損傷肺静脈を処理することを考慮する．空気塞栓症が生じた場合は高圧酸素療法を行う．なお，刃物が刺さったままの刺創の場合，抜去により大量出血の可能性があるので安易に抜いてはいけない．必ず手術室などで出血に対する対処を整えたうえで抜去する．

①開放性外傷における創部の処置

開放創においては汚染度や深達度に十分な注意を払って創の観察を行い，感染予防のために十分な洗浄・デブリドマンを行い，一次閉鎖可能と判断された場合は縫合する．

②気胸とその治療

肺裂傷の際に破綻した臓側胸膜から漏れた空気が胸腔内に貯留して気胸（pneumothorax）が生じる頻度は極めて高い．救急外来で撮影されるポータブル単純X線写真（特に仰臥位で撮影された単純X線写真）では軽度の気胸は見逃すことがあるので注意が必要である．たとえ軽度の気胸であっても，その後の陽圧呼吸などにより増強する可能性があるため，原則として胸腔ドレナージを行う．大量の空気により胸腔内圧が上昇すると緊張性気胸（tension pneumothorax）となり，患側肺の虚脱のみならず健側への縦隔偏位や静脈還流障害が生じる．緊張性気胸は生命維持にとって最も緊急度の高い病態であるので，直ちに胸腔ドレナージを行うか，胸腔ドレナージを行う時間的・物理的余裕のないときには緊急処置として注射針の患側胸腔に刺入による陽圧解除を考慮する．

通常の肺裂傷に伴う気胸では，大部分の例では胸腔ドレナージのみで保存的に治癒する．大量の空気漏れを認める場合には，重篤な肺裂傷や肺破裂，さらには気管・気管支断裂の可能性があるため，気管支鏡による確認を行ったうえで手術を考慮する．

開放性外傷の際に胸壁欠損部より胸腔内に空気が流入すると，肺裂傷がなくても気胸となる（開放性気胸）．開放創が大きくないときには，吸気の際に創から胸腔内に空気が吸い込まれる現象を認めることがある（sucking chest wound）．治療は胸腔ドレナージとともに開放創の閉鎖を行うが，細菌汚染を避けるため胸腔ドレーン挿入部位は開放創から離れた清潔部位とする．また，初期治療段階などで胸腔ドレナージの準備ができない場合の応急処置として，気密性の高い滅菌被覆材で開放創を覆って三辺をテープで固定する三辺テーピング法，がある．これにより吸気時の胸腔内への空気の流入を防止し，かつ胸腔内圧が高くなった場合に，すき間から胸腔内の空気を体外に逃すことができる．

b 肺挫傷とその治療 レベルB

1）肺挫傷とその発生機序

肺挫傷（pulmonary contusion）とは，鈍的外力や急激な肺胞内圧の上昇などで肺胞や毛細血管が断裂し，肺胞内出血・間質の出血や浮腫・周囲の微小無気肺などを生じた状態をいう．

肺挫傷は主に鈍的外力により生じ，交通事故・労災事故・墜落や転落などの非開放性外傷が原因として多い．ただし，刺創・切創・銃創などの開放性外傷の際にも起こりうる．

2）肺挫傷の症候と診断

肺挫傷の臨床像はその程度により大きく異なるが，一般的な症状は呼吸困難・頻呼吸・血痰などである．軽度の場合は無症状のことも多いが，受傷数時間後以降24～48時間後までは病態が増強することも多いため，受傷直後に症状がなくても注意を要する．

胸部X線やCTでは肺区域に一致しない斑状・網状陰影として認識され，通常は受傷後数時間で明らかとなり数日から1週間で消褪する．受傷直後から明確な高濃度腫瘤状陰影を認めた場合は肺内血腫を疑う．

3）肺挫傷の治療

治療は酸素投与や安静などで多くの場合に対処可能であるが，重症例では気管挿管・人工呼吸が必要となる．気道内出血や喀痰の吸引を十分に行い，健側肺への垂れ込みを防止することはいうまでもない．

C その他 レベルC

1）外傷性肺仮性囊胞

外傷性肺仮性囊胞（traumatic pulmonary pseudo-cyst）は，胸部外傷の1～3％に生じるとされるまれな合併症である．交通事故などの鈍的外傷が原因として多いとされる[3]．

CT画像上，受傷前には認められなかった肺内囊胞性病変として認識されるが，受傷前のCTがない場合が多いので肺囊胞性疾患との鑑別が必要となる．短期間の間に形状が変化することが特徴であり，出血や感染を伴うと鏡面像を呈することもある．

基本的には数週から数ヵ月の経過で自然吸収されるために保存的治療を行い，感染の徴候が認められたら抗菌薬投与を行う．膿瘍形成や持続的出血により周囲肺を圧迫するような場合には外科的処置を考慮する．

肺裂傷に起因するものは大量喀血の原因となることもあり，注意を要する．

2）肺内血腫

肺仮性囊胞と同様に肺内血腫（intrapulmonary hematoma）の多くは自然に吸収されるので保存的治療が基本となる．

文献

1) 福島雅典（総監修）．メルクマニュアル第18版日本語版，2006: p1597
2) 日本外傷学会外傷初期診療ガイドライン改訂第4版編集委員会（編）．外傷初期診療ガイドライン，第4版，2012: p255
3) 桜井博毅ほか．仙台市立病院医誌 2010; **30**: 67

VII. 胸部外傷・その他

④ 気管・気管支損傷

要点

1. 気管・気管支損傷は，開放性および非開放性頸胸部外傷，気管挿管や気管切開，気管支鏡手技，気道熱傷などに伴い発症する．
2. 頸胸部外傷に伴う気管・気管支外傷は，症状が重篤かつ進行性で致死率が高く，救命のためには迅速かつ的確な診断・初期治療・外科的治療が求められる．
3. 非手術例，挿管・気管切開に伴う損傷，気道熱傷などでは経過中に狭窄を引き起こすこともあり，適切な対応が必要となる．

Key Word 気管・気管支外傷，医原性気管・気管支損傷，裂創，断裂，瘢痕性狭窄，肉芽性狭窄，軟化症，気管・気管支形成術，ステント，気道熱傷

気管・気管支損傷には，頸胸部外傷に伴う気管・気管支外傷の他，手術，気管支鏡手技，気管挿管，気管切開などに関連する医原性損傷や気道熱傷などが含まれる．気管・気管支外傷は比較的まれな外傷であるが，症状が重篤かつ進行性で致死率が高く，救命のためには迅速かつ的確な診断・治療が求められる．また，挿管・気管切開に関連する気管・気管支損傷や気道熱傷は経過中に狭窄を引き起こして治療に難渋することも多く，病態や対処方法を熟知しておく必要がある．

a 気管・気管支外傷

1）発生機序および病態　レベルA

刺創，切創，銃創などの開放性外傷（鋭的外傷）と，交通事故，労働災害，高所からの墜落などによる非開放性外傷（鈍的外傷）に分けられる．

①開放性（鋭的）外傷

前頸部では気管は比較的表層に近いため，刃物による傷害などで容易に頸部気管が切断される．周囲損傷部位の出血が少量でも血液が気管内に流入すると重篤な呼吸障害に陥るため注意が必要である．胸部では胸腔内の解剖学的位置関係から，開放性損傷による気管・気管支の単独損傷は起こりにくく，肺実質や心・大血管が同時に損傷されることが多いため，気道の確保以上に出血に対する対策が急務となることが少なくない．

②非開放性（鈍的）外傷

頸部気管損傷は輪状軟骨下から第3気管軟骨までの間に発生することが多いとされ，頸椎前面との間での気管の圧迫や頸部の過伸展により生じると考えられている．

胸腔内気管・気管支損傷は，7～8割が気管分岐部から2.5 cm以内の気管あるいは主気管支に発生するとされている．発生機序としては，①胸部に鈍的外傷が加わると声門は反射的に閉鎖され胸郭圧迫による急激な気道内圧の上昇が起こる．この際，気管や主気管支のような径の大きい中

表1　気管・気管支損傷分類2008（日本外傷学会）

Ⅰ型　裂傷　laceration
　a．内膜損傷　intimal laceration
　b．全層性裂傷　transmural laceration
Ⅱ型　不完全断裂　incomplete transection
　a．部分断裂　partial transection
　b．気管支鞘被覆断裂　transection with bronchial sheath
Ⅲ型　完全断裂　complete transection
　a．単純型　simple transection
　b．複雑型　complex transection

（日本外傷学会外傷用語集（改訂版2008），春恒社，2008: p53[1]より引用）

枢部の気道では末梢の気道や肺組織に比較すると弾力性に欠けており，ラプラスの法則により管径の大きい気管分岐部付近に強い張力がかかることと相まって，この部分での圧の上昇が著明になり破裂する．②胸郭の前後方向への圧迫により胸郭横径が拡大し，気管分岐部が固定されたまま左右肺が反対方向へ牽引されるため気管分岐部付近で引き裂かれる．③墜落や自動車の衝突などにより急速な減速が生じると，胸壁に固定されている気管支分岐部付近で気管・気管支に剪断力が働き断裂が生じる（減速作用機序），などが考えられている．日本外傷学会では気管・気管支損傷を損傷の形態により，Ⅰ型（裂傷），Ⅱ型（不完全断裂），Ⅲ型（完全断裂）の3型に分類している（表1）[1]．

なお，小児や若年者では肋骨が柔軟で胸郭の弾性が高いことに加え，筋・脂肪などの軟部組織が少ないため胸郭コンプライアンスが大きく，胸部に加わった外力に対し胸郭による減衰は限定的であり，外力はより直接的に胸腔内に作用しうるため，胸壁の損傷が軽微であっても気管・気管支損傷が生じやすい．

2）症状　レベルA

気管・気管支外傷の主な症状はチアノーゼ・呼吸困難，血痰，皮下気腫などであり，損傷が縦隔内にとどまると広範な縦隔気腫や前頸部における皮下気腫が認められる一方，

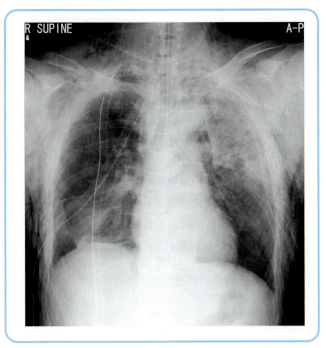

図1　鈍的外傷による右主気管支断裂症例の胸部X線像
　分離肺換気用チューブの挿管および両側胸腔ドレーン挿入後．皮下気腫が著明で，右下肺野，左上肺野に浸潤影を認める．

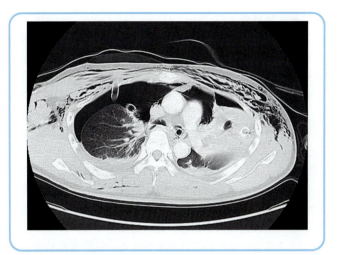

図2　右主気管支断裂のCT所見
　右主気管支の連続性が保たれておらず，右主気管支断裂が疑われる．両側の血気胸，両側の肺挫傷を認め，胸腔ドレーンが挿入されている．

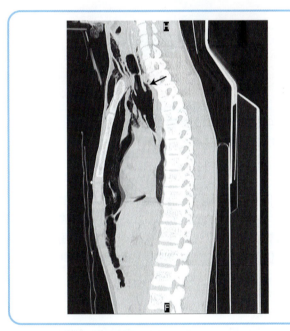

図3　外傷による気管断裂のCT所見
　気管の完全断裂（矢印）と縦隔気腫および頸部の皮下気腫を認める．

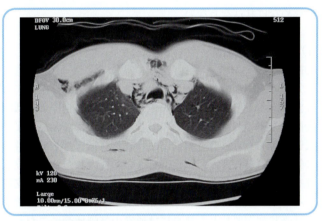

図4　鈍的気管裂傷のCT所見
　気胸は認めず，皮下気腫と縦隔気腫および気管膜様部の不整を認める．

損傷が胸腔内に及ぶと気胸となる．損傷の程度により直ちに窒息状態に陥り死にいたるものから，受傷直後には症状を欠くものまで様々である．潜在性の気管支損傷では受傷後1〜4週で狭窄症状が出現してくることが多いため，受傷後少なくとも4週間は注意深く経過を観察する必要がある．

3) 診断　レベルB

　鋭的頸部気管外傷は直視下に損傷形態を観察できるためその診断は比較的容易であり，特に開放創から空気の漏出がみられるものではほぼ確実である．ただし，アイスピックによる刺創などで創口が閉鎖している場合には臨床像が非開放性気管外傷に類似するため注意を要する．
　一方，鈍的外傷に伴う気管・気管支外傷では早期診断は容易ではなく，受傷機転や症状から気管・気管支の損傷が疑われる場合には以下のような検査により診断を進める．

①単純X線像

　90％以上で気胸，皮下気腫，縦隔気腫などが認められ，特に，椎体に沿う深頸部気腫や気管周囲の縦隔気腫は気管・気管支損傷を示唆する所見である．気胸を認める症例には胸腔ドレーンを挿入するが，胸腔ドレナージ施行後も持続的な大量の空気漏出を認める場合や肺の再拡張が得られにくい場合は気管・気管支損傷を強く疑う（図1）．

②CT

　MDCTの普及により短時間での撮影が可能となったため，呼吸循環動態が維持困難な場合以外は必ず行うべき検査である．単純X線像では診断が困難な気管・気管支壁の連続性の途絶や縦隔気腫，皮下気腫，気胸などの描出に優れており（図2〜4），合併損傷の診断にも有用である．

③気管支鏡検査

気管・気管支外傷が疑われた場合，診断の確定には気管支鏡検査が最も有用である（図5，図6）．気管支鏡検査では損傷部位および損傷程度の診断を行うが，気管支鏡所見と損傷の程度は必ずしも一致せず，往々にして過小評価されやすい．気管・気管支の損傷を示唆する所見としては，気管・気管支壁の明らかな裂創や断裂のみならず，凝血の付着や粘膜のわずかな段差，めくれ，出血，発赤などが重要である．さらに，受傷から時間が経過したものでは白苔の付着も気道損傷の存在を示唆する．なお，気管・気管支損傷が存在しても損傷部位の周囲の結合組織が温存されていると気道は連続性を保ち一見気道損傷がないような所見を呈する場合があるので注意を要する．気管支鏡検査を施行する際には，咳嗽により損傷部の拡大を助長するおそれのあることや損傷部から気道への血液の垂れ込みを増加させる危険性のあること，頸部を後屈したことにより断裂が進み致命的になる症例もあること，などを念頭に置き検査を進めなければならない．

4）治療 レベルC
①初期治療

気道の閉塞が危惧される場合には早急に気道を確保する必要がある．自発呼吸を消失させると換気不全による低酸素血症を招くおそれがあるので，自発呼吸は温存したまま気管挿管を行う．気管断裂が疑われる症例に対して盲目的に気管挿管を行うと，損傷部をさらに拡大したり，遠位気管を胸腔内に押し込んだりする危険があるため，気管支鏡ガイド下に気管挿管を行うことが望ましい．なお，挿管中に呼吸状態が悪化した場合には通常の気管挿管にこだわらず，気管切開による挿管や断裂した気管への開放創からの直接挿管に移行するなど臨機応変な対応が求められる．気道確保後は気道内吸引を十分に行う．

②外科的治療

短期的ならびに長期的治療成績の観点から耐術能のある気管・気管支外傷の多くは手術による損傷部位の修復が第一選択となる．膜様部の裂創や軟骨間膜の断裂など軟骨の損傷を伴わない場合には直接縫合が可能なものもあるが，気管・気管支軟骨の損傷を伴う場合には，挫滅した軟骨を可及的に切除し断端を浄化したうえで縫合を行う必要があり，全周性あるいはそれに近い断裂の場合には可能な限り損傷部を軟骨輪単位で除去したうえで吻合を行うことが重要である．手術時期に関しては，損傷部位の癒着や肉芽形成が起こる前に手術を行えば損傷部位の状態の把握や断端の剝離が行いやすく，また，気管・気管支の切除を最小限に抑えた修復が比較的容易に行えるので，事情が許す限り早期に手術を行うべきである．損傷部位によってアプローチは異なり，気管の近位3分の2までは頸部襟状切開（＋胸骨柄切開），遠位3分の1，気管分岐部，右主気管支では右開胸，左主気管支では左開胸が選択されることが多い．なお，同時に肺損傷を合併している場合，損傷肺を温存して気管支再建手術を行うか肺切除術を行うかの判断は難しいが，外傷による肺損傷の多くが可逆性病変であることを考えれ

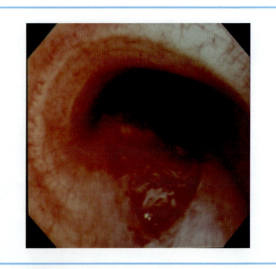

図5 鈍的気管裂傷の気管支鏡所見
中部気管から右主気管支にかけて膜様部が縦方向に裂けている．

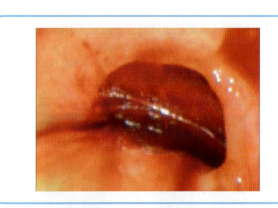

図6 右主気管支断裂の気管支鏡所見
右主気管支軟骨部の断裂を認める．

ば，全身状態が許す限り肺機能温存のための気管支再建手術を選択するべきであろう．また，重度の低酸素血症を伴った気管支損傷例で，耐術不能と判断された場合でも膜型人工肺（ECMO）または経皮的心肺補助装置（PCPS）を用いることによって手術可能となることもあるため，適応を十分に検討する．

③保存的治療

耐術能のない場合，手術を拒否した場合，受傷後72時間以降に気管・気管支損傷が判明した場合などでは保存的治療が選択される．また，気道の1/3周あるいは2cmを越えない小裂創の場合には，気管挿管あるいは気管切開を行って気道内圧を減圧するだけで創は良好に治癒するといわれており保存的治療を選択してもよい．ただし，皮下気腫や縦隔気腫が進行性に増悪する場合および食道損傷や縦隔炎を伴う場合にはすみやかに手術に移行する．

④陳旧例に対する治療

保存的治療を選択しても肉芽性気道狭窄が生じた場合には手術の対象となる．手術の基本は狭窄部の管状切除と気管・気管支形成術であるが，狭窄部より末梢の肺に感染を伴っているものでは肺切除が必要になる場合もある．離断

した気管支が完全に閉塞し末梢肺が感染を伴わずに無気肺となっている場合には，数ヵ月経過していても気道再建により肺機能の回復が期待できるため，積極的に気管支再建手術を検討する．ただし，陳旧例では癒着や炎症性変化が高度であるため，狭窄部の発見や周囲の剝離に難渋することが多いことには注意が必要である．なお，手術選択が困難な場合にはステント治療の適応となる．

b 医原性気管・気管支損傷

1) 挿管操作や気管支鏡手技に伴う気管・気管支損傷 レベルA

気管挿管チューブやスタイレットあるいは気管支鏡機器の先端により気管・気管支膜様部に縦方向の裂創が生じることがある．裂創が粘膜あるいは粘膜下層にとどまるもの，筋層に及んでも2cm以下で食道損傷や縦隔炎を伴わないものでは保存的治療が選択されることが多いが，それ以上の長さあるいは主気管支に及ぶ場合や皮下気腫や縦隔気腫が進行性に増悪する場合および食道損傷や縦隔炎を伴う場合には手術の適応となる．

2) 挿管および気管切開後の気管狭窄 レベルB

瘢痕性狭窄（図7），肉芽性狭窄（図8），気管軟化症に大別され，声門下腔，気管切開口周辺，気管チューブのカフ接触部，チューブ先端の接触部の4箇所が好発部位である．

瘢痕性狭窄は，過剰なカフ圧により気管壁に局所の循環不全が生じ，気管軟骨が壊死に陥り，その修復過程で瘢痕拘縮を引き起こすために生じるといわれており，肉芽性狭窄は気管軟骨の損傷に続いて気管軟骨周囲炎が起き，そこに二次感染が加わり，さらに異物による機械的刺激が反復して加えられるために肉芽組織が増殖して発生すると考えられている．気管軟化症は，膜様部の変性による弾力性と張力の喪失や限局した範囲の気管軟骨の障害により生じるとされている．

治療は狭窄部の管状切除と気管形成術が原則である．しかし，広範あるいは多発性狭窄で気管の切除限界を越えている場合や，全身状態が不良で手術が困難な場合にはステント治療の適応となる．良性気管狭窄では，ステントで開大された狭窄部が瘢痕治癒したあとにはステントは不要となるため，抜去困難な金属ステントではなく，容易に抜去可能なシリコンステント（シリコンTチューブ，Dumonチューブなど）の使用を考慮する．

c 気道熱傷 レベルC

火災や爆発事故により発生する高温の煙，水蒸気，有毒ガスなどの吸入が原因となり，気管・気管支粘膜上皮の脱落や上皮下組織の浮腫などが生じる．しばしば進行性に声門・喉頭などの浮腫が進行し，気道閉塞による換気障害や窒息をきたす危険があるため，気管挿管のタイミングを誤らないよう注意する．

気管支鏡所見としては粘膜の発赤，びらん，浮腫，煤付

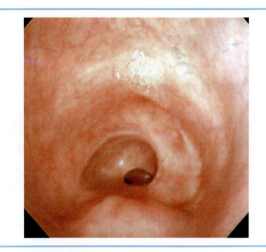

図7 挿管後瘢痕性狭窄の気管支鏡所見
第3気管軟骨輪付近に高度の瘢痕性狭窄を認める．

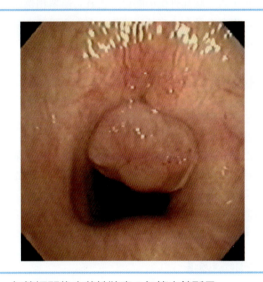

図8 気管切開後肉芽性狭窄の気管支鏡所見
気管切開口の中枢側に肉芽の増生を認め，気管が狭窄している．

着などを認め，通常は2週間程度で回復するが，基底膜にまで損傷が及ぶと肉芽性あるいは瘢痕性狭窄をきたす．

気道熱傷後の気管・気管支狭窄は限局性のものは少なく，治療にはブジー，バルーンによる拡張，シリコンステント留置などが選択されることが多い．

なお，気管切開時の電気メスの火花が気管挿管チューブに引火して気道熱傷の原因となることがあるので，気管を切開する際には電気メスを使用せず，また気管切開部の出血に対しては電気メスによる止血を安易に行わないように心がけるべきである．

文献

1) 日本外傷学会臓器損傷分類 2008．日本外傷学会外傷用語集（改訂版 2008），春恒社，2008: p53
2) 中山光男ほか．日本気管食道科学会「認定医通信」2004; **29**: 6
3) 中山光男ほか．臨床呼吸生理 2001; **33**: 39
4) Grewal HS et al. Chest 2019; **155**: 595

VII. 胸部外傷・その他

⑤ 縦隔損傷

要点
❶胸部外傷例で縦隔気腫を認めた場合には，気管・気管支または食道損傷を疑い精査を進める．
❷Hamman 徴候とは胸骨左縁に心拍動と一致し聴取される捻髪音のことで，縦隔気腫の臨床所見のひとつである．
❸日本における心大血管損傷の多くは鈍的損傷によって生じ，減速作用機序がその主要な発生メカニズムである．

Key Word 気道損傷に伴う縦隔気腫，食道損傷に伴う縦隔気腫，心大血管損傷，Hamman 徴候

　縦隔内には心大血管・気管・気管支・食道などの重要臓器が存在する．胸部外傷の際に，これら臓器損傷が起こると容易に生命を脅かす病態に陥ることから迅速な診断が求められる．

a 外傷性縦隔気腫[1]

1) 発生機序　レベルA
　外傷性縦隔気腫の発生機序としては，①縦隔内における気道または食道の損傷，②破裂した肺胞由来の空気が肺の間質を経由し縦隔にいたる（Macklin 効果），③腹腔内臓器損傷時に漏れ出した空気が横隔膜裂孔を介し縦隔にいたる，④頭頸部の手術・外傷時に入り込んだ空気が縦隔にいたる場合の 4 つがあげられている．

2) 頻度　レベルB
　胸部外傷例に縦隔気腫がみられる頻度は 10％程度である．多くは Macklin 効果によって生じ，実際に気道または食道損傷を有する頻度は外傷性縦隔気腫の 10％以下である．

3) 症状・所見　レベルB
　胸痛，呼吸困難，皮下気腫，胸骨叩打痛がみられることがあるが，多くは随伴する胸部損傷（気胸，肋骨骨折，上部気道損傷，胸骨骨折など）によるものである．身体所見として，Hamman 徴候が知られている．Hamman 徴候とは，胸骨左縁に聴取する心拍動と一致する捻髪音で，心拍動時の心臓の動きで縦隔内の空気が圧迫されるために生じるとされている．縦隔気腫の特徴的所見として有名であるが，その出現率は 20％程度に過ぎない．なお，本徴候は左気胸でも聴取されることがある．

4) 画像診断　レベルB
　診断には胸部 X 線と CT が重要である．胸部 X 線では，空気によって縦隔内構造物の輪郭が透亮像として線状に描出され continuous diaphragm sign, Naclerio's V-sign, ring-the-artery sign などいくつかの放射線学的サインを形成する．しかし，他外傷の存在および条件不良な救急外来での撮影機会が多いことから胸部 X 線での診断率は低い．

これに対し CT での診断率は高く，合併する気道損傷や食道損傷を見逃さないためにも外傷性縦隔気腫の診断・評価には必須である．

5) 気道損傷や食道損傷を有する外傷性縦隔気腫の特徴　レベルC
　縦隔気腫が広範かつ多量である場合，適切な胸腔ドレナージ後も気漏や無気肺が続くときは気道損傷を疑う．画像上 fallen lung sign（主気管支断裂により虚脱肺が支持を失い下垂した状態）や挿管チューブの逸脱を認めることもある．確定診断は気管支鏡にてつけるが，近年 3D-CT の有用性も増している．
　胸水の存在は，強く食道損傷を示唆する所見であり，引き続き CT，食道造影にて食道損傷の有無を確認すべきである．

b 心損傷[3〜5]

　心損傷は穿通性（鋭的）損傷と鈍的損傷に分けられ，日本では鈍的心損傷が 70％を占める．

1) 穿通性（鋭的）損傷
①原因　レベルA
　日本では刺創が鋭的心損傷の 80％以上を占める．損傷部位は，前胸壁との位置関係から右室が最も多く（40〜60％），次いで左室（25〜40％），右房（10〜20％），左房（2〜10％）の順に続く．
②病態と症状　レベルA
　心損傷が大きければ流出血液が容易に胸腔内にいたり血胸を呈する．これに対し，心損傷が小さく流出血液が心囊内に貯留すると心タンポナーデを呈する．ほかにも弁・腱索・乳頭筋損傷，心室中隔損傷，冠動脈損傷などが起こると心雑音，心不全，心電図異常など損傷部位に応じた症状・所見が出現する．
③診断　レベルB
　Sauer's danger zone（VII章-1 参考）に創を認める場合には，穿通性（鋭的）心損傷を疑う．穿通性（鋭的）心損傷で即死を免れた症例では心タンポナーデを呈している頻度が高い．

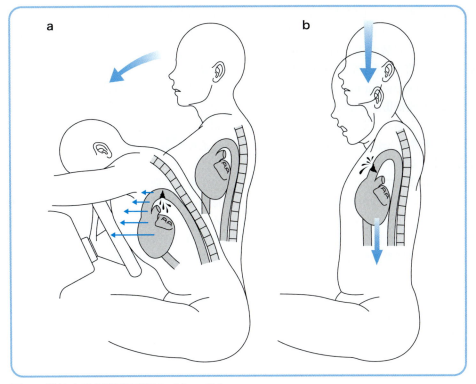

図1 鈍的大動脈損傷受傷のメカニズム
　a：水平方向の減速作用機序．前方あるいは側方からの衝撃では水平方向の減速機序が作用し，固定された下行大動脈に対して心臓と大動脈弓が水平方向に大きな動きを示し，鎖骨下動脈分岐部直下の下行大動脈に剪断外力が加わる．
　b：垂直方向の減速作用機序．垂直方向の減速作用機序では，心臓に尾側への加速度が生じるため，大動脈起始部の損傷が生じる．
（日本外傷学会外傷初期診療ガイドライン改訂第4版編集委員会（編）．外傷初期診療ガイドライン，第4版，へるす出版，2014: p82 [9]）を参考に作成）

したがって，Beckの三徴（血圧低下，頸静脈怒張，心音減弱）や心電図の低電位などの心タンポナーデ所見を見逃さない．これら所見を認めた場合には心エコー検査にて確認する．なお，CTを行う余裕がある場合には，刺入物の経路と位置を確認しておく．

④治療 レベルC

　心タンポナーデに対しては，可及的速やかに心嚢内の血液を排除し，心臓拡張運動の拘束を解除する必要がある．時機を失せず盲目的またはエコー下に心嚢穿刺を施行する．凝血塊などで効果が不十分なときには剣状突起下心膜開窓術あるいは緊急開胸術による心膜切開を行う．

　心破裂は緊急手術の適応である．アプローチには左側方開胸と正中切開がある．左側方開胸は短時間で胸腔内に到達できるため時間的余裕のない場合に選択されるが，心臓右側の展開にはやや難がある．正中切開は心臓全体の良好な視野が得られる．また，下方に切り下げれば腹部正中切開として腹部操作も可能となる．手術室まで運ぶ余裕がなければベッドサイドでの蘇生的開胸術（resuscitative thoracotomy）が必要になる．一時止血のため心破裂部位を用手圧迫止血する．心房の場合は鉗子などで把持し，損傷部が小さければ中枢側を鉗子で遮断する．その後4-0ポリプロピレン縫合糸で連続縫合閉鎖を行う．心室の場合は，心筋のダメージを与え，損傷部位を拡大させてしまうため鉗子を使用してはならない．この場合は心臓血管外科医の下で修復するか，心臓血管外科にコンサルトするのが望ましい．

2）鈍的心損傷

①原因 レベルA

　鈍的心損傷の発症機序として，①減速作用機序（図1），②胸部への直接または介達外力，③胸腔内圧の上昇が考えられており，これらが単独あるいは複合的に作用し発症する．

　減速作用機序により心臓と可動性に差のある大静脈，大動脈，肺動静脈との境界部が引き裂かれ発症する．②と③に関しては，交通事故の際のハンドル外傷が代表的である．つまり，ハンドルによる前胸壁の打撲・圧迫にて心臓が胸骨と椎骨間に挟まれ圧迫されるとともに胸腔内圧の急激な上昇も加わり心損傷が生じる．古典的剖検報告では，損傷部位の頻度は右室＞左室＞右房＞左房の順である．

②病態と症状 レベルC

　鈍的外傷により，①心筋挫傷，②心破裂，③弁・腱索・乳頭筋損傷，④冠状動脈損傷，⑤心室中隔穿孔，⑥心膜損傷が引き起こされる．

　心筋挫傷とは病理学的に心筋壊死と心筋線維内または線維間出血をきたす病態である．損傷程度と範囲により，心電図異常のみで自覚症状のない場合から心原性ショックを呈する場合まで幅広い症状を呈する．

心破裂部位は心周期に影響され，心房は収縮期，心室は拡張期に圧迫されると各々血液が充満しているため破裂しやすい．多くは受傷直後に破裂するが(immediate rupture)，外傷性の冠状動脈障害で遅発性に破裂することもある(delayed rupture). immediate rupture の多くは発症直後に死亡する．ただし，心膜損傷が軽度で心タンポナーデを呈し失血死を免れることもある．その場合，循環血液量の減少や心肺蘇生処置の影響で先述した Beck の三徴を呈さないこともあり注意を要する．

弁・腱索・乳頭筋損傷はまれであるが，大動脈弁，僧帽弁，三尖弁がおかされやすい．血液が充満し各弁が閉塞しているときに心室が圧迫され生じる．心筋挫傷が乳頭筋に及び，炎症から壊死に陥り晩発性に発生することもある．

鈍的心損傷にて冠状動脈に断裂，解離，塞栓，攣縮が起こり，続発性に心筋梗塞をきたすことがある．受傷頻度は左前下行枝が最も多い．

鈍的心損傷後の心室中隔穿孔には，受傷直後の急性期に起こる early mechanical rupture と晩期に起こる late ischemic rupture がある．前者は拡張期の心室圧迫により，中隔の脆弱部(主に胎生期心室中隔欠損(VSD)閉鎖部)に生じる．後者は損傷部の浮腫，微小循環不全から中隔の融解，穿孔にいたり発生する．

心膜損傷単独は通常無症状であるが，破裂部から心臓脱が起こるとショックに陥る．

③診断 レベルC

鈍的心損傷に確立した診断基準はなく，臨床所見に加え複数の検査を組み合わせ診断がなされる．加えて，本損傷例は多発外傷例が多く，併発する外傷による症状，所見が重なり合うことから心損傷の診断には困難を伴う．

胸部X線に特有な所見はない．胸部に加わったエネルギーの大きさを示唆する胸郭の骨折，気胸，血胸，肺挫傷所見があれば心損傷を念頭に置き検査，治療戦略を練る．

心電図は鈍的心損傷が疑われる症例に必須である．最も多い異常所見は洞性頻脈で，次いで心房期外収縮，心室期外収縮が多く認められる．伝導障害も出現し，右室の損傷頻度が高いため右脚ブロックが多くみられる．ただし，外傷患者は他要因(出血，疼痛，発熱，電解質や血液ガス異常など)でも心電図異常をきたすので，これらのことも念頭に置き対処する．鈍的心損傷が疑われる症例で心電図異常を認める場合には循環動態が落ち着いていても入院させ，24～48時間の心電図監視を行う．

虚血性心疾患の診断に用いられているクレアチンキナーゼ，トロポニンのうち，前者は心筋特異性が低く，後者は心筋挫傷での感度が低いため，ともに単独では鈍的心損傷の診断に対する有用性は証明されていない．ただし，トロポニンは心電図検査と組み合わせることで重大な鈍的心損傷の除外診断に役立つことが明らかにされている．心電図とトロポニン検査のいずれにも異常が認められない場合は陰性的中率100%となる．そのため，いずれかが陽性の場合は入院による経過観察が必要である．さらに，血行動態が不安定あるいは，過去になかった不整脈を認めた場合には心エコーを行う．経胸壁エコーは，心嚢液貯留，壁在血栓，弁損傷や中隔穿孔の評価に有用であるが，胸壁損傷や皮下気腫があるとその診断精度は低下する．そのようなときには，これら要因に影響受けず施行可能な経食道エコーを試みる．

性能向上に伴い鈍的心損傷の診断に果たすCTの役割は増してきている．多発外傷例のなかには，CTではじめて心損傷の存在に気づく場合もある．

④治療 レベルC

心破裂は緊急手術の適応である．全層性心損傷に対しての手術に時間的猶予はないため，心臓血管外科医の到着を待つことができない場合でも，比較的単純な基本手技の組み合わせで対応しうる場合もある．心損傷は，単純損傷と複雑損傷に分けて捉えることができる．単純損傷は到達・展開の容易な比較的小さな破裂，刺創である．心タンポナーデをいかに速やかに解除するかがポイントとなる．解除後はその原因となった心損傷部位の修復が必須である．この場合修復操作はオフポンプで単純に行えることが多い．一方，複雑損傷は，到達・展開が困難な部位の大きな損傷，冠動脈損傷を合併していることがある．必要に応じて人工心肺下での複雑な心損傷の修復と機能的再建が必要となる．

その他，鈍的心損傷の治療は心筋梗塞に準じるが，多発外傷を伴う場合には抗凝固療法は禁忌である．

C 胸部大血管損傷 [3, 6~8]

胸部大動脈損傷は約80%が現場で死亡し，病院到着後も24時間以内に約半数が死亡する．約40%に他の損傷を合併している．穿通性損傷と鈍的損傷に分けられ，日本では圧倒的に鈍的損傷，それも交通事故が多い．交通事故による死亡原因としては頭部外傷に次ぐものであると報告されている．

1) 発生機序 レベルA

鈍的胸部大動脈損傷は，①水平または垂直方向の減速作用機序によって生じる(図1)．つまり，急減速が水平方向に起こると，胸壁に固定されていて動きが止まる下行大動脈に対し比較的可動性の保たれている大動脈弓部は動き続けるので，その境界部である左鎖骨下動脈分岐直後の峡部に剪断力が加わり損傷する．実に鈍的胸部大動脈損傷の75～90%が峡部に発生する．転落事故では，上行大動脈よりも心臓の可動性が大きいため垂直方向に剪断力が加わり大動脈起始部の損傷が起こる．ほかにも，②椎体と前胸壁の間に挟まれる，③強力な外力が加わり生じる動脈圧の異常な上昇，④大動脈壁自体にかかる伸展や捻れが発生機序として考えられている．多くはこれら要因が複数絡み合って発生する．

2) 診断 レベルC

本損傷に特徴的な症候はなく，高エネルギー外傷で胸痛，左右上肢または上下肢の血圧差，胸骨や上部肋骨骨折，対麻痺などの所見を認めた場合には，本損傷を疑い診断を進める．

胸部X線で大動脈損傷を示唆する所見は，①上縦隔開大（8cm以上），②左主気管支下方偏位，③第1，2肋骨骨折，④左肺尖部胸膜肥厚像（apical cap sign），⑤左血胸，⑥気管・食道右方偏位，⑦大動脈弓部陰影消失（aortic knob 消失）である．ただし，胸部X線像上異常を呈さない症例もあり，受傷機転や臨床症状から本疾患を疑う場合には造影CTを行う．

multi detector CT（MDCT）とヘリカルCTの登場で大動脈全体を短時間に，それも良好な造影タイミングで撮影可能となったこと，データを任意の断面で再構築し，3次元画像まで得られることから造影CTは本損傷診断に必須のものとなった．胸部造影CT検査はスクリーニングとしても確定診断としても有用性が高く，MDCTによる診断の感度は95%を超え，陰性的中率は100%である．その所見は直接所見と間接所見に分けられる．直接所見には，①剥離内膜（intimal flap），②仮性動脈瘤（pseudoaneurysm），③被覆破裂（contained rupture），④壁内血栓（intraluminal-mural thrombus），⑤壁不整（abnormal aortic contour），⑥急激な口径変化（sudden change in aortic caliber），⑦造影剤漏出（extravasation of contrast material）があり，循環動態が不安定でこれら所見を認めた場合は治療を急がねばならない．間接所見には，①縦隔血腫（mediastinal hematoma），②大動脈周囲の血腫（periaortic hematoma）があり，これら所見を認めた場合は経食道エコーなどさらなる精査を要する．

大動脈造影は本損傷診断のゴールドスタンダードであった．しかし，最近はMDCTの進歩によりCTで診断が確定しない場合や血管内治療（ステントグラフト）を目的とする場合など，ごく限られた場合にしか施行されなくなった．

経食道エコーはベッドサイドで施行でき，リアルタイムに情報が得られる一方，やや侵襲的で施行に技術と経験を要するため本疾患に対する検査の第一選択にはならない．MDCTから十分な情報が得られないときや状態が不安定でMDCT自体施行できないときに行われる．

3）治療　レベルC

開胸手術による修復術とステントグラフトを用いた血管内治療術がある．

開胸手術には直接縫合術と人工血管置換術があり，それを単純遮断下に行うか人工血管を用いた一時バイパス下，あるいは人工心肺装置下に行う．人工心肺装置を用いる場合も経皮的心肺補助装置（PCPS）下に行う場合と完全人工心肺装置下に行う場合がある．特に後者の場合，完全ヘパリン化を要することから多発外傷例では出血性の副作用がつきまとう．

血管内治療は，ステントの改良と3D-CT画像を駆使した治療戦略の精度向上もあり，最近は本損傷治療の主役となっている．ただし，本損傷に多い若年者の胸部大動脈は細く，弓部も急峻であるため，留置したグラフトの内腔側への折れ込み（collapse），屈曲により血管壁との間に隙間ができることで生じる血流の漏れ（endoleak），正常内膜を有する大動脈への留置に伴う移動（migration）の可能性があり注意深い経過観察が必要である．

大動脈の修復時期は，24時間以内の破裂リスクが高いためこれまで早期修復が推奨されていた．しかし，現在は適切な降圧療法で破裂を回避しつつ，少しでも合併損傷の状態を改善させてから大動脈修復を行った成績のほうが優れていることが判明してきたため，切迫破裂例を除き晩期修復が推奨されている．その一方，血管内治療は低侵襲で抗凝固薬投与も少なくて済むため，ステントにて早期に大動脈を修復し，併行して他外傷の治療を進めるという治療も試みられている．

d 胸部食道損傷[1,4]

食道は後縦隔に存在し外力が加わりづらいことから鈍的外傷で損傷することは極めてまれで，多くは刺創や射創による穿通性鋭的損傷である．

1）発生機序　レベルA

食道の鈍的損傷は，直達外力と食道内圧の急激な上昇により起こる．前者には胸骨と椎体に挟まれることによる圧挫や骨折した椎体の骨端による損傷例が含まれる．後者は急激な腹圧上昇や高圧気体流入により発生し，下部食道左側壁に好発する．

2）診断　レベルC

食道損傷は容易に縦隔炎から縦隔膿瘍，さらには膿胸，敗血症に移行するため診断の遅れは致命的であり，24時間がその目安といわれている．しかし，本損傷例の多くは多発胸部外傷を有するため，その診断は容易ではない．受傷機転に加え胸部X線にて縦隔気腫や胸水を認めた場合，CTにてこれら所見に加え食道壁肥厚や縦隔内液体貯留を認めた場合には水溶性造影剤を用い食道造影あるいは内視鏡検査を行う．これらの検査による診断の感度は胸部食道で89～100%，正診率95%以上である．鋭的損傷の場合も，受傷部位に加え，吐血，嚥下困難などの自覚症状がある場合には食道損傷の存在を疑い精査を進める．

3）治療　レベルC

外傷性食道損傷の死亡率は0～19%と報告されている．術後縫合不全の発症も損傷から12時間以内の修復の場合は20%であるのに対し，24時間を超えての修復の場合は100%となることから早期の診断治療が必要になる．診断が確定したら緊急手術の適応である．診断が早期になされ汚染および食道壁の損傷が軽度であれば損傷部の縫合閉鎖を試みる．有茎筋肉弁や大網での縫合部被覆も有用といわれている．長時間経過し，汚染，食道損傷が高度な場合には，穿孔部位にTチューブを挿入留置することもある．いずれの場合も縦隔，胸腔の十分な洗浄とドレナージが必要である．胃の減圧目的での胃瘻と栄養管理目的での腸瘻造設も有用といわれている．これら処置にても治癒が期待できないほど食道損傷が著しい場合には，食道切除を行い，頸部食道瘻，腸瘻を造設し二期的に再建術を行う．

文献

1) Mansella G et al. Case Rep Emerg 2014; **2014**: 685381. doi: 10.1155/2014/685381
2) 藤井義敬（編）．呼吸器外科学，第4版，南山堂，2009: p380
3) 日本外傷学会外傷初期診療ガイドライン改訂第4版編集委員会（編）．外傷初期診療ガイドライン，第4版，へるす出版，2014: p75
4) 日本外傷学会外傷専門診療ガイドライン改訂第2版編集委員会（編）．外傷専門診療ガイドライン，第2版，へるす出版，2018: p125
5) Clancy K et al. J Trauma Acute Care Surg 2012; **73**: S301
6) Steenburg SD et al. Radiology 2008; **248**: 748
7) Fox N et al. J Trauma Acute Care Surg 2015; **78**: 136
8) 日本外傷学会外傷専門診療ガイドライン改訂第2版編集委員会（編）．外傷専門診療ガイドライン，第2版，へるす出版，2018: p251
9) 日本外傷学会外傷初期診療ガイドライン改訂第4版編集委員会（編）．外傷初期診療ガイドライン，第4版，へるす出版，2014: p82

⑥ 横隔膜損傷

要点

1. 外傷性横隔膜損傷は，鈍的または鋭的な胸腹部外傷や全身多発外傷に合併して生じることが多い．
2. 外傷性横隔膜ヘルニアは，発症時期により急性期，慢性期，閉塞絞扼期に分けられ，それぞれ病態が異なる．
3. 外傷性横隔膜ヘルニアの治療は外科的治療のみであるが，他臓器損傷の有無や発症時期に応じた的確なアプローチの選択が重要である．

Key Word 胸部刺創，胸部挫傷（横隔膜破裂），腱中心，肺損傷，肝損傷，腹部臓器損傷，外傷性横隔膜ヘルニア

外傷性横隔膜損傷は，鈍的外傷の0.8～7％，鋭的損傷では10～15％の頻度で発生すると報告されており[1]，全層性裂傷のうちヘルニアを伴うと（外傷性横隔膜ヘルニア）外科的治療の対象となる．外傷性横隔膜ヘルニアは，横隔膜に対する直接または間接外力によって横隔膜に損傷が生じ，胸・腹腔内圧の差のために腹腔内臓器が胸腔内に脱出した病態であり，通常はヘルニア嚢を有しない仮性ヘルニアである．急性期発症の外傷性横隔膜ヘルニアは，交通外傷や転落などの高エネルギー多発外傷の一損傷として認められる場合が多いため，多発外傷患者の呼吸循環管理を最優先に救命救急治療を行いながら，合併損傷の治療の優先順位を考慮しつつ，治療に臨むことが肝要である．また，受傷後，数日から数年以上経過して発症する遅発性のものも認められる．発症時期により病態も異なるため，注意が必要である．

a 外傷性横隔膜ヘルニアの病態 レベルA

1）原因による外傷性横隔膜ヘルニアの病態

①鋭的外傷（穿通性損傷）

胸腹部にまたがる領域における刺創や切創によって，横隔膜が直接損傷を受けて発症する．多くの場合，創部の位置により横隔膜の損傷を疑うことが可能であるが，先端が非常に細い鋭利な刃物による刺創などは，体表の創が小さいため，体深部の損傷を見落とす可能性があるので注意が必要である．また，横隔膜の上下において，胸部では肺損傷，腹部では肝損傷，脾損傷，後腹膜損傷，胃などの消化管損傷，などを合併している可能性が高く，臓器損傷による胸腔内，腹腔内への出血に伴うショックなど，重篤な状態に陥る危険があるため，可及的速やかに臓器損傷の有無を判断するべきである．

②鈍的外傷

鈍的外傷による腹圧の上昇により横隔膜に亀裂が生じるのではなく，骨性胸郭の歪みにより横隔膜に直接外力が加わらず内部応力の弱い腱中心付近に破裂が生じる歪型と，骨性胸郭と横隔膜への直接外力のため内部応力の破綻により横隔膜に亀裂が生じる衝撃型に分類することができる．歪型は腱中心付近に筋線維と平行に発生し，衝撃型は骨性胸郭の近くで筋線維と直角に発生する[2,3]．鈍的外傷による横隔膜ヘルニアは，左側に多い．これは，組織学的に最も脆弱な横隔膜の部位が左側の腱中心であることや，胸腔内圧，腹腔内圧の上昇により上下方に移動の程度が大きいことにより破裂しやすい．これに対して，右側は腹腔内圧の上昇が肝臓により緩衝されるため発生しにくいと考えられている．横隔膜損傷を生じる程の鈍的外傷では，通常他臓器の損傷を合併することが多く，重症多発外傷の際には横隔膜損傷の存在にも注意する必要がある．

b 日本外傷学会による横隔膜損傷の分類 （図1）レベルB

① Ⅰ型：挫傷　diaphragmatic contusion
　損傷程度は軽度で，損傷形態として点状出血，血腫をきたした状態
② Ⅱ型：非全層性裂傷　non-transmural laceration
　横隔膜が非全層性の損傷をきたしているもの
③ Ⅲ型：全層性裂傷　transmural laceration
　a. 横隔膜ヘルニアを伴わない　without diaphragmatic hernia
　b. 横隔膜ヘルニアを伴う　with diaphragmatic hernia

c 発症時期による外傷性横隔膜ヘルニアの分類[4] レベルA

1）受傷早期に発症する即発型（急性期：acute phase）

脱出臓器による肺の圧排や肺挫傷などによる呼吸障害，脱出臓器による心臓の健側偏位，脾臓・肝損傷による出血・循環障害などを合併していることが多い．特に，多発肋骨骨折や肺損傷，血胸を伴う場合は，呼吸不全が一段と悪化する．また，同時多発外傷（胸腹壁損傷，血気胸，腹腔内臓器損傷，骨盤臓器損傷，頭部外傷，四肢の外傷など）の程度によっては，外傷性ショックをきたす可能性がある．

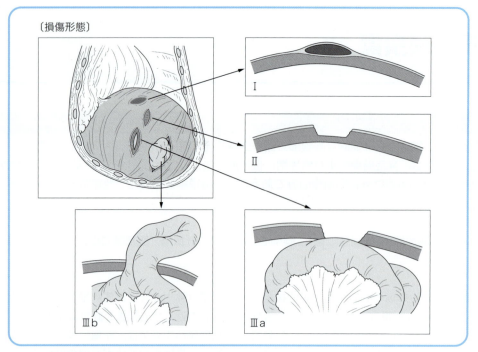

図1　横隔膜損傷分類（日本外傷学会 2008）
（日外傷会誌 2008; 22: 271 [1]）を参考に作成）

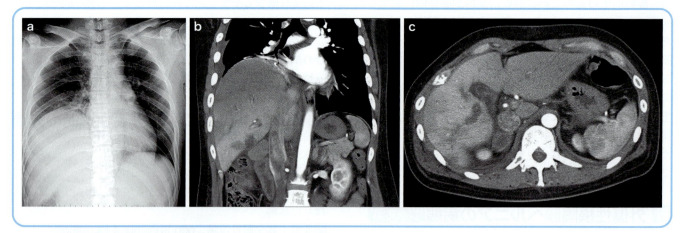

図2　外傷性右横隔膜破裂（管腔臓器のヘルニアを伴わない）
a：胸部単純X線像．右横隔膜挙上症との鑑別が困難．
b：胸腹部造影CT（冠状断）．肝臓の著明な挙上と縦隔心陰影の偏位．
c：胸腹部造影CT（水平断）．肝損傷の合併を認める．

2）受傷後無症状のまま経過，慢性または一過性の胸腹部不定愁訴を示す時期（潜伏・慢性期：latent phase）

上部消化器症状，左胸部〜上腹部痛，左肩痛，呼吸困難，起坐呼吸，患側呼吸音減弱などの胸腹部症状を訴える．

3）受傷後ある期間を経てから，突然，脱出臓器が嵌頓に引き続いて閉塞または絞扼を生じる時期（閉塞絞扼期：obstructive phase）

悪心・嘔吐，間断のない腹痛などのイレウス症状，呼吸障害，縦隔の偏位などを認める．また，絞扼性イレウスを発症した場合の死亡率は20〜30％に及ぶ．発症時期は数ヵ月〜数年，遅発例では数十年後に発症することもある．

d 外傷性横隔膜ヘルニアの診断 レベルA

1）症状

脱出臓器の心肺圧迫による呼吸困難，胸痛，上腹部痛などが主であるが，急性期発症における併存外傷の種類・程度あるいは発症時期などにより，症状は様々であり，特徴的なものはなく，症状のみでの診断は困難である．

2）画像診断

横隔膜の断裂のみで，臓器脱出（ヘルニア）が認められない場合はいかなる画像検査においても診断することは難しい場合が多い（図2a）．

胸部X線像における所見としては，片側性の横隔膜挙上，胸腔下部のガス像（消化管ガス像），下肺野と横隔膜の境界

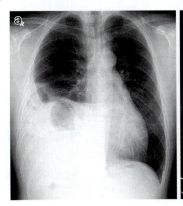
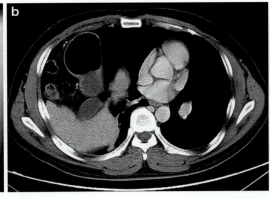
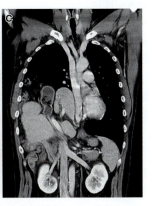

図3 外傷性右横隔膜ヘルニア
 a：胸部単純X線像．右横隔膜挙上と胸腔下部のガス像を認める．
 b：胸腹部造影CT（水平断）．胸腔内への著明な腸管の脱出を認める．
 c：胸腹部造影CT（冠状断）．ヘルニアの病態を把握しやすい．

の不明瞭化などがあげられるが，胸部単純X線によって診断できた外傷性横隔膜破裂は，左側が46％，右側はわずか17％であったという報告もある[5]．右側の横隔膜ヘルニアの場合，左側が胸腔内の消化管ガスの存在を確認すれば容易に診断できるのに比べ，肝臓が実質臓器であるため，横隔膜挙上症との鑑別が難しいため診断に難渋することが多い（図2a，図3a）．

近年は，multi detector CT（MDCT）の multiplanar reformation（MPR）画像を用いることによって，水平断だけでなく冠状断や矢状断などの任意の方向からの画像構築が可能となったため，診断精度が向上している[6]．MDCTは，外傷性横隔膜ヘルニア，特に従来診断が困難とされてきた受傷後急性期の外傷性右横隔膜ヘルニアの診断に極めて有用である（図2b，c，図3b，c）．ヘルニアを伴わない比較的大きな横隔膜損傷も診断可能とされる一方，小さな損傷の診断能には限界がある[7]．MRIも右横隔膜ヘルニアの診断には有用であるが，バイタルサインが不安定な患者においてMRI検査を施行するのは危険性が高いため注意が必要である．

e 外傷性横隔膜ヘルニアの治療 レベルC

1）手術適応

自然治癒が望める病態ではないため，外傷性横隔膜ヘルニアに対する治療の原則は外科的治療である．よって，診断が得られ次第，全身状態や他臓器の損傷などの評価を行ったうえで手術を行うべきである．

2）手術アプローチ

アプローチとしては，経胸，経腹，経胸腹アプローチがあり，状況に応じて内視鏡的アプローチも選択される．一般的には急性期においては，腹腔内臓器の損傷の確認が必須であり修復もしやすいため緊急試験開腹を含めた開腹アプローチが望ましいとされている．さらに，外傷性横隔膜損傷の多くで腹腔内臓器損傷を合併していること，開胸が優先して行われた症例の約半数で開腹の追加が必要であったことから，原則として外傷性横隔膜ヘルニアの手術アプローチとしては開腹を優先すべきであると考えられる．ただし，極めて緊急性の高い損傷が胸腔内に存在する場合は，救命目的に開胸を優先すべきである．

これに対して，慢性期では腹腔内臓器損傷の確認が必須でないことや脱出臓器が胸腔内で肺などに癒着していても対処しやすいという理由から開胸あるいは胸腔鏡アプローチが選択されることも多い．管腔臓器のみの脱出例や右側でも肝臓の一部のみの脱出などの場合は，胸腔鏡下手術が低侵襲であり効果的である．また，審査的胸腔鏡としてのメリットも大きい．その場合，まず胸腔鏡による観察により破裂の部位・状態，脱出臓器や癒着の有無を確認し，胸腔鏡のみで完遂できるかを判断する．その後，鉗子によるヘルニア門の把持・縫合のしやすい角度を考慮しつつポート創の追加や開胸創を作製する．開胸の場合，横隔膜への到達に最も適していると考えられる第8肋間を中心とした部位に開胸創を置くことが多い．しかし，大量の腹腔内臓器が，胸腔内に留置されたまま長期間が経過した症例では，腹腔への内臓の還納が難しい場合や，還納できても，再建した横隔膜に，かなりの腹圧がかかる症例も存在し，術後の横隔膜ヘルニア・損傷の再発を含めて注意が必要である．

①開胸・胸腔鏡：脱出臓器の還納と横隔膜損傷部の修復が容易．腹腔内臓器の損傷の見落としやその修復が困難．

②開腹：腹腔内臓器の損傷の発見やその修復が容易．脱出臓器の還納と横隔膜損傷部の修復が困難．慢性期や閉塞絞扼期の場合，胸腔内癒着が生じている可能性．

どの経路を選択するかは合併損傷の有無と程度および手術時期によるものと考えられるが，いずれの場合においても，所見に応じて臨機応変に対応することが重要であり，消化器外科医師の手術参加を事前に打診しておくのがよい．その意味で，開胸，開腹の両者が併施可能な準備を整え手術に臨むことが重要である．

3) 横隔膜の修復

損傷横隔膜の修復は単純閉鎖が可能であれば行う．太めの吸収糸・非吸収糸による結節縫合，もしくは水平マットレス縫合によって閉鎖する．横隔膜の縫合閉鎖の際，肋骨付着部付近は角度の面から難渋することが多く，一部の縫合糸を肋骨にかける，ヘルニア修復用ステープラーや鏡視下縫合器などを適時使用する工夫も必要である．損傷部が大きく，単純閉鎖が困難な場合は，polytetrafluoroethylene（PTFE）などの人工材料を用いて閉鎖する．現在，頻用されているPTFEのメリットとしては，組織からの線維芽細胞浸潤がよく生体適合性に優れ，長期使用でも劣化・分解・溶出がない，柔軟で，周辺組織との摩擦も少ない，ほつれや裂けの発生が少なく，縫合が容易であることなどがあげられる．ただし，嵌頓腸管の穿孔を伴った症例など，術後感染リスクが高い症例においては，使用を控える必要があり，その場合は，広背筋や大腿筋膜などの生体材料を用いた修復を行う．

f 外傷性横隔膜ヘルニアの周術期管理
レベルB

右横隔膜ヘルニアの場合，気胸を合併した際の右胸腔の陰圧ドレナージ管理が，肝臓などの脱出臓器のさらなる脱出を惹起し，全身状態の急激な悪化をきたす可能性がある．多発胸腹部外傷の患者に対し，胸腔ドレナージを行う場合，特に右側については，潜在的な横隔膜ヘルニアの存在を念頭に置く必要がある．消化管の脱出を認めた場合，脱出臓器の拡張を少なくするために，胃管を留置し胃内容物除去と減圧を図ることも効果的であるが，下部消化管の脱出では効果はあまり期待できない．また，手術時には脱出臓器により肺が圧排され換気障害を起こしうるので，気管挿管はダブルルーメンチューブを使用し，気道内圧を観察しながら左右別換気を行うのが望ましい．

文献

1) 日本外傷学会臓器分類委員会．横隔膜損傷分類2008（日本外傷学会）．日外傷会誌 2008; **22**: 271
2) 月岡一馬．救急医 1990; **14**: 545
3) 月岡一馬ほか．日外傷研会誌 1989; **3**: 265
4) Carter BJ et al. Am J Roentgenol Rad 1951; **65**: 56
5) Gelman R et al. AJR Am J Roentgenol 1991; **156**: 51
6) 加藤久晶ほか．日外傷会誌 2018; **32**: 417
7) 大塚洋幸ほか．日外傷会誌 2018; **32**: 9

⑦ 気道異物

要点
1. 気道異物に対するアプローチ方法として，軟性気管支鏡により異物の種類，周囲の状況などをよく観察することが重要である．
2. 気道異物に対して，軟性気管支鏡，硬性気管支鏡などをうまく使い分けることが重要である．
3. 硬性気管支鏡下に気道異物を除去する際は，自発呼吸を残すか否かなど，麻酔科医と十分に検討することが重要である．

Key Word 軟性気管支鏡，硬性気管支鏡

気管・気管支異物は，気管支炎，肺炎，無気肺だけでなく窒息の原因ともなる救急疾患のひとつであり，適切な診断と早急な対応が必要である．

軟性気管支鏡は，末梢気管支まで観察可能であるため適応範囲が広いが，鉗子口が狭いため使用可能な把持鉗子が制限され把持力が弱い．硬性気管支鏡では，摘出可能範囲は狭いが摘出操作性に優れ鉗子の把持力も強く確実な摘出が可能である．摘出時に大出血や気管支穿孔などを引き起こす危険性がある異物に対しては外科的手術が考慮される．

a 気道異物の発症原因　レベルA

気道異物は，突発的な不慮の事故として起こる場合や，咽頭，喉頭の反射・嚥下機能の低下により生ずる誤嚥として起こる場合などがある．特に不慮の事故による死亡原因のなかで気道異物による窒息は第1位を占め，4歳以下，もしくは高齢者で特に顕著である．最近の高齢者人口の増加により高齢者の気道異物による死亡者数はわずかに増加傾向である．

小児の気道異物では，喉頭の咳嗽反射が未発達であること，何でも口に入れてしまう習性があることが原因とされ，異物としてはピーナッツなどの豆類，植物の種が約7～8割を占めている．こうした異物は胸部X線で検出されることがないこと，本人からの訴えが得られにくいなどのため，そのまま見過ごされる場合もあると報告されている．そのため，異物発見時に無症状の症例が24%であったという報告例がある．異物が嵌頓し固定されると症状が消失し，長期間気管支内に残存する異物も少なからず経験する[1]．胸部X線で確認されないX線透過性異物の場合，見過ごされやすい．異物によるエアトラッピングがあると呼気時に過膨張となった片側肺により異物の存在側と反対側に縦隔が偏位する Holzknecht's sign を認めることがある．

成人の気道異物は，義歯，歯冠，魚骨，釘，針などがある．歯科治療中や釘をくわえながらの誤嚥は，自覚があり発生時期もわかるが，認知症，意識障害などがある場合は診断困難である．咳嗽，喘鳴などの症状出現により誤嚥から数日以内に摘出されることが多いが，1ヵ月以上の長期残存異物も15.9%に認められたとの報告もある．

b 軟性気管支鏡による除去　レベルB

気道異物の診断には，問診に引き続いて胸部X線，CTなどを施行する．異物の種類，異物の存在する部位などを確認し，通常の気管支鏡検査を行う．軟性気管支鏡で観察し，異物の特定，周囲に肉芽などないか，どのような状態で嵌頓しているか，可動性があるか，閉塞性肺炎を生じていないか，易出血性の有無などを確認する．そのうえで，軟性気管支鏡で摘出可能かどうか，硬性気管支鏡を使用したほうが安全に摘出可能か判断する．

軟性気管支鏡は，気管支末梢の亜々区域支まで観察することが可能で，異物除去の適応範囲が広い．異物は，気管支の分岐角から右主気管支～中間気管支幹に落ちていることが多い[2]．

症例1は，72歳，男性で，歯冠を誤嚥した症例である．誤嚥にすぐに気がついたため，直ちに紹介受診となった．歯冠は，右下葉支に存在し，生検鉗子で容易に摘出可能だった（図1）．症例1のように右下葉支に落ちている場合は，まず軟性気管支鏡でのアプローチを試みる．歯冠は気管支異物の原因として多くみられる．誤嚥後数時間～1日以内であればその周囲に肉芽増生，血管増生などを認めず，吸引することで可動性であれば軟性気管支鏡での摘出も困難ではない．

通常，局所麻酔下に鉗子口の大きな処置用気管支鏡でアプローチし，必要に応じてミダゾラムなどの投与を行う．また，異物摘出の際に気道，声帯損傷を防止する目的で気管挿管チューブを挿入して行う．その際に，処置用気管支鏡が余裕をもって操作可能な8.0 Fr以上を使用することがある．気管挿管チューブを使用しないと，鉗子などの頻回の出し入れにより声帯を損傷することになり，処置後に喉頭浮腫などを引き起こす危険性がある．

軟性気管支鏡で異物除去する場合は，生検鉗子，把持鉗子，バスケット鉗子などを駆使して行う[2]．気管支鏡で吸引

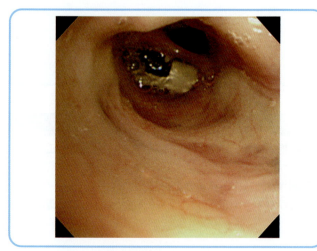

図1　症例1. 気管支鏡所見
　右B^9, B^{10} spurに歯冠を認める.

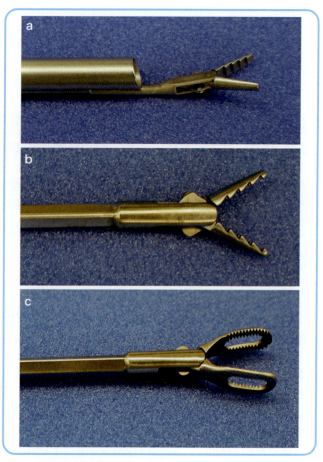

図2　硬性気管支鏡器具, 鉗子
　a：オプティカルアリゲーター鉗子(テレスコープ挿入可能な一体型鉗子)の先端
　b：アリゲーター鉗子の先端
　c：ピーナッツ鉗子の先端

たり，バルーンを異物の末梢でふくらますことで，異物を中枢側まで引き上げ，つかみやすい鉗子で除去する．豆類，食物など軟らかく鉗子でつかむと砕けてしまう場合，バルーンを末梢側でふくらませ中枢側へ引き上げることは有効である．

C 硬性気管支鏡による異物除去 レベルC

　硬性気管支鏡を用いて異物を除去する場合は，アリゲーター鉗子，オプティカルアリゲーター鉗子，ピーナッツ鉗子などを使用することで容易に除去することができる[1,3](図2)．硬性気管支鏡を使用する場合，気管用の硬性管あるいは側孔を有する気管支用の硬性管を気道内に挿入する．異物が大きい場合，異物の貯留期間が長く肉芽組織に覆われている場合，気管支粘膜に食い込んでいる場合，その他，軟性気管支鏡だけでは摘出不可能，あるいは出血の可能性がある場合などのとき，硬性気管支鏡は有用である．オプティカルアリゲーター鉗子(図2a)を用いるとテレスコープで気管～気管支内を観察しながら，異物をしっかり把持することができる．アリゲーター鉗子(図2b)を用いると金属性異物や複雑な歯冠，義歯などのつかみにくい形状の異物もしっかり把持することが可能である．ピーナッツ鉗子(図2c)を用いればピーナッツなどの豆類など軟らかい異物の摘出も容易である．

　硬性気管支鏡を使用する場合，術者，助手と麻酔科医との連携がたいへん重要である．術者はもちろんのこと，麻酔医の熟練度も必要とされる．

　麻酔管理に関しては，自発呼吸を残したまま，鎮静させ硬性鏡操作時にバッキングなど起こらないようにすることが重要である．硬性気管支鏡による処置の際，硬性管から酸素，空気などが漏れ閉鎖回路にならず，呼吸器のバックを押しても有効な換気ができない．万が一，処置中に出血などが生じた場合，アルゴンプラズマ凝固法(APC)，レーザー，処置具などを硬性管に挿入するために閉鎖回路を形成することが不可能であるため，自発呼吸を残すほうが安全に処置することができる．発呼吸を残さない施設もある．麻酔管理について，麻酔科医と十分に相談を行うことが重要である．通常は，軟性気管支鏡を併用し，異物周囲の肉芽，出血への対応のため，APC，マイクロウェーブ，高出力レーザーなどをスタンバイして行う．その際，そうした多くの機器の配置も重要である．術者は，患者の頭側，助手は術者の右側に立つ．硬性気管支鏡システム，モニターは術者の右側，軟性気管支鏡システムは左側に配置して行う．

　症例2は，74歳男性で，約3ヵ月続く咳嗽のために近医を受診した．胸部単純X線で気管支内異物を指摘され当院受診した(図3a)．胸部CTを施行し，右下葉支に異物を認め，その末梢領域に肺炎所見を認めた(図3b)．気管支鏡所見では，右B^{9+10}入口に歯冠を認め，周囲に肉芽新生を認め粘膜に食い込むような所見を認めた(図3c)．新生肉芽のために易出血性であるため，硬性鏡下に異物除去を施行した．自発呼吸を残したまま，硬性鏡を挿入し，その後，軟性気管支鏡を使用して気管支内の痰などを吸引した．気管支内の酸素濃度をモニタリングし，APCや高出力レーザーを使用する際は，酸素濃度が35～40％以下になるように調整す

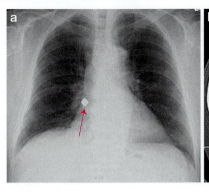
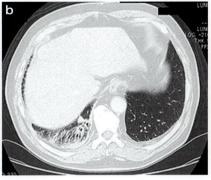
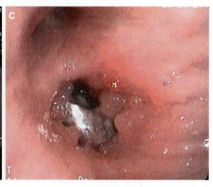

図3　症例2．右下葉支の歯冠
　a：胸部単純X線正面（矢印）．
　b：胸部単純CT
　c：気管支鏡所見．右B^{9+10}に歯冠を認め，その周囲に肉芽を認める．

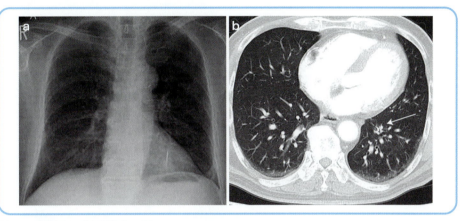

図4　症例3．左下葉支の針
　a：胸部単純X線正面．左下肺野に針状に異常影を認める．
　b：胸部CTで左B^{8}末梢側に針状に異物を認める（矢印）．

表1　気道異物に対するアプローチ方法

	軟性気管支鏡	硬性気管支鏡	手術
利点	○操作が容易 ○局所麻酔で可能 ○観察範囲が広い	○鉗子の種類が多い ○鉗子の把持力が強い ○摘出操作が容易	○出血などのリスク症例に安全に施行可能
欠点	○鉗子の種類が少ない ○鉗子の把持力が弱い ○出血への対応が難しい	○高い技術が必要 ○麻酔管理が難しい ○観察範囲が狭い	○侵襲が高い

る．この症例では，マイクロウェーブで新生肉芽を凝固退縮させ，容易に可動性になった．次に右下葉支末梢にバルーンを挿入し，右中間幹まで引き上げた．次に硬性鏡用の鉗子であるアリゲーター鉗子でつかみ摘出した．このようなとき，図2aに示したようなテレスコープ挿入可能な一体型オプティカルアリゲーターを使用すると容易に確実に把持することも可能である[4,5]．肉芽からの出血は，マイクロウェーブによる前処置のためにほとんど認められなかった．新生肉芽は，異物反応がなくなったために1ヵ月後の気管支鏡所見では，ほぼ消失していた．

d　手術による異物除去 レベルC

　大概の気管支異物は，硬性気管支鏡下に除去することは可能であるが，気管支損傷，血管損傷による大量出血などのリスクが高い場合，熟達した慎重な操作と同時に開胸手術へ変更する適切な判断が必要である．症例3は，62歳男性，健康診断で胸部X線異常影を指摘された．特に自覚症状なく，また異物を誤嚥した記憶もなかった．胸部単純X線で，左下肺野に針状の気管支異物を認めた（図4a）．胸部CTで左肺下葉支に針，爪楊枝などを疑う異物を認めた（図4b）．軟性気管支鏡検査で左下葉支を観察したが，異物が

左 B^9 末梢側に入りこみ，X 線透視で確認しても単に引き上げるような操作では摘出不可能と判断した．このような症例では，硬性気管支鏡下にも摘出不可能で，外科手術による異物摘出が検討される．

　気道異物の除去に際しては，気管支鏡の所見をもとに異物の種類，周囲の状況から軟性気管支鏡，硬性気管支鏡で処置が可能か適切に判断することが重要である．そのためには，表1に示したようにそれぞれの利点，欠点を十分に理解することが必要である．

文献
1) 古川欣也ほか. 気管支学 2005; **27**: 511
2) 金子公一ほか. 気管支学 2005; **27**: 518
3) 馬場雅行ほか. 気管支学 1994; **16**: 868
4) Fidkowski CW et al. Anesth Analg 2010; **111**: 1016
5) Oki M et al. J Bronchol 2004; **11**: 37

復習ドリル

問題❶
胸部外傷に関して正しいものはどれか．2つ選べ．
a. 穿通性外傷と非穿通性外傷の割合はほぼ等しい
b. 非穿通性外傷では転落が約3/4を占める
c. Sauer's danger zoneの穿通性外傷では肺損傷を考慮する
d. 奇異呼吸では，多発肋骨骨折を疑う
e. 気管・気管支損傷は，主気管支近位に発生する

問題❷
外傷性縦隔気腫に関して誤っているものはどれか．2つ選べ．
a. 発生機序として縦隔管腔臓器の穿破がある
b. Macklin効果による空気の起源は気管である
c. Hamman徴候とは心拍動に一致した胸骨左縁の笛音である
d. 気漏や無気肺が持続する場合は気道損傷を疑う
e. 胸水を併存する場合は食道損傷を疑う

問題❸
横隔膜損傷に関して正しいものはどれか．2つ選べ．
a. 肝・脾臓損傷をきたしていることがある
b. 横隔膜ヘルニアをきたさなければ画像診断は困難である
c. 横隔膜ヘルニアでは受傷後数ヵ月以降に発症することはない
d. 横隔膜ヘルニアでは真性ヘルニアとなることが多い
e. 外傷性横隔膜ヘルニアでは急性期では経胸アプローチが望ましい

正解：①d と e，②b と c，③a と b

第Ⅷ章
気管・気管支

VIII. 気管・気管支

① 概論

要点

1. 気管支壁の構造は，内腔側から順に上皮層，上皮下層（弾力線維束など），筋層（平滑筋），筋外層（気管支腺など），軟骨，軟骨周囲層（外膜）に分かれる．気管支病変の深達度診断の際，上皮下層の縦走襞（弾力線維束）を追跡することが重要である．
2. 気管支は，分岐を重ね15次程度で終末細気管支となり，さらに呼吸細気管支，肺胞管，肺胞嚢，肺胞につながる．
3. 気管支の命名は，肺の支配領域の位置により頭側→尾側，後方（背側）→前方（腹側），外側→内側の順に行う．

Key Word 肺外気管支，肺内気管支，終末細気管支，呼吸細気管支，肺胞

呼吸器外科で扱う気管・気管支に生じる疾患において，その病態・治療を理解するためには，気管・気管支の構造・機能を理解する必要がある．

a 肺外・肺内気管支の組織学的断面図 レベルB

気管支には，気管から左右主気管支，中間気管支幹を代表とする肺外気管支と，より末梢の肺内気管支がある．肺外気管支は，馬蹄形軟骨に形成される軟骨部と馬蹄形軟骨の自由端を結合させる膜様部により，気道の内腔を確保する．肺外気管支軟骨部は，内腔から順に上皮層，上皮下層（弾力線維束など），筋層（平滑筋），筋外層（気管支腺など），軟骨，軟骨周囲層（外膜）に分かれる（図1）[1]．

馬蹄形軟骨でなく敷石状の気管支軟骨を有する肺内気管支では，肺外気管支軟骨部と同様に内腔から順に上皮層，上皮下層（弾力線維束など），筋層（平滑筋），筋外層（気管支腺など），軟骨（敷石状の軟骨は細気管支レベルでは存在しなくなる），軟骨周囲層（外膜）に分かれる（図2）．馬蹄形軟骨を有する肺外気管支は，左右主気管支，中間気管支幹までのことが多く，比較的中枢側に近い葉気管支からすでに敷石状の気管支軟骨になっていることに注意すべきである（図3）[2]．気管・気管支の栄養血管である気管支動脈は，気管・気管支の近傍を走行している．

気管支鏡による気道病変の境界診断，深達度診断において，気管支上皮下層（基底膜より少し深い位置）に存在する弾力線維束からなる縦走襞と，縦走襞より少し深い位置に存在する平滑筋からなる輪状襞が観察のポイントである．特に，縦走襞は観察しやすい構造物であり，縦走襞が途絶しているのか，押し上げられているかで，その病変が縦走襞より浅い領域に存在するのか，縦走襞より深い領域に存在するのかを推測する．

b 気管支の分岐形態 レベルB

気管から主気管支，葉気管支，区域気管支，亜区域気管

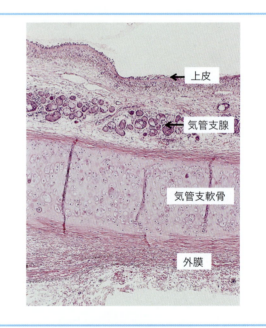

図1 気管（肺外気管支）の構造（HE染色）

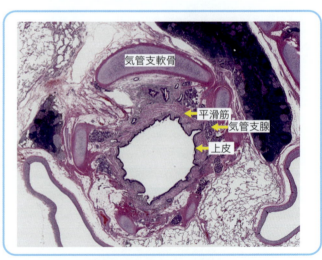

図2 亜区域気管支（肺内気管支）の構造（HE染色）

支に分岐し，約24回分岐することで肺胞に達する．気管は，喉頭から第4胸椎の高さまで約12cmで約20個の馬蹄形軟骨で支えられている．右主気管支は気管の主軸と約30°，左主気管支は約50°の角度を成す．右肺では上葉気管支，中葉気管支，下葉気管支の3本に，左肺は上葉気管支，下葉気管支の2本に分岐する．

葉気管支（「肺癌取扱い規約」[1]でⅠ次気管支）から，さらに分岐を繰り返すことで細気管支になっていく．細気管支手前までには軟骨・気管支腺が存在するが，細気管支では軟骨・気管支腺を認めなくなる．さらに分岐を重ね15次程度で終末細気管支（terminal bronchioles）となり，終末細気管支ではガス交換が行われることはなく，ガスの通路となっている．終末細気管支から次の呼吸細気管支（respiratory bronchioles）が分岐するが，その壁に直接肺胞がみられることから呼吸細気管支と名づけられている．つまり，呼吸細気管支は導管だけでなくガス交換にもかかわっている．呼吸細気管支にいたると気管支断面積の総和が急増し，分岐が多くなることから気道内の層流の速度は著しく減る．この気流速度の低下で粒子物質が呼吸細気管支レベルに蓄積しやすく，呼吸細気管支周囲の炎症の原因と考えられる．この呼吸細気管支から，肺胞管（alveolar ducts），肺胞嚢（alveolar sacs）につながり，肺胞嚢は肺胞に開いている．

区域気管支から末梢気管支ではBの記号で，区域はSの記号で示す．区域気管支・亜区域気管支には図4のごとく命名されている．

気管支の命名においては，その気管支の支配する肺がどの方向に位置するかで命名の順位を付ける．頭側→尾側，後方（背側）→前方（腹側），外側→内側の順に，区域気管支（Ⅱ次気管支）では1から1，2，3……，亜区域支（Ⅲ次気管支）ではaからa，b，c……，亜々区域支（Ⅳ次気管支）ではiからi，ⅱ，ⅲ……，亜々々区域支（Ⅴ次気管支）ではαからα，β，γ……，亜々々々気管支（Ⅵ次気管支）以降ではx，yのように命名する（図4）[1]．

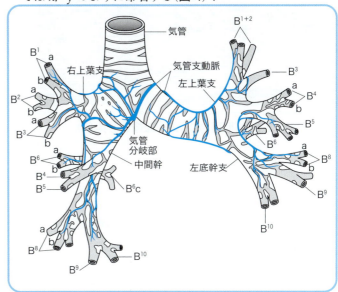

図3　気管支軟骨の分布
（Yamashita H. Roentgenologic Anatomy of the Lung, IGAKU-SHOIN, 1978 2, p60 [2] を参考に作成）

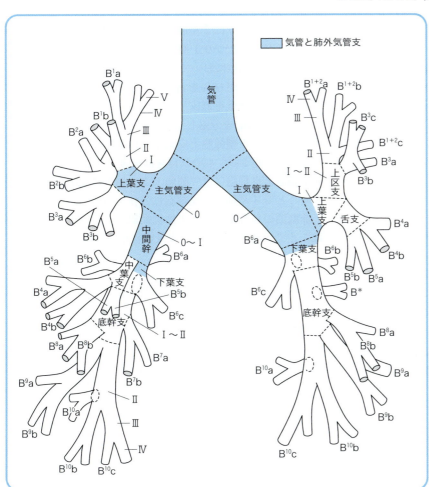

図4　気管支分岐と分岐次数
（日本肺癌学会（編）．臨床・病理 肺癌取扱い規約，第8版，金原出版，2017: p151 [1] を参考に作成）

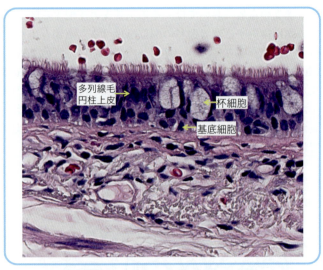

図5 気管支上皮(亜区域支)の組織像(HE染色)

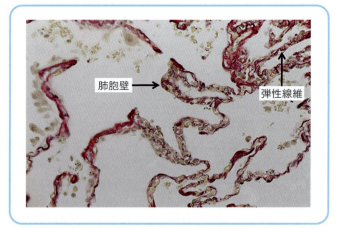

図6 肺胞の組織像(EVG染色)

　気管支の分岐異常には，転位気管支，過剰気管支などがある．

　注意すべき分岐に，左右とも B^6 と B^8，B^9，B^{10} の区域気管支の間で背側に分岐する上枝下–下葉支(subsuperior bronchus)がある．subsuperior bronchus は比較的頻繁に(Yamashita[2] によると右28.1%，左29.6%の症例であると報告)遭遇する分岐であり，記憶しておくべき気管支である．

　気管支分岐の形態には，ほぼ同じ太さの気管支に2分岐することを繰り返し末梢に達する主軸系と，主軸系気管支が分布する領域の間を埋めるように直角か，直角に近い分岐をする不同大2分岐する側枝(娘枝)系がある．側枝と判断する気管支の特徴は，①肺の内層・中間層に存在，②分岐した相手の気管支に対する径比が0.75未満，③分岐角が急峻，などである．近年，CT画像の分解能が向上し，さらに細径化した気管支鏡による観察が増えることにより，側枝に遭遇する機会が増えてきている．

c 気管支壁の組織像 レベルB

　気管支上皮の大部分は多列線毛円柱上皮が覆い，その間に粘液を産生する杯細胞が存在する．これら上皮の最深部にある基底膜に接して内腔寄りに基底細胞が存在する(図5)[3]．上皮に存在するほかの細胞としては，活性ペプチドを分泌する神経内分泌細胞があり，小細胞癌，カルチノイドの発生母地になりうる．

　基底膜より深い上皮下層・筋層・筋外層には，弾性線維，平滑筋，気管支腺などがある．気管支腺には粘液腺と漿液腺があり，筋上皮細胞が分泌の調節をしている．終末細気管支では線毛はなくなり，終末・呼吸細気管支では，杯細胞はクラブ細胞(クララ細胞)(p.34 の Side Memo 参照)に置き換わっている．

d 肺胞管から肺胞 レベルB

　肺胞管壁には，平滑筋細胞の集積，膠原線維，弾性線維を，また肺胞の間質にも弾性線維を認める．一方が開いた構造を示す肺胞は，ごく薄く広いⅠ型肺胞上皮細胞が肺胞面積の95%を覆い，円形のⅡ型肺胞上皮細胞は残りの5%を覆う．このようにⅠ型肺胞上皮は肺胞表面の大部分の面積を覆うが，ひとつのⅠ型肺胞上皮細胞の面積が広いため，肺胞の構成細胞数においてはⅠ型肺胞上皮細胞が40%，Ⅱ型肺胞上皮細胞が60%を占める．Ⅰ型肺胞上皮細胞は非常に薄いガス拡散壁を形成し，Ⅱ型肺胞上皮細胞は表面活性物質(surfactant)を分泌し，呼気時に肺胞が虚脱するのを予防している．Ⅰ型肺胞上皮細胞には細胞分裂の能力がなく細胞損傷が起こってもそれ自身は修復されることがないが，Ⅱ型肺胞上皮細胞には，肺胞上皮の損傷に反応し細胞分裂することでⅠ型肺胞上皮細胞に分化する能力がある．

　肺胞間の結合組織は，主に細網線維，膠原線維，弾性線維などで形成され(図6)，少量の線維芽細胞が存在する．

文献

1) 日本肺癌学会(編). 臨床・病理 肺癌取扱い規約, 第8版, 金原出版, 2017
2) Yamashita H. Roentgenologic Anatomy of the Lung, IGAKU-SHOIN, 1978
3) Atlas of Tumor Pathology Tumors of the Lower Respiratory Tract Thomas V. Colby, Michael N. Koss, and William D. Travis ARMED FORCES INSTITUTE OF PATHOLOGY

② 気管の先天性異常

要点

1. 先天性の気管・気管支異常は極めてまれであり，重篤な症例（疾患）は新生児～乳児期に致命的な転帰をとることがある．
2. 一部の疾患（先天性気管（支）食道瘻）は成人期になって有症状化することがあり，また診断が確定されても小児期において直ちに治療を必要としない疾患もある（例：先天性気管支閉鎖症など）．
3. 先天性気管狭窄に対して気管管状切除再建術（気管端々吻合）やパッチグラフト式気管形成術やスライド式気管形成術などが行われる．
4. 気道インターベンションも治療のオプションとなりうるが，乳児・新生児には実施困難である．

Key Word 先天性気管狭窄，先天性気管（支）食道瘻，先天性気管支閉鎖症，咽頭気管食道裂，気管無形成，complete tracheal ring，pulmonary artery sling

気管の先天異常は極めてまれな疾患である．おおむね新生児期から幼児期にかけての疾患であり，窒息による生命の危機や繰り返す気道感染を伴うことが多く，治療に難渋するうえに致死率も高い．根治的な手術療法が適応される場合は，おおむねリスクの高い特殊な術式になるうえ，体外循環を必要とする場合もある．気道インターベンション治療が適応になる場合もあるが一般的ではない．

a 気管の先天異常疾患

1）先天性気管狭窄 レベルC

①病態

先天性気管狭窄（congenital tracheal stenosis）は，先天性の気管形態異常であり，頻度は数万人に一人．気管軟骨は正常の馬蹄形ではなく完全な輪状を呈しており，いわゆる気管輪（complete tracheal ring）と呼ばれる構造をとる（図1）．tracheal ring 部分の気管は膜様部が欠如しているため咳嗽時の膜様部挙上がなく，去痰効率が悪いうえに屈曲性も悪い．心血管や肺・気管支，消化管，外耳など，気管以外の部位の形態異常，口蓋裂を伴うこともある．肺動脈スリング（pulmonary artery sling：左肺動脈が右肺動脈から出て気管の後ろを回って左肺に向かうため気管を巻くように走行している状態，図2a）を合併している場合もある．

②症状・診断

生後まもなくから始まる喘鳴や頻呼吸，陥没呼吸を主症状とする．症例によっては，新生時期は無症状であるが活動性が上がる生後1ヵ月くらいで症状が現れることもある．他疾患の治療時の気道挿管を契機に有症状化して診断にいたる場合もある．診断には気管支鏡，CT断層像などが用いられる．気管狭窄は成人の場合は一般的に狭窄率が80％を超えないと有症状化しないが，幼児・小児の場合は元来の直径が狭いため狭窄率40％程度で症状を伴うようになり，60％を超えると窒息のリスクを伴う．

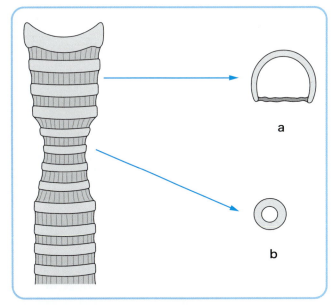

図1 先天性気管狭窄にみられるいわゆる気管輪（complete tracheal ring）
馬蹄形横断面を呈する正常気管（a）に比較し，complete tracheal ring では気管軟骨がリング状となり気管全周を取り巻いている（b）．このために咳嗽時の膜様部挙上は得られず，また同部位の気管は伸展・彎曲時の柔軟性も低い．内腔は狭窄しているため局所の感染や炎症時には粘膜浮腫も相まって内腔がさらに狭窄し，粘液や痰が詰まりやすく，呼出もしにくい状況になる．容易に窒息状態となりうる．

③治療・手術治療

ⅰ）気管管状切除再建術（気管端々吻合）：狭窄部が短い場合，成人の気管切除再建に準じた「管状切除端々吻合」が適応される．幼児・小児の気管は成人よりも端々吻合部の強度が弱く，縫合不全や狭窄を起こしやすいとされているので注意を要する．成人は気道に様々な release maneuver を加えることで気管全長の50％までの切除が可能とされているが，小児の場合はやや短く30％が限度とされている（図

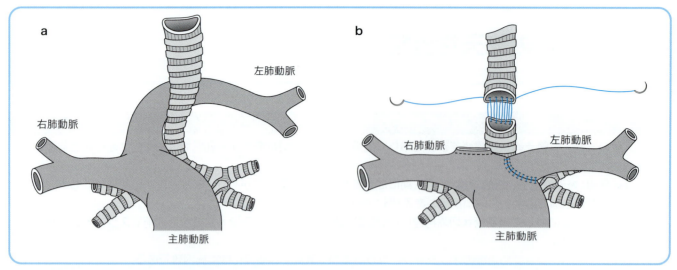

図2　肺動脈スリング(pulmonary artery sling)
　a：左肺動脈が右肺動脈から出て気管の後ろを回って左肺に向かうため気管を巻くように走行している状態．左主肺動脈は気管背面では食道と気管の間を走行する．スリングは気管の発育を阻害するため，左肺動脈に取り巻かれた部分は気管狭窄に陥っている．
　b：本症では気管狭窄部の解除手術(スライド式気管形成術や気管管状切除端々吻合)を実施すると同時に，肺動脈の移動術も併用する．この図ではいったん切断された左肺動脈が本来の左肺動脈が位置する場所に側端吻合されている．

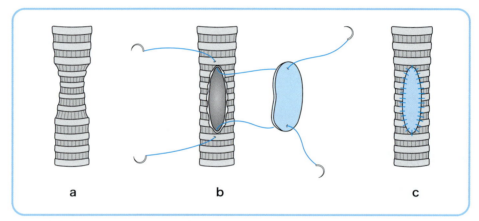

図3　気管狭窄に対するパッチグラフト法
　complete ring となっている気管狭窄部(a)に縦切開を加えると同部は欠損状に開口する．ここに自己心膜や自己肋軟骨をパッチ状に縫着する(b)．全周性軟骨構造であった狭窄部の complete ring があたかも馬蹄様となり，正常の気管軟骨のような形状となる．パッチ材料としては，自己心膜や自己肋軟骨が使用される．この症例は自己心膜でパッチグラフト術が実施されている(c)．

2b)．

ⅱ)パッチグラフト法：気管全長の30％以上の狭窄長の場合は，気管狭窄部を縦切開し肋軟骨や自己心膜をパッチ状に補塡して内腔増大を得るパッチグラフト法が考慮される．tracheal ring における輪状の気管軟骨の一端を切開することで気管断面の軟骨構造をいったんU字型にしてパッチ材料で膜様部を形成し，内腔拡大を図ろうとするものである(図3)．

ⅲ)スライド式気管形成術：狭窄部が長い症例(管状切除端々吻合が不可能な症例)に適応される．気管を中央部分でいったん切断し，上部気管の背側および下部気管の腹側に縦切開を加え，上下の気管を授動して寄せ(スライド)，継ぎ手状に縫合再建するものである．これにより，気管外周長は術前の約2倍となり狭窄が改善する．手術は人工心肺による補助酸素化のもとに行われる(図4)．

ⅳ)気道インターベンション治療：バルーンによる拡張が試みられることもあるが，効果は不明である．特に，complete tracheal ring を形成している部分にはバルーン拡張は無効である．一般的ではないが，気道ステントを使用した治療報告もある．この場合，金属ステントが使用されるが，成人用のものは乳幼児にはサイズが大き過ぎて使用できないため，冠状動脈ステントが流用される．

2) 先天性気管(支)食道瘻　レベルC
①原因
　気管食道瘻には先天性のものと後天性のものがある．新生児期に発症する先天性気管食道瘻(tracheo-esophageal fistula：TEF)の大部分は先天性食道閉鎖に伴うものである

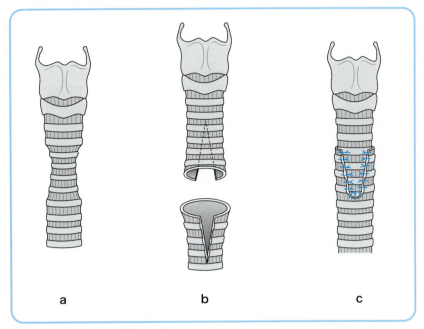

図4 スライド式気管形成術
狭窄部の中央で気管を離断する(a). 上部気管の背側および下部気管の腹側に縦切開を加え(b), 上下の気管を授動して寄せ, 継ぎ手状に縫合再建する(c).

(Ⅷ章-3 参照). 後天性気管食道瘻は主として悪性疾患(食道癌による気管食道瘻)や外傷, 結核などによるものである. 成人で発生する気管食道瘻はほとんどが後天性気管食道瘻であるが, 極めてまれに先天性気管食道瘻が成人期になって発見されることがある. たとえば, 先天性食道閉鎖のうち食道閉鎖症を伴わないもの(Gross E 型)が幼少期には有症状化せず, 成人になってから誤嚥や繰り返す肺炎などの精査過程で発見されるようなケースである. 成人になってからの健康診断による偶然の発見もある(上部消化管内視鏡, 胸部 X 線 [CT] など).

②症状と診断

圧倒的に右側気管支と交通することが多く(>80％), 気道感染を繰り返すため瘻孔の関与する肺区域は炎症により荒蕪化していることがある. 診断は食道造影が最も確実とされているが, 現在は解像度の向上した 3D-CT や食道内視鏡で瘻孔を同定することも可能である.

③治療

感染を繰り返す有症状例では手術による瘻孔切除が行われる. 特に, 食道側では盲端を残さないようにかつ粘膜を内翻するように縫合閉鎖する必要がある. 再疎通した場合は重篤な縦隔炎や肺化膿症にいたる場合があるため, 筋弁などで食道側の瘻孔閉鎖部分を補填縫縮する場合もある. 瘻孔が関与している肺領域の荒蕪化が激しい場合は該当肺の切除が行われることもある.

3) 先天性気管支閉鎖症 レベルC

①原因と病態

先天性気管支閉鎖症(congenital bronchial atresia)は, 胎生期の循環障害による気管支形成不全が原因とされている. 気管支閉鎖部末梢の気管支, 肺胞の構造は保たれている.

②症状と診断

通常は無症状である. 発症年齢は 20 歳以下が多く, 男性に多い. 閉塞した気管支内腔は粘液を貯留して囊状に腫大し, その末梢の肺はチェックバルブ機構が働き過膨張を呈する. このために本症は特徴的な画像所見を呈するが, それは①閉塞気管支の中枢端に粘液が貯留することによる辺縁平滑な腫瘤様の粘液栓嵌頓(mucoid impaction)像を形成すること, ②末梢側の過膨張気腫性所見, の 2 点とされている. 3/4 は上葉に発生し, 発見動機(症状)は肺炎症状か健診発見(画像所見を呈するが無症状)が多いが, 血痰などを初発症状とするものもある. 粘液栓嵌頓部分に感染をきたすと air-fluid 像を呈し, 肺化膿症と誤診されることもある. まれに気胸を契機に発見される.

③治療

通常は治療を必要とせず, 無症状の場合は結果観察でよい. 繰り返す肺炎や気胸を伴うもの, あるいは気腫部分のボリュームが著しく増加し, 隣接肺の圧迫をきたすものなどは手術の対象となる. 手術は責任病巣を含む肺葉切除が適応されることが多い.

4) 咽頭気管食道裂 レベルD

①原因

咽頭気管食道裂(laryngo-tracheo-esophageal cleft)は, 喉頭気管の気道と食道との間の隔壁に裂(cleft)が存在するまれな奇形であり, 臨床症状により生後まもなく診断される.

②症状と診断

診断は, 臨床症状, 内視鏡検査(消化管・気道), 食道造影で行われる. 症状は cleft の長さに比例し, 繰り返す誤嚥・肺炎が主体である. Pettersson は裂隙の程度により次

の3型に分類している．すなわち，Type 1 は裂隙が喉頭と食道の間に限局している型(喉頭食道裂)，Type 2 は裂隙が気管軟骨に達しているが胸郭外に存在する型(部分喉頭気管食道裂)，Type 3 は裂隙が胸郭内気管に達している型(全喉頭気管食道裂)である．

③治療

根治手術が行われるが，診断が確定したらまず気道の確保と栄養のための胃瘻造設を行うことが多い．可能であれば，感染のコントロールと栄養強化を加え，成長を待ちながら一定期間待機する．根治手術は気道と食道を分離し再建する．気道が脆弱なために手術時の麻酔には注意を必要とする．安定した気道確保が難しい場合は補助体外循環下に手術が実施されることもある．

5) 気管無形成 レベルD

①原因

気管無形成(tracheal agenesis)は，先天的な気管欠損症で，遺伝要因の関与は不明．長期生存にいたる症例はほとんどない．

②症状と診断

Floyd らはこれを3つの型に分類している．すなわち，Ⅰ型：気管末梢部は存在し食道と交通している型(気管近位部の欠損)，Ⅱ型：気管分岐部以下が存在し分岐部で食道と交通している型(気管遠位部までの欠損)，Ⅲ型：主気管支が左右別々に食道と交通している型(気管分岐部までの欠損)であるが，いずれも気管食道瘻を伴っており出生後の呼吸は食道から食道気管支瘻を通じて行われる．

③治療

出生後から啼泣がなく著明な陥没呼吸，チアノーゼを呈する場合は本症を疑う．気管挿管が不可能な場合は本症の可能性が考慮されるので「食道挿管」を行って換気を試みる．救命に成功したら食道離断を行い，肺への換気を確保する．その後の外科的治療は，気道の恒久的確保と経口摂取を目指した消化管再建が目標として様々な術式が試みられるが長期生存例はほとんどない．

③ 食道気道瘻

要点

① 食道気道瘻には，主に先天性食道閉鎖症に伴う食道気道瘻と，腫瘍，外傷，炎症などに伴う続発性食道気道瘻がある．
② 先天性のものは主に小児外科領域で扱われるが，成人後に呼吸器症状で発見される特殊なものもあるため，留意が必要である．
③ 続発性では原因や病態が様々であり，治療方針，治療法については，症例に適応した選択ができるよう幅広い理解が必要である．

Key Word　先天性食道閉鎖症，気管食道瘻，続発性食道気道瘻，縫合閉鎖・分離，ステント留置，筋肉パッチ，管状切除・端々吻合

　食道気道瘻は，食道と気管ないしは気管支に異常な交通が生じる疾患で，まれな病態と考えられる．先天性食道閉鎖症に伴う気管食道瘻と，後天性に食道や気道の癌腫に伴うもの，感染に伴うものなどがある．

a 先天性食道閉鎖症に伴う食道気道瘻
レベルC

　食道閉鎖症（esophageal atresia：EA）と気管食道瘻（tracheo-esophageal fistula：TEF）は小児外科領域において重要な対象疾患であり，1941年最初に手術に成功して以来，今や専門医療機関での生存率は90％を超えている．推定発症率は出生3,000人につき1人であり，規模の大きい小児外科ではよくみられる先天奇形である．
　EAには様々な型の異常がある．最も多いのが遠位のTEF（86％）で，瘻孔のない「完全な」単独型EA（7％）と，まれに閉鎖のないH字状TEF（4％）がある．これらの型の分類法として，日本ではGrossの分類が広く用いられている．最も多いのがC型で約90％を占める．これは上部食道が盲端となり，下部食道は気管食道瘻を形成し気管分岐部付近の気管膜様部と交通している．気管食道瘻を形成せず，上下食道が盲端となるA型がそれに次ぐ．E型はその形態からH型とも呼ばれ，食道閉鎖はなく，頸部に気管食道瘻のみが認められる．B型・D型はまれである．以上から，食道閉鎖で腹部にガス像が認められれば気管食道瘻のあるC型，なければまずA型と診断してよい（図1，図2）[1]．
　呼吸器系の所見は，本疾患において重要である．重度の気管軟化症と気管支軟化症が乳児の10〜20％に発生し，気道の不安定さや虚脱により生命を脅かす重度の閉塞を生じることがある[2]．このような患児では特徴的な「TEF咳」がみられ，出生後の数年間にTEF生存者の最大で2/3が呼吸器感染症，つまり気管支炎や肺炎を繰り返し発症し，感染

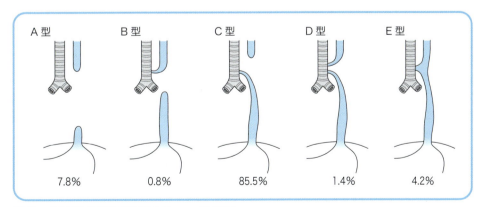

図1　先天性食道閉鎖症のGrossの分類
　A型：食道閉鎖のみで，食道気管瘻の合併を欠くもの．
　B型：上部食道気管瘻と下部食道の無形成かも盲端であるもの．
　C型：上部食道の盲端と下部食道気管瘻のあるもの．
　D型：上部食道気管瘻と下部食道気管瘻と，両者の間で食道無形成であるもの．
　E型：食道気管瘻のみで食道閉鎖症のないもの（H字状を呈する）．
（Gross RE. Surgery of Infancy and Childhood, WB Saunders, 1953 [1]を参考に作成）

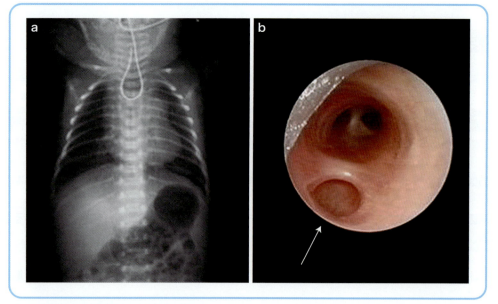

図2　先天性食道閉鎖症の画像所見
 a：経鼻的に挿入された胃チューブが胃内まで到達せず，口腔内にUターンしてくる所見（coil-up sign）で診断される．
 b：B型の食道閉鎖症例の気管支鏡所見．矢印が瘻孔．
 （兵庫県立こども病院，副院長・小児外科部長，前田貢作博士からの提供）

や誤嚥を反復することによって気管支拡張を伴う非可逆的な肺障害にいたる．治療として，抗生物質の使用や理学療法，誤嚥の反復リスクを最小限にするための胃食道逆流の最適管理などがある．吸入気管支拡張薬や吸入ステロイド薬などの抗喘息薬が有用である．

食道-胃吻合部の狭窄は，全患者のほぼ半数で拡張が必要となる早期の合併症である[3]．症状に基づいた拡張，また場合によっては狭窄部分の切除が必要になる．胃食道逆流は狭窄形成のリスクを著しく高めるほか，栄養学的問題や呼吸器障害につながりうるため，直立が可能となるまでH_2遮断薬，プロトンポンプ阻害薬，運動促進薬などの継続が必要である．また，これらの消化管合併症に対して，抗逆流術や胃底部造襞術の適応も選択肢として考慮するべきである．

外科的治療は型によって異なる．頻度の高いEA-TEFでは，まずは瘻孔を結紮して，一次的な食道吻合を作製することが考慮される．食道両端の距離が長い（long gap，通常，椎骨3つ分以上）場合は工夫が必要となる．たとえば，Livaditis筋切開術や横隔膜裂孔の遠位部の可動化，また牽引縫合術のFoker法を使って段階式に張力を加える方法などがあげられる[4]．

完全な単独型EAでは，胃瘻造設術が必要となる．再建の選択肢には，成長後の一次修復や，離れた結腸や胃を使ったinter position術がある．食道の成長を待ち直接に食道を吻合するため，「伸長」を助ける様々な方法が試みられてきた．ブジー挿入（bougienage）や上述のFoker法が考えられる．

H字状食道気道瘻（Grossの分類E型）は，食道に分断がないので摂食可能であり，乳児期後期または小児期，まれには成人してから，摂食時の咳，呼吸器感染症などにより発見されることが多い．診断は腹臥位の食道造影像で確認できる．通常は頸部を切開して異常部分を露出させ，そこで気管食道瘻を分離させて修復する．その際，術前に瘻孔の存在位置を正確に把握するなどして頸部の神経損傷の回避に留意する．胸部のH字状食道気道瘻はさらにまれであるが，瘻管の切離・閉鎖が基本で，肺の荒廃が不可逆的な場合は合併切除も考慮する（図3）．

b 続発性食道気道瘻 レベルC

食道気道瘻の成因としては先天奇形が多いが，後天性のものでは，食道など周辺臓器原発の腫瘍による直接浸潤によるものが多く，その他に外傷，頸部手術後，縦隔膿瘍，異物，食道憩室などによるものがあり，まれに気管挿管や気管切開後の合併症として生じる．

悪性腫瘍の直接浸潤によるものとして，食道癌，原発性肺癌があげられるが，食道気道瘻の発生頻度は，食道癌で4.9％，原発性肺癌で0.16％と[5]，食道癌の合併症としての発生が多い．

周辺臓器に浸潤を伴う進行食道癌は化学療法，放射線療法が治療の主体であり，こうした治療中に腫瘍壊死などにより食道気管支瘻が形成されると治療も行えなくなり，誤嚥性肺炎などのさらなる重篤な合併症も危惧される．経口摂取が禁止されるため患者のQOLも損なわれる．これに対する対症的な治療として，食道ステント治療の報告は以前よりみられ，さらには気管と食道の両方にステントを挿入するなどの工夫がなされてきた．ステント治療は患者のQOLを高めながら，延命も期待できる有用な治療法であ

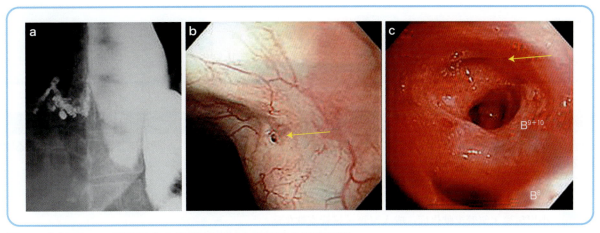

図3　成人になって診断された胸部H字状右気管支食道瘻症例
a：食道造影で拡張した右下葉気管支が描出される．
b：食道側開口部（矢印）．
c：気管支側開口部（矢印）．本症例では，術中の食道内視鏡の併用により瘻管が確認され，瘻管の切離・閉鎖を行った．

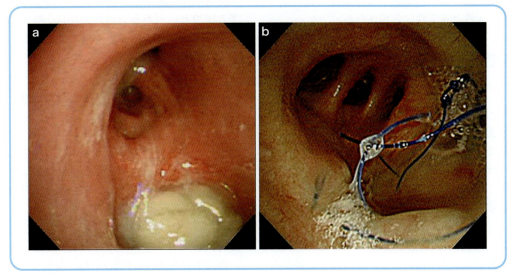

図4　食道癌に対する食道亜全摘・後縦隔経路による胃管再建後の胃管壊死による右気管支中間幹-胃管瘻の症例
　胃管の抜去，有茎広背筋による気管支瘻孔部のパッチ閉鎖を行った．
　a：術前の気管支鏡所見では，右中間幹膜様部に壊死物が充満した瘻孔（手前）がみられた．
　b：術後1ヵ月の気管支鏡所見．腔内結紮糸が広背筋縫着部を示すが，同部に瘻孔の残存はなく，末梢気道の開存も良好であった．

る．外科的処置として，食道については外科的バイパス術，食道切除，食道外瘻などがあるほか，根治的な瘻孔閉鎖を考えた場合には食道の一次縫合，気管側では一次縫合もしくは筋肉パッチを行う手術や管状切除・再建がある．

　さらにまれには後縦隔の感染や外傷に起因した瘻孔形成もあり，病態によって上記の治療法を組み合わせた対応が求められる（図4）．

文献
1) Gross RE. Surgery of Infancy and Childhood, WB Saunders, 1953
2) Spitz L. Curr Opin Pediatr 1993; **5**: 347
3) Serhal L et al. J Pediatr Surg 2010; **45**: 1459
4) Foker JE et al. Semin Pediatr Surg 2005; **14**: 8
5) Martini N et al. J Thorac Cardiovasc Surg 1970; **59**: 319

④ 気管・気管支軟化症

要点

❶ 気管・気管支軟化症は，気管・気管支壁および支持軟骨の脆弱化に起因した呼出時に気道内腔虚脱を呈する閉塞性病変である．
❷ 小児，成人によって，その原因，病態，治療法は大きく異なる．

Key Word 小児気管・気管支軟化症，成人気管・気管支軟化症

気管・気管支軟化症は気管・気管支壁および支持軟骨の全体的または部分的な脆弱化に伴い，呼出時あるいは胸腔内圧上昇時に気道内腔が高度に虚脱する閉塞性気道病変である．一般的に先天性と後天性に分類される．

a 気管・気管支軟化症の成因・病態
レベルA

1) 後天性気管・気管支軟化症の成因

気管軟骨の脆弱化，変性による．気管切開，人工呼吸管理，外傷，腫瘍浸潤による圧迫，慢性刺激（喫煙，感染症など）が原因となるが，原因不明も多い[1]．全気管，大気管支など広範囲にわたる．気管支鏡検査にて無症状の患者の1〜4.5％，呼吸器症状を有する患者の13％以上に認められる[2]．

2) 先天性気管・気管支軟化症の成因

気管・気管支軟骨の成熟不全による．病変は小範囲にとどまり，先天性食道閉鎖症，血管輪，声門下腔狭窄症などを合併するとされる．Boogaardらは2,100人に1人の発生と報告している[3]．

b 気管・気管支軟化症の分類（表1） レベルC

Masaokaらは気管・気管支軟化症を成因に基づいて小児型（pediatric type），成人型（adult type），続発型（secondary type）の3つに分類した[4]．pediatric typeは広範性（generalized）と限局性（localized）に細分類され，α_1アンチトリプシン欠損症や家族性軟化症が含まれる．adult typeは特発性（idiopathic）と多発性軟骨炎（polychondric），限局性（localized）に細分類されている．secondary typeは血管による圧迫といった血管性（vascular）や気管切開後に生じる外傷性（traumatic）や腫瘍浸潤や圧迫による腫瘍性（neoplastic）に細分化されている．

c 気管・気管支軟化症の症状・診断
レベルB

1) 症状

特に小児では，喘鳴，犬吠様咳嗽，反復性呼吸器感染，チアノーゼ，重症例ではdying spellと呼ばれる回復困難な無呼吸・チアノーゼ発作を呈する[5]．

2) 診断

胸部単純X線，CT（3D-CT），気管支鏡検査

3) 内視鏡所見（表2）

船津らは気管・気管支軟化症を先天性と後天性に分類した[6]．さらに後天性でも原因不明の気道支持組織の脆弱化をきたしたものを原発性，原因が明らかなものを続発性とした．また，98例の原発性気管・気管支軟化症を呼気時および咳嗽時の気道内腔の形態により，刀鞘型（22例）と三日月型（76例）とに分類した．刀鞘型は，横径が短縮して両側の軟骨壁が接近するもので，病理学的には石灰化を伴った気管・気管支軟骨の萎縮および断片化が認められる．一方，

表1 気管・気管支軟化症の分類

	小児型（pediatric type）	成人型（adult type）	続発型（secondary type）
分類	広範性 限局性	特発性 多発性軟骨炎 限局性	血管性 外傷性 腫瘍性
原因	α_1アンチトリプシン欠損症 家族性	先天性異常に慢性気管支感染	大動脈圧迫 気管切開後 腫瘍浸潤や圧迫
軟化領域	局在型が多い	広範囲が多い	

（Masaoka et al. Eur J Cardiothorac Surg 1996; 10: 87 [4] を参考に作成）

表2 気管支軟化症の内視鏡所見

A. 先天性
B. 後天性
　1. 原発性
　　a. 刀鞘型
　　b. 三日月型
　2. 続発性

（船津武志ほか．気管支学 1982; 4: 123 [6]）
を参考に作成）

表3 気管・気管支軟化症の重症度分類

Ⅰ	咳嗽時 1/2～3/4 の径縮小
Ⅱ	咳嗽時 3/4～完全閉塞
Ⅲ	咳嗽時完全閉塞
Ⅳ	咳嗽時完全閉塞＋安静時吸気時気道径拡大

（Johnson et al. Radiology 1973; 109: 57 [7]）を参考に作成）

表4 気管・気管支軟化症に対する外科的治療の適応

①強い咳嗽など著しい臨床症状を呈すること
②努力性呼気時に著しい気道縮小を呈すること
③内科的治療で改善を示さないこと
④肺機能検査成績で高度の閉塞性障害，特に中枢気道抵抗の上昇を認めること
⑤肺気腫が存在しないか，小範囲に限局すること

表5 気管・気管支軟化症に対する外科的治療法

1. 気管形成術
　三日月型：Nissen-Herzog 法，膜様部縫縮法
　刀鞘型：Rainer 法
2. ステント留置

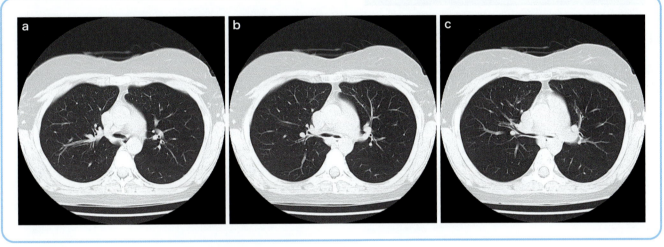

図1 再発性多発軟骨炎に伴う気管・気管支軟化症症例のCT像
　a：気管下部
　b：気管分岐部
　c：主気管支
気管下部から左右主気管支レベルにかけて気道内腔の虚脱を認める．

三日月型は膜様部が弛緩して前壁に接近するもので，病理学的には膜様部の縦縞の消失および弛緩，膜様部の縦走する弾性線維の萎縮と変性が認められる．

4) 重症度 (表3)

Johnson らは気道径の縮小程度により，気管・気管支軟化症の重症度を表3に示すようにⅠ～Ⅳ期に分類している[7]．

d 気管・気管支軟化症の治療法 レベルB

後天性気管・気管支軟化症に対しては，保存的治療（禁煙，感染制御，去痰，気道分泌抑制，呼吸訓練，気管支拡張薬，副腎皮質ホルモンなどの投与）が中心となる．しかしながら，一部症例に対しては外科的治療も行われる．その適応としては表4に示すような点があげられる[8]．

外科的治療法としては，表5のように，気管形成術（気管支壁虚脱防止処置）あるいはステント留置（気道内腔保持）の2法に大別される．

三日月型に対しては，気管膜様部あるいは主気管支膜様部の prosthesis であり，補強材料としては，自家肋骨，自家腹直筋鞘，Marlex mesh，PTFE などの人工材料である．刀鞘型に対しては，気管前面の prosthesis による軟骨部の固定（Rainer 法）が必要である．Wright らは，Marlex mesh を用いて気管形成を施行した14例を報告している[9]．全例，早期に呼吸困難感，咳嗽，喀痰といった臨床症状の軽減が認められ，1秒率の上昇（51%から73%）が認められた．

Ernst らは気管・気管支軟化症58例に対して Dumon ステント留置を行い，45例（77.6%）に呼吸症状の改善を認めたと報告している[10]．また，長期予後は不明であるが，金属ステントの有用性も示唆されており[11]，自験例でも末梢気道障害を認めない再発性多発性軟骨炎症例に伴う気管・気管支軟化症には有効であった（図1，図2）．

先天性に関しては保存的治療にて成長とともに自然寛解することがあるとされる．また，外科的治療法としては大

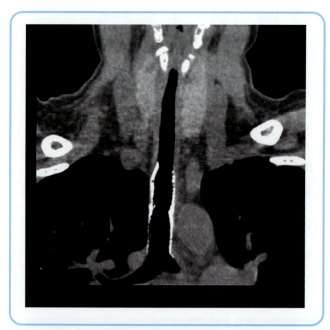

図2　気管・気管支軟化症例の気管下部に金属ステントを留置
　ステント留置後，自覚症状，呼吸機能は劇的に改善した．

動脈胸骨固定術が報告されており，胸骨に固定することにより上行大動脈を前方へ牽引させる方法である[12]．

文献

1) Feist et al. Chest 1975; **68**: 340
2) Buitrago et al. J Thorac Dis 2017; **9**: E57
3) Boogaard et al. Chest 2005; **128**: 3391
4) Masaoka et al. Eur J Cardiothorac Surg 1996; **10**: 87
5) 津川　力．日本小児呼吸器疾患学会雑誌 1994; **5**: 44
6) 船津武志ほか．気管支学 1982; **4**: 123
7) Johnson et al. Radiology 1973; **109**: 57
8) 正岡　昭ほか．呼吸器外科学，第4版，南山堂，2009
9) Wright et al. Ann Thorac Surg 2005; **80**: 259
10) Ernst et al. Chest 2007; **132**: 609
11) Dunne et al. Chest 1994; **105**: 864
12) Abdel-Rahman et al. World J Surg 2007; **31**: 2255

⑤ 気管支拡張症

要点
❶ 気管支拡張症は気管支の恒常的な拡張を特徴とする臨床疾患群である．
❷ 内科的治療が中心となるが，無効例で病変の完全切除が可能な場合は，外科的切除の適応となる．
❸ 抗生物質を使用する際は，菌の耐性化防止に十分配慮する．

Key Word Kartagener症候群，線毛不動症候群，気管支動脈塞栓術（BAE），喀血，気管支動脈-肺動脈シャント，体位ドレナージ

気管支拡張症は，感染，遺伝的素因など様々な要因で気管支粘膜に反復，持続的な炎症をきたし，不可逆的な気管支の拡張像（破壊）を呈する病態と定義される．その様々な要因や臨床像から気管支拡張症を単一の呼吸器疾患として捉えることは困難である．

形態的には本来気管支は分岐を重ねながら，末梢にいたるにつれて狭小化していくが，中枢部気管支よりも太い内径気管支を有するものを気管支拡張症と呼ぶ．

a 発症要因と分類 [1,2)]

1）先天性気管支壁異常 レベルB
気管支軟骨の形成不全が原因で発生する気管支拡張症（Williams-Campbell症候群）は，家族集積性があり，その他の先天的異常を合併することがある．反復する呼吸器感染症や気管支拡張を認めるため通常幼少期に診断される．

2）気道の粘液線毛輸送の障害（原発性線毛機能不全症：primary ciliary dyskinesia，線毛不動症候群） レベルA

原因：常染色体劣性遺伝の線毛運動障害，液性免疫，細胞性免疫の不全．

副鼻腔気管支症候群：慢性下気道感染症に慢性副鼻腔炎を合併した病態である．

下記の疾患が本症候群に含まれる．

①びまん性汎細気管支炎（DPB）

びまん性汎細気管支炎（diffuse panbronchiolitis：DPB）は，慢性下気道感染症と慢性の気道閉塞に特徴づけられる疾患である．組織学的には，呼吸細気管支壁および隣接する肺胞間壁における泡沫細胞の集簇した所見が特徴的である．

②Young症候群

気管支拡張症，慢性副鼻腔炎に加え，精巣上体管頭部の特発性閉塞による無精子症を併発する．

③Yellow nail症候群

成長遅延した黄色爪，リンパ管浮腫，呼吸器病変（副鼻腔炎，気管支拡張症）を三徴候とする．

④嚢胞線維症

日本人では非常にまれで白人に比較的よくみられる．気道上皮細胞の cystic fibrosis transmembrane conductance regulator（CFTR）というATP依存性クロライドイオンチャネル分子の異常が原因で，全身の外分泌腺臓器の異常により呼吸器や消化器が障害される．

⑤無ガンマグロブリン血症

⑥Kartagener症候群

気管支拡張症，副鼻腔炎，内臓逆位（右胸心）を三主徴とする．欧米人に多く，日本人は少ない（Ⅰ章-5 Side Memo参照）．

3）続発性気管支拡張症 レベルA

気管支拡張症のなかで最多である．幼児期の麻疹や百日咳などの呼吸器感染症を契機に発症する．炎症後にエラスターゼなどの蛋白分解酵素が放出され，その結果，気道壁が破壊され気管支の拡張が生じる．このような変化は，結果的に細菌の排除機能を低下させ，緑膿菌やインフルエンザ菌の定着化へとつながる．

成人してから発症した肺炎，結核，非定型抗酸菌症，肺膿瘍などの肺の局所性疾患の周囲にも同様の変化を生じ気管支拡張症を発症する．

①Lady Windermere症候群

非定型抗酸菌症（*Mycobacterium avium* complex感染）に伴う気管支拡張症である．特に高齢女性に多く，喀痰の貯留しやすい中葉，舌区，下葉に好発しやすい．

b 診断 レベルA

1）症状

慢性咳嗽，喀痰，血痰，喀血，呼吸困難が主な症状である．

喀痰は膿性で午前中に多いのが特徴である．夜間拡張した気管支に貯留した喀痰が朝起床時に中枢気管支に移動し強い咳嗽反射とともに喀出される．重症例では膿性痰が1日に数百mLに及ぶ場合もある．

喀血，血痰は約半数の症例にみられる．持続的な気管支

Ⅷ. 気管・気管支

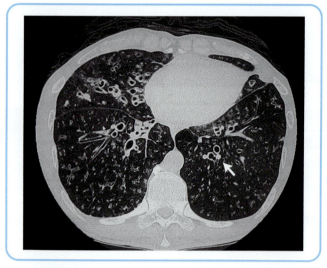

図1　胸部CT
40歳，男性．DPB．炎症により末梢気管支の拡張や気管支壁の肥厚により管状陰影（signet ring sign：矢印）がみられる．

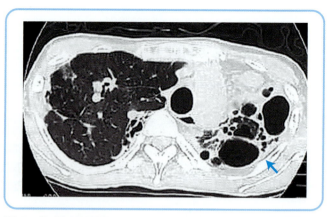

図2　胸部CT所見
46歳，女性．アスペルギルスにて左下葉切除後．左残存肺に発生した気管支拡張症．嚢状に拡張した気管支（矢印）が確認される．

壁の炎症に伴い気管支動脈の拡張，血流増加によるものである．その結果，左→右シャント（気管支動脈-肺動脈シャント）を形成し，肺高血圧を呈し，低酸素血症の原因となる．

2）検査
①画像
　最も有用な検査は，高分解能CTである．特徴的なCT所見として，末梢肺野における随伴する血管径より気管支径の拡張（signet ring sign）（図1）や嚢状に拡張した末梢気管支（図2）における粘液充満像としての粘液栓嵌頓（mucoid impaction）などがみられる．
　血痰，喀血を認める場合は，気管支動脈造影は必須の検査である．最近では3D-CT angiographyで拡張した気管支動脈の確認も可能である．
　臨床上気管支拡張症の存在が疑われ場合は，副鼻腔写真（X線，CT）を行うことも忘れてはならない（図3）．
②細菌検査
　抗酸菌培養を含めた喀痰培養は必須である．使用する抗菌薬を選択する際は，感受性検査の結果を参考にし，多剤耐性菌をつくらないよう配慮する必要がある．感染初期の場合は，*Haemophilus influenzae* や *Streptococcus pneumoniae* が原因となることが多いが，病状が進行してくるとmucoid typeの *Pseudomonas aeruginosa*，methicillin-resistant *Staphylococcus aureus*（MRSA），*Klebsiella pneumoniae* が検出されるようになる．
③呼吸機能検査
　本疾患は閉塞性と拘束性の混合性の換気障害を起こすことが多い．軽症例では呼吸機能の異常を認めないこともある．しかし，緑膿菌の持続感染がみられるような症例では，呼吸機能の増悪が急速に進行する傾向がみられる．免疫グロブリンなどもチェックする必要がある．

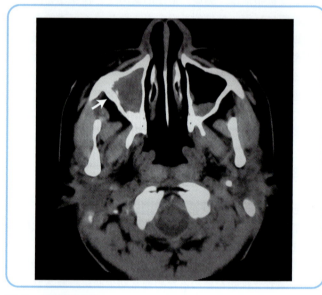

図3　副鼻腔CT
36歳，女性．DPB．上顎洞内に貯留した膿が確認される（矢印）．

④その他
　線毛機能検査（サッカリンテスト，線毛電子顕微鏡検査など），免疫不全の有無を把握するため免疫グロブリン検査，sweat test（嚢胞性肺線維症），精子検査（Young症候群）なども症状によっては必要な検査となる．

C 治療

1）内科的治療
①primary precaution　レベルA
　持続的な炎症所見は病勢の悪化を招くことになる．膿性痰に対しては，有効な体位ドレナージや喀痰融解剤の内服，吸入が有効である．
②抗菌薬治療　レベルB
　漠然とした抗生物質の長期投与は耐性菌発生の原因となるため極力避ける．抗生物質は急性増悪時にのみ重点的に

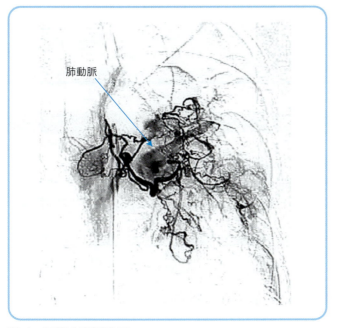

図4 気管支動脈造影
46歳，女性．繰り返す血痰と肺高血圧症を認め，受診．気管支動脈-肺動脈シャントを認める．

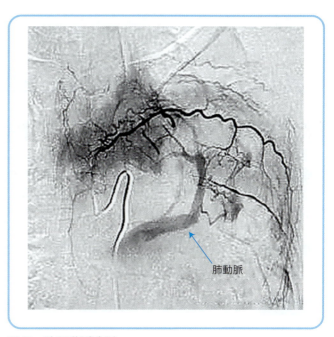

図5 肋間動脈造影
図4と同一症例．胸壁からの側副血行路により肺動脈まで造影されて左-右シャントの存在が確認される．

投与するように心がける．

　気管支拡張症に関するマクロライド持続投与の有効性は，びまん性汎細気管支炎(DPB)に比べ低いとされている．エリスロマイシン(EM)，クラリスロマイシン(CAM)，アジスロマイシン(AZM)などの薬剤での有効性が報告されている．作用機序は，①好中球から遊離されるIL-8の低下作用がみられ好中球の集積が抑制される，②バイオフィルム形成を抑制し緑膿菌の持続感染を抑える，③ムチン分泌抑制やClイオン分泌を抑制し喀痰量を低下させる，④好中球の浸潤抑制により喀痰中のエラスターゼが低下，⑤緑膿菌などに対する抗菌作用はないが，抗炎症効果が期待できる，などがあげられる．最近は，トブラマイシン(TOB)吸入の有効性も報告されている[3]．

2) 気管支動脈塞栓術(bronchial artery embolization：BAE) レベルC

　繰り返す血痰や喀血がみられる症例は，気管支動脈造影検査は必須である．出血源が明らかとなれば，気管支動脈塞栓術を行う．また，炎症が強い場合は，気管支動脈系のみならず胸壁側からの側副血行路が出血源となっている可能性もあるので注意する(図4，図5)．

3) 外科的治療[4]
①肺切除術 レベルC

　病変が限局性であり，内科的治療にて制御困難な場合は，外科的治療の対象となる．対象となるのは，病変が片側性で区域(部分)もしくは肺葉切除で病巣完全切除が可能な場合に限られる．特に持続的な耐性菌(緑膿菌)が検出されている場合は，術後再発や膿胸を合併する確率が高くなり手術適応は慎重に決定しなくてはならない．

②肺移植 レベルD

　両側びまん性の病変で，内科的治療抵抗性の場合，肺以外の機能が保たれていれば両肺移植の適応になる場合もある．副鼻腔炎の合併のみられる症例では，肺移植前に副鼻腔炎の根治手術を行っておく必要がある．

> **Side Memo**
> 気管支拡張症は，特発性肺線維症とともに，脳死肺移植待機中死亡率の高い疾患である．欧米のガイドラインでは，%FEV$_1$<30%もしくは，1秒量の急速な低下，原疾患の悪化により頻回に入院治療を要する，制御困難な気胸，喀血を繰り返す場合は移植を考慮する必要がある．若年者で，すでに在宅酸素療法，高二酸化炭素血症，肺高血圧症を呈している場合は肺移植が必要となる[5]．

③副鼻腔炎根治術 レベルC

　特に副鼻腔気管支症候群を呈しているような場合は，副鼻腔炎根治術を施行することで，慢性的な原因菌の気道への流れ込みを減少させることができ，呼吸器症状の改善につながる．

文献
1) 田口義夫．日本胸部臨床 2012; **71**(増) S176
2) 清水英治ほか．フレイザー 呼吸器病学エッセンス，第1版，2009: p746
3) 山谷睦雄．Progress in Medicine 2012; **32**: 1933
4) Shields TW et al (eds). General Thoracic Surgery, 7th Ed, Lippincott Williams & Wilkins, 2009: p1117
5) Jinathan B et al. J Heart Lung Transplant 2006; **25**: 745

⑥ 気管・気管支結核

要点

1. しばしば気管支喘息と鑑別が困難であり注意を要する．
2. 診断には気管支鏡検査が必須である．病状の評価および治療方針決定には 3D-CT が極めて有用である．
3. 左主気管支が好発部位で，気管支管状切除・再建術の適応検討を要する．
4. インターベンションとしてバルーン拡張術は有用である．ステント治療を行う場合には，抜去可能なシリコン製ステントを用いるべきである．
5. 気管支結石に主に行われている治療法は肺葉切除，区域切除である．気管支鏡下の結石除去は，出血リスクがあるため適応は限られている．

Key Word 気管・気管支結核，結核性気管・気管支狭窄，瘢痕性狭窄，気管支結石症

気管・気管支結核は区域気管支より中枢の気道に発生する結核病変であり，肺結核の数％から 30 数％に合併する．肺内病巣が明らかでない肺外結核のひとつと定義することもあるが[1]，気管支鏡検査の普及により肺病変に付随してみつかる症例が増え，肺内病巣の有無は問わないのが一般的である．呼吸器外科領域で治療対象となるのは，気道の結核性病変が瘢痕狭窄をきたした「結核性気管・気管支狭窄」と，まれではあるが結核後遺症のひとつとされる「気管支結石症」である．

a 成因 レベルA と病型 レベルC

気管・気管支結核の成因としては，①主病巣からの経気管支的進展，②気管支への直接感染，③周辺リンパ節結核病巣からの穿孔，④血行性播種あるいはリンパ行性感染，などがあげられる[1]．また，病型としては①肺病変から中枢の気管支に沿い連続進展する二次性気管支結核，②進展形式は①に準ずるが，肺病変に比し気管支病変がより高度な独自性気管支結核，③肺病巣とはより離れた大気管支に病変が存在する孤立性気管支結核，④傍気管支リンパ節結核が気管支壁内へ進展してできたリンパ腺性気管支結核の 4 病型に分類されている．

気管・気管支結核は一般的に抗結核療法によく反応するが，治癒過程で瘢痕組織による狭窄が発生することがある．狭窄が高度で限局性の場合は外科的治療の対象となる[1]．

気道狭窄症状の発症時期に関しては，結核の治療開始後 6 ヵ月から 2 年が最も高頻度に出現するとの報告があるが，肺結核治療終了後 10 年以上経過してからの発症報告例もまれではない．結核治療歴の聴取は大切である．

b 臨床的特徴 レベルA

気管・気管支結核は比較的若年層の女性に好発し，発生部位は左主気管支が最も高頻度である[1]．気管・気管支結核症の発見動機としては激しい持続的な咳嗽や喀痰などの気管支炎症状が一般的であるが，気道の狭窄や閉塞が出現すれば，喘鳴や呼吸困難などの症状が現れる．胸部 X 線検査では肺野に病変がない場合やあっても非空洞性の浸潤影を呈することが多い[2]．気道狭窄が進行した場合には無気肺を呈する場合もある．このように非特異的症状を呈し，肺結核に典型的な画像所見を認めないことから，気管支炎や気管支喘息と診断されて治療されている頻度が極めて高い．通常の抗菌薬ないし吸入ステロイド・気管支拡張薬などでの治療にもかかわらず症状の改善が乏しい場合には，気管・気管支結核を念頭に置く必要がある．診断の遅れは，患者・医療者への感染リスク，さらには壁破壊の進行から気管・気管支狭窄の発生リスクを上昇させる[2,3]．

c 診断 レベルB

気管・気管支結核の診断は，喀痰検査が基本であるが，喀痰抗酸菌塗抹検査陰性例も存在することから，血清診断も含め総合的に診断する必要がある．とりわけ特徴的な中枢気道病変を確認するための気管支鏡検査は必要である．ただし，その際には院内感染防止対策を怠ってはならない[2]．気管支結核の気管支鏡所見分類はこれまでにいくつか報告されているが，荒井分類は病理組織所見と一致しておりしばしば引用される[4]．Type Ⅰ：発赤肥厚型，Type Ⅱ：粘膜内結節型，Type Ⅲ：潰瘍型，Type Ⅳ：肉芽型，Type Ⅴ：瘢痕型，の 5 型への分類であり，外科の対象となる瘢痕性狭窄は Type Ⅴb に分類される．未治療時には Type Ⅲが約 80％とされ，治療開始後半年程で約 60％が Type Ⅳとなる．さらにその一部は線維化し狭窄を伴う Type Ⅴb へ移行するとされる．診断が遅れ治療開始までに潰瘍が進行し軟骨までおかされた場合は適切な治療を行っても狭窄をきたしやすい[1,3]．

胸部単純 X 線や胸部 CT は，狭窄した気管・気管支の確認や末梢の無気肺，合併する肺結核による粒状影の確認に

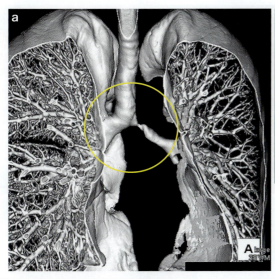
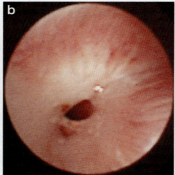
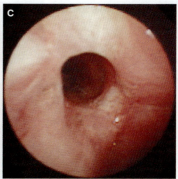

図1　左主気管支の結核性気管支狭窄症例
a：3D-CT
b：気管支鏡所見（術前）
c：気管支鏡所見（術後）
労作時喘鳴を主訴とする38歳男性．3D-CTで明瞭に狭窄部が判明した．狭窄部口径は2mm．非狭窄部も右主気管支に比し著明に細い．胸骨正中切開で3リングの気管支を管状切除し再建．術後喘鳴は消失した．

必須の検査である．さらに気道を3次元に再合成した3D-CTは，狭窄の程度，範囲を明確に描出し，気管支鏡検査では確認不能なより末梢の気管支の狭窄も確認できるため治療計画には極めて有用である（図1）．同様に virtual bronchoscopy による画像も低侵襲で期待される．

d 治療 レベルC

気道内に活動性の結核菌感染が認められれば，抗結核薬による化学療法を優先し，外科的処置は行わない．抗結核薬使用中にもかかわらず気道狭窄が進行して気道管理が必要な際は，ステント以外の内視鏡的なインターベンションや気管挿管で感染がコントロールされるまで待つ．挿管する際はID 5 mm 以上のチューブが狭窄部を越えれば，気道管理は可能と考える．順次太めの気管内チューブに代えて時期をうかがう．

気管・気管支の瘢痕狭窄に対する治療法としては，①手術療法，②内視鏡によるインターベンション（レーザー焼灼，アルゴンプラズマ凝固，ステント挿入，バルーン拡張など）がある．①に関しては，狭窄部気道を含む肺切除術および気道再建を伴う術式があり症例に応じて術式が選択される．低侵襲かつ機能温存の観点から近年は，内視鏡的インターベンションもしくは気道再建を伴う手術が選択される傾向にある．

気管・気管支形成術は肺機能温存術式として呼吸器外科医が習熟しておくべき手技であるが，結核性病変では術後に吻合部より末梢の狭窄部判明の可能性，また吻合部のトリミングが不十分な場合は再狭窄を起こす可能性などがあり注意を要す．バルーン拡張術を含めた②の内視鏡的治療法の有効性は，近年多数報告されている[5]．侵襲は手術療法より低く高齢者にも安全に施行できる．ステント挿入を行う場合には，本病態は良性の気道狭窄であることから抜去可能なシリコンステントを用いるべきである[5]．金属ステントは，抜去困難なうえ穿孔の恐れがあることから使用は控えるべきである．

外科的治療の対象として最も多いのは好発部位である左主気管支の狭窄である．この部位の狭窄に対する気道再建術式の際は，まずアプローチが問題となる（Side Memo 参照）．中枢よりの比較的短い病変には一般的に胸骨正中切開もしくは右開胸が選択されるが，左主気管支の遠位にまで病変が及ぶ際は左開胸アプローチで大動脈脱転による気管支管状切除再建も選択肢にあがる．周辺のリンパ節結核が気管支狭窄の原因であるときは，周辺大血管との癒着に細心の注意を払う必要がある．胸骨正中切開下に狭窄部管状切除・再建を施行し，術後バルーン拡張術を併用して再狭窄を乗り切った症例を提示する（図2）．

Side Memo

図1に提示した症例の手術アプローチに関して，日本呼吸器外科学会の先生方15名に意見を伺った（表1）．左主気管支中枢側の病変には胸骨正中切開か左開胸が一般的であった．非右開胸と答えた先生は同様の症例を右開胸で行い吻合に難渋したためとコメントした．

表1

胸骨正中切開	5
胸骨正中切開＋横切開（L字状）	2
右開胸	2
左開胸	5
非右開胸	1

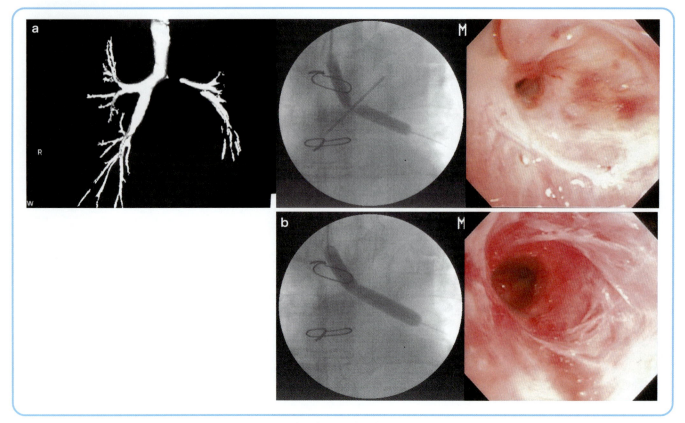

図2　左主気管支の結核性気管支狭窄症術後再狭窄症例(61歳女性)
a：左主気管支近位部2リング管状切除し再建したが，術後1ヵ月で再狭窄を呈した．
b：バルーン拡張術を施行(3，4，5気圧を各3分間)したところ，著明に拡張．以降3年間問題なく経過中．

e 気管支結石 レベルA

気管支内に結石が発生する疾患で，本邦では大半が結核の既往を有する．成因として，①気管支外のリンパ節石灰化巣が気管支腔内に穿孔，②気管支軟骨の化骨，③気道内分泌物の石灰化などがあげられ，発生機序として①が最も高頻度の原因とされている[1]．結石の主成分はリン酸カルシウムや炭酸カルシウムといわれている．

症状は頑固な咳と反復性の血痰，喀血である．気管支閉塞による無気肺，肺炎，肺膿瘍を呈することもある．喀血例の中には，気管支動脈や周辺の大血管に穿孔し大喀血したとする報告もある．結石の喀出(喀石)歴を有することもある[1]．

診断には，胸部単純X線検査よりもCT検査が石灰化病巣と気管支の正確な位置関係を把握できる点で有用である．気管支鏡で周辺に炎症性肉芽を伴った，硬い結石が証明できれば診断が確定する．ただし，浮腫状粘膜や肉芽組織に覆われたり，出血や気管支の屈曲によって結石が確認できないこともある．治療には，気管支鏡下の結石除去と外科手術がある．気管支鏡下の除去は，気道内分泌物が石灰化したようなよく動く結石では可能なこともある．しかし，結石の多くは石灰化病巣が壁内〜壁外に及んでおり，摘出時に気管支動脈損傷による大量出血や気管支穿孔をきたす可能性がある．したがって，結石の視認性，気管支壁からの可動性を確認しながら慎重に行うべきである．気管支結石に最もよく行われている治療法は外科手術であり，解剖学的な肺切除術(肺葉切除，区域切除)が主に選択されている[1]．結核性狭窄に比しやや末梢気管支発生が多く，気管支形成術の対象となる頻度は低い．

文献

1) 正岡　昭．呼吸器外科学，第4版，南山堂，2009: p366
2) Tamura A et al. Kekkaku 2007; **82**: 647
3) Um SW et al. Int J Tuberc Lung Dis 2008; **12**: 57
4) Arai T et al. J Jpn Soc Bronchol 2001; **23**: 352
5) Iwamoto Y et al. Chest 2004; **126**: 1344

7 気管腫瘍

要点

1. 気管腫瘍には，気管良性腫瘍，気管悪性腫瘍，続発性気管腫瘍(転移性気管腫瘍，浸潤性気管腫瘍)がある．
2. 気管腫瘍に対する治療には，気管支鏡治療［スネア切除術，レーザー焼灼術，ステント留置術，光線力学的治療(PDT)など］，外科的治療(気管管状切除端々吻合術，縦隔気管孔造設術など)，放射線治療などがある．

Key Word 気管良性腫瘍，腺様嚢胞癌，粘表皮癌，カルチノイド，転移性気管腫瘍，気管管状切除端々吻合術，縦隔気管孔造設術

気管腫瘍はまれな疾患であり，呼吸器悪性腫瘍の 0.2％，気道腫瘍の 2％を占めるに過ぎない．2017 年の日本胸部外科学会学術年次調査においても原発性肺癌切除数が 44,140 例であるのに対し，気管腫瘍切除数は 120 例（呼吸器外科手術総数の 0.1％）とごく少数であった．気管腫瘍には良性腫瘍，悪性腫瘍，続発性腫瘍がある．

a 気管良性腫瘍 レベルA

1) 乳頭腫（図 1）

大半がヒト乳頭腫ウイルス感染に深く関与する疾患で，幼児や若年者に多くみられる多発性乳頭腫と，中年期以降に発生する孤立性乳頭腫に分けられる．乳頭腫は上皮成分が血管間質を伴いながら乳頭状に増殖する良性腫瘍で，その大半は内腔に向かって発育する．増生する上皮成分の違いにより，扁平上皮乳頭腫，腺上皮乳頭腫とその混合型の 3 型に分類され，扁平上皮乳頭腫はさらに外方発育型と内反型に分けられる．孤立性乳頭腫は，扁平上皮が多い．扁平上皮乳頭腫では，扁平上皮成分に様々な程度の異型性を認めることがあり，さらに癌化を伴うことがある．

2) 平滑筋腫

気道に存在する平滑筋組織を母地として発生する腫瘍である．発生年齢は幅広いが中年層に多く，性差は認められない．気管支鏡所見は，表面平滑で粘膜に覆われており球状を呈し，白色調で光沢がある．

3) 軟骨腫

気管軟骨由来の腫瘍が内腔に向かって発育するもので，骨化を伴うことがある．40 歳以上の男性に多い．軟骨性過誤腫とは気管軟骨と連続性を有し，脂肪などの軟骨以外の構成成分を持たないことから鑑別される．気管支鏡では白色の結節として確認され，非常に硬く生検が困難である．

4) 脂肪腫

脂肪腫は，気管支上皮下脂肪組織から発生して気管支内腔へ発育する気管支型脂肪腫と胸膜直下脂肪組織から発生して肺実質内へ発育する胸膜下型脂肪腫に大別される．発

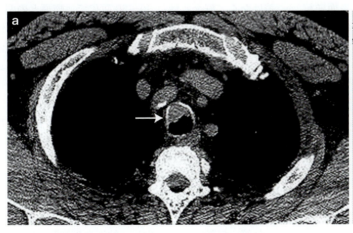
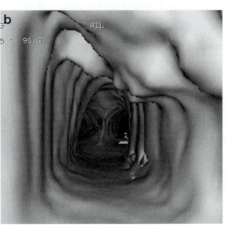

図 1 気管乳頭腫
 a：胸部 CT．矢印は気管内の腫瘤を示す．
 b：CT 画像の virtual bronchoscopy による気管内の腫瘤．

表1　内視鏡的早期肺癌の診断基準

基準A：臨床的基準
1. 胸部X線像（CT像を含む）が正常像であること
2. 病期診断に用いられる画像検査（CT，FDG-PET，脳MRI，骨シンチグラフィ，腹部超音波など）によりリンパ節および遠隔転移がないこと
基準B：内視鏡的基準
1. 気管から亜区域支までに限局する
2. 病巣の末梢辺縁が，内視鏡的に可視できること
3. 病巣の長径が2cm以下であること
4. 組織学的に扁平上皮癌であること

（日本肺癌学会気管支鏡所見分類委員会．内視鏡的早期肺癌の診断基準．臨床・病理 肺癌取扱い規約，第8版，金原出版，2017より引用）

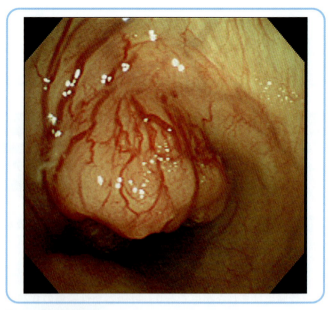

図2　腺様囊胞癌

生頻度は気管支型脂肪腫のほうが高い．CTとMRIにより脂肪腫の局在と質的診断が可能である．気管支鏡所見は，正常な上皮に被覆された黄白色の軟らかい有茎性腫瘍として認められることが多い．

5）多形腺腫

粘液腺腺腫とともに唾液腺型腺腫に分類される．腺組織に上皮および結合組織が様々な割合で混在する．性差はなく中年以降にみられる．多形腺腫のなかに，転移や再発を示すものが報告されており，腫瘍径，浸潤度，核分裂像が悪性度と関連していると考えられている．気管支鏡所見は，多くが膜様部に基部を置く表面平滑で黄白色調の腫瘍で，腫瘍表面の一部および周囲気管上皮に血管怒張を認めることがある．

6）顆粒細胞腫

全身の臓器に発生しうる比較的まれな間葉系腫瘍で，気道を原発とするものは6〜8%を占める．発症年齢は幅広く，性差は認められない．発生部位は亜区域支までの中枢気管支が大多数を占める．PAS染色陽性の顆粒が細胞質に多数認められることが組織学的特徴である．またS-100蛋白の抗体が高率に陽性となることから，Schwann細胞由来と考えられている．気管支鏡所見は，白色〜黄白色の表面顆粒状腫瘍として認められる．顆粒細胞腫は基本的には良性腫瘍であるが，悪性例や遠隔転移例の報告がある．また，本症と悪性腫瘍の合併が多いという報告もある．

7）その他

そのほか気管良性腫瘍には，過誤腫，神経鞘腫，血管腫などがあるが，いずれも発生頻度は低い．

b 気管悪性腫瘍　レベルA

最も頻度が高いのは扁平上皮癌と腺様囊胞癌である．ほかに粘表皮癌やカルチノイドなどがある．

1）扁平上皮癌

気管支上皮に発生し，上皮を置換しつつ気管支に沿って進展する傾向がある．大半の症例は喫煙者で男性に多く，喉頭や肺に第2癌が発生することも少なくない．2/3が区域気管支までに発生する中枢型，1/3が区域支より末梢に発生する末梢型とされているが，末梢型の頻度が高くなってきている．扁平上皮癌には角化型と非角化型があるが，角化のある場合は組織診断が容易である．非角化型の場合，組織型診断が困難なことがあるため，P40/TTF-1染色と粘液染色を行うことが望ましい．表1に日本肺癌学会による内視鏡的早期肺癌の診断基準を示す．早期扁平上皮癌には，平坦型，結節型，早期ポリープ型の3種の基本型があり，上皮の微細顆粒状変化，粗糙，光沢の消失，赤色点などの気管支鏡所見を呈する．非早期扁平上皮癌は結節状・ポリープ状腫瘤を形成し，凹凸不整，壊死，血管新生を伴うことが多い．

2）腺様囊胞癌（図2）

気管・気管支腺由来の悪性腫瘍である．発生頻度の男女差はなく，好発年齢は40〜50歳代で，喫煙との関連は明らかでない．発育は緩徐であるが隣接組織への浸潤性が著しい．組織型は，小型の円形細胞が胞巣を形成しながら増殖し，多数の腺腔形成を伴う櫛状型を呈するものが典型的である．管腔型や充実型もあり，充実型が最も未分化で進行も早く転移を起こしやすい．上皮下を長軸方向に連続性に進展することが多く，外科的切除において断端陽性となりやすいので慎重に切除範囲を見極める必要がある．気管支鏡所見は，正常気管上皮に覆われるなだらかなポリープ状または広基性の結節状腫瘍として観察される．

3）粘表皮癌

気管・気管支腺に由来し，粘液産生細胞，扁平上皮細胞，それらの中間細胞から構成される腫瘍である．明らかな性差は認めない．若年発症例が多い．喫煙との関連は少ない．一般に低悪性度とされるが，なかには細胞異型や核分裂像，

壊死巣を有する高悪性度の場合がある．気管支鏡では，表面滑沢な黄色～黄白色の硬い気管支内腔に向かってポリープ状に発育する上皮下主体の腫瘍として観察される．高悪性度粘表皮癌では気管壁を越えて周囲組織に浸潤することもある．

4）カルチノイド腫瘍

気管支上皮の神経内分泌細胞（Kultschitzky cell）由来とされ，大細胞神経内分泌癌，小細胞癌とともに神経内分泌腫瘍のスペクトラムに分類される低～中等度悪性腫瘍である．核分裂像が2mm²（約10HPF）あたり2個未満で壊死を欠く定型カルチノイドと2～10個の核分裂像を有するか，壊死巣を有する異型カルチノイドに分類される．男女差は認められず，発症年齢は20～40歳代に多い．気管支鏡では内腔に表面平滑な光沢のあるやや赤色または黄色の結節状もしくはポリープ状腫瘤として認められる．異型カルチノイドはリンパ節転移の頻度が高く予後不良である．

c 続発性気管腫瘍　レベルA

遠隔臓器発生悪性腫瘍の気管転移としては，腎癌，乳癌，大腸癌，悪性黒色腫，胃癌の頻度が高い．気管周囲臓器発生悪性腫瘍の気管浸潤としては，甲状腺癌，食道癌，喉頭癌，肺癌がある．これら転移性気管腫瘍と浸潤性気管腫瘍を続発性気管腫瘍と呼ぶ．

d 症状・診断　レベルB

気管腫瘍の症状としては呼吸困難のほか，咳嗽，喘鳴，血痰などがある．特に扁平上皮癌は上皮主体病変であるため，比較的早期から血痰がみられる．狭窄が気管内腔の70％を超えるようになると急速に呼吸困難が激しくなる．発育の遅い腫瘍では喘鳴を主訴とするものが多く，気管支喘息と誤診して長期間にわたって保存的治療を受けている場合もある．気管腫瘍の画像診断としては，胸部X線，CT（MPR，3D-CT），気管支鏡検査が必須である．これらの所見から腫瘍の主体（上皮，上皮下，壁内，壁外），位置，大きさ，形状，周囲臓器との関係，狭窄の程度，腫瘍末梢気道の状態などを評価する（図3）．

呼吸機能検査ではフローボリューム曲線が気道狭窄の特性を反映する（図4）．軟化症を伴う可変性気管狭窄の場合，腫瘍が胸郭外に存在する症例では，呼気流量に変化なく吸気流量だけが低下する（図4a）．一方，腫瘍が胸郭内に存在する症例では，呼出時に気道が狭くなるため，吸気流量に変化なく呼気流量だけが低下する（図4b）．軟化症を伴わない固定性気管狭窄の場合は，腫瘍が胸郭外・胸郭内のどちらに存在していても，吸気流量・呼気流量ともに低下する（図4c）．

e 治療　レベルC

気管腫瘍の治療は，呼吸状態，腫瘍の組織型，局在，大

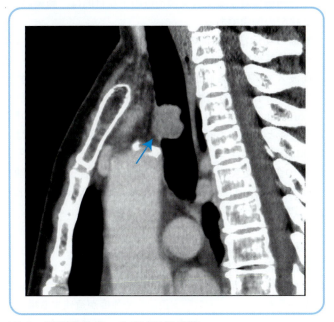

図3　腺様嚢胞癌．胸部CT矢状断
気管中部の内腔をほぼ閉塞する腫瘍（矢印）を認めた．壁外性発育がみられる．

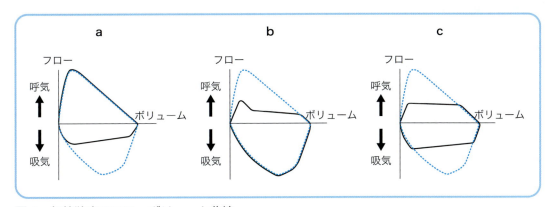

図4　気管狭窄のフローボリューム曲線
　青点線は正常を示す．
　a：気管軟化症を伴う可変性胸郭外狭窄
　b：気管軟化症を伴う可変性胸郭内狭窄
　c：気管軟化症のない固定性胸郭外・胸郭内狭窄

きさ，形状，深達度，狭窄の程度，末梢気道の状況などを総合的に評価して行う．

1）気道確保

気管腫瘍による呼吸困難が高度な場合は，まず気道確保が重要となる．その場合は事前にCTにて狭窄部位，狭窄部の長さや末梢気道の状態を確認しておく．気管支鏡下に腫瘍を切除して気道を確保する場合は，全身麻酔下に硬性気管支鏡を挿入することを基本とする．その理由として全身麻酔により咳嗽を抑制できること，硬性気管支鏡を使用することで出血への対応が行いやすいこと，core outやステント留置が可能であることがあげられる．硬性気管支鏡を挿入したあとに以下の気管支鏡治療を行い，気道の確保を図り呼吸状態を改善させる．

2）気管支鏡治療

気管腫瘍に対する気管支鏡治療の主な目的は，腫瘍の切除と狭窄の解除である．

腫瘍の切除法は腫瘍の形態により柔軟に対応する．ポリープ状腫瘍であれば，迅速に十分な組織量が採取できる高周波スネアによる腫瘍切除を試みる．ポリープ状腫瘍でなければ鉗子による切除のほか，レーザー焼灼やAPC焼灼にcore outを併用すれば容易に腫瘍の切除ができ狭窄の解除が可能となる．手術適応とならない悪性腫瘍に対しては，状況に応じてステント留置を実施する．また，早期扁平上皮癌の気管支鏡での治療法として，気管支腔内照射（brachytherapy），光線力学的治療（photodynamic therapy：PDT）がある．

3）気管良性腫瘍の手術適応

良性腫瘍の場合は，腫瘍が気管壁外に進展していなければ上記の気管支鏡治療を第一選択とする．気管良性腫瘍に対する手術適応は，①気管支鏡治療で腫瘍が遺残する場合，②CT画像などで壁外進展を疑う場合，③再発例で，これらの症例には気管管状切除端々吻合術や気管楔状切除術を考慮する．

4）気管悪性腫瘍の手術適応・術式

気管悪性腫瘍の根治療法は，完全切除再建が可能な症例では手術が第一選択である．気管の切除再建が可能な範囲は，減張操作を行わない場合，気管全長の20%（約2.5cm，4軟骨輪）であるが，肺門部剥離，肺靱帯切離，心膜切開，Montgomeryの舌骨上授動，頸部前屈位など種々の授動操作を加えることにより，約5～6cm，すなわち気管全長の1/2程度の切除再建が可能となる[1]．Montgomeryの舌骨上授動は舌骨上縁に付着する顎舌骨筋，オトガイ舌骨筋，オ

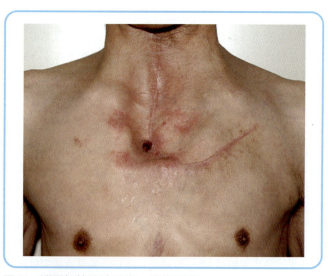

図5　縦隔気管孔造設術．術後写真

トガイ舌筋を切離し，舌骨の小角と大角を離断する方法で，約1.2cmの授動が得られる[2]．Dedoらの甲状舌骨筋を切断する喉頭授動（舌骨下授動）と比較して嚥下障害が少なく，現在はこの方法が広く用いられている．年齢に伴う気管軟骨靱帯の硬化，首の長さ，亀背の有無などで切除可能範囲は症例ごとに異なるので，術中は頸部を前屈させ，腫瘍の尾側を離断して気管の届く範囲を見極めたうえで頭側を離断する．腺様嚢胞癌では壁内を長軸方向に進展し断端陽性となりやすいので，放射線感受性が高いことを念頭に切除範囲を決める．再建が不可能な場合は同時に喉頭も切除し縦隔気管孔を造設する（図5）．縦隔気管孔造設術は，頸部襟状切開と胸骨角までの正中切開にてアプローチし，第2肋間レベルで胸骨を横断，第1・2肋骨と鎖骨を胸骨付着部近傍で切断し胸骨柄を切除する．末梢気管を分岐部から3軟骨輪残すことができれば前胸部に気管孔を造設できる．気管は上大静脈と上行大動脈，腕頭動脈の間を通し気管孔を形成する．気管と大血管の間には大胸筋や胸腺を介在させ，血管の圧迫壊死を予防する．また，腫瘍が分岐部に進展している症例ではMontage型や2連銃式で分岐部を切除再建する．広範に腫瘍が進展し手術適応とならない症例には，腫瘍の組織型を考慮しながら放射線治療や化学療法を選択し，状況に応じてステント留置を実施する[3]．

文献

1) Grillo HC et al. Ann Thorac Surg 1990; **49**: 69
2) Montgomery WW. Arch Otolaryngol 1974; **99**: 255
3) 吉井直子ほか．日気食会報 2012; **63**: 314

⑧ 気管・気管支病変に対するインターベンション治療

要点
❶各種呼吸器インターベンション手技の修得により気道病変の低侵襲治療が可能になる.

Key Word 硬性気管支鏡, 気道ステント, レーザー, アルゴンプラズマ凝固法(APC), 高周波スネア, endobronchial Watanabe spigot(EWS)

　中枢気道病変に対する気管支鏡を用いた呼吸器インターベンションは, 患者のQOLを重視した非常に有用な低侵襲治療法である. 呼吸困難を伴う悪性気道狭窄・閉塞病変に対しては緩和医療としての一面もあり, 良性病変に対しては手術を回避して根治も可能な治療法である.

a 硬性気管支鏡 レベルC

　中枢気道狭窄に対する気道拡張術, ステント留置術, 異物摘出術などの呼吸器インターベンションにおいて, 硬性気管支鏡(以下, 硬性鏡)は非常に有用な手段である.

1) 硬性鏡下治療の適応
　①中枢気道狭窄・閉塞による高度な呼吸困難を伴う症例, ②軟性鏡下治療困難と考えられる高度狭窄や易出血病巣, ③腫瘍の機械的切除(core out, debulking)が必要な病変, ④気道ステント留置術(特にシリコンステント)などが適応となる.

2) 硬性気管支鏡システムの構成
　硬性鏡管(気管用, 気管支用), テレスコープ(0°, 30°), 各種鉗子, ステント留置キットなどで構成される(図1).

3) 硬性鏡挿入手技
　通常, 自発呼吸を残した全身麻酔下で硬性気管支鏡手技を行う. 硬性鏡先端を口腔内に垂直方向に挿入し, 先端で舌を上方に挙上すると喉頭蓋がみえる. 喉頭蓋の下方に挿入し, 上方に優しく挙上すると声帯が垂直方向にみえる. 先端を垂直方向に90°回転し声帯を損傷しないよう慎重に声門下腔から気管内に挿入する.

4) 硬性鏡下気道拡張術
　浸潤性狭窄に対しては, 内視鏡的凝固焼灼術やバルーン拡張術を行う. 硬性鏡先端を用いて腫瘍の機械的切除(core out, debulking)を施行する場合もある. core outは, 硬性鏡管の進行方向と腫瘍浸潤性狭窄の中枢および末梢気管支の軸が一致する場合にのみ施行可能である.

5) 合併症とその対策
　硬性鏡管が喉頭に強く密着した場合や, 挿入抜去を繰り返した場合には喉頭浮腫を起こす可能性があるので, 鏡管抜去時に声門・喉頭の状態を観察しておく. 術後の喉頭浮腫を予防するためには, ステロイドの全身投与を行う.

b 気道ステント留置術 レベルC

　初診時より高度な中枢気道狭窄・閉塞を呈している症例や, 化学療法や放射線療法などの治療施行にもかかわらず, 病勢の進行により気道を狭窄・閉塞し高度の呼吸困難を呈する症例, 術後再発による気道狭窄症例に対するステント留置術は非常に有効な治療法である. 気道狭窄には, 外圧性, 浸潤性, 混合性狭窄があるが, 外圧性以外では高出力

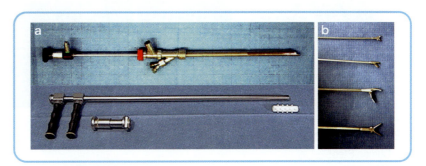

図1　硬性気管支鏡の構成
　a：硬性気管支鏡とステント留置キット
　b：各種鉗子

レーザーや高周波装置を用いて気道をある程度開大させたあとにステントを留置する場合が多い.

1) 気道ステントの適応

呼吸困難を伴う患者で他の姑息的治療の効果が得られず, 中枢気道に50%以上の狭窄があり, その狭窄末梢の肺機能および血流が正常に保たれ, 3ヵ月以上の予後が期待される症例がステント留置術のよい適応である. また, 窒息死の危険性がある高度中枢気道狭窄症例に対する緊急的ステント留置も施行される. 瘻孔閉鎖目的でも使用されることがある.

具体的には, ①肺癌や食道癌などの悪性疾患, ②縦隔腫瘍, 縦隔リンパ節転移, リンパ腫, ③気管軟化症, ④気管支結核や気道熱傷による瘢痕性収縮, ⑤気管切開部の肉芽増生による狭窄やカフステノーシス, ⑥気管支形成術後や肺移植後の吻合部狭窄, ⑦食道気管瘻などの中枢気道狭窄や瘻孔に対してステント留置術の適応がある.

2) 気道ステントの種類

気道ステントには, シリコン製ステントと自己拡張型金属ステント(self expandable metallic stent：SEMS)がある. シリコンステントにはDumon StentやTM Stentなどがあり, SEMSにはUltraflexやZ-stentがある. 気管分岐部周囲の狭窄に対しては, Y字形をしたDumon Y Stentが使用される. 最近, 金属をフルカバーしたハイブリッドステントのAERO Stentが使用可能となった(図2).

①シリコンステント

シリコンステントは, 逸脱予防のために表面にスタッドやリングを付けてある. シリコンのなかにバリウムが混入されており, X線透視下に確認できる(図3a, b). Y字ステントは, 分岐部周囲の狭窄に使用される. 拡張力は弱いが, 内腔保持力は良好で, tumor ingrowthの問題がないため, 浸潤性狭窄に有効である. また, 抜去可能であるため良性狭窄にも使用される場合がある. 留置には, 硬性気管支鏡セットが用いられる.

②自己拡張型金属ステント(SEMS)

SEMSは, 軟性気管支鏡でも留置可能である. シリコン

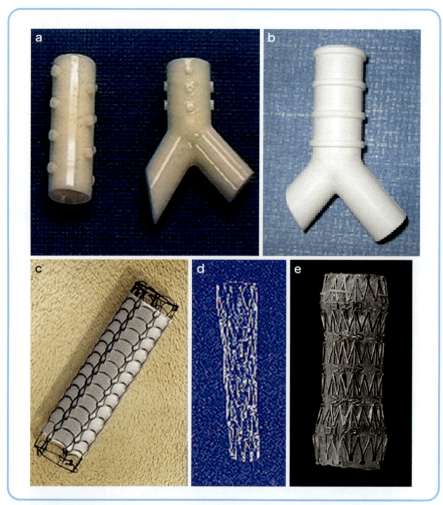

図2　各種ステント
　a：Dumon Stent
　b：TM Stent
　c：Ultraflex
　d：Z-stent
　e：Aero Stent

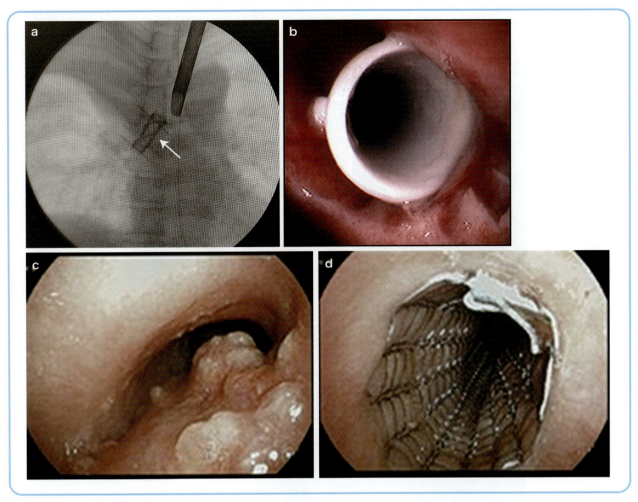

図3 ステント留置後の画像
　a：硬性気管支鏡による Dumon stent の右主気管支への留置（矢印はステントを示す）．
　b：Dumon stent 留置後の写真
　c，d：Ultraflex の留置前後の写真（b：留置前，c：留置後）

ステントに比較し拡張前容積が小さいため，留置前拡張をあまり必要としない．高度な狭窄に対しても比較的安全に留置可能であるため，緊急的気道開大目的に留置される場合が多い（図3c, d）．Ultraflex には bared type と covered type がある．Z-stent は現在入手困難となっている．

③ハイブリッドステント

ハイブリッドステントの AERO Stent が開発され，本邦でも使用可能となった．このステントの特徴は，ステント拡張後の shortning がほとんどなく正確な留置が可能で，ポリウレタン膜にて金属がフルカバーされ，従来の金属ステントのようにカバーされていない部位からの肉芽形成がなく，抜去も可能である．内側は親水性コーティングがなされているため粘液貯留が少ない．硬性鏡または軟性鏡のどちらでも留置できる．

3）治療成績と合併症

呼吸困難の改善は，86～100％に得られている．シリコンステントの一般的な合併症には逸脱，分泌物貯留，肉芽形成がある．逸脱・移動が17.5％，分泌物貯留が6.3％，肉芽形成が6.3％に認めたとの報告があるが[1]，実際にはもう少し多いと思われる．シリコンステントは乾性痰によるステントの内腔狭窄・閉塞を起こすことがあり，施行後のネブライザーなどの加湿対策や軟性鏡による定期的なクリーニングが重要である．

C 高出力レーザー レベルB

内視鏡的レーザー焼灼法は，レーザー光線の有する高輝度，収束性に起因する高出力を利用して組織を凝固・蒸散させる組織焼灼法である．内視鏡的治療においては，Nd-YAG レーザーが従来使用されてきたが，現在普及しているのは，高出力ダイオードレーザーである．ダイオードレーザーは，小型で出力が安定しており，メンテナンスフリーという特徴がある．小型のポータブルな装置であり家庭用100Vの電源で発振可能であるため，内視鏡室，手術室間の移動も容易である．発火の危険性が高く，酸素濃度は35％以下に抑える．全体の有効率81％，気管・主気管支で93％，葉気管支または区域気管支で73％，合併症は，出血6％，気管支穿孔3％との報告もある[2]．

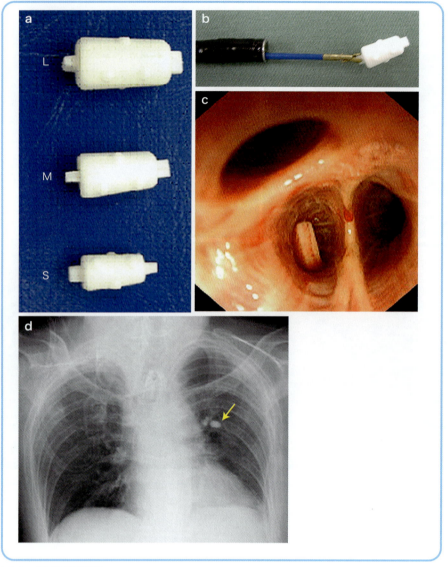

図4　EWS 充塡術
 a：3種類の EWS
 b：気管支鏡に通した鉗子で EWS を把持して挿入する(少し斜めに把持する).
 c：EWS を責任気管支に留置したあとの気管支鏡所見.
 d：EWS 挿入後の胸部 X 線写真．難治性肺瘻の治療として EWS(矢印)が充塡された．

d 高周波凝固療法 レベルB

この治療法には，アルゴンプラズマ凝固，高周波スネアなどがある．処置具の電極と対極板の間の組織に電流が流れると，接触面積の小さい電極側で電流密度が高くなるためジュール熱が発生し組織が凝固，切開，蒸散される．

1) アルゴンプラズマ凝固法(APC)

アルゴンプラズマ凝固法(argon plasma coagulator：APC)は，モノポーラー高周波凝固のひとつで，高電圧放電凝固(スプレー凝固)とアルゴンガスを組み合わせた凝固法である．高周波電流がアルゴンプラズマの流れに沿って，非接触的に標的組織に流れていく．アルゴンプラズマは，インピーダンスの低い部位に流れるので，気管支側壁の病変に対する凝固や出血部位の凝固止血に特に有効である．

レーザーに比べ組織深達度は浅いので穿孔の危険性は低い．

2) 高周波スネア

気管・気管支内のポリープ状腫瘍の摘出に有効である．一度で腫瘍を大きく摘出することが可能で，時間短縮を図ることができる．通電されていない状態のスネアループで腫瘍を絞扼すると大出血につながるため，腫瘍基部の絞扼は徐々に行い，組織が凝固されてきていることを確認しながら切除する．

e 気管支充塡術 レベルC

難治性のエアリークを止め病態を改善させる目的で気管支充塡術が施行される．従来，ゼラチンスポンジやオキシセルコットンなどの材料を用いてきたが，高純度シリコン

を用いた非吸収性の気管支充塡材としてendobronchial Watanabe spigot(EWS)が開発された．

1) 適応と治療手技

EWS充塡術は，外科手術による治療が困難で，気管支充塡術による治療が適応となる続発性難治性で手術不能な気胸，肺切除後の遷延するエアリーク，有瘻性膿胸，他臓器との気管支瘻を有する患者の肺瘻や瘻孔を防ぎ肺の再膨張を図る目的で非常に有効な手技である．

EWSは，コルク状の形状で，末梢，中枢端には把持用の平板状の突起が付いており，表面には計6個の半球状のスタッドが等間隔で配置されている．気管支鏡下で鉗子により平板状突起部を把持し，瘻孔に関係する責任気管支を塞栓する．EWSの胴体部分のスタッドにより気管支に維持固定される．大きさは，S，M，L(最大径：5，6，7 mm)の3種類がある(図4)．

治療手技は，気管支鏡のチャネル内に通しておいた把持力の強い内視鏡用把持鉗子(FG-14Pなど)を用いてEWSの近位端を把持し，気管支鏡を進めていき，気管支鏡と鉗子，EWSを目的気管支の軸を合わせて押し込む．喀出を防ぐために，通常は亜区域支にMサイズを選択する．通常の方法では充塡困難な気管支に充塡する場合には，近位端を気管支壁に当てて角度を変えるヒールキック法を用いたり，状況に合わせてEWSの末梢端を斜めにカットして留置しやすくする．また，EWSにキュレットを刺入，ガイドワイヤーを貫通させたりして，責任気管支に誘導する方法も用いられる．

2) 成績

渡辺らは，EWS気管支充塡術によりエアリークが消失したのは42.5%，減少が35.4%，不変が18.1%で，ドレナージチューブの抜去が可能であった症例が65.3%であったと，その有効性を報告している[3]．国内臨床試験における全体の有効率は88.0%で，続発性難治性気胸で90.5%，肺切除後の遷延するエアリークで100%であった．

Side Memo

重症肺気腫患者に対してEWSなどのバルブを用いた気管支閉塞法による気管支鏡下肺容量減少療法(bronchoscopic lung volume reduction：BLVR)が開発されている．隣接葉からの側副換気がその治療効果を妨げていると考えられ，より効果的な方法として一方向性のシリコン製バルブや金属製バルブおよび肺容積減量金属コイルなども考案されている．今後，本法の有効性，安全性についてさらなる検討が必要とされる(Davey C et al. Lancet 2015; 386: 1066)．

文献

1) Martinez-Ballarin JI et al. Chest 1996; **109**: 626
2) Furukawa K et al. Diagn Ther Endosc 1999; **5**: 161
3) 渡辺洋一．気管支学 2005; **27**: 475

VIII. 気管・気管支

復習ドリル

問題❶
気管支結核による気道狭窄で誤りはどれか．
- a. 左主気管支に好発する
- b. 気管支喘息と鑑別が必要である
- c. 狭窄部に金属ステントを留置する
- d. 狭窄部にバルーン拡張術を行う
- e. 気管支形成術後は吻合部狭窄に留意する

問題❷
気管腫瘍について正しいのはどれか．2つ選べ．
- a. 粘表皮癌が最も多い
- b. 気管管状切除端々吻合術を行う
- c. 気管への転移性腫瘍は切除の絶対的適応である
- d. 気管内腔の70％を超えると呼吸困難が激しくなる
- e. 薬剤反応性の喘息様症状を呈する

正解：①c，②bとd

第IX章
縦　隔

IX. 縦隔

① 縦隔の解剖

要点
1. 縦隔とは領域の名前である.
2. 縦隔には種々の臓器が存在するため,縦隔疾患の病態は様々である.

Key Word　胸腺低形成,胸腺肥大(過形成),リンパ濾胞,胚中心

縦隔とは臓器の名前ではなく,領域の名前であるため,厳格な境界を引くことは実際問題として困難である.しかし,実臨床のうえではその境界を引かなくてはならない.

a 縦隔とは レベルC

1) 縦隔の定義

縦隔は胸郭内で左右の縦隔胸膜で境界される部位で,背側は脊椎,腹側は胸骨で境界される.上縁は胸郭入口部,下縁は横隔膜と定義され,その内部には大血管,心臓,食道,気管などの重要臓器が存在する.そのほか胸腺やリンパ節,種々の神経や胸管,リンパ管も含まれる.心臓や食道は縦隔に存在するが,その疾患は特殊であり縦隔疾患としては取り扱わない.本書においても心臓疾患や食道腫瘍に関しては縦隔疾患として取り扱わないものとする.また,気管も縦隔に存在する臓器ではあるが,気管疾患に関しても本書では別項(Ⅷ章)で取り扱われる.

縦隔の区分に関しては日本胸腺研究会が編集した「縦隔腫瘍取扱い規約」に記載された分類が最新である(図1)[1].これを参考にすると,縦隔は縦隔上部,前縦隔,中縦隔,後縦隔に分類される.従来,縦隔区分は比較的あいまいであり,解剖学的な分類と放射線学的な分類の相違があった.また,放射線学的な分類も胸部X線像の側面像を中心とした分類であったため,現在の胸部CT,MRIを中心とした放射線学的な解釈が従来の分類では適応できなくなってきている.なお,本分類はFelsonの分類[2]と曽根の分類[3]を参考として作成されている.

①縦隔上部

縦隔の上縁から左腕頭静脈が気管正中線と交差する高さまでの縦隔で,前外側縁は内胸動静脈外縁,腕頭静脈外側縁または鎖骨下動脈第1分節外側縁とし,後外側縁は横突起の外縁で後胸壁に立てた垂線とする.なお,上縦隔という表現は通常単純胸部X線像の側面像で胸骨柄下縁と第4,5胸椎間を結ぶ線上よりも上部(頭側)に定義されるが,この定義を使用した場合に縦隔区分と発生腫瘍頻度との整合性が乏しいと判断されたため縦隔上部という定義が使用された経緯がある.

②前縦隔

左腕頭静脈が気管正中線と交差する高さから下方,横隔膜にいたる高さの縦隔で,前縁は前胸壁後面で境界される.後縁は頭尾方向の位置および左右により異なる.左では頭側から順次,左腕頭静脈前縁,左鎖骨下動脈,大動脈後縁,肺動脈幹,左主肺動脈,上肺静脈,下肺静脈,心臓後縁により形成される.右では,頭側から順次,上大静脈前縁,上肺静脈,下肺静脈前縁,心臓の後縁により形成される.外側縁は内胸動静脈外縁,上肺静脈外縁,下肺静脈外縁とする.

③中縦隔

左腕頭静脈が気管正中線と交差する高さから下方,横隔膜にいたる高さの縦隔で,心臓,左腕頭静脈,上大静脈の後方,食道および気管,主気管支とその周囲とする.後縁は椎体の前縁から1cm後方とする.

④後縦隔

神経原性腫瘍の好発部位に相当する.左腕頭静脈が気管正中線と交差する高さから下方,横隔膜にいたる高さの縦隔椎体の周囲とするが,その前縁は椎体の前縁より1cm後方とする.その後外側縁は横突起の外縁で後胸壁に立てた垂線とする.

また,International Thymic Malignancy Interest Group(ITMIG)から縦隔上部の概念を排除し,縦隔を3つのコンパートメントのみに分類した新分類も提案されている[4].

b 縦隔に含まれる臓器 レベルC

1) 胸腺

縦隔を前面から診ていくと,胸骨の直下には胸腺がある.胸腺の背側には上方では左腕頭静脈が横走し,下方には大動脈,心臓がある.胸腺は左右の2葉に分かれており,割面は分葉状で,小児で発達しているが,成人では30〜50g程度となり脂肪に富む.胸腺は胎生4〜5週に咽頭部に出現する第3鰓嚢から発生する内胚葉由来の臓器である.当初は袋状構造を呈するがやがて極性が消失し全体が塊状になる.このころ胸腺原基は頸部から胸部に下降していく.塊状になった胸腺原基はその後,リンパ球の多い皮質とリンパ球が疎でHassall小体が散在する髄質に分かれていく.血管は髄質に豊富である.胸腺の栄養血管は胸腺動脈で,胸腺動脈は左右外側から内胸動脈の最初の分枝として胸

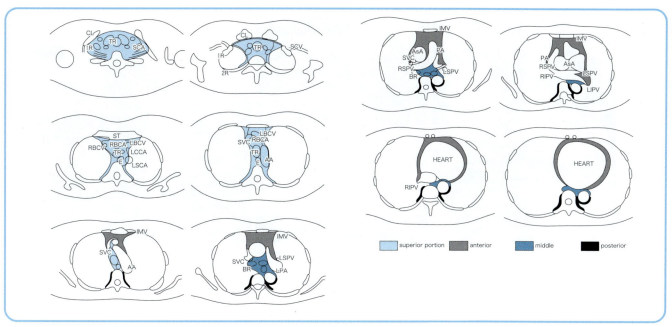

図1 縦隔の区分
CL：鎖骨，TR：気管，SCA：鎖骨下動脈，SCV：鎖骨下静脈
（日本胸腺研究会（編）．臨床・病理 縦隔腫瘍取扱い規約，金原出版，2009[1]）を参考に作成）

に流入する．胸腺静脈は数本存在し，左腕頭静脈やときに上大静脈に注ぐ．

①胸腺の機能[5]

胸腺はT細胞の分化成熟を司る器官とされる．簡単に胸腺で行われるT細胞の分化成熟の過程を紹介する．骨髄でつくられるT細胞の前駆細胞は胸腺の皮髄境界に存在する血管から胸腺内に侵入し，外側に存在する皮質に向かって進みながら分化増殖する．その後，被膜下でさらに増殖し，折り返して今度は内側に向かい，皮質から髄質に移動する過程で成熟し，髄質の豊富に存在する血管から全身に向かう．この間未熟なT細胞はいくつかの分化の過程を経るが，この過程はCD4分子とCD8分子の発現が指標になる．初期分化段階では両者が発現していないdouble negativeの段階から，両者が発現するdouble positiveの段階に進み，やがてどちらかのみが発現するsingle positiveの段階へと進む．皮質に存在する未熟T細胞はdouble positiveであり，髄質に存在するT細胞はsingle positiveである．CD4のsingle positive細胞がヘルパーT細胞で，CD8のsingle positive細胞が細胞障害性T細胞（キラーT細胞）である．double positive細胞がsingle positive細胞に分化する過程で"正の選択（positive selection）"と"負の選択（negative selection）"という選択を受ける（図2）．

以上のように胸腺がなければ成熟したT細胞は形成されず，Di-George症候群として知られる胸腺の無形性または低形成では著明な免疫不全となる．逆に胸腺過形成では重症筋無力症を発症する．重症筋無力症は別項（IX章-4参照）に詳細が記載されているが，過形成性胸腺には多くの胚中心（germinal center）がみられる．この胚中心は正常の胸腺にはみられない構造で，通常はリンパ節のリンパ濾胞内にみられる構造である．この過形成性胸腺内にみられる胚中心ではB細胞が増殖しているが，このなかには，いわゆる

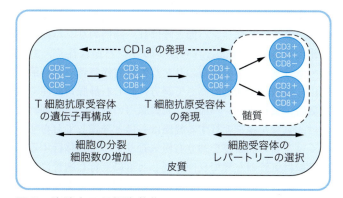

図2 胸腺内のT細胞分化

重症筋無力症の原因となる抗アセチルコリン受容体に対する特異的な抗体を産生するB細胞が含まれており，重症筋無力症の患者に胸腺摘出術が有効な理由と考えられる．

②異所性胸腺[6]

異所性胸腺が報告されている．上述のごとく胸腺原基は頸部から胸部に下降していく．その際に頸部に胸腺原基の一部が遺残する可能性は十分考えやすく，頸部の異所性胸腺はマウスでも存在する．頸部以外にも，心膜周囲脂肪や後縦隔でもその存在は知られており，また頸部では甲状腺の上極にも存在することが報告されている．このことは胸腺とともに頸部や心膜周囲の脂肪組織を郭清しても，異所性胸腺を含めた完全なる胸腺切除は困難であることを示しており，拡大胸腺摘出術はあくまでvolume reductionと考えるほうが妥当である．

2）胸部のリンパ節とリンパ管系

肺門からのリンパ経路は解剖学的な理由から右優位であり，右静脈角への経路が重要である．肺門からのリンパ経

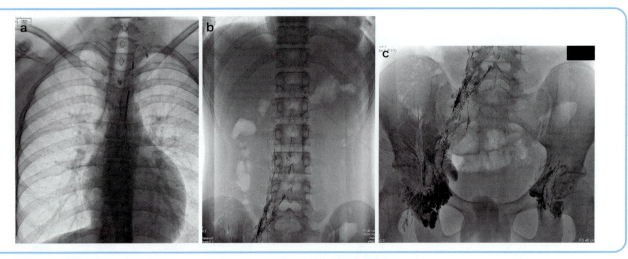

図3　胸管造影の画像
　原因不明の乳び心嚢液貯留症例に施行した胸管造影．漏出部位は特定できなかった．

路は大血管に沿う浅部のリンパ系と気管に沿って上行する深部のリンパ系に分けられるが，気管・気管支に沿って鎖状に連なる深部のリンパ系が主流である．気管が左右の主気管支に分岐する三叉路にはリンパ節が集まって塊をつくりやすく，右気管・気管支リンパ節，左気管・気管支リンパ節，気管分岐部リンパ節と呼ばれ，肺門のリンパ節群から出たリンパ管群はこれら3つのリンパ節に注ぐ．右気管・気管支リンパ節からのリンパ管は右傍気管リンパ節を経由し最後は甲状腺の高さで側方に転じ右静脈角に注ぐ．左気管・気管支リンパ節は，大動脈弓の存在により制約を受け，気管左縁を上行する経路は右ほど発達しておらず，多くは左右の連絡路を通り右傍気管リンパ系に移行する．一部には気管の左縁で反回神経とともに上行し胸管に流入する．気管分岐部リンパ節は左右の気管・気管支リンパ節に流入するが一部は下行して横隔膜のリンパ系に注ぐ．肺門から上大静脈や大動脈弓に沿って上行する浅部のリンパ系は途中の前縦隔リンパ節を中継し左右の静脈角に流入する．

① 胸管

　胸管は横隔膜より下方の第1～2腰椎の高さで拡張し，乳び槽を起始とし椎体前面やや右寄りを上行し，大動脈とともに横隔膜の大動脈裂孔を貫き，第5胸椎の高さで左方に移り，左鎖骨の高さまで胸椎の左側を上行する．途中左鎖骨下動脈の後面を通り，反転して左内頸静脈と左鎖骨下静脈の合流部に注ぐ．途中肋間のリンパ管や頸部，鎖骨下，気管支縦隔リンパ本幹が合流する．右リンパ本幹は胸管よりも細く，右上半身のリンパ管が合流し，右内胸静脈と右鎖骨下静脈の合流部で静脈系に注ぐが，胸管やリンパ本幹の走行には種々の変異がみられる（図3）（X章-6-b参照）．

3）心・血管
① 心・大血管

　心臓は縦隔に存在し，大血管は縦隔を走行する臓器である．上述のごとく心臓疾患，大血管疾患は特殊であり縦隔疾患としては取り扱わない．心臓腫瘍や大血管発生の腫瘍も縦隔腫瘍として取り扱わない．

② 奇静脈

　奇静脈系は体壁と脊髄，脊柱の静脈である．この静脈系は脊柱に接して上行し体壁を分節的に横走する肋間静脈と腰静脈を受け入れる．右の奇静脈は上行腰静脈に始まり横隔膜腰椎部右脚の裂隙を通過し腰椎前面を上行し，第3胸椎の高さで弓状（奇静脈弓）となり前方へ走行して上大静脈に注ぐ．左の半奇静脈は左脚を貫き胸椎左側を上行し第9胸椎の高さで奇静脈に注ぐ．左方で半奇静脈に連続し半奇静脈よりも上方を縦走する静脈を副半奇静脈と呼び，上方では左最上肋間静脈に連続している．

③ 左上大静脈遺残（PLSVC）

　左上大静脈遺残（persistent left superior vena cava：PLSVC）の頻度は一般剖検例において0.3％程度とされる比較的頻度の高い血管奇形であり，先天性心疾患の患者ではさらに頻度は高くなる．胎生期には上大静脈は左右に2本存在し，発生の過程で右側1本に合流するが，何らかの原因で左上大静脈が閉塞しなかった場合に本疾患が発生することになる．PLSVCは冠静脈洞（coronary sinus）に通常開口するが，左房に直接還流する例もある．PLSVCそのものには治療を要しないが，縦隔腫瘍手術や縦隔リンパ節郭清時には注意が必要である．

④ Adamkiewicz動脈

　Adamkiewicz動脈は脊髄の下位半分の前脊髄動脈を栄養する動脈である．Th9からL1の間に存在し，左側から分岐することが多い．太さは0.9mmほどで前脊髄動脈までは分岐がない．Adamkiewicz動脈よりも頭側のTh4からTh9のレベルでは神経根髄質動脈や神経根軟膜動脈が最も疎な部分で，大動脈置換などでAdamkiewicz動脈を損傷すると実際の損傷部位よりも頭側で脊髄の障害が出現することになるため，本動脈の特徴を理解しておくことが肝要である．

4）神経
① 横隔神経

　横隔神経は第3～5頸髄から出て前斜角筋前面を下降し鎖

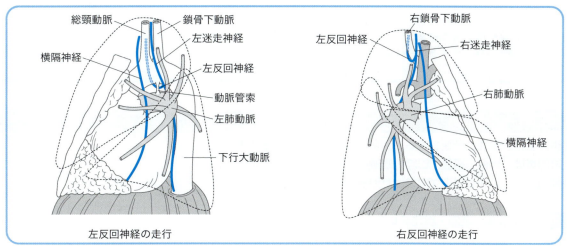

図4　左右反回神経の走行

骨下動静脈の間を通り胸腔に入る．心膜横隔動静脈とともに肺門の前面で心嚢と縦隔胸膜の間を下降し横隔膜にいたり，多くの枝に分かれて横隔膜の運動支配をする．心膜横隔動静脈は腕頭動静脈と内胸動脈から，あるいはそのどちらかから分岐している．

②迷走神経・反回神経

迷走神経は胸部・腹部の内臓に分布する知覚と運動の両者を司る混合神経であるが，その主成分は副交感性である．第10脳神経で頸部では咽頭の外側で内頸動脈・総頸動脈と内頸静脈の間の後側を下り，胸郭上縁ではやや外側に向かい右は鎖骨下動脈の前，左は大動脈弓の前を通って胸腔に入る．気管支，心膜の背側から食道の外側を下降し，次第に左は食道の前面，右は食道の後面を走行し，横隔膜は食道とともに食道裂孔を通過する．途中で多くの分枝を出すが，反回神経は迷走神経が胸腔内に入ってから出る枝で，右側は鎖骨下動脈を，左側は大動脈弓を下から後ろに回り，次に両側とも気管と食道の間の溝（気管食道溝）を上行し下咽頭収縮筋の下縁で下喉頭神経になって多くの枝に分かれる．左反回神経は動脈幹索の後方で大動脈を回り込む（図4）．

③交感神経

交感神経の主要部は交感神経幹として脊柱の両側に沿って縦走する．その間に多数の神経節を有する．脊髄から出る節前線維の大部分は神経節で終わるが一部は節後線維に接続する．上下の神経節を結ぶ枝を節間枝，脊柱の前を横走し両側の神経節を結ぶ横枝，脊髄神経と合する交通枝と，多くの枝が複雑に走行する．呼吸器外科領域において手掌多汗症に対して胸部交感神経節焼灼術や離断術，あるいは切除術が行われるが，発汗支配の髄節レベルは頭部顔面が第1〜4胸髄節，上肢が第2〜8胸髄節であり，手掌発汗は多くの胸髄からの支配を受けることになる．

5）食道

食道は頸部，胸部，腹部の三領域にまたがる管腔臓器で，血管支配も複雑である．胸部食道の上端部は下甲状腺動脈を起始とする気管食道動脈が分布し，下端部は腹部食道同様左胃動脈の食道枝などが分布する．両者の間は気管分岐部のやや下方を移行部として頭側は主に気管支動脈が，尾側は固有の食道動脈から血液の供給を受ける．

6）気管・気管支

気管は喉頭に連続し，第6頸椎の高さで始まり，食道の前を下降し，第4〜6胸椎の前で左右の主気管支に分岐する．気管支動脈の起始は変異に富む．通常右側は肋間動脈と共通幹で下行大動脈から分岐し左は1〜2本の固有の気管支動脈として大動脈から分岐するとされる．詳細な検討では気管支動脈の起始は以下の5群に大別される[7]．

ⅰ）大動脈から右肋間動脈と共通幹をつくる枝
ⅱ）右鎖骨下動脈（またはその分枝）からの枝
ⅲ）左鎖骨下動脈（またはその分枝）からの枝
ⅳ）左反回神経よりも内側（近位）で大動脈弓から起きる枝
ⅴ）左反回神経よりも外側（遠位）で大動脈弓から起きる枝

特にⅰ）の大動脈から右肋間動脈と共通幹をつくる枝は右第4肋間動脈が気管と食道の背側を通過し肋間にいたった部位で気管支動脈を分枝する．気管支循環は肺外気管支循環と肺内気管支循環に分けられる．肺外気管支循環では上述気管支動脈に気管支静脈が伴走する．肺内気管支循環は大循環系が小循環系に注ぐ系で気管支静脈は伴走せず，気管支動脈の血流は肺静脈に流入する．また，肺動脈閉鎖などのチアノーゼを伴うような心奇形ではしばしば気管支動脈肺動脈吻合がみられるが，慢性肺疾患や正常肺でも気管支動脈肺動脈吻合は報告されている．

文献

1) 日本胸腺研究会（編）．臨床・病理 縦隔腫瘍取扱い規約，金原出版，2009
2) Goodman LB. Felson's Principles of Chest Roentgenology, 3rd Ed, WB Saunders, 2006
3) Sone S et al. AJR Am J Rentgenol 1982; **138**: 1051
4) Carter BW et al. J Thorac Oncol 2014; 2 (9 Suppl 2): S97
5) 河本宏．実験医学別冊　もっとよくわかる！免疫学，羊土社，2011
6) Shields TW et al (eds). General Thoracic Surgery, 7th Ed, Lippincott Williams & Wilkins, 2009: p2062, Figure163-5
7) 佐藤達夫．食道―動脈．消化器の局所解剖学―食道・胃，金原出版，1995

縦隔の炎症

要点
1. 縦隔炎は急性と慢性に分類されるが，多くは感染による前者である．
2. 急性縦隔炎は，外傷，術後，口腔・咽頭感染の波及によるものが多い．
3. 急性縦隔炎は，迅速な対応が要求され治療の成否が予後に直結する．

Key Word 縦隔膿瘍，縦隔・胸腔ドレナージ

縦隔の炎症は，開胸術後や口腔咽頭からの炎症の波及，また食道穿孔の結果生じることもあり原因は様々である．これらは頻度的には高くはないものの，治療の時期を逸すると，ときに致命的な結果を招きうる病態であるため，的確な診断と迅速な対処が求められる．

a 縦隔炎の病態

縦隔炎は急性と慢性に分類される．急性縦隔炎は感染の結果，局所に膿瘍を形成あるいは，後述の降下性壊死性縦隔炎のように進展していくものが含まれる．慢性縦隔炎は頻度的にはまれであるが，非特異的あるいは感染により縦隔に肉芽形成や線維化をきたしたものを指す．

1) 急性縦隔炎

急性縦隔炎(acute mediastinitis)は，原発性と二次性に分けられるが，前者は非常にまれであり，自然発症や喉頭蓋炎，肺炎，気管支炎と関連があるものの報告がある．ほとんどは良好な経過を取るが，まれに頸部上方へ波及することもある．多くの急性縦隔炎は二次性であり，口腔咽頭感染の波及による降下性壊死性縦隔炎，胸骨縦切開を要する開胸術後の感染，食道・気管損傷などに起因するものが多い．以下に詳述する．

①降下性壊死性縦隔炎 レベルB

降下性壊死性縦隔炎(descending necrotizing mediastinitis)は，通常，口腔・咽頭感染に引き続き起こる縦隔炎で，まれな病態であるが，致命的な経過を取りうる．

ⅰ) 病態

60〜70%は歯科的疾患から二次的に起こるとされるが[1]，扁桃周囲膿瘍，後咽頭および周囲膿瘍も原因としての頻度は高い．他には頸部外傷や縦隔腫瘍手術，気管挿管，喉頭蓋炎，副鼻腔炎，頸部リンパ節炎やステロイド投与などにより降下性壊死性縦隔炎をきたす場合も報告されている．

感染，膿瘍の進展は，解剖学的に，①気管前，②頸部血管周囲，③後咽頭(椎体前)を経由する[2,3]．①からの進展は表層を通じ主に甲状軟骨や気管分岐部後面に達する．②は頸動脈の血管鞘を経由し中縦隔にいたることが多く，③のルートは最も頻度が高く，膿瘍は下方へ進展していき最終的に後縦隔に達する．これら3つのスペース間に介在するのは，疎な結合組織のみであるため膿瘍は水平面に容易に進展し，重力や呼吸に伴う胸腔内の陰圧により降下もしていく．同定される細菌は口腔内の常在菌叢を反映したものが多い．好気性，嫌気性ともに原因菌となり得て，これらが混在していることもしばしばであり強毒性を発現することが多い．危険因子としては糖尿病，70歳以上の高齢者が高危険因子群とされ，アルコール中毒，腫瘍や放射線照射後も危険因子とされる．

ⅱ) 診断

初発症状は，発熱，頸部硬直，発赤，頸部痛や誤嚥を認めることが多い．膿瘍の進展に伴い呼吸障害や，その進展部を反映した疼痛が出現しうる．前縦隔であれば胸骨下，後縦隔であれば肩甲骨間の痛みや時に前方に放散する肋間神経に沿った痛みなどである．

胸部単純X線(図1a)では，胸水や心嚢水貯留，縦隔陰影の拡大がみられることが多いが，加えて①頸部後方スペースの拡大，②気管内空気の前方への偏移，③縦隔気腫，④頸椎の生理的彎曲の消失が特徴的な所見とされる．本疾患は早期診断をつけ，速やかに治療を開始することが予後の改善につながるため，胸部CTは必ず施行すべきである．炎症や膿瘍の進展の評価，外科的処置の際のアプローチ法決定にも極めて有用である．CT(図1b)では以下の所見が特徴的とされる．①膿瘍形成，②脂肪組織への浸潤と正常脂肪層の消失，③著明なリンパ節腫脹を認めないこと，④ガス産生による気泡の出現．また胸水，心嚢水を認めることもある．

ⅲ) 治療

十分な補液，適切なスペクトラムの抗菌薬投与に加えて，呼吸状態によっては気道確保をし人工呼吸器管理が必要になる．これら全身管理とともに外科的ドレナージが施行される．ドレナージの経路や範囲は膿瘍の進展をCTなどで評価し症例ごとに検討することとなる[2]．頸部，胸部あるいは胸骨下からの経路があり，手技的にも開胸あるいは低侵襲な胸腔鏡によるアプローチが有用な例もある．膿瘍の局在および治療についてはEndoらの分類が知られている．すなわち，膿瘍が気管分岐部より頭側の上縦隔や前縦隔にとどまるTypeⅠでは頸部切開によるドレナージ(図2)，そ

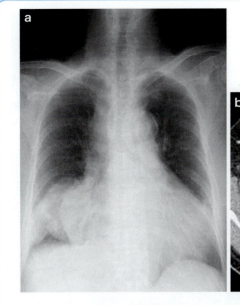

図1　降下性壊死性縦隔炎症例
　a：胸部X線で縦隔影の拡大，葉間胸水の貯留を認める．
　b：胸部造影CTでは上縦隔で気管背側にいたる膿瘍・気泡を認める．

れより下方の前縦隔に及ぶTypeⅡAには剣状突起下からのアプローチによる前縦隔ドレナージを加える（図3）．膿瘍が縦隔下部に存在し前後方ともに進展しているTypeⅡBの場合は前縦隔ドレナージだけでは不十分で，後側方切開あるいは胸腔鏡による十分な壊死組織の掻把・ドレナージを施行する[4]．気管切開の施行については，気管支周囲への新たな感染の波及の危険性もあり慎重に判断されるべきであるが，呼吸管理が長期にわたるときには検討すべきだろう．

　ⅳ）予後

　かつては致死率が50%程度とされていた．抗菌薬投与がなされるようになり若干改善されたが，膿瘍の進展の速さや，敗血症を引き起こしやすいため満足のいく成績ではなかった．1990年代に入り積極的な外科的ドレナージが行われたことにより，死亡率は15%程度まで改善している．日本では胸腔鏡の普及もあり，早期からの外科的アプローチを可能にしており予後の改善に寄与しているものと思われる．

②開胸術後縦隔炎　レベルB

　ⅰ）病態

　術後縦隔炎（postoperative mediastinitis）は，胃切除や食道手術後の吻合部縫合不全が原因となることもあるが，胸骨縦切開を伴う手術後に起こることが最も多い．心臓手術後の1〜4%の頻度で起こるとされ，その死亡率も14〜47%と高い．術後縦隔炎発症の危険因子としてうっ血性心不全，長時間のクロスクランプ，ポンプ時間，冠状動脈グラフトとしての内胸動脈の使用などの心臓外科術後に特有のものがあるが，糖尿病，慢性閉塞性肺疾患，喫煙歴，再手術，肥満，高齢，正しく正中で施行されなかった胸骨切開などがあげられるため，縦隔操作を伴う呼吸器外科手術でも注

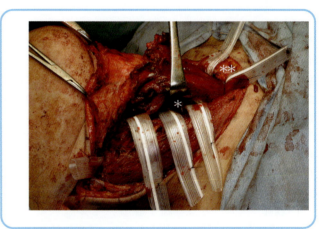

図2　頸部・胸骨上部のドレナージ
　＊：気管，＊＊：胸骨切痕

意が必要である．起因菌として黄色ブドウ球菌，表皮ブドウ球菌が50〜80%を占める．長期抗菌薬投与例では緑膿菌，セラチア，クレブシエラや時に真菌も起因菌となりうる．

　ⅱ）診断

　発熱，手術創の発赤，滲出液や胸骨動揺や呼吸に伴う痛みの出現などは縦隔炎を示唆するので，このような症例では積極的にCTを施行し，液体貯留や気泡の出現，膿瘍の有無を確認する．

　ⅲ）治療

　術後縦隔炎に対する治療は，感染部を切開，掻把し，感染巣を清浄化したあとに創閉鎖を図る治療が施行されてきたが成績は芳しくなかった．そのため，様々な工夫がなされ予後の改善につながっている．感染制御，死腔閉鎖の目的で施行される筋皮弁や大網の充填は有用であり，また生

IX．縦隔

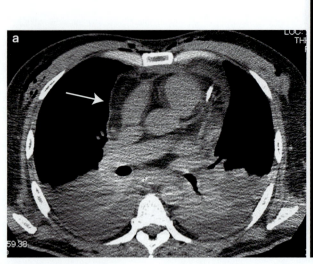
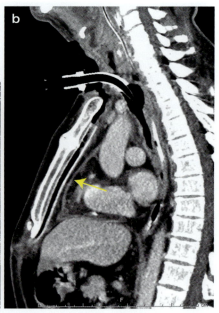

図3　降下性壊死性縦隔炎(Type ⅡA)に対するドレナージ
　a：頸部から下縦隔まで達する膿瘍(白矢印)を認めた症例．
　b：頸部ドレナージに加え，剣状突起下から鏡視下にドレーンチューブ(黄矢印)を留置した．

理食塩水やポビドンヨード液を用いての持続洗浄を前述の治療と併用，または単独で施行し良好な結果であった報告もあるが，グラフト使用例や細菌培養陽性では施行に慎重であるべきとされる．また，近年では局所の血流改善，浮腫の減少，壊死物質の除去や肉芽形成をもたらすとされる陰圧閉鎖療法(negative pressure wound therapy：NPWT)も施行されており(図4)，良好な結果であったとする報告もある[5]．

③外傷性，その他　レベルB

ⅰ）病態

気道損傷や食道損傷が原因となるが，手術以外では後者が最も多い原因とされる．異物や外傷によるもの，あるいは他疾患(食道癌や食道憩室)の穿孔，医原性のものとして上部消化管内視鏡検査や食道拡張術，気管支鏡や気管挿管に伴う気道損傷も原因となりうる．また，肥満の中年男性に多い突発性の食道破裂はBoerhaave症候群と呼ばれる．飲酒後の嘔吐など，急激な食道内圧の上昇が原因といわれ，激しい胸痛，発熱などの炎症症状とともに敗血症によるショック症状がみられることが多い．そのほかの臨床症状として，膿瘍形成，膿胸，胸水貯留による咳嗽，呼吸困難がみられることがある．全層に及ぶ破裂は胸部食道遠位側，大動脈の前左方へ向かって多くみられる．同部位では食道が解剖学的脆弱性を持つことや，周囲に支持する組織・臓器がないことが原因といわれている．

ⅱ）診断

画像上は，胸部Ｘ線，CTで縦隔陰影の拡大があり，縦隔気腫，肺気腫，胸水，気胸などが認められる．また，縦隔胸膜下と横隔膜胸膜下の2方向に気腫が生じ，V型の空気層を呈するのでNaclerio's V-signと呼ばれている(Ⅸ章-6参

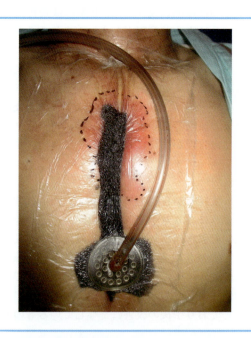

図4　胸骨縦切開後縦隔炎に対するNPWT療法

照)．

ⅲ）治療

原疾患の治療が何より優先される．内視鏡による穿孔などで，穿孔部が小さいものは，絶食，抗菌薬投与などの保存的治療が可能である．穿孔が大きければ，内視鏡下のクリッピングや開胸による穿孔部の閉鎖，前述のように穿孔部位に応じた経路と留置部位を考慮した縦隔ドレナージを要する．発症後24時間以上経過したものは，ドレナージに加え胃瘻を造設し，汚染部の清浄化を待った後の二期的手

術が安全である．これらの場合も起因菌を考慮した抗菌薬投与および栄養管理が重要なことはいうまでもない．

2) 慢性縦隔炎 レベルA
①慢性縦隔炎
　慢性縦隔炎(chronic mediastinitis)は，主に感染により肉芽形成，線維増生をきたし画像上縦隔の腫瘤影を認めるものを指すが，明確な定義はされておらず後述の硬化性縦隔炎は慢性縦隔炎の進行したものとする見解もある．起因菌として抗酸菌や真菌が多い．また，後天性免疫不全症候群(AIDS)などの免疫不全状態にある患者にもよくみられる．

②硬化性縦隔炎
　硬化性縦隔炎(screloging mediastinitis, fibrosing mediastinitis)は，原因が明らかでなく，縦隔に線維性組織の増殖が起こる良性の疾患である．20～40歳の若年者に多く女性の頻度が高いとされる．その発生要因は，ヒストプラズマ症やアスペルギルス症などの真菌感染やノカルジア症，抗酸菌による細菌感染，また自己免疫疾患，サルコイドーシス，リウマチ熱，IgG4関連疾患，あるいは外傷，薬剤によるものなどが考えられているが，因果関係が明らかにならないことが多い．本疾患の40％は無症状で画像ではじめて指摘されることが多い．他の60％は，縦隔の慢性の炎症性変化により，上大静脈や気管，肺動静脈あるいは食道などの狭窄や圧迫されることにより上大静脈症候群，呼吸困難，右心不全，血痰，嚥下障害症状がみられる[2]．

ⅰ) 診断
　胸部単純X線では腫瘤様陰影を伴う上縦隔の拡大がみられることが多く，他の所見として肺門部腫瘤，石灰化，上大静脈狭窄，胸水や気道狭窄などを認めることもある．これらの所見は右側により多いとされる．CTにて肺門部腫瘤，縦隔腫瘤を認め，石灰化や気道狭窄も高率にみられる．造影所見やMRIも大血管の圧排，狭窄などの評価に有用である．

　上述のような画像診断で典型的な所見を認めても診断は困難で，良性と確定診断を得るには開胸あるいは胸腔鏡下での生検が必要となる．

ⅱ) 治療
　通常予後は良好で腫瘤が自然消退する例が多いが，圧迫・狭窄により上大静脈症候群を呈するような例では外科的切除を要する．

文献
1) Marty-Ane CH et al. J Thorac Cardiovasc Surg 1994; **107**: 55
2) Shields TW et al (eds). General Thoracic Surgery, 7th Ed, Lippincott Williams & Wilkins, 2009: p2181
3) Singhal P et al. Heart Lung Circ 2008; **17**: 124
4) Endo S et al. Jpn J Thorac Cardiovasc Surg 1999; **47**: 14
5) Tarzia V et al. Interact Cardiovasc Thorac Surg 2014; **19**: 70

IX. 縦隔

③ 縦隔腫瘍

Ⓐ 概論

要点
① 縦隔腫瘍の症状，傍腫瘍症候群，画像・血液検査所見，治療方針決定の手順を理解する．

Key Word 胸腺上皮性腫瘍，胸腺腫，胸腺癌，神経内分泌性腫瘍，奇形腫，胚細胞腫瘍，神経原性腫瘍，悪性リンパ腫，囊腫，脂肪肉腫，上大静脈症候群，dumbbell型腫瘍，多発性内分泌性腫瘍Ⅰ型，Klinefelter症候群，重症筋無力症，赤芽球癆，Good症候群，低ガンマグロブリン血症，GVHD様反応，傍腫瘍性辺縁系脳炎，Cushing症候群，Sjögren症候群，胸腔鏡手術

胸腺，心膜，縦隔胸膜や縦隔内の神経，リンパ節，迷入甲状腺，迷入副甲状腺，脂肪組織などから発生する縦隔内の腫瘍や囊胞性病変を総称して縦隔腫瘍と呼ぶ．囊胞性病変は腫瘍成分がない場合でも，慣例的に縦隔腫瘍という範疇で扱われている．また，甲状腺腫瘍の縦隔内進展は縦隔腫瘍として取り扱われる．心・大血管，気管・気管支，食道から発生する腫瘍は縦隔腫瘍として取り扱わない．

ⓐ 縦隔腫瘍の疫学 レベルB

日本胸部外科学会の学術委員会の調査によれば，2017年の呼吸器外科手術総数 85,307例のうち，縦隔腫瘍手術は5,197例（6.1％）であった[1]．2017年の縦隔腫瘍の手術症例の詳細を表1に示す．その他に縦隔腫瘍手術ではないが，胸腺腫を伴わない重症筋無力症に対する胸腺摘出術は189例行われている．また，胸腺腫に関係する特殊な状況として，胸膜播種転移再発に対する切除術が27例登録されている．

縦隔腫瘍手術数は1986年に1,435例であり，約30年間で3.6倍に増加している．

ⓑ 縦隔腫瘍の好発部位 レベルA

縦隔の胸部X線側面像による最も一般的な解剖学的区分を図1に示す．胸骨柄下縁と第4胸椎椎体下縁を結ぶ線で，上縦隔（縦隔上部）と下縦隔に分ける．さらに下縦隔を心膜を境にして前縦隔，中縦隔，後縦隔に分ける．その結果，上縦隔（縦隔上部），前縦隔，中縦隔，後縦隔に区分される．それぞれの区分に発生率の高い腫瘍も図1に記す．

近年の臨床においては，縦隔腫瘍にはCTやMRIによる評価が行われるのが通常であり，胸部X線像での区分は時代に即さないという考えもある．日本胸腺研究会は，縦隔の解剖学的位置を腫瘍の病理学的診断と一致させることを目的として，CTによる縦隔の新たな区分を提案した[2]．こ

表1 日本胸部外科学会による2017年の学術調査からの集計縦隔腫瘍の手術数（胸腺腫の再発手術は除く）

胸腺上皮性腫瘍	2,346
胸腺腫（重症筋無力症合併例を含む）	1,939
胸腺癌	368
胸腺カルチノイド	39
胚細胞腫瘍	85
良性（奇形腫）	66
悪性	19
先天性囊胞	1,185
神経原性腫瘍	489
甲状腺腫	68
リンパ性腫瘍	185
胸腺脂肪腫	19
その他	793
計	5,197

(Shimizu H et al. Gen Thorac Cardiovasc Surg 2020; 68: 414 [1]を参考に作成)

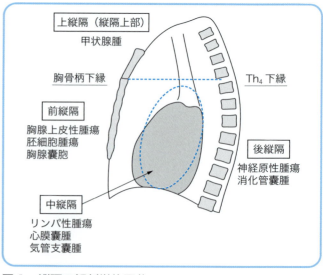

図1 縦隔の解剖学的区分

表2 日本胸腺研究会によるCTに基づく縦隔区分と腫瘍の病理診断

縦隔の腫瘍・腫瘤	上部縦隔	前縦隔	中縦隔	後縦隔	合計
甲状腺腫瘍	14	1	2	−	17
胸腺腫	−	192	1		193
胸腺癌	−	52	1		53
胸腺悪性リンパ腫	−	24			24
成熟奇形腫	2	24	−	1	27
悪性胚細胞腫瘍	−	30	1		31
心膜囊胞	−	10	5		15
気管支原性囊胞	1	6	20	7	34
食道重複性囊胞	−	−	2		2
神経原性腫瘍	10	4	6	29	49
合計	27	343	38	37	445

(Fujimoto K et al. Oncol Rep 2014; 31: 565[3] を参考に作成)

の分類を簡略に説明すると，縦隔上部（左腕頭静脈より頭側），前縦隔（上大静脈前縁，大動脈後縁，左右肺静脈前縁まで），中縦隔（左腕頭静脈の後方，上大静脈の後方，心臓の後方，食道・気管・主気管支の周囲，後縁は椎体前縁の1 cm背側まで），後縦隔（椎体前縁の1 cm背側を前縁とする）と定義した（Ⅸ章-1 図1参照）．詳細は，「縦隔腫瘍取扱い規約」（2009年）を参照されたい．この分類によって，445例の縦隔腫瘍の解剖学的区分を行ったところ，縦隔内甲状腺腫瘍の82％が縦隔上部に，胸腺上皮性腫瘍の99％が前縦隔に，胸腺悪性リンパ腫全例が前縦隔に，胚細胞腫瘍の93％が前縦隔に，神経原性腫瘍の60％が後縦隔および20％が縦隔上部に，囊腫性病変の53％が中縦隔，31％が前縦隔に存在した[3]．詳細を表2に示す．

C 縦隔腫瘍の症状と症候 レベルB

縦隔腫瘍の症状は大別すると，腫瘍の進展に伴う一般症状と，自己抗体やホルモンの生物学的活性によって惹起される症状（傍腫瘍症候群）がある．

一般症状には，腫瘍による呼吸器系，循環器系，神経系，食道の各臓器への圧迫，あるいは腫瘍の直接浸潤，リンパ節転移，遠隔転移による症状がある．

巨大な前縦隔腫瘍の場合，仰臥位では呼吸困難を感じるため側臥位または腹臥位で就寝している，MRIなどの仰臥位で時間のかかる検査を中断したという情報は，気管の圧迫を示唆する．呼吸困難を呈した巨大前縦隔腫瘍症例の胸部CTを図2に示す．気道だけでなく右肺動脈もほぼ閉塞している．前縦隔腫瘍が気道・肺動脈を圧迫している場合，全身麻酔による筋弛緩は重大な呼吸・循環障害をきたす可能性がある．このような病態での麻酔導入時には経皮的心肺補助装置（PCPS）などの補助循環の用意が必要である[4]．もし呼吸循環動態に異常が起これば，体位を側臥位にすることにより緊急避難できる．

上大静脈症候群を呈する胸腺腫のMRIを図3に示す．上大静脈内に伸展した腫瘍が内腔を閉塞している．

反回喉頭神経を圧迫すると，嗄声を惹起する．良性腫瘍でも起こるが，囊腫などによる場合，腫瘤の自然縮小に

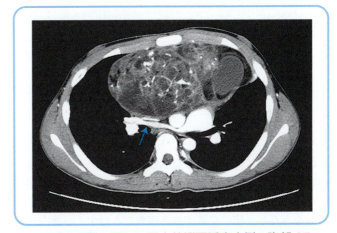

図2 呼吸困難を呈した巨大前縦隔腫瘍症例の胸部CT

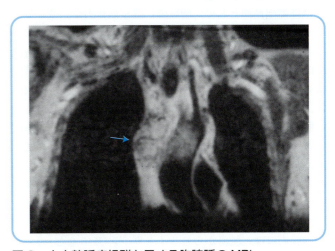

図3 上大静脈症候群を呈する胸腺腫のMRI

よって嗄声も改善することがある．

神経原性腫瘍が脊柱管への進展する場合，dumbbell型腫瘍と呼ばれ脊髄圧迫症状が出現する．

縦隔原発の肉腫は低頻度であるが，そのなかでは脂肪肉腫が比較的多い．脂肪肉腫は柔らかいためか，比較的大きくても気道狭窄症状をきたすことは少ない．

表3　縦隔腫瘍の症状

(1) 腫瘍の進展に伴う症状
- 呼吸困難：腫瘍による気道狭窄，両側反回神経麻痺，横隔神経麻痺，胸水貯留
- 咳嗽などの呼吸器症状：腫瘍による気道刺激，胸水貯留
- 仰臥位での息苦しさ：巨大前縦隔腫瘍による気道圧迫
- 嗄声：縦隔腫瘍あるいは転移リンパ節による反回神経麻痺
- 発汗異常，眼裂狭小，縮瞳：神経原性腫瘍によるホルネル症状
- 嚥下困難：腫瘍による食道の狭窄，硬化性縦隔炎
- 四肢の痺れ：Dumbbell 型腫瘍による脊髄圧迫
- 胸痛：悪性腫瘍の胸壁への浸潤，胸膜播種転移巣による肋間神経痛，奇形腫の内容物の漏出による胸膜炎

(2) 傍腫瘍症状
- 胸腺腫に伴う重症筋無力症：呼吸困難，眼瞼下垂，複視，球症状（構音障害，嚥下困難），四肢の筋力低下
- 胸腺腫に伴う SLE，GVHD 様反応：全身の紅斑
- 胸腺腫に伴う低γグロブリン血症（Good 症候群）：繰り返す肺炎，難治性皮膚感染症
- 胸腺腫に伴う傍腫瘍性神経症候群：傍腫瘍性辺縁系脳炎による記銘力低下，認知機能障害，精神症状，けいれん
- 胸腺カルチノイドに伴う Cushing 症候群：満月用顔貌，肥満
- 胸腺癌などの腫瘍によるサイトカイン産生に伴う全身性炎症：発熱

表4　縦隔腫瘍の症候と関係する腫瘍

- 顔面浮腫，上肢の浮腫：縦隔腫瘍による上大静脈症候群
- 頸部リンパ節腫大：胸腺癌などの縦隔悪性腫瘍の転移，悪性リンパ腫
- 満月様顔貌：胸腺カルチノイドに伴う Cushing 症候群
- 前胸壁の膨隆：悪性腫瘍の胸壁への浸潤，腫瘍の穿通
- 胸水：胸膜播種転移，大きな縦隔腫瘍に伴う反応性胸水
- 重度の貧血：胸腺腫に伴う赤芽球癆
- 低カリウム血症：胸腺カルチノイドに伴う Cushing 症候群
- 低カルシウム血症：縦隔の副甲状腺腫瘍
- 難治性あるいは繰り返す肺炎：胸腺腫に伴う低γグロブリン血症（Good 症候群）
- 右心不全：腫瘍による右室流出路狭窄
- 循環不全，ショック：悪性腫瘍の心膜浸潤・播種による心タンポナーデ
- 高血圧：胸腺カルチノイドに伴う Cushing 症候群，褐色細胞腫
- 甲状腺機能亢進症状：胸腺過形成に伴う甲状腺機能亢進症

表5　小児と成人の縦隔腫瘍の比較

	小児	成人
最も多い発症部位	後縦隔	前縦隔
胸腺腫	少ない	多い
甲状腺腫瘍	少ない	多い
神経原性腫瘍	多い	少ない
重症筋無力症の頻度	低い	高い
呼吸器症状の頻度	高い	低い
上大静脈症候群の頻度	低い	高い
悪性腫瘍	少ない	多い
緊急手術の必要性	多い	少ない

　成熟奇形腫に伴う特殊な症状として，成熟奇形腫の腫瘍内容物に含まれるアミラーゼなどの酵素により周囲に穿破して強い炎症を起こすことがある．胸膜腔内に穿破すると胸痛をきたし，肺に穿破すると喀血をきたす．心囊内へ穿破することもある．成熟奇形腫の内容が肺に穿破すると喀毛症になることがある．

　傍腫瘍症候群として，胸腺腫に重症筋無力症，重症筋無力症以外の神経筋疾患（stiff-person 症候群など），傍腫瘍性神経症候群（傍腫瘍性辺縁系脳炎など），赤芽球癆（pure red cell aplasia：PRCA），低ガンマグロブリン血症（Good 症候群），皮膚科的疾患［全身性エリテマトーデス（SLE），天疱瘡，扁平苔癬など］，移植片対宿主病（GVHD）様反応（皮膚症状，消化器症状など），中枢神経の症状が合併する．胸腺カルチノイドには Cushing 症候群［副腎皮質刺激ホルモン（ACTH）産生による］，胸腺 MALT リンパ腫には Sjögren 症候群，縦隔副甲状腺腫には副甲状腺ホルモンの過剰産生による高カルシウム血症，褐色細胞腫にはカテコールアミンの過剰産生による高血圧，心悸亢進が合併する．

　胸腺癌には，腫瘍からのサイトカイン（IL-6 など）の産生による全身炎症亢進が起こることがある．胸腺カルチノイドが多発性内分泌性腫瘍（multiple endocrine neoplasia：MEN）I 型の患者に高率に発生することも知られており，MEN I 型の患者では胸腺腫瘍の出現を予想して経過をみる必要がある．悪性胚細胞腫瘍は Klinefelter 症候群に発症することがある．

　縦隔腫瘍に伴う症状と症候を表3，表4に示す．小児と成人の縦隔腫瘍の比較を表5に示す[5]．

d 診断　レベルA

1）画像診断

　画像により，腫瘍の位置，辺縁の性状，石灰化の有無，他臓器との関係，骨破壊の有無につき読影する．辺縁不整，分葉状または notching sign，骨破壊像などがみられる場合は悪性腫瘍の可能性が高い．

　CT では，CT 値により内部構造を評価する．CT 値の低いものは内部組織が液体，脂肪組織，脂肪腫などである．造影 CT によりさらに囊胞などの確定診断が可能であり，実質性腫瘍では腫瘍血管の多寡が評価できる．大動脈瘤との鑑別にも有効である．胸腺腫では胸膜播種転移の有無を，胸腺癌ではリンパ節転移の有無を評価することが重要である．

　MRI では，腫瘍が囊胞性か実質性か，腫瘍の大血管への浸潤の有無，椎体浸潤の有無，神経原性腫瘍では神経根との関係，dumbbell 型か否かなどの診断を行う．

　FDG-PET は良性と悪性の診断に有用である．胸腺癌では SUVmax が 6 以上になることが多く，胸腺腫との鑑別に有用である．

　特殊な検査としてオクトレオチドによるシンチグラフィーが，胸腺腫，胸腺癌，胸腺カルチノイドにおいて使われることもある．

表6 縦隔腫瘍の診断に有用な血清学的検査
- 胸腺腫
  アセチルコリン受容体抗体価
  IgM, IgG（低γグロブリン血症合併例）
- 胸腺カルチノイド
  ACTH（Cushing症候群合併例）
- 悪性胚細胞腫瘍
  AFP, HCG, βhCG, CEA
- 胸腺MALTリンパ腫
  SSA抗体, SSB抗体（Sjögren症候群合併例）
- 悪性リンパ腫
  Soluble IL-2 receptor

表7 縦隔腫瘍の生検方法
- CTガイド下あるいはエコーガイド下の経皮針生検：通常、局所麻酔下で前縦隔の腫瘍の診断に行われる。
- 縦隔鏡検査（mediastinoscopy）：全身麻酔下に頸部の胸骨上窩から気管前面にスコープを挿入し、気管周囲に位置する腫瘍に到達できる。反回神経麻痺に注意を要する。
- 胸腔鏡検査：全身麻酔下に胸腔から腫瘍、胸膜播種病変、リンパ節の生検を行う。
- 前縦隔切開による生検（Chamberlain's procedure）：全身麻酔下に胸骨縁近くの皮切から肋軟骨を一部切除し、前縦隔に到達して腫瘍の生検を行う。比較的大きな前縦隔腫瘍には有用である。
- 開胸生検：低侵襲の生検で到達が難しい場合や診断が得られない場合には、開胸術による生検を行う。

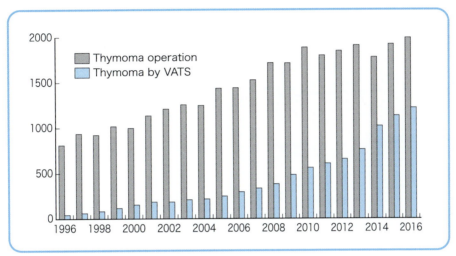

図4 胸腺腫の手術数と胸腔鏡の手術数の推移
（日本胸部外科学会の学術調査を参考に作成）

2）血清学的検査

胸腺上皮性腫瘍に特異的な腫瘍マーカーは現時点では確立されていない。

重症筋無力症を伴う胸腺腫では、アセチルコリン受容体抗体価が99％近く陽性である。重症筋無力症を合併しない胸腺腫にも25％程度で陽性である。

縦隔腫瘍の診断に有用な血清学的検査所見を表6にまとめる。

3）生検

縦隔腫瘍の診断は病理学的評価によって決定されるため、術前の確定診断が必要な場合には生検の適応になる。しかし、臨床症状、画像診断、血清学的検査で診断がほぼ確定し、切除が必要な疾患であり、完全切除が可能な場合には、不要な生検は行わずに一期的に切除することが奨められる。

術前治療が必要な疾患、悪性リンパ腫のように化学療法の適応となる疾患では、生検による病理診断を必要とする。

生検方法を表7にまとめた。

e 治療の一般原則 レベルA

悪性リンパ腫を除く縦隔腫瘍の多くは、外科的切除が第一選択である。画像的に悪性腫瘍が疑われ、完全切除が困難と考えられる場合は、生検により病理診断を確定する。

胸腺上皮性腫瘍で大血管浸潤などにより一期的な切除が困難な場合には、放射線治療、化学療法、あるいはこれらの組み合わせによる集学的治療を行った後、切除を行い、不完全切除の場合には補助療法を行う。

非セミノーマの悪性胚細胞腫瘍に対しては、化学療法によって腫瘍マーカーの正常化を図った後に切除を検討する。セミノーマの場合は、化学療法と放射線治療で治癒の可能性がある。

悪性リンパ腫は化学療法の適応となる。

近年、縦隔腫瘍の切除術にも胸腔鏡手術が増加しており、2017年の日本胸部外科学会の全国集計では、胸腺腫胸膜播種転移手術を除く5,170例の縦隔腫瘍手術のうち、3,788例（73.3％）が胸腔鏡下に行われていた[1]。特に、先天性嚢腫では1,185例中の1,071例（90.4％）、神経原性腫瘍では489例中447例（91.4％）と高頻度であり、非浸潤性腫瘍あるいは良性腫瘍では胸腔鏡手術が主として施行されている。胸腺腫では1,939例中の1,222例（63％）で胸腔鏡手術が施行されていた。日本胸部外科学会の1996年以降の学術調査より、胸腺腫の手術数と胸腔鏡手術による手術数の変遷を図4に示す。

文献

1) Shimizu H et al. Gen Thorac Cardiovasc Surg 2020; **68**: 414
2) 日本胸腺研究会(編). 臨床・病理 縦隔腫瘍取扱い規約, 金原出版, 2009
3) Fujimoto K et al. Oncol Rep 2014; **31**: 565
4) Inoue M et al. J Thorac-Cardiovasc Surg 2006; **131**: 755
5) Takeda S et al. J Surg Oncol 2003; **83**: 24

B 胸腺上皮性腫瘍

要点

1. 胸腺腫は胸腺上皮から生じる低悪性の腫瘍で自己免疫疾患を伴うことが多い．
2. 胸腺上皮性腫瘍の病理組織分類として，WHO 組織分類が使われ，胸腺腫（Type A，AB，B1，B2，B3），胸腺癌，胸腺神経内分泌腫瘍の3つに分類されている．
3. 胸腺上皮性腫瘍の病期分類として，正岡病期分類，Masaoka-Koga 病期分類は広く使用され，適切な治療方針の指標や予後の予測に有用である．2017年1月より胸腺上皮性腫瘍の新たな TNM 分類が使用されている．

Key Word 胸腺腫，胸腺癌，胸腺神経内分泌腫瘍，重症筋無力症，WHO 組織分類，正岡病期分類，Masaoka-Koga 病期分類，TNM 分類，免疫染色，外科治療，放射線治療，化学療法

a 胸腺上皮性腫瘍 レベルA

現在，胸腺上皮性腫瘍は，「胸腺上皮から生じる腫瘍」と定義され，胸腺腫，胸腺癌，胸腺神経内分泌腫瘍がある．胸腺腫は自己免疫疾患を伴うことが多い[重症筋無力症（合併率23〜25％），赤芽球癆（合併率2〜3％），低ガンマグロブリン血症（合併率0.4〜0.7％）など]．

b WHO 組織分類（表1） レベルB

1976年に Rosai と Levine は，胸腺腫を胸腺上皮細胞から生じた腫瘍と定義し，非浸潤型と浸潤型に分類した．1977年に Shimosato らは，「胸腺癌」の疾患単位を提唱した．胸腺腫は低悪性の胸腺上皮性腫瘍で，未分化な T リンパ球を伴う "functional tumor" であり，しばしば隣接臓器に浸潤し，胸腔内に播種を生じ，まれにリンパ行性・血行性に転移する．胸腺癌は明らかな核異型を有し，未分化な T 細胞を伴わない悪性の胸腺上皮性腫瘍である[1]（図1）．

1961年に Bernatz らは，胸腺腫を腫瘍細胞と腫瘍内のリンパ球の数の比率から4つに分類した（リンパ球優位型，上皮優位型，混合型，紡錘型）．1989年に Muller-Hermelink らは，腫瘍細胞の形態から胸腺上皮性腫瘍を6つに分類した．1999年に WHO Consensus Committee は，"Histologic Typing System of Tumors of the Thymus" を出版し，胸腺上皮性腫瘍を腫瘍細胞の形態と腫瘍細胞と腫瘍内のリンパ球の数の比率から Type A，AB，B1，B2，B3，C の6つに分類した．2004年 WHO は，Type C 胸腺腫を「胸腺癌」とし[2]，胸腺神経内分泌腫瘍は，胸腺癌に含めた．2015年，胸腺神経内分泌腫瘍を胸腺癌から独立させ，定型，非定型カルチノイドはそれぞれ low-grade，intermediate-grade neuroendocrine tumor と分類され，large cell neuroendocrine carcinoma と small cell carcinoma は，high-grade neuroendocrine tumor と分類された（表1）[3]．A 型胸腺腫は，紡錘形ないし卵円形で異型の乏しい腫瘍細胞が充実性あるいは束状に増殖する．幼若 T リンパ球は少数みられるか，認めない．AB 型は，リンパ球に乏しく紡錘形ないし卵円形の腫瘍細胞からなる A 領域と幼若 T リンパ球が多く B 型胸腺腫類似の領域が混在する腫瘍である．B1 型は，正常胸腺を模倣し，胸腺皮質に似て幼若 T リンパ球の

表1 WHO 組織分類

Thymoma
 Type A thymoma, including atypical variant
 Type AB thymoma
 Type B1 thymoma
 Type B2 thymoma
 Type B3 thymoma
 Micronodular thymoma with lymphoid stroma
 Metaplastic thymoma
 Other rare thymomas
  Microscopic thymoma
  Sclerosing thymoma
  Lipofibroadenoma
Thymic carcinoma
 Squamous cell carcinoma
 Basaloid carcinoma
 Mucoepidermoid carcinoma
 Lymphoepithelioma-like carcinoma
 Clear cell carcinoma
 Sarcomatoid carcinoma
 Adenocarcinomas
  Papillary adenocarcinoma
  Thymic carcinoma with adenoid cystic carcinoma-like features
  Mucinous adenocarcinoma
  Adenocarcinoma, NOS
 NUT carcinoma
 Undifferentiated carcinoma
 Other rare thymic carcinomas
  Adenosquamous carcinoma
  Hepatoid carcinoma
  Thymic carcinoma, NOS
Thymic neuroendocrine tumours
 Carcinoid tumours
  Typical carcinoid
  Atypical carcinoid
 Large cell neuroendocrine carcinoma
  Combined large cell neuroendocrine carcinoma
 Small cell carcinoma
  Combined small cell carcinoma
Combined thymic carcinomas

(Travis WD et al (eds). Who Classification of Tumours of the Lung, Pleura, Thymus and Heart, 4th Ed, IARC Press, 2015: p184 [3] を参考に作成)

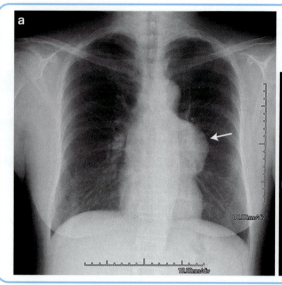
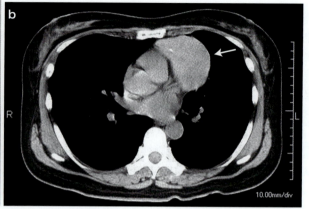

図1　典型的な胸腺腫の画像
a：胸部X線像．矢印に腫瘍を認める．
b：胸部CT像．前縦隔の腫瘍（矢印）．

密にみられる領域とリンパ球が少なく胸腺髄質に類似した明るい部分（medullary differentiation）からなる．B3型は，多角形の腫瘍細胞の密な増殖からなり，軽度の核異型も認められる．幼若Tリンパ球の浸潤は少ない．B2型は，多角形の腫瘍細胞と幼若Tリンパ球からなる腫瘍で，腫瘍細胞の増殖とリンパ球の浸潤程度は，B1型とB3型の中間である．

1）胸腺上皮性腫瘍の組織学的診断【免疫染色】
　レベルD

　胸腺腫，胸腺癌，胸腺神経内分泌腫瘍の診断には，免疫染色が有用である．胸腺腫に随伴する幼若Tリンパ球のマーカーとして，TdT，CD1a，CD99がある（胸腺腫では，程度の差があるが，幼若Tリンパ球を随伴するが，胸腺癌では随伴しない）．胸腺癌のマーカーとして，CD5，CD70，CD117（c-kit）があり，神経内分泌腫瘍のマーカーとして，シナプトフィジン，クロモグラニンA，CD56（NCAM），NSEがある（胸腺癌と胸腺神経内分泌腫瘍との鑑別）．

C 胸腺上皮性腫瘍の病期分類（表2，表3）
　レベルA

　胸腺腫の病期分類に関しては，1978年にBerghらが提唱し，Wilkins and Castlemanによって改訂され，1981年正岡病期分類によって，Ⅰ，Ⅱ，Ⅲ，Ⅳa，Ⅳb期に確立した（表2）[4]．正岡病期分類は，世界中で広く使用され，適切な治療方針の指標となり，予後の予測にも有用である．正岡病期分類を修正したMasaoka-Koga病期分類が提案され（表3）[5]，欧米では比較的多くの施設が使用している．
　2009年にInternational Thymic Malignancies Interest Group（ITMIG）とInternational Association for the Study of Lung Cancer（IASLC）は世界中の105施設より，10,808例の胸腺上皮性腫瘍を集積し，新たなTNM分類の原案をAmerican Joint Committee on Cancer/Union for International Cancer Control stage classification（AJCC/UICC）のstaging system（8版）に提出した（Japanese Association for

表2　臨床病期（正岡の分類，1981）

Ⅰ期	肉眼的に被包され，かつ光顕で被膜浸潤を認めないもの Macroscopically completely encapsulated and microscopically no capsular invasion
Ⅱ期	周囲脂肪組織あるいは縦隔胸膜に肉眼的浸潤を有するものか，光顕で被膜浸潤を認めるもの 1. Macroscopic invasion into surrounding fatty tissue or mediastinal pleura, or 2. Microscopic invasion into capsule
Ⅲ期	周辺臓器すなわち心膜・大血管・肺などに浸潤するもの Macroscopic invasion into neighboring organs, i.e., pericardium, great vessels, or lung
Ⅳa期	胸膜あるいは心膜播種を呈するもの Pleural or pericardial dissemination
Ⅳb期	リンパ行性あるいは血行性転移を示すもの Lymphogenous or hematogenous metastasis

（Masaoka A et al. Cancer 1981; 48: 2485 [4]を参考に作成）

表3　臨床病期（Masaoka-Koga Staging System）

Ⅰ	Grossly and microscopically completely encapsulated tumor
Ⅱa	Microscopic transcapsular invasion
Ⅱb	Macroscopic invasion into thymic or surrounding fatty tissue, or grossly adherent to but not breaking through mediastinal pleura or pericardium
Ⅲ	Macroscopic invasion into neighboring organ (i.e. pericardium, great vessel or lung)
Ⅳa	Pleural or pericardial metastases
Ⅳb	Lymphogenous or hematogenous metastasis

（Koga K et al. Pathol Int 1994; 44: 359 [5] を参考に作成）

Research in the Thymus(JART)から 2,897 例).

2017 年 1 月より胸腺上皮性腫瘍の新たな TNM 分類が使用されている[6]. TNM 病期分類を表 4 に示す. T 因子は 4 つのカテゴリーに分類され, T1a は非浸潤性腫瘍と縦隔脂肪組織に浸潤する腫瘍, T1b は縦隔胸膜に浸潤する腫瘍, T2 は心膜に浸潤する腫瘍, T3 は肺, 腕頭静脈, 上大静脈, 胸壁, 横隔神経, 心囊外の肺血管などの隣接臓器に浸潤する腫瘍, T4 は大動脈, 大動脈弓, 心囊内肺血管, 心筋, 気管, 食道などの臓器に浸潤する腫瘍である[7]. N 因子は 3 つに分類され, N0 はリンパ節転移のない腫瘍, N1 は前縦隔リンパ節(胸腺周囲リンパ節)に転移を認める腫瘍, N2 は前縦隔リンパ節以外の胸腔内および頸部リンパ節に転移を認める腫瘍, それ以外のリンパ節に転移を認める症例は, M1b と分類する[8]. M 因子は 3 つのカテゴリーに分類され, M0 は, 播種および遠隔転移のない腫瘍, M1a は胸膜播種または心膜播種を認める腫瘍, M1b は遠隔転移を認める腫瘍である. 縦隔リンパ節マップでは, N1 および N2 リンパ節の領域の定義が詳細に説明されている[8]. N1 の領域は, 頭側は舌骨, 尾側は横隔膜, 外則は頸動脈の内側(頸部)と横隔神経(胸部), 前方は胸骨, 後方は大血管と心膜である. 重症筋無力症で行われる"拡大胸腺摘出術"の範囲がほぼ N1 の領域になると思われる[9](図 2).

I 期は T1 症例で浸潤が縦隔胸膜までの腫瘍, II 期は T2 症例で心膜浸潤のある腫瘍, III 期は 2 つのカテゴリーに分かれ, IIIa 期は T3 症例, IIIb は T4 症例である. IV 期も 2 つのカテゴリーに分かれ, IVa 期は播種のある症例(M1a)または前縦隔リンパ節に転移(N1)を認める症例, IVb 期は, N2 リンパ節に転移を認める症例(N2), N1, N2 以外のリンパ節に転移を認める症例または遠隔転移を認める症例(M1b)である[6].

d WHO 組織分類と臨床因子との関連性[10,11] レベル B

病理組織分類別の頻度は, A:7%, AB:23%, B1:20%, B2:22%, B3:11%, 胸腺癌:12%であり, AB 型と B2 型の頻度が多く, A 型は少なく, 胸腺癌は 12〜15%である(日本の 1991〜2010 年調査). 病理組織分類別の重症筋無力症合併頻度は, A:13%, AB:15%, B1:24%, B2:40%, B3:26%, 胸腺癌:1%であり, B 型が多く, 胸腺癌に重症筋無力症が合併することはまれである. 病理組織分類と正岡病期分類の関係は, A 型(7%), AB 型(9%)では周囲臓器へ浸潤する症例(III〜IV 期)は少ない. B 型では B1 型 19%, B2 型 35%, B3 型 55%と B1→B3 になるに従って, 周囲臓器へ浸潤する症例(III〜IV 期)は増加する. IV 期症例の頻度も増加する(B1 型 6%, B2 型 11%, B3 型 24%). 胸腺癌では, 大部分の症例(87%)が周囲臓器への浸潤・転移を認め, IV 期症例が約半数を占める. 胸腺神経内分泌腫瘍では非定型が多く, リンパ節転移を伴うことが多い. 病理組織分類と予後の関係は, disease-specific survival(10 年)では A 型 96%, AB 型 97%で予後良好な腫瘍である. B1 型 92%, B2 型 80%で, 比較的予後良好な腫

瘍である. B3 型は 72%で比較的予後不良の腫瘍で, 胸腺癌は 44%で予後不良な腫瘍である[5](日本の 1991〜2010 年調査)(図 3). WHO 組織分類は, それぞれの腫瘍の特徴を反映し, 重症筋無力症の合併, 腫瘍の浸潤度, 予後と相関し, 臨床的に価値のある分類と思われる.

e 正岡病期分類と臨床因子との関連性[11,12] レベル B

胸腺腫の病期分類別の頻度は, I 期 48%, II 期 23%, III 期 19%, IVa 期 7%, IVb 期 3%(日本の 1990〜1994 年調査)で, 約 70%が I, II 期である. III 期は約 20%で, IV

表 4 胸腺上皮性腫瘍の TNM 病期分類

Table 1: T Descriptors

Category	Definition (Involvement of):[a,b]
T1	
a	Encapsulated or unencapsulated, with or without extension into mediastinal fat
b	Extension into mediastinal pleura
T2	Pericardium
T3	Lung, brachiocephalic vein, superior vena cava, chest wall, phrenic nerve, hilar (extrapericardial) pulmonary vessels
T4	Aorta, arch vessels, main pulmonary artery, myocardium, trachea, or esophagus

[a] Involvement must be pathologically proven in pathologic staging
[b] A tumor is classified according to the highest T level of involvement that is present with or without any invasion of structures of lower T levels

Table 2: N, M Descriptors

Category	Definition (Involvement of):[a]
N0	No nodal involvement
N1	Anterior (perithymic) nodes
N2	Deep intrathoracic or cervical nodes
M0	No metastatic pleural, pericardial or distant sites
M1	
a	Separate pleural or pericardial nodule(s)
b	Pulmonary intraparenchymal nodule or distant organ metastasis

[a] Involvement must be pathologically proven in pathologic staging

Table 3: Stage Grouping

Stage	T	N	M
I	T1	N0	M0
II	T2	N0	M0
IIIa	T3	N0	M0
IIIb	T4	N0	M0
IVa	T any	N1	M0
	T any	N0, 1	M1a
IVb	T any	N2	M0, 1a
	T any	N any	M1b

(Detterbeck FC et al. J Thorac Oncol 2014; 9: S65[6] を参考に作成)

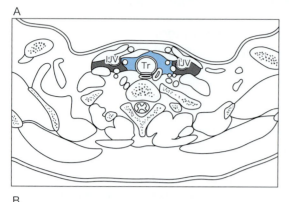
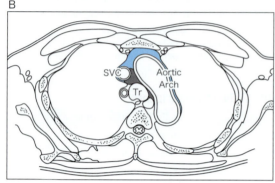
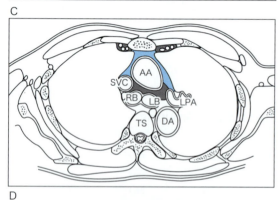
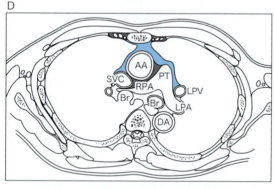

図2　胸腺上皮性腫瘍に対する ITMIG/IASLC リンパ節マップ

A：Thoracic inlet，B：paraaortic level，C：AP window level，D：carina level

AA：ascending aorta，Br：bronchus，DA：descending aorta，IJV：internal jugular vein，LB：left main bronchus，LPA：left pulmonary artery，LPV：left superior pulmonary vein，PT：pulmonary trunk，RB：right main bronchus，RPA：right pulmonary artery，SVC：superior vena cava，Tr：trachea

（Detterbeck FC et al. J Thorac Oncol 2014; 9: S65 [6]）を参考に作成）

期が約10％である．完全切除率は，Ⅰ期100％，Ⅱ期100％，Ⅲ期85％，Ⅳ期42％（1990～1994年）で，Ⅰ，Ⅱ期はすべての症例，Ⅲ期は約90％の症例で完全切除することが可能で，Ⅳ期は肉眼的に完全切除できる症例は約半数である．再発率は7.8％，Ⅰ期1％，Ⅱ期4％，Ⅲ期28％，Ⅳ期34％（1990～1994年）で，Ⅰ，Ⅱ期では再発する症例は少ないが，Ⅲ期では約30％，Ⅳ期では約1/3の症例が再発する．胸腺腫の5年生存率は，Ⅰ期100％，Ⅱ期98％，Ⅲ期89％，Ⅳa期70％，Ⅳb期53％（1990～1994年）で，Ⅰ，Ⅱ期は良好な予後を示し，病期が進行するに従って予後が悪くなる．

胸腺癌の病理組織像は多様であるが，扁平上皮癌が最も多い．発見時の正岡病期分類は，Ⅰ期5％，Ⅱ期6％，Ⅲ期39％，Ⅳa期14％，Ⅳb期33％で，約90％の症例が周囲臓器への浸潤を有し，1/3の症例がリンパ節転移や遠隔転移を有する．完全切除率は51％で，そのなかの再発率は51％である．胸腺癌の5年生存率は，Ⅰ期またはⅡ期が88％，Ⅲ期が52％，Ⅳ期が38％であった．胸腺腫と胸腺癌を含めた胸腺上皮性腫瘍の全生存率（10年）は，Ⅰ期94％，Ⅱ期93％，Ⅲ期72％，Ⅳa期54％，Ⅳb期40％である（日本の1991～2010年調査）（図4）．

f 外科治療 [13] レベルA

正岡臨床病期Ⅰ～Ⅱ期の胸腺上皮性腫瘍に対して，外科切除が標準治療として行われ，良好な治療成績である（胸腺腫：5年生存率95％，10年生存率88％程度，胸腺癌：5年生存率85％程度）．術式としては，胸腺全摘以上の切除が勧められている．最近，胸骨正中切開に代わり，胸腔鏡手術（片側または両側のポートからのアプローチ，剣状突起下のアプローチなど）やロボット支援下手術が行われている．術後の再発の報告もあり，適応に関しては慎重な判断が必要である．Ⅲ期の腫瘍に対しては，完全切除が可能であれば，外科切除が標準治療として行われ，良好な治療成績である（10年全生存率80％，無再発生存率52％）．浸潤臓器部位は，肺，心膜，大血管，横隔神経の順に多い．完全切除は予後因子であり，隣接浸潤臓器の合併切除が勧められる．完全切除が困難な腫瘍に対して，術前導入療法，手術，術後補助療法による集学的治療が推奨される．Ⅳ期の腫瘍に対しては，手術を含めた集学的治療が行われている．播種を伴うⅣa期胸腺腫では，5年生存率は71％で，肉眼的に完全切除された症例では，10年生存率は，89％と比較的良好である．術式は，播種病巣切除が多いが，胸膜肺全摘術が行われる場合もある．Ⅳb期胸腺腫の5年生存率は53％で，Ⅳb期胸腺癌では30～37％程度である．胸腺腫は減量手術が予後延長に寄与するといわれている（完全・亜全摘・非切除群の5年生存率：93％・64％・36％）．最近，胸腺癌でも減量手術の有効性が示唆されている（完全・亜全摘・非切除群の5年生存率：75％・44～47％・13％）．重症筋無力症合併の胸腺腫症例に対しては，腫瘍切除とともに"拡大胸腺摘出術"を施行することが勧められる．胸腺癌におけるリンパ節郭清の必要性を研究した論文はない．Ruffiniらは，

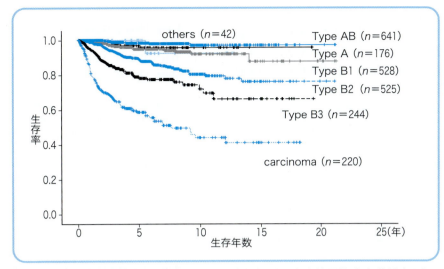

図3 胸腺上皮性腫瘍におけるWHO組織分類別の疾患特異的生存曲線（日本の1991～2010年調査）
AB vs. A：$p=0.182$，A vs. B1：$p=0.001$，B1 vs. B2：$p≦0.0001$，B2 vs. B3：$p=0.001$，B3 vs. 胸腺癌：$p<0.0001$

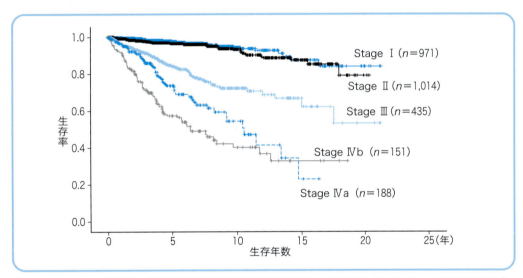

図4 胸腺上皮性腫瘍における正岡病期分類別の全生存曲線（日本の1991～2010年調査）
I vs. II：$p=0.116$，II vs. III：$p<0.0001$，III vs. IVa：$p<0.0001$，IVa vs. IVb：$p=0.011$

呼吸器外科医にアンケートを取り，リンパ節郭清の現状を報告した．胸腺腫例の50%，胸腺癌例の66%にN1リンパ節郭清（ITMIG/IASLC nodal map）が行われ，胸腺腫例の21%，胸腺癌例の41%にN2リンパ節郭清が行われている．T3腫瘍に対しては，T2およびT1腫瘍より多くの症例でリンパ節郭清が行われている（T3；33% vs T2；9%，T1；8%）[14]．

g 放射線治療[13] レベルC

完全切除されたI～II期胸腺腫およびI期胸腺癌に対して，術後放射線治療の必要性を認めない．完全切除されたIII期胸腺腫においても，術後照射の有用性は認めがたい．完全切除されたII～III期胸腺癌に関しては，無増悪生存率は術後照射例で有意に有効であったが，全生存率には差がなかった（日本の1990～1994年調査）．不完全切除になった胸腺上皮性腫瘍に対して，術後放射線治療は有用である．局所進行切除不能胸腺上皮性腫瘍に対して，放射線治療または化学放射線治療を行うよう勧められる．

h 化学療法[13] レベルC

IV期胸腺腫や再発胸腺腫に対して，化学療法が考慮される．プラチナ系とアンスラサイクリン系の併用療法が良好な結果を認め，勧められる．ADOC療法，PAC療法，CODE療法，CAMP療法などがあり，奏効率は70～92%（平均75%）である．アンスラサイクリン系を用いない治療

法として，PE療法，VIP療法，CP療法などがあり，奏効率は35～52%（平均40%）である．再発または転移のある胸腺癌に対して，化学療法が考慮される．CP療法は奏効率36～42%と比較的良好な結果を認め，勧められる．ADOC療法も考慮される．カルボプラチンとペメトレキセド併用療法も奏効率30%と比較的良好な結果を認めている．

ADOC療法：アドリアシン＋シスプラチン＋ビンクリスチン＋シクロホスファミド，PAC療法：シスプラチン＋ドキソルビシン＋シクロホスファミド，CODE療法：シスプラチン＋ビンクリスチン＋ドキソルビシン＋エトポシド，CAMP療法：シスプラチン＋ドキソルビシン＋メチルプレドニゾロン，PE療法：シスプラチン＋エトポシド，CP療法：カルボプラチン＋パクリタキセル．

文献

1) Shimosato Y et al. Tumors of the mediastinum. AFIP Atlas of Tumor Pathology, 4th series, fascicle 11, Armed Forces Institute of Pathology, 2010
2) Travis WD et al (eds). WHO Classification of Tumours of the Lung, Pleura, Thymus and Heart, 2nd Ed, IARC Press, 2004: p145
3) Travis WD et al (eds). Who Classification of Tumours of the Lung, Pleura, Thymus and Heart, 4th Ed, IARC Press, 2015: p184
4) Masaoka A et al. Cancer 1981; **48**: 2485
5) Koga K et al. Pathol Int 1994; **44**: 359
6) Detterbeck FC et al. J Thorac Oncol 2014; **9**: S65
7) Nicholson AG et al. J Thorac Oncol 2014; **9**: S73
8) Kondo K et al. J Thorac Oncol 2014; **9**: S81
9) Bhora FY et al. J Thorac Oncol 2014; **9**: S88
10) Detterbeck FC. Ann Thorac Surg 2006; **81**: 2328
11) Okumura M et al. 15th World Conference on Lung Cancer, Sydney, 2013
12) Kondo K et al. Ann Thorac Surg 2003; **76**: 878
13) 胸腺腫瘍診療ガイドライン2016年版，金原出版，2016
14) Ruffini E et al. J Thorac Oncol 2020; **15**: 436

C その他の縦隔腫瘍

要点
1. 胚細胞腫瘍は前縦隔に好発し，良性の奇形腫と悪性胚細胞腫瘍に分類される．
2. 悪性胚細胞腫瘍の治療は化学療法（および放射線療法）が先行する．
3. 神経原性腫瘍は良性が多いが，発生部位によっては手術アプローチに配慮する
4. 縦隔に発生する囊胞は先天性が多い．組織型に対応する好発部位がある．

Key Word 成熟奇形腫，悪性胚細胞腫瘍，神経原性腫瘍，先天性囊胞，悪性リンパ腫

縦隔に最も多くみられるのは胸腺上皮由来の腫瘍であるが，その他に縦隔内の臓器・組織または迷入した細胞から発生した腫瘍，あるいは先天性の囊胞がある．

a 胚細胞腫瘍

1) 病態　レベルA
胎生期の原始生殖細胞（primordial germ cell）が腫瘍化したものである．性腺（精巣・卵巣）が好発部位であるが，他の部位に細胞が迷入して発生しうる．これを性腺外胚細胞腫瘍と称する．若年者に多いが，乳幼児では松果体・鞍上部・後縦隔・仙骨部の発症頻度が高く，思春期以後は縦隔発生が最も多い．

2) 分類　レベルA
良性の成熟奇形腫と未熟奇形腫以外は，悪性である．縦隔原発悪性胚細胞腫瘍はほとんどが男性に発症する．また，Kleinfelter症候群の患者に多く発症する．悪性胚細胞腫瘍は表1のような病理組織型があるが，セミノーマと非セミノーマに大別される．

①成熟奇形腫　レベルA
縦隔原発胚細胞腫瘍のなかでは最も頻度が高い．前縦隔に好発する．若年者に多く，性差はない．ときに圧迫症状（胸痛，呼吸困難感など）から診断にいたる場合もある．まれに腫瘍が破裂し，胸腔内や肺内に穿破して膿胸，肺炎をきたしたり，ときに内容物を喀出することがある．腫瘍は肉眼的には比較的厚い被膜に包まれた囊胞状の腫瘤であり，組織学的には泥状の内容物のなかに成熟した皮膚，脂肪組織，軟骨，骨，膵，消化管などの内胚葉・中胚葉・外胚葉成分が無秩序に存在する．

胸部X線では境界明瞭平滑な前縦隔腫瘤陰影として描出される．造影CTでは内容物である骨・軟骨・脂肪組織などを反映したモザイク状を呈し，比較的厚い被膜に覆われた囊胞状の腫瘤である（図1）．手術治療の対象となり，腫瘍摘除で治癒しうる．

②悪性胚細胞腫瘍　レベルB
ⅰ）臨床的特徴：急速に発育し，周囲組織への浸潤やリンパ性・血行性転移をきたしうる．周囲臓器圧迫浸潤に伴う胸痛，呼吸困難，咳などの症状を伴う．胸部X線，CTで

表1　胚細胞腫瘍の分類
1. 精上皮腫（セミノーマ）
2. 成熟奇形腫
3. 未熟奇形腫
4. 胎児性癌
5. 卵黄囊腫瘍
6. 絨毛癌
7. 混合性胚細胞腫瘍
8. 胚細胞腫瘍から発生する体細胞腫瘍

（4～8を非セミノーマと総称する）

2は良性，1，4～7は悪性である．

は充実性の腫瘍を前縦隔に認める．他の前縦隔悪性腫瘍との鑑別が必要となる（図2）．

ⅱ）診断法：CTガイド下経皮針生検によって確定診断される一方，非セミノーマでは血液腫瘍マーカーが特異的診断となりうる．前縦隔腫瘤陰影に加え，α-fetoprotein（α-FP），β-subunit of human chorionic gonadotropin（β-HCG）が高値を示した場合には本症と診断して差し支えない．ただし原発巣が精巣であり，前縦隔に転移することがまれにあり泌尿器科的検査を行う必要がある．

ⅲ）治療方針・予後：標準治療としては，ブレオマイシン・エトポシド・シスプラチン3剤による化学療法（BEP）から開始する．特に縦隔原発セミノーマの場合，放射線療法や化学療法に対する感受性が非常に高いため化学療法±放射線療法で完治が期待できる．一方，非セミノーマでは放射線治療の感受性は低い．非セミノーマの場合，治療効果判定には画像上の腫瘍縮小だけでなく，血清α-FP，β-HCGによる効果判定が重要である．化学療法後に腫瘍マーカーが正常化した場合，予後は良好である．末梢血幹細胞輸血も併用しながら腫瘍マーカーの陰性化を試みることも多い．BEP無効例についてはVIP（エトポシド・イホスファミド・シスプラチン）やVeIP（ビンブラスチン・イホスファミド・シスプラチン）などの化学療法を試みる．非セミノーマの場合，化学療法奏効後に腫瘍の全切除が行われる．化学療法の効果が不十分の場合は術後再発する可能性が高い．悪性胚細胞腫瘍の予後は病理組織診断・原発部位・転移の有無および腫瘍マーカーによって予後良好群・中間群・不良群と分類される．縦隔原発の場合，セミノーマは良好～中間群に分類されるが，非セミノーマはすべて予後不良群に

IX. 縦隔

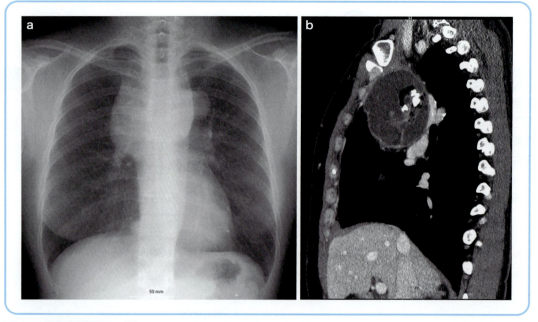

図1　成熟奇形腫の一例
　単純X線像(a)，造影CT矢状断(b)では前縦隔に境界明瞭な腫瘤陰影が認められた．液体状の内容物のなかに骨および脂肪組織と同程度のCT値を示す構造が認められた．

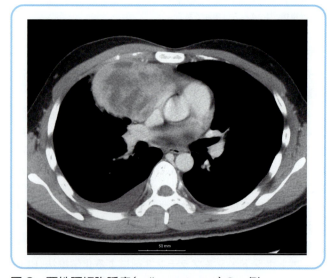

図2　悪性胚細胞腫瘍(yolk sac tumor)の一例
　22歳，男性．胸痛を主訴に来院．造影CT撮影を示す．前縦隔に充実性腫瘍を認めた．内部の低濃度域は壊死を表わしている．血清α-fetoproteinは21,050ng/mLと高値を示した．

表2　International Germ Cell Cancer Collaborative Group(IGCCCG)による予後分類(1997年)(縦隔原発に限って記載)

低リスク群（5年生存率86%）
○セミノーマであり，転移は肺に限られ，AFP値正常
中間リスク群（5年生存率72%）
○セミノーマであり，転移が肺以外に及び，AFP値正常
高リスク群（5年生存率48%）
○非セミノーマである

分類される(表2)．

b 神経原性腫瘍

1) 病態　レベルA

　肋間神経，交感神経幹から発生し，後縦隔に存在することが多い．90%以上は良性の腫瘍であり，組織型は神経鞘腫(schwannoma)，神経節腫瘍(ganglioneuroma)，神経線維腫(neurofibroma)が多い．最も頻度の高いものはSchwann細胞由来の神経鞘腫である．
　先天性疾患である神経線維腫症1型(NF1, von Reckling-hausen病)では神経線維腫が多発し，経過中に1〜13%の頻度で悪性化をきたす[1〜4]．神経線維腫症2型(NF2)では主に中枢神経・脊髄神経に神経鞘腫が多発する．

2) 画像所見　レベルB

　神経鞘腫の病理組織像では密な腫瘍細胞が配列するAntoni A型と，変性して粘液状の基質が主体となり細胞成分の少ないAntoni B型が混在している．これを反映し，MRIではT1では均質，T2では内部不均一な腫瘍として描出される．CTでは後縦隔の表面平滑な充実性腫瘍として描出される．
　神経腫瘍は神経組織に親和性があり，神経に沿って発育する傾向がある．肋間神経に沿って中枢に進んで椎間腔に侵入し，椎腔内でも腫瘍が増大し，脊髄を圧迫することがある．内外で成長した鉄アレイ状の形状から，dumbbell型腫瘍と呼ぶ(図3)．

3) 治療法　レベルB

　ほとんどは良性であり，多くは胸腔鏡下手術あるいはロ

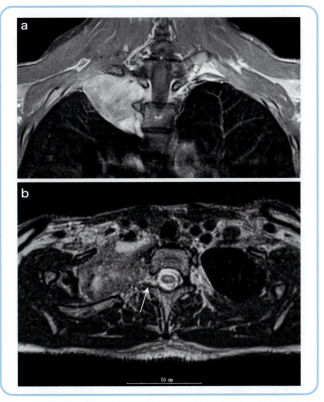

図3 右交感神経幹から発生した神経原性腫瘍（神経節腫瘍）の一例

19歳，女性．
a：前額断面MRI所見．T1強調にて高信号の境界明瞭な腫瘤が胸腔頂を占めていた．
b：横断面MRI所見．第2肋間神経に沿って腫瘍が椎間腔内に進展していた（矢印）．椎弓切除を行い椎管内から腫瘍を剥離し，右側胸腔鏡にて胸腔内剥離を行い完全切除した．

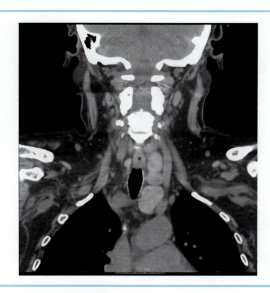

図4 縦隔内甲状腺腫瘍の一例

68歳，女性．前額断CT撮影では，甲状腺左葉から境界明瞭な多発結節（T）が縦隔に連なり，気管を右側に圧排し，下端は大動脈弓（Ao）上縁に達している所見を得た．頸部襟状切開にて腫瘍を完全摘出した．微小な乳頭癌を含む腺腫様甲状腺腫であった．

ボット支援下手術で完全切除が期待される．一方，dumb-bell腫瘍では脊柱管内の腫瘍を残さないよう，背側から椎弓切除を加え，脊柱管内の腫瘍を露出し，胸腔内との両面からアプローチする必要がある．胸腔頂発生の神経原性腫瘍は圧迫のため，または上位交感神経幹を切除した術後に，星状神経節のブロック症状であるHorner症候群（患側の縮瞳，眼瞼下垂，顔面の無汗症）をきたすことがある．

C 胸腔内甲状腺腫

1）病態 レベルA

甲状腺の下極に発生した腫瘍が成長して縦隔内に入り込む場合，または縦隔内異所性甲状腺腫瘍の場合がある．甲状腺近傍の上縦隔に好発する．組織型は通常の甲状腺腫と同様で，良性の腺腫，腺腫様甲状腺腫や，甲状腺癌など様々である．良性でも気道圧迫狭窄の治療または予防のため手術適応となる．

2）治療 レベルB

腫瘍が非浸潤性，かつ下端が大動脈弓の上縁より頭側の場合は，頸部襟状切開にて完全切除できる（図4）．一方，腫瘍の下端が大動脈弓より尾側に及んだり，周囲組織への浸潤がある場合には胸骨正中切開または上半分のL字切開を行い切除する．

d 縦隔嚢胞性疾患

1）病態 レベルB

縦隔には良性の嚢胞性疾患が多い．最も頻度が高いのは前腸（foregut）から発生する先天性嚢胞である．前腸組織由来の気管支や食道の発生過程で迷入した組織が徐々に内腔に液体を分泌貯留して増大するものであり，成人となってから発見される場合が多い．嚢胞壁の組織学的形態の類似性から気管支嚢胞，食道嚢胞などと分類される．たとえば，気管支嚢胞は嚢胞内面が線毛上皮で覆われ，嚢胞壁には軟骨や混合腺がみられる．心膜嚢胞は心膜の近傍に発生する薄壁嚢胞であり，漿液性の内容物が充満する．心嚢内腔と交通する心膜憩室も時にみられる．

胸腺には胸腺嚢胞が発生する．単房性嚢胞と多房性嚢胞がある．単房性では内腔が一層の扁平〜立方上皮で覆われた薄壁内に漿液性の液体が充満している．一方，多房性嚢胞は炎症が原因となり後天性に発生すると考えられている．Sjögren症候群，再生不良性貧血，後天性免疫不全症候群（AIDS），慢性骨髄性白血病，IgG4関連疾患に伴った症例が報告されている．

2）画像所見

先天性の機序による嚢胞は，本来の組織部位の近傍に発生することが多い．たとえば気管支嚢胞は気管周囲や気管分岐下に好発する（図5）．心膜嚢胞は心膜周囲，胸腺嚢胞は前縦隔に好発する．CT撮影では境界明瞭な薄い被膜に覆われた，一様な内容物を有する嚢胞として描出される．一

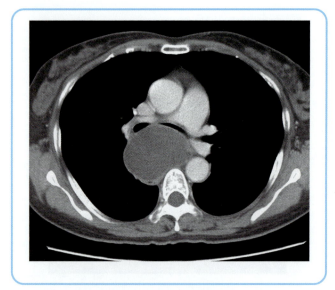

図5 気管分岐下に発症した気管支嚢胞の一例
56歳，女性．呼吸困難を主訴に来院．造影CT検査を示す．気管分岐下に境界明瞭，内部一様な嚢胞状病変があり，両側主気管支が圧迫され扁平化していた．右胸腔鏡下嚢胞切除を施行した．

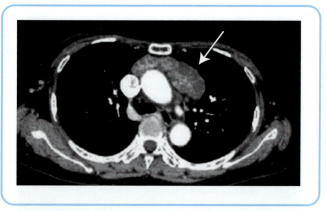

図6 胸腺MALTリンパ腫のCT
腫瘍を矢印で示す．腫瘍には充実成分と多房性嚢胞成分が混在している．充実性の部分ではFDG-PETのSUVmax値は7.3と高値であった．周囲臓器への浸潤はなく，完全切除された．術後補助療法も行われていない．

方，多房性胸腺嚢胞は，肥厚した嚢胞壁や隔壁，一部充実性一部嚢胞性の腫瘤陰影を呈する．胸腺腫は時に嚢胞状に変性することがあり，胸腺部位の嚢胞疾患の場合には胸腺腫を伴っている可能性を考慮する．

3) 治療

先天性嚢胞は本来切除する必要はないが，他の疾患との鑑別のために切除が必要になる場合，またはサイズが増大し，周囲組織圧迫による症状がある場合に切除の対象となる．

e 悪性リンパ腫

1) 病態 レベルB

悪性リンパ腫の10％程度は縦隔の腫瘤病変として発症する．系統的な縦隔リンパ節腫脹を呈するHodgkinリンパ腫，主に前縦隔に腫瘤を形成する非Hodgkinリンパ腫の縦隔大細胞型B細胞リンパ腫や低悪性度のmucosa-associated lymphoid tissue (MALT) リンパ腫が多くみられる．MALTリンパ腫以外は急速な腫瘍の成長・周囲組織への浸潤に伴う胸痛，呼吸困難や上大静脈症候群を呈したり，発熱，全身倦怠などの症状によって発見されることが多い．
なお，胸腺のMALTリンパ腫はSjögren症候群に合併して発症することが多く，多房性胸腺嚢胞を示すことが多い（図6）．

2) 診断・治療

画像上縦隔腫瘤陰影が認められる．CT検査では造影効果のある比較的一様な浸潤性・充実性腫瘤として描出される．縦隔・頸部リンパ節腫脹を伴うことが多い．FDG-PETで強い取り込みが認められる．血液検査では可溶性インターロイキン2受容体（sIL2R）の上昇がみられるが特異的なものではない．確定診断のためには病理組織診断が必要である．針生検または手術による生検が必要となる．組織学的診断および病期分類（Lugano分類）に従い治療が行われる．MALTリンパ腫は手術切除によってコントロールされることが多いが，その他の悪性リンパ腫は化学療法および放射線療法が行われる．

f その他の縦隔腫瘍

1) Castleman病 レベルB

縦隔内の様々な場所に発症しうる．硝子血管型（hyaline vascular type）は縦隔や肺門に孤立性の腫瘤を形成し，硝子化したリンパ濾胞の増殖と濾胞間の血管増生を特徴とする．10～40歳に多く，性差はない．無症状，画像上発見されることが多い．造影CTでは血行に富んだ充実性腫瘍として描出される．
一方，形質細胞型（plasma cell type）では，発熱，咳などの症状，血沈亢進を示し，全身のリンパ節腫脹や肝脾腫を伴う．HIV感染やヒトヘルペスウイルス8型（HHV-8）と関連があるといわれる．

2) 傍神経節腫瘍 レベルB

傍神経節腫瘍（paraganglioma）は交感神経系の神経細胞が腫瘍化したものであり，特に副腎・後腹膜・後縦隔に好発する．副腎髄質に発生する腫瘍は褐色細胞腫（pheochromocytoma）と呼ばれる．カテコールアミンを分泌する機能性腫瘍と機能を有さない腫瘍に分けられる．multiple endocrine neoplasia (MEN)-type 2A/2B, neurofibromatosis 1, von Hippel Lindauなどの遺伝性疾患患者に好発する．交感神経節から発生する傍神経節腫瘍の約10％が縦隔発生である．周囲組織浸潤を示す悪性症例もある．
後縦隔に好発するCTで造影効果のある充実性腫瘍である．血中および尿中のメタネフリン，カテコールアミンの上昇所見や，[123]I-メタヨードベンジルグアニジン（MIBG）シンチグラフィーで腫瘍に取り込みがみられる．

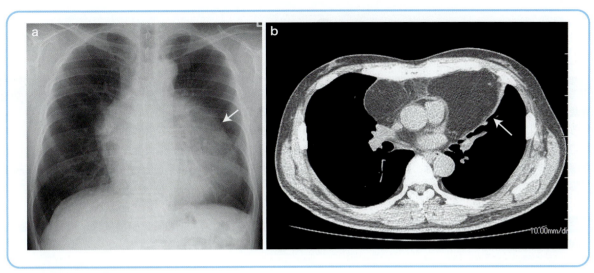

図7　縦隔脂肪肉腫の画像
　a：胸部X線像．腫瘍を矢印で示す．
　b：胸部造影CT像．腫瘍を矢印で示す．

　切除が最も有効な治療法であるが，腫瘍は非常に血行が豊富であり，術中大出血をきたす危険性が高い．術直前に腫瘍栄養血管のカテーテル塞栓術を行うと術中出血量を軽減できる．また，機能的腫瘍では術中α遮断薬を用い，切除直後は逆に低血圧に対してカテコールアミンを投与する．

3）その他極めてまれな腫瘍　レベルC

　間葉系細胞から発生する未分化多型肉腫，滑膜肉腫，血管腫，リンパ管腫，脂肪肉腫（図7）など稀少な症例の報告がみられる．

文献

1) 坂田尚己ほか．小児がん 2006; **43**: 241
2) Hruban RH et al. Cancer 1990; **66**: 1253
3) Evans DG et al. J Med Genet 2002; **39**: 311
4) Huson SM et al. J Med Genet 1989; **26**: 704
5) International Germ Cell Cancer Collaborative Group. J Clin Oncol 1997; **15**: 594
6) Kang SR et al. Ann Thorac Surg 2018; **105**: e75
7) Cheson BD et al. Blood 2016; **128**: 2489
8) Castleman B et al. Cancer 1956; **9**: 822
9) Dupin N et al. N Engl J Med 1995; **333**: 798

IX. 縦隔

D 手術

要点

1. 局所進行縦隔悪性腫瘍は，胸腺腫・胸腺癌・悪性胚細胞腫瘍がその大半を占める．
2. これら腫瘍では完全切除することが予後を改善するため，集学的治療の一環として外科的切除を行う．
3. 合併切除する隣接臓器は多岐にわたるが，各々の切除臓器で必要な知識・技術・工夫がある．
4. 良性縦隔腫瘍や早期の胸腺腫では，胸腔鏡手術，ロボット支援下手術が行われることが多く，アプローチ法に対する理解が必要である．

Key Word 局所進行縦隔腫瘍，隣接臓器合併切除，拡大手術，血行再建術，人工血管，胸膜播種，再発胸腺腫・胸腺癌，胸腔鏡手術，ロボット支援下手術

縦隔腫瘍の多くは非浸潤性であり，その切除・摘出は比較的容易である．特に良性腫瘍や早期の胸腺腫などに対しては，近年，低侵襲手術である胸腔鏡手術，単孔手術，ロボット支援下手術が多く行われるようになった．一方で，胸腺腫・胸腺癌や悪性胚細胞腫瘍などの一部には局所浸潤性を示すものがあり，それらに対しては浸潤した隣接臓器を合併切除し，腫瘍の完全切除を目指すことになる．胸腺腫・胸腺癌においては，病期・組織型のみならず，完全切除が最も重要な予後因子とされており，積極的に拡大手術が行われる．縦隔腫瘍が浸潤する隣接臓器には，心膜，横隔神経，肺，胸壁（胸骨を含む），腕頭静脈，上大静脈，大動脈，肺動脈，心臓などがあり，また胸膜播種に対する外科的治療も行われる．上記のうち，血管合併切除・再建術に対しては特有の術前準備や術中術後管理があり，それらについても理解しておく必要がある．

a 非浸潤性あるいは縦隔胸膜浸潤の早期の胸腺腫・胸腺癌 レベルB

胸骨正中切開による胸腺摘出術が標準治療である．近年では胸腔鏡手術やロボット支援下手術，胸腺部分切除も行われているが，その長期成績は不明である．それぞれのアプローチ法と術式のメリット・デメリット，病状をよく考慮して，術式を決定すべきである．

b 浸潤性胸腺腫・胸腺癌における隣接臓器合併切除 レベルC

病期ごとに切除対象となる隣接臓器が異なるため，T因子別に概説する[1]．

1) T2N0M0（IASLC/ITMIG StageⅡ）（正岡病期分類 Ⅲ期）

IASLC/ITMIG T因子のT2は心膜浸潤と規定され，浸潤の深達度には言及されていない．心膜浸潤の多くは非貫通性であり，手術適応となる．一方，貫通性の場合には心膜播種や悪性心嚢水の存在を検索する必要があり，それらが認められた場合には切除を回避するか，合併切除し術後に化学療法などの補助療法を行う．

① 心膜合併切除

一般的に心膜浸潤部は両側横隔神経に挟まれた前縦隔側であり，腫瘍浸潤部にある程度の余裕をもって心膜をくり抜くように合併切除する．心膜欠損部は，範囲が狭い場合は補填しないこともあるが，再手術や癒着防止，心臓脱防止のためexpanded polytetrafluoroethylene（ePTFE）膜を用いて心臓の動きを障害しないように欠損部よりやや大きめのシートで緩めに補填する．また，シートに数箇所の穴をあけ心タンポナーデをきたさないように留意する．

2) T3N0M0（IASLC/ITMIG StageⅢa）（正岡病期分類 Ⅲ期）

T3臓器は，肺，横隔神経，心膜外肺動脈，胸壁（胸骨を含む），腕頭静脈，上大静脈である．これら臓器への腫瘍浸潤が画像上疑われる場合には，切除可能と判断されれば外科的治療の対象となる．また，術前補助療法を行い，腫瘍の縮小を得た後切除することも考慮される．

① 肺，横隔神経，心膜外肺動脈合併切除

肺への浸潤は横隔神経より腹側での浸潤例が多いが，その場合には浸潤している肺の部分切除を行う．肺に広く・深く浸潤している場合には，横隔神経や心膜外肺動脈にも及んでいることがあり，そのような場合には横隔神経を合併切除するとともに，浸潤肺を肺葉あるいはそれ以上の範囲で合併切除する．そのような大きな腫瘍の切除に際しては，内胸動脈採取用の開胸器（IMAリトラクター）を用いると術野を確保しやすくなる．また，第4肋間開胸でのhemi-clamshell切開により大きく開胸すれば良好な術野が得られる．浸潤された横隔神経を合併切除するべきか否かについては，とりわけ重症筋無力症合併例においては議論がある．しかし，浸潤された横隔神経を温存した場合，放射線治療を追加しても局所再発を抑えることは容易ではないとの報告もあり，片側であれば通常合併切除する．その場合，可能であれば横隔膜縫縮術（plication）を追加して，術後の人工呼吸管理の回避と呼吸機能の温存を図る．

②腕頭静脈，上大静脈（SVC）合併切除[2]

　浸潤性胸腺腫・胸腺癌における血管合併切除の対象となるのは主にこの2臓器である．通常，片側の腕頭静脈のみ（主に左腕頭静脈）への浸潤の場合には，浸潤部を原発巣とともに en block に合併切除し再建は一般的に行う必要はないとされている．左右の腕頭静脈や上大静脈（superior vena cava：SVC）に浸潤が認められる場合には，血管形成術や血管合併切除・再建術にて腫瘍の完全切除を目指す．

　SVCは切除範囲によって，一般的には以下の方法で形成・再建する[3]．

　ⅰ）SVC径の15％までの腫瘍浸潤：腫瘍浸潤部を適切なマージンをもって切除し直接縫合する，あるいはステープラーにより腫瘍浸潤部のSVCを切除する．直接縫合する場合，血管鉗子にてSVCに大きくサイドクランプし，腫瘍浸潤部を切除して血管を非吸収性モノフィラメント糸で連続縫合する[4]．

　ⅱ）SVC径の50％までの腫瘍浸潤：腫瘍浸潤部を適切なマージンをもって切除し，自己心膜にて補填する．補填材料としてウシ心膜やePTFE膜を用いることもある．SVCの中枢と末梢側（両側腕頭静脈の場合もある）を血管鉗子やテープにてクランプし，浸潤部の血管壁を切除後，心膜パッチにて補填再建する[4]．また，浸潤部の狭窄が軽度の場合には，右心耳からSVCに内シャントチューブを挿入し，その頭尾側を遮断して浸潤部を切除する方法もある．なお，遊離自己心膜は術後しばらくすると収縮するため，ある程度余裕をもった形状で使用するように心がける．または，0.6％グルタールアルデヒド液に5〜10分間浸漬してから使用する．

　ⅲ）SVC径の50％以上の腫瘍浸潤：SVCは全周性に切除し，血管置換・再建術を行う．奇静脈弓を合併切除することも多い．用いる人工血管は通常リング付ePTFE製人工血管であるが，ウシ心膜などでチューブを作製し使用する施設もある．使用する人工血管の径は，再建する部位によって選択するが，SVC–SVC：径14〜18mm，腕頭静脈–SVC/右心耳：12〜16mmで，後者の場合は片側のみ再建すればよいとされているが，両側を再建する施設もある．なお，Y字グラフトは塞栓を起こしやすく勧められない．

　・再建部位：血管合併切除を要した範囲，すなわち腫瘍の浸潤範囲に十分なマージンをとって切除した範囲により，おおむね以下の4種の再建方法が行われる．それらは図1で示すようなa）SVC–SVC，b）右腕頭静脈–SVC あるいは右心耳，c）左腕頭静脈–右心耳，d）左腕頭静脈–右心耳＋右腕頭静脈–SVC（図2）で，その応用形は他にも種々報告されている．なお，人工血管の吻合は通常末梢側から行う．

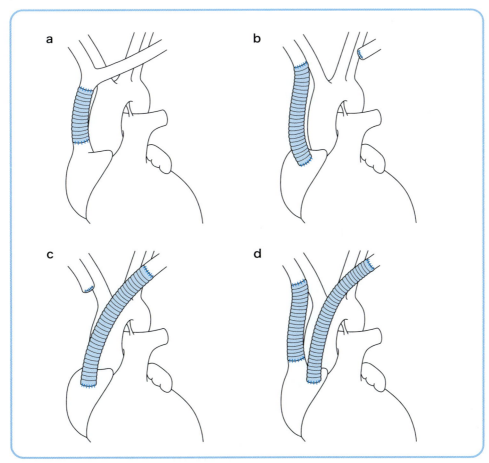

図1　SVC合併切除．人工血管による再建術
　a：SVC–SVC間の再建
　b：右腕頭静脈–右心耳間の再建
　c：左腕頭静脈–右心耳間の再建
　d：左腕頭静脈–右心耳間および右腕頭静脈–SVC間の再建

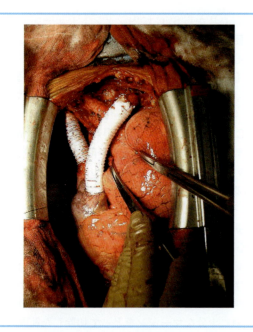

図2 SVC浸潤例に対する血管合併切除・再建術
左腕頭静脈-右心耳および右腕頭静脈-SVCを各16mm径リング付ePTFE人工血管にて再建．

- 血行再建時の準備と方法：左腕頭静脈-右心耳間に人工血管あるいはヘパリンコーティングチューブでバイパスを設置し，その後切除部位の両端を遮断し切除・再建する方法と，バイパスを設置せずに行う場合がある．前者の方法では術中の血圧管理や脳浮腫対策を施す必要がない．一方後者の場合には，平均血圧を80mmHg以上に維持するように，下肢からの輸液負荷，昇圧薬投与を行う．また，逆Trendelenburg体位や頻呼吸により脳浮腫を予防するなどの対策を講じる[5]．頸静脈圧のモニターを行うことも考慮する．これらの処置により約60分間の完全遮断が可能とされている．頸静脈のカテーテルから脱血する施設もある．いずれの場合も，これらの操作5〜10分前に未分化ヘパリン50〜100IU/kgを静脈内投与するが，血行再建後のヘパリンの中和については一定の見解がない．
- 術後管理：術後の抗凝固療法の必要性については意見が分かれるところであるが，一般的には術後数日間未分化ヘパリンを投与し，3〜6ヵ月間以上ワルファリンの投与がなされている．

③胸壁・胸骨合併切除

腫瘍が直接浸潤している場合，壁側胸膜の胸膜外剥離が可能であれば，同胸膜ごと切除する．一方，その操作では切除が困難と判断される場合には，肋骨・胸骨を含めた胸壁合併切除を行い，再建する．手術手技の詳細については別項を参照のこと（Ⅱ章-10参照）．

3）T4N0M0（IASLC/ITMIG StageⅢb）（正岡病期分類 Ⅲ期）

T4と規定された隣接臓器は，大動脈，主肺動脈，心臓，気管，および食道である．一般的にはこれら臓器への浸潤例は手術適応とされないが，ごくまれにこれら臓器の合併切除例が報告されている．

4）TanyN0-1M1a（IASLC/ITMIG StageⅣa）（正岡病期分類 Ⅳa期）

M1aは胸膜または心膜播種結節と規定されている．心膜播種に対する根治的外科的治療はなく，一般的には化学（放射線）療法や対症療法の適応となる．一方，胸腺腫における胸膜播種に対しては種々の外科的治療が試みられ長期生存例や治癒例が経験されており，最近では切除の対象となることもある[6,7]．なお，外科的治療は術前あるいは術後に化学療法や放射線治療などを組み合わせた集学的治療の一環として行われる．

①播種巣切除

播種結節の数が少ない場合，これら播種結節を可及的に完全切除する．切除後の再発は高頻度に認められるものの，再発まで長期間を要することも多く，また再々切除や放射線治療も有用であるため，本外科的治療は長期生存に寄与すると考えられている．アプローチ方法としては，原発巣とともに切除する場合には，胸骨正中切開のみでは播種巣の見落としが起こることがあり，胸腔鏡補助下の切除やhemi-clamshell切開，あるいは（後）側方開胸を追加する．なお，近年，播種巣とともに壁側胸膜を大きく切除する胸膜切除術や臓側胸膜も剥離切除する胸膜切除/剥皮術も試みられるようになっている．また，播種巣切除（胸膜切除も含めて）に温熱化学療法を組み合わせる治療も試みられている．

②胸膜肺全摘術（EPP）

胸膜肺全摘術（extrapleural pneumonectomy：EPP）は，概して播種結節が多数の場合に根治を目指して適応される[8]．身体的適応としては，年齢も含めて肺全摘術が施行可能であることを確認する必要がある．術式の詳細は悪性胸膜中皮腫の項に譲るが，アプローチ方法としては，胸骨正中切開＋後側方切開，胸骨正中切開＋肋骨弓下切開，hemi-clamshell切開などがある．胸骨正中切開＋後側方切開が最も視野が良好で確実に本術式を施行できる．最初に正中創から（拡大）胸腺全摘を行うが，このとき極力健側の縦隔胸膜を損傷しないように留意する．これは健側への腫瘍細胞の散布を避けるためである．次に，IMAリトラクターを利用して同創から患側の縦隔および壁側胸膜をできるだけ剥離し，その後，正中創を閉鎖する．体位を側臥位として後側方切開し，第6または7肋間あるいは肋骨床でextrapleural spaceに入る．同部より壁側胸膜を頭尾側方向へ剥離し，正中創からの剥離部と交通させ，さらに片側胸膜をすべて剥離する．胸腺腫の胸膜播種巣は悪性胸膜中皮腫のような広範な胸膜肥厚を伴うことはまれで，胸膜の剥離操作では薄い胸膜を損傷することも多いため，胸水貯留例ではあらかじめ胸水を吸引してから剥離を進めるとよい．また，横隔膜や心膜部での胸膜の剥離は，困難であれば横隔膜部では筋層まで，心膜は全層を切除する．なお，横隔膜胸膜剥離時に腹膜を損傷した場合には，極力その都度修復して腹腔内への腫瘍細胞の散布を避けるように心がける．

さらに，横隔膜（腹膜が残存していても）および心膜欠損部は，人工膜（ePTFE など）や有茎筋肉弁などで補塡し，腹腔内臓器および心臓のヘルニアを予防する．なお，重症筋無力症を合併している患者に対する EPP には議論があり，症状コントロール良好例では施行するとしている施設もある．

5）TanyNanyM1b（IASLC/ITMIG Stage Ⅳb）（正岡病期分類 Ⅳb 期）

M1b は遠隔転移を指し，まれに単発であれば外科的切除が行われる．切除対象となる遠隔転移部位は，肺，肝，脳などで，長期生存も得られると報告されている．

c 縦隔胚細胞腫瘍における隣接臓器合併切除 レベル C

1）奇形腫

良性腫瘍ではあるが，ときに周囲臓器への強固な癒着が認められ，また肺，心膜への穿破を伴うことがある．そのような場合，剝離困難な周囲臓器や穿破した臓器の合併切除を行う．

2）悪性胚細胞腫瘍

通常化学療法後に切除術が施行されるが，治療開始前に浸潤が認められた臓器は合併切除を要することが多い．隣接臓器合併切除は胸腺上皮性腫瘍に準ずるが，本腫瘍は時に巨大な腫瘤となることがあり，手術アプローチなどについて適切に対応する必要がある．通常手術は胸骨正中切開で行うが，術前化学療法を行ったにもかかわらず腫瘍径が大きい場合には hemi-clamshell 切開，さらに巨大な腫瘍の場合には clamshell 切開が用いられることがある．また，巨大腫瘍の場合縦隔構造物を背側に圧排していることが多く，全身麻酔導入時や手術操作中に心肺虚脱や循環不全をきたす危険があるため，経皮的心肺補助法（percutaneous cardiopulmonary support：PCPS）などの準備や装着して手術を行うこともある．

全身麻酔導入時に巨大な腫瘍による気道閉塞が出現した場合は，体位を側臥位にすることによって気道を確保することができる．

d その他の縦隔腫瘍における隣接臓器合併切除 レベル C

気管支原性囊胞に炎症が伴っている場合や過去に炎症が発生した場合，周囲臓器に固着していることがあり，腫瘍とともに癒着した隣接臓器の合併切除を要することがある．ただし，本腫瘍は一般的に良性であることから，固着した部分の囊胞壁を臓器側に残存させ，その内壁を電気メスなどで焼灼することも行われる．

e 再発悪性縦隔腫瘍に対する外科的治療 レベル C

対象疾患は主に胸腺腫・胸腺癌である．胸腺腫例では切除の根治度にかかわらず，切除可能であれば予後に寄与するとされ，とりわけ再発までの期間が長い（初回術後 3 年以上）症例では外科的切除が有効と報告されている．一方，胸腺癌例では，肉眼的に完全切除が施行できた場合のみ，予後が改善する．切除の対象となる再発部位は，胸膜再発が最も多く，次いで肺転移，局所再発であり，骨，肝，脳転移に対しても外科的切除が施行されている[9]．

文献

1) Detterbeck et al. J Thorac Oncol 2014; **9**: S65
2) Dartevelle et al. J Thorac Cardiovasc Surg 1991; **102**: 259
3) Leo et al. Eur J Cardiothorac Surg 2010; **37**: 764
4) Lanuti et al. Ann Thorac Surg 2009; **88**: 392
5) Leo et al. J Thorac Cardiovasc Surg 2007; **133**: 1105
6) Okuda et al. Ann Thorac Surg 2014; **97**: 1743
7) Kimura et al. Ann Surg Oncol 2019; **26**: 2073
8) Nakamura et al. Gen Thorac Cardiovasc Surg 2019; **67**: 524
9) Mizuno et al. J Thorac Oncol 2015; **10**: 199

④ 重症筋無力症

要点

❶ 重症筋無力症は神経筋接合部のアセチルコリン受容体などに対する自己抗体により，刺激伝達が障害されて生じる自己免疫疾患である．
❷ 胸腺腫や胸腺過形成を高頻度に合併し，胸腺が発症，病態に関与している．
❸ 治療には抗コリンエステラーゼ薬，副腎皮質ステロイド，免疫抑制薬が用いられるが，胸腺腫合併例や早期発症の全身型で抗アセチルコリン受容体抗体陽性例では拡大胸腺摘出術が適応となる．

Key Word 抗アセチルコリン受容体抗体，自己免疫疾患，胸腺腫合併，拡大胸腺摘出術

重症筋無力症(MG)は神経筋接合部のアセチルコリン受容体(AChR)やシナプス後膜に存在するアセチルコリンと機能的に関与する分子に対する自己抗体により，神経接合部の刺激伝達が障害されて生じる自己免疫疾患である．わが国の有病率は年々増加経傾向にあり，2018年度の特定疾患の登録者は22,998人で10万人あたり17.4人である．

a MG の症状 レベルA

①眼症状：眼瞼下垂(ptosis)，複視(diplopia)，閉眼の筋力低下(weakness of eye closure)
②球症状：嚥下困難(dysphagia)，咀嚼困難(difficulty in chewing)，発語困難(dysarthria)，呼吸困難(dyspnea)
③全身症状：四肢・体幹筋力低下

これらの症状が筋肉の反復，持続により悪化し(易疲労性)，休息により改善すること，夕方に症状が悪化すること(日内変動)，日によって症状が変動すること(日差変動)が特徴的である．初発症状として眼症状が最も多いが，診断時に眼筋型であった症例の約20%が経過中に全身型に移行する．MG の分類には Osserman 分類が多用されてきたが，2000年に MGFA(MG Foundation of America)が提唱した MGFA 分類が現在広く用いられている(表1)．

b MG の診断 レベルC

日本神経学会による重症筋無力症診療ガイドライン(2014年)[1] によると，MG の診断基準は
①筋脱力症状があり，かつ，抗 AChR 抗体陽性または抗 MuSK(muscle specific kinase)抗体陽性である
②筋脱力症があり，かつ，神経筋接合部障害(塩酸エドロホニウム試験陽性，アイスパック試験陽性，筋電図検査陽性などいずれか)を認め，他の疾患が除外できるのいずれかとされる．

MG の重症度の評価には，QMG(Quantitative MG Score for Disease Severity)スコアや MG-ADL(MG activities of

表1 MGFA 分類

Class I		眼筋型．眼症状のみ．
Class II		軽度全身型．眼症状の程度は問わない．
	II a	四肢筋・体幹筋＞口咽頭筋・呼吸筋の筋力低下．
	II b	四肢筋・体幹筋≦口咽頭筋・呼吸筋の筋力低下．
Class III		中等度全身型．眼症状の程度は問わない．
	III a	四肢筋・体幹筋＞口咽頭筋・呼吸筋の筋力低下．
	III b	四肢筋．体幹筋≦口咽頭筋・呼吸筋の筋力低下．
Class IV		高度全身型．眼症状の程度は問わない．
	IV a	四肢筋・体幹筋＞口咽頭筋・呼吸筋の筋力低下．
	IV b	四肢筋・体幹筋≦口咽頭筋・呼吸筋の筋力低下．
Class V		気管内挿管．人工呼吸器の有無は問わない．(通常の術後管理は除く．経管栄養はIV b)

現在に至るまでの最重症時の状態によって分類される．たとえば過去にクリーゼを起こして挿管歴のある患者は，現在無症状であっても Class V となる．

daily living profile)スケールなどがある．

c 胸腺の関与 レベルB

わが国の調査では，MG と診断された患者の約20〜30%に胸腺腫が合併し[1]，胸腺腫の患者の約23〜25%に MG が合併する[2]．胸腺腫の WHO 分類の各亜型では Type B に MG の合併頻度が高い[3]（図1）．早期（若年）発症 MG では約半数に胸腺の過形成がみられ胸腺組織に胚中心を認めるが，後期（高齢）発症 MG では萎縮胸腺であることが多い．

d 自己抗体 レベルB

わが国の MG 全体の80〜85%が抗 AChR 抗体陽性であり，抗 MuSK 抗体陽性および抗 Lrp4(LDL receptor-related protein 4)抗体陽性がそれぞれ数%存在する．また数%がすべての抗体陰性の sero-negative MG である．胸腺腫に合併した MG ではほとんどが抗 AChR 抗体陽性である．一方，MG 症状のない胸腺腫患者の約1/4は抗 AChR 抗体陽

性であり[3]，術後にMGを発症することがある（post-thymectomy MG）．

e MGの手術適応 レベルB

古くからMGに対する胸腺摘出術が経験的に行われてきたが，免疫抑制療法の進歩によって内科的治療による病勢コントロールが改善し，特に非胸腺腫MG患者に対する手術件数は減少してきた．日本胸部外科学会学術調査によれば，2000年前後にはMG手術例の約60％が非胸腺腫MGを対象としていたが，2016年には約30％まで減少した（図2）．その後，2016年に非胸腺腫MG患者に対する胸腺摘出術の有効性を検証した前向き無作為比較試験（MGTX study）結果が報告され[4]，全身型の成人型MGにおける臨床症状改善効果が示され，その効果が5年後まで持続することが明らかになった[5]．現時点での胸腺摘出術の手術適応は，①胸腺腫合併か非合併か，②眼筋型か全身型か，③発症時期（成人早期発症，後期発症，小児期発症か），④抗AChR抗体陽性か陰性かによって判断される[6]．

1）胸腺腫合併MG

胸腺腫に対する治療として手術が行われる．胸腺腫合併MGでのMGに対する手術の効果は，胸腺腫非合併MGに比べやや劣る．

2）胸腺腫非合併MG

①全身型

ⅰ）抗AChR抗体陽性：一般的に発症時期で早期発症型（50歳未満）と後期発症型（50歳以降）に大別される．

- 早期発症MG：病理学的に胸腺過形成を高頻度に合併し，積極的に胸腺摘出術が勧められる．手術によるMG寛解率は約30％であるが，効果の発現には6ヵ月から数年を要する．
- 後期発症MG：近年増加している．病理学的には萎縮胸腺が多く，早期発症に比べて切除の効果が劣るため，画像上過形成が疑われる場合，症状の進行が早い場合，薬物治療に抵抗性の場合などは手術の対象となりうる．
- 小児期発症MG：内科の治療による寛解率が高く，薬物治療が主体となる．思春期以後の発症で，抗AChR抗体高値例，画像上胸腺拡大が疑われる例ではステロイド薬に抵抗することが多く，胸腺摘出術が考慮される．

ⅱ）抗AChR抗体陰性：抗MuSK抗体陽性MG，抗Lrp4抗体陽性MGでは胸腺腫の合併が稀であり，病理学的にも胸腺に異常が見られない場合が多く，内科的治療が優先され胸腺摘出術は推奨されない．Sero-negative MGでは，病理学的に胸腺過形成を伴う場合があり，胸腺摘出術が有効な症例もある．

②眼筋型

自然寛解例もあり，内科的治療が中心となる．薬物治療に抵抗性の場合や抗AChR抗体高値例，神経生理学的に全

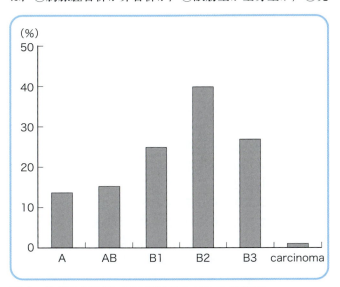

図1 胸腺腫WHO病理分類別のMG合併頻度
（Nakajima J et al. Eur J Cardiothorac Surg 2016; 49: 1510 [3]を参考に作成）

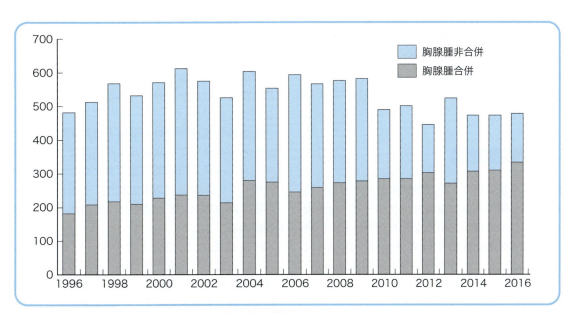

図2 胸腺腫合併非合併別年間MG手術件数の推移

表2 MGFA効果判定

完全寛解 Complete stable remission (CSR)	1年以上MG症状がなく，治療も受けていない．眼瞼下垂はあってもよい．
薬理学的寛解 Pharmacologic remission (PR)	投薬によってCSRとなっているもの．抗コリンエステラーゼ薬を服用しているものはPRではなくMMに分類する．
軽微症状 Minimal manifestations (MM)	軽微な症状は存在するが，日常生活に支障がない状態．免疫抑制薬などを服用していてもよい．
改善 Improved (I)	臨床症状の改善または治療薬の減量．
不変 Unchanged (U)	臨床症状の改善，治療薬の減量がみられない．
増悪 Worse (W)	臨床症状の増悪または治療薬の増量．
再燃 Exacerbation (E)	CSR，PR，MMの基準を満たした者がこれらの基準を超えて増悪．
MG関連死 Died of MG (D of MG)	MGやMG合併症による死亡．胸腺摘出術後30日以内の死亡．

眼瞼下垂があってもCSR，ステロイド・免疫抑制薬を服用していてもMMになる．

身型に移行するリスクが高い場合には切除を考慮する．

f 術式，アプローチ レベルC

拡大胸腺摘出術（extended thymectomy）が標準術式である．頸部脂肪組織も含めて広範囲に摘出するmaximal thymectomyもあるが，一般的ではない．近年，従来からの胸骨正中切開アプローチの他に低侵襲手術として頸部，胸腔鏡，剣状突起下，ロボット支援など様々なアプローチ法が報告されている．MGに対する効果は，胸腺を全摘すればアプローチによる差はないと考えられるが，胸腺腫合併例では，胸腺腫の進行度など個々の症例に応じて術式を検討すべきである．胸腔鏡手術は胸骨縦切開に比べて在院期間の短縮や出血量の減少など低侵襲性で優れているが，技術的な制約があり手技の習熟を要する．わが国での手術統計報告では，胸腔鏡手術の比率が年々増加し，2016年には約6割を占めている[7]．両側アプローチは片側アプローチに比べて，横隔神経の確認が容易だが侵襲度が増加する．ロボット支援下手術は胸腔鏡手術に比べて，器具の操作性が向上し技術的な制約が緩和されるが，手術時間が長くなる．2020年4月に重症筋無力症に対するロボット支援下拡大胸腺摘出術が保険適用となった．

g 内科的治療 レベルC

MGは自己免疫疾患であり，免疫療法が基本である．治療には薬物療法が必須であり，重症例やクリーゼには免疫グロブリン大量療法や血液浄化療法なども行われる．治療後の効果判定にはMGFA効果判定（表2）がよく用いられる．薬物治療の目標として，プレドニゾロン服用量5mg/日以下で，MGFA効果判定「軽微症状（MM）」の達成が推奨されている．

①抗コリンエステラーゼ薬：マイテラーゼ，メスチノン，ウブレチド
②副腎皮質ステロイド：経口ステロイド，ステロイドパルス療法
③免疫抑制薬：カルシニューリン阻害薬（タクロリムス，シクロスポリン），アザチオプリン，シクロホスファミド，ミコフェノール酸モフェチル
④免疫グロブリン大量静注療法（IVIg）
⑤血液浄化療法

抗コリンエステラーゼ薬は病型を問わずMG治療の第一選択薬として用いられている．副作用は腹痛，下痢，流涎，発汗などのムスカリン様副作用と徐脈，低血圧など循環器系副作用があり，過剰投与によりコリン作動性クリーゼを起こすことがある．本薬剤は対症療法であり，免疫療法と組み合わせて使用されることが多い．

ステロイドは標準治療として広く使われている．経口薬はプレドニゾロン，パルス療法ではメチルプレドニゾロンコハク酸エステルナトリウムがよく用いられる．ステロイド導入時に一過性の筋無力症状増悪（初期増悪）がみられることがある．長期大量投与による合併症も多く，治療効果が不十分な場合は，後述する免疫療法を積極的に導入する．急激な症状悪化やクリーゼの際にはステロイドパルス療法を行うことが多い．

免疫抑制薬はステロイド薬と併用することで，MG症状改善とステロイドの減量効果が期待できる．わが国ではカルシニューリン阻害薬であるタクロリムスおよびサイクロスポリンのみが保険適用であり，その他の薬剤は適応外である．副作用としては高血圧，耐糖能異常，腎機能障害などがある．

IVIg療法は，中等症以上のMGに対して用いられ，クリーゼに対して血液浄化療法と同等の効果を有する．血液浄化療法に比べて特別な装置が不要であり，全身状態が不良な場合にも施行しやすいというメリットがある．

血液浄化療法は，血中の自己抗体を除去する治療法で，

臨床症状の一時的改善を得る目的で行われる．クリーゼに対して有効性が認められている．血液浄化療法には，単純血漿交換法(plasma exchange：PE)，二重膜濾過血漿交換法(double filtration plasmapheresis：DFPP)，免疫吸着療法(immunoabsorption plasmapheresis：IAPP)があり，副作用が少ない IAPP が主流である．

h 主な周術期使用禁忌および慎重投与薬 レベルB

MG 症状を悪化させる可能性のある薬剤は使用禁忌・慎重投与とされる．

［催眠鎮静薬・抗不安薬］
・ベンゾジアゼピン系

［抗不整脈薬］
・プロカインアミド
・ジソピラミドリン酸塩

［抗菌薬］
・アミノグリコシド系
・ポリペプチド系
・リンコマイシン系
・ニューキノロン系
・マクロライド系

i 術後 MG クリーゼの管理 レベルC

クリーゼは呼吸筋力低下による呼吸不全である．球麻痺症状(誤嚥，構音障害)を伴うことが多い．筋力の速やかな回復は期待できないため，時機を逸さずに気管内挿管，人工呼吸器管理を考慮する．筋無力症クリーゼかコリン作動性クリーゼかの鑑別はエドロホニウムテストで行う．症状が改善すれば筋無力症クリーゼと判断する．人工呼吸中は抗コリンエステラーゼ薬を中止する．治療はステロイドパルス療法，血液浄化療法，IVIg 療法を行う．人工呼吸離脱後の抗コリンエステラーゼ薬は術前投与量の半量から再開する．

文献

1) 日本神経学会(監修). 重症筋無力症診療ガイドライン 2014, 南江堂, 2014
2) 日本肺癌学会(編). 胸腺腫瘍診療ガイドライン 2018 年版, 金原出版, 2018
3) Nakajima J et al. Eur J Cardiothorac Surg 2016; **49**: 1510
4) Wolfe GI et al. N Engl J Med 2016; **375**: 511
5) Wolfe GI et al Lancet 2019; **18**: 259
6) 日本呼吸器外科学会ガイドライン検討委員会. 重症筋無力症外科治療ガイドライン(日本呼吸器外科学会ホームページ：https://www.jacsurg.gr.jp/committee/guideline_mg.pdf)
7) Shimizu H et al. Gen Thorac Cardiovasc Surg 2020; **68**: 414

⑤ 胸腺腫に伴う自己免疫疾患（重症筋無力症以外）

要点
1. 胸腺腫は重症筋無力症以外にも様々な自己免疫疾患を合併する．
2. 赤芽球癆や Good 症候群では，胸腺腫や胸腺切除による病状改善効果は乏しい．
3. Good 症候群は免疫不全を呈するが，自己免疫疾患の併発も少なくない．
4. 胸腺腫摘出術後に自己免疫疾患を発症することもある．

Key Word 胸腺腫，自己免疫疾患，赤芽球癆，Good 症候群，graft-versus-host like disease

胸腺腫は重症筋無力症（MG）以外にも赤芽球癆（PRCA）や低ガンマグロブリン血症を伴う Good 症候群，graft-versus-host like disease，全身性エリテマトーデス（SLE），天疱瘡など種々の自己免疫疾患を合併する．最近の系統的レビューでは，胸腺腫の 24％に何らかの自己免疫疾患を合併し，そのうち 49％は 2 つ以上の自己免疫疾患を併発するとされている[1]．自己免疫疾患を合併する胸腺腫症例の中での内訳としては，MG 63％，PRCA 7.7％，扁平苔癬 6.3％，Good 症候群 5.9％，辺縁系脳炎 5.9％と報告され，全体として術前に自己免疫疾患の診断が得られている症例は 80％である．

a 胸腺腫の自己免疫性 レベル C

胸腺腫内には，正常胸腺で分化成熟する胸腺細胞と呼ばれる未熟な T 細胞が豊富に含まれていることが多い．T 細胞の分化成熟と正負の選択は胸腺上皮細胞を中心とした胸腺間質細胞によって制御されるが，腫瘍化した胸腺上皮細胞も T 細胞分化誘導する機能をある程度保持している[2]．しかし，胸腺腫は正常胸腺にみられる皮質・髄質構造の極性を持たず，腫瘍胸腺上皮細胞は主要組織適合遺伝子複合体（MHC）抗原 class II の発現が種々のレベルで低下し，自己の MHC に反応する T 細胞に対する正の選択と，自己抗原に反応する有害な T 細胞を除去する負の選択が正常に行われているとは考えにくい．このような胸腺腫の腫瘍学的特徴から，胸腺腫内で誤って成熟し末梢血中に移入した自己抗原反応性 T 細胞が様々な自己免疫異常や疾患を発症させる可能性が指摘されている[3]．

b 赤芽球癆（PRCA） レベル B

1）病態

赤芽球癆（pure red cell aplasia：PRCA）は，正球性正色素性貧血と網赤血球および骨髄赤芽球の著減を特徴とする造血器疾患である．先天性と後天性があり，胸腺腫は後天性 PRCA の基礎疾患のひとつである．2012 年の全国胸腺腫瘍切除例登録データベースによれば PRCA は胸腺腫患者の 1.8％に合併し，また PRCA 国内共同研究グループによると PRCA 患者の 22.1％に胸腺腫を合併すると報告されている[4]．胸腺腫摘出後に PRCA が発症することもある．PRCA が胸腺腫に合併する理由は明らかではないが，シクロスポリンによる免疫抑制療法が奏効することから何らかの自己免疫的な機序が推測される．

2）診断

胸腺腫患者の血液検査において貧血を認めた場合には，PRCA 合併の可能性を考慮し網赤血球の測定を行う．診断基準に則り PRCA は，血液検査と骨髄生検で白血球数・血小板数が正常であり，かつ貧血と網赤血球および骨髄赤芽球の著減をもって確定診断する．胸部 CT 検査がなされていない場合には胸腺腫合併の有無の検索が勧められている．

3）治療

著明な貧血に対しては，対症療法として輸血を行う．かつて，PRCA に対する胸腺腫摘出術の有効率は 25％と報告されたこともあったが，その後の報告では治療効果は明らかでなく，現在では胸腺腫摘出術は腫瘍に対する治療として認識されている．胸腺腫に合併する PRCA はシクロスポリンに良好な反応を示し，奏効率は 95％と報告されている[4]．また，奏効率はやや劣るが高齢者や腎機能障害を有する患者にはステロイドも一定の効果が期待できる[4]．

c Good 症候群 レベル B

1）病態

Good 症候群は 1954 年に Good RA により低ガンマグロブリン血症を合併した胸腺腫として最初に報告され，近年では胸腺腫に免疫不全症を伴った病態として理解されていることもある．2012 年の国内胸腺腫瘍登録データベースによれば Good 症候群は胸腺腫患者の 0.6％に合併している．胸腺腫の組織型は WHO Type AB が最も多く次いで Type B2 が多い．免疫不全症としては，低ガンマグロブリン血症や B リンパ球・$CD4^+$T 細胞の減少などを認め，患者は細菌やウイルスなどに対し易感染性を呈する．細菌感染に伴う

上気道炎や腸炎，菌血症や，サイトメガロウイルスによる網膜炎や肺炎，髄膜炎，胃腸炎の発症が報告されている．その他に日和見感染としての Pneumocystis jirovecii（カリニ）肺炎や，カンジダやアスペルギルス真菌症を呈することもある．最近では英国の免疫不全レジストリーから 78 例の Good 症候群の解析結果が報告され，年齢の中央値は 54 歳，胸腺腫は WHO type AB が 59％を占め，95％の症例で何らかの感染症を併発し 10％が重症感染症であったとされている[5]．また，興味深いことに Good 症候群は免疫不全症にもかかわらず自己免疫疾患を併発することがあり，最も多いのは PRCA，次いで MG となっている[4]．Good 症候群は発熱や咳嗽，下痢など，上述の各種感染症による症状を呈し，胸腺腫そのものに伴う症状は乏しいことが多い．

2）診断

Good 症候群の診断は，CT や MRI，PET/CT などの画像診断による胸腺腫診断と，血清検査によるガンマグロブリン低下により確定診断される．低ガンマグロブリン血症の程度によっては感染症を発症していない症例も珍しくないので，胸腺腫の術前患者では血液生化学検査でアルブミン/グロブリン比（A/G 比）に注意し A/G 比が異常高値の場合にはグロブリン分画を調べ低ガンマグロブリン血症の有無を確認する必要がある．

末梢血リンパ球の B 細胞と T 細胞の数，T 細胞の CD4＋と CD8＋のサブセットも検査して T 細胞の構成について評価することが望ましい．

3）治療

Good 症候群の治療は，胸腺腫に対する胸腺腫摘出術と，低ガンマグロブリン血症に対するグロブリン補充療法が基本であり，感染症を伴う病状では起因病原体に対する薬物療法を行う．胸腺腫の摘出による低ガンマグロブリン血症の改善は期待できない．免疫不全があるため，Good 症候群患者では胸腺腫摘出術の周術期管理における感染症対策は慎重に行わなければならない．予後の予測は困難で，グロブリン補充療法により長期生存するものから，感染症の制御ができず死亡する患者まで経過は様々である．152 例をレビューした文献によれば，観察期間はまちまちであるがそれぞれの報告の集計による死亡率は 45％で，その内 60％が感染症による死亡であり，決して楽観視できない疾患である[6]（図 1）．

d その他の自己免疫疾患 レベル C

1）graft-versus-host like disease

胸腺腫ではときに大腸炎，肝障害と皮膚障害を伴う多臓器自己免疫異常を呈する．皮膚病変は，造血幹細胞移植の際にレシピエント抗原を認識し活性化されたドナー T 細胞が惹起する graft-versus-host disease（GVHD）と類似しており，胸腺腫に合併した GVH-like disease 症例の解析では末梢血液中の制御性 T 細胞（Treg）の減少とインターロイキン-17 を産生するヘルパー T 細胞（Th17）の増加が確認されている（図 2）．また，皮膚組織内の Treg も減少していることが示された[6]．詳細な病態解明はなされていないが，胸腺腫内で腫瘍化した胸腺上皮細胞により誤った T 細胞選択が行われて末梢血液中に供給された自己抗原反応性 T 細胞が発症にかかわっている可能性が高い．

2）全身性エリテマトーデス（SLE）

全身性エリテマトーデス（systemic lupus erythematosus：SLE）は若年女性に多い自己免疫疾患であり，高齢発症の SLE 患者では胸腺腫の合併を考慮する必要がある．胸

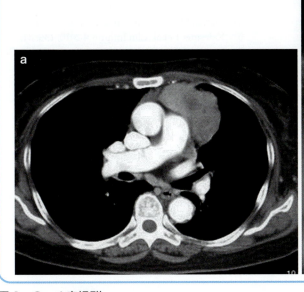
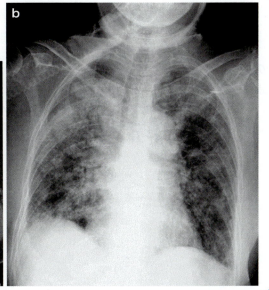

図 1　Good 症候群
70 歳，女性（自験例）．
a：CT 所見．胸腺腫 Type B2．
b：胸部 X 線．真菌および Gram 陰性桿菌合併肺炎で死亡．

図2　胸腺腫
23歳，女性．Type B1に合併したgraft-versus-host-like diseaseの皮膚病変．

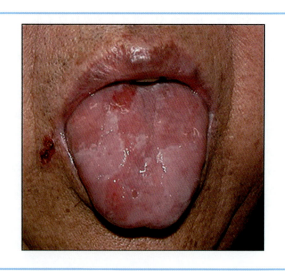

図3　胸腺腫に合併した口腔扁平苔癬

腺腫に合併する頻度は1.5～2%という報告があり，胸腺腫摘出術や化学療法，放射線治療後に発症した症例報告も散見される[3]．SLEに対する胸腺腫摘出術の効果は明らかではない．

3）天疱瘡

天疱瘡は表皮細胞間接着因子デスモグレインに対する自己免疫性水疱性疾患であり，ステロイドや免疫抑制薬で治療される．天疱瘡はまれに胸腺腫に合併することが知られており，胸腺腫の自己免疫異常の一表現型と推測されている．天疱瘡に対する胸腺腫摘出術の効果は明らかではない．

4）自己免疫性肝炎

比較的まれであるが，胸腺腫患者で肝逸脱酵素の上昇を認めた場合には鑑別診断を行う必要がある．確定診断には肝生検が必要で，組織学的に肝細胞の壊死と炎症細胞浸潤を伴ったperipheral necrosisが特徴的である．重症筋無力症を併発することもある[7]．

5）その他

上記疾患の他に胸腺腫に合併する自己免疫疾患としては，口腔扁平苔癬（図3），甲状腺機能異常，悪性貧血，血小板減少症，糸球体腎炎，潰瘍性大腸炎，神経性筋強直症，stiff-person症候群，多発筋炎，皮膚筋炎などの報告がある．

Side Memo

胸腺腫内で成熟し末梢血液中に供給された自己抗原反応性T細胞は，胸腺腫摘出術後も末梢リンパ装置に存在している可能性があり，胸腺摘出術後の自己免疫疾患発症の原因となりうる．自己免疫疾患を発症していない胸腺腫患者で，抗アセチルコリン受容体抗体をはじめ，種々の自己抗体が陽性を示すことも珍しくない．

文献

1) Zhao J et al. J Thorac Cardiovasc Surg 2020; **160**: 306
2) Inoue M et al. Clin Exp Immunol 1998; **112**: 419
3) Shelly S et al. Cell Mol Immunol 2011; **8**: 199
4) Hirokawa M et al. Hematologica 2008; **93**: 27
5) Zaman M et al. Clin Exp Immunol 2018; **195**: 132
6) Kelesidis T et al. Clin Immunol 2010; **135**: 347
7) Nishimura T et al. Interact Cardiovasc Thorac Surg 2019; **29**: 635

⑥ 縦隔気腫あるいは気縦隔

要点
1. 縦隔気腫は縦隔内に空気が貯留した状態で様々な原因で起こりうる．
2. 特発性縦隔気腫は自然軽快するが，二次性縦隔気腫の場合は原因によっては緊急を要する．
3. まず疑うことが重要で，好発部位を念頭に置いた検査が必要である．

Key Word 皮下気腫，特発性縦隔気腫，二次性縦隔気腫，特発性食道破裂

　本来，空気が存在する食道，気管・気管支内腔以外の縦隔内に空気が貯留する状態を縦隔気腫という．良性で自然軽快することも少なくないが，原因によっては致命的となるため迅速な診断と処置が必要となる．気胸，皮下気腫などと同時に存在する場合は，原発か二次発生かの診断に難渋することがある．病名としての縦隔気腫（mediastinal emphysema）に対して，その病態を気縦隔（pneumomediastinum）と表現することがあり，ときには混同して使用されている．

a 縦隔気腫の病態 レベルA

縦隔気腫の成因，いたる経路は次の場合があげられる（図1）．
①肺胞の破裂による肺門経路
②頸部，まれに腹膜腔からの経路
③縦隔内臓器（気管・気管支，食道）の穿孔
④縦隔内発生（ガス産生菌による縦隔炎）

　感染，外傷，臓器穿孔などの原疾患に伴うものを二次性縦隔気腫，原疾患がなく発症するものを特発性縦隔気腫［idiopathic（primary）pneumomediastinum］という．急激な気道内圧の上昇によって肺胞が破裂し肺の間質に漏出した空気［間質性肺気腫（interstitial pulmonary emphysema）］が，気管支，血管鞘を中枢に向かい剥離し，肺門を経由し縦隔に達することにより発生する．縦隔気腫は，深頸部筋膜による間隙を通り頸部や胸壁，顔面に拡大し皮下気腫を生じる．頸部皮下気腫が初発症状であることが多い．また，その逆に皮下に生じた気腫は，陰圧により容易に縦隔に吸引される．縦隔胸膜を破損し胸腔に続発性気胸を発症することはあるが，自然気胸によって縦隔内に空気が侵入することは通常はない．また縦隔リンパ節郭清のための縦隔胸膜開放部から胸腔内圧の上昇に伴い空気が縦隔に侵入することはある．まれな病態であるが，後腹膜腔からの剥離や腹腔から既存の孔を通り縦隔に達する，またはその逆もありうる．

1）特発性縦隔気腫[1] レベルB

喘息発作，慢性気管支炎などの疾患，野球のスライディ

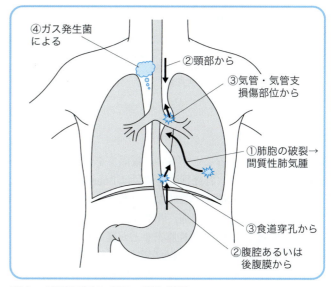

図1　縦隔気腫の成因・侵入経路

ング，サッカーボールのトラッピングなどの外力や，管楽器の演奏，重量挙げ，カラオケ，嘔吐，排便に伴う息ごらえなどの気道内圧上昇が誘因となる．長身，やせ型のいわゆる気胸体型に好発する．一方，肥満に多いとする報告もある．そのほかの患者背景因子として，依存性薬物や麻酔薬，喫煙，COPD，間質性肺炎，神経性食思不振症などがあげられる．環境因子として，潜水時の急速浮上や人工呼吸などがある．若年者に多く男性に好発する．ほとんどの症例で発症に胸痛，呼吸困難，嚥下困難などの自覚症状を認める．約20％に微熱を伴う．本疾患の臨床経過は安静により良性の経過をたどるため，重篤な二次性縦隔気腫との鑑別が必要である．

2）二次性縦隔気腫（外傷性，特発性食道破裂，医原性など） レベルB

縦隔内気管・気管支損傷では外傷性縦隔気腫を生じる．鈍的外傷による気管・気管支損傷は高所墜落や交通事故などによる高エネルギー外傷によることが多い．通常，陽圧換気により病状は増悪するが，損傷部位が気管挿管チューブによってマスクされることもある．食道損傷は義歯や魚

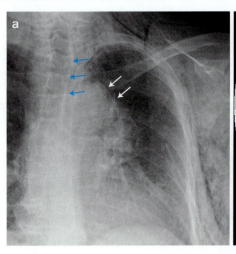
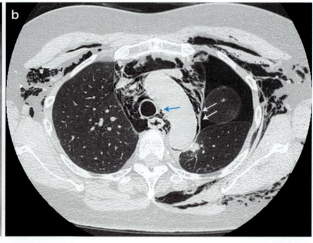

図2 縦隔気腫
a：胸部単純X線．縦隔内気管の左壁は通常縦隔軟部組織に接しているために，黒の透亮像（気管内腔）と白（気管壁と縦隔軟部組織の区別はない）のコントラストである．気管周囲の気腫のために，気管左壁がストライプ状に描写されている（青矢印）．大動脈弓周囲の気腫のために壁側胸膜が剥離し二重に縁どられている（白矢印）．
b：CT．胸骨後腔，大血管，気管，食道周囲に気腫を認める．左気胸および胸壁に沿った皮下気腫を認める．

骨などの嚥下によることが多い．縦隔炎を伴うため迅速な対応が必要である．特発性食道破裂はBoerhaave症候群とも呼ばれ，大量飲酒後の嘔吐など急激な食道内圧の上昇が原因である．激しい胸部痛，背部痛，上腹部痛を伴うために，心筋梗塞や胃穿孔，急性膵炎などが疑われ診断が遅れることがある．縦隔炎を伴い敗血症にいたり予後不良である．

医原性縦隔気腫の原因には，食道内視鏡や縦隔鏡による食道，気管損傷や人工呼吸器による気圧障害などがある．陽圧換気による気道内圧上昇は，前述の肺胞破裂を招き肺門を通り縦隔気腫，皮下気腫を生じうる．小児や新生児期では縦隔から頸部に誘導されないことがあり（air-block syndrome），間質性肺気腫を生じたり，緊張性縦隔気腫を呈したりすることがある．緊張性縦隔気腫は緊張性気胸と同様に静脈還流の減少により循環動態の悪化を伴う[2]．また，声門周囲の気腫による上気道閉塞の報告もある．

b 縦隔気腫の診断 レベルC

最も多い自覚・他覚所見は皮下気腫で，触診上の握雪感あるいは聴診上捻髪音として認識できる．頸部気腫が顔面に及ぶと鼻声や上眼瞼の気腫による開眼困難を生じる．身体所見では，心拍動に同期した捻髪音（crunch）が特徴的でHamman's crunchといわれる．縦隔気腫の存在はCTによれば一目瞭然であるが，緊急を要する場合にCTは必ずしも必須の検査ではないことや，気腫が広範囲にいたってから実施されることが多いことを考えると，胸部単純X線像上の初期の所見を見落とすべきではない．縦隔気腫の存在が判明したとしても原因診断は必ずしも容易ではなく，臓器損傷の可能性を常に疑うこと，病歴の聴取（受傷機転），好発部位を念頭に置いた検査が重要である．発生初期の段階では漏出（損傷）部位が限局しているので予測しやすいが，気腫が広範囲になると困難となる．

胸部単純X線像[3]では，頸部や胸壁に沿って縞状の気腫像を認める．また，通常ではシルエットをなさない縦隔臓器（大動脈，食道，心膜，気管・気管支壁など）が空気の存在によって二重に縁取られたり，縦隔胸膜が空気により縦隔陰影より解離し特徴的な像を呈する（図2）．肺動脈周囲のring sign（側面写真における主肺動脈周囲のリング状透亮像）や新生児のthymic sail sign（空気で持ち上げられた胸腺が両側にヨットの帆の形状を呈する）などのサインが知られている．通常，横隔膜の中心部は心臓と接しているためシルエットをなさないが，横隔膜と心膜の間に空気が存在すると横隔膜が連続してみえる（continuous diaphragm sign）（図3）．心嚢内気腫や腹腔内のfree airによってもcontinuous diaphragm signと類似した所見を認めるが，後者はcupola signと呼ばれ発生部位が異なる．食道破裂では，食道から漏出した傍脊椎部，または左側では下行大動脈周囲の空気と胸膜外横隔膜上の空気と融合しVの字を形成する（Naclerio's V-sign）（図4）．縦隔気腫に気胸を伴うことはまれではないが，壁側胸膜外に漏出，貯留した空気により気胸と誤ることがあるので注意を要する．

鈍的外傷による気管・気管支損傷の診断には気管支鏡検査が必要であるが，急性期には血腫によって同定不能なことも少なくない．また，気管挿管チューブによって観察不能な部位もある．好発部位を念頭に置いた観察や必要に応じて検査を繰り返すことが必要である．特発性食道破裂を疑った場合は，経鼻チューブを用いて水溶性造影剤による食道造影を行う．食道からの造影剤の漏出があれば診断が確定する．下部食道の左壁が好発部位である．

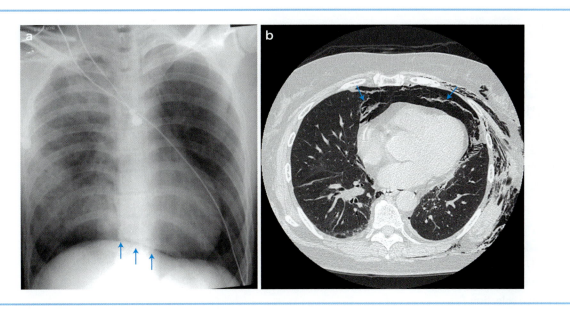

図3 continuous diaphragm sign
a：胸部単純X線．心嚢と横隔膜の間の空気の存在を示すcontinuous diaphragm sign（青矢印）
b：CT像．心嚢周囲の空気内に剥離された周囲の軟部組織の存在があり（青矢印），心嚢内ではないことを示唆する．

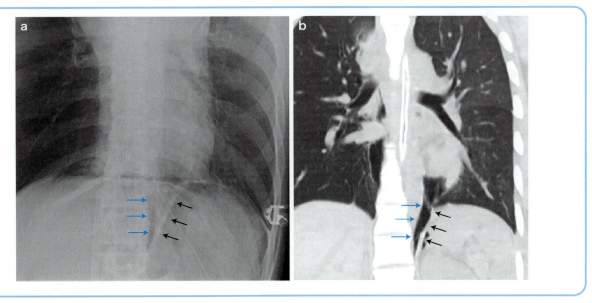

図4 Naclerio's V sign
a：単純X線正面像．
b：CT冠状断像
下行大動脈左外側縁（青矢印），左横隔膜内側部（黒矢印）が気腫によって明瞭に描出され，V字型を形成している（Naclerio's V sign）．
（日獨医報 59巻 第1号 p.83 図4より許諾を得て転載）

C 縦隔気腫の治療 レベルC

　特発性縦隔気腫は安静により数日で改善する．漏出した縦隔気腫，皮下気腫は自然吸収される．陽圧換気の継続や皮下漏出による除圧が不十分で緊張性縦隔気腫の状態に陥った場合はドレナージが必要である．臓器損傷が明らかな場合は，外科的修復が原則である．気管・気管支損傷の場合，小範囲の損傷で特に膜様部の損傷では保存的治癒の可能性もある．軟骨部の損傷では亜急性期以降に狭窄をきたす可能性が高い．特発性食道破裂は縦隔炎から敗血症にいたると予後が不良なため，診断が確定したら可及的速やかに手術を行う[4]．

文献
1) Shields TW et al (eds). General Thoracic Surgery, 7th Ed, Lippincott Williams & Wilkins, 2009: p2177
2) 正岡 昭．呼吸器外科学，第4版，2009: p380
3) 高橋 寛（監訳）．E.R.HEIZMAN 縦隔X線診断，西村書店，1987: p48
4) 日本 Acue Care Surgery 学会．手術動画とシェーマでわかる外傷外科手術スタンダード，羊土社，2012: p94

IX. 縦隔

復習ドリル

問題❶
後縦隔の後外側縁を定義する解剖学的構造物はどれか．2つ選べ．
- a. 椎体
- b. 横突起
- c. 後胸壁
- d. 大動脈
- e. 食道

問題❷
胸腺皮質で行われることはどれか．2つ選べ．
- a. positive selection
- b. negative selection
- c. T cell receptor 再構成
- d. B cell 増殖
- e. 樹状細胞による抗原提示

問題❸
気管支動脈について正しいのはどれか．2つ選べ．
- a. 左気管支動脈は肋間動脈と共通幹をつくる
- b. 右肋間動脈は大動脈から直接分岐する
- c. 気管支動脈は肺動脈と吻合を形成しない
- d. 肺外では気管支静脈と伴走する
- e. 肺内気管支循環では気管支動脈は肺静脈に注ぐ

問題❹
縦隔発生の気管支嚢胞について正しいのはどれか．2つ選べ．
- a. 後縦隔に好発する
- b. 軟骨や平滑筋はみられない
- c. 内容液はクリーム状である
- d. 心膜嚢胞と発生原基が同じである
- e. 嚢胞壁は線毛円柱上皮で覆われる

問題❺
胸腺腫の患者で著明な貧血を認めた場合に行う適切な検査はどれか．2つ選べ．
- a. 血清 ACTH
- b. 網赤血球
- c. 骨髄検査
- d. 骨シンチ検査
- e. 骨密度測定

問題❻
難治性肺炎を合併した前縦隔腫瘍患者で必要な血液検査はどれか．2つ選べ．
- a. 血清アミラーゼ
- b. 可溶性 IL-2R
- c. 血中 BNP
- d. 血清蛋白分画
- e. 血中 β-D グルカン

正解：①b,c，②a,c，③d,e，④c,e，⑤b,c，⑥d,e

第Ⅹ章
胸 膜

X．胸膜

 胸膜の解剖

要点

❶胸膜とは，肺実質，胸壁，縦隔，横隔膜の表層を覆う連続する漿膜である．
❷胸膜で裏打ちされた胸腔は，潤滑性と弾力性を備えて内臓器である肺の動きを確保する．

Key Word　壁側胸膜，臓側胸膜，胸水，胸腔内圧，ブラとブレブ

胸膜は肺表面を覆う臓側胸膜(visceral pleura)と壁側胸膜(parietal pleura)に分けられる．臓側胸膜と壁側胸膜の間が胸腔である．壁側胸膜はさらに，胸壁側の肋骨胸膜，縦隔側の縦隔胸膜，横隔膜面の横隔胸膜の3つに細分類される．

胸膜の層構造に名称を付けるにあたり，胸腔を基準(内側)として，胸壁側および肺側に向かって外側と定義するか，その逆に体の中心を基準(内側)と定義するかにより，内・外の名称が異なってくる．特に臓側胸膜の名称ではしばしば混乱をきたしている．呼吸器外科医になじみ深い正岡昭らの「呼吸器外科学」[1]および畠中陸郎らの「呼吸器外科手術書」[2]では，胸腔を基準(内側)とした呼称を用いている(図1)．一方，Corrinの肺病理の成書[3]などでは体の中心(肺実質側)を基準(内側)とした呼称を用いている．また，日本肺癌学会肺癌取扱い規約第8版，IASLC Staging Handbook in Thoracic Oncologyでは肺実質側を内側とする呼称を用いている．呼称にあたりこの点に注意を要する．

a 臓側胸膜の構造　レベルA

臓側胸膜は胸腔側から肺実質に向かって，①中皮層，②中皮下層，③外弾力膜，④間質層(結合組織層)，⑤内弾力膜(基底膜)の5層から成っている(図1中の*2)．肺癌の胸膜浸潤を評価したTravisらの論文では①基底膜上の中皮層(single layer of mesothelial cells resting on a basement membrane)，②中皮下結合組織層(submesothelial connective tissue layer)，③弾性線維層(elastic fibers that usually form a single prominent layer, but may also form a second discontinuous layer)，④基底膜を含む結合組織層(connective tissue layer of varying thickness that separates the elastic layer from the lung parenchyma which is demarcated by a layer of pneumocytes resting on a thin basement membraneの4層と定義している(図2)[4]．Travisの論文では①中皮細胞層および④結合組織層いずれにも基底膜が存在していると記載されている．内弾力膜(基底膜)と結合組

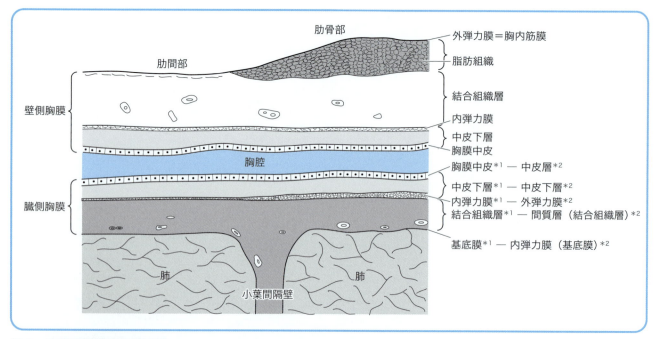

図1　胸膜組織構造の模式図
*1は正岡ら元図の記載．*2は肺癌取扱い規約(第8版)の記載に則り外弾力膜と記載した．肺癌取扱い規約，IASLCの記載ではでは肺実質側を内側とする呼称を用いている．
(正岡 昭ほか. 呼吸器外科学, 第4版, 南山堂, 2009: p438 [1] を参考に作成)

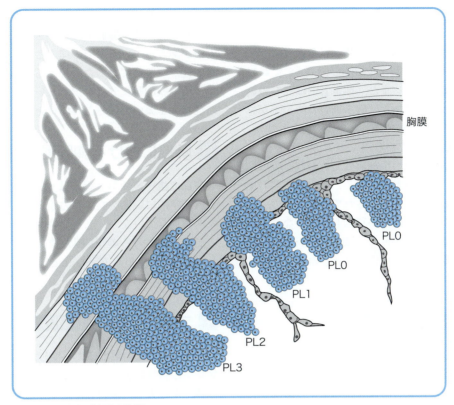

図2　肺癌胸膜浸潤分類
外弾力膜（elastic layer）への浸潤により PL1 と分類している．
（Noppen M et al. Am J Respir Crit car Med 2000; 162: 1023 [5]）を参考に作成）

織層をひとつの層に分類している．肺癌では弾性線維層への浸潤をPL1としており弾性線維層すなわち外弾力膜の認識が重要である．
　各5層の特徴は以下の通りである．
①胸膜中皮
　臓側胸膜の表面には一層の中皮細胞を認める．中皮細胞は扁平，立方形，円柱形などの形をとる．中皮の表面には微絨毛が分布している．微絨毛の役割はヒアルロン酸を豊富に含む糖タンパクを絡ませ肺と胸郭の摩擦を減少させることであると考えられている．中皮細胞の働きは組織液の平衡維持，漿膜の保護や癒着防止であるが，各種サイトカイン，増殖因子，接着分子などを産生することも示され，中皮細胞は多機能性であると考えられている．
②中皮下層
　中皮直下の層には少量の膠原線維が存在する．
③外弾力膜
　中皮下層の下にあり，弾性線維が豊富である．この弾性線維は複数の線維からなり，お互いに複雑に絡み合い走行している．
④間質層（結合組織層）
　内弾力膜と基底膜の間に結合組織層がある．この間質層には胸膜の動静脈，リンパ管が存在している．また，臓側胸膜の結合組織層の膠原線維は小葉間隔壁へと連続している．
⑤内弾力膜（基底膜）
　少量の弾性線維により構成されている．外弾力膜と比較すると線維量が少なく，しばしば不明瞭である．

b 壁側胸膜の構造　レベルA

　壁側胸膜は胸腔側から胸壁に向かって①胸膜中皮，②中皮下層，③内弾力膜，④結合組織層，⑤脂肪組織，⑥外弾力膜（胸内筋膜）の6層に分かれる．
　各層構造の特徴は臓側胸膜の特徴と類似しているが，壁側胸膜のうち特に肋骨胸膜は臓側胸膜に比して外弾力膜と深部との結合が緩やかである．このことが手術の際に胸膜外剝離が他部位の剝離に比べ容易である理由である．一方で横隔胸膜では外弾力膜は横隔膜筋膜を構成している．そのため手術で横隔胸膜の剝皮は困難なことが多い．

c 胸腔内圧　レベルA

　肺は臓側胸膜のその弾性張力により内側へ引こうとする力が働き，胸壁には外側に引こうとする力が働いている．この張力のバランスにより胸腔内に陰圧が生じている．胸腔内の陰圧には，約 $0.3\,cmH_2O/cm$ の圧勾配が生じ頭側に比べ尾側で陰圧が弱くなっている．立位で安静呼気時に肺尖部分では約 $-10\,cmH_2O$ の陰圧が生じているが，おおよそ30cm尾側の肺底部では $-10+(0.3\times30)=-1\,cmH_2O$ と弱い陰圧になっている．このように胸腔内に圧のばらつきがあることが，ブラの好発部位や，換気の不均等分布に関与している．

d 胸水 レベルA

　胸腔には少量の胸水が胸腔内にほぼ均一に分布存在している．健常者における右胸腔の平均的な胸水量は $8.4±4.3mL$ との報告がある[6]．また，健常者では左右の胸腔の胸水量はほとんど同じである．胸水細胞の約75%がマクロファージ，25%がリンパ球である．中皮細胞，好中球，好酸球は2%以下と報告されている．

　胸水の産生は主に壁側胸膜の毛細血管で行われ，吸収は主に臓側胸膜のリンパ管で行われている．胸水は胸膜の毛細血管と胸腔の圧勾配によって産生されている．この圧勾配のため，壁側胸膜から胸腔に液が移動しやすくなっている．臓側胸膜と胸腔は圧勾配が低く，臓側胸膜表面では胸水の吸収に働くことが多い．1日に数百 mL の水分が胸膜間を移動している．

e 胸膜の血管支配 レベルA

　壁側胸膜への血流は体循環から供給されている．肋骨胸膜は肋間動脈から，縦隔胸膜は主に心横隔膜動脈から，横隔膜胸膜は主に心横隔膜動脈，筋横隔膜動脈から血流を受けている．

　臓側胸膜は気管支動脈の支配が主である．ただし，胸壁に接する外側の臓側胸膜は肺動脈から血流を受けているという報告もある[7]．臓側胸膜の静脈系は肺静脈に還流している．

f 胸膜のリンパ系 レベルA

　臓側胸膜にはリンパ管が豊富に存在している．これらのリンパ管は相互に交通し網目状に間質層（結合組織層）内に分布している．リンパ流は肺表面から胸膜に沿って肺葉の外側から肺門に流れるもの，小葉間隔壁を経由して肺実質内の気管支のリンパ管に合流しながら肺門に流れるものがある．いずれのリンパ流も胸膜面から肺門部方向に流れている．

　壁側胸膜では中皮細胞の間には直接リンパ管に通じる小孔（stomata）が開いている．胸水や微細な粒状物はこの小孔から壁側胸膜下の結合組織層内のリンパ管へ集められる．肋骨胸膜のリンパ流は腹側では内胸静脈に沿ったリンパ節に流入し，背側では肋骨起始部近傍の内肋間リンパ節に向かって流れ込む．縦隔胸膜のリンパ管は気管気管支リンパ節，縦隔リンパ節に流れる．横隔膜胸膜のリンパ管は傍胸骨リンパ節，後縦隔リンパ節へと流入している．

g 胸膜の神経支配 レベルA

　壁側胸膜に関連する主な知覚神経は肋間神経と横隔神経である．肋骨胸膜は肋間神経により支配されている．横隔膜胸膜の辺縁部分は肋間神経の支配を受け，横隔膜中央部分は横隔神経の支配を受けている．また，縦隔胸膜は横隔神経が支配している．横隔神経は運動神経以外に，知覚神経も有している．胸腔ドレーンを挿入した際に，縦隔側に先端があたっていると肩の痛みとして自覚するのはこの横隔神経が関与しているためである．横隔神経は縦隔胸膜および横隔膜胸膜に分枝を出している．一方で臓側胸膜には知覚神経を欠いているため痛覚を持たない．

h 肺癌における胸膜浸潤 レベルB

　肺癌取扱い規約第8版には pl1 の定義として，「癌組織が組織学的に臓側胸膜外弾力膜をこえているが，臓側胸膜表面に達していない．」と記載されている．これは正岡らの記載するところの"内"弾力膜であり，用語の定義に注意を要する．IASLC の Staging Manual では "PL1 tumour invades beyond the elastic layer." と記述されている[5]．

i ブラ，ブレブ レベルA

　ブラは肺胞壁の破壊により生じた肺内の異常気腔であり，ブレブは臓側胸膜内に空気が集積した状態である．ブレブは肺胞が拡大し，破裂した空気が臓側胸膜を進展させ，基底膜の破綻，穿孔をきたし，肺胞内空気が臓側胸膜内に集積した状態を言う．青年期に多い自然気胸の原因のひとつである気嚢はブレブとブラが連続したものであり，呼吸細気管支がこの気嚢と交通している[8]．ブラとブレブは病理所見が異なるものの，臨床像が極めて似ていること，両者が連続して発生しやすいことから両者をまとめてブラとすることが多い．

j 胸膜切除/肺剥皮術 P/D ではどこで剥離されているか レベルC

　悪性胸膜中皮腫に対する手術方法として，胸膜肺全摘術と胸膜切除/肺剥皮術（pleurectomy/decortication：P/D）がある．P/D で臓側胸膜剥離がどの層で剥離されているか種々議論がある．Kobayashi らによれば，臓側胸膜は腫瘍の浸潤に関係なくすべて肺実質内で剥離が行われていると報告されている[9]．

文献

1) 正岡　昭ほか．呼吸器外科学，第4版，南山堂，2009: p438
2) 畠中陸郎ほか．呼吸器外科手術書，第6版，金芳堂，2015: p575
3) Corrin B et al. Pleura and chest wall. "Pathology of the Lungs, 3rd Ed, Churchill Livingstone, Edinburgh, 2011: p707
4) Travis WD et al. J Thorac Oncol 2008; **3**: 1384
5) Noppen M et al. Am J Respir Crit car Med 2000; **162**: 1023
6) Peng MJ et al. Textbook of Pleural Diseases, Arnold Publshers, 2003: p3
7) 日本気胸・嚢胞性肺疾患学会（編）．気胸・嚢胞性肺疾患規約・用語・ガイドライン，金原出版，2009: p16
8) 中野孝司ほか．胸膜全書，医薬ジャーナル社，2013: p33
9) Kobayashi et al. J Thorac Dis 2019; **11**: 717

② 気胸

要点
1. 胸膜瘢痕を含む気腫性肺嚢胞の破裂を原発性，原因が明白で原発性を除く自然気胸を続発性と呼ぶ．
2. 治療は肺虚脱の改善であり，その程度や臨床所見で治療法を選択する．
3. 胸腔鏡下手術後の再発率は高く，被覆など補助手段でその低下を目指す．

Key Word ブラ・ブレブ，原発性・続発性自然気胸，外傷性気胸，月経随伴性，緊張性，再膨張性肺水腫，血気胸，胸膜癒着術，endobronchial Watanabe spigot（EWS）

気胸の原因は多彩であるが，気腫性肺嚢胞の破裂による原発性自然気胸が最も多く，年齢も若年者が多い．しかし，続発性，医原性や外傷性気胸なども注意すべき症例が存在し，本項では気胸全般について解説する．

a 気胸の分類 レベルA

1) 自然気胸
①原発性（特発性）自然気胸

びまん性肺疾患に起因せず，胸膜瘢痕を含む気腫性肺嚢胞（ブラ・ブレブ）の破裂による気胸（図1，図2），あるいはこれらの破裂によると思われる気胸を総称する．

②続発性自然気胸

何らかの基礎的肺疾患が存在し，それに起因する気胸を総称する．多くは肺気腫や間質性肺炎，さらに肺癌の進展や転移性肺腫瘍として肉腫が多いとされるが，特に骨肉腫や頭皮血管肉腫の転移性肺腫瘍と気胸の合併が多く報告されている．そのほか，胸腔子宮内膜症，Birt-Hogg-Dubé（BHD）症候群，リンパ脈管筋腫症（lymphangioleiomyomatosis：LAM），肺 Langerhans 細胞組織球症（Langerhans cell histiocytosis：LCH），Ehlers-Danlos 症候群（EDS）の血管型，Marfan 症候群などの疾患も原因となる．

2) 外傷性気胸

胸壁や肺・気管・気管支・食道などが外傷で損傷した際に発症する気胸を外傷性気胸と呼ぶ．胸壁穿通性外傷や肋骨骨折片による肺損傷，胸部鈍的高エネルギー外傷によって空気漏れ（気漏）や出血が持続する場合，あるいは異物が残存する場合に手術を要し，気管・気管支の断裂や食道損傷では緊急手術を要する．

3) 人工気胸

経皮的穿刺針で胸腔内へ空気を注入し人工的に生じた気胸で，診断的あるいは治療的人工気胸がある．治療的には過去に活動性肺結核患者で頻用され，肺を虚脱させて空洞の縮小や誘導気管支の閉鎖で経気管支的な病変拡大防止，さらに閉鎖空洞内の酸素供給減による菌増殖阻止などを目的にした虚脱療法のひとつである[1]．

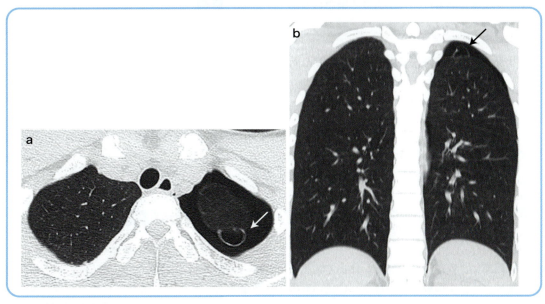

図1 嚢胞のCT像
左気胸と肺尖のブラ（矢印）を認める．

X. 胸膜

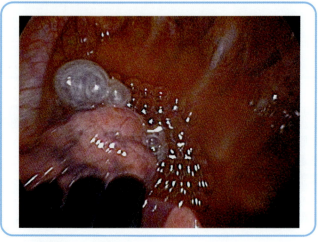

図2　囊胞からの気漏
　胸腔内洗浄でエアリークを確認する．

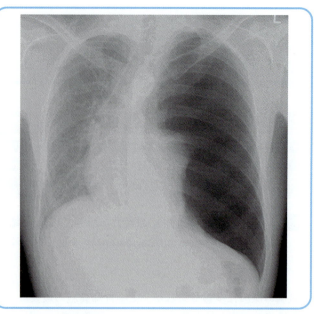

図3　左緊張性気胸
　左肺完全虚脱・縦隔右方偏位・右肺野透過性低下を認める．

b 気胸の病態 レベルB

1) 初発・再発気胸

再発気胸とは初発気胸の治癒後に発症したもの．初発後にいったん治癒とし，その1週間以内の虚脱は初発に一連とするのが妥当と考えられている[2]．

2) 緊張性気胸（図3）

胸部X線像で横隔膜が下方へ圧排され縦隔は対側へ偏位し，呼気だけでなく吸気相でも縦隔の復位がない状態．胸腔内が陽圧になるため静脈還流が阻害され，呼吸困難や頻脈，血圧低下，ショックなどを引き起こす．

3) 両側気胸

①同時両側気胸

同一時期に左右両側気胸を発症したもの．片側気胸治療中に対側に発症したものを含む．両側同時に高度虚脱をきたした際はショック状態に陥る可能性があり，緊急の対応を要する（図4）．

②異時両側気胸

上記①以外の状況で，異なる時期に両側気胸を発症したもの．

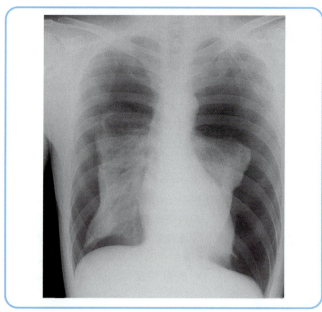

図4　同時両側気胸
　両側肺の高度虚脱を認める．

4) 肺虚脱の程度

①大畑分類

現在の虚脱区分の基本となったもので，軽度・虚脱20%以内，中等度・20～50%，高度・50%～完全虚脱，の3段階に区分したもの．

②日本気胸・囊胞性肺疾患学会による虚脱率区分[2]

上記分類やKircher公式による虚脱程度[3]を統合判断した3段階区分．「軽度」は肺尖が鎖骨レベルまたはそれより頭側にあるか，これに準ずる程度，「中等度」は軽度と高度の中間程度，「高度」は完全虚脱あるいはこれに近いものとする．

5) ブラ形態（大畑分類）

気腫性肺囊胞の形態は，日本気胸・囊胞性肺疾患学会編集「気胸・囊胞性肺疾患―規約・用語ガイドライン（第2版）」[2]でⅠ～Ⅵ型に分類されている．

c 肺囊胞分類 レベルC

気胸の原因となる肺囊胞の分類で確立されたものはなかったが，日本気胸・囊胞性肺疾患学会編集「気胸・囊胞性肺疾患―規約・用語ガイドライン（第2版）」[2]で「肺囊胞分類（2008年）」としてまとめられている．

d 特殊な全身性疾患と気胸 レベルC

厚生労働省難治性疾患克服研究事業の臨床調査研究対象に指定された特定呼吸器領域10疾患のうち，リンパ脈管筋腫症（LAM），Langerhans細胞組織球症（LCH）で気胸を好発する．その他の全身性疾患では，Birt-Hogg-Dubé症候群（BHDS）やMarfan症候群，Ehlers-Danlos症候群（EDS）などで気胸を発症する．

1) リンパ脈管筋腫症（LAM）[4]

リンパ脈管筋腫症（lymphangioleiomyomatosis：LAM）は，妊娠可能年齢の女性100万人中1.2～2.3人に発症し，女性ホルモンの関与などいまだ不明な点が多い．常染色体優性遺伝性疾患である結節性硬化症から発見されたTSC（tuberous sclerosis complex）遺伝子の形質転換をきたしたLAM細胞が，肺に不連続・散在性に囊胞性病変を形成する．胸部X線で網状粒状影や気胸を，CTで両側正常肺野内にびまん性あるいは散在性に境界明瞭な薄壁囊胞がみられる（図5）．労作時呼吸困難（74％）に次いで気胸（53％）が多い．重症度はPaO_2と6分間歩行のSpO_2で分類し，呼吸不全を生じたものでは肺移植の適応となる．日本脳死肺移植例の基礎疾患で囊胞性肺疾患中，最も多い．なお，分子標的治療薬のシロリムスが重大な副作用なく肺機能の低下を防ぐことが確認され，有効な薬物療法が実用化された．

2) 肺Langerhans細胞組織球症（LCH）[5]

肺Langerhans細胞組織球症はヒスチオサイトーシスXから2008年にLCHへ統一された．幼小児期に好発する増殖性疾患で30歳代がピーク．成人では喫煙が関与する．確定診断は組織中のLangerhans細胞の証明である．

3) Birt-Hogg-Dubé症候群（BHDS）[6]

1977年に報告され，多発肺囊胞と再発性気胸，腎腫瘍，顔面頭頸部皮疹を特徴とする常染色体優性遺伝性疾患で，20万人に1人の頻度で発症．気胸と皮膚病変は20～40歳，腎腫瘍は40～50歳代に好発する．folliculin関連蛋白が関与し，2001年に責任遺伝子17p11.2（FLCN遺伝子exon11領域変異）が同定され，世界中で270家系が報告されたが，日本での有病率はいまだ不明である（図6）．

4) Marfan症候群

1896年に報告された常染色体優性遺伝性疾患．発生頻度は全人種で男女限らず3,000～10,000人に1人．日本では20,000人，米国で50,000人が存在し，75％が常染色体優性遺伝，25％は新たな突然変異によって発症する．細胞外基質の異常から結合組織が脆弱となり，弾力性が減少して大動脈や網膜，硬膜，骨などの形成異常をきたす．

5) Ehlers-Danlos症候群（EDS）

EDSは，全身のコラーゲン線維の脆弱性を特徴とする先天性結合組織疾患であるが，頻度は50,000～100,000人に1

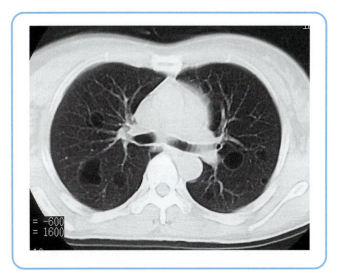

図5 リンパ脈管筋腫症
両側肺野に散在する薄壁囊胞を認める．

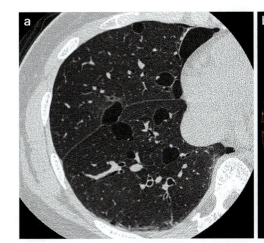 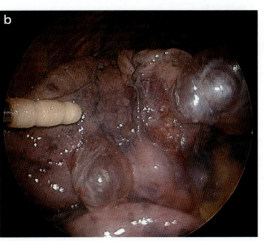

図6 Birt-Hogg-Dubé症候群（BHDS）の画像
a：胸部CT．葉間面や縦隔側に（大小様々な）薄壁囊胞が多発している．
b：胸腔鏡手術の術中写真．囊胞は壁が薄く，多発している．肺尖部よりも横隔膜面や葉間にブラを認める．
（済生会栗橋病院　松本卓子先生より提供）

人とされ，50％は孤発例で家族歴がない．気胸・血気胸を合併する主なEDSは血管型である[3]．血管型EDSは，主にCOL3A1遺伝子変異によるIII型コラーゲンの分子異常が原因であり，古典的なEDSのような大関節の過可動や皮膚過伸展といった症状に欠けるため，動脈破裂・子宮破裂・腸管破裂などの重篤な合併症や剖検を契機に診断が下されることが多い．確定診断は培養線維芽細胞によるコラーゲン産生能の評価と遺伝子解析を行う[4]．

6）月経随伴性気胸[7]

基本的には異所性子宮内膜症の一種である胸腔子宮内膜症で起こる気胸で，1972年にLillingtonらがcatamenial pneumothoraxと命名．胸腔子宮内膜症の原因として，血行性・リンパ行性転移説，播種・遊走説，胸膜中皮化生説など諸説ある．35歳以降の女性に好発し，月経開始の3日後ごろに右側に好発する気胸であるが，排卵期付近にも小さなピークを認める[5]．手術中に横隔膜の小孔（図7），血腫（いわゆるブルーベリースポット），瘢痕を確認，もしくは胸壁・肺に胸腔内子宮内膜症を証明することが必要であるが，病理学的に子宮内膜腺組織を証明することは難しく，ER（＋）PgR（＋）CD10（＋）の子宮内膜間質細胞のみの検出にとどまることは少なくない．妊娠中やGnRHアゴニスト（偽閉経療法）治療中に同気胸は発症しないが，出産後および偽閉経療法終了後は再発を起こしうる．一方，閉経後は胸腔子宮内膜症による気胸発症は停止する．

e 気胸の治療 レベルA

治療の原則は肺虚脱の改善であり，ガイドライン[2]によれば，①初期治療，②保存的治療，③手術治療の3つとされる．どう治療するかは虚脱の程度や臨床所見で異なる．

1）初期治療

特殊な病態の有無を鑑別し，外来治療か入院治療かの判断を行う．

①安静あるいは胸腔穿刺

肺虚脱が軽度であれば安静による経過観察，あるいは胸腔穿刺で脱気する．胸部X線写真上，肺尖部が鎖骨より下方に落ちていなければ経過観察可能である．

②胸腔ドレナージ

上記①で改善しなければ基本的にドレナージを施行するが，外来通院で治療する場合，携帯型胸腔ドレナージキット（気胸セット，アスピレーションキット，ソラシックエッグなど）を使用する．これらの安全な取り扱いについて患者へ十分な教育を行い，何らかの変化や機器に不具合があれば直ちに受診するよう指導することが重要である．

2）保存的治療

①胸腔ドレナージ

前述した初期治療のひとつであり，中〜高度虚脱でドレナージを行う．水封のみ，あるいは－10〜20 hPaの低圧持続吸引を組み合わせるが，気漏が少量の場合，膨張が良好

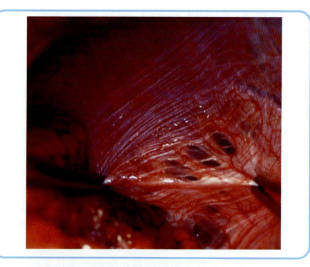

図7　月経随伴性気胸の横隔膜小孔

であれば水封のみで管理する．通常，胸腔ドレナージバッグを装着するが，逆流防止機能を持つハイムリッヒ（Heimlich）バルブや携帯型キットを装着すれば外出やADL確保に有効である．肺膨張も良好，深吸呼気や咳嗽運動で気漏がないか，12〜24時間程度のドレーンクランプ後に肺虚脱がなければドレーン抜去可能となる．

②胸膜癒着術

手術適応とならないか，手術を希望しない症例で気漏が持続する場合，あるいは気胸再発防止を目的に行う．

i）手術的胸膜癒着術：①壁側胸膜切除，②胸膜擦過・剥離，③レーザー焼灼，などを行う．

ii）化学的あるいは生物学的胸膜癒着術[8]：癒着薬を胸腔内へ注入する手技で，胸膜を化学的に刺激して胸膜炎を引き起こす．注入には癒着をうながす作用のタルク（talc）やテトラサイクリン系抗生物質，OK-432，50％ブドウ糖液などを使用し，その他は，それ自体に接着効果のある自己血やフィブリン糊を用いる．胸膜癒着療法は胸痛や発熱などの副作用がみられるが，癒着術後はフィブリン塊や薬液凝固によるドレーンの閉塞，皮下気腫の出現や増強，肺虚脱の進行などに注意する．

③内視鏡的気管支塞栓術（気管支充填）

気管支鏡で充填材を気管支内に詰めて閉塞し，末梢肺からの気漏を止める手技．フィブリン糊などの吸収性充填材もあるが確実性や持続性に欠ける．そこで，固形シリコン製気管支充填材 endobronchial Watanabe spigot（EWS）が開発され[9]，2012年12月の製造販売承認によって保険収載された．責任気管支の同定法や充填手技の工夫，さらに胸膜癒着療法などとの比較検討が行われている．

3）手術治療

日本胸部外科学会の全国手術年間集計（2017年分）[10]で，呼吸器外科85,307例のうち気胸の手術は14,499例（17％）で，原発性自然気胸11,113例，続発性3,386例であった．気胸手術例は原発性肺癌の次に多く，14,183例（97.8％）が胸腔鏡下手術で行われている．自然気胸の手術適応は，①再発を繰り返す，②気漏の持続，③両側気胸，④著明な血

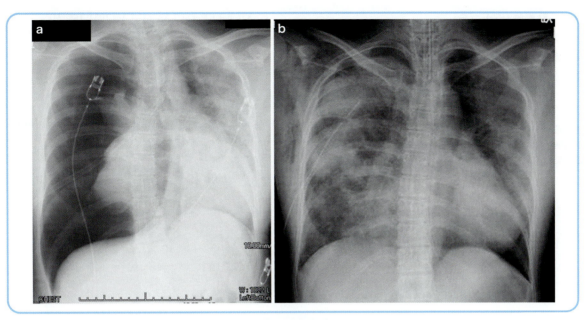

図8 気胸に対するドレナージ後に発症した再膨張性肺水腫
　a：右の緊張性気胸
　b：ドレナージ後の右肺の再膨張性肺水腫．左肺の肺炎も合併していたため，人工呼吸管理となった．

胸，⑤肺膨張不全，⑥明らかな肺囊胞陰影の存在，⑦社会的適応，などである．

①開胸手術

　胸腔鏡下手術が保険適用となった1994年以前は，開胸手術が行われていた．現在でも一部の症例や，外傷性気胸の肋骨骨折や付随する損傷に応じて様々なアプローチ方法を選択する．胸腔鏡下手術との比較で，美容面ならびに入院期間について開胸手術が劣るとされている．なお，これまでの報告で術後再発率はおおむね1～4％であった．

②胸腔鏡下手術

　多くがこのアプローチで行われるようになった直後から，開胸術に比べて再発率の高いことが問題視され，保険適用2年後の1996年には胸腔鏡下手術の非適応として，①気腫性肺囊胞の存在が不明，②囊胞の多発，③ドレーンから気漏がみられるがその部位を確定できない，④術後再発例，などがあげられている[11]．現在でも再発率がしばしば問題とされ，再発率低下を目的に肺尖部を中心とした酸化セルロース（CO）シートやポリグリコール酸（PGA）シートの貼付（±フィブリン糊散布，自己血重層）などで効果がみられ，さらにシート状生物学的組織接着閉鎖剤なども使用されている．胸腔鏡術後再発について，これまでの報告でも多岐にわたり，低いものでは2％，高いものでは17％となっている．

f 気胸治療で注意すべき病態 レベルB

1）合併症

①血胸・血気胸

　明らかな原因のない特発性，外傷を契機とする外傷性がある．特発性は気胸発症時に索状癒着が断裂して出血する．

②再膨張性肺水腫（re-expansion pulmonary edema：REPE）（図8）

　胸腔ドレナージ後に肺を膨張させた際に強い咳嗽や胸痛を経験するが，再膨張したあとに肺水腫をきたすので注意を要する．気胸発症から3～4日以上経過した高度虚脱例に対し，急速に脱気した場合に多いため，ドレナージ直後は水封で管理して一気に肺を膨張させず，慎重に対応する．治療は心不全に準じて治療するが，重症例では人工呼吸管理（PEEPなど）が必要となる．

2）鑑別を要する病態

①vanishing lung（図9）

　肺実質の萎縮破壊によって一側胸腔の1/2以上の大きさに膨大した巨大な囊胞で健常肺が圧迫され，呼吸困難が生じる．気胸と誤って胸腔穿刺やドレナージを行うことがあるので注意を要する．

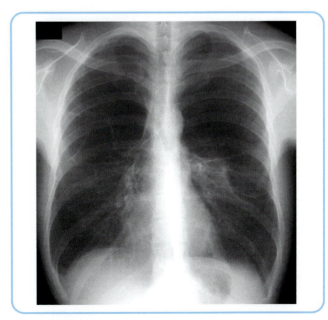

図9　vanishing lung
　両側巨大囊胞により健常肺は下肺野に圧排されている．

②巨大気腫性肺囊胞(巨大ブラ)

　ブラが巨大化し，片側胸腔の1/3以上を占める大きな囊胞．気胸を起こすことは少ないが，急速な増大，下肺野に存在，感染をきたしたものでは手術を考慮する．

文献

1) 荒井他嘉司. 結核 2011; **86**: 627
2) 日本気胸・囊胞性肺疾患学会学術委員会(編). 気胸・囊胞性肺疾患―規約・用語ガイドライン，第2版. 金原出版, 2009
3) Kircher LT et al. J Am Med Ass 1954; **155**: 24
4) Suina K et al. Respir Invest 2014; **52**: 274
5) 井上義一. 日サ会誌 2009; **29**: 95
6) Gupta N et al. Fam Cancer 2013; **12**: 387
7) 谷村繁雄ほか. 日胸 1998; **57**: 979
8) Tsukioka T et al. Surg Today 2013; **43**: 889
9) 渡辺洋一ほか. 気管支学 2001; **23**: 510
10) Shimizu H et al. Gen Thorac Cardiovasc Surg 2020; **68**: 414
11) 大畑正昭. 日胸 1996; **55**: 339

③ 血胸

要点

1. 血胸とは，胸腔内に血液の貯留した状態であり，その原因には外因と内因がある．
2. 日常診療では，外因の頻度が高く，その多くが外傷性（胸部外傷）である．
3. 外傷性血胸や血気胸は，緊急度，重症度が高く，致死的になる場合がある．
4. 外傷性血胸で緊急止血術には，体位や切開法，気道管理方法を含めて十分なエビデンスはない．
5. 外傷性血胸で緊急で開胸する場合は，ガーゼパッキングやその後の血管内治療なども考慮する．

Key Word 血気胸，外傷性血胸，胸部外傷，肋骨骨折，肺挫傷，胸郭動揺と奇異呼吸

胸腔内には正常でも約5～10 mL（0.1～0.2 mL/kg）の液体が壁側と臓側の胸膜の間に存在し，壁側胸膜から産生され，臓側胸膜から吸収される形で循環する．この産生と吸収のバランスがくずれると胸水貯留となる．その原因は，多岐にわたるが，外観が血性胸水であり，胸水のヘマトクリット値で，末梢血のヘマトクリット値と比べ，50％以上であれば血胸と考える．

a 血胸の原因疾患（外因と内因）[1,2]（表1）

レベル B

内因では急性大動脈解離や大動脈瘤の破裂などの大血管疾患の頻度が高い．その他には，自然血気胸や悪性の新生物（肺癌，悪性胸膜中皮腫などの原発性胸膜腫瘍，癌の転移などによる続発性の胸膜腫瘍，縦隔腫瘍など）がある．まれ

表1 血胸の原因

分類		病因
内因	気胸	○自然血気胸
	凝固異常	○先天性疾患：ヘモフィリア ○後天性疾患：薬剤性
	血管系	○動静脈奇形：Osler-Weber-Rendu 症候群（OWR） ○von Recklinghausen 病（VRD） ○動脈瘤 ○Ehlers-Danlos 症候群（EDS）type IV ○結合組織脆弱疾患
	新生物	○骨・軟部組織腫瘍 ○（神経鞘腫）VRD ○胸腺肥大（過形成） ○血管腫 ○胚細胞性腫瘍 ○肺癌 ○続発性胸膜腫瘍（転移性胸膜腫瘍） ○原発性胸膜腫瘍（胸膜中皮腫など） ○原始神経外胚葉性腫瘍（primitive neuroectodermal tumor：PNET）
	miscellaneous	○exostones ○髄外造血（extramedullary hematopoiesis） ○異所性子宮内膜症 ○肺分画症
外因	外傷性（鈍的・鋭的）	○胸郭損傷 ○胸膜損傷 ○肺損傷 ○心臓損傷 ○血管損傷 ○横隔膜損傷
	医原性	○胸腔穿刺・ドレーン挿入時 ○鎖骨下静脈・内頸静脈穿刺時 ○胸膜生検時 ○手術時

（文献1，2を参考に作成）

X. 胸膜

ではあるが，動静脈奇形，肺分画症，異所性子宮内膜症，von Recklinghausen病（VRD），Ehlers-Danlos症候群（EDS）type Ⅳ，なども血胸の原因となる．また，抗凝固療法中や血友病などの凝固異常や出血傾向例でも血胸を合併する．

外因による血胸は内因よりも頻度が高く，その主たる原因は外傷であり，日常診療でよく経験する．また，医原性による血胸や血気胸も外因である．

b 血胸の診断 レベルA

1）身体所見

胸部の診察では，打診上の濁音，聴診では呼吸音の減弱〜消失，声音振盪の減弱，などを認める．大量胸水（血胸）である場合は，出血性ショックとなり，顔面蒼白，capillary refilling time（CRT）の延長，意識障害，などとなる．

2）胸部X線像・超音波検査・胸部CT検査

胸部X線は，立位や坐位にて撮影することが望ましく，胸水が200 mLを超えると肋横隔膜角の鈍化が出現する．また，血気胸などの場合は，患側肺の虚脱と液面形成像（air fluid level）が認められる．外傷の初療時を含め，ショックや重篤な場合で立位や坐位が困難な場合は，仰臥位での胸部X線も施行するが，超音波検査が有用（echo free spaceの存在）である．

c 外因

1）主に外傷性血胸・血気胸の原因となる胸部外傷[2〜4]（Ⅶ章-2参照） レベルB

①胸郭損傷：肋骨骨折と胸郭動揺（フレイルチェスト）

臓器損傷分類のⅠ型は，軟部組織損傷で，骨性胸郭損傷はⅡ型となる．骨性または，軟骨性損傷で，2本以下の肋骨骨折と偏位，変形がない胸骨，肩甲骨骨折などが，「単純骨折型」である．肋骨骨折は第4〜8肋骨が多く，鎮痛薬や湿布，あるいは固定用のバストバンドなどで治療するが，手術の適応となる血胸の合併は少ない．しかし，1〜2本の肋骨骨折でも肋間動脈損傷，骨折端による肺損傷，大血管損傷から血胸をきたす．また，第1肋骨骨折では，胸郭出口臓器損傷に，第8以下の肋骨骨折では，腹腔内，後腹膜腔の臓器損傷に，それぞれ注意が必要である．3本以上の肋骨骨折あるいは，偏位，変形がある胸骨，肩甲骨骨折などは，「複雑骨折型」となり，血胸・血気胸を合併する頻度が高くなる．軟部組織と骨性胸郭の合併損傷がⅢ型で，Ⅲa型が「胸郭動揺型（フレイルチェスト）」，Ⅲb型が「高度挫滅型」である．

胸郭動揺（図1）は，「1本につき2箇所以上の肋骨・肋軟骨が複数本連続して骨折する場合や胸骨骨折を伴う連続した肋骨骨折の場合に，吸気時に陥没し，呼気時に膨らむ奇異性胸郭運動（奇異呼吸）を示す胸郭損傷」であり，高率に肺挫傷や血気胸を合併する．古くから唱えられてきた「吸気時に健側に，呼気時には患側に換気される」という「振り子換気」の概念は否定され，多発肋骨骨折に伴う疼

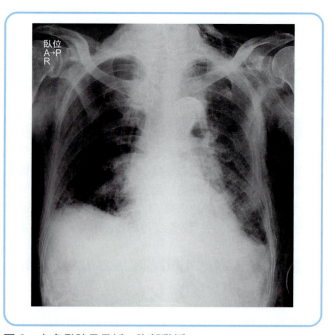

図1 左多発肋骨骨折，胸郭動揺
左血気胸，皮下気腫を認め，胸腔ドレナージを施行．

痛による換気量低下や胸壁コンプライアンスの低下，肺挫傷に起因する機能的残気量減少，などの因子が関係する呼吸不全と考えられるようになった．なお，治療法の用語として，「内固定」と表現されてきた気管挿管下などでの陽圧による人工呼吸は，internal pneumatic stabilizationとなり，「外固定」は，手術による観血的整復固定術と統一された．

自覚症状では，骨折部位の（呼吸時，咳嗽時など）疼痛のみでなく，呼吸困難感があり，身体所見では，損傷部に一致した腫脹や打撲痕，出血斑，奇異呼吸，皮下気腫，などが認められる．また，皮下気腫や気胸の程度によっては視診のみでは奇異呼吸の判断が難しい場合がある．また，筋肉損傷と胸膜損傷が同時に発症した場合，肋間ヘルニアとなる．このような場合には，CT検査が有用で，緊急手術となる場合がある．

胸郭動揺に対する治療の主流は，陽圧人工呼吸で胸腔内側からflail segmentの固定を行う内部空気圧による安定化（internal pneumatic stabilization）であり，血気胸合併例には適切な胸腔ドレナージが必要である．また，ステロイドの使用は慎み，除痛を適切に行うことが推奨されている．観血的整復固定術であるsurgical fixationとしては，Rib stapler，セラミック肋骨ピン，などが使用されてきたが，wrapping devices（U-plate fixation systemなど）のほうが固定法として優れている．しかし，推奨される手術のエビデンスはなく，血胸合併時に止血などを目的に手術を行い，引き続きsurgical fixationを行う場合がある．

②胸膜損傷：血胸・凝固血胸（図2）

外傷により胸壁や肺，心血管系，横隔膜などが損傷し，胸腔内に血液が貯留した状態である．初期治療は胸腔ドレナージを行い，肺を胸壁まで伸展させることで胸腔内の出

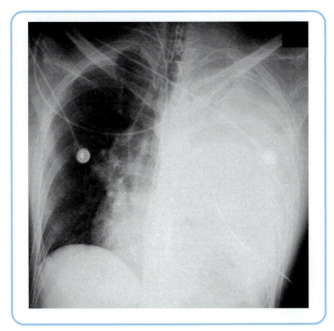

図2 左大量血胸
　左血胸のために，緊急開胸術となった．

肺部分切除，肺葉切除など，緊急手術の適応である．

> **Side Memo**
>
> 【蘇生的開胸術[7]】 レベルC
> 　他部位の損傷があったとしても心停止か心停止に近い状況での救急室での救命を目的とする開胸術．
> 　その適応は，①鈍的外傷にて10分以内の心肺蘇生（CPR），②体幹部穿通性損傷にて15分以内のCPR，③頸部・四肢穿通性損傷にて5分以内のCPR，④profound refractory shockの4項目とされ，開胸後は，①開胸心マッサージ，②胸部下行大動脈遮断，③肺門部遮断，④心膜切開（心タンポナーデ解除），⑤胸腔内の出血コントロール，などを行う．その手技は，仰臥位，左第4肋間または第5肋間の中腋窩線から左胸骨左縁に前方腋窩切開を行い開胸し（開胸操作はメスと剪刀で止血は考慮せず），開胸器をかけて心マッサージを開始する．出血性ショックなどからの蘇生に成功すれば，速やかに仮閉胸を行う．蘇生的開胸術中や術後は「死の三徴」とされる低体温，代謝性アシドーシス，凝固障害の進行を予防する目的でのdamage control resuscitation（DCR）を考慮する．

血を排出しその後の状態を観察する．頻度は少ないが，その出血源が心・大血管の場合には循環血液量減少性ショックと大量血胸による肺虚脱からの呼吸不全となる．大量血胸とは，1,500 mL以上の血液貯留を認めるものであり，心・大血管損傷や肺門部損傷の場合が多い．血胸の約90％は胸腔ドレナージを主体とした保存的治療が奏効し，ドレーンは32 Fr程度の太めのサイズを使用する．

　血胸に対しての緊急手術の適応について，出血量と循環動態の経過が最も重要であり，①胸腔ドレナージ施行時1,000 mL以上の出血，②ドレナージ開始後1時間で1,500 mL以上の出血，③2～4時間で1時間あたり200 mL以上の出血が持続，④持続する輸血が必要な状態，となっている[3]．つまり，緊急に手術を行う目安はあるが，緊急開胸術に関しての体位や切開法など，統一された標準的なものはない．しかし，片側の血胸・大量血胸に対しては，バイタルサインが許容範囲であれば，他臓器損傷の程度や優先順位を考慮し，気管挿管下，仰臥位での蘇生的開胸術（Side Memo参照）ではなく，分離肺換気（気管支チューブやブロッカー）や片肺挿管の準備を行いながら，側臥位での後側方切開アプローチが必要と考えられる．

　胸腔内の血液が凝血塊を形成し遺残した場合には，換気障害や感染合併による膿胸に進展する場合がある．凝固血胸の原因としては，胸腔ドレナージの時期の遅れや不適切なドレーンの位置など，管理の問題があり注意が必要である．また，膨張不全肺となり肺機能の障害を残すと考えられた場合，感染合併時には剝皮術（decortication）を考慮する．

③肺裂傷（破裂）
　肺裂傷は，通常，血気胸を発症するが，血胸と同様で，多くは，胸腔ドレナージを主体とした保存的治療が奏効する[2]．しかし，深在性肺裂傷の場合は，大量血胸になるため

2) 医原性血胸・血気胸 レベルB

　胸腔穿刺時や胸腔ドレーンの挿入時，あるいは中心静脈カテーテル挿入時，ペースメーカーのリード留置時で内頸静脈や鎖骨下静脈穿刺時などの際に合併症として起こることがある．特に，集中治療中に血胸を合併した場合は，適切な胸腔ドレナージが必要であり，出血が持続する場合は，麻酔科医，集中治療医と連携し，緊急手術を考慮する．また，抗凝固療法（ヘパリンなど）を施行しながら血胸を合併した場合には，適切な中和剤（硫酸プロタミンなど）や新鮮凍結血漿，血小板製剤投与に関しても考慮する．また，開胸止血術時にはカテーテル類の胸壁貫通部位の観察が必須である．

　開胸術や胸腔鏡下手術中・手術後の医原性血胸の頻度は多いが，再開胸術が必要となる頻度は少ない．しかし，予期せぬ出血傾向例やvon Recklinghausen病などでの組織脆弱がある場合には止血は困難であり，経カテーテル的動脈塞栓術（transcatheter artery embolization：TAE）などの血管内治療やガーゼパッキングが必要となる．また，従来の開胸術であれ，胸腔鏡下手術であれ，術直後から経時的に胸腔ドレーンからの排液の量と性状を厳重に観察し，必要であれば，再開胸を決断する場合もある．

d 内因：胸膜腫瘍（原発性と続発性），自然血気胸（特発性血気胸） レベルB

1) 胸膜腫瘍

　胸膜に原発する腫瘍は肺癌などと比べると比較的まれであるが，悪性度が高く，その代表が中皮より発生する悪性胸膜中皮腫である．中皮腫は他に心膜，腹膜などからも発生するが，胸膜発生は腹膜発生より10倍好発する．中皮下より発生するものは血管腫や血管肉腫がある．続発性の胸

X．胸膜

膜腫瘍には肺癌を含め，他臓器癌が転移することによる．胸膜腫瘍はしばしば血性胸水や血胸をきたし，胸水の検査過程で診断される場合が多い．特に胸膜中皮腫は悪性の原発性胸膜腫瘍の大半を占めるが，腫瘍の完全切除は，実際には困難である．現在も手術の適否で議論の分かれるところであり，症状の軽減や緩和に寄与する場合があるが，血胸の治療としての胸膜肺全摘術の適応はない．

2）自然血気胸（図3）

外傷や明らかな基礎疾患なしに血胸を合併する自然気胸は自然血気胸と呼び，その頻度は，自然気胸の約1〜6％程度である．1997年の日本報告135例の集計で不明例を除く，111例の75％は1,000 mL以上の出血があり，約80％が手術となり，その半数が緊急手術であった．当時の緊急開胸手術の適応に関しては，①持続性の出血が100〜200 mL/hr以上持続する場合，②胸腔内に大量の凝血塊が存在する場合，③ショックを呈する場合[8]であり，胸腔鏡下手術時にも参考になる．

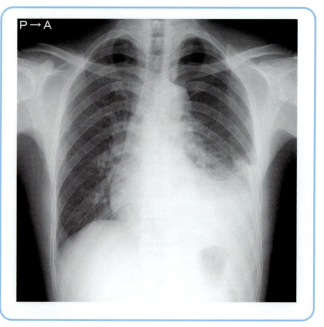

図3　左自然血気胸
左自然血気胸のため，胸腔ドレナージ後に緊急手術となった．

文献

1) Ali HA et al. Chest 2008; **134**: 1056
2) 末舛惠一ほか（編）．胸部外傷．呼吸器外科，朝倉書店，2000: p497
3) 日本外傷学会外傷初期診療ガイドライン改訂第4版編集委員会．外傷初期診療ガイドライン JATEC，第4版，へるす出版，2012
4) 小延俊文ほか．救急医学 2014; **38**: 465
6) Bruce S et al. J Trauma Acute Care Surg 2012; **73**: S351
7) Burlew CC et al. J Trauma Acute Care Surg 2012; **73**: 1359
8) 小延俊文ほか．胸部外科 1997; **50**: 425

④ 急性膿胸

要点
1. 急性膿胸とは感染が胸腔内に波及し膿汁が胸腔内に貯留した状態で，発症後3ヵ月以内の状態である．
2. 患者の状態・診断時期により，その病態は多岐にわたる．
3. 病態に応じた的確な治療法を迅速に選択する必要がある．

Key Word 有瘻性膿胸と無瘻性膿胸，胸腔ドレナージ，線維素溶解療法，胸腔鏡手術（搔爬術），膿胸郭清術，開窓術，気管支瘻，結核性膿胸

急性膿胸の治療原則は胸腔ドレナージと適切な抗菌薬の投与であるが，ドレナージが不十分であった場合には肺の拡張が阻害され慢性膿胸へと移行し治療に難渋する．近年は急性膿胸の滲出期，線維素膿性期および器質化期におけるフィブリン析出や胸膜肥厚部を胸腔鏡下に加療する機会も増加している．しかし一般に急性膿胸は高齢者や合併症を有する症例に多く発症するため，治療法を誤れば，在院期間の延長や病状の進行をきたすこともあり，急性膿胸症例に対しては，それぞれの病態に応じた的確な治療を行う必要がある．

a 膿胸の分類 レベルA

1) 急性膿胸と慢性膿胸
膿胸とは胸腔内に貯留した液が肉眼的に膿性または膿様性になったものであり，細菌培養陰性例も含まれる．臨床的には発症後3ヵ月以内の膿胸を急性期とし，発症後3ヵ月以上経過した膿胸を慢性期に分類する．

2) 全膿胸と部分膿胸
膿胸の広がりが概ね肺尖から横隔膜上に達し，片側肺の完全虚脱があるものを全膿胸，それ以下を部分膿胸と定義する．

3) 無瘻性膿胸と有瘻性膿胸
他臓器と瘻孔を有しない膿胸は無瘻性膿胸と呼び，肺炎や横隔膜下膿瘍などの炎症が波及して発生する．一方，膿胸腔と他臓器との間に瘻孔を有するものを有瘻性膿胸と呼び，肺切除術後の気管支断端の縫合不全や肺膿瘍の自壊により気道との交通が生じる[1]．有瘻性膿胸では膿性胸水を肺内に吸引し，吸引性肺炎による呼吸不全を併発する危険があり，早期の胸腔ドレナージを要する．有瘻性か否かの判断は，画像所見上の急激な胸水の変化とそれに伴う残存肺の浸潤影の変化の有無，炎症反応の悪化や喀痰増加など臨床所見から診断しうる（図1）．

4) 結核性膿胸と非結核性膿胸
結核性膿胸は肺結核の経過中あるいは治療中に胸腔内に貯留した液が肉眼的に膿性または膿様性になったもので，結核菌の証明は必ずしも必要としない．胸水中のadenosine deaminase（ADA）は結核性膿胸（胸水）を診断する上で感度・特異度とも高い検査とされている．結核性膿胸は現在

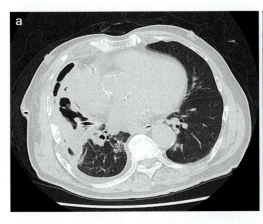
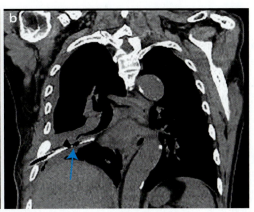

図1 中葉膿瘍穿孔後の有瘻性膿胸のCT所見
 a：水平断．膿瘍腔内にドレーンが留置されている．
 b：冠状断．中葉気管支と膿瘍腔の交通がみられる（矢印）．

X. 胸膜

でも内科的治療より外科的治療が優先される疾患である．無症状のこともあるが，多くは咳嗽，胸痛，寝汗，息苦しさ，倦怠感，体重減少，微熱などの症状をみる．画像所見上，胸水貯留を認め，胸腔穿刺により膿性であることを確認できれば，結核菌，一般細菌，嫌気性菌などの起因菌の同定，感受性検査を行う．抗結核薬による治療は必須であるが，混合感染を併発している場合には起因菌に感受性のある抗菌薬を併用する．結核性膿胸の場合でも急性膿胸の治療の原則は，後述のように膿胸腔を可及的速やかに閉鎖することである．

b 急性膿胸の病因 レベルB

急性膿胸の多くは肺炎，肺化膿症などの肺内感染症または外傷による膿胸であり，他には縦隔炎，横隔膜下膿瘍，食道憩室瘻などの肺外感染症や術後発生のものなどが報告されている（表1）．

1）肺内感染症（肺炎随伴性膿胸）

肺炎や肺化膿症に随伴した無菌性の滲出性胸膜炎から線維性隔壁の形成や胸膜肥厚がみられる有菌性の胸膜炎と，その程度は様々である．高齢者，糖尿病患者，ステロイド長期使用者，アルコール多飲など感染に対する抵抗低下例に起こりやすい．起因菌として，黄色ブドウ球菌などのグラム陽性菌，緑膿菌や肺炎桿菌などのグラム陰性菌および嫌気性菌がある．嫌気性菌の感染は誤嚥に基づくことが多く，高齢者などの咳嗽反射低下症例で誤嚥性肺炎を発症し，次いで膿胸に移行することが多い．また，小児期急性膿胸の多くは黄色ブドウ球菌感染が主な起因菌である．小児では進展が早く肺組織の壊死傾向が強いので注意を要する．

2）肺外感染症

降下性縦隔炎や横隔膜下膿瘍などから胸腔内へ感染が波及することにより発症する．膿胸腔のドレナージに加えて原発部位のドレナージも必要となるが，陰圧である胸腔内へドレナージされることによって縦隔や横隔膜の感染が治癒することもある．

3）外傷

胸腔内の挫傷部位の感染や胸腔内に貯留した凝血塊への感染により発症する．胸部CTで肺挫傷部と凝血塊の範囲を確認する．気道との交通にも留意しながら胸腔ドレナージを施行するが，ドレナージが困難であれば，全身麻酔にて胸腔鏡下あるいは開胸下にドレナージを行う．

4）外科手術後

肺，心大血管，食道などの胸部手術後や上腹部手術後に生じる．手術野汚染による感染（surgical site infection：SSI）のほか，術後肺炎などで発症する場合には無瘻性が多い．肺切除術後の気管支瘻から発症する場合には有瘻性膿胸となり，早期の処置が必要となる．

表1 急性膿胸の発生原因

肺内感染症	細菌性，ウイルス性，結核性，真菌性
肺外感染症	降下性縦隔炎，横隔膜下膿瘍
外傷	肺挫傷，凝血塊感染
外科手術後	SSI，術後肺炎，気管支瘻

SSI：手術部位感染

c 急性膿胸の診断・臨床症状 レベルB

1）急性膿胸の診断

胸部X線およびCTなどによる胸水貯留の確認，胸腔穿刺による膿性液の証明によって診断される．急性膿胸では，激烈な臨床症状と急速な膿の貯留がみられ，通常診断は容易である．肺切除術後の膿胸は，肺瘻や気管支瘻に合併することが多く，通常術後7〜10日後に発症する．この場合，気管支断端を観察し瘻孔の有無を確認する必要がある．稀に術後3〜4ヵ月以上経過した後に気管支胸膜瘻を形成することがある．

2）急性膿胸の臨床症状

急性膿胸では基礎となる疾患の種類と経過中の時期，起因菌の種類，胸水貯留量，肺穿孔の有無などによってその臨床所見は多様である．一般的な主症状は起因菌毒素と膿の吸収による中毒症状と胸腔内病変による呼吸・循環障害であり，悪寒戦慄，発熱，呼吸困難，胸痛，チアノーゼ，ショックを呈する．気道との交通があるものでは，胸水が増加すると瘻孔を介して膿が気道に流入し生命の危機に瀕することもある．

d 急性膿胸の病態と治療

1）急性膿胸の病態 レベルB

膿胸は，発症時期により以下のように分類される[2]．膿胸は肺や体外から感染が波及し，陰圧の胸腔内に感染が広がることによって発生する病態であり，胸腔内に膿が貯留し肺の膨張が妨げられると死腔を生じ膿胸が悪化する．膿胸が進行すると肺は虚脱したまま胸壁や縦隔に癒着し，胸腔ドレナージを行っても肺が再膨張せずに死腔を残す．このような状態では腔内の膿を完全に除去することができず，膿胸が遷延化して慢性膿胸となる．このような病態生理を理解した上で治療方針を決定する．なお，肺炎随伴性膿胸はその進行度が表2のように分類されており[3]，臨床所見と治療法選択の参考となる．

①滲出期（I期，急性期）
細胞成分が少なく，漿液性胸水の貯留や胸膜の浮腫，血管新生が起こる時期．発症後2週間以内にみられ，細菌培養検査でも菌の検出頻度は低い．

②線維素膿性期（II期，亜急性期）
好中球を中心とした細胞成分に富み，フィブリンの析出により隔壁が形成され膿胸腔が多房化する時期（図2）．発症後1〜6週間以内にみられ，胸水の粘稠度も高くなり，経

表2 肺炎随伴性膿胸における Light の分類

Class	性状・細菌培養	胸水の画像所見	生化学検査	pH	治療法
Class 1	−	側臥位で 1cm 以下	−	−	抗菌薬のみ
Class 2	漿液性・陰性	側臥位で 1cm 以上	糖＞40mg/dL	pH＞7.2	抗菌薬のみ
Class 3	漿液性・陰性	胸郭の半分以下	糖＞40mg/dL, LDH＞1000	pH＜7.2	抗菌薬と胸腔穿刺
Class 4	漿液性・陽性	胸郭の半分以上で単房性	糖＜40mg/dL	pH＜7.0	抗菌薬と胸腔ドレナージ
Class 5	漿液性・陽性	多房性	糖＜40mg/dL	pH＜7.0	胸腔ドレナージと線維素溶解（胸腔鏡手術）
Class 6	膿性	単房性	−	−	胸腔ドレナージと肺剥皮術（胸腔鏡手術）
Class 7	膿性	多房性	−	−	胸腔ドレナージと胸腔鏡手術または肺剥皮術

(Light RW. Chest 1995; 108: 299 [3]) を参考に作成）

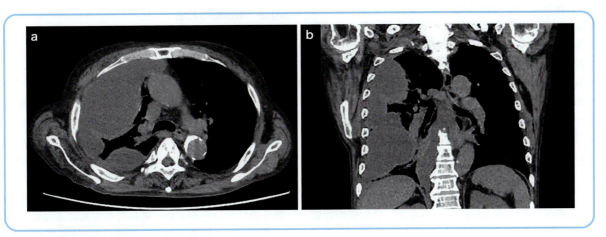

図2 急性膿胸線維素膿性期の画像所見
a：水平断．貯留した胸水が多房化している．
b：冠状断．冠状断でも同様の所見である．

皮的ドレナージでは肺の再膨張は得られにくい．

③器質化期（Ⅲ期，慢性期）

フィブリンが器質化し，血管増生と線維芽細胞に富んだ胸膜の肥厚が起こる時期．発症後5週間以降にみられ，画像所見でも胸膜の肥厚や石灰化などがみられる．

2）急性膿胸の治療法

急性膿胸治療の原則は，起因菌に対する適切な抗菌薬の投与，速やかな排膿および肺の再膨張による感染胸腔の閉鎖である．

①抗菌薬療法 レベルA

急性膿胸治療の原則は，十分な排膿を行って適切な抗菌薬を全身に投与することである．抗菌薬の選択については，胸水培養での起因菌同定と薬剤感受性の結果を参考に行う．膿胸患者では感染制御能が障害されている場合も多く，糖尿病のコントロールや体液の補正など十分な全身管理を要する．

②胸腔ドレナージ レベルB

急性膿胸での治療では，前述の通り速やかな排膿が必須である．排膿法としては一般的には胸腔ドレーンを留置して持続吸引法を用いる．膿胸では壊死物質やフィブリン塊などが含まれているため，できるだけ太いドレーンを用いる．局麻下に皮膚に小切開をおき第7または8肋間中腋窩線上の肋骨上縁で肋間を鉗子で鈍的に広げてから頭側方向にドレーンを挿入し，吸引圧 −10〜−15cmH₂O で持続吸引する．ドレナージが不十分な場合，2〜3本のドレーンを留置する場合もある．無瘻性膿胸であれば，イリゲーションチューブ付きの胸腔ドレーンを留置して1日 1,000〜2,000mL の生理食塩水などで洗浄する場合もある．

③線維素溶解療法 レベルB

急性膿胸に対する胸腔ドレナージは発病後早い時期（滲出期）ほど有効であるが，ドレナージ時期が遅れるほど隔壁の形成（線維素膿性期）により治療不成功例が増加するため，診断後は速やかな処置が必要である．症例によっては抗菌薬や線維素溶解目的のウロキナーゼ胸腔内注入を行うこともある．この場合，ウロキナーゼの使用量は1回あたり6万単位から12万単位で，投与日数は3日程度のことが多いが，特に決められた方法はない．また本邦では保険適用はないが，米国での前向き試験（MIST-2）では組織型プラスミノーゲン活性化因子（tPA）と DNA 分解酵素（DNase）の胸腔内投与が在院期間の短縮などで有効であったとされている[4]．有瘻性膿胸では，洗浄液の気道内吸引の危険性もあり線維素溶解療法より外科的対応が勧められる．

> **Side Memo**
> 【ドレナージの継続を断念するタイミング】
> ドレナージ継続期間は肺の膨張，排液の減少および炎症反応の状態を確認して判断するが，一般的にはドレナージ後1週間を経過してもこれらの所見の改善を認めない場合，外科的な治療を考慮する．

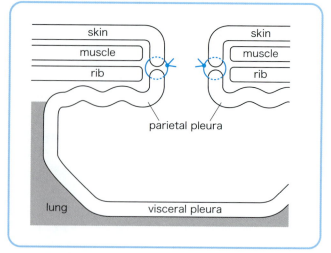

図3 開窓術の方法
（樋口光徳ほか．胸部外科 2019; 72: 854[8]）を参考に作成）

④胸腔鏡下膿胸腔掻爬術（膿胸郭清術）　レベルC

急性膿胸線維素膿性期（Ⅱ期）では膿胸腔内に隔壁が形成され多房化をきたすが，形成された隔壁は柔らかく，外科的掻爬が容易な時期である．近年は膿胸に対しても胸腔鏡でのアプローチが開胸術と比較して治療効果に遜色がなく，周術期の合併症も少ない利点があると考えられている．膿胸腔掻爬術では胸腔内にできた隔壁を除去し，排出できなかった膿を除去することによって虚脱した肺を再膨張させることを目的とする．本術式は，手術侵襲が軽度であり，全身状態が不良な症例に対しても施行されることが多い[5]．手術手順に関して，最初のスコープ孔の選択が重要である．ドレナージされていない場合には，術中体位を固定後に超音波にて膿貯留の広がりを確認後にアプローチ法をシミュレーションし，できるだけ安全な部位で膿胸腔に達するのがよい．通常は胸腔ドレーンが留置されているので，ドレーン挿入部位をスコープ孔にする場合が多い．その後，2番目以降のポートの挿入位置を決めるが，膿胸腔が背側の場合や鉗子操作が難しい場合には小開胸をおいてアプローチする場合もある．鋭匙や把持鉗子などを用いて膿胸腔内の膿苔，線維素性被膜，醸膿胸膜を可及的に除去し単房化する．器質化期においては壁側胸膜，臓側胸膜の肥厚した胸膜胼胝を可及的に剝離して肺拡張が得られるようにする．ここで臓側胸膜上のフィブリン塊や膿苔を除去する際には肺を損傷しないよう注意を払う必要がある．肺を損傷した場合には修復する必要があるが，できるだけ人工物の使用は避けるようにする．隔壁除去後は生理食塩水で十分に胸腔内を洗浄する．その後胸腔ドレーンを1～2本留置して閉胸する．小児を対象とした，ウロキナーゼなどによる線維素溶解療法とVATS掻爬術の直接比較試験やシステマティックレビューでは両者の成績に優劣はないが，American Association for Thoracic Surgery（AATS）やEuropean Association for Cardiothoracic Surgery（EACTS）による膿胸治療ガイドラインによれば，Ⅱ期の急性膿胸に対しては線維素溶解療法よりもVATS掻爬術が推奨されている[6,7]．

⑤開窓術　レベルC

開窓術は有瘻性膿胸や感染症のコントロールが困難な症例に対する根治治療への準備手術として施行される．十分な膿胸腔の清浄化を行うためには肋骨を数本部分切除して骨性胸郭を切除する必要がある．術前には胸腔ドレーンが留置されていることがほとんどであり，膿胸腔とドレーン挿入部の位置関係はCTや超音波検査で確認可能である．したがって開窓部のデザインは組みやすい．開窓の方法にはEloesser法やEloesser変法の報告がある．通常はドレーン留置部のレベルで皮膚切開をおき，上下1～2本の肋骨を部分切除する．肋骨切除後は皮膚と肥厚した壁側胸膜をナイロン糸などで縫合する（図3）．開胸時には将来の二期的手術に備えて可及的に広背筋や前鋸筋などの組織を温存すべきである．開窓部が小さいと術後の処置に支障をきたすので十分大きな解放創とする必要がある．術後の創処置や患者のQOLを考慮して開窓部の設定には肩甲骨近傍や腋窩を避けたほうがよい．膿胸腔の開放によって全身状態の改善が見込まれる一方で，胸郭の萎縮や術後の奇異呼吸が問題となることもあり，留意すべき合併症である．腔が十分に浄化された後に充填術や胸郭形成術で膿胸腔縮小や創閉鎖を考慮する[8]．有瘻性の場合，二期的手術の術前にEndoscopic Watanabe Spigot（EWS）などで気漏の関与気管支を充填してから死腔の閉鎖を試みる機会も増えている．無瘻性膿胸に対しては，開窓術後に創面を密封して創傷治癒を促進させる持続陰圧吸引療法（negative pressure wound therapy：NPWT）の有用性も散見される．

⑥気管支瘻に対する治療　レベルC

ⅰ）内視鏡的治療

気管支瘻は術後合併症の中で最も重篤なものであり，致命的となる場合もある．2017年胸部外科学会の全国集計[9]では，呼吸器外科分野の全手術症例85,307例中，気管支胸膜瘻の手術症例数は急性膿胸で453例，慢性膿胸で355例と報告されている．気管支瘻と診断後はまず胸腔ドレナージを行う．瘻孔が小さい場合にはドレナージのみで治癒する場合もあるが，一般的には胸腔ドレナージのみでの自然治癒は期待できない．気管支瘻を併発している症例では全身状態が低下している場合が多く，これらの外科的処置は身体的侵襲が大きく，精神的にも苦痛を強いることになる．このために近年は，待機可能な症例では外科的処置を行う前に気管支鏡を用いて保存的治療を試みるとの報告がみられる．実際の手技としてはEWS（図4）やポリグリコール酸フェルト，オキシセル綿の瘻孔部留置，エトキシスクレロールの瘻孔近傍の気管支粘膜下への注入やフィブリン糊やシアノアクリレートの瘻孔部への直接注入などがあり[10,11]，症

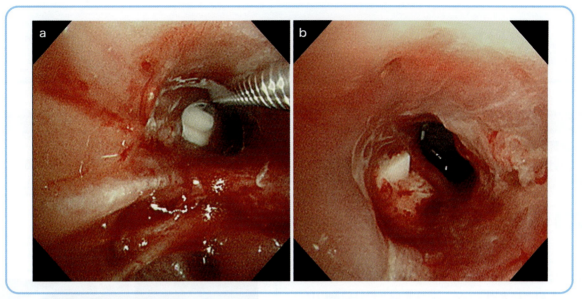

図4　EWS 充填術後の気管支内腔
a：挿入時．鉗子で把持した EWS を押し込んでいる状態．
b：留置後．責任気管支に EWS が留置している状態．

例によってこれらを組み合わせながら行われている．もちろん，これら保存的治療で改善しない場合には外科手術が考慮される．

ⅱ）外科的治療

前述のような内視鏡的アプローチでの瘻孔閉鎖が不成功であった場合には外科的処置を考慮すべきである．実際には瘻孔の中枢側で残存肺を含めた再切除・縫合を行い，筋肉弁，前縦隔脂肪織または大網充填術での気管支断端の補強が行われることもあるが，容易ではない．これらの外科治療が施行困難な場合，処置後に改善が得られない場合，あるいはすでに膿胸を併発している場合には開窓術を躊躇すべきではない．

文献
1) 正岡　昭．呼吸器外科学，第4版，南山堂，2009
2) Andrews NC et al. Am Am Rev Respir Dis 1962; **85**: 935
3) Light RW. Chest 1995; **108**: 299
4) Rahman NM et al. N Eng J Med 2011; **365**: 518
5) 樋口光徳ほか．日呼外会誌 2014; **27**: 681
6) Shen KR et al. J Thorac Cardiovasc Surg 2017; **153**: e129
7) Scarci M et al. Eur J Cardiothorac Surg 2015; **48**: 642
8) 樋口光徳ほか．胸部外科 2019; **72**: 854
9) Shimizu H et al. Gen Thorac Cardiovasc Surg 2020; **68**: 414
10) 渡辺洋一．気管支学 2005; **27**: 475
11) Kanno R et al. JJTCVS 2002; **50**: 30

X. 胸膜

⑤ 慢性膿胸

要点
1. 慢性膿胸とは胸腔内感染が遷延し，胸膜が器質化して肺が拡張障害をきたした状態である．
2. 治療方針は，患者の全身状態，瘻孔の有無，感染の状況，残存肺の状態，心肺機能などにより決定される．
3. 様々な術式があるが，治療の原則は，感染の制御，汚染物質の除去，瘻孔と腔の閉鎖である．

Key Word 肺剝皮術，胸郭成形術，筋肉充塡術，大網充塡術

慢性膿胸は急性膿胸から移行するものと，結核性胸膜炎に起因するものとに大別される．急性膿胸と慢性膿胸の区分は必ずしも明確ではないが，結核性膿胸については罹病期間が3ヵ月以上経過したものが慢性膿胸と定義されている[1]．肺炎随伴膿胸など非結核性のものについては，発症してから6週程度が経過し，胸膜が器質化して肺が拡張障害をきたしたものを慢性膿胸として扱うことが多い[2]．

a 慢性膿胸の病態 レベルA

急性膿胸発症後1ヵ月以上経過すると臓側胸膜を覆う線維性被膜が肥厚し肺の拡張が妨げられるようになる．さらに壁側胸膜も肥厚し胸壁の運動を阻害する．結核性膿胸では，結核性胸膜炎や人工気胸術後に長期にわたり徐々に拡大進展し占拠性病変を形成するものがある．肺瘻や気管支瘻が形成されると急速に症状が悪化する．そのほか，特殊な病態として，胸壁穿通性膿胸がある．これは，膿胸腔内に貯留した内容物が胸壁外に進展し，皮下に膿瘍を形成したものをいう．また，膿胸関連リンパ腫の発生も念頭に置く必要がある．

b 慢性膿胸の診断 レベルB

胸部X線像およびCTで胸膜肥厚と胸水が認められる（図1）．長期間経過した結核性膿胸では胸膜石灰化が認められる．胸腔内に空気が認められる場合は気管支瘻や肺瘻の存在が考えられる．胸腔穿刺により膿性胸水が吸引できれば膿胸と診断されるが，結核性膿胸では凝血塊や壊死物質のみで液体成分が吸引されないこともある．

c 慢性膿胸の治療

慢性膿胸の治療方針は，患者の全身状態，瘻孔の有無，感染の状況，残存肺の状態，心肺機能などにより決定されるが，治療の原則は，感染の制御，汚染物質の除去，瘻孔と腔の閉鎖である．膿胸の根治手術の方法には大別して膿胸囊除去術と膿胸腔閉鎖術とがある（表1）．膿胸囊の除去術としては，肺剝皮術，胸膜肺全摘術があり，膿胸腔の閉

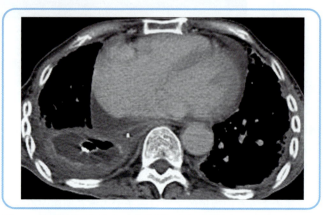

図1 胸膜肥厚を伴う右慢性期膿胸の造影CT所見（水平断）

表1 慢性膿胸に対する手術術式

術式		特徴
膿胸囊除去術	剝皮術	呼吸機能を温存できる．肺内病変を有する症例では不適．
	胸膜肺全摘術	感染巣を除去できるが，侵襲が大きい．
膿胸腔閉鎖術	胸郭成形術	遺残腔の閉鎖目的で施行される．胸郭が変形することが欠点．
	筋肉充塡術	遺残腔の閉鎖や瘻孔閉鎖目的で行われる．
	大網充塡術	難治性の感染や瘻孔を有する症例で行われる．
開窓術		侵襲が少なく，確実なドレナージが可能．

鎖の方法には，筋肉や大網による充塡術，胸郭形成術がある．また，膿胸腔の確実なドレナージを目的とした術式として開窓術がある．症例に応じた最適な術式を選択する必要があるが，慢性膿胸では一期的に治癒できることは少なく，まず開窓術で膿胸腔を浄化したあとに，段階的に根治的な手術を行うことが多い．

1) 開窓術 レベルC

①適応と特徴

有瘻性膿胸において，胸腔ドレーンではドレナージが不十分な場合，特に瘻孔が大きく汚染物質の気道内吸引による肺炎の危険が大きい場合は早急に開窓術を行う必要がある．また，無瘻性膿胸でも，胸腔内感染が遷延し全身状態などから根治的な手術の危険性が高い場合は開窓術の適応となる．開窓することによりドレナージは確実にできるが，肺が胸壁や縦隔と十分に癒着していない症例では肺の虚脱を招くため適応にはならない．開創部にはガーゼを充塡し，連日ガーゼ交換を行うことにより清浄化を図るが，開創部が清浄化し滲出液が減少すれば，シャワーによる洗浄のみでガーゼ交換は不要になる．

②方法

膿胸腔の範囲の膿胸腔の直上の肋骨を2～3本切除して膿胸腔を開放する．膿胸腔が大きい場合は肋骨切除を適宜追加する．開窓の方法は，1935年にElosserが発表した方法を改変したElosser変法が一般的である（図2）[3]．これは皮弁を逆U字に作製し膿胸腔の底部に縫い付ける方法である．広背筋や前鋸筋は開窓部の閉鎖の際に用いることがあるため可能な限り温存する．腔が小さい場合は自然閉鎖も期待できる．開窓部の感染が沈静化したあとに開窓部の閉鎖を図る．瘻孔がなく無菌の場合には単純閉鎖も可能である．腔が大きい場合は，広背筋，前鋸筋，遊離腹直筋弁などで腔を充塡する．有瘻性膿胸では瘻孔を筋肉弁で被覆し一期的または二期的に閉窓する．死腔が残存する場合は胸郭成形術を併用する場合もある．また，瘻孔が大きい場合や難治性の感染を有する症例では大網充塡術が有用である．感染制御が十分でない場合や全身状態が不良な症例では，開窓のまま経過観察する方針でもよい．近年，開窓部の縮小，閉鎖を図る目的で，開窓部に対する局所陰圧閉鎖療法（negative pressure wound therapy：NPWT）が試みられている．

2) 肺剝皮術（図3） レベルC

①適応と特徴

肺が線維性被膜により覆われ，ドレナージによっても肺が拡張しない膿胸が適応となる．この術式の長所は，胸郭成形を行わずとも十分な肺の拡張が得られれば死腔を残すことがないこと，肺機能を損なうことがないことである．肺内病巣を有する症例や，大きな瘻孔を合併し肺の拡張が期待できない症例には一般的に適応はない．

②方法

肺との境界まで膿胸囊を壁側胸膜外に剝離する．境界部に達したあと，膿胸囊と肺を剝離する．その際臓側胸膜は温存しできるだけ肺を損傷しないよう注意する．膿胸囊が大きい場合は囊を切開し内容物を除去することにより，剝皮が行いやすくする．肺と膿胸囊の境界が不明瞭な場合は換気させながら剝離操作を行う．

3) 胸膜肺全摘術 レベルC

①適応と特徴

肺が荒蕪化している場合や硬化萎縮して再膨張が期待で

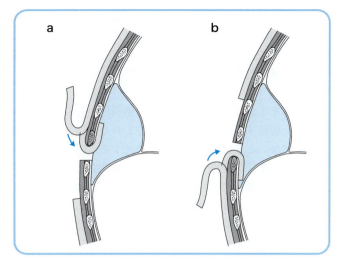

図2　Eloesser法(a)とその変法(b)

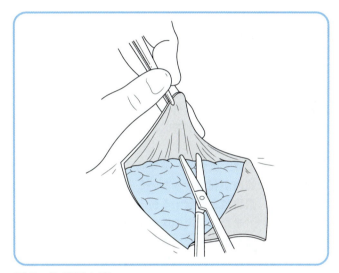

図3　胸膜剝皮術

きない症例が適応となる．感染巣を完全に摘除できる点は優れているが，最大の欠点は手術侵襲が大きいことであり，心肺機能低下例や全身状態が不良の症例は適応とならない．また，術後出血，膿胸の再燃，気管支断端瘻といった合併症の発生や手術関連死の可能性もあるため，適応となる症例は限られている[4]．

②方法

通常，第5または第6肋骨を切除し胸膜外剝離を開始する．剝離の際に膿胸腔に入らないように注意する．横隔膜など下方の剝離を容易にするため，必要に応じ第8～9肋間開胸を追加する．横隔膜の剝離は難渋することが多く，横隔膜を合併切除する場合もある．また，肺門の血管処理の際には心膜を切開したほうが容易である．胸腔内は十分洗浄し，止血は入念に行う．気管支断端瘻の予防目的に，特に右側の手術では広背筋などによる断端の被覆が推奨される[4]．

4) 胸郭成形術 レベルC

①適応と特徴

胸郭成形術は元来肺結核に対する術式であったが，近年

では膿胸に対して胸腔容量の減少を目的として行われ，肺の拡張が期待できない症例が適応となる．肋骨切除により胸壁を沈下させ膿胸腔の縮小を図る術式であるため，胸郭の変形や呼吸機能の低下を引き起こすことが欠点である．

②方法

膿胸腔を十分に閉鎖するために，膿胸腔の範囲より広めに肋骨を切除する．残存腔の大きさをみながら，腔の閉鎖が得られないときには肋骨切除を追加する．膿胸腔が大きい場合や有瘻性の症例では，筋肉弁や大網弁による充填術を併用する．慢性膿胸では肋骨周囲の癒着が強く，また肋間も狭小化しており剥離操作が困難なことがある．そのため肋骨を数 cm の範囲で一部切除し，切除断端を持ち上げながら肋骨裏面の剥離を行う．術後の胸郭動揺を防止するために，胸郭成形を行った部位を砂嚢などで圧迫して胸郭を安定させる．

5) 筋肉充填術 レベル C

①適応と特徴

膿胸嚢の壁が厚くなり肺の再膨張が期待できない症例に対して，膿胸腔の縮小目的に行われる．胸郭成形術のみでは膿胸腔を閉鎖できない症例や，開窓術で胸腔内が清浄化されたのちの有瘻性膿胸が適応となる．

②方法

筋肉充填術では，広背筋，前鋸筋，大胸筋などが用いられる．胸部の筋肉が利用できないときは腹直筋弁を用いることもある．膿胸腔を充填する筋肉はできるだけ大きいことが望ましい．また，筋肉の虚血を防ぐため，筋弁に過伸展，圧迫，屈曲が加わらないよう注意する．広背筋は容量が大きく血流も豊富であり充填術に適している．広背筋弁を作製する際には，腋窩から広背筋前方を走行する胸背動脈とその広背筋枝を損傷しないように注意する．有瘻性の場合可能であれば瘻孔を一時閉鎖し，そのあとに筋弁で被覆するようにする．

6) 大網充填術 レベル C

①適応と特徴

大網は豊富な血流とリンパ流を有しており，感染制御や組織修復能に優れている．大網充填術はこの大網の特性を利用した術式であり，難治性の感染のある膿胸や有瘻性膿胸が適応となる．ただし，できるだけ感染を制御しておくことが手術の成功のために重要である．遺残腔が大きい場合，胸郭成形術や筋肉充填術を同時に行うこともある．有瘻性膿胸に対しては，瘻孔に大網を縫着して閉鎖を図る．短所としては，開腹操作が必要なこと，腸閉塞や消化管出血といった腹部合併症が発生しうることがあげられる[5]．また，腹部手術の既往がある症例は適応とならない．

②方法

左右いずれかの胃大網動脈を温存して有茎大網弁を作製する．大網弁を胸腔内に誘導する方法としては，経横隔膜ルート，経縦隔ルート，特殊なものとして皮下ルートがある．大網弁を胸腔内に誘導する際にはビニール袋に入れて愛護的に扱い，緊張や捻れによる虚血を避けるように注意する．通過経路で狭窄が起きないように少なくとも幅 3〜4cm 以上の経路を作製する．瘻孔がある場合は可能な限り縫合閉鎖し，大網弁を瘻孔に縫着する．手術手順は，開胸操作により膿胸腔をできるだけ清浄化し，胸部の汚染が腹部に波及しないようにしたのち開腹操作を行い，再度開胸して大網弁を胸腔に固定する方法が一般的である．

Side Memo

【結核性膿胸】

結核性膿胸は近年減少傾向ではあるが，依然として課題の多い疾患である．初回結核から数十年経過した慢性膿胸では胸膜の広範な石灰化を認め，また圧迫された肺が炎症を繰り返した結果，荒蕪肺となっていることも多く，剥皮術は困難なことが多い．また肺瘻や気管支瘻が発生した場合は，まず開窓術で感染をコントロールしたうえで，筋肉充填術，大網充填術，胸郭成形術などを組み合わせて治療を行う．胸膜肺全摘に関しては，耐術能の点で適応となる症例は限られている．

【膿胸の手術のタイミング】

有瘻性膿胸で胸腔ドレーンでは十分なドレナージができない場合は，吸引性肺炎予防のために早急に手術を行う必要がある．無瘻性で症状のない膿胸に対する手術適応については判断が難しいことがしばしばある．瘻孔を形成し肺炎を起こしてからでは全身状態の悪化により手術の危険が高まるため，無症状でも肺炎を繰り返して肺機能が低下する前に手術を行ったほうがよいとの考え方もある．

感染が制御されている場合は一期的根治術でもよいが，感染制御が不十分な場合や全身状態不良の症例に対しては，まず開窓術により感染をコントロールする．開窓術後の根治手術の時期については感染制御の状況や全身状態を考慮し判断するが，閉鎖を急ぐ必要はない．開窓後半年〜1年程度経過すると腔が縮小してくるため，根治的な充填術が行いやすくなる．

【chronic expanding hematoma】

chronic expanding hematoma は 1980 年に Reid らにより提唱された疾患概念であり，全身の様々な部位に発生しうる．胸腔内に発生したものは「慢性出血性膿胸」や「器質化膿胸」と呼ばれてきた特殊な膿胸と同一の病態とされるが，腔内は膿ではなく血腫や壊死物質で充満されていることが特徴である．結核性胸膜炎，外傷，手術などのあとに発生し，初回の出血から 1 ヵ月以上かけて緩徐に増大する．血腫の増大に伴い隣接臓器が圧迫され症状が発現することがあるが，無症状で経過することも少なくない．画像所見では，MRI の T2 強調画像において内部がモザイク状の所見を呈することが特徴的である．治療は被膜を含めた完全切除であるが，術中出血が多くなる可能性も高く，手術適応は症状の有無，年齢，全身状態などを考慮して決める必要がある．

文献

1) 日本結核病学会用語委員会．新しい結核用語辞典，南江堂，2008: p88
2) Yu L et al. General Thoracic Surgery, 7th Ed, Shields TW et al (eds), Lippincott Williams & Wilkins, 2009: p775
3) Thourani VH et al. Ann Thorac Surg 2003; **76**: 401
4) Shiraishi Y et al. Ann Thorac Surg 2000; **70**: 1202
5) Okumura Y et al. Ann Thorac Surg 2005; **79**: 1857

⑥ 乳び胸

要点

① 乳び胸は種々の病因で発症し治療に対する反応も様々である．病態を正確に把握することが必要である．
② 乳び胸は肺癌手術の縦隔リンパ節郭清の合併症のひとつであり，発生時には適切な対応が必要である．最終的には再手術も考慮する．
③ 乳び胸と類似の疾患には，偽乳び胸，膿胸があり，その鑑別が必要である．

Key Word 胸管，乳び胸，静脈角，胸水トリグリセリド，カイロミクロン，Sudan染色，リンパ脈管筋腫症，リンパ管造影，縦隔リンパ節郭清，胸管結紮術，リンパ管塞栓術，ソマトスタチン

乳び胸は種々の原因で発生する．呼吸器外科領域では肺癌術後の合併症のひとつである．軽微な症例では保存的治療で改善するが，保存的治療の効果がない場合は段階的に治療方針を変更し最終的には再手術も検討する．排液の量が多い状態が遷延すると栄養障害，免疫機能の低下をきたすためである．また，乳び胸は胸水の肉眼所見が類似した膿胸との鑑別が重要であり，手術後早期に正確に診断して適切な処置をとることが肝要である．

a 乳び胸の原因（表1） レベルB

原因を外傷性と非外傷性に分けることができる．外傷性損傷をさらに医原性と非医原性に分類できる．医原性外傷は胸管の走行部位のいずれかの箇所を医療行為によって損傷することによる．肺以外の外科手術では頸部リンパ節郭清，食道手術，心臓血管外科手術，腹部リンパ節郭清などが原因となる．呼吸器外科領域では特に肺癌手術後の発生が多い．その頻度についてTakuwaらは，肺癌に対する肺切除+リンパ節郭清1,580手術中37例（2.3%）に術後乳び胸を認めたと報告している[1]．また，Bryantらは，肺癌に対する肺切除+リンパ節郭清を同一の術者のみで検討し，2,838手術中41例（1.4%）に術後乳び胸を認め，多変量解析で肺葉切除，ロボット手術および病理学的N2症例において有意に乳び胸が多かったと報告している[2]．リンパ脈管筋腫症（lymphangioleiomyomatosis：LAM）では，全国疫学調査（平成15～16年）で診断時の乳び胸水合併率は7%と報告されているが[3]，そのメカニズムとして，LAM病変による胸管の閉塞やLAM病変そのものに起因する胸管からの乳びの漏出など様々な原因が推測されている[4]．悪性腫瘍が原因の乳び胸は，Valentineらの報告では，悪性リンパ腫が80%と最も多いと報告されている[5]．

b 胸管の解剖・機能（図1） レベルC

腸リンパ本幹と左右の腰リンパ本幹が合流し，通常第2腰椎の前方，腹部大動脈の右背側に様々な広さの乳び槽を

表1 病因の分類

1. 外傷性
    1. 医原性
        (1) 呼吸器外科：縦隔リンパ節郭清，肺切除
        (2) 食道外科：食道切除
        (3) 心臓血管外科：大動脈縮窄症，動脈管開存症の手術
        (4) 頸部手術：根治的頸部郭清，頸部リンパ節切除
        (5) 腹部手術：交感神経切除，リンパ節郭清
        (6) その他：鎖骨下静脈カテーテル挿入
    2. 非医原性
        (1) 外傷：刺創，切創，銃創
        (2) その他：出産時，激しい嘔吐，咳嗽
2. 非外傷性
    1. 悪性腫瘍：悪性リンパ腫，白血病，転移性腫瘍など
    2. 先天性
    3. その他：リンパ脈管筋腫症（LAM），Gorham症候群，フィラリア症，サルコイドーシス，特発性，など

つくる．胸管は乳び槽に始まり，腹部大動脈の右背側に沿って上行し，横隔膜の大動脈裂孔を通り胸腔内に入る．一般的に，食道の背側を下行大動脈と奇静脈に挟まれて上行し，ほぼ第5胸椎の高さで次第に左方へ方向を変え，第3胸椎の高さで食道の後ろを通ってその左方にでて暫く上行する．同部位付近のリンパ節（4番および7番）を郭清時に胸管損傷に注意すべきとされている[6]．第7頸椎の高さで弓状をなして前方に曲がり，左総頸動脈と左鎖骨下動脈との間で左頸リンパ本幹と左鎖骨下リンパ本幹を受けた後に，左静脈角に開口する[7]．胸管の長さは36～45cmであり，径は2～3mmであり，多数の弁があるため一方通行を促す．摂取した脂肪は消化を受け，そのなかの長鎖脂肪酸（LCH）はカイロミクロンの形で小腸のリンパ管へ入り，乳び槽へ運搬され胸管へと流入する．一方，中鎖脂肪酸（MCH）は，遊離脂肪酸のまま門脈に入るために乳び槽・胸管を通過しない（IX章-1-b参照）．

c 胸管の発生・破格（図2，図3） レベルC

胸管は胎生初期には左右対称に発生し，複数の横吻合が

X．胸膜

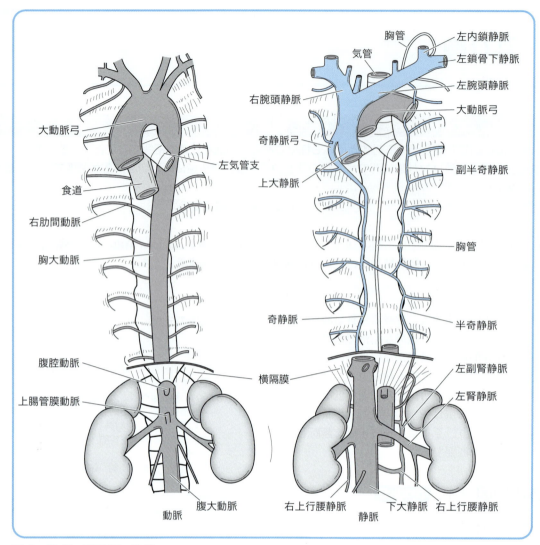

図1　胸部の動静脈・胸管
（佐藤達夫．リンパ系局所解剖アトラス―がん手術の解剖学的基板，南江堂，1997：p79 図1を参考に作成）

でき，通常右胸管の上1/3と左胸管の下2/3が消失する．すなわち，右胸管の静脈開口部と左胸管の大部分が消失する現象は鳥類までは認められず，ヒトを含むほ乳類で一般的に認められる（図2）[7]．一方，胸管の破格・個人差に関する過去の報告に関して，Okudaらがmagnetic cholangiopancreatography（MRCP）の技術を応用し，73例の胸管を撮像したところ，右胸管から左右の両側静脈角への流入は2例（2.7％），右胸管から右静脈角への流入1例（1.3％）などの破格を認め，計4％で右静脈角への流入を認め（図3），一般的とされる右胸管から左静脈角への流入は63例（86％）にとどまると報告しており，意外に破格が多いことを報告している[8]．また，Adachiらの261剖検例では右静脈角へ流入は計9例（3.4％）に認めたと報告されており[9]，約3〜4％の頻度で胸管の右静脈角への流入の可能性があり，リンパ節4Rおよび2R郭清時は，破格の可能性も留意すべきと考える．

d 乳び胸の診断[3]（図4）　レベルB

肺癌手術後に胸水が肉眼的に白色で大量に排出される場合には，術後の乳び胸と推定することは容易である．しかし，明らかな背景がない場合には，偽乳び胸や膿胸との鑑別が必要である．偽乳び胸では肥厚した胸膜のなかに長期に貯留した胸水中の赤血球あるいは白血球成分から溶解したコレステロールが白色を呈し，穿刺すると乳び様の液体が採取される（Side Memo参照）．また，膿胸の穿刺液は大量の白血球のために白色を呈することがある．膿胸では遠沈すれば上澄は透明になり乳び胸，偽乳び胸では白濁したままなので鑑別は容易である．胸水の分類のうえでは一般に乳びは滲出性胸水であるが肝硬変や心不全を合併した症例では漏出性胸水のことがある．乳びの診断はトリグリセリドの量が110 mg/dL以上が必要条件であり，50 mg/dL以下であれば否定される．胸水と血清のコレステロール値を比較すると乳び胸では血清が高値であるが，偽乳び胸ではしばしば胸水の値のほうが高い．さらに乳びにはトリグリセリドを多量に含む粒子，カイロミクロンが存在するが，

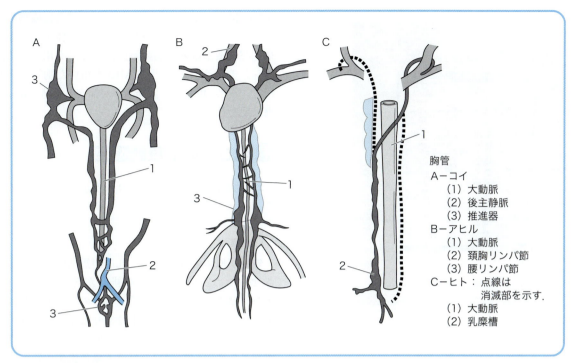

図2 胸管の発生
(小谷正彦. リンパ学 2012; 35: 71 図4を参考に作成)

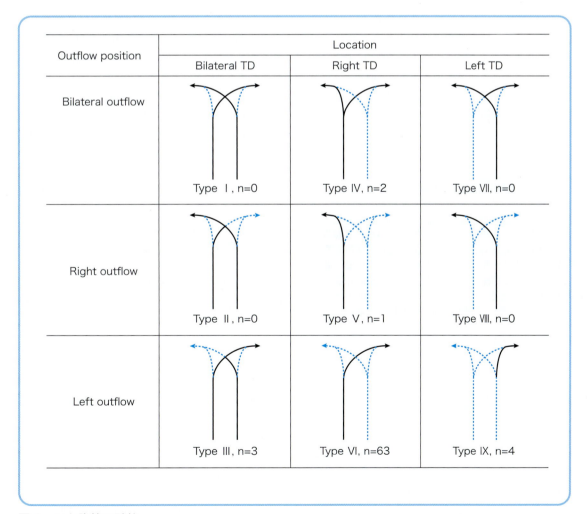

図3 ヒト胸管の破格
(Okuda I et al. Gen Thorac Cardiovasc Surg 2009; 57: 644 Figure 2を参考に作成)

X. 胸膜

図4　胸腔ドレナージバッグ
手術後2日目．白濁した胸水が大量に排出した．

中性脂肪（大部分がトリグリセリド）の染色に用いられるSudanIIIはカイロミクロンをオレンジ色に染色するため診断に有用である．一方，偽乳び胸では胸水のコレステロールが200mg/dL以上であり細胞診でしばしばコレステロール結晶がみられる[10]．他の胸部疾患の診断と同様に，胸部CT，PET/CTも乳び胸の原因診断に有用である．乳びの漏出部位すなわち胸管の破綻部位を特定するためにリンパ管造影が行われる[4]．

Side Memo

【偽乳び胸】
乳び以外の病因で胸水が白濁した状態．原因は厳密には不明であるが，肥厚した胸膜のなかに年余にわたって長期に貯留した胸水中の赤血球あるいは白血球成分の変性したコレステロールが白色を呈したものと考えられている．細胞診でコレステロール結晶がみられる．これはSudanIII染色で染まらない．胸水中のコレステロール値は通常200mg/dL以上である．偽乳び胸症例の血清のコレステロール値は必ずしも高くない．原疾患としてリウマチ性胸膜炎，結核性胸膜炎が多い．

e リンパ管造影　レベルC

胸管の走行を観察するためにリンパ管造影が用いられる．まず青色の色素を趾間へ注入したのち足背を小切開しリンパ管を明らかにしてからリンパ管へ造影剤を注入し下肢，腹部のリンパ管さらに乳び槽，胸管を明らかにする．ここで新たに経皮的に穿刺し乳び槽あるいは胸管へカテーテルを挿入することができる．Itkinらは，109例中108例（99%）でリンパ管造影に成功し，造影結果から解剖学的に胸管へのカテーテル挿入可能と判断した106例中73例（67%）において胸管へのカテーテル挿入に成功したと述べている[12]．胸管，リンパ管の走行は個体差が大きいため，リンパ管造影は乳び胸の診断，治療に有用である．リンパ管シンチグラフィ[13,14]やMRIを用いた胸管同定が報告されている[8]．現在は，鼠径リンパ節からの造影が主であり治療に使われている．

f 乳び胸の治療　レベルB

乳び胸は病因が様々であり原疾患によって治療法が異なる．

1）外傷

外傷が原因の場合には，乳びが短期間に肺を圧迫，虚脱させるため，早期の乳びの排除が必要である．胸腔ドレナージは乳びを有効に排除できるので肺の膨張には有用である．しかし，乳びにはトリグリセリド，リンパ球，様々な蛋白，電解質，脂溶性ビタミンなどが含まれているので，胸腔ドレナージなどでこれを大量に喪失すると低栄養，免疫能の低下をきたす[15]．一般胸部外科領域でNairらは1日1.5L以上の排液量では手術が必要としている（図5）[17]．肺癌術後ではShimizuらは禁食，完全静脈栄養（total parenteral nutrition：TPN）にしたあとに最初の1日で500mL以上の排液[16]．Takuwaは低脂肪食（1日10g以下）に切り替えたあとに1日で500mL以上の排液[1]（図6），Bryantは禁食にしてソマトスタチン（オクトレオチド）を投与しながらTPNにしても2日間で450mL/day以上の排液があった場合には再手術を行っている[2]（図7）．保存的治療としてShimizuらは最初に禁食，TPNで治療し，効果がない場合はOK-432による胸膜癒着術を行っている[16]．保存的治療を行った26例中5例19%に再手術を行った．Takuwaらは最初に低脂肪食を開始し，1日の排液が500mL以上の場合は手術を行うとした．それ以下でも3日後に1日量が300mL/dayを超える症例にはOK-432による癒着療法を行った（図6）[1]．この癒着療法を行った10例中8例が改善したが2例に再手術を行った．最終的に乳び胸37例中31例は保存的治療で回復し，6例16%に再手術を行った．Bryantらは禁食にしてソマトスタチン（オクトレオチド）の皮下注射を行った（図7）[2]．ソマトスタチンはリンパ流量を減少させ消化管の動きを抑制するといわれる．Bryantらはさらにmedium-chain triglyceride（MCT）食を用いたが胸膜癒着術は併用していない．ちなみにMCTは運搬の過程で乳び槽，胸管を介さないので乳び量を増加させないため胸管の損傷部位の閉鎖に貢献する．この保存的治療で41例中37例が回復し，最終的に4例9.7%に再手術を行ったと述べている[2]．しかしながら日本において，現段階ではではソマトスタチン（オクトレオチド）の乳び胸に対する使用は保険適用外であり，公知申請の承認もなされていない．他にNairらの報告では癒着術にフィブリン糊，タルクが用いられている[17]．

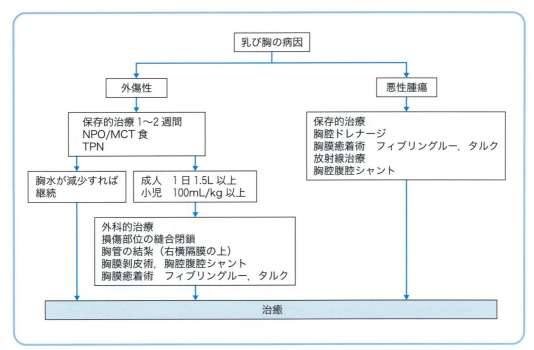

図5 乳び胸治療のアルゴリズム（一般胸部外科領域）
NPO：nothing by mouth, TPN：total parenteral nutrition, MCT：medium-chain triglyceride diet
（関根康雄ほか．胸部外科 2013; 66: 741 [6]）を参考に作成）

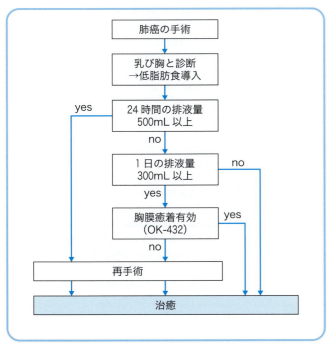

図6 乳び胸治療のアルゴリズム（肺癌手術）
（Takuwa T et al. J Thorac Cardiovasc Surg 2013; 146: 571 [1]）を参考に作成）

2）悪性腫瘍

悪性腫瘍では原疾患の治療と併行して乳び胸の治療を行う．特に原疾患の予後との関連を重視するが，原則は癒着療法が行われる．原疾患の診断のために胸腔内にアプローチする場合に限り胸管の結紮が行われる．胸腔腹腔シャントは有用なことがあるが，フィブリン析出物のために閉塞しやすい．さらに排液を促すために皮下のポンプチャンバーを頻回に押すわずらわしさがあるので衰弱した症例には適切ではないとされる．

g 再手術　レベルC

肺癌手術後に乳び胸が発生した場合1日の排液量が多い症例では（500～1,000 mL/day 以上），早期（5日以内）に手術を検討する[1, 2, 16, 17]．保存的治療を2週間行ってから再手術を行うこともある．最近は胸腔鏡下に手術を行うことが多い．胸管の損傷部位が術中に特定できた場合は損傷部位を縫合閉鎖あるいはクリップで閉鎖する．損傷部位を特定するために手術前にミルクやクリームを摂取させる方法，あるいは経鼻胃管を十二指腸まで進めクリームを注入して胸管からのリーク部位を明らかにする手法も用いられる．損傷部位が不明な場合は右横隔膜の上で胸管を明らかにしてこれを結紮する[6]．また，同部位で大動脈，食道，胸椎，心膜に挟まれた組織をまとめて縫合する手法も用いられる[17]．損傷部位に対する胸膜の癒着を促すための胸膜癒着術（pleurodesis）も行われる．さらに損傷が推定される局所へのフィブリン糊の散布，癒着薬（OK-432, タルク）の散布も施行される．

h 胸管塞栓術[11]　レベルC

1998年に Cope がはじめて乳び胸に対する胸管塞栓術を報告し[18]，2004年に蓄積した60症例の有効率を65%と報告した．Cope らの手技は足背からのリンパ管造影で乳び槽および周囲のリンパ管を描出し，ここへ腹壁の皮下から腹腔を介して穿刺，カテーテル挿入を行うものであった[11]．これを踏襲し発展させた Itkin らは外傷性乳び胸109例の治療報告を施行している．このうち106例にリンパ管造影で

X．胸膜

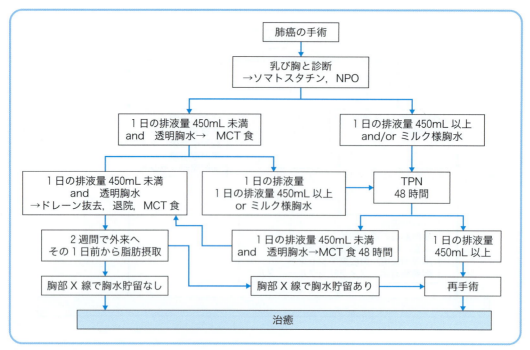

図7 乳び胸治療のアルゴリズム（肺癌手術）
（Bryant AS et al. Ann Thorac Surg 2014; 98: 232 [2]）を参考に作成）

描出した乳び槽から胸管へのカテーテル挿入を試み，73例（67%）においてカニュレーションに成功し，71例に胸管塞栓術を施行したが，最終的に71例中64例（90%）の成功率であった[12]．上記手技で瘻孔部位に到達できない場合は，肘部皮静脈を穿刺し，静脈角から逆行性にアプローチする方法があり，胸管造影で瘻孔部位を同定し，マイクロカテーテルを瘻孔より胸管中枢に留置し，NBCA（N-butyl-2-cyanoacrylate）とリピオドールの混合液を注入し，胸管塞栓術に成功したとの報告もある[14, 19]．これらの手技は，諸外国においてある程度確立され，有効性も示されたものではあるが，少なくとも日本においては適応外使用の問題があり，詳細には未保険収載状態である（将来は変わるかもしれないが）．現時点では倫理委員会への打診，詳細なインフォームドコンセントのもとに，極めて注意深く施行を検討すべきと考える．

文献
1) Takuwa T et al. J Thorac Cardiovasc Surg 2013; **146**: 571
2) Bryant AS et al. Ann Thorac Surg 2014; **98**: 232
3) 林田美江ほか．日呼吸会誌 2008; **46**: 425
4) Ryu JH et al. Chest 2003; **123**: 623
5) Valentine VG et al. Chest 1992; **102**: 586
6) 関根康雄ほか．胸部外科 2013; **66**: 741
7) 小谷正彦．リンパ学 2012; **35**: 66
8) Okuda I et al. Gen Thorac Cardiovasc Surg 2009; **57**: 640
9) Adachi B. Der Ductus Thoracicus der Japaner. Kenkyusya, 1953: p1
10) Staats BA et al. Mayo Clin Proc 1980; **55**: 700
11) Cope C et al. Curr Opin Pulm Med 2004; **10**: 311
12) Itkin M et al. J Thorac Cardiovasc Surg 2010; **139**: 584
13) Takagi Y et al. Intern Med 2010; **49**: 439
14) 宮本 彰ほか．日呼外会誌 2002; **16**: 61
15) Bender B et al. Eur J Cardiothorac Surg 2016; **49**: 18
16) Shimizu K et al. J Thorac Cardiovasc Surg 2002; **124**: 499
17) Nair SK et al. Eur J Cardiothrac Surg 2007; **32**: 362
18) Cope C. J Vasc Interv Radiol 1998; **9**: 727
19) Koike Y et al. J Vasc Interv Radiol 2013; **24**: 135

⑦ 水胸

要点
1. 滲出液と漏出液の鑑別.
2. 病態の把握とコントロール.

Key Word 滲出液, 漏出液, Rivalta 反応, 胸腔穿刺, ADA, Light's Criteria

水胸 (hydrothrax；胸水症) は漏出した体液が胸腔に貯留した状態を指す. 壁側胸膜 (visceral pleura) と臓側胸膜 (parietal pleura) に囲まれた胸膜腔 (pleural cavity) は通常 −5 cmH₂O 前後の陰圧に保たれており, 体循環系および肺循環系の静水圧, 膠質浸透圧の相互関係によって壁側胸膜から臓側胸膜に向かって体液の移動がみられる. この体液が胸膜腔に貯留したものが胸水 (pleural effusion) である. pleural effusion は原因や肉眼的性状から漏出性胸水 (transudate), 滲出性胸水 (exudate), 血胸, 膿胸, 乳び胸などに区別される.

a 水胸の病態 レベルA

1) 原因による水胸の病態

胸水は漏出性胸水と滲出性胸水に大別される. それぞれの代表的疾患を示す (表1). 漏出性胸水はうっ血性心不全, ネフローゼ症候群に代表される全身の循環状態の障害 (静水圧の上昇, 膠質浸透圧の低下など) の結果生じる. 心不全による胸水は非代償性うっ血性心不全の87％で認められ, 片側性が36.5％, 両側性が64.3％である[2]. 右側がよりたまりやすいことが知られている. 滲出性胸水は悪性胸膜炎が最も多く, 結核性胸膜炎, 肺炎随伴性胸膜炎に代表される胸膜自身の炎症あるいは近接する肺の炎症の結果, 生じた血管透過性の亢進により主として引き起こされる. しかしながら, 通常滲出性胸水をきたす疾患でも漏出性となることがあり, 悪性腫瘍による胸水貯留であっても無気肺・リンパ管閉塞による漏出性胸水をきたすことがある. また Meigs syndrome は滲出性胸水を示すとされているが必ずしも滲出性胸水ではなく, 7〜80％の症例にとどまるとされている. 大量胸水では悪性腫瘍が原因であることが最も多く次いで肺炎・結核であり, 漏出性であることが多い[3].

2) 滲出液と漏出液の鑑別

表2に滲出液と漏出液の鑑別として有用な Light の基準を示す. Light の基準は血清蛋白量と LDH 値の検査が必要である. Light 基準では漏出性胸水の25％は正しく判定されないが, 多くは心不全で利尿薬を投与されている場合であり, 心不全による胸水を鑑別するには胸水中の BNP が有用とされている[4]. また絶対的な基準ではないが, 滲出液と

表1 漏水性胸水と滲出性胸水の代表的疾患

	漏出性胸水	滲出性胸水
よくある原因	左心不全 肝硬変	癌性胸膜炎 肺炎随伴性胸膜炎 結核
やや頻度が低い	低アルブミン血症 腹膜透析 ネフローゼ症候群 甲状腺機能低下症 (粘液水腫)	肺梗塞 膠原病関連胸水 良性アスベスト性胸水 膵炎 心筋梗塞後 (Dressler 症候群) 開心術後
まれ	収縮性心膜炎	薬剤性 真菌性感染症 Meigs 症候群 IgG4 関連疾患

表2 胸水の分類 (Light の基準)

次の3つのうち1つ以上を満たすとき滲出性胸水とする
1：（胸水中蛋白質/血清中蛋白質）が 0.5 以上
2：（胸水中 LDH/血清中 LDH）が 0.6 以上
3：（胸水中 LDH が正常血清中 LDH の上限値の 2/3 以上

(Porcel JM, Vives M. Chest 2003; 124: 978 [3] を参考に作成)

漏出液を比重の差で分けることが可能である. 比重 1.015〜1.018 が境界であり, それ以上は滲出液, それ以下は漏出液とされている.

Rivalta 反応は, 酢酸により沈降する蛋白をみるものである. 実際には 200 mL のメスシリンダーに 200 mL の水と 3〜4 滴の酢酸を加え, これに穿刺液を滴々加える. 滲出液では白濁を生じて 20 cm にわたり沈降していくのが確認できる. これを Rivalta 反応陽性とする. 漏出液では Rivalta 反応陰性である.

蛋白定量で蛋白含量 4％以上なら滲出液, 2.5％以下なら漏出液とされる. 以上述べた比重, Rivalta 反応, 蛋白定量については, いずれも滲出液の蛋白濃度が高いことと関係すると考えれば理解しやすい.

3) 胸水の細菌学的診断

穿刺液の細菌学的検索は, 結核菌, 真菌, 肺炎球菌, ブ

ドウ球菌，連鎖球菌，大腸菌，各種嫌気性菌などについて行う．結核性胸膜炎の胸水からの結核菌証明率は20%以下といわれ，PCRも必要である．その他の菌に関しては滲出性胸水から細菌が証明されるものは少ない．

細菌性胸膜炎あるいは肺炎随伴性胸膜炎は経過から急性期(滲出期)，亜急性期(線維素膿性期)，慢性期(器質化期)と進行し，病期が進行するにつれて胸水の細胞数，粘稠度が増加する．また，発症2週間以内の急性期では培養検査でも菌が検出されないことがある．

4) 胸水の細胞学的診断

主として癌性胸膜炎の診断に供する．胸水中に出現する細胞としては中皮細胞，組織球，多核白血球，リンパ球，腫瘍細胞があげられる．腫瘍細胞としては肺腺癌細胞が大部分であり確認もしやすい．悪性リンパ腫細胞がその次に多く比較的よく出現する．胸膜に転移・浸潤する腫瘍すべてにおいて，腫瘍細胞が胸水中に出現する可能性があり，腫瘍細胞が証明されれば癌性胸膜炎の診断のみならず組織型や原発巣まで推定することが可能である．好酸球を20%以上認める胸水を好酸球性胸水とする．悪性胸水が最も多いが，ステロイドが著効する特発性好酸球性胸膜炎も可能性としてあげられる．形質細胞を多数認める場合，骨髄腫や頻度はまれであるがIgG4関連胸膜炎の可能性も念頭に入れる必要がある．

炎症性胸水では肺炎随伴性胸水などの急性炎症で多核白血球が多く，結核性胸膜炎(慢性炎症の代表)ではリンパ球の比率が高い．漏出性胸水では中皮細胞や組織球が主なものである．

5) 胸水の生化学検査

①乳酸脱水素酵素(LDH)

前述したように滲出液と漏出液の鑑別に有用であるが，結核と癌性胸膜炎の鑑別には役立たない．

②アミラーゼ

膵炎や膵仮性嚢腫などでみられる膵性胸水中のアミラーゼ値は著しく高く血清アミラーゼ値より高値をとるといわれている．したがって，胸水のアミラーゼ値から膵性胸水の診断が可能である．

③ヒアルロン酸

ヒアルロン酸は胸水中に常在する成分であるが，特に胸膜中皮腫の胸水中に高濃度に認められる．0.1%以上の高濃度の胸水を認める場合は胸膜中皮腫を疑って胸膜生検を考慮する．

④adenosine deaminase(ADA)

結核性胸膜炎で上昇する場合が多い．ADA値が50IU/mL以上を陽性とすると結核性胸膜炎の80%以上の陽性率を示し，特異性は90%以上とされている．

b 水胸の診断と治療 レベルB

最初に，症状・病歴の問診を詳細に行う．次いで身体所見，血液検査，胸部X線像などを確認する．少量の胸水の確認にはエコー，次いで側面撮影が最も感度が高いとされている．うっ血性心不全，肝硬変，ネフローゼ症候群などの内科的疾患が原因の場合は，この段階でおおよその診断がつく．少量の胸水採取を行い，漏出液を確認すれば確実である．原疾患の治療そのものが胸水貯留の治療につながる場合が多く，胸腔ドレナージを必要とするような大量の胸水貯留は少ない．

滲出液貯留の場合は，その原因をさらに早急に診断する必要がある．結核性胸膜炎と癌性胸膜炎の鑑別診断が特に重要である．かつては経胸壁性針生検として，Vim-Silverman針，Cope針，Ramel針などによる盲目的胸膜生検が行われていたが，その診断率は40〜76%程度と報告されている．最近の胸腔鏡下胸膜生検では壁側胸膜の病変を直視できるため，その診断率は極めて高い．局所麻酔下においても施行することが可能で，本体の一部がRigidなフレキシブルスコープのオリンパスLTF type 240などは気管支鏡と同様のシステムで観察・生検が可能であり，操作性も気管支鏡と同じなので呼吸器内科医であっても循環呼吸動態に注意すれば局所麻酔下に施行することができる．癌性胸膜炎は癌腫の胸膜への進展によって発生する．その原因としては肺癌(腺癌)が最多で次いで乳癌が多く胸膜中皮腫も増加している．最近は分子標的治療薬などを使用する個別化治療のためにより確実な組織診断が必要なので検査の意義はより重要となっている．

癌性胸膜炎の治療は胸水コントロールと全身化学療法が中心である．胸水コントロール目的で胸膜癒着術が行われる．数日間持続胸腔ドレナージを行って肺を可及的に再膨張させたあと，癒着促進剤を胸腔内に投与する．ピシバニール，ミノサイクリン，タルクなどが使用されている．これらの薬剤による胸膜癒着ではアナフィラキシーショックや間質性肺炎の急性増悪をきたす可能性があり，投与には十分な注意が必要である．

肝不全に伴う胸水貯留は治療に難渋することが多い．デンバーシャントや胸水濾過濃縮再静注法(cell-free concentrated ascites reinfusion therapy：CART)，portal veinとhepatic veinを内頸静脈経由でバイパスする治療(transjugular intrahepatic portosystemic shunt：TIPS)も有効とされている．

Meigs症候群は卵巣の良性腫瘍(主として線維腫)と腹水および胸水貯留を伴い，腫瘍摘出後に腹水および胸水が消失する．卵巣腫瘍の1〜2%に見られるとされている．70〜80%が滲出性であるが，漏出性の性質を示すものもある．胸水が貯留する機序として卵巣腫瘍・または腫瘍茎によって充血またはリンパ管の圧迫による組織液の漏出が生じ，腹水の貯留が生じるとする説がある[5]．繊維腫以外の悪性卵巣腫瘍による胸水貯留はPseudo-Meigs症候群と分類されるが，両者で臨床像に大きな違いはない．

甲状腺機能低下症により心血管系が高度に障害された場合には粘液水腫心臓と呼ばれ，心嚢液の貯留，心筋への粘液水腫様物質の浸潤による心不全となり，漏出性の胸水貯留をきたすことがある．甲状腺ホルモンの投与により軽快する．収縮性心膜炎による胸水貯留は漏出性であり，水胸

の一病型といえる．非感染性と感染性に分けられ，前者は心臓手術後や放射線治療による医原性のもののほかまれに薬剤性や全身性疾患（自己免疫性・内分泌疾患など）があげられる[6]．感染性のものとしては結核・真菌・寄生虫によるもののほか，ウイルス性のものが多いことを念頭に置く

文献
1) Hooper C et al. Thorax 2010; **65** Suppl 2: ii4
2) Wong CL et al. JAMA 2009; **301**: 309
3) Porcel JM, Vives M. Chest 2003; **124**: 978
4) Porcel JM et al. Chest 2009; **136**: 671
5) 木下勝之．呼吸 1988; **7**(11): 2
6) Fardman A et al. Curr Cardiol Rep 2016; **18**: 46

8 胸膜腫瘍

要点

① 胸膜腫瘍のうち，胸膜中皮が発生母地となるものにびまん性悪性胸膜中皮腫がある．
② 悪性胸膜中皮腫はアスベスト曝露を原因とする予後不良な疾患である．胸膜生検検体で病理組織診断されるが，免疫組織化学的染色での鑑別を要する．外科的治療を含む集学的治療で成績向上の試みがなされている．
③ その他の胸膜腫瘍として間葉型結合組織から発生する孤在性線維性腫瘍がある．

Key Word アスベスト，胸膜プラーク，ヒアルロン酸，胸腔穿刺，胸膜生検，悪性胸膜中皮腫，組織型，胸膜肺全摘術，胸膜切除/肺剝皮術，孤在性線維性腫瘍

胸膜腫瘍には，漿膜腔を覆う中皮表層およびその下層から発生する中皮腫と中皮下の間葉組織由来の腫瘍とされる孤在性線維性腫瘍(solitary fibrous tumor)がある．中皮腫は胸膜・心膜・腹膜から発生するが胸膜から発生するものが最多で，びまん性悪性胸膜中皮腫が代表的である．悪性胸膜中皮腫は極めて予後不良な疾患で，診断・治療の特殊性を習知しなければならない．

a 悪性胸膜中皮腫

1) 疫学　レベルA

悪性胸膜中皮腫の発生とアスベスト曝露の間に相関があり，悪性胸膜中皮腫患者の70～80％にアスベスト曝露歴がある．アスベスト曝露が胸膜中皮腫発生の有力な原因と考えられており，アスベストを扱う労働者のみならず，鉱山や工場周辺の住民にも発症がみられる．アスベスト曝露から胸膜中皮腫発症までの潜伏期間は15～40年と長期間である．日本ではアスベスト製品の製造は2004年に禁止されたが，アスベストを使用した建造物は残存し，長い潜伏期間のため，人口動態統計(厚生労働省)での中皮腫による死亡数/年が，500人(1995年)から20年で3倍(1,504人；2015年)となり，そののち定常化(1,466人；2019年)している[1]．

2) 分類　レベルA

胸膜原発腫瘍の分類を表1に示す．
悪性胸膜中皮腫の病理組織型は主に3つに分類される．①上皮型(epithelioid)，②肉腫型(sarcomatoid)，③二相型(混合型)(biphasic(mixed))である．上皮型の予後が他の2型より良好である．

3) 症状・診断・病期(図1)　レベルA

自覚症状として，胸痛・咳・呼吸困難があげられ，進行期には上大静脈症候群・心タンポナーデ，反回神経麻痺，嚥下困難などを呈する．疾患発生数の増多と専門医への周知により，無症状・検診での発見例が増えている．胸部X線検査所見は，胸水貯留が大多数で，胸膜腫瘤・胸膜肥厚

表1　胸膜腫瘍の分類(WHO分類，2015)

- 中皮系腫瘍
  - びまん性悪性中皮腫
    - 上皮型中皮腫*
    - 肉腫型中皮腫*
    - 線維形成型中皮腫*
  - 二相性中皮腫*
  - 限局性悪性中皮腫
    - 上皮型中皮腫*
    - 肉腫型中皮腫*
    - 二相性中皮腫*
  - 高分化乳頭状中皮腫**
  - アデノマトイド腫瘍***
- リンパ球増殖疾患
  - 原発性滲出液リンパ腫*
  - 慢性炎症関連びまん性大細胞型B細胞リンパ腫*
- 間葉系腫瘍
  - 類上皮血管内皮腫*
  - 血管肉腫*
  - 滑膜肉腫*
  - 孤在性線維性腫瘍**
    - 悪性孤在性線維性腫瘍*
  - デスモイド型線維腫症**
  - 石灰化線維性腫瘍***
  - 線維形成性小円形細胞腫瘍*

＊：悪性病変，＊＊：境界病変，＊＊＊：良性病変

のみが少数である．
胸水細胞診で悪性細胞が検出されるが，細胞診のみで肺癌との鑑別は容易でない．胸水セルブロックは診断に有用とされる．胸水に悪性細胞が検出されない胸膜中皮腫もしばしば存在する．胸水ヒアルロン酸値100μg/mL以上では悪性胸膜中皮腫が強く疑われるが，これより低値での悪性胸膜中皮腫も多く存在する．胸水CEAは上昇しない．胸水採取のみで悪性胸膜中皮腫の診断を得ることは難しく，確定診断には胸膜の組織診が必要となる．胸腔鏡下または針生検で胸膜を採取し，複数の陽性マーカー・陰性マーカーを組み合わせた免疫組織化学的染色を併用して病理診断される．

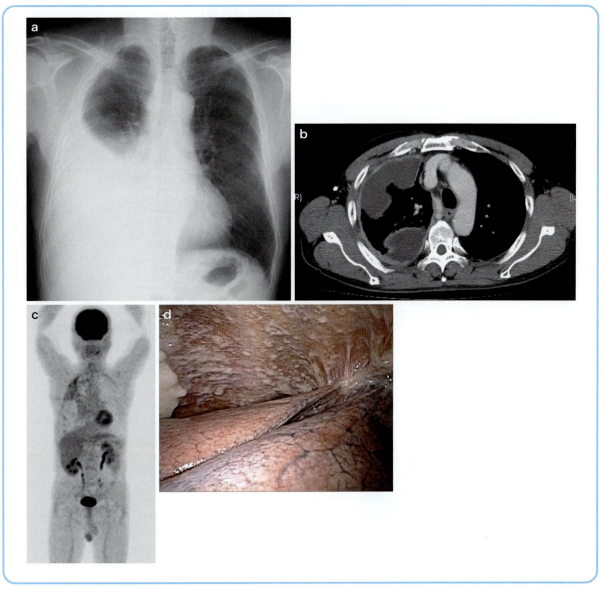

図1　悪性胸膜中皮腫の所見
　a：胸部X線像．右胸水貯留がみられる．
　b：胸部CT：右壁側胸膜が全周性に肥厚し胸水貯留がみられる．
　c：PET検査：胸膜肥厚部にFDG集積がみられる．
　d：胸腔鏡による胸腔内所見：壁側胸膜に胸膜プラークと不均一な隆起様病変が観察される．

①免疫組織化学的染色
　ⅰ）陽性マーカー：calretinin, WT1, D2-40, AE1/AE3, CAM5.2など．
　ⅱ）陰性マーカー：CEA, TTF-1, Ber-EP4, MOC-31, ER, PgR, Claudin4, PAX8, CDX2など．
②病期
　1976年にButchart分類が示され，1996年にInternational Mesothelioma Interest Group (IMIG) 分類が提唱された．現在，これをもとにしたUICCのTNM分類が用いられる（表2，図2）．

4）治療・予後　レベルC
　悪性胸膜中皮腫の予後は極めて不良で，発症後無治療での生存期間は6～9ヵ月である．抗癌剤化学療法として多剤併用レジメンは，シスプラチンとペメトレキセド併用が標準治療であり，ゲムシタビン・カルボプラチンなども用いられる．二次治療としてペメトレキセド・ビノレルビン・ゲムシタビン単剤などが用いられ，近年は免疫チェックポイント阻害薬の有効性が示された．放射線治療は局所の腫瘍制御に有効であるが，正常肺への照射を避けられず，単独治療として有効ではない．集学的治療のなかの一治療として用いられてきた．根治を目指す外科的治療のうち，胸膜肺全摘術の単独治療は予後改善に乏しかった．現状で外科的治療の役割は肉眼的完全切除（macroscopic complete resection：MCR）とされる．外科的治療に化学療法や放射線療法を加える集学的治療により治療成績が向上した[2]（図3）．
　2つの外科術式と組み合わせとなる治療を示す（図4）．

X．胸膜

表2　悪性胸膜中皮腫のTNM分類（UICC第8版）

T—原発巣
T1：同側胸膜（壁側または臓側胸膜）に腫瘍が限局（縦隔胸膜，横隔膜を含む）
T2：同側胸膜（壁側または臓側胸膜）に腫瘍があり，以下のいずれかが認められる 　　　―横隔膜筋層浸潤 　　　―肺実質浸潤
T3：同側胸膜（壁側または臓側胸膜）に腫瘍があり，以下のいずれかが認められる 　　　―胸内筋膜浸潤 　　　―縦隔脂肪織浸潤 　　　―胸壁軟部組織の孤在性腫瘍 　　　―非貫通性心膜浸潤
T4：同側胸膜（壁側または臓側胸膜）に腫瘍があり，以下のいずれかが認められる 　　　―胸壁への浸潤（肋骨破壊の有無は問わない） 　　　―経横隔膜的腹膜浸潤 　　　―対側胸膜浸潤 　　　―縦隔臓器浸潤（食道，気管，心臓，大血管） 　　　―脊椎，神経孔，脊髄への浸潤 　　　―貫通性心膜浸潤（心嚢液の有無は問わない）
N—リンパ節
N0：所属リンパ節転移なし N1：同側胸腔内リンパ節転移（肺門，気管支周囲，気管分岐部，内胸など） N2：対側胸腔内リンパ節，同側または対側鎖骨上窩リンパ節転移
M—遠隔転移
M0：遠隔転移なし M1：遠隔転移あり

	N0	N1	N2
T1	Stage I A	Stage II	Stage III B
T2	Stage I B		
T3		Stage III A	
T4	Stage III B		
M	Stage IV		

図2　悪性胸膜中皮腫の病期分類 Ver.8

Treatment, $P_{interaction}$ = .12	No.	HR (95%CI)
No Therapy (reference)	1,976	
Radiation	76	0.93(0.73-1.18)
Chemotherapy	1,821	0.73(0.68-0.78)
Cancer-directed surgery	797	0.77(0.70-0.84)
Surgery + chemotherapy	875	0.56(0.51-0.61)
Chemoradiation	149	0.67(0.56-0.80)
Surgery + radiation	95	0.56(0.45-0.70)
Trimodality	242	0.52(0.45-0.60)

図3　治療法による生存解析
（Nelson et al. J Clin Oncol 2017; 29: 3354[2] を参考に作成）

①胸膜肺全摘術（EPP）を含む集学的治療

　ⅰ）外科的治療

　腫瘍を含む壁側胸膜を胸壁・縦隔・横隔膜面から切離し，壁側胸膜から肺胸膜への翻転する中枢位肺門部か心嚢内で肺動静脈・主気管支を切離して，壁側臓側胸膜を含む一側肺を en bloc に摘出する術式が胸膜肺全摘術（extrapleural pneumonectomy：EPP）である．通常，縦隔面・横隔膜面で隣接する心膜・横隔膜を合併切除し，欠損部は人工物などで再建する．壁側胸膜の切離面が広いため，手術は長時間を要し相応の出血を伴う．病巣と切離面は解剖学的に十分なマージンが確保されにくい．術後片肺となるため，心機能・肺機能に与える影響が大きい．EPPの手術死亡率（30日以内）は3〜10％と高率である．

　ⅱ）集学的治療と成績

　Sugarbakerら[3]は術後化学療法・放射線療法の3者併用療法を報告して生存期間の延長を報告した．上皮型・切除断端の癌陰性・リンパ節転移陰性群でさらに予後良好を報告し，これらが予後因子であることを示した．2000年代に北米・欧州・およびわが国でEPPを含む集学的治療が行われるようになった．

　抗癌剤化学療法は標準化学療法を複数コース施行するが，抗癌薬投与の至適時期（術前または術後）は明らかでない．局所制御治療としてEPP後全胸腔に放射線照射が追加される．放射線治療法が改良され，多門または回転照射で線量分布を制御する強度変調放射線治療（IMRT）により，横隔膜下の腹部臓器への照射量を制御しつつ全胸膜摘出面に有効照射が可能となった．IMRT後の局所再発率は旧来照射法より良好な成績が示された．他の局所治療として胸腔内温熱療法や抗癌剤灌流療法の試みが報告されている．

②胸膜切除/肺剥皮術（P/D）を含む集学的治療

　ⅰ）外科的治療

　腫瘍を含む全壁側胸膜・肺胸膜を摘出し肺実質を温存す

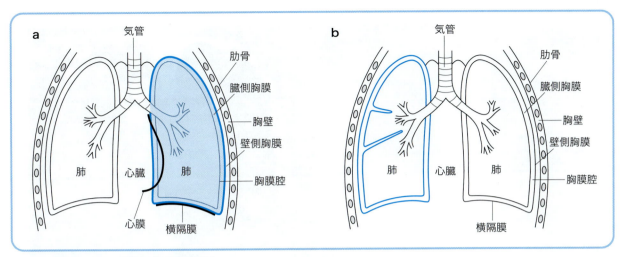

図4　手術シェーマ(青い部分を切除)
a：胸膜肺全摘術
b：胸膜切除/肺剝皮術

る術式を胸膜切除/肺剝皮術(pleurectomy/decortication：P/D)または壁側・臓側胸膜全切除術と呼ぶ．壁側胸膜はEPPと同様に胸壁・縦隔・横隔膜面から切離する．心膜・横隔膜は浸潤の有無により合併切除あるいは温存される．続いて葉間裂位を含む肺胸膜を肺実質から剝離する．切離した壁側胸膜と肺胸膜とを肺門翻転部でつなげて全胸膜を摘出する．切除された心膜・横隔膜は再建する．肺瘻・気管支瘻を修復したのち胸腔ドレーンを留置して肺の再膨張を図る．EPP同様の壁側胸膜切離ののちに全肺胸膜を切離するため，EPPより手術時間が長い．肺胸膜と肺実質の切離面が新しい断端として増えるため，EPPに比し根治性が同等以下となる．術後は気漏が避けられず長い期間ドレーン留置を要するが，両肺が残るため循環呼吸系が安定し，EPPより周術期死亡率が低い．

ⅱ）集学的治療と成績

Floresら[4]が自施設などの胸膜摘除手術例を後ろ向きに解析し，P/D手術がEPP手術に比べて手術死亡が低く，生存期間が良好と報告した．2010年代に入り，P/Dを含む集学的治療が北米・欧州・およびわが国で行われるようになった．

複数コースの抗癌剤化学療法が外科的治療と併用される．術前化学療法の報告があるが，顕微鏡的腫瘍遺残に対する術後治療が必要である．放射線治療を生検ポート部・皮膚切開部の局所制御に用いる報告がある．肺胸膜への照射は放射性肺臓炎のため制限されるが，海外からは術後全胸腔へのIMRT照射研究も報告される．術中胸腔内局所治療として，温熱療法・抗癌剤灌流療法・ポビドンヨード浸漬療法・光線力学療法(PDT)などの併用療法が報告される．

③EPP vs. P/D

EPPとPDの治療成績比較は多くが後ろ向き解析である．Ruschら[5]が国際肺癌学会(IASLC)多施設集計データベースを検討し，Ⅰ期でEPPがP/Dより予後良好で，その他病期で有意差なしと報告した(2012年)．約3,000例に及ぶ手術例のメタアナリシス(2015年)[6]で，術式別手術死亡率がEPP(4.5%)・P/D(1.7%)とP/Dで低く，生存期間に差なしと報告された．一方，P/Dにおいて，より肺機能が温存されQOLが良好との報告がある．現地点でEPP・P/Dいずれも本疾患に対する有効な手術術式とされ，長期成績における優劣は確定していない．

5）石綿健康被害救済法　レベルA

日本国内で石綿による健康被害を受けた者およびその遺族に対し，医療費給付などにより被害の救済を行い，また遺族への特別給付金の支給を行う制度で，2006年に施行された．労災補償などの対象とならない者で，①中皮腫，②石綿による肺癌，③著しい呼吸機能障害を伴う石綿肺，④著しい呼吸機能障害を伴うびまん性胸膜肥厚，を対象とする．国・地方公共団体・事業主からの交付金・拠出金をもって石綿健康被害救済基金としている．

b　その他の胸膜腫瘍

1）孤在性線維性腫瘍(図5)　レベルB

孤在性線維性腫瘍(solitary fibrous tumor)は，中皮下の間葉組織由来の腫瘍である．かつて限局性胸膜中皮腫と呼ばれた．pleural fibroma, submesothelial fibroma, localized fibrous mesotheliomaとも呼ばれる．

①臨床所見・診断

アスベストとの関連は明らかでない．無症状で発見されるものが約半数を占める．咳・胸痛・呼吸困難・バチ状指・肥大性肺性骨関節症・発熱を訴えるものがあり，低血糖症状を認めることもある．胸部Ｘ線で胸腔内腫瘤像であり，通常境界明瞭で腫瘍内石灰化を呈することがある．

②病理

肉眼的に有茎性のものが多いが広基性のものもある．発生母地は2/3が臓側胸膜で残りが壁側胸膜である．微小なものから巨大なものまで報告される．顕微鏡所見として紡錘形細胞からなる腫瘍で，免疫組織化学的染色でCD34陽

X．胸膜

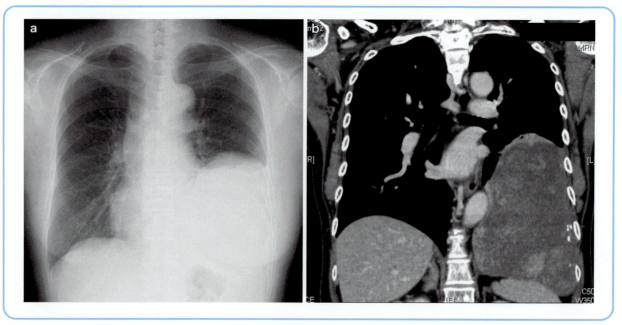

図5　孤在性線維性腫瘍の画像所見
a：胸部 X 線像．左胸腔内に腫瘤性病変がみられる．
b：胸部 CT．左胸腔中部から下部にかけて巨大な充実性腫瘤がみられ，内部不均一で腫瘍内に石灰化を伴う．

性が特徴である．
③治療・予後
　治療法は完全な腫瘍摘除である．完全摘除後の予後は一般に良好であるが，まれに局所再発を繰り返したり遠隔転移する．

文献
1) 厚生労働省．人口動態統計 2019 年
2) Nelson et al. J Clin Oncol 2017; **29**: 3354
3) Sugarbaker DJ et al. J Thorac Cardiovasc Surg 1999; **117**: 54
4) Flores RM et al. J Thorac Cardiovasc Surg 2008; **135**: 620
5) Rusch VW et al. J Thorac Oncol 2012; **7**: 1631
6) Taioli E et al. Ann Thorac Surg 2015; **99**: 472

復習ドリル

問題❶

膿胸嚢を摘除する術式はどれか．2つ選べ．
- a. 剝皮術
- b. 胸郭成形術
- c. 筋肉充填術
- d. 胸膜肺全摘術
- e. air plombage 術

問題❷

呼吸機能温存が期待できる術式はどれか．2つ選べ．
- a. 剝皮術
- b. 胸郭成形術
- c. 筋肉充填術
- d. 大網充填術
- e. air plombage 術

問題❸

正しいのはどれか．2つ選べ．
- a. 胸管の長さは約100cmである．
- b. 胸管は乳び槽に連続する．
- c. 胸管は胸腔下部（尾側）では大動脈の左側を走行する．
- d. 胸管は第10胸椎レベルで胸椎の反対側へシフトする．
- e. 胸管は左静脈角で静脈系と交通する．

問題❹

肺癌手術後の乳び胸の治療で正しいのはどれか．2つ選べ．
- a. 1日の排液量をもとに治療法を決定する．
- b. 禁食で乳び量は減少しない．
- c. 胸膜癒着術は禁忌である．
- d. 再手術ではクリームの投与が役に立つ．
- e. 再手術では術前の乳び管損傷部位の特定が必須である．

問題❺

悪性胸膜中皮腫に発現する蛋白質はどれか．2つ選べ．
- a. chromogranin
- b. WT-1
- c. TTF-1
- d. CEA
- e. calretinin

問題❻

急性膿胸について正しいのはどれか．2つ選べ．
- a. 発症後1ヵ月以内の場合をいう
- b. 診断では胸水の細菌培養の結果は問わない
- c. 結核性膿胸では胸水のアデノシンデアミナーゼ（ADA）が高値となる
- d. 有瘻性膿胸では胸腔洗浄を積極的に行う
- e. 手術の第一選択として開窓術を考慮する

X. 胸膜

問題 ❼

67歳，男性．コントロール不良の糖尿病にて近医受診中に発熱，咳嗽が出現．症状出現後7日で紹介となった．WBC 15,300/mm³，CRP 21 mg/dL，肝機能，腎機能正常．呼吸・循環状態は安定している．画像上胸水を認め，胸腔ドレナージを開始した．次に行う治療はどれか．1つ選べ．

a. 大網充填術
b. 肺剝皮術
c. 胸郭形成術
d. 開窓術
e. 胸腔鏡下膿胸腔搔爬術

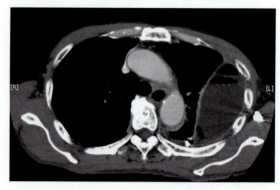

第XI章
胸　壁

XI. 胸壁

胸壁の解剖

要点

1. 軟部胸壁を構成する筋層は、腹側から腋窩にかけては大胸筋、小胸筋、鎖骨下筋、前鋸筋がある。背側では、浅層に僧帽筋、広背筋、中間層に小菱形筋、大菱形筋、深層に上後鋸筋、下後鋸筋がある。胸椎周囲には脊柱起立筋がある。
2. 骨性胸壁は肋骨、肋軟骨、胸骨からなり、肋骨下縁に沿って肋間筋、肋間動静脈、肋間神経が走行する。

Key Word　軟部胸壁、骨性胸壁、肋骨、肋軟骨、胸骨、大胸筋、小胸筋、広背筋、前鋸筋、肋間筋、肋間神経、長胸神経、胸背神経、肋間動静脈、内胸動静脈

a 胸壁の筋肉 レベルA

1) 軟部胸壁腹側

腹側では大胸筋、小胸筋、鎖骨下筋がある（図1a）。腋窩では前鋸筋があり、尾側では外腹斜筋も存在する（図1b）。大胸筋は鎖骨内側縁から胸骨外側縁、第1～7肋軟骨、外腹斜筋腱膜に広範に起始を有し、上腕骨近位部に停止している。Clamshell incisionや前胸壁の腫瘍切除などの際に遭遇する。また栄養血管を温存して有茎筋弁として使用することがある（表1）。前鋸筋は腋窩からアプローチの際に必ず遭遇する筋肉である。また有茎筋弁として使用することがあり、栄養血管である胸背動脈を温存し、第1～第8ないし9肋骨の外側面、肋間筋の筋膜の起始部を剝離し、肩甲骨内側縁の停止部を茎とする。

2) 軟部胸壁背側

背側では、浅層に僧帽筋、広背筋がある（図2）。僧帽筋下外側縁、広背筋上縁、肩甲骨内側縁で囲まれた筋肉のな

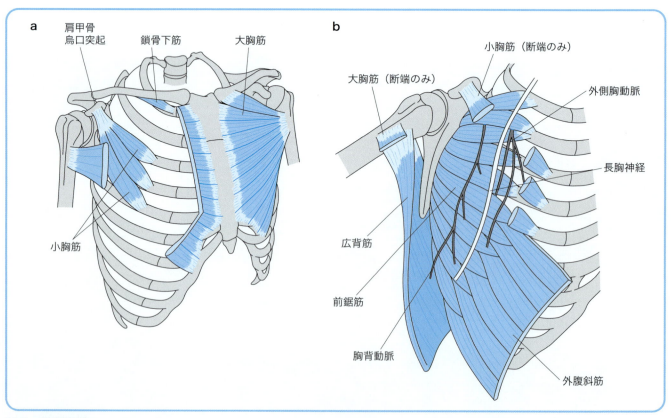

図1　軟部胸壁
a：軟部胸壁腹側
b：軟部胸壁腋窩

表1 筋肉の栄養血管と神経支配

筋肉名	栄養血管	神経支配
大胸筋	胸肩峰動脈	内側，外側胸筋神経
小胸筋	外側胸動脈	内側胸筋神経
前鋸筋	外側胸動脈，胸背動脈	長胸神経
僧帽筋	頸横動脈，肩甲上動脈，肋間動脈	副神経
広背筋	胸背動脈，肋間動脈，腰動脈背側枝	胸背神経
肋間筋	当該の肋間動脈	当該の肋間神経

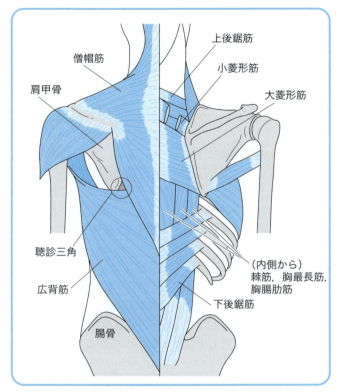

図2 軟部胸壁背側

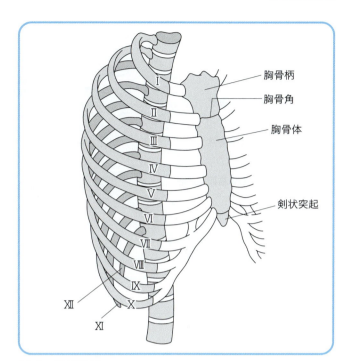

図3 骨性胸壁

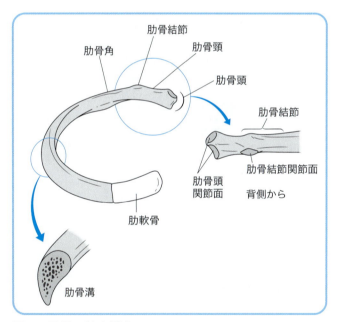

図4 肋骨の基本構造

い部分を聴診三角と呼ぶ．後側方切開の場合に聴診三角が筋層切開の起点となる．また広背筋は下部胸椎～腰椎～腸骨稜に起始を持つ広大な筋肉であり有茎筋弁，有茎筋皮弁に用いられることもあるため，その栄養血管を把握する必要がある（表1）．中間層に小菱形筋，大菱形筋がある（図2）．肺尖部胸壁浸潤肺癌に対する後方アプローチの際にこれらの筋肉を切開して肩甲骨を外転できるようにする．さらに深層に上後鋸筋，下後鋸筋がある（図2）．胸椎周囲には脊柱起立筋に分類される胸腸肋筋，胸最長筋，胸棘筋がある（図2）．

b 骨性胸壁 レベルA

1) 肋骨，肋軟骨

骨性胸壁は肋骨，肋軟骨，胸骨からなる（図3）．肋骨内側下面の肋骨溝に肋間動静脈，神経が走行する（図4）．肋骨の後端側には，肋骨頭，肋骨頸，肋骨結節があり（図4），肋骨頭の上面は1つ上位の胸椎の下肋骨窩と関節をなし，肋骨頭の下面は同じ高さの胸椎の肋骨窩と関節をなす（図5a）．また，胸椎の横突起にある横突肋骨窩と肋骨結節の内側で関節をなす．これを肋横突靱帯，外側肋横突靱帯，上肋横突靱帯が支持している（図5a，b）．肋骨を椎体から切離する場合，これらの靱帯を切離し，関節面を外す．肋骨結節の前方の肋骨角で腹側へ彎曲し前方は肋軟骨になっている．第1～7肋軟骨は胸骨と関節をなし，第8～10肋軟骨は前方で癒合し第7肋軟骨に癒合する．第11，12肋軟骨は胸骨と癒合せず浮遊肋となっている．

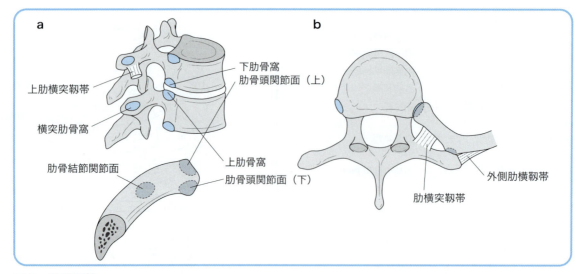

図5　肋椎関節
　a：肋椎関節側面より
　b：肋椎関節上面より

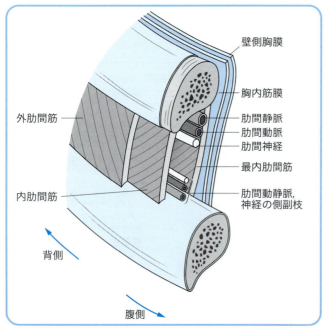

図6　肋間筋の基本構造

2）胸骨

　胸骨は胸骨柄，胸骨体，剣状突起の3つの要素からできている（図3）．胸骨柄と胸骨体の結合部は胸骨角と呼ばれ，外側で第2肋軟骨と関節をなすため，肋間を数える際のランドマークとして利用される．

3）肋間筋

　肋間筋は軟部胸壁の最深部をなすが，骨性胸郭と併せると理解しやすい．肋間筋は外肋間筋，内肋間筋，最内肋間筋の3層構造である（図6）．外肋間筋の筋線維は前下方に向かって斜めに走行している．肋骨結節から肋軟骨との接合部まで存在し，それより前方は外肋間膜になっている（図7）．内肋間筋の筋線維は後下方に斜めに走行している．前方は胸骨近くの肋軟骨から後方の肋骨角まで存在し，それ

より後方は内肋間膜になっている（図7）．最内肋間筋は内肋間筋と同じ方向に走行している．最内肋間筋と同じ層で，胸骨体下部から剣状突起と肋軟骨をつなぐように肋横筋が走行，また背側では肋下筋が存在する．内肋間筋と最内肋間筋の間の層に肋間動静脈が走行する（図6，図7）．

4）肋間動脈，内胸動脈

　肋間動脈は大動脈より分枝し，肋骨下縁に沿って走行し，背側で後枝と脊髄枝，肋骨上縁側に側副枝，外側で外側枝を分岐しつつ腹側に走行する．前方では前貫通枝を分枝し，鎖骨下動脈から分枝し上腹壁動脈へつながる内胸動脈と連続する（図7）．

5）肋間静脈，内胸静脈

　肋間静脈は，上腹壁静脈から腕頭静脈へ連なる内胸静脈から分枝し肋骨下縁に沿って，一部は側副枝として肋骨上縁に沿って背側に走行する．椎体近傍で，右側では右上肋間静脈，奇静脈，左側では左上肋間静脈，半奇静脈，副半奇静脈に流入する（図7）．

6）肋間神経

　脊髄から分岐する前根（体性運動神経と臓性運動神経）と後根（体性感覚神経と臓性感覚神経）が合流して脊髄神経となり椎間孔から出てくる．背側に後枝を分岐し前枝は灰白交通枝，白交通枝を分枝し（椎傍）交感神経幹と連絡する（図8）．その末梢から肋間神経となる．肋間神経は肋間動静脈と伴走し肋骨下縁を走行，途中で外側皮枝，側副枝を分枝，腹側で前皮枝を分枝する（図6，図7）．

C 肺尖部とその周囲の構造　レベルB

　胸腔が第1肋骨より頸部に突出する部分を覆うドーム状の壁側胸膜（頸部胸膜）の上面を胸膜上膜と呼ばれる結合組織性の膜が覆っている．胸膜上膜は第7頸椎横突起と第1

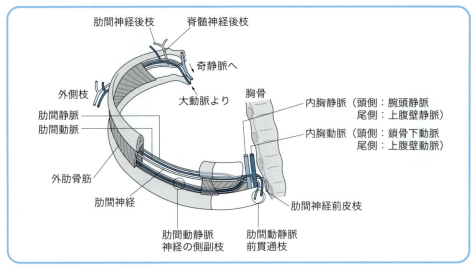

図7 肋間動静脈，神経の走行

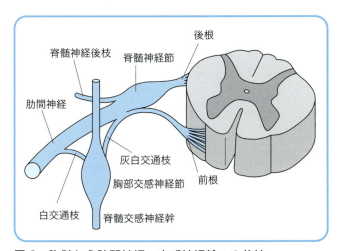

図8 胸髄から肋間神経・交感神経幹への分枝

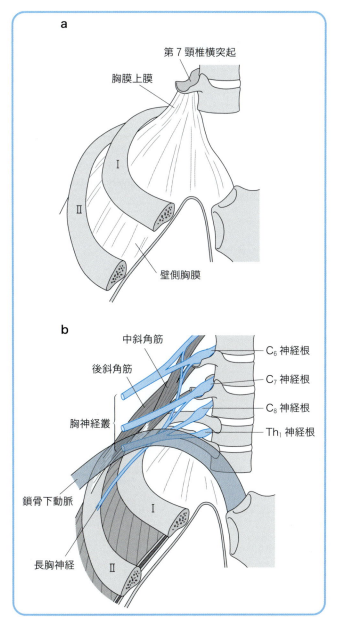

図9 右肺尖部の構造
a：肺尖部の壁側胸膜
b：中斜角筋腹側の構造

肋骨内側とを結び，斜角筋群からの筋線維を受けて頸部胸膜を頭側に保持している（図9a）．

後斜角筋が第4～第6頸椎に起始し第2肋骨上面に停止，中斜角筋が第2～第7頸椎に起始し第1肋骨上面に停止する．その腹側に腕神経叢と鎖骨下動脈が走行する（図9b）．その腹側に前斜角筋が走行，第3～第6頸椎に起始し第1肋骨に停止する．前斜角筋の内側で鎖骨下動脈の腹側，鎖骨下静脈の背側に迷走神経が走行する．前斜角筋の腹側に横隔神経が走行，さらにその腹側を鎖骨下静脈が走行する（図10）．最前面に鎖骨があり，鎖骨は鎖骨間靱帯で対側の鎖骨と結合，胸骨柄とは関節を成し，前・後胸鎖靱帯で補強されている．肋鎖靱帯で第1肋骨・肋軟骨と結合する（図11）．

肺尖部胸壁浸潤肺癌に対する手術ではこの部位の解剖が重要である．また後側方切開の際，肩甲骨を引き上げて後斜角筋が第2肋骨に停止する部位を触知し，肋間を数える際の指標とする．

XI．胸壁

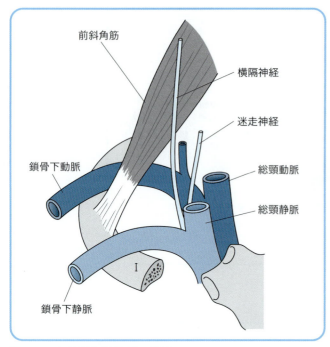

図10　右前斜角筋腹側の構造

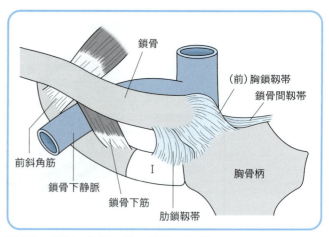

図11　鎖骨，胸骨，第1肋骨の関係

文献
1) Drake RL et al. Gray's Anatomy for Students, 4nd Ed, Elsevier Japan, 2019
2) 畠中陸郎ほか．呼吸器外科手術書．第6版．金芳堂，2015
3) TW Shields et al. General Thoracic Surgery, 8th Ed, William and Wilkins, 2018

2 胸壁の変形

要点
1. 胸壁の変形で最も手術適応となるのは漏斗胸である．
2. 漏斗胸に対する手術は近年低侵襲化している．
3. 個々の症例ごとに手術適応を把握し適切な術式を選択することが必要である．

Key Word 漏斗胸，鳩胸，胸骨挙上術，胸骨翻転術，Nuss法

　先天的な胸郭変形には，漏斗胸，鳩胸，Poland症候群がある．後天的変形には，外傷によるもの，腫瘍によるもの，心疾患に伴う鳩胸や，胸骨正中切開後の鳩胸，結核など感染症によるものがある．外傷や腫瘍により隣接する3本以上の肋骨が複数箇所で骨折したり，欠損すると奇異性呼吸を伴う胸郭動揺（フレイルチェスト）が生じる．治療として肋骨の固定や胸壁の再建が必要となる．

a 漏斗胸

1) 病態 レベルA
　漏斗胸（funnel chest，pectus excavatum）は前胸部が陥凹する先天性の胸郭変形で，発生頻度は0.04〜0.3％，男女比は2〜3：1である．半数に家族歴が認められ，出生直後あるいは乳児期に陥凹が認められることが多く，思春期に陥凹が明らかになることもある．Marfan症候群や，先天性心奇形を有することがある．漏斗胸の病因は明らかになっていないが，肋軟骨の脆弱性や過形成などが考えられている．前胸部陥凹は通常生後1年までの間に気づかれることが多いが，成長とともに改善するものもある．陥凹が進行するにつれて左右非対称のものが増加する．軽度から中等度の症例では陥凹以外には，無症状で経過する場合が多い．強度の漏斗胸では呼吸器感染症を反復したり，成長障害，心肺機能低下などを認めることがある．

2) 診断・手術適応 レベルB
　呼吸性変動を伴わない胸骨陥凹により容易に診断される．胸部正面X線像で心胸郭比は増大し，側面X線像で胸骨から椎体前面への距離の短縮を認める．また，胸部CTでHallerのCT指数（陥凹の最深部における胸腔内の前後径と左右径の比），正岡の陥凹率（陥凹部の左右径と深さの比）などの指標を使用して重症度を評価する．側彎症やstraight backが認められることもある．心エコー検査では軽度の三尖弁閉鎖不全症，僧帽弁閉鎖不全症を認めることがある．胸部CTでHallerのCT指数が3.2以上のものあるいは正岡の陥凹率が0.15以上を手術適応としている．機能上問題がない症例でも変形に起因する精神的負担により内向的な性格に陥ることがある．このため，ごく軽度のものを除い

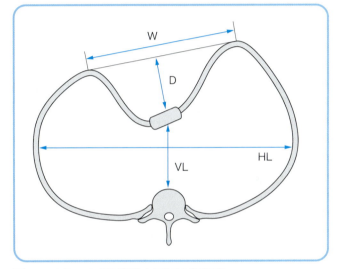

図1　HallerのCT指数と正岡の陥凹率
HallerのCT指数（Haller's pectus index）＝HL/VL
正岡の陥凹率＝D/W

て患者の希望があり，手術による形態の改善が見込まれるものは手術適応となる[1]（図1）．

3) 治療 レベルC
① 胸骨挙上法（Ravitch法）
　1911年にLudwig Meyerによって漏斗胸の矯正手術がはじめて報告された．1940年代にRavitchにより報告された術式が基本となり，多くの変法が加えられている[2,3]．基本的なRavitch法は，筋層を胸骨周囲から剝離し剣状突起を基部で切断し，第3〜7肋軟骨までの変形した肋軟骨を，軟骨膜を残して上位肋軟骨よりも下位肋軟骨を長めに切除する．変形のない第2または第3肋軟骨を斜めに切断し，その1肋間上で胸骨に割を入れる．胸骨切開線に楔型に形成した自己骨を充填固定することによって胸骨の変形を矯正する．最上位の肋軟骨を再建し上部のみで胸骨を固定する．下位の肋軟骨を切除した部位は再建せず，異物による固定も行わない．胸筋，腹直筋の付着した剣状突起部を再建する．この原法では下部胸骨の固定が不十分となるため，金属プレートや自己の肋軟骨などで下部胸骨を固定する様々

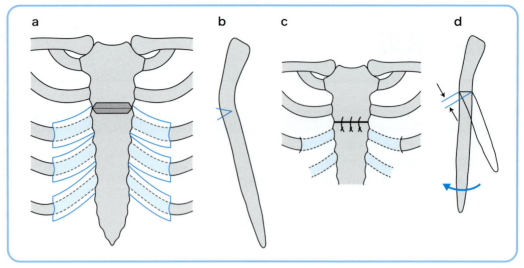

図2　胸骨挙上法（Ravitch法）
a：肋軟骨切除，b：楔状切除，c：胸骨固定，d：胸骨挙上

な変法が考案されている．皮膚切開が大きいこと，広範囲の肋軟骨を切除し胸骨に楔を入れるため侵襲が大きいこと，下部胸骨の固定が不良な場合は胸郭動揺（フレイルチェスト）になり術後の呼吸管理に難渋すること，広範な切除による胸郭の発育障害などの問題が変法により改善され，おおむね良好な矯正が得られている（図2）．

②胸骨翻転術

胸骨上部で胸骨を切断し，下部胸骨に付着する肋軟骨を切断して一度摘出して変形を矯正したのちに反転させて前胸部に戻し再固定する方法で，Nissen, Wanke, Judet & Judet，和田らによって報告された．日本では和田により1959年に施行されて以来，術後の呼吸管理も容易であり，10年以上にわたる遠隔成績も満足すべきものである．左右対称の場合には容易に良好な形態の修復が可能であるが，成人の高度な変形に対しては胸骨のトリミングに熟練を要する．切断された下部胸骨の血流を温存するために内胸動脈を温存したり，腹直筋を温存する変法がある．同法の利点は，変形胸骨板の矯正が容易で，手術効果が安定しうることである．しかし，多くの症例で翻転胸骨板のねじれや傾斜を認めるため，翻転胸骨板が平坦になりづらいことがある．さらに，平坦化した場合には，翻転しなくても胸肋挙上術の考えを取り上げれば同等の矯正効果が期待できることになり，近年，同法の施行例は少なくなっている．

③Nuss法

Nuss法はRavitch法の術後形態を保持するバーより考え出された術式で，米国ヴァージニア州キングス病院小児外科医Nussにより開発され，1999年より日本でも開始された[4,5]．胸腔鏡補助下に金属製バーを胸の陥凹部の側面より挿入し，陥凹部を挙上する術式である．両側胸部の2〜3cm前後の小さな手術創だけで，骨を切ることなく施行することが可能で，従来の方法に比較し低侵襲である．体型と最陥凹点をもとにして，バーの長さと通過させる位置を決定する．バーの位置は第5肋間もしくはその上下1肋間であることが多い（図3，図4）．年長者や胸郭扁平症例では陥凹の状態によってバーを2本以上挿入することもある．選択したバーを胸郭の形に合わせてやや強めに彎曲させる．バーを回転させて胸骨を挙上し，適切な彎曲となるようにバー形状を調整する．バーの固定には，スタビライザーを用いる方法，肋骨自体に固定する方法，両側胸部と胸骨右縁肋軟骨の3点で固定する方法など様々な工夫がなされている．成人例，高度陥凹症例，左右非対称な症例に対してはバー挿入と肋軟骨切除を同時に行う方法や，バーを交差させる方法，バーの挿入肋間を左右非対称にする方法などNuss変法が試みられることがある．術中合併症として血胸，気胸，心損傷があり致命的となることもある．術後合併症として無気肺，創部感染，胸膜炎，心膜炎，血胸，膿胸などがある．5〜10%の症例でバーの変位を認め，再固定手術が必要となるなど合併症は決して少なくない[6]．

④胸肋挙上術

近年，1980年代に和田らによって開発された胸肋挙上術を低侵襲化した変法[7]が施行されている．短い単一創から施行可能で，金属バーなどの異物を使用しない，単一手術で終了する，術後の安静期間が短いなどの利点があるが，やや熟練を要する（図5）．

⑤その他

保存的治療としてバキューム治療も行われ，年少者，長期，頻回の使用などによりその矯正効果が増強するとの報告はあるが[8]，その効果に関しては未確定である．

b　鳩胸の診断と治療　レベルC

1）病態

鳩胸は漏斗胸とは反対に，前胸壁が前方に突出した胸壁の先天異常である．漏斗胸と比較して鳩胸の発生頻度はおよそ10：1と少なく，男女比は3〜4：1と男性に多い．本症は3歳ごろと10歳ごろに発見されることが多い．胸郭の呼吸運動が制限されるほど変形の強い症例，精神的要因のある症例が手術適応となる．鳩胸は胸壁の変形の形で3つ

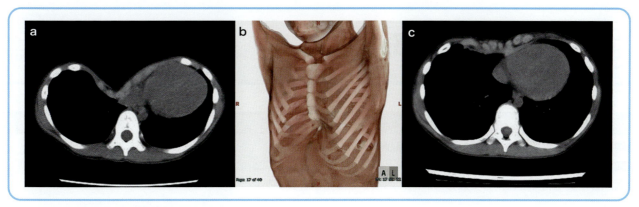

図3 Nuss手術前後の胸部CT
 a：術前．胸骨の陥凹と心臓の左方偏位を認める．
 b：術前．3D-CTはバー挿入肋間を決める上で有用である．
 c：術後．陥凹は矯正され，心臓の正中への移動が認められる．

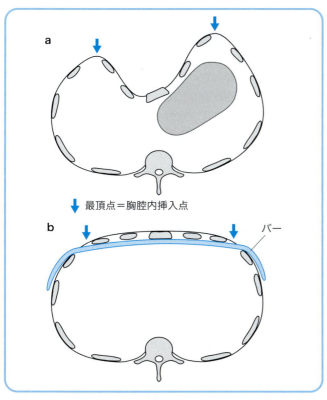

図4 Nuss法（シェーマ）
 a：術前．胸骨の陥凹と心臓の左方偏位を認める．
 b：術後．最頂点より金属製バーを挿入．挿入点を支点にしてバーを回転させ陥凹部を挙上する．

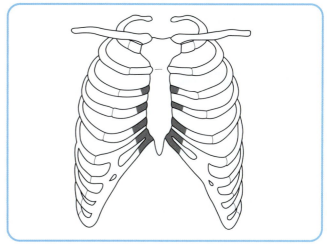

図5 胸肋挙上術
 第3～7肋軟骨の一部（黒く塗りつぶした箇所）を切除，短縮し，胸骨に再縫合することで陥凹を矯正する．
 （Iida H et al. Ann Thoracic Surg 2006; 82: 451 [7]）を参考に作成）

に分けられる．第1型竜骨型は胸骨の中央から尾側が突出するタイプである．この形が最も一般的である．第2型ムネタカバト型は胸骨柄が第1，2肋軟骨とともに前方に突出するタイプである．第3型は一側の肋軟骨が前方に突出する非対称性鳩胸で片側の胸壁が突出するタイプである．

2）手術適応・治療

前胸部の突出変形が著明な場合，10歳以降に手術を行う．手術法は，基本的には漏斗胸の胸肋挙上術と同様に変形している肋軟骨を切除して軟骨膜を短縮することで変形を矯正する．胸骨の矯正が必要な場合は楔状切除を行い再縫合し，肋軟骨をトリミングして再び胸骨に縫合する．また，

Nuss法に用いる金属プレートを胸骨上筋層下に挿入し，突出した胸郭を圧迫し両側腋窩肋骨に固定する手術の報告もある[5]．今後さらなる症例の集積と長期成績を見ていく必要があるが，この方法は低侵襲であり胸郭の可塑性のある若年者にはよい適応となる可能性がある[9]．また，保存的療法として，圧迫装具療法（compressive brace therapy）の報告もある[10]．

文献

1) Haller JA Jr et al. Ann Surg 1989; **209**: 578
2) Ravitch MM. Ann Surg 1949; **129**: 429
3) Ravitch MM. WB Saunders, 1977: p145
4) Nuss D et al. J Pediatr Surg 1998; **33**: 545
5) Nuss D et al. Eur J Pediatr Surg 2002; **12**: 230
6) Nuss D et al. Ann Cardiothorac Surg 2016; **5**: 422
7) Iida H et al. Ann Thoracic Surg 2006; **82**: 451
8) St-Louis E et al. J Pediatr Surg 2019; **54**: 194
9) Sabiston & Spencer. Surgery of the Chest. Chapter24. Chest wall
10) Fraser S et al. J Pediatr Surg 2019 Nov 1. pii: S0022-3468(19)30672-4. doi:10.1016/j.jpedsurg.2019.09.024

3 胸壁の炎症，感染症

要点
1. 胸壁の炎症，感染症には比較的まれな疾患が多い．
2. 胸痛をきたす他の様々な疾患や悪性新生物との鑑別が重要となる．
3. 病態の本質と特徴を理解して正しく診断，治療することが肝要である．

Key Word Mondor病，Tietze症候群，肋軟骨炎，胸壁冷膿瘍

胸壁の炎症は，虚血性心疾患，気胸，胸膜炎，乳腺疾患，胸壁腫瘍など胸痛をきたす疾患との鑑別が重要で，臨床像をよく理解する必要がある．

a 胸壁の軟部組織

胸壁の軟部組織は他の体表と同様に，真皮，皮下組織，胸筋群，背筋群からなり，これらを病巣の場とする炎症，感染症がある．胸部手術後の創感染は比較的遭遇する機会が多い合併症である．

1) 炎症性（化膿性）粉瘤　レベルA

炎症性（化膿性）粉瘤（inflammatory atheroma）は，一般外科外来の処置対象としてしばしば遭遇する．粉瘤（atheroma）は囊胞性病変で，毛根組織の毛漏斗に由来し，真皮内部に生じた重層扁平上皮が剝落して老廃物とともに囊胞内容を形成する．皮膚表面に閉塞した小さな開口部（臍）を持つことが多い．胸部では真皮の厚い背部に好発し，何らかの原因で感染を伴うと炎症性粉瘤となる．

治療は抗生物質投与と切開排膿で，炎症が消褪しても囊胞壁が遺残すると再発しやすい．起因菌は，表皮ブドウ球菌（Staphylococcus epidermidis），黄色ブドウ球菌（Staphylococcus aureus）が多く，他の外科的感染症と同様にメチシリン耐性黄色ブドウ球菌（methycillin-resistant Staphylococcus aureus：MRSA）の出現に注意する．

2) 胸筋下膿瘍　レベルB

胸壁筋群の下層は解剖学的に空隙が大きく比較的深部に存在するため，膿瘍を形成すると，診断，治療に難渋することがある．ほとんどの胸筋下膿瘍（subpectral abscess）は二次性で，原因として膿胸，肋骨・肋軟骨感染症，開胸術後の創感染，腋窩の化膿性リンパ節炎などがある．膿胸は時として胸腔から胸壁に穿通して胸壁膿瘍を形成することがあるので注意が必要である．後述する冷膿瘍を除いては炎症所見が顕著で，悪寒，発熱や局所の腫脹・疼痛を訴える．胸部CTによって膿瘍の存在と進展範囲が明らかになる．

治療は，原疾患に対する治療を行いつつ感受性のある抗生物質を投与し，大胸筋外縁を広く切開して十分に排膿する．

3) 肩甲骨下膿瘍　レベルB

肩甲骨下膿瘍（subscapular abscess）は，肩甲骨の下層に膿瘍を形成するもので，肩甲骨に覆われているため，体表から膿瘍の存在がわかりにくく診断が遅れやすい．胸筋下膿瘍と同様に，多くは二次性で，原因として膿胸，肋骨感染症，肩甲骨骨髄炎，開胸術後の創感染などがあげられる．悪寒，発熱，背部痛などを認める．

胸部CTによって病巣を把握し，原疾患に対する治療を行いつつ感受性のある抗生物質を投与し，切開，排膿する．

4) Mondor病　レベルB

前・側胸部に限局した軽度の胸痛や皮膚の引きつれを主訴とする．乳房・胸壁・腹壁の皮下に有痛性の索状物として触知するのが特徴である．通常，皮膚の発赤を認めることはない．組織学的には皮下脂肪組織内の表在静脈の限局性の血栓性閉塞性静脈炎である．1939年に最初に本症を記載したフランスの外科医Henri MondorにちなんでMondor病と呼ばれる．30〜50歳代の中年女性に好発し，原因は特定できないことが多いが，乳腺手術，外傷，感染，筋の過進展，リウマチとの関連が指摘されている．病巣部位は上腹部から乳房を経て腋窩にいたる範囲にあり，乳癌を心配して受診する患者が少なくない．診断には超音波検査が有用で，低エコーを示す管腔構造と高エコーで描出される肥厚壁を認め，乳癌と鑑別できる．組織学的には血栓で閉塞した静脈を中心に線維芽細胞の増生を認める[1]．

消炎鎮痛薬が投与されることが多いが，ほとんどの症例は1〜2ヵ月で自然治癒する．疾患の本態について患者に説明し，不安を除くことが重要である．

5) 胸部放線菌症　レベルC

ごくまれに放線菌属による感染［胸部放線菌症（thoracic actinomycosis）］が胸壁腫瘤を形成し，1882年にPonfickらにより最初に報告されたとされる[2]．同感染としては頭頸部，腹・骨盤部に次いで多い．口腔内には常在菌としてActinomyces israeliiが他の微生物と共生しているが，唾液の気道への吸引によって肺病変が生じ，また血行性播種に

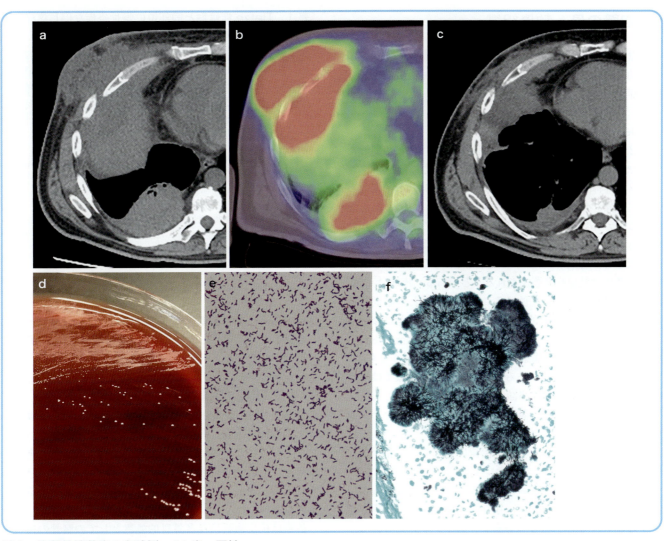

図1 胸部放線菌症の自験例：44歳，男性
主訴：右前胸部腫瘤
来院時血液検査所見：白血球 22,000/μL，免疫血清学所見：CRP 25.95mg/dL.
a：来院時胸部 CT, b：来院時 PET-CT, c：ABPC/SBT→AMPC/CAV 治療後胸部 CT, d：ブルセラ HK 培地, e：Gram 染色, f：Grocott 染色

よって諸臓器の病変が生じると推測されている．顎・頸部の病巣は齲歯が原因となり，腹部では腸，腹膜が罹患する．胸壁では徐々に増大する板状硬結を呈する大きな腫瘤が出現する．CT 所見で骨破壊像を伴うこともあり，肺病変から連続する場合は肺癌の胸壁浸潤が，また肺病変が明らかでない場合は胸壁腫瘍が鑑別疾患となる（図1，自験例）．本症の約半数は切除後の病理検索ではじめて確定診断にいたるという．近年の抗生物質の普及と口腔内衛生の向上で発症数は減少しているが，胸壁腫瘍では本症の存在を念頭に置く必要がある．

胸壁腫瘍は発赤を伴うことが多く，膿瘍を形成し発熱や炎症反応も陽性となる．嫌気性培養での検出率は低く，Gram 染色や Grocott 染色で菌糸や菌塊が陽性となる．一般にノカルディアとの鑑別は難しいといわれる．

治療はペニシリン系抗生物質の投与が有効で，たとえ病変が広範囲であっても切除の必要はないため，診断が重要である．ペニシリン G の静注を 4〜6 週間施行後，3〜12 ヵ月にわたり経口ペニシリンを長期投与する．

6）胸部ノカルディア症 レベルC

胸部ノカルディア症（thoracic nocardiosis）はステロイドや抗癌薬の使用による医原性の免疫抑制状態を背景に近年増加傾向にあるとされる．起因菌は *Nocardia asteroides*, *N. farcinica*, *N. brasiliensis*, *N. otitidiscaviarum*, *N. nova* の 5 種である．内臓型と皮膚型の 2 型にわかれ，前者は肺に病巣をつくったあと，血行性に全身に散布され，脳膿瘍を含む多発性膿瘍を形成する．後者はまれで，外傷から感染して皮下膿瘍を形成するのが一般的であるが，必ずしも外傷との関係が明瞭でない症例もある．肺病巣がさらに胸壁へと進展傾向をみせる点は，結核菌や放線菌と類似している．Gram 染色，Grocott 染色，Papanicolaou 染色，PAS 染色などが陽性となり，形態学的にはカンジダ，アスペルギルス，放線菌，抗酸菌などと鑑別を要する．

治療は ST 合剤が第一選択で，その他アミカシン（AMK），カルバペネム，第 3 世代セフェムなどで，免疫不全の有無を勘案しながら 6〜12 ヵ月継続投与される．

b 胸壁の骨・軟骨組織

胸壁の骨・軟骨組織には，骨性胸郭を構成する脊柱，鎖骨，肋骨，肋軟骨，胸骨があり，これらに付随する炎症，感染症がある．

1) Tietze 症候群 レベルB

第2～3肋軟骨付近ないし胸鎖関節付近に片側に限局した疼痛や腫脹を主訴とする非化膿性関節症を呈する症候群で，ドイツの外科医 Alexander Tietze が1921年にはじめて記載した．通常，皮膚の炎症所見は明らかでないが，圧痛を訴えることが多い．疼痛は数週で消失するものから，数年にわたって持続するものまで様々である．疼痛の程度も個人差が大きく，左肩や左上肢への放散痛がある場合は心筋梗塞，女性では乳腺症と誤診されることがある．疼痛は，咳，深呼吸，体動によって増強することが他疾患との鑑別点となる．40歳以前の比較的若年者に発症し，男女差はないとする報告が多い．原因は不明で，無菌性肋軟骨炎とされている．同部に腫脹や疼痛を生じる疾患としては様々なもの[3]があり，鑑別する必要がある（表1）．胸部X線像では異常所見がなく，胸部CTで当該肋軟骨の軽度腫大や，石灰化を認めることがあるが，特異的検査所見ではないため，臨床像から診断されることになる．

多くは経過観察によって自然治癒にいたる．疼痛が著しいときは，局所の湿布，非ステロイド抗炎症薬を投与する．ステロイドや局所麻酔薬の局所注入を行うこともあるが，有効性は実証されていない．保存的治療によって治癒が遷延する場合，罹患肋軟骨の切除が有効とする意見もあるがコンセンサスは得られていない．

2) 肋軟骨炎 レベルB

感染を認めない無菌性肋軟骨炎については，Tietze 症候群と同一視する見解もあるが，局所の腫脹がない例を肋軟骨炎（costochondritis）として Tietze 症候群と区別する考え方もある．罹患肋軟骨部の炎症による胸痛を主訴とする．原因として，外傷，骨性胸郭への荷重，側弯症，リウマチ性関節炎などの関与が指摘されているが，原因が特定できないこともある．40歳以上の女性に多く，疼痛部位は第3～5肋軟骨が多い．鑑別すべき胸痛を伴う疾患として，心疾患，胃疾患，骨転移，骨腫瘍，肺炎，気胸，胸膜炎，帯状疱疹などがある．

一方，感染性の肋軟骨炎は外科的治療の対象となる．原因はかつては結核菌感染が多かったが，抗結核薬の出現以降は減少し，最近では胸部または上腹部の術後局所感染が問題となる．起因菌はブドウ球菌類，連鎖球菌類に加えて，*Escherichia coli*, *Streptococcus pneumoniae*, *Pseudomonas aeruginosa*, *Nocardia* などが多い．発熱とともに局所の発赤，腫脹，皮膚瘻形成が認められる．

治療は無菌性のものは局所の安静と消炎鎮痛薬の投与で，Tietze 症候群と同様にステロイドや麻酔薬の局所注入を行うこともあるが，有効性は実証されていない．感染性のものは感受性のある抗生物質の投与と，罹患肋軟骨の広範囲

表1 Tietze 症候群と同部位に慢性炎症ないし疼痛をきたす原因疾患

特発性
○ Tietze 症候群
続発性
○感染性疾患（一般菌，結核菌，ブルセラ症など）
○リウマチ性関節炎
○強直性脊椎炎
○乾癬性関節炎
○ SAPHO (synovitis-acne-pustulosis-hyperostosis-osteitis) 症候群
○痛風
○硬化性骨炎
○良性腫瘍（軟骨腫，外骨腫など）
○悪性腫瘍（軟骨肉腫，骨転移，Hodgkin 病，多発性骨髄腫など）
○物理的原因（咳，骨折など）

切除である．第5肋軟骨以下の下位肋骨は肋骨弓で一体化しているため，拡がった感染に対しては肋骨弓を一塊とした切除が必要となる（図2）．

3) 骨髄炎 レベルB

骨髄炎（osteomyelitis）が骨性胸郭に原発することはまれで，手術創，膿胸，肋軟骨炎などからの感染が骨髄へ波及して生じることが多い．骨髄炎は感受性のある抗生物質を投与しても難治なことが特徴であり，胸部X線写真やCTで骨破壊，骨肥厚，骨新生，腐骨がみられ，進行すると難治性皮膚瘻を生じる．

治療は抗生物質投与と外科的処置としての腐骨の掻爬・摘出，病巣部を遺残させない十分な骨切除である．我々呼吸器外科医として，特に重要なのは胸骨縦切開による開胸術後の胸骨骨髄炎である．胸骨の縫合が緩むことが原因となり感染を招くことが多い．進行すると創全体が哆開して閉創が困難となり，呼吸不全と感染の進展により死にいたることがある重篤な合併症である．

閉創時に，切離した胸骨を強固に縫合したうえで感染を予防することが重要である．胸骨骨髄炎が生じた場合，感受性のある抗生物質を投与しつつ，胸骨デブリドマン施行後に再縫合する方法，胸骨摘出後に両側大胸筋皮弁により胸壁を被覆再建する方法など，病態に応じた外科手技を工夫する．

C 胸壁冷膿瘍 レベルA

結核菌感染によって生じる膿瘍は他の微生物感染と異なり，発熱，熱感，疼痛を伴わず，冷膿瘍（cold abscess）と呼ばれる．冷膿瘍の内容は漿液性で壊死物質を混じる．胸部では脊椎骨の罹患による結核性脊椎炎（脊椎カリエス）と，肋骨リンパ節結核（肋骨カリエス）がある．一部には結核性胸膜炎や肺結核が胸壁へと進展し膿瘍を形成したものも含む．肋間胸壁冷膿瘍では乾酪化リンパ節を中心にして内胸筋膜の外側に冷膿瘍が形成され，肋骨も浸蝕される．今日では胸囲結核（pericostal tuberculosis）という呼称が一般的

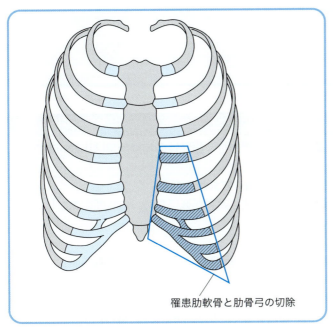

図2　進行した感染性肋軟骨に対する手術

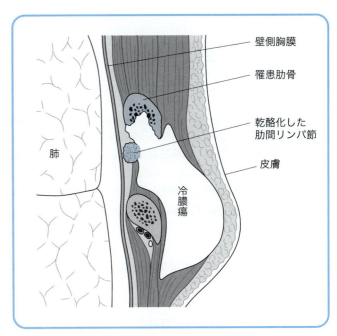

図3　胸囲結核による冷膿瘍

である．病巣は皮下組織へと進展し，筋の間隙などを通って下降し，流注膿瘍となって皮下に現れ，やがて難治性瘻孔を形成する（図3）．

病巣は肋骨に平行で柔らかい境界明瞭な無痛性の腫脹で，波動を呈する．炎症所見を欠くことが特徴であるが，混合感染すると炎症症状を伴うこともある．結核菌が検出されれば確定診断となる．

治療は抗結核薬投与が基本となり，外科的処置として切開排膿，壊死物質と乾酪化リンパ節の除去，膿瘍腔内に露出した肋骨の切除を行う．死腔が残らないように縫合閉鎖することが重要である点は慢性膿胸と同様である．

文献
1) Aeschlimann A, Kahn MF. Clin Exp Rheumatol 1990; **8**: 407
2) Slade PR et al. Thorax 1973; **28**: 73
3) 高井良樹ほか．Kitakanto Med J 2009; **59**: 255

XI. 胸壁

④ 胸壁腫瘍

要点
1. 胸壁腫瘍の多くは，転移性腫瘍あるいは肺癌などの腫瘍が浸潤したものであり，原発性の胸壁腫瘍は比較的まれである．
2. 原発性の胸壁腫瘍には良性と悪性があり，様々な種類があり，それぞれ治療方針が異なる．
3. 軟骨肉腫は悪性胸壁腫瘍のなかで最も頻度が高く，化学療法や放射線療法は効果が低いため，広範囲切除がしばしば必要である．

Key Word 骨軟骨腫，軟骨腫，好酸球性肉芽腫症，デスモイド，軟骨肉腫，骨肉腫，Ewing肉腫，膿胸関連リンパ腫

胸壁腫瘍の多くは，転移性腫瘍あるいは肺癌などの腫瘍が浸潤したものである．一方，原発性胸壁腫瘍は骨性胸郭あるいは胸壁の軟部組織から発生する比較的まれな腫瘍である．原発性胸壁腫瘍は，胸部腫瘍のおよそ2％を占め，その50〜80％は悪性である．良性である場合もあることから，治療手段の選択，特に広範囲切除術の適応は慎重でなくてはならない．原発性胸壁腫瘍は，良性か悪性か，そして発生組織別に分類されている．

a 臨床像 レベルB

平均年齢は，悪性腫瘍のほうが良性腫瘍よりも高い（悪性40歳，良性26歳）．無症状の患者に胸部X線で胸壁腫瘍が発見されることはまれであり，多くの場合は症状を伴って発見される．最も頻度の高い症状は，増大する腫瘍を触知することである．軟部組織から発生する腫瘍では痛みを伴うことは少なく，骨性胸郭から発生する腫瘍では痛みを伴うことが多い．疼痛は，悪性腫瘍に伴うことが多いが，良性腫瘍でも疼痛を伴う場合がある．痛みは鈍痛であり，筋肉痛，関節痛，打撲痛としてしばしば治療されている．

b 画像診断 レベルB

CT，MRI，PET/CT，超音波検査が画像診断として用いられる．

1) CT

胸壁腫瘍の画像診断では必須である．腫瘍の大きさ，場所，石灰化の有無，骨性胸郭への浸潤の有無，周辺組織への浸潤の有無が評価できる．造影CTによって血管増生の程度を評価することができる．3D-CTは，胸郭の解剖がわかりやすく，広範囲切除術を行う際に有用である．

2) MRI

周辺の血管や脊椎への浸潤の有無を検討する際，特に造影剤を使用できない場合に有用である．T1強調像は，解剖学的評価に有用で，T2強調像は，腫瘍の性状評価に有用である．

3) PET/CT

腫瘍の局在を同定するのに有用である．また，リンパ節転移の有無の評価も可能である．

4) 超音波検査

腫瘍の生検，手術時の腫瘍同定と皮膚切開線の決定に有用である．また，呼吸時の動きから肺実質への浸潤の有無を評価することができる．

c 生検 レベルB

胸壁腫瘍の病理診断と治療方針の決定に不可欠である．

1) 超音波ガイド下あるいはCTガイド下針生検

経皮的針生検は，技術的に容易であり，軟部組織の損傷が少なく，リアルタイムモニタリング下に行えるという利点がある．fine-needle aspirationは，転移性腫瘍の証明には有用である．悪性腫瘍のGradeの評価が必要な場合には，核針生検（core needle biopsy）がよい．

2) 切除生検

比較的小さい腫瘍（5cm未満）の場合に，腫瘍を摘出してしまう方法である．のちに広範囲切除が必要になった場合に備え，周辺組織の剥離は最小限にするよう心がける．

3) 切開生検

5cmを超えるような大きな腫瘍で，針生検で診断が得られなかった場合に，腫瘍の一部を切り取る方法である．のちの広範囲切除を想定して皮膚切開を行う．腫瘍の播種を予防するために，剥離範囲は最小限にする．

d 良性胸壁腫瘍 レベルC

1) 骨軟骨腫
骨軟骨腫(osteochondroma)は，良性胸壁腫瘍のなかでは最も頻度が高く，肋骨の骨皮質から発生する．小児期に発生し，骨成長が止まるまで増大する．家族性の多発例がある．思春期以降であれば摘出し，それ以前の場合は，痛みを伴ったり，急速に増大したりする場合に摘出する．

2) 軟骨腫
軟骨腫(chondroma)は，良性胸壁腫瘍の約15%を占める．骨軟骨接合部に発生し，20～40歳ぐらいに多い．病理学的に軟骨肉腫との鑑別が困難であり，2cmぐらいのマージンをとって広範囲切除する．

3) 線維性骨異形成
線維性骨異形成(fibrous dysplasia)は，良性胸壁腫瘍の約30%を占める．若い成人に発生し，無症状のことが多い．側胸部あるいは肋骨背部に発生する孤立性の囊腫性腫瘤である．外傷の既往があることが多く，再生過程の異常が示唆されている．無症状であれば，経過観察でよい．痛みを伴ったり，増大傾向がみられたりすれば，切除する．

4) 好酸球性肉芽腫
好酸球性肉芽腫(eosinophilic granuloma)は，一連の細網内皮系疾患の一部であり，腫瘍性病変ではない．良性胸壁腫瘍の10～20%を占め，若年から中年成人に発生する．発熱，白血球増多などがみられることがあり，骨髄炎との鑑別がしばしば困難である．画像では，骨破壊像と新生像が共存する肋骨の膨隆を特徴とする．単発の場合は，切除の対象となることがあるが，全身に多発する場合は，手術適応外である．

5) デスモイド腫瘍
デスモイド腫瘍(desmoid tumor)は，全身の深部筋膜や筋肉結合組織から発生しうる．四肢発生が多いが，胸壁発生も10～28%にみられる．思春期から40歳ぐらいまでに発生し，ゆっくりと増大する．手術や外傷後にデスモイド腫瘍が発生したという報告例がある．周辺組織との境界が不明瞭であり，切除後の局所再発が高率にみられることから，切除には賛否両論がある．切除断端が陽性のときに，放射線療法が有用とする報告もある．

e 悪性胸壁腫瘍 レベルC

1) 軟骨肉腫
軟骨肉腫(chondrosarcoma)は，原発性の悪性胸壁腫瘍のなかで最も頻度が高い．前胸壁側の肋骨・肋軟骨接合部，あるいは胸骨から好発する．30～40歳代の男性に発生することが多い．画像上は，境界明瞭で骨皮質を破壊しながら増大する腫瘍像を呈する(図1)．病理(図2)でのGradeが予後を反映し，high grade(Grade 3, 4)の場合は，low

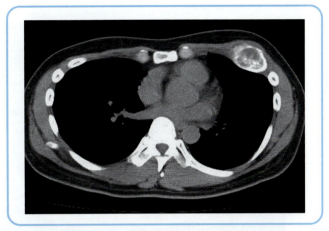

図1 前胸壁に発生した軟骨肉腫のCT像

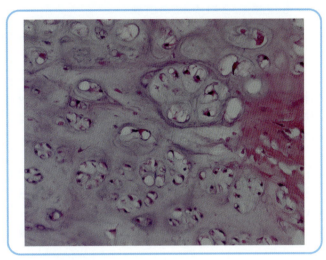

図2 軟骨肉腫(Grade 2)の病理像

grade(Grade 1, 2)の場合よりも切除後の局所再発や遠隔転移の頻度が高い[1]．放射線や化学療法の効果は低いことが知られており，4～5cmのマージンをとって広範囲切除を行う必要がある．完全切除できれば，予後は比較的よい．

2) 骨肉腫
骨肉腫(osteosarcoma)は，若年成人の四肢の長管骨幹端から発症することが多い悪性腫瘍であるが，胸壁悪性腫瘍の10～15%を占める．Paget病に合併したり，胸壁への放射線治療後に発症したりすることがある．比較的急速に増大する有痛性の腫瘍である．早期に血行性転移をきたすことから予後は不良である．

3) Ewing肉腫
Ewing肉腫(Ewing sarcoma)は，若年男性の骨盤，上腕骨，大腿骨などに好発する悪性腫瘍であるが，その15%は胸壁から発生する．小児の悪性胸壁腫瘍としては，最も頻度が高い．急速に増大する有痛性の腫瘍であり，発熱・るい痩・白血球増多などをしばしば伴っているのは，診断時にはすでに全身疾患となっていることが多いからである．

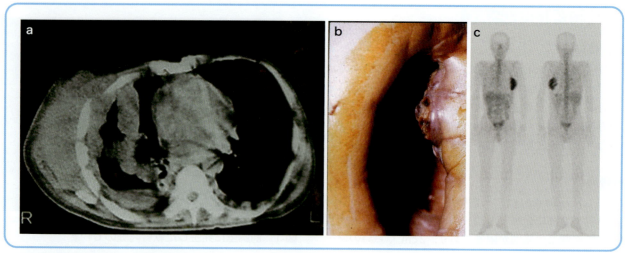

図3　膿胸関連悪性リンパ腫(PAL)
　a：右膿胸に合併した本症のCT像
　b：開窓された膿胸腔に発生した本症
　c：本症のガリウムシンチ像

血行性の遠隔転移もしばしばみられ，主体は化学療法や放射線療法であり，5年生存率は約50％である．残存病変に対するサルベージ手術が行われることがある．

4) 膿胸関連リンパ腫(PAL)

膿胸関連リンパ腫(pyothorax-associated lymphoma：PAL)は，長期間の炎症を基盤とするリンパ腫である(図3)．肺結核に対する人工気胸術後などの22～55年後の慢性膿胸経過中に発症する[2]．90％がびまん性大細胞型B細胞リンパ腫である．腫瘍内のEpstein-Barrウイルスの陽性率が高い．予後不良である．

文献
1) Widhe B et al. J Thorac Cardiovasc Surg 2009; **137**: 610
2) Ueda T et al. Am J Roentgenol 2010; **194**: 76

⑤ 多汗症

要点
1. 胸腔鏡下胸部交感神経遮断術は，特発性の限局性多汗症（主に手掌，腋窩）に対する確実な根治治療法である．
2. 代償性発汗は，程度の差はあれ，術後必発である．
3. 術後合併症としての Horner 症候群の発生予防に留意する．

Key Word　多汗症，代償性発汗，Horner 症候群

　多汗症において交感神経遮断術は永続的で最も有効率が高い治療法で，胸腔鏡下手術の実用化以降は，定着している．しかし，その手術適応は絶対的なものではなく，術後に発生する代償性発汗の程度は交感神経切除範囲以外に個人差にもよるため，術後の満足度低下につながる可能性があり，術前説明と同意取得は必須である．

a 多汗症の病態　レベル A

1）生理学と機序
　発汗は，主にコリン作動性交感神経に支配されるエクリン汗腺が関与し，温度作動性発汗は視床下部，情動作動性発汗は大脳皮質により調節されている．多汗症は，生理学的範囲を逸脱する過度の発汗を呈する状態であるが，汗腺の組織学的，機能的変化は認められない．

2）多汗症の病態
　全身性と体の一部のみの発汗が増加する限局性に分類され，それぞれ特発性と続発性に分類される．続発性多汗の原因には，肥満，甲状腺機能亢進症，高血圧，糖尿病，感染症，脳疾患などがあり（表1），原疾患の治療が優先される．特発性限局性多汗症の本邦での有病率・平均発症年齢は，平成21年度厚生労働省難治性疾患克服研究の特発性局所多汗症研究班（班長　横関博雄）による全国疫学調査では，手掌で5.3%・13.8歳，足底で2.8%・15.9歳，腋窩で5.8%・19.5歳，顔面で4.7%・21.2歳と報告されている．

b 多汗症の診断　レベル B

　限局性多汗症の診断基準として，Hornberger らは局所的に過剰な発汗が明らかな原因がないまま6ヵ月以上認められ，①初発が25歳以下，②対称性の発汗，③睡眠中は発汗が停止している，④1週間に1回以上の多汗のエピソードを認める，⑤家族歴を認める，⑥それらによって日常生活に支障をきたす，の6項目中2項目以上該当するものと定義している[1]．この診断基準と上記の続発性多汗症の除外により特発性限局性多汗症の診断は比較的容易である[2]．

表1　続発性多汗症の原因

疾患群	代表的疾患（青字は局所性多汗症を惹起する可能性がある疾患）
代謝内分泌	甲状腺機能亢進症，糖尿病（低血糖），更年期，下垂体機能亢進症，末端肥大症，肥満，妊娠
神経内分泌	褐色細胞腫，カルチノイド症候群
悪性腫瘍	白血病，リンパ腫，Hodgkin 病，腎細胞癌
感染症	急性感染症，慢性感染症：結核，マラリア，ブルセラ症
神経疾患	Parkinson 病，脳血管病変，末梢神経障害，神経障害による無汗に対する他部位での代償性発汗（脳梗塞，脊髄損傷，神経障害，Ross 症候群）
中毒	アルコール，コカイン，ヘロイン，抗コリンエステラーゼ薬中毒
薬剤	抗うつ薬，制吐薬
循環器疾患	
呼吸不全	
その他	Frey 症候群，gustatory sweating，エクリン母斑，不安障害，片側性局所性多汗（神経障害，腫瘍）

c 治療方法　レベル C

1）非手術療法
　塩化アルミニウム外用療法（単純外用～密封療法），水道水イオントフォレーシス療法，A型ボツリヌス菌毒素製剤の局注療法，抗コリン薬のプロパンテリン臭化物，オキシブチニンやベンゾジアゼピン系のトフィソパムの内服に有効性が報告[3]されており，日本皮膚科学会ガイドラインの診療アルゴリズム[2]や欧州の文献で手術治療までに試みてよい治療法[1]（表2）とされている．

2）胸腔鏡下胸部交感神経遮断術
　多汗症に対する胸部交感神経遮断術は1920年の Kotzareff に始まるが，一般臨床に定着したのは胸腔鏡下手術の普及以降である．その成功率と有効性は非常に高いが，代償性発汗の可及的軽減のために術式の工夫が重ねられ，諸家により意見が異なる点も少なくない．また，交感神経

表2 特発性多汗症に対する段階的治療指針

発汗部位	Step 1	Step 2	Step 3	Step 4	Step 5
顔面	塩化アルミニウム外用	抗コリン薬内服	BT-A 局注	交感神経遮断術	
手掌	塩化アルミニウム外用	イオントフォレーシス	BT-A 局注	抗コリン薬内服	交感神経遮断術
腋窩	塩化アルミニウム外用	BT-A 局注	抗コリン薬内服	脂肪吸引・搔爬術	交感神経遮断術
足底	塩化アルミニウム外用	イオントフォレーシス	BT-A 局注	抗コリン薬内服	

BT-A：A型ボツリヌス毒素，Botox（Allergan Inc.），Dysport（Ipsen）など
(Hoorens I et al. JEADV 2012; 26: 1 [1]) を参考に作成)

遮断，神経節切除において処置レベルの統一的記載はなく，胸椎レベル（T）で記載されることが多かったが，2011年に米国胸部外科学会（Society of Thoracic Surgeons：STS）より処置を行った肋骨レベル（R：the top of Rib）を用いるように推奨[4]されている．

①手術適応と同意の取得

特発性多汗症に対する胸部交感神経遮断術の絶対的手術適応はないが，全身的な発汗を主訴とする続発性多汗症，発症時期が非典型的な症例などは適応外である．日本皮膚科学会ガイドラインでは交感神経遮断術の有効率はほぼ100%であり，中等度以上の代償性発汗の合併は患者の満足度を低下させるため，重症多汗症で保存的治療法に抵抗性である患者に施行し，切断レベルはT2領域（R2）を避けることが望ましいと記載されている[2]．したがって，術前に合併症など患者にとって負の情報を十分説明しておくことは重要であり，自己判断が難しい低年齢での手術（親権者の希望による）は適応外とされることも多い．また，手術を一期的に両側同時に行わず，まず利き手側の手術を施行したあとで，患者の希望があれば二期的に対側の手術を施行する方針の施設もある．さらに，顔面，腋窩，足底多汗に対する効果は手掌に対するものより効果は一定しないこと，治療に満足せずもとに戻すための手術（クリップによる遮断術の場合も）の効果も一定していないことも説明しておく．

②胸部交感神経幹の解剖

胸部交感神経幹は椎体の外側で肋骨頸の内面を頭側から尾側へ白い索状物として壁側胸膜下に透見でき，各肋間隙に存在する神経節とこれをつなぐ節間枝よりなる（図1）．これを構成する胸部交感神経は自律神経であり，脊髄灰白質から前根を経て椎間孔を出た脊髄神経が白交通枝を通って肋間ごとに交感神経節をつくる．ここで節後線維につながれ，灰白交通枝を経て末梢臓器に分布する．交感神経内のすべての線維は複数の節の範囲で神経幹内を上下行しているとされているが，変異も多く不明な点が多く，節間枝が複数の場合や，神経節を介さない交通枝（Kuntz枝など）による経路の存在も知られている．汗腺への交感神経分布は上位胸部神経節から，顔面，手掌，上肢，腋窩の順になっている．星状神経節は第1胸神経節（ときに第2胸神経節も）と上位の下頸神経節が癒合したもので，上1/3の部位の節前線維切断によりHorner症候群が生じる．

③手術体位

片側のみの手術であれば側臥位で，両側一期的手術であれば仰臥位で腋窩を浮かせるように背枕を正中に挿入して行う施設が多い．

胸腔頭側の視野を確保するためには，頭側高位，腹側へのローテーションが有用で，仰臥位では半坐位での患者体位保持により肺尖部が尾側方向に移動するため，分離肺換気を施行しなくても手術可能（CO_2送気による人工気胸を併用する場合もある）であるが，胸腔内癒着や万一の出血を考慮すると分離肺換気麻酔で手術を行ったほうがよい．半坐位など頭位挙上を取る場合は，患者のずり落ち防止に足底固定板使用などの工夫が必要である．

④アクセス方法

レゼクトスコープを用いた交感神経幹焼灼はシングルポート手術でも可能であるが，斜視光学視管を第3または第4肋間中～後腋窩線上より挿入し，もうひとつの操作孔を腋窩～側胸部に追加した2ポート法が一般的である．

⑤第2肋骨の確認

処置レベルを決定するために，肋骨・肋間を確認する必要がある．第1肋骨は周囲軟部組織に埋もれて胸腔内から確認し難く，通常，確認できるのは第2肋骨であることが多い．ただし，痩身の患者では第1肋骨を確認できる場合も，第2肋骨が確認できない体型の場合もあり，誤認によるHorner症候群の予防のためにも，第2肋骨と思われる部位に鉗子を当てて術中透視で確認することが勧められる．

⑥手術術式

多汗症を対象とした胸部交感神経遮断術には，①神経節も含めた交感神経幹を切除，②交感神経幹を肋骨上で切断，③交感神経幹を肋骨の上下縁でクリッピングなどが代表的であるが，多汗症に対する根治性，再発防止，代償性発汗の軽減，手術効果の可逆性などを考慮して選択されている．代表的な術式である交感神経切断術は，処置レベルで壁側胸膜を切開（肋骨床での操作が安全）し，肋骨上で電気メスや超音波凝固切開装置で焼灼，切離を行う．高位肋骨での処置では熱損傷によるHorner症候群発生に配慮して電気メスの使用は控えたほうがよい．また，遮断神経の再疎通による多汗症再発を予防するために，肋骨上で可及的に頭尾側方向に十分な距離を離断すること，また，Kuntz枝などの側方交通枝の存在を考慮して交感神経幹の外側方2～3 cmまで十分に壁側胸膜，骨膜を焼灼・切離する．

交感神経幹の切断レベルと数は目的とする多汗症の部位と範囲により決定するが，交感神経遮断レベルが低いほど，遮断数が少ないほど，代償性発汗の程度は少ないことが知られている．1991～2009年までに報告された1,097論文中12報の無作為比較を含む102報の臨床比較試験の分析に基

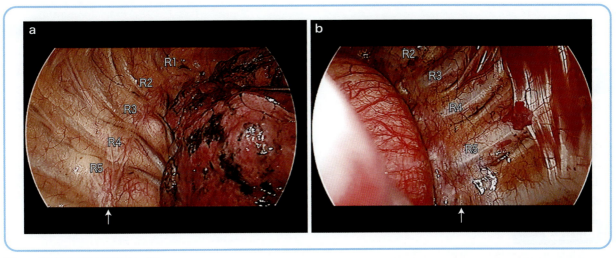

図1 胸部交感神経幹（矢印）
　a：右胸腔
　b：左胸腔
　R1〜5：第1〜5肋骨

づいた2011年のSTSコンセンサスレポート[4]では，手掌多汗症に対してはR3あるいはR4での切断が最も有効で，後者のほうが代償性発汗の頻度が低い傾向であるとされている．腋窩も対象にする場合はR4とR5の両方，顔面に対してはR3が推奨されている．交感神経遮断効果の術中確認は術側の皮膚温の上昇，指尖脈波の増加などが参考となり，パルスオキシメーターでの末梢灌流の定量的指標である灌流指標（perfusion index：PI）などを参考に必要最低限のレベルでの交感神経遮断にとどめることは術後代償性発汗の軽減に有用と考えられる．一方，交感神経遮断に際して，一時的な心臓副交感神経機能が相対的に亢進するため徐脈傾向になることがあるので，術前に徐脈傾向のある患者では注意を要する．

　出血，肺胞漏がなければ術後の低圧持続胸腔ドレナージは通常不要であり，手術終了時にポート孔よりアトムチューブやネラトンカテーテルなどを挿入して強制陽圧換気中に閉創すればよい．

⑦術後合併症

　術後合併症としての代償性発汗の頻度はその定義により3〜98％と報告[4]されているが，程度の差はあれ，ほぼ必発（合併症というより，正常の生理反応）である．重度代償性発汗に対する治療として神経幹吻合術，クリッピング法の場合でのクリップ解除，オキシブチニン内服などで有効性が報告されているが，その効果は一定ではない．また，発汗低下が顔面など希望しない部分に出現することもある．Horner症候群は本手術に特徴的な合併症であるが，遮断レベルの誤認をなくし，星状神経節への操作および熱障害を防止すれば通常は発生しない．その他，背部痛，知覚の違和感，皮下気腫，血胸，気胸などがあるが，重篤なものはまれである．

Side Memo

　胸腔鏡下交感神経遮断術の適応例として多汗症ほど一般的ではないが，反射性交感神経性ジストロフィー（RSD），Raynaud症候群，Buerger病，Long-QT症候群などの致死的心室性不整脈[5]が報告されている．これらは非常に選択された症例に施行されているが，その治療効果は報告により一定せず，確立した治療法にはいたっていない．

　代償性発汗を制御する試みとしては，20年以上前に神経節後の遠心性線維のみ遮断する選択的交感神経遮断術（ramicotomy）が報告されたが一般化しなかった．しかし，その手技的困難さをロボット手術で克服しようとした報告[6]，術後重症代償性発汗に対する再手術の報告[7]などがあるので，一読をお勧めしたい．

文献

1) Hoorens I et al. JEADV 2012; **26**: 1
2) 藤本智子ほか，日皮会誌 2015; **125**: 1379
3) Stashak AB et al. Clin Cosmet Investig Dermatol 2014; **7**: 285
4) Cerfolio RJ et al. Ann Thorac Surg 2011; **91**: 1642
5) Hofferberth SC et al. J Thorac Cardiovasc Surg 2014; **147**: 404
6) Coveliers H et al. Ann Thorac Surg 2013; **95**: 269
7) Yamamoto H et al. J Thorac Cardiovasc Surg 2019; **158**: 1481

XI. 胸壁

復習ドリル

問題❶
聴診三角を構成する筋肉はどれか．2つ選べ．
- a. 大胸筋
- b. 前鋸筋
- c. 広背筋
- d. 僧帽筋
- e. 三角筋

問題❷
右側の胸郭出口部で鎖骨下動脈より腹側に位置するものはどれか．
- a. 中斜角筋
- b. 腕神経叢
- c. 横隔神経
- d. 交感神経
- e. 反回神経

問題❸
Mondor病について正しいのはどれか．
- a. 外傷と関連する
- b. 男性に多い
- c. 発赤を伴う
- d. 血栓性静脈炎が本態
- e. 抗菌薬が有効

問題❹
虫歯が原因となる胸壁膿瘍の起因菌はどれか．
- a. 結核
- b. 放線菌
- c. カンジダ
- d. ノカルディア
- e. アスペルギルス

問題❺
術後再発しやすい胸壁腫瘍はどれか．2つ選べ．
- a. 軟骨腫
- b. 骨軟骨腫
- c. デスモイド
- d. Ewing肉腫
- e. 好酸球性肉芽腫

問題❻
膿胸関連リンパ腫と関連が深いのはどれか．
- a. T細胞型
- b. Reed-Sternberg細胞
- c. Epstein-Barrウイルス
- d. 気管支胸腔瘻
- e. リツキシマブ

問題 ❼

胸部交感神経遮断術について正しいのはどれか.
a. 両側同時手術が望ましい
b. 交感神経幹のみ切離する
c. 第1肋間の高さで遮断する
d. 術後頻脈になりやすい
e. Raynaud 症候群に有効な例がある

正解：①c と d, ②c, ③d, ④b, ⑤c と d, ⑥c, ⑦e

第XII章
横隔膜

XII. 横隔膜

横隔膜の解剖

要点

1. 横隔膜は安静時呼吸の7割を司る最大の呼吸筋である.
2. 陰圧である胸腔と陽圧である腹腔を境界する構造物であり, 裂隙・裂孔や損傷部位から腹腔内臓器が胸腔内に脱出することがある.
3. 横隔膜には多数の血管・神経・消化管などが貫通している.

Key Word　腱中心, 横隔肋骨隅角, 大動脈裂孔, 大静脈孔, 食道裂孔, 胸肋三角, 腰肋三角, Morgagni 孔, Larrey 孔, Bochdalek 孔, 横隔膜食道靱帯

　横隔膜は陰圧である胸腔と陽圧（正常値は0～5 mmHg）である腹腔を境界する構造物であると同時に, 安静時呼吸の7割を司る最大の呼吸筋である. 境界構造物としては多くの裂隙・裂孔が存在し, しばしば腹部臓器の胸腔内への脱出（ヘルニア）が生じる. また, 呼吸筋としては頸髄神経から降下する横隔神経に支配されるため, 手術操作による損傷で麻痺を生じる危険性がある. 横隔膜に関する各種疾患の病態の理解や不用意な合併症を回避するためには解剖学的基礎知識が重要となる.

a 解剖学的概要　レベルA

　横隔膜は胸腔と腹腔を境界する構造物であり, 胸腔側を胸膜が腹腔側を腹膜が被覆している. 発生学的には4つの胚性要素（横中隔, 胸膜腹膜, 食道の背側間膜, 外側体壁からの筋肉の成長）に由来する. 生体での横隔膜の位置と形は呼吸相や体位によって変化する. 立位での最大呼息・最大吸息の中間位での横隔膜は右第4肋間および左第5肋間に投影されるが, 最大呼息時では0.5～1肋間分上昇し, 逆に最大吸息時には1～2肋間下行する. これに伴い横隔膜の上縁と肋骨が形成する横隔肋骨隅角は吸息時には浅く呼息時には深くなる. 横隔肋骨隅角は胸膜腔の最深部であるため胸水の貯留が最初に確認される部位である. また, 手術に際しては播種病変や遺物残留がないことの確認を要する重要なポイントである（図1）. 横隔膜の胸腔面は胸膜で被覆されており, 悪性胸膜中皮腫に対する胸膜切除・肺剝皮術では, 横隔膜胸腔面の胸膜を切除する. 胸膜外肺全摘術では横隔膜を切除し再建を行う.

　横隔膜は最も重要な呼吸筋でありいわゆる腹式呼吸を司る. すなわち筋線維の収縮によりドームがやや平坦となり縦方向に胸腔容積が増大し肺が拡張することで吸気が誘導される. 逆に, 筋線維が弛緩すると肺自身の弾性収縮により横隔膜は再び強く胸腔内に突出し呼気が誘導される. 横隔膜の小範囲の切開・縫合や切除は呼吸運動を大きくは障害しないが, 過緊張状態では裂けることがあり必要に応じて再建を行う.

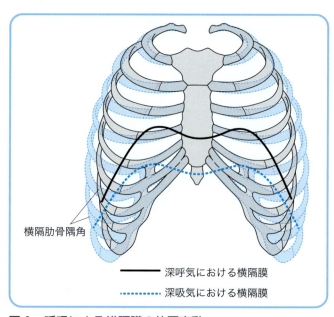

図1　呼吸による横隔膜の位置変動

横隔肋骨隅角
―― 深呼気における横隔膜
‑‑‑‑ 深吸気における横隔膜

b 腱中心　レベルA

　発生過程を経て完成した横隔膜は, 図2のように胸骨部・肋骨部・腰椎部の3つの筋性部とこれらが中央で合流しドームを形成する腱中心から構成される. 腱中心は発生学的には最も早く現れる中胚葉由来の横中隔が原基の腱膜である. 筋性部と異なり, それ自身は呼吸運動を行わないが, 各筋性部の動きを伝え胸腔内容積を変化させる.

c 筋性部　レベルA

　横隔膜筋性部は胸骨部・肋骨部・腰椎部の3つに分かれており, 胸骨部は剣状突起後面および腹直筋鞘後葉から出て腱中心に入り込み終わる. 肋骨部は第7～12肋骨の内面から出て腱中心に入り込み終わる. 腰椎部はさらに細かく

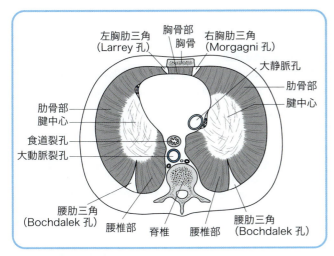

図2　横隔膜の解剖

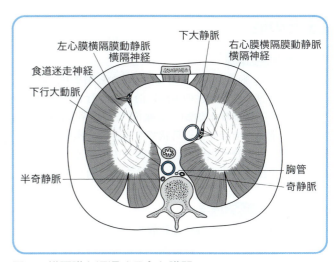

図3　横隔膜を通過する主な臓器

みると，腰椎椎体・内側弓状靱帯・外側弓状靱帯に起始を持つ3部に細分され，腰椎椎体から起始するものを内側脚（右では第1～3腰椎椎体，左では第1～2腰椎椎体に付着する），内側弓状靱帯・外側弓状靱帯から起始するものを外側脚と呼ぶ（両方を合わせて単に脚と呼ぶ場合もある）．左右の内側脚は交差して後述する大動脈裂孔の前縁を形成している．

d 筋性部の裂隙 レベルA

各筋性部の間には筋肉を欠く裂隙があり，それぞれ胸肋三角（胸骨部-肋骨部間），腰肋三角（肋骨部-腰椎部間）と呼ばれる．まれにこの裂隙から陽圧である腹腔内の臓器が陰圧である胸腔内に脱出することがある．報告者の名前を冠して右の胸肋三角およびこの部位に生じるヘルニアをMorgagni孔ヘルニア，左の胸肋三角およびこの部位に生じるヘルニアをLarrey孔ヘルニア，腰肋三角およびこの部位に生じるヘルニアをBochdalek孔ヘルニアと呼ぶ．このなかでもBochdalek孔ヘルニアは最も頻度が高い先天性横隔膜ヘルニアであり，80～90％の症例で左側に生じる．筋組織の脆弱化による後天性ヘルニアは約半数が胸膜・腹膜に覆われた真性ヘルニアであるが，胸膜腹膜の形成不全による先天性横隔膜ヘルニアでは胸膜・腹膜に覆われない腹部臓器が直接胸腔内に脱出する．心臓の圧迫，肺の低形成，高度癒着などを伴いしばしば重症化する．

e 裂孔 レベルA

横隔膜は胸腔と腹腔を境界する構造物であることから，多数の血管・神経・消化管などが貫通していることも特徴である．胸腹部境界を上行あるいは下行する主なものとしては，下行大動脈，下大静脈，食道，奇静脈，半奇静脈，交感神経幹，迷走神経，胸管，横隔神経，心膜横隔動静脈，内胸動静脈（上腹壁動静脈）などがあげられるが，胸壁・腹壁に沿わない大動脈，下大静脈，食道などの比較的大きな構造物が貫通する裂孔は，それぞれ大動脈裂孔，大静脈孔，食道裂孔と呼ばれる（図2，図3）．

1）大静脈孔

大静脈孔は腱中心にあり3つの裂孔のなかで最も前方に位置している．おおよそ第8胸椎の高さで正中よりも右方に存在する．下大静脈と右横隔神経が通っている．

2）食道裂孔

食道裂孔は中間に位置し第10胸椎の高さで正中よりも左方に存在する．食道裂孔には食道と前後の迷走神経幹が通る．食道裂孔は裂孔ワナなどの筋束で囲まれ横隔膜食道靱帯で横隔膜に固定されているが，横隔膜食道靱帯の弛緩や腹圧の過度の上昇などにより食道胃接合部や胃の一部が縦隔内に脱出することがあり食道（裂孔）ヘルニアと呼ばれる．

3）大動脈裂孔

大動脈裂孔は最も後方に位置し第12胸椎の高さで正中に存在する．大動脈裂孔には下行大動脈が貫通し，同時に胸管が大動脈の背側に沿うように走行している．胸管損傷により乳び胸が生じた場合の治療法としてこの部位での胸管結紮術が選択されることがある．

f 神経支配 レベルA

前述したように横隔膜は発生学的には4つの胚性要素に由来するが，呼吸筋として重要な筋要素が第3～5頸分節（C_3～C_5）体節由来の筋芽細胞に由来するため，頸部より降下する横隔神経に運動・知覚を支配される．一側の横隔神経麻痺により肺活量が20～30％低下するといわれており，手術に際しては不用意に横隔神経を損傷しないように注意しなければならない．

g その他

1) 胸管 レベルB

胸管は第12胸椎の高さにある乳び槽から始まり，奇静脈と下行大動脈の間を脊柱の前面に沿って上行し，左内頸静脈と左鎖骨下静脈の合流部（左静脈角）で静脈系と合流する．胸管は後縦隔内では通常網目状であり手術で損傷される危険性がある．胸管が損傷されると胸管の中を流れる乳びが胸腔内に流出・貯留する．この状態を乳び胸と呼ぶ．

2) 奇静脈系 レベルB

上行腰静脈は総腸骨静脈と腰静脈をつなぎ，肋下静脈と合流し，横隔膜を上行し奇静脈・半奇静脈の主体を形成する．半奇静脈は第9胸椎の高さで，副半奇静脈は第8胸椎の高さで脊柱の前面を横断し奇静脈に流入する．奇静脈は第4胸椎の高さで右肺門部を弓状に乗り越え上大静脈に流入する．

3) 吃逆 レベルB

吃逆は，求心性もしくは遠心性の横隔神経の刺激，または呼吸筋，特に横隔膜を支配する延髄呼吸中枢の刺激によって生じる．

文献

1) 安田峯生（訳）．ラングマン人体発生学，第10版（原著第11版），メディカル・サイエンス・インターナショナル，2010: p171
2) 坂井建雄ほか（訳）．グラント解剖学図譜，第6版（原著第12版），医学書院，2011: p73, 174
3) 瀬口春道ほか（訳）．ムーア人体発生学，原著第8版，医歯薬出版，2011: p147
4) 相磯貞和（訳）．ネッター解剖学アトラス，原著第5版，南江堂，2011: p187

② 横隔膜ヘルニア

要点

1. Bochdalek 孔ヘルニアは，左側背側に多く，新生児の発症例は重篤化する．
2. 胸骨後ヘルニアは，右側が Morgagni 孔ヘルニア，左側が Larrey 孔ヘルニアで，治療後の予後は良好である．
3. 食道裂孔ヘルニアでは，保存的治療とともに逆流防止処置が施行される．

Key Word　Bochdalek 孔ヘルニア，Morgagni 孔ヘルニア，食道裂孔ヘルニア

横隔膜ヘルニアは，腹部臓器が横隔膜の欠損部を通って胸腔内に逸脱して生じる．原因によって，先天性（congenital）と後天性（acquired）とに，非外傷性（non-traumatic）と外傷性（traumatic）とに分類される．

先天性横隔膜ヘルニア（congenital diaphragmatic hernia：CDH）は，胎生初期（5〜10 週）の横隔膜発生過程で横隔膜に欠損孔が生じる．Bochdalek 孔ヘルニア，胸骨後ヘルニア（Morgagni 孔ヘルニア，Larrey 孔ヘルニア），食道裂孔ヘルニアがある（図1）．臨床的意義が大きいのは，頻度も重症度も高い Bochdalek 孔ヘルニアである．

後天性横隔膜ヘルニア（acquired diaphragmatic hernia：ADH）として，肥満や妊娠などの腹圧上昇が原因である食道裂孔ヘルニア・胸骨後ヘルニア，および交通事故・転落・刺傷・銃創などで生じる外傷性横隔膜ヘルニアがある．

a Bochdalek 孔ヘルニア　レベルA

1）概念

横隔膜には腰椎部外側脚と肋骨部の間に腰肋三角（trigonum lumbocostale）と呼ばれる脆弱部があり，この部からの横隔膜ヘルニアが Bochdalek 孔ヘルニアである．1848 年 Vincent Bochdalek の最初の報告にちなみ命名され，Gross RE が 1946 年はじめての修復術の成功を報告した．先天性横隔膜ヘルニアのなかでは最も頻度が高く，その 95% を占めており，欠損孔（ヘルニア門）を介して腹部臓器が胸腔内に逸脱するため肺の低形成を合併する．患者の 80% はヘルニア嚢がなく，臓器脱（prolapse）である．

出生数 2,000〜4,000 人に 1 人程度の頻度で，80〜90% が左側に発生し男性に多い．心大血管奇形，染色体異常，発育障害を伴っていることが多い．通常，出生直後に発症するが，成人期に発見されることもある．

2）病因，病態

胎生初期の横隔膜形成に障害があり，横隔膜に欠損孔が生じる．多くは特発性で原因は不明であるが，染色体異常が 30% の症例に認められる．Bochdalek 孔ヘルニアの生後 24 時間以内に起こりやすい重篤な病態として，新生児遷延性肺高血圧症（persistent pulmonary hypertension of

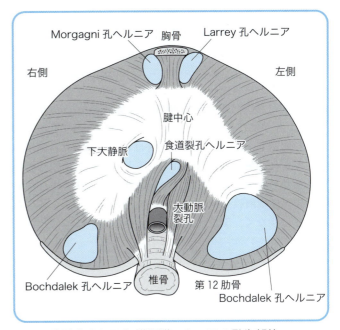

図1　腹腔内よりみた横隔膜ヘルニアの発生部位

neonate：PPHN）がある．この病態では，肺のガス交換面積の減少，肺血管床の減少，肺動脈の過敏性の増加などにより肺血管収縮が起こり肺高血圧症となる．酸素濃度が低い血液が肺に流れにくくなり動脈管を通って全身に流れるため，右→左シャントにより低酸素血症となる．

3）症状，診断，検査

重症の新生児は，肺高血圧と肺の低形成のため呼吸不全となる．呼吸困難，多呼吸，呼吸音の減弱，消化器症状を呈し，胸部で腸グル音が聴取される．出産前に，超音波検査で胎児の腹部臓器の胸腔内への逸脱を確認する．消化管の通過障害により羊水過多を呈することが多い．胸部 X 線像で片側肺の含気性の低下を認める．胎児 MRI で腹部臓器の胸腔内への逸脱を認める．

4）治療，予後　レベルC

緊急性があり，修復のための手術が必要となる．生後 48 時間以内に気管挿管して人工呼吸器管理を行う．重症度に

応じて，人工呼吸，高頻度振動換気法(high frequency oscillation：HFO)，膜型人工肺(extracorporeal membrane oxygenation：ECMO)，サーファクタント療法，一酸化窒素(NO)の投与などが行われる．状態が安定したあと，外科的に逸脱した腹部臓器を本来の腹部に戻して横隔膜欠損孔を閉鎖する．欠損部が大きい場合は，人工シートで補填する．経胸的と経腹的ルートの両方で修復が可能であるが，新生児では腹部の奇形を合併することが少なくないため，経腹的修復が原則である．肺低形成の程度は胸腔内逸脱臓器の程度によって様々で，その程度によって予後が大きく変わる．

b 胸骨後ヘルニア レベルA

1) 概念

横隔膜肋骨部と胸骨部の間には，上腹壁動静脈およびリンパ管が通過する胸肋三角(trigonum sternocostale)と呼ばれる脆弱部があり，胸骨後ヘルニア(retrosternal hernia)はこの部からの横隔膜ヘルニアであり，ヘルニア嚢を有している．胸骨後方に発生した横隔膜ヘルニアを，1769年にMorgagniがはじめて報告した．右側がMorgagni孔ヘルニア，左側がLarrey孔ヘルニアと呼ばれ，圧倒的に右側が多い．左側は心臓に裏打ちされているという解剖学的特徴のため少ないと考えられている．先天性と後天性の場合があり，先天性横隔膜ヘルニアの1〜6%を占めている．新生児の発症は少なく，5歳以下の若年者と中高年に多いとされる．

2) 病因，病態

若年発症例では，横隔膜の先天性形成不全が疑われ，中高年発症例では，肥満，妊娠による腹圧上昇や胸肋三角部の脆弱化が原因と考えられる．ヘルニア内容は，横行結腸・大網・肝臓などの頻度が高い．

3) 症状，診断，検査

上腹部痛，嘔吐などの消化器症状，呼吸困難，チアノーゼ，咳嗽，胸痛などの呼吸器症状を呈する．無症状のこともある．胸部X線像で，右側の心膜脂肪組織領域の拡大がある場合，Morgagni孔ヘルニアを疑う．胸部CTでは，胸骨に近い横隔膜上に胃，大腸，小腸を認める．

4) 治療，予後

外科的に経胸的ないし経腹的に脱出臓器を還納し，ヘルニア嚢を切除しヘルニア門の縫合閉鎖を行う．予後は良好である．

c 食道裂孔ヘルニア レベルA

1) 概念

食道裂孔ヘルニア(hiatal hernia)は，横隔膜ヘルニアのなかで最も代表的なヘルニアであり，全体の80〜90%を占める．横隔膜の脆弱化により，胃の上部が胸腔内に逸脱した状態をいう．胃食道逆流現象に伴う症状が出現する．食道裂孔ヘルニアは，加齢とともに増加し，50歳以上の人々の過半数に食道裂孔ヘルニアがあるといわれている．

次の3つに分類される(図2)．

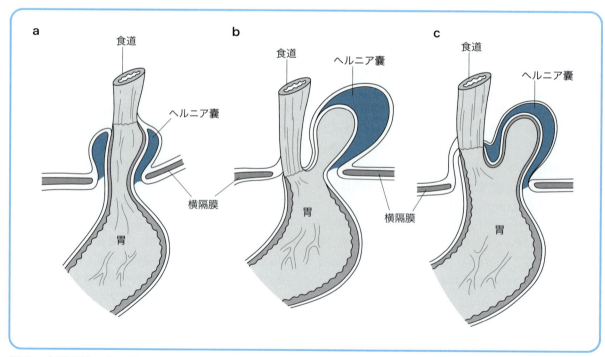

図2　食道裂孔ヘルニア
　　a：Ⅰ型：滑脱型
　　b：Ⅱ型：傍食道型
　　c：Ⅲ型：混合型

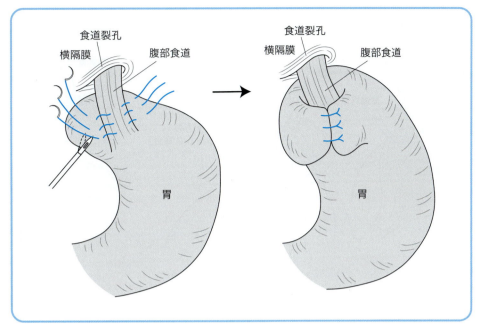

図3　Nissen fundoplication

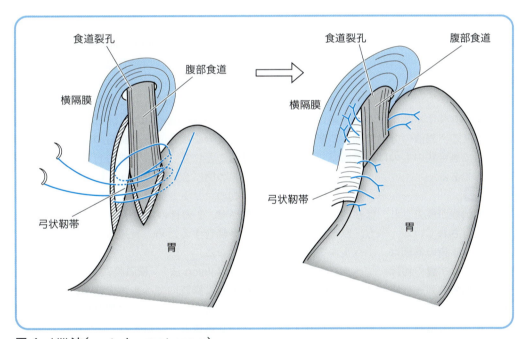

図4　Hill 法(posterior gastropexy)
(阿保七三郎ほか. 外科 MOOK No.33 食道非癌性疾患, 金原出版, 1983: p179-187 [5] を参考に作成)

① I 型：滑脱型(sliding hernia)
　横隔食道靱帯(phrenicoesophageal ligament)が弛緩して，噴門や胃食道接合部が胸腔内に逸脱するタイプで，頻度は 95％と最も高い．
② II 型：傍食道型(paraesophageal hernia)
　胃底部が胸腔内に逸脱するタイプで，噴門や胃食道接合部は正常位置にある．頻度は 5％と少ない．
③ III 型：混合型(mixed hernia)
　噴門と胃底部の両方が胸腔内に逸脱するタイプである．

2) 病因，病態
　下部食道の括約筋の機能低下に起因する．肥満や便秘などにより腹圧が上昇し，胃が上方に押し上げられ発症する．合併しやすい疾患として胆石症と大腸憩室があり，これらと食道裂孔ヘルニアを合わせて Saint の三徴候と呼ばれている．これは，加齢，肥満，食事内容の西洋化などの共通の要因が考えられる三徴候である．

3) 症状，診断，検査
　胸部鈍痛，息切れ，動悸，食道のつかえ感が出現する．滑脱型の症状は逆流性食道炎に基づく．胸部 CT で胃の上

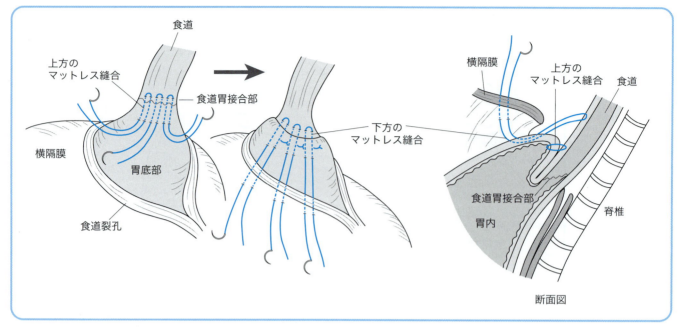

図5　Belsey Mark Ⅳ法

部が胸腔内に逸脱した状態を確認する．上部消化管内視鏡検査で胃の胸腔内逸脱を確認する．

4）治療，予後
①保存的治療
頭を高くして臥床し，食後すぐ臥床するのを避ける．肥満がある場合は減量させる．胃液の分泌を抑える薬を服用する．一般に，滑脱型で無症状のものは経過観察であり，傍食道型は手術の適応である．

②外科的治療　レベルC
日本ではまず保存的治療が優先され，保存的治療で改善しない場合に手術が施行されている．一方，欧米では手術が盛んに行われている．手術の原則は，①ヘルニア内容の腹腔内への還納，②ヘルニア嚢の切除，②ヘルニア門の閉鎖，④逆流防止処置である．到達経路には，経腹的と経胸的方法があり，食道壁と胃底部の固定，胃底部と横隔膜の固定が術式の基本となる．食道噴門機能がよく保たれている傍食道型では，逆流防止を主眼としたfundoplicationは必要なく，開大したヘルニア門の縫縮を行う．食道噴門機能が低下している滑脱型ヘルニアでは，Nissen fundoplication[1]，Hill法[2]，Belsey Mark Ⅳ法[3]，もしくはAllison法[4]などが選択される．Nissen fundoplicationは経腹的・経胸的に，Hill法は経腹的に，Belsey Mark Ⅳ法とAllison法は経胸的に施行される[5]．手術成績は一般に良好である．

ⅰ）Nissen fundoplication（図3）：胃の逸脱を予防し胃酸の逆流を予防するため，食道下部4～6cmに胃穹窿部で包み込むように縫縮する．現在は腹腔鏡下に施行されることが多い．

ⅱ）Hill法（posterior gastropexy）[2]（図4）：食道裂孔を後壁で縫縮し，食道胃接合部の右側前壁を大動脈裂孔部の弓状靱帯（arcuate ligament）に縫合する．さらに，胃底部と腹部食道左側壁を縫合して胃食道角を形成する．

ⅲ）Belsey Mark Ⅳ法（図5）：食道と胃底部の間にマットレス縫合を置き，下部食道の前壁2/3周に胃底部を巻き付けることによって弁形成を行い，さらに食道と胃底部，横隔膜の間に2列目のマットレス縫合を置く．この方法では，最初のマットレス縫合で胸腔内に隆起した噴門を腹側に移動させ，2列目のマットレス縫合で横隔膜下面と本来の食道が縫合するため，食道胃接合部は横隔膜下に移動することとなる．

ⅳ）Allison法[4]：横隔膜に2～3cmの切開を置いて2指を挿入し，胸腔内でヘルニア嚢を開いて，逸脱した胃底部を腹側に戻したうえで，食道と横隔膜下面を縫合し，食道裂孔は食道後方で縫縮する．

文献
1) Nissen R. Am J Dig Dis 1961; **6**: 954
2) Hill LD. Ann Surg 1967; **166**: 681
3) Belsey R. World J Surg 1977; **1**: 475
4) Allison PR. Surg Gynecol Obstet 1951; **92**: 419
5) 阿保七三郎ほか．食道非癌性疾患．外科MOOK No.33，金原出版，1983: p179

③ 横隔膜弛緩症

要点
- ❶ 横隔膜弛緩症とは横隔膜が筋萎縮などにより張力を失った状態である.
- ❷ 横隔膜のシーソー運動などで換気障害をもたらす.
- ❸ 診断にはCT, MRIなどの3D画像や冠状断, 矢状断が有用である.
- ❹ 横隔膜の縫縮術が行われるが, 鏡視下手術が選択されることが多くなっている.

Key Word 先天性, 後天性, 胸腹裂孔膜, 全横隔膜弛緩症, 部分横隔膜弛緩症, 横隔膜縫縮術

横隔膜弛緩症とは横隔膜筋の筋線維が全部あるいは一部が萎縮して脆弱となり, 横隔膜の緊張性が失われ, 異常に挙上する状態をいう. 横隔神経麻痺が原因の横隔膜弛緩は除外される.

a 横隔膜弛緩症の原因と頻度 レベルA

本症は先天性・後天性の両者が考えられているが, 新生児や乳児の頻度が高く, 他の奇形を合併することも多いため, 大部分は先天性と考えられている. 後天性としては分娩時外傷や外科手術, 感染などを契機に発症する.

原因として, 先天性の場合には, ①胎生期, 膜性横隔膜が完成したあとに生じる筋層の移行が, 局所の血流障害などで不十分となり筋肉が全体的に不足して横隔膜に張力を持たせることができない場合, ②筋層は発育したが横隔神経が不十分な分布を示す場合, などが考えられる. そのほか, 胎児の姿勢異常, 全身性の神経疾患, 風疹やサイトメガロウイルスなどの胎児期感染による神経炎に起因する横隔神経麻痺などが指摘されている. また, 後天性としては, 筋自体の退行変性や支配神経障害による二次的変化が中心と考えられている[1].

本症の頻度はその診断基準が明確でないため報告者により大きな差があるが, 一側性の場合, 特にまれな疾患ではない. 男女比では2:1で男性に多く, 左右比では8:1で左側に多いとされる. 左側では消化器症状が出やすく, また横隔膜挙上も高度になり, 治療を要する症例が多い. 両側発症例は非常にまれで早期の治療を要する症例が多い[2].

b 横隔膜弛緩症の分類 レベルB

本症は一側横隔膜全体にわたる全横隔膜弛緩症と一部に限局する部分横隔膜弛緩症とに分けられており, 後者は部位によりさらに①anterior, ②posterolateral, ③medialに分類されている. しかし, posterolateral typeの部分横隔膜弛緩症は, 有囊性Bochdalek孔ヘルニアとの異同が常に問題となる. このため, 横隔膜弛緩症は全横隔膜弛緩症のみとし, 部分横隔膜弛緩症と有囊性横隔膜ヘルニアを同一のものとする考えや, 先天性, 後天性を問わず部分的な横隔膜異常はすべて有囊性横隔膜ヘルニアとする考え方もある[1,3].

c 横隔膜弛緩症の病態と症状 レベルA

本症の病態としては, 一側横隔膜が挙上したままで吸気時に下降せず, 同側肺の換気障害が生じる. また, 同時に患側横隔膜の張力が著しく低下しているため, 縦隔の健側への偏位, 左右の横隔膜のシーソー運動が生じ, 健側肺においても換気障害が惹起される.

小児の部分横隔膜弛緩症では無症状なものが多く, 外科的治療を必要とする症例は少ない. ただし, 上述の有囊性Bochdalek孔ヘルニアとの鑑別が難しい症例で, 嘔吐, 発育不良などがある場合や, 呼吸器感染症を頻回に起こす症例では有囊性Bochdalek孔ヘルニアと同様に外科的治療を行う. 一方, 全横隔膜弛緩症で新生児期から呼吸困難, シーソー呼吸, チアノーゼを示す症例で緊急手術が考慮される. しかし症状が比較的軽い場合は, 成長に伴って肋間筋により呼吸機能の代償が期待されるため, 生後6ヵ月以降まで経過をみて手術を考慮するという考え方もあるなど, 症例により手術の時期については議論がなされている[2].

成人の部分横隔膜弛緩症では換気に対する影響は少なく, 大部分が無症状で経過する. また全横隔膜弛緩症でも, 呼吸器症状としては無症状から軽い息切れ程度の軽症例が多いが, 呼吸機能検査を行うと著明な換気障害を呈する場合が多い. いずれの場合でも, 症状が強くなければ治療の対象にならないので, 外科的治療の適応となる症例は少ない.

d 横隔膜弛緩症の診断

1) 画像診断 レベルB

本症は左側に生じた場合, 胸部単純X線検査正面像で横隔膜をドーム型に押し上げる腸管像が認められる. また, 右側では一般的に肝臓の挙上として捉えられる. 側面像は部分横隔膜弛緩症(図1)と全横隔膜弛緩症(図2)の区別や部分横隔膜弛緩症のタイプ分類に有用である. 左側ではBochdalek孔ヘルニアとの鑑別が必要になるが, 多くの

XII. 横隔膜

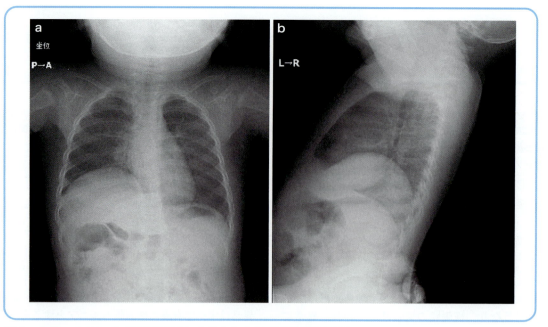

図1　1歳，女児．右横隔膜背側を中心とした部分横隔膜弛緩症
　a：正面像．
　b：側面像．横隔膜背側の部分弛緩．

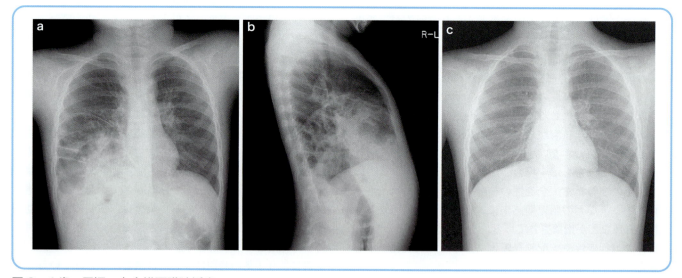

図2　4歳，男児．右全横隔膜弛緩症
　肺炎を繰り返すため外科的治療を施行した．
　a：正面像．
　b：側面像．
　c：6歳時，右横隔膜縫縮術を受ける．術後5ヵ月経過時の正面像．

Bochdalek孔ヘルニアはヘルニア嚢を持たないため，腸管が左胸腔全体を占めるようにみえるのに対し，横隔膜弛緩症では上方に押し上げられた肺の陰影が確認できる．有嚢性Bochdalek孔ヘルニアとの鑑別は画像検査では難しい．
　最近はCT，MRIを用いた3D画像や冠状断・矢状断像作成が一般的な検査として行われるようになってきており，より正確な診断が可能になってきている（図3）．
　部分横隔膜弛緩症は胸部単純X線検査で横隔膜の部分膨隆として偶然発見されることが多い．

2）病理組織診断
　横隔膜弛緩症の病理組織学的所見としては，当初腹膜と胸膜の漿膜間に筋層や筋線維が存在するか，あるいは存在した証拠が必要とされていた．しかし，その後の研究で2枚の漿膜間にわずかな筋層があるものから，筋層がまったくないものまで存在することが示されている．このため病理組織学的に横隔膜弛緩症と有嚢性横隔膜ヘルニアとを明確に区別することは難しい．

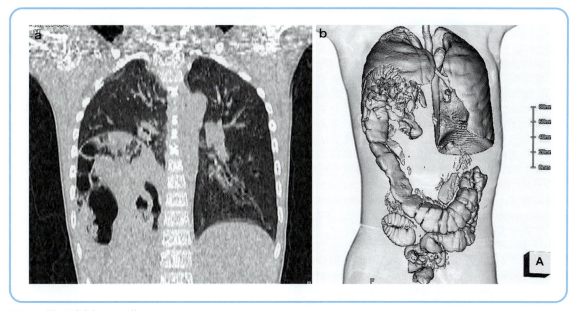

図3　図2症例のCT像
　a：冠状断面.
　b：3D再構成画像．横隔膜挙上に伴い腸管が上方に挙上されている．

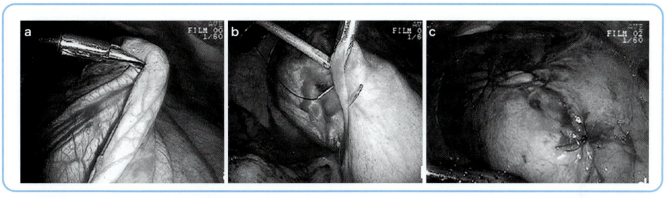

図4　横隔膜弛緩症に対する横隔膜縫縮術
　弛緩した横隔膜を胸腔鏡下に縫縮し，横隔膜に適切な緊張がかかるようになった．
　(坂口泰人ほか．日呼外会誌 2008; 22: 899-903 より転載)

e 横隔膜弛緩症の治療

1) 手術適応 レベルA

部分横隔膜弛緩症は一般的に症状が軽度で治療を必要としないことが多い．また，小児の横隔膜弛緩症も多くが一過性で，自然軽快するといわれている．このため横隔膜弛緩症という診断にいたっても手術適応となる症例は限られる．新生児期に呼吸困難やシーソー呼吸を認める症例では早期の外科的治療が求められる．まれではあるが両側発症例は重症例が多く，緊急手術が必要となる．小児期では圧迫による肺の発育障害のために呼吸器症状が強く認められる症例や，呼吸器感染症を繰り返す症例が手術適応となる（図2）．

2) 外科的治療 (図4) (Ⅱ章-15 参照) レベルC

手術では胸腔体積の確保と横隔膜のシーソー運動を抑制することを目的に，菲薄化した横隔膜を縫縮し張力を上昇させる．胸腔からと腹腔からのアプローチがあり，2つの方法を比較した報告もあるが，その優劣に関しては議論が分かれるところである[3,4]．いずれの方法でも，基本的には①最も薄い腱中心部を中心に切除・縫合するか，②菲薄化した横隔膜を折り込んで非吸収性の縫合糸とプレジェットを用いて縫合する横隔膜縫縮術が一般的である[4,5]．胸腔からのアプローチでは胸腔鏡に CO_2 送気を併用することで，特に小児では片側換気を用いることなく，安全で低侵襲な手術が可能である[4]．手技の詳細はⅡ章-15を参照．

XII. 横隔膜

Side Memo

【横隔膜弛緩症と横隔膜挙上症】

　日本では横隔膜弛緩症は横隔膜挙上症の名称でも報告されている．横隔膜の機能からみた名称が横隔膜弛緩症であるのに対し，画像診断における形態を強く意識した名称が横隔膜挙上症ではないかと考えられる．用語は異なっているが，概念的にはほぼ同じ疾患，病態を示すものと考えられる．学会の用語集では日本小児科学会が横隔膜弛緩症（eventration of the diaphragm）として統一し横隔膜挙上症は記載していないが，日本外科学会では横隔膜弛緩症（relaxation of the diaphragm, diaphragmatic relaxation）と横隔膜挙上症（eventration of the diaphragm, diaphragmatic eventration）の両方を記載している．また，日本呼吸器学会も横隔膜弛緩症（eventration of the diaphragm）と横隔膜逸脱（脱出）（diaphragmatic eventration）という記載がある．日本呼吸器外科学会では横隔膜弛緩症は diaphragmatic relaxation または diaphragmatic eventration で，横隔膜挙上症は diaphragmatic eventration と記載されている．また英語表記の eventration は腹部臓器の脱出を意味するため表現自体が不適切だとする意見もある．以上のような用語の混乱が疾患の理解を難しくしていると考える．

文献

1) 里見　昭ほか．小児外科 2009; **41**: 336
2) 小林千里ほか．別冊・医学のあゆみ　呼吸器疾患-state of arts 2003-2005，医歯薬出版，2003: p734
3) Fujishiro J et al. Surg Today 2016; **46**: 757
4) 佐藤　正人ほか．小児外科 2019; **336**: 342
5) 正岡　昭ほか．呼吸器外科学，第4版，南山堂，2009: p539

④ 横隔膜腫瘍

要点

1. 原発性横隔膜腫瘍は極めてまれな疾患である.
2. 小児では悪性腫瘍が多いが,成人では良性腫瘍が多くみられる.
3. 良性腫瘍は主に囊胞性疾患と脂肪腫が多く,悪性腫瘍では横紋筋肉腫が最も多い.
4. 続発性横隔膜腫瘍には胸腔内播種からの進展,癌の直接浸潤,血行性転移がある.

Key Word　原発性横隔膜腫瘍,続発性横隔膜腫瘍(隣接臓器悪性腫瘍の浸潤)

横隔膜腫瘍は非常にまれな疾患であり,遭遇することは極めて少ない.横隔膜腫瘍は,原発性良性腫瘍,原発性悪性腫瘍,転移性腫瘍に分類することができる[1].横隔膜原発胸膜中皮腫という希少疾患報告例もあるが[2],胸膜中皮腫による横隔膜浸潤は続発性横隔膜腫瘍に含まれる.これは他項に譲り,本項では主として原発性腫瘍について解説する.

a 良性横隔膜腫瘍 レベルB

最も頻度の高い腫瘍は囊胞性疾患であり,中皮性囊胞と気管支囊胞である.CTでは均一で造影効果はなく,境界明瞭で薄膜により囲まれた構造として描出される.無症状であれば摘出する必要性はないが,巨大囊胞となり,周囲組織への圧迫によって咳嗽・不快感・疼痛・吃逆などの症状がみられる場合は摘出する必要がある.

包虫囊胞(hydatid cyst)が疑われる場合は手術適応がある.主に地中海沿岸でみられる疾患であるが,条虫 Echinococcus granulosus による感染症で,主として肺と脾臓に感染する.まれに横隔膜に感染を起こすことがある(頻度1%).

脂肪腫も囊胞と同様巨大腫瘍による咳嗽・疼痛,呼吸困難などの症状がない限り手術適応とはならない.Bochdalek孔ヘルニアと誤診するケースがあるので注意を要する.

その他の良性腫瘍としては表1にあげるように様々な疾患がみられる.診断は主としてCTにより行われるが,腹腔内腫瘍や胸膜腫瘍との鑑別が難しいことも多く,経皮生検や手術により横隔膜原発腫瘍の診断がなされている.

b 原発性悪性横隔膜腫瘍 レベルB

横隔膜原発の悪性腫瘍も極めてまれであるが,頻度としては横紋筋肉腫が最も多く報告されている(表1).横紋筋肉腫は,頭部や頸部(42%),泌尿生殖器(34%),四肢(11%)に多くみられる疾患であり,横隔膜はまれである.多くの患者は無症状であるが,胸痛,咳嗽,息切れ,嚥下障害,腹痛などの症状で発見されることもある.治療としては外科的切除と術後補助化学療法であり,術前化学療法を加えることもある.

平滑筋肉腫は子宮や消化管に認められる悪性腫瘍であり,横隔膜発症はまれである.無症状のことが多いが,腹痛により発見されることがある.

その他の悪性腫瘍も極めてまれであり,治療法としては,外科的切除が中心であり,横隔膜切除再建を必要とする(図1)[3].またその進展範囲により肺・心膜・肝臓などの合併切除が行われる.化学療法はその疾患によって異なる.

c 転移性横隔膜腫瘍 レベルB

転移性横隔膜腫瘍は,隣接臓器腫瘍の横隔膜への直接浸潤,胸腔内播種に伴う横隔膜進展,血行性転移により発症する.代表例として胸腺腫瘍の胸腔内播種,卵巣癌の後腹膜進展,肺癌や肝臓癌,腎臓癌などによる直接進展がある.胸腺腫の播種に対しては,繰り返す腫瘍切除により予後延長効果がみられたという報告もある[4].

d 小児の横隔膜腫瘍 レベルB

Cadaらは1868年から2005年までに英語論文にて報告された横隔膜腫瘍200例弱のうち,18歳以下は41例であったと報告している(表2)[4].良性疾患よりも悪性疾患が多くみられており,横紋筋肉腫が最多である.横隔膜腫瘍の発見年齢は平均10歳で,0歳代と10代前半に特に多く発症している.症状発見では,胸痛・息切れ・咳嗽・胸部腫瘤触知・血胸などがみられている.左右比はほぼ同等で,右側では肝臓腫瘍と誤認されることも多い.

e 横隔膜再建 レベルC

横隔膜切除により大きな欠損が生じた場合,主として人工膜による補塡が行われる.確実な補塡が行われないと,腹部内臓器の胸腔内脱出による無気肺,繰り返す肺炎など重大な合併症をきたすおそれがある.補塡組織としてはGore-Tex膜などが使用されることが多い.人工物による感染リスクが高い例では,腹斜筋・広背筋・大網などを用い

XII. 横隔膜

表1　原発性横隔膜腫瘍（小児・成人含む）

腫瘍タイプ	報告数(%)	腫瘍タイプ	報告数(%)
良性腫瘍	82 (100)	悪性腫瘍	52 (100)
嚢胞性疾患	38 (46.3)	横紋筋肉腫	15 (28.8)
脂肪腫	13 (15.9)	線維肉腫	9 (17.3)
神経線維腫	5 (6.1)	神経線維肉腫	3 (5.8)
血管線維腫	3 (3.7)	肉腫（分類不能）	3 (5.8)
線維腫	3 (3.7)	卵黄嚢腫瘍（York sac tumor）	3 (5.8)
血管腫	3 (3.7)	骨格外 Ewing 肉腫	2 (3.9)
神経鞘腫	3 (3.7)	線維筋肉腫	2 (3.9)
軟骨腫	2 (2.4)	血管肉腫	1 (1.9)
血管内皮腫	2 (2.4)	軟骨肉腫	1 (1.9)
血管平滑筋腫	1 (1.2)	デスモイド腫瘍	1 (1.9)
内皮腫	1 (1.2)	生殖細胞（germ cell）腫瘍	1 (1.9)
線維リンパ管腫	1 (1.2)	血管周囲細胞腫	1 (1.9)
線維血管内皮腫	1 (1.2)	脂肪肉腫	1 (1.9)
線維筋腫	1 (1.2)	褐色細胞腫	1 (1.9)
過誤腫	1 (1.2)	悪性繊維組織球腫	1 (1.9)
平滑筋腫	1 (1.2)	悪性血管周囲細胞腫	1 (1.9)
リンパ管腫	1 (1.2)	悪性神経鞘腫	1 (1.9)
筋線維腫	1 (1.2)	中皮腫	1 (1.9)
横紋筋線維腫	1 (1.2)	混合細胞肉腫	1 (1.9)
		筋芽細胞肉腫	1 (1.9)
		筋肉腫	1 (1.9)
		血管肉腫	1 (1.9)

（KimMP, Hofstetter WL. Thorac Surg Clin 2009; 19: 521 [1) を参考に作成）

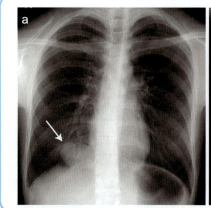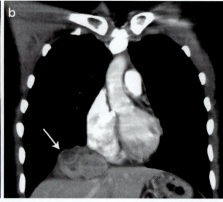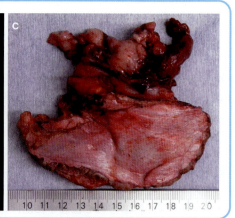

図1　横隔膜原発の悪性腫瘍
　a：横隔膜原発滑膜肉腫の胸部X線．矢印は腫瘍を示す．
　b：横隔膜原発滑膜肉腫の胸部CT．矢印は腫瘍を示す．
　c：横隔膜原発滑膜肉腫の切除標本．
（藤野智大ほか．日呼外会誌 2015; 29: 856 より転載）

表2 小児原発性横隔膜腫瘍

腫瘍タイプ	報告数(%)	腫瘍タイプ	報告数(%)
良性腫瘍	9 (100)	悪性腫瘍	32 (100)
囊胞	2 (22.2)	横紋筋肉腫	16 (50)
リンパ管腫/血管腫	2 (22.2)	肉腫(分類不能)	4 (12.5)
脂肪腫	1 (11.1)	卵黄囊腫瘍(York sac tumor)	3 (9.4)
神経鞘腫	1 (11.1)	骨格外 Ewing 肉腫	1 (3)
気管支原性囊胞	1 (11.1)	血管内皮腫	1 (3)
神経線維腫	1 (11.1)	血管周囲細胞腫	1 (3)
筋線維腫	1 (11.1)	褐色細胞腫	1 (3)
		悪性神経鞘腫	1 (3)
		原始神経外胚葉性腫瘍	1 (3)
		肉腫(非特異的)	1 (3)

(Cada M et al. J Pediatr Surg 2006; 41: 1722[5] を参考に作成)

て有茎にして補塡することもある.

文献

1) KimMP, Hofstetter WL. Thorac Surg Clin 2009; **19**: 521
2) Huang JW et a. Medicine 2019; **98**: e15147
3) 藤野智大ほか. 日本呼外会誌 2015; **29**: 856
4) Mineo TC, Biancari F. Ann Chir Gynaecol 1996; **85**: 286
5) Cada M et al. J Pediatr Surg 2006; **41**: 1722

⑤ その他の横隔膜疾患

要点

❶神経筋疾患による横隔膜麻痺は，神経原性，神経筋接合部の障害，筋原性など多様な原因がある．
❷横隔膜麻痺の治療は，呼吸困難に対して非侵襲的陽圧呼吸療法や人工呼吸を行い，両側性には横隔膜ペーシング，片側性には横隔膜縫縮術などが行われる．
❸副横隔膜はまれな先天異常で，胸腔が二分されることにより無気肺や感染，喀血などをきたすことがある．
❹横隔膜交通症は無症状で経過するが，腹水貯留時や腹膜透析時に腹水や透析液が胸腔内に流入し呼吸困難で発症することが多い．

Key Word　横隔膜麻痺，副横隔膜，横隔膜交通症

a 横隔膜麻痺（図1，図2）　レベルB

1) 病態

　横隔膜麻痺は横隔膜の運動麻痺や弛緩をきたす病態である．横隔膜を制御する神経系は頸部脊髄 C3-5 に起始する横隔神経である．横隔神経の上位ニューロンは随意呼吸を担う脳の運動中枢—錐体路系と不随意呼吸を担う橋部傍正中網様体—延髄脊髄路系があるが，上位ニューロンの障害では横隔膜麻痺は生じない（図1）．脊髄から下位のニューロンから効果器の横隔筋までに何かしらの障害があると横隔膜麻痺にいたる．原因は神経原性，神経・筋接合部の障害，筋原性に分類し考察される（表1）．表1には代表的な疾患を示したが他にも様々な神経筋疾患と横隔膜麻痺との関連の報告がみられる．

2) 診断

　横隔膜麻痺は胸部 X 線所見で横隔膜の挙上から診断される．片側性麻痺の場合は無症状で経過する場合も多いが，両側性麻痺では仰臥位で増悪する呼吸困難と吸気時に腹部が陥没する奇異呼吸がみられ，換気障害を呈する．横隔膜の挙上が不明確な場合は深吸気時と深呼気時の X 線像を比較することも参考になる．

　まずは中枢神経疾患，神経筋疾患などの全身的な基礎疾患の有無，手術や外傷などの既往が診断の目安になる．睡眠時無呼吸症候群や心不全，肺血栓塞栓症などによる呼吸困難との鑑別も重要である．

　呼吸筋としての横隔膜は呼吸運動の 70% を担っており，両側横隔膜麻痺では呼吸は肋間筋などの補助呼吸筋のみの運動になり換気能力を大幅に失ってしまうことになる．

3) 治療

　片側性で無症状の場合は深呼吸の励行などで経過観察し，増悪がなければ特に治療の対象とはならない．両側性で基礎疾患のある場合は基礎疾患のコントロールのうえで，呼吸困難に対する治療が必要である．急性期で呼吸困難が高

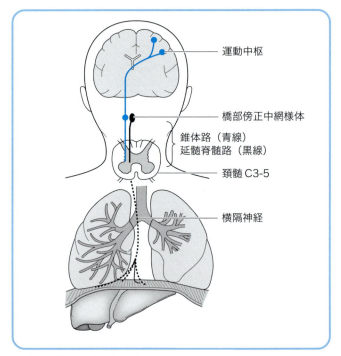

図1　横隔神経および上位ニューロン

表1　横隔膜麻痺の原因

神経原性	神経・筋接合部の障害	筋原性
＜中枢神経の障害＞ 脊髄離断 多発硬化症 筋萎縮性側索硬化症 急性灰白髄炎 ＜末梢神経の障害＞ ギランバレー症候群 神経痛性筋萎縮症 糖尿病性神経症 ＜横隔神経の障害＞ 腫瘍，外傷，医原性 ウイルス感染 特発性横隔神経麻痺	重症筋無力症 ボツリヌス感染症 Lambert Eaton 症候群	甲状腺機能異常 低栄養状態 Pompe 病

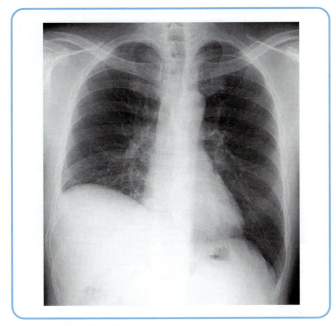

図2　右横隔膜麻痺
　悪性縦隔腫瘍術後の右横隔膜麻痺．右横隔膜は挙上しているが無症状で呼吸機能も異常ない．

度な場合は気管挿管による人工呼吸が最も確実な換気の確保である．呼吸困難に対しては非侵襲的陽圧呼吸療法（non-invasive positive pressure ventilation：NIPPV）で改善する症例も多く，まずは試みるべき方法である．

　片側性でも換気障害のある場合には横隔膜縫縮術が行われる．呼気時に健側肺からの呼気が圧のかからない患側気道に流入するが，健側横隔膜の挙上によって腹圧が減少し患側横隔膜が下降して患側気道への気流を助長することにより気道内の奇異運動が起こっていると考えられる．患側横隔膜の縫縮によって患側横隔膜の可動性が制限され，こうした奇異運動がなくなることによって呼吸の改善が得られると考えられる[1]．特に横隔膜の柔軟な幼小児でこの傾向が強く，片側麻痺に対する患側横隔膜縫縮術は有効である．小児心臓外科手術の合併症としての横隔膜麻痺に対する縫縮術は多く行われている．

　中枢性の障害による横隔膜麻痺で横隔神経に損傷がない場合は横隔神経ペーシングによって自発呼吸が可能となる．これは，頸部で前斜角筋前面を走行する横隔神経に電極を接触させ，皮下に埋没させた刺激装置から一定の間隔で刺激を伝えることにより横隔膜の収縮を図るものである．長時間の刺激による神経疲労から電気刺激の反応が鈍くなる現象があり，使用時間の制限や左右別の刺激などの工夫が行われる．日本では保険適用がないためほとんど施行されていないが欧米では多くの施行例がある．

b 副横隔膜（図3）　レベルD

　胸腔を二分するように隔壁状に存在する過剰な横隔膜で，極めてまれな先天異常である．胎生期の横隔膜の原基である横中隔の下降に障害が生じて発生すると考えられている．

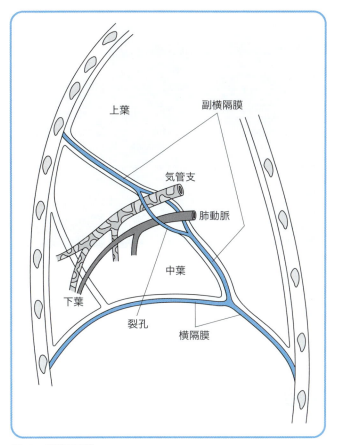

図3　副横隔膜
　副横隔膜で隔てられた後下方の胸腔は小さく，中下葉は萎縮，無気肺をきたす．気管支，脈管は副横隔膜の小孔を通過する．
　（田中　聰ほか．日胸外会誌 1978; 26: 1272[2] を参考に作成）

横隔膜の前胸壁付着部のやや後方から始まり後上方に向かって後胸壁に付着することにより胸腔が前上方と後下方に二分される．右側に多く，下葉または中下葉が後下方の胸腔に入り込むため副横隔膜には肺門からの気管支や肺血管が通過する裂孔がある[2]．また，完全に前後の胸壁に付着せず，途中までの構造や膜状となった不完全な場合もみられる．横隔膜ヘルニアや肺葉の形成不全，肺分画症などの合併異常を伴うことが多い．

　副横隔膜で隔たれた後下方の腔は小さく，無気肺や気道感染を繰り返し発熱，咳，痰や喀血などの症状を呈するが無症状の場合もある．新生児期に発症すると呼吸不全から致死的な状態にいたることもある．

　X線像では横隔膜の挙上と側面像で前下方から後上方に向かう索状陰影とともに下肺野に無気肺や気道感染による陰影がみられる．肺の形成不全や無気肺による容量減少のため右側発生の場合は心陰影の右方偏位をきたす場合もある．

　無症状に経過する場合は治療の必要はないが，気道感染，喀血などの症状が繰り返される場合は外科的治療が必要である．手術は副横隔膜の切除と感染や喀血の原因となる肺葉の切除を行う．副横隔膜により小さな後下方の腔に閉じ込められた下葉または中下葉の切除になる場合が多い．

XII. 横隔膜

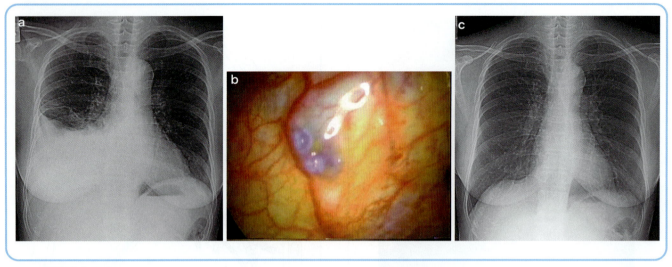

図4　横隔膜交通症
　a：胸部X線像．腹膜透析(CAPD)導入後10日目に呼吸困難を訴え，胸部X線像で右胸水貯留が認められる．
　b：術中写真．胸腔鏡下手術で腹腔に注入した色素により横隔膜の小孔が確認できる．
　c：術後胸部X線像．胸腔鏡手術にて小孔を切除し，横隔膜を縫合補強して腹膜透析に復帰した．

C 横隔膜交通症（図4）　レベルC

　横隔膜交通症は横隔膜に小孔を有する疾患で，無症状で経過する．肝硬変や悪性疾患による多量の腹水貯留，腹膜透析(CAPD)時の透析液注入などによる腹腔内圧の上昇により腹腔内の液体が胸腔に移行し，肺を圧迫して咳嗽や呼吸困難を生じて認識される．ほとんどが右側の発症である．CAPD施行時の合併症として1.6％に認められる[3]．横隔膜の小孔が先天的なものか，後天的に外傷や腹圧上昇時に横隔膜の脆弱な部分に形成されたものか，など詳細は不明である．

　CAPD導入後，短期間に咳嗽，呼吸困難を認める．胸部X線像で多量の胸水貯留で診断がつく．確定診断のために穿刺した胸水の成分を透析液と比較したり，ときにはシンチグラムにより放射性同位元素(^{99m}Tc-MAA)が腹腔から胸腔へ移動するのを確認したりすることもある．

　治療は胸水排液後に胸腔内に癒着剤注入による癒着療法と，横隔膜の小孔に対して切除や縫縮，補強などを行う外科的治療（内視鏡手術）がある．小孔は容易に確認できる大きさのものから，微小なものまで多様であり，肉眼視だけによる小孔の処置では再発が危惧される．手術中に腹腔内に色素を混ぜた液を注入して腹圧をかけ，胸腔内の横隔膜面の色素の有無を確認する工夫も必要である．癒着療法の再発率は50％程度で，外科手術の再発率は10～30％である．再発によりCAPDを断念して血液透析に移行する症例もある．

文献
1) 河野朋哉ほか．日呼外会誌 2010; **24**: 794
2) 田中　聰ほか．日胸外会誌 1978; **26**: 1272
3) Nomoto Y et al. Am J Nephrol 1989; **9**: 363

第XIII章
肺移植

① 概論

要点
1. 肺移植とは，末期的肺疾患患者から病的肺を摘出し提供された肺を移植する最終的な治療法である．
2. 脳死者から肺の提供を受ける脳死肺移植と家族などの健常者から肺の一部の提供を受ける生体肺移植がある．
3. 日本の肺移植は1998年に両側生体肺葉移植で始まった．一方，脳死肺移植は2000年に片肺移植で始まった．

Key Word 脳死肺移植，生体肺移植，臓器移植法，イスタンブール宣言

肺移植は，最大の内科的治療を行っても改善せず進行して死にいたる末期的肺疾患患者から病的肺を摘出し，提供されたドナー肺を移植する最終的な治療法である．肺は拒絶反応が強く，また大気と交通していることから術後感染症を合併しやすいため，他の主要な臓器移植に比べて遅れて治療手段として確立した．まず，心肺同時移植が成功し，続いて肺単独の片肺移植が成功した．その後は術式のさらなる開発や周術期管理の発展を伴いながら世界に広く普及し，現在では一般的な治療法として定着している．心肺同時移植は適応疾患や移植手技において心移植チームが主体となることから，本項においてその詳細は省略した．

a 世界の肺移植―失敗の歴史 レベルC

ミシシッピー大学のHardyらは，1963年にヒトに対して世界で最初の肺移植（左片肺）を行ったが，術後18日目に腎不全で死亡した[1]．その後，1978年までに38例の肺移植が行われたが，いずれも術後早期に死亡している．1968年にベルギーのDeromらが行った10ヵ月生存例が最長生存であった．このなかには，1965年，東京医科大学篠井ら[2]（世界で3例目），1966年長崎大学辻ら（世界で6例目），1967年東京医科大学早田ら（世界で8例目）が行った肺葉移植症例が含まれている．

b 世界における肺移植の成功 レベルB

1981年にスタンフォード大学のReitzらは肺動脈性肺高血圧症の患者に心肺同時移植を行い，はじめての長期生存を得た．この成功の主な要因は，強力な免疫抑制薬シクロスポリンの導入によるものと思われるが，当時は肺単独の移植は困難と考えられていた．しかし，1983年トロント大学のCooperらは肺線維症の患者に右片肺移植を行い，長期生存を得た[3]．1986年同大学のPattersonらは両側の肺を *en bloc* に移植する両肺移植術（double lung transplantation）を開発した[4]．しかし，両肺移植術は人工心肺を必須とすることから出血など人工心肺に伴う合併症や気管縫合不全の発生率が高いなどの欠点を有していた．そこで，セントルイスに移ったCooperらは両側に片肺移植を行う両側片肺移植術（bilateral single lung transplantation）を開発した[5]．この術式は両肺移植術の欠点を克服していることから，現在ではほとんどの施設で採用されている．その後，肺移植は世界中に普及していったが，同時にドナー不足も深刻化した．この問題を解決するため，南カルフォルニア大学のStarnesらは，1990年，レシピエントの親から肺葉の提供を受け，これをレシピエントに移植する生体肺移植術を開発した[6]．

c 日本における肺移植 レベルA

1）日本における臓器移植

日本初の脳死ドナーからの臓器移植は1968年8月に行われた心臓移植であった．レシピエントは術後83日目に死亡したが，このとき行われた脳死診断について疑義が持たれ，メディアや世論は脳死臓器移植に批判的となった．このため日本における臓器移植は大きく出遅れることになる．脳死について約20年議論が続いたが，海外での優れた臓器移植の成績が報告されるようになったことから，日本においても再度臓器移植の必要性が議論され，1994年"臓器の移植に関する法律案"が国会に提出された．そして，1997年10月16日に臓器移植法が施行され，脳死臓器移植が可能となった．しかし，この法律では，脳死者自らが生前に文書で臓器提供の意思表示をしておかなければならず，また小児の臓器提供は実質的に不可能となった[7]．1998年4月，移植関係学会合同委員会において，東北大学，京都大学，大阪大学，岡山大学が肺移植実施施設に選定された．1999年2月ついに日本第1例目の心臓，肝臓，腎臓などの脳死移植が行われたが，肺は医学的理由により使用不能として移植は断念された．

2）日本おける肺移植の成功

日本における肺移植は，1998年10月岡山大学による両側生体肺葉移植でスタートした[8]．2000年3月には5人目の脳死者からはじめてドナー肺の提供を受け，大阪大学で左片肺移植[9]，東北大学で右片肺移植[10]が，さらに2001年3月には大阪大学で両側片肺移植が成功裡に実施された．2015年1月現在の肺移植実施施設は，前述の4施設のほ

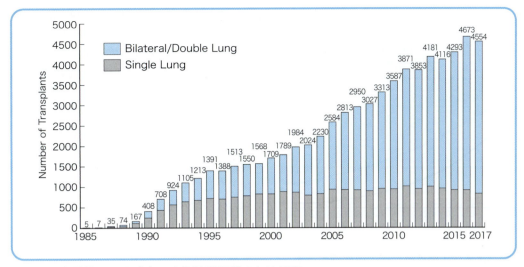

図1 国際登録による成人・小児肺移植数の年次推移
(https://ishltregistries.org/registries/slides.asp [11])を参考に作成)

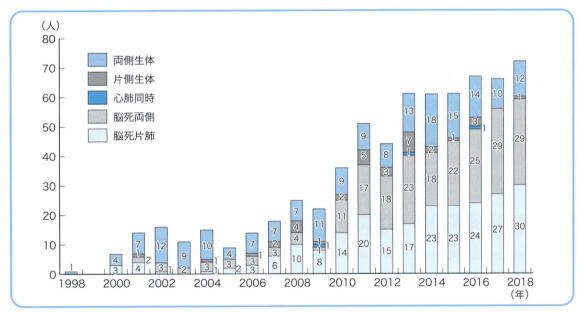

図2 本邦における肺移植数の年次推移
(http://www2.idac.tohoku.ac.jp/dep/surg/shinpai/index.html [12])を参考に作成)

か，獨協医科大学，千葉大学，東京大学，福岡大学，長崎大学が認定されている．

d 世界の脳死肺移植実施数の推移 レベルC

国際心肺移植学会では，1985年から毎年肺移植実施数を集計し公表している．2017年までの成人および小児肺移植の集計結果を図1に示す[11]．片肺移植は当初は急激に増加したが，2000年以降は年間800〜1,000例程度で推移している．両側片肺移植数は持続的に増加し，2017年には年間3,727例に達している．2017年までの成人総肺移植数は69,200例で，2017年1年間の成人肺移植は4,452例，17歳以下の小児肺移植は101例であった．

e 日本の肺移植実施数の推移 レベルB

日本肺および心肺移植研究会が集計している2018年までの脳死肺移植，心肺移植，生体肺移植の実施数を図2に示す[12]．前述のごとく生体肺移植が1998年に，脳死肺移植が2000年にスタートした．当初，脳死ドナー肺の提供が極めて少なく，1年の脳死肺移植実施数は5例程度で推移した．一方，生体肺移植は年間約10例実施され，2009年までは生体肺移植実施数が脳死肺移植実施数より多いという世界では例のない現象が続いた．

国際移植学会が中心となってイスタンブールで開催された国際会議で，臓器売買・移植ツーリズムの禁止，自国での臓器移植の推進，生体ドナーの保護を提言するイスタンブール宣言が採択された．これを受けて日本では2009年臓器移植法の一部が改正され，生前に脳死者本人から臓器提供の意思表示が行われていなくても，家族の同意があれば

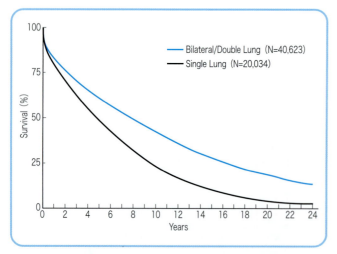

図3 本国際登録による成人肺移植症例の術式別生存率
(https://ishltregistries.org/registries/slides.asp [11]) を参考に作成）

臓器提供が可能になった．また，15歳未満でも臓器提供が認められた．この改正法は2010年7月に施行され，臓器提供数が著明に増加した．これにより脳死肺移植実施数は著明に増加した（図2）．2018年12月末までの肺移植実施数は，脳死片肺移植が231例，脳死両側片肺移植が216例，心肺同時移植数が3例，生体肺移植数が221例となった．しかし，依然として脳死者からの臓器提供数は不足しており，また，肺移植登録数も増加していることから待機中の死亡率は約40％と極めて高い状態が続いている．

f 世界と日本の肺移植の成績 レベルB

2019年10月に発表された国際登録における成人肺移植後の5年生存率は，片肺移植：48.5％，両側肺移植：60.7％である（図3）．国内における肺移植レシピエントの術式別5年生存率は，2018年末の時点で脳死片肺移植68.3％，脳死両側肺移植：76.0％，片側生体肺葉移植：71.2％，両側生体肺葉移植：74.5％である（図4）．生体肺移植においては，標準術式である両側下葉移植の他に，片側肺葉移植，上葉温存生体肺移植，生体左右反転移植などの新術式が国内で開発され，良好な成績が報告されている[13]．脳死肺移植の成績も国際登録と比較して良好であるが，臓器移植法改正後の今日でも前述のごとく，いまだ待機中死亡率が高く，臓器提供数の増加が日本における肺移植の課題のひとつである[14]．

文献

1) Hardy JD et al. JAMA 1963; **186**: 1065
2) Shinoi K et al. Am J Surg 1966; **111**: 617
3) Toronto Lung Transplant Group. N Engl J Med 1986; **314**: 1140
4) Patterson GA et al. J Thorac Cardiovasc Surg 1988; **95**: 70
5) Pasque MK et al. Ann Thorac Surg 1990; **49**: 785
6) Starnes VA et al. J Thorac Cardiovasc Surg 1992; **104**: 1060
7) 川島康生．本邦における臓器・組織（細胞）別の歴史 1)心臓．日本移植学会50周年記念誌，日本移植学会，丸善プラネット，2014: p45
8) 清水信義ほか．日外会誌 1999; **100**: 806
9) Miyoshi S et al. Jpn J Thorac Cardiovasc Surg 2001; **49**: 398
10) 松村輔二ほか．今日の移植 2000; **13**: 418
11) https://ishltregistries.org/registries/slides.asp
12) http://www2.idac.tohoku.ac.jp/dep/surg/shinpai/index.html
13) 伊達洋至．その後20年—肺移植—．日本胸部外科学会70年のあゆみ，大北　裕（編），日本胸部外科学会，2018: p366
14) 岡田克典．肺移植の課題と将来展望．日本胸部外科学会70年のあゆみ，大北　裕（編），日本胸部外科学会，2018: p438

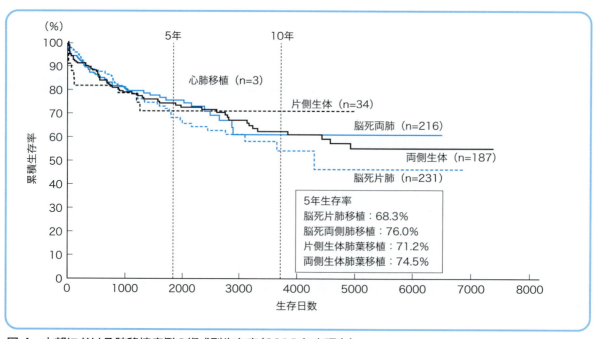

図4 本邦における肺移植症例の術式別生存率（2018年末現在）
(http://www2.idac.tohoku.ac.jp/dep/surg/shinpai/index.html [12]) を参考に作成）

2 適応

要点

1. 肺移植の適応は，内科的治療の継続では予後不良と判断される慢性進行性肺疾患患者である．
2. 日本においては，特発性間質性肺炎，肺リンパ脈管筋腫症，肺動脈性肺高血圧症，閉塞性細気管支炎，気管支拡張症/びまん性汎細気管支炎などが主な適応疾患である．
3. 脳死下臓器提供を受けるためには，日本臓器移植ネットワークへの登録が必要である．
4. 脳死肺移植の適応をまず考慮し，呼吸不全の進行などにより脳死肺移植を受けることができる可能性がほとんどないと判断される場合に生体肺移植を考慮する．

Key Word 適応，除外条件，適応疾患，肺移植登録

肺移植の適応は，内科的治療の継続では予後不良と判断される慢性進行性肺疾患患者である．日本においては，肺・心肺移植関連学会協議会により適応基準が定められており，①一般的適応指針を満たしているか，②肺移植の適応となる疾患かどうか，③除外条件にあてはまらないかどうか，の3段階で適応を判断する．本項では，肺移植の適応基準，肺移植登録までの流れ，さらに適応疾患毎の肺移植施設紹介と肺移植手術のタイミングについて解説する．

a 肺移植の適応

1) 一般的適応指針 レベルB

一般的適応指針(表1)によると，治療に反応しない慢性進行性肺疾患で，患者の生命を救う有効な手段がほかになく，残存余命が限定されると判断される場合，肺移植の適応となる．日本ではレシピエントの年齢制限の規定があり，両側肺移植は55歳未満，片肺移植は60歳未満である．本人の精神状態，治療の必要性の認識，家族の協力体制にも言及されている．移植後の定期検査・免疫抑制療法を理解し，心理学的・身体的にそれらに耐えうることも重要である．

2) 適応疾患

肺移植の適応疾患として，肺高血圧症，特発性間質性肺炎，肺気腫などの疾患が認められている(表2)．

3) 除外条件

除外条件(表3)は，肺移植によって救命することが困難と考えられる状況を示す基準であり，上記の一般的適応指針を満たす適応疾患患者でも，除外条件にあてはまる場合には肺移植の適応としない．これには，肺外の活動性の感染巣，悪性腫瘍，骨髄疾患，筋・神経疾患など他の重要臓器の不可逆性障害，精神社会生活上の重要な障害の存在などが含まれている．

表1 肺・心肺移植レシピエントの一般的適応指針

1. 治療に反応しない慢性進行性肺疾患で，肺移植以外に患者の生命を救う有効な手段が他にない．
2. 移植を行わなければ，残存余命が限定されると臨床医学的に判断される．
3. レシピエントの年齢が，原則として，両側肺移植の場合55歳未満，片肺移植の場合には60歳未満である．
4. レシピエント本人が精神的に安定しており，移植医療の必要性を認識し，これに対して積極的態度を示すとともに，家族および患者をとりまく環境に十分な協力体制が期待できる．
5. レシピエント症例が移植手術後の定期検査と，それに基づく免疫抑制療法の必要性を理解でき，心理学的・身体的に十分耐えられる．

(肺・心肺移植関連学会協議会を参考に作成)

4) 術式の選択

上記の適応基準には記載されていないが，術式の選択も重要な事項である．気管支拡張症やびまん性汎細気管支炎のように慢性気道感染を伴うものは両側肺移植の適応である．これらの疾患では緑膿菌などによる気道感染を伴うことが多く，片肺移植後の免疫抑制により残存肺の感染のコントロールが不能となると予想されるためである．また，肺動脈性肺高血圧症，Eisenmenger症候群などの肺高血圧症では，片肺移植後に重症の肺水腫を呈する危険性が大きいため，両側肺移植が選択されることが多い．この他，難治性両側気胸，術後に感染の危険性が大きいと考えられる大きなブラが多発するような症例は相対的な両側肺移植の適応である．以上のような場合を除いては，深刻なドナー肺不足を背景とする臓器シェアの観点から日本では片肺移植が選択される．

5) 生体肺移植の適応

日本移植学会「生体部分肺移植ガイドライン」1)によると，生体肺移植の適応は，前述の脳死肺移植の適応を満た

表2 肺移植レシピエントの適応疾患

1. 肺高血圧症
   1.1 特発性／遺伝性肺動脈性肺高血圧症
   1.2 薬物／毒物誘発性肺動脈性肺高血圧症
   1.3 膠原病に伴う肺動脈性肺高血圧症
   1.4 門脈圧亢進症に伴う肺動脈性肺高血圧症
   1.5 先天性短絡性心疾患に伴う肺動脈性肺高血圧症（アイゼンメンジャー症候群）
   1.6 その他の疾患に伴う肺動脈性肺高血圧症
   1.7 肺静脈閉塞症（PVOD）／肺毛細血管腫症（PCH）
   1.8 慢性血栓塞栓性肺高血圧症
   1.9 多発性肺動静脈瘻
   1.10 その他の肺高血圧症
2. 特発性間質性肺炎（IIPs）
   2.1 特発性肺線維症（IPF）
   2.2 特発性非特異性間質性肺炎（INSIP）
   2.3 特発性上葉優位型間質性肺炎（IPPFE）
   2.4 上記以外のIIPs
3. その他の間質性肺炎
   3.1 膠原病合併間質性肺炎
   3.2 薬剤性肺障害
   3.3 放射線性間質性肺炎
   3.4 慢性過敏性肺炎
   3.5 上記以外のその他の間質性肺炎
4. 肺気腫
   4.1 慢性閉塞性肺疾患（COPD）
   4.2 α_1アンチトリプシン欠乏症
5. 造血幹細胞移植後肺障害
   5.1 閉塞性GVHD
   5.2 拘束性GVHD
   5.3 混合性GVHD
6. 肺移植手術後合併症
   6.1 気管支合併症（吻合部および末梢も含む）（狭窄など）
   6.2 肺動脈吻合部合併症（狭窄など）
   6.3 肺静脈吻合部合併症（狭窄など）
7. 肺移植後移植片慢性機能不全（CLAD）
   7.1 BOS
   7.2 RAS
   7.3 その他のCLAD
8. その他の呼吸器疾患
   8.1 気管支拡張症
   8.2 閉塞性細気管支炎
   8.3 じん肺
   8.4 ランゲルハンス細胞組織球症
   8.5 びまん性汎細気管支炎
   8.6 サルコイドーシス
   8.7 リンパ脈管筋腫症
   8.8 嚢胞性線維症
9. 上記に該当しないその他の疾患

表3 肺・心肺移植レシピエントの除外条件

1. 肺外に活動性の感染巣が存在する．
2. 他の重要臓器に進行した不可逆性障害が存在する．悪性腫瘍，骨髄疾患，冠状動脈疾患，高度胸郭変形症，筋・神経疾患，肝疾患（T-bil＞2.5mg/dL），腎疾患（Ccr＜50mL/min）
3. 極めて悪化した栄養状態．
4. 最近まで喫煙していた症例．
5. 極端な肥満．
6. リハビリテーションが行えない，またはその能力が期待できない症例．
7. 精神社会生活上に重要な障害の存在．
8. アルコールを含む薬物依存症の存在．
9. 本人および家族の理解と協力が得られない．
10. 有効な治療法のない各種出血性疾患および凝固能異常．
11. 胸郭に広範な癒着や瘢痕の存在．
12. HIV（human immunodeficiency virus）抗体陽性．

(肺・心肺移植関連学会協議会を参考に作成)

6) 肺移植登録までの流れ

脳死下臓器提供を受けるためには，レシピエント候補者は日本臓器移植ネットワークに登録される必要がある．ネットワーク登録までに，肺移植実施施設内または地区適応検討委員会ならびに中央肺移植適応検討委員会で審査を受ける必要があり，適応と承認されたあとにネットワーク登録が可能となる（図1）．この間，肺移植実施施設の担当医あるいはレシピエントコーディネーターより最低2回のインフォームドコンセントがなされる．

b 各疾患における肺移植のタイミング
レベルB

ここでは，日本における主な肺移植適応疾患[2]である特発性間質性肺炎，肺リンパ脈管筋腫症，肺動脈性肺高血圧症，気管支拡張症／びまん性汎細気管支炎，肺気腫について，それぞれ国際ガイドライン[3]やConsensus documents[4]，各疾患の国内ガイドライン[5〜7]をもとに肺移植施設紹介と肺移植手術施行のタイミングについて記載する．なお，日本における脳死肺移植の平均待機期間は2年を超えている．

1) 特発性間質性肺炎

特発性間質性肺炎（idiopathic interstitial pneumonias：IIPs）は肺胞隔壁などの肺の間質に炎症や線維化を生じる疾患群のなかで原因が特定できないものの総称である．IIPsは，病理組織パターンに基づいた従来からの7つに分類に加え，idiopathic pleuroparenchymal fibroelastosis（idiopathic PPFE）とunclassifiable idiopathic interstitial pneumoniasという2つの概念が取り入れられ，この9型についてmajor IIPs, rare IIPs, unclassifiable IIPsの3つのカテゴリーに分類された[5]．そのうち50％以上を特発性肺線維症が，15％程度を非特異性間質性肺炎が占める[5]．特発性肺線維症に対しては，今まで明らかに有効な治療法が無かったものの，世界に先駆けてわが国で抗線維化薬が開発され，その抑制効果が期待されている[8]．しかし依然としてIIPsは日本において肺移植待機中の生存率が最も不良な疾患の

し，原因疾患と全身状態を鑑みて脳死肺移植を受けることのできる可能性がほとんどないと判断される場合である．これは，死体ドナーからの臓器提供を生体ドナーからの臓器提供よりも優先すべきとする倫理的な配慮に基づいたものである．生体肺移植には，原則として2名のドナーの存在が必要であり，ドナーの範囲を2親等または3親等以内の血族と配偶者に限定している施設が多い．ドナーとレシピエントの体格マッチングも重要で，ドナー予測肺活量（両側の場合は両葉を合わせたもの）／レシピエント予測肺活量≧45〜50％が一般的に用いられている．

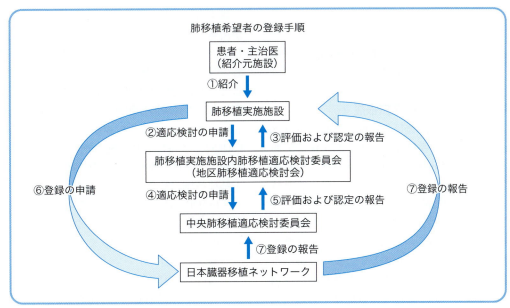

図1 患者の肺移植実施施設紹介から日本臓器移植ネットワーク登録までの流れ

ひとつであることから，時期を逸しない肺移植登録が望まれる．

一般的な肺移植適応に加え，IPF/UIP ならびに fibrotic NSIP に関する基準が示されている[3〜5]．

①肺移植施設紹介のタイミング
・組織学的あるいは画像学的に通常型間質性肺炎（UIP）の証拠が得られたとき（肺活量にかかわりなく）
・組織学的に線維化型非特異性間質性肺炎の証拠が得られたとき

②肺移植手術施行のタイミング
・組織学的あるいは画像学的に UIP の証拠が得られ，かつ以下のどれかを満たすとき
　ⅰ）%DLCO＜39%
　ⅱ）6ヵ月間の経過観察で FVC が 10% 以上低下する
　ⅲ）6分間歩行テストで SpO_2 値が 88% 未満となる
　ⅳ）HRCT での蜂巣肺所見（fibrosis score＞2）が認められる
・組織学的に非特異性間質性肺炎の証拠が得られ，かつ以下のどれかを満たすとき
　ⅰ）%DLCO＜35%
　ⅱ）6ヵ月間の経過観察で FVC が 10% 以上低下する，または%DLCO が 15% 以上低下する

2）肺リンパ脈管筋腫症

肺リンパ脈管筋腫症（pulmonary lymphangioleiomyomatosis：LAM）は，生殖可能年齢の女性に発症し，肺（嚢胞壁，胸膜，細気管支・血管周囲）と体軸リンパ節（肺門，縦隔，後腹膜，骨盤腔）における平滑筋様細胞（LAM 細胞）の増生とリンパ管新生を基本病変とする比較的まれな疾患である．LAM は全身性の疾患であるものの，死因の多くが呼吸不全であることから肺移植の適応疾患と考えられている．なお，2014 年から mTOR 阻害薬のシロリムスが日本で保険適用となったことから，内科的治療による予後の改善が見込まれている．

①肺移植施設紹介のタイミング
・NYHA 分類 Ⅲ〜Ⅳ度

②肺移植手術施行のタイミング
・肺機能と運動耐用能の著しい低下（たとえば VO_2max が予測値の 50% 未満）
・安静時の低酸素血症

3）肺動脈性肺高血圧症

肺高血圧症（肺動脈平均圧が 25mmHg 以上）のなかで，肺動脈楔入圧が 15mmHg 以下のものは肺動脈性肺高血圧症と定義されており，そのなかで特に原因となる疾患の存在を指摘することができない例を特発性肺動脈性肺高血圧症と呼ぶ．有効な内科的治療法が存在しなかった時代には極めて予後不良であったが，1990 年代以降次々と治療薬が開発され，現在では血管拡張薬を主とする内科的治療により生命予後が改善してきている．しかし内科的な治療に反応しない下記のような例では肺移植が適応と考えられる[3,4,6]．

①肺移植施設紹介のタイミング
・NYHA 分類 Ⅲ〜Ⅳの場合
・病状が急速進行性の場合
・NYHA/WHO 機能分類を問わず，持続静注・皮下注の肺高血圧治療薬を使用している場合
・肺静脈閉塞症/肺毛細血管腫症（pulmonary veno-occlusive disease：PVOD/pulmonary capillary hemangiomatosis：PCH）が疑われる場合

②肺移植手術施行のタイミング
・最大限の内科的治療を行っても NYHA 分類 Ⅲ度以上が継続する場合
・6分間歩行距離＜350m 未満
・エポプロステノールなどの内科的治療が無効な場合

- 心係数<2L/min/m²
- 右房圧>15mmHg
- 喀血，心嚢液貯留，右心不全兆候(腎機能障害，ビリルビン上昇，BNP上昇，難治性腹水)の悪化

4) びまん性汎細気管支炎/気管支拡張症

びまん性汎細気管支炎は，両肺びまん性に呼吸細気管支領域の慢性炎症が遷延し，呼吸機能障害をきたす疾患である．病理学的には，呼吸細気管支領域のリンパ球，形質細胞などの細胞浸潤と泡沫化したマクロファージの集簇を特徴とし，進行すると気管支拡張を生じる．副鼻腔炎を合併することが多く，遺伝子 HLA-B54 の関与が報告されている．1985年以降エリスロマイシンなど14員環マクロライド剤による少量長期療法が導入され著しい予後の改善が得られたが，内科的治療によっても呼吸不全が進行する症例は肺移植の適応となる．一方，気管支拡張症は，構造上気管支の有意な拡張がみられる病態の総称で，原因は気道感染に続発するもの，先天性のものなど様々であるが，日本ではびまん性汎細気管支炎を含む副鼻腔気管支症候群に属するものが高頻度とされている．

①肺移植施設紹介のタイミング
- 1秒量が予測値の30%未満となる，あるいは急速に低下する
- 集中治療室(ICU)管理が必要となるまでの呼吸状態の悪化
- 抗生物質治療が必要となるような病状悪化の頻度の増加
- 塞栓術でコントロールできない繰り返す喀血

②肺移植手術施行のタイミング
- 酸素に依存した呼吸不全
- 高炭酸ガス血症
- 肺高血圧

5) 肺気腫ならびに α_1 アンチトロンビン欠損症型肺気腫

肺気腫はタバコや大気汚染などの有害物質を長期間吸入暴露することにより，細気管支に炎症が生じて末梢の気道が閉塞し，肺胞への気道が閉塞して生じる．エアートラッピングが生じるため肺全体が膨張し，徐々に進行する労作時の呼吸困難や慢性の咳・痰などの症状を認め，重症化すると，肺血管床の減少から二次性肺高血圧症を伴う．薬物療法として長時間作用性抗コリン剤(long-acting muscarinic antagonist：LAMA)や β 刺激剤(long-acting β_2 agonist：LABA)，さらにそれら配合剤(LABA/LAMA配合剤)があるが，中等度，重症例では肺移植になりうる[3,4,7]．

①肺移植施設紹介のタイミング
- BODE index で 5 を超える場合

②肺移植手術施行のタイミング
- BODE index が 7～10 または少なくとも下記が1つでもある場合
- %FEV$_1$<15～20%
- 1年間で3回以上の急性増悪
- 1回の急性二酸化炭素血症による急性増悪
- 中等度から重度の肺高血圧

文献
1) 日本移植学会ホームページ
   http://www.asas.or.jp/jst/pro/pro6.html
2) 日本肺および心肺移植研究会ホームページ
   http://www2.idac.tohoku.ac.jp/dep/surg/shinpai/index.html
3) Orens JB et al. J Heart Lung Transplant 2006; 25: 745
4) Weill D et al. J Heart Lung Transplant 2015; 34: 1
5) 日本呼吸器病学会 びまん性肺疾患診断・治療ガイドライン作成委員会(編)．特発性間質性肺炎診断と治療の手引き，第3版，南江堂，2018: p129
6) 日本循環器学会他(編)．肺高血圧症治療ガイドライン(2017年改訂版)，p30
7) 日本呼吸器病学会．COPD(慢性閉塞性肺疾患)診断と治療のためのガイドライン 2018 第5版，メディカルレビュー社，2018: p108
8) Taniguchi H et al. Eur Respir J 2010; 35: 821

③ 術式

要点
1. 肺移植手術は，①ドナー肺摘出術（グラフト採取術），②肺保存，および③レシピエント移植術がある．
2. ドナーの形態により，①脳死肺移植，②生体肺移植，および③心臓死肺移植に分けられる．
3. 移植するグラフトにより，①心肺同時移植，②両肺移植，③片肺移植，④肺葉移植（上葉・中葉・下葉），⑤区域移植に分けられる．
4. 技術的には高度な気管支および肺動脈・肺静脈などの吻合技術を要する．

Key Word　ドナー，肺保存，レシピエント，脳死肺移植，生体肺移植，心臓死肺移植，心肺同時移，両肺移植，片肺移植，肺葉移植，区域移植，気管支吻合，血管吻合

　肺移植および心肺移植は，ドナーからグラフト（肺もしくは心肺）を摘出し，そのグラフトを保存，そしてレシピエントに移植するという3つの部分から構成される．難度の高い技術を要求される理由として，生体ドナーからは肺葉および肺区域の摘出が目的ではなく，それらをグラフトとして使用できる状態で摘出されなければならい．またレシピエント手術では気管支吻合に加え，肺動脈・肺静脈吻合や人工心肺装置の使用など，呼吸器外科専門医としては獲得してきた技術の集大成をもって臨む手術といっても過言ではない．重度の呼吸不全および二次性肺高血圧を伴う患者も多く，術前の状態が悪い患者に高侵襲の手術を行う肺移植では，手術の出来不出来が術後の経過を大きく左右することになるため，外科医には高い技術が要求される．

a 肺移植手術の分類 レベルA

　肺移植には，①ドナーによる分類（脳死，生体，心臓死），②グラフトによる分類（全肺，上葉・中葉・下葉などの肺葉，肺葉の一部である肺区域，分割肺），③術式による分類（両肺移植，左片肺移植，右片肺移植），④一度移植を受けた方がもう一度移植を受ける再肺移植がある．

1）ドナーによる分類
①脳死肺移植
　法的脳死状態と診断されたドナーから提供された肺を移植する方法で，世界的には最も多く行われている移植である．レシピエントの適応については他項に譲るが，2020年2月現在全国で9施設が認定されている．
②生体肺移植
　健康な生体ドナーから一肺葉を超えない範囲で臓器提供を受け移植する方法である．ドナーの適応基準としては
1. 「日本移植学会倫理指針」で定める範囲内の親族．
2. 「日本移植学会倫理指針」で定める範囲の年齢であること
3. レシピエントと血液型が適合すること
4. 肺機能が正常であること
5. 全身性の活動性感染症がないこと
6. 悪性腫瘍がないこと（治癒したと考えられるものは支障ない）
7. 提供手術に関連する死亡率を増すような合併症がないこと

とされる．

　実際は移植施設内ガイドラインによりさらに厳しく規定されており，たとえばドナーは原則20歳以上60歳以下で3親等（施設によっては2親等）以内の血族あるいは配偶者で，自発的な愛情に基づいた提供の意思を持つ，医学的に問題のない健康な方とされる．

　生体肺移植実施施設基準としては
1. 脳死肺移植の実施施設であること
2. 施設内の倫理委員会で生体肺移植実施の承認を受けていること
3. 厚生労働省「臓器の移植に関する法律」の運用に関する指針（ガイドライン），世界保健機関「ヒト臓器移植に関する指針」，国際移植学会倫理指針，日本移植学会倫理指針，日本移植学会「生体肺移植ガイドライン」を遵守していること

とされる．

③心臓死肺移植
　心停止にいたり死亡が確認された方から提供された肺を移植する方法で，現在世界的にその施行数が増えている．日本においても腎臓移植は数多く行われている．この方法により，脳死ドナーからの臓器提供では補いきれなかった臓器提供数が大幅に増加することが期待されており，今後は日本においても導入される可能性が高い．

④ハイブリッド肺移植
　脳死および生体移植を同一レシピエントに同時に行う方法である．脳死では片肺しか斡旋されないレシピエントに同肺移植を可能としたり，マージナル脳死ドナー肺を用いる際，生体肺が周術期の肺機能をバックアップできる点で，より安全にマージナル肺を使用することが可能となる．

2）グラフトによる分類

①全肺
脳死もしくは心臓死ドナーから片側肺全体ごとの単位で提供してもらい，レシピエントの肺と入れ替える．

②肺葉
ドナーの上葉，中葉，下葉のうちいずれかを提供してもらい，レシピエントの肺と入れ替える．解剖学的な形や気管支血管の位置関係から，通常は下葉を使用することが一般的である．特に体格の小さな小児には中葉が選択される．

③肺区域
レシピエントにとって肺葉では大き過ぎて胸郭におさまらない場合などに，肺区域による移植が考慮される．成人下葉をS^6および底区域に分割し，2つのグラフトとして両肺移植に利用することも可能である．3歳児以下の乳幼児に適応となる．

④分割肺
脳死もしくは心臓死ドナーから提供された肺を，体格の規定を外して小さなレシピエントに再斡旋する場合，肺の一部を分割して移植する方法である．

3）術式による分類

①両肺移植
レシピエントの左右両方の肺を入れ替える術式．肺高血圧症や感染性疾患では優先して選択される術式である．

②片肺移植
レシピエントの左側または右側の肺を入れ替える術式．肺線維症，慢性閉塞性肺疾患（COPD）などで選択される術式．

③反転移植
ドナーの左右どちらかから取り出した肺を，左右もしくは上下を入れ替えてレシピエントに移植する術式．

④再肺移植
一度肺移植を受けた患者が，何らかの理由でもう一度移植を受ける術式である．最初の移植が片肺移植の場合，移植していない反対側の肺を入れ替える方法（追加移植）と，移植した肺を再び摘出して新しい肺に入れ替える方法（狭義の再移植）がある．その主な適応としては肺移植後慢性拒絶反応があげられる．

b 肺移植レシピエントおよびドナーの評価 レベルB

1）肺移植レシピエント適応評価
肺移植レシピエントの適応基準については他項に譲るが，肺移植は大きな侵襲を伴う手術であるため，術前の適応評価は慎重に行わなければならない．しかも，脳死肺移植ではドナー発生までの待機期間が年単位となることが多く，適応評価時と移植時とではレシピエントの状態も異なる場合が多い．肺のみならず，人工心肺下の手術を想定し，心血管系を含む全身検索が必要である．また，片肺移植の場合は残存側の肺機能によって移植側を決定するためCTなどに加え，換気血流シンチグラフィーも有用である．左右差は大きいほどオフポンプ下での肺移植に耐えうる可能性は大きくなる．

2）肺移植ドナー適応評価

①脳死ドナー
脳死ドナーの発生は突然である．また，救急室（ER）もしくは集中治療室（ICU）での治療期間が数週間に及ぶ場合もあり，院内感染を含む感染症にも注意が必要である．臓器移植ネットワークから提供される病歴・血液生化学検査・感染症検査・画像そしてメディカルコンサルタント医師による気管支鏡所見などから総合的に評価する．移植後の肺機能は脳死ドナーの呼吸機能と完全に一致はしない．なぜなら肺グラフトは〜12時間に及ぶ冷虚血時間のあとに虚血再灌流障害を受けるため，実際の肺機能はさらに悪化していることがほとんどである．レシピエントの状況も加味して慎重に評価する必要がある．臓器斡旋を円滑に行うため，通常1時間以内に一時評価を完了し，摘出チームを派遣するかどうかを判断する必要がある．

脳死ドナーからの臓器摘出は全国各地の提供病院に各臓器移植施設の摘出チームが赴いて行われる．そのため摘出チームは現地で摘出に先立ち臓器の最終評価を行う．臓器摘出に際しては常にドナーに対する礼意と尊厳の保持を忘れてはならない．ドナー肺の評価およびマネジメントののち，法的必要書類および各臓器の搬送経路と搬送時間の確認を行う．複数の臓器摘出チームと同時に手術を行うため術前ミーティングでは摘出予定臓器と移植施設，臓器摘出手術のタイムテーブル・経路を確認する．また，臓器の摘出手技，肺摘出においては特に肺動静脈の切離線・灌流用カニューレの位置の確認，人工呼吸器を止める時期（気管または気管支遮断後），プロスタグランディンの投与の有無と投与方法・時期，投与酸素濃度，換気方法（摘出時換気圧・酸素濃度）などを説明する．

②生体ドナー
生体ドナーは臓器提供の自由意思，ドナー手術の安全性およびその後の十分なQOLを担保することが最優先されるべきである．そのため全身検索および精神科のコンサルテーションに加え，ターゲットとなる肺葉切除に必要な情報（血管気管支分岐・葉間・肺葉容積）を3D-CTやCT volumetryなどを駆使して評価する．生体肺移植では通常2人のドナーを必要とする．それぞれ，一肺葉を超えない範囲で提供することになるが，ドナーはその肺活量のうち約15〜20％を失うことになる．しかし，この程度の肺機能低下は日常生活を送るうえで問題となることはなく，またドナーが女性の場合でも妊娠出産に影響はない．むしろ脳死肺移植に比べ，①虚血時間が短い，②待機手術であるため十分な術前検査・マッチングが可能，③緊急性を要するレシピエントにも臓器確保が可能，など利点も多い．

ドナー・レシピエントのサイズマッチングについては，移植後に十分な肺血管床とガス交換能を提供するだけの肺活量を確保されなければならない．ドナー肺は，レシピエントの予測肺活量の45％以上が必要であり，また肺高血圧のあるレシピエントに対しては60％以上が理想的である．

提供肺の肺活量決定には，ドナーの努力肺活量から計算する方法と，CT volumetry により肺容量自体を計算する方法がある．両者はよく相関しているが，胸郭の変形などにより解離するものもあり，両方法を駆使しより正確なマッチングを行うことが推奨される

C 肺移植手術の実際 レベルC

1) ドナー摘出術

①脳死ドナー

黙祷のあと，胸骨上端から下腹部まで正中切開を行う．胸部は心または肺，腹部は肝臓または膵臓の摘出チームの執刀医が行う．臓器ごとに，外傷，腫瘍などのないことを視診・触診（最終評価）により確認し，肺の場合，上下大静脈の結紮切離に備えテーピング，肺動脈に灌流用カニューレを挿入できるように，巾着縫合をかけておく．

全身ヘパリン化（4〜5mg/kg）のあと，肺動脈幹に灌流用カニューレを挿入する．上大静脈を心膜翻転部より末梢で結紮，上大静脈を心臓側で切断する．大動脈遮断ののち，左心耳を切開し，ドレナージ用の吸引管を挿入する．肺保存液の還流を開始する．この際，肺うっ血には十分注意する．肝臓摘出チームにより下大静脈に脱血管が挿入されているので，脱血開始を確認し下大静脈は鉗子で遮断後切離する．

胸腔内にアイススラッシュを入れ（topical cooling），右側肺静脈，左側肺静脈の順に切離する．心臓を持ち上げて心房後壁の結合組織を鋏で切離し心臓を摘出する．この際，4つの肺静脈入口部が1つの左心房カフとして肺側に残るように切り進める．次に肺靱帯を切離し，食道前面にて肺門部を剥離し，気管をステイプラーで切断，両肺を en bloc に摘出する．器具の残存がないことを確認して，胸骨正中切開，腹部正中切開創を縫合する（閉創直前にX線撮影して，器具の残存がないことを確認する）．

②生体ドナー

通常2人のドナーを必要とすることから生体肺移植においては3つの手術チーム（ドナー2人とレシピエント）が必要となる．臓器摘出のタイミングは，レシピエントの胸腔内癒着の有無にも左右されるため，通常レシピエントの開胸所見をもとに，ドナーの執刀開始時間を決定する．後側方切開・第5肋間開胸を標準とし，肺門剥離，肺靱帯切離は通常の下葉切除と同様であるが，移植グラフト摘出には以下にあげるような注意点がある．

- ①操作は愛護的に——摘出肺を決して把持鉗子などで挟んではいけない
- ②肺動脈・肺静脈・気管支の剥離を十分行っておき，切離は一気に行う
- ③肺動脈・肺静脈・気管支切離の際，ドナーおよびレシピエント側に縫合閉鎖および吻合に必要な十分な長さが必要
- ④切離直前に全身ヘパリン化およびメチルプレドニゾロン500mg投与を行う
- ⑤肺うっ血に注意し，血管鉗子は肺動脈，次いで肺静脈の順にかける
- ⑥肺静脈鉗子がかかったら，速やかに肺血管を切離し，肺内血液をドレナージする
- ⑦気管支周囲の剥離は最小限にとどめる
- ⑧摘出後は速やかにバックテーブルに送り，肺動脈フラッシングを含む肺保存のプロセスを開始する

ⅰ) 肺動脈

十分な剥離を行い，血管鉗子と切離ラインが近くならないようにすることが，縫合閉鎖や血管形成を容易にする．右ドナーの場合，中葉枝（A^4, A^5）が，下葉の A^6 よりも末梢で分岐している場合には注意が必要である．左ドナーの場合，A^6 は舌区枝（A^4, A^5）よりも中枢で分岐するため，血管形成が必要となるケースが多い．このようなケースでは血管鉗子は肺動脈中枢をクランプし，また切離ラインは A^6, A^4, A^5, A^8 入口部に細心の注意を払い，また A^6 と A^8〜A^{10} が離断してしまわないよう弧を描くように切離する．ドナー側は6-0縫合糸を用い，自己心膜により血管形成を行う．

ⅱ) 肺静脈

心嚢を切開し，下肺静脈を露出する．心嚢切開は横隔神経の走行に注意し，腹側より背側に向かって切開する．血管鉗子は下肺静脈にかけるが，彎曲の強い心房鉗子を使用する場合は，冠動静脈の血流阻害などにより心停止をきたすことがあるので注意が必要である．いったん肺静脈をクランプしたら，速やかに血管切離に移り，肺内血液のドレナージを行う．

ⅲ) 気管支

気管支露出の際，気管支周囲組織の剥離は最小限にとどめる．気管支内腔では外からみるよりも分岐は意外に中枢寄りであることがあるので注意する．気管支切離は B^6 と B^4+B^5 の間で，軟骨輪に対し斜め方向になることが多い．軟骨部はメスにて，膜様部はメッツェンバウム剪刀にて切離を行う．

ⅳ) 摘出肺葉フラッシュ・保存

摘出肺葉のフラッシングおよび保存はバックテーブルで行う．アイススラッシュを敷き詰めたベッケンの上に肺葉をのせるが，その際タオルなどで氷が直接肺葉に触れないようにする．冷却した肺保存液を選択的に肺血管枝に挿入したファイコンカテーテルよりフラッシングを行う．同時に 4.5〜5.0mm の気管内チューブを挿入し，アンビューバッグ（室内気）にて肺葉の換気を行い，フラッシング効率を上げる．決して肺を過膨張させてはいけない．一連の操作中，肺血管（特に肺動脈）・気管支壁は直接鑷子などで把持せず，周囲組織を把持するよう心がける．順行性フラッシュに続いて逆行性フラッシュを行う．脳死ドナー肺の場合，脂肪塞栓や血栓塞栓の有無を注意深く観察・除去する．肺が十分冷却されたあとは，換気は控えめに行う．気管分泌物の培養検査を提出し，フラッシング中のエアリークや，肺損傷部の有無を確認する．

2) レシピエント肺移植術

全身麻酔導入に先立ち，経皮的心肺補助装置（PCPS）アク

セスについても準備を行う．通常肺移植は仰臥位で行うが，片肺移植の場合側臥位で行う施設もある．第4肋間開胸（clamshell開胸）後，肺門の剝離，肺靱帯の切離を行うが，胸膜癒着歴のある患者では剝離に時間を要す．ドナー臓器摘出（到着）時間を考慮し，虚血時間が最短となるように執刀開始時間を調整する．できるだけoff pumpで癒着剝離を進めるが，心不全傾向のある患者など循環系が不安定であれば直ちに全身ヘパリン化の後人工心肺を導入する．central cannulationはperipheral cannulationに比べ術中は利点が多い．横隔神経を損傷することのないよう細心の注意を払い，心囊を切開し，肺動静脈をテーピングする．生体肺葉移植では肺静脈吻合はレシピエントの上肺静脈を使用するため，こちらは長めに残しておく．気管支切離にはステープリングデバイスを用い，左右の肺摘出が終了した時点で気管内の洗浄を行う．

吻合に用いる気管支・肺動静脈のカフをトリミングし，気管支吻合より開始する．著者らは4-0 PDS連続縫合にて行っている．続いて左房肺静脈に血管鉗子をかけるが，ドナー肺の肺静脈カフは短いことが多く，心房間の溝を剝離し，レシピエント側の肺静脈を引き出して，左房壁にかけるようにしている．カフの長さが不十分であったり，反転移植などで血管形成が必要な場合は自己心膜やドナー肺動脈を使ってカフを形成する（図1）．吻合は5-0プロリン連続縫合で行い，縫合糸は結紮せず，エア抜きに利用する．肺動脈に血管鉗子をかけ，ドナー肺動脈カフとのサイズマッチを行うべく，仕上げのトリミングを行う．この際，肺動脈が長過ぎると，再灌流後のねじれの原因となるので留意する．レシピエントの肺動脈壁はたいへん脆く（特に肺高血圧を合併している場合），鑷子による把持でも容易に内膜解離したり切れ込みを起こしたりするので愛護的に扱う．血管系のねじれや閉塞を防止するためには，再換気されたときの血管の位置の変化を想定して吻合することが最重要である．そのためトリミングの際はカフの長さや切開角度に留意する（図2）．

対側吻合も同様の手技で行う．心肥大がある左肺移植の際は，心囊を大きく切開し，心臓を脱転すると，肺静脈吻合の際のアクセスがよい．

すべての吻合が終了したら，ステロイド投与ののち，再灌流を開始し，血管系からの空気抜きを十分に行う．特に肺静脈系からは左房より直接空気が大動脈に飛散してしまい，その結果，右冠状動脈塞栓および脳塞栓を起こすことがあるので十分注意する．いったん再灌流したら，肺の脱転は原則行わない．肺うっ血をきたし原発性移植片機能不全（primary graft dysfunction：PGD）の原因となる．血管吻合部後壁よりの出血はグラフトにとって致命的ともなりうるため，血管吻合の際は特に注意する．

人工心肺から離脱し，止血を十分確認後，手術を終了す

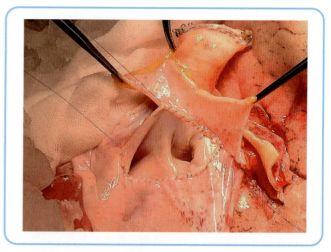

図1　自己心膜による肺静脈形成術

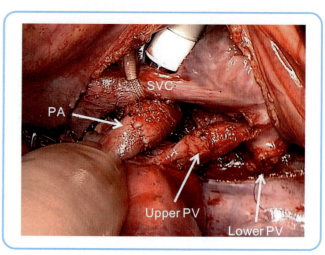

図2　生体肺移植吻合完成図
　ドナー肺静脈はレシピエント上肺静脈に吻合（小児例）．
　SVC：上大静脈，PA：肺動脈，Upper PV：上肺静脈，Lower PV：下肺静脈（断端）

る．右心不全合併例や，グラフトサイズの小さいケースでは，術後も呼吸循環は非常に不安定であるため，NO使用や術後膜型人工肺（ECMO）使用も念頭に置いて慎重に管理する．

文献
1) 大藤剛宏．NEW外科学—移植，第3版，南江堂，2012：p180-182
2) Oto T. DCD for Lung Transplantation: Marginal Donors, Springer, 2014: p57-64
3) 大藤剛宏．移植のための臓器摘出と保存—生体ドナーからの肺葉摘出と保存—肺葉，第1版，丸善出版，2012，p211-218
4) Oto T et al. J Thorac Cardiovasc Surg 2015; 49: e42-e44

4 肺保存液

要点

1. 移植肺が良好な機能を発揮するためには，肺を良好な状態で保存することが重要である．
2. 肺保存には細胞内液組成液よりも細胞外液組成液が適している．
3. 肺の保存（虚血）時間は8時間以内が望ましいが，日本の臨床脳死肺移植では，それより長くなることもまれではない．

Key Word 細胞内液組成，細胞外液組成，虚血再灌流障害，移植肺機能不全，肺保存，単純冷却保存

移植された肺が再灌流後に良好な機能を発揮するためには，肺を良好な状態で保存・維持することが重要である．肺に限らず生体の臓器・組織・細胞は，血流が途絶すると徐々に虚血障害が進行し最終的には障害が不可逆的となり死にいたる．また，虚血後の血流再開によっても移植肺は再灌流障害を受ける．肺移植において，こうした虚血や再灌流に伴う肺障害が臨床症状を呈することを原発性移植片機能不全（primary graft dysfunction：PGD）といい，肺移植急性期死亡の主要原因のひとつ（約24％）となる．したがって，肺移植術後成績（特に急性期）の向上のためには，肺保存は極めて重要である．信頼性の高い優れた肺保存法を確立することは，肺虚血再灌流障害の軽減だけでなく，遠隔地に発生したドナーや準適合（マージナル）ドナー肺の有効利用によるドナー不足の緩和，準待機的手術の実現による医療経済効果が期待できる．また，急性期の虚血再灌流障害の制御が急性拒絶反応や肺移植後移植片慢性機能不全（chronic allograft dysfunction：CLAD）の抑制につながる可能性がある．

a 肺保存法 レベルC

肺移植において虚血再灌流障害の発生は不可避であるが，これらの障害を最小限に抑えるために様々な工夫がなされてきた．ドナーから摘出された虚血肺の生存可能性を維持するためには大きく2つの方法がある．ひとつは肺を冷却することで組織の代謝をできるだけ低く抑えて障害の進行を遅らせる単純冷却浸漬保存で，もうひとつは途絶した血流の代わりに灌流液を流すことで組織・細胞に必要な成分を補いつつ，不要になった物質を取り除く持続灌流保存である．実地臨床では手技や器具の簡便性などの実用上の理由で，肺動脈から冷却した灌流液を流したあと，肺を冷却した保存液に浸漬する単純冷却浸漬保存がもっぱら行われているが，欧米の一部の国では移動可能な装置を用いた持続灌流保存も行われている[1]．

一般に血流が途絶えた臓器では，急速に細胞内のアデノシン三リン酸（ATP）が消費され減少する．嫌気性解糖が進み，乳酸が蓄積し細胞内アシドーシスが生ずる．細胞膜電位の低下・消失によって，Na^+や水が細胞内に流入し細胞浮腫を起こす．細胞内のATPが一定量以下になると，細胞障害が不可逆的となりアポトーシスをきたし，ATPが完全に枯渇すると細胞壊死に陥る[2]．臓器を4℃まで冷却すると代謝速度は体温下と比べて10％程度まで低下するが，代謝を完全に止めることはできないため，冷却保存を行ってもATPの消費は完全には抑えられない．肺の場合は他臓器と異なり，血流が途絶しても肺胞内の酸素を利用できるという特異性を有しているため[3]，保存液の組成だけではなく，含気の程度や肺胞内の酸素濃度，冷却温度なども肺保存に影響する．

b 肺保存液 レベルC

肺移植では，当初，腎・肝・膵などの腹部臓器保存のために開発されたEuro-Collins液（EC）やUniversity of Wisconsin液（UW）が保存液として用いられてきた．1998年の国際調査では77％の施設でECが使用されていた．その後，肺保存用に開発されたlow potassium dexran液（LPD, Perfadex）や心保存用に開発されたCelsiorが肺保存に使用されるようになり，現在，海外ではPerfadexが標準肺保存液となっている．日本では，独自に肺保存液としてET-Kyoto液（ET-K），EP-TU液が開発・市販され，臨床肺移植での保存液として臨床応用されている[4,5]．

c 肺保存液の組成（表1，表2） レベルC

1）陽イオン

低温状態の臓器では，細胞膜に存在するNa^+ポンプ（Na-K ATPase）の機能が低下するため，細胞外のNa^+と塩素イオンが濃度勾配に従って細胞内に向かって水を伴って流入する結果，細胞の浮腫を招く．この低温保存下の細胞浮腫を軽減するために細胞内外のNa^+/K^+濃度勾配を縮小させることを意図して，低濃度Na^+/高濃度K^+組成を有する細胞内液型イオン組成の保存液が開発された．それ以降，単純冷却臓器保存において「細胞内液組成」は臓器保存に不可欠な条件とみなされるようになった．かつて，肺保存に

表1 肺保存液の組成（単位 mmol/L）

	細胞内液組成		細胞外液組成			
	EC	UW	Perfadex	Celsior	ET-Kyoto	EP-TU
Na^+	10	30	138	100	107	141
K^+	115	125	6	15	42	26
Mg^{2+}	—	5	0.8	13	—	4
Ca^{2+}	—	—	—	0.25	—	—
Cl^-	15	—	142	42	—	103
gluconate	—	—	—	—	97	—
lactobionate	—	100	—	80	—	—
sulfate	—	5	0.8	—	—	4
glucose	194	—	5	—	—	55
trehalose	—	—	—	—	120	—
raffinose	—	30	—	—	—	—
mannitol	—	—	—	60	—	—
glutamate	—	—	—	20	—	—
dextran	—	—	50 g/L	—	—	20 g/L
HES	—	50 g/L	—	—	30 g/L	—
bicarbonate	10	—	—	—	—	—
phosphate	58	25	0.8	—	24	65
histidine	—	—	—	30	—	—
THAM	—	—	1	—	—	—
allopurinol	—	1	—	—	—	—
glutathione	—	3	—	3	—	—
dexamethasone	—	16 mg/L	—	—	—	—
adenosine	—	5	—	—	—	—
dibutyryl cAMP	—	—	—	—	2	—
nitroglycerin	—	—	—	—	0.22	—
insulin	—	40U/L	—	—	—	—
浸透圧（mOm/L）	355	320	295	320	385	280

EC：Euro-Collins, UW：University of Wisconsin, HES：hydroxyethyl starch, THAM：tromethamin（2-amino-2-（hydroxymethyl）-1,3-propanediol

表2 保存液の成分と機能

成分	機能	例
陽イオン	浸透圧の調整	Na^+, K^+, Ca^{2+}, Mg^{2+}
細胞膜非透過物質	細胞膨化の抑制	gluconate, lactobionate, glucose, trehalose, raffinose, mannitol
コロイド	細胞間質浮腫の抑制 血液洗い出しの促進	HES, dextran
バッファー	アシドーシスの抑制	bicarbonate, phosphate, histidine, THAM
抗酸化物質	活性酸素種障害の抑制	allopurinol, glutathione, histidine, mannitol
血管内皮保護物質	血管内皮の維持	db-cAMP, nitroglycerin

HES：hydroxyethyl starch, THAM：tromethamin（2-amino-2-（hydroxymethyl）-1,3-propanediol

頻用されたEC液やUW液も「細胞内液組成」液である．一方で，細胞内液組成液の高濃度のK^+は臓器の灌流時に血管攣縮を引き起こし，その結果，血液の洗い流しが不十分になったり，血管内皮細胞に障害を与えるなどの欠点が指摘されるようになった．特に肺の保存では，低K^+濃度の「細胞外液組成」保存液が，細胞内液組成のEC液やUW液よりも適していることが早くから実験的に示された．これらの実験結果に基づいて，現在臨床肺移植で用いられる肺保存液は，細胞外液組成液（Perfadex, Celsior, ET-K, EP-TU）が主流となっている．

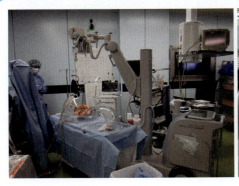
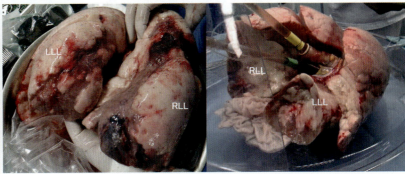

図1 Ex-vivo Lung Perfusion

2）細胞膜非透過性物質

冷却保存によって細胞の温度が低下すると，細胞膜の脂質二重膜構造に影響して細胞膜の透過性が亢進し，細胞の膨化が引き起こされる．細胞外（血管内）の浸透圧を維持して，この細胞膨化を軽減するため細胞膜非透過性物質は保存液の成分として非常に重要な役割を果たしており，必須の要素と考えられている．保存液における糖の役割は，こうした細胞外浸透圧の保持と，虚血中の臓器のエネルギー源と考えられている．EC液，Perfadex，EP-TUには単糖類glucose（分子量：180）が，UW液には三糖類raffinose（分子量：504）が含まれている．ET-Kには二糖類trehalose（分子量：342）が含まれているが，この糖には前述の「非透過性物質」と「エネルギー源」の他に，細胞膜保護効果を有するという特徴がある．一方，Celsiorには糖ではないが，mannitolが細胞非透過性物質として，グルタミン酸がエネルギー源として加えられている．また，UW液やCelsiorでは細胞膜非透過性陰イオンとしてlactobinate（分子量：358），ET-Kではgluconate（分子量：196）が含まれている．

3）コロイド

血管内の膠質浸透圧を保持する物質として，細胞間質の浮腫を軽減し，肺灌流時の血球成分の洗い出しを促進し，ひいては肺血管内皮細胞への血小板の沈着や血管内での赤血球や血小板の凝集を抑制する．UW液やET-Kにはhydroxyethyl starch（HES），Perfadex，EP-TUにはdextranが加えられている．コロイドは持続灌流保存では必須の重要な成分であるが，単純冷却保存では評価は定まっていない．また，液が粘稠となる欠点がある．

4）バッファー

低温保存中の細胞内は，嫌気性解糖で産生される乳酸のためアシドーシスに傾く．過度のアシドーシスを避けるため，保存液にはbicarbonate（EC液），phosphate（EC液，UW液，Perfadex，ET-K，EP-TU），histidine（Celsior），THAM（Perfadex）など様々なバッファーが加えられている．

5）抗酸化物質

虚血再灌流障害の発生には活性酸素種が深く関与する．この障害を抑制する目的で保存液には種々の抗酸化物質が加えられている．UW液にはallopurinol，glutathioneが含まれており，Celsiorではglutathinoeのほか，成分であるhistidine，mannitolにも抗酸化作用を有する．

6）血管内皮保護物質

肺保存において血管内皮の構造・機能の維持は重要である．虚血再灌流にさらされた血管内皮では細胞内の環状アデノシン一リン酸（cAMP）や環状グアノシン一リン酸（cGMP）が枯渇する．保存中の内皮細胞内にこれらの物質を維持することは，血管内皮の保護につながる．このため，ET-Kには，dibutyryl-cAMP（db-cAMP）とnitroglycerin（NTG）が加えられている．Db-cAMPは細胞膜を透過し細胞内でcAMPとして作用する前駆体であり，NTGはNOを介して細胞内のcGMP濃度を増加させると考えられている．

d 保存時間 レベルC

動物実験では，24時間以上の肺保存が数多く報告されているが，臨床肺移植では，冷却保存時間の限界は，一般的には8時間程度とされている．厚生労働省の定めた「肺移植レシピエント選択基準」のなかでは，虚血許容時間として「ドナーの肺を摘出してから8時間以内に血流再開することが望ましい」と明記されている．しかし，実際の日本での脳死肺移植例での調査では，虚血・保存時間の平均が約8時間であり，10時間以上の保存もまれではない．なかには15時間を超える例も認められる．これは米国の平均5時間と比べても明らかに長い．

e EVLPによるドナー肺の評価 レベルD

機能的に問題があるマージナルドナー肺を，摘出後に人工的な換気と常温灌流（normothermic perfusion）を行いグラフトの機能を詳細に評価するEx-vivo Lung Perfusion（EVLP）という技術がトロント大学で開発された．日本でも一部の施設で使用が始まっている[6]（図1）．EVLPをマージナルドナー肺の遺伝子治療[7]や幹細胞治療[8]のプラット

ホームとして利用する研究も進んでおり，今後の発展が期待される．

文献
1) Warnecke G et al. Lancet 2012; **380**: 1851.
2) Lemasters JJ. Am J Physiol 1999; **276**: G1
3) Date H et al. J Thorac Cardiovasc Surg 1993; **105**: 492
4) Ikeda M et al. Surg Today published online 22 May 2014, DOI 10. 1007/s00595-014-0918-0
5) Okada Y et al. Surg Today 2012; **42**: 152
6) Miyoshi K et al. Ann Thorac Surg 2015; **99**: 1819
7) Machuca TN et al. Hum Gene Ther 2017; **28** :757
8) Nakajima D et al. J Heart Lung Transplant 2019; **38**: 1214

⑤ 拒絶反応と免疫抑制

要点

❶ 肺移植後には，一般的にステロイド，カルシニューリン阻害薬，核酸合成阻害薬（代謝拮抗薬）の3剤併用免疫抑制療法が一生涯行われる．
❷ 急性細胞性拒絶（acute cellular rejection）は細胞障害性Tリンパ球による細胞性拒絶反応であり，移植後1年以内に1/3程度の患者において経験され，ステロイドパルス治療などに反応することが多い．抗ドナー特異抗体（donor specific antibody）が関与する抗体関連拒絶（antibody-mediated rejection）は難治性のことが多い．
❸ 慢性期移植肺機能不全（chronic lung allograft dysfunction：CLAD）は，いわゆる慢性拒絶と考えてよいが，呼吸機能（とくに FEV_1）の低下によって臨床的に定義されている．閉塞性呼吸機能障害を呈する bronchiolitis obliterans syndrome（組織学的には閉塞性細気管支炎が主体）と，拘束性呼吸機能障害を呈する restrictive allograft syndrome（末梢肺の線維化を伴う）がある．いずれも根治は困難で遠隔期の主たる死因となる．

Key Word　免疫抑制薬，急性細胞性拒絶，抗体関連拒絶，慢性期移植肺機能不全

a 拒絶反応の診断　レベルC

拒絶反応は超急性拒絶反応，急性細胞性拒絶反応，抗体関連拒絶反応，慢性拒絶反応（慢性期移植肺機能不全）などの概念に分けて考えられる．

1）超急性拒絶反応

レシピエントが抗HLA抗体などの既存抗体を持っている場合に，移植後24時間以内に起こる．移植前にドナーリンパ球とレシピエント血清との直接クロスマッチ試験を行っているので通常はみられない．

2）急性細胞性拒絶反応（acute cellular rejection）

細胞性拒絶反応が主なものである．HLAなどのドナー抗原を認識した細胞障害性Tリンパ球による．肺移植後の1/3程度は1年以内に1回以上の急性拒絶反応を経験する[1]．国際心肺移植学会（International Society of Heart & Lung Transplantation：ISHLT）の統計によると，肺移植後の死因は移植後の時期により異なり，急性拒絶反応が死因になるのはほぼ1年以内であり約4％にすぎない[1]．

急性拒絶反応は無症状のこともあるが，微熱，息切れ，咳嗽などの症状と，白血球数増多，CRP亢進などの非特異的検査所見，肺機能低下，胸部X線写真の浸潤陰影や胸部CTのすりガラス陰影などを呈す．いずれも感染症との鑑別が困難である．確定は肺生検によるが，グラフトサイズの小さい生体肺移植などでは特に経気管支鏡生検のリスクを勘案する必要がある．実臨床では，臨床所見に基づき，感染が否定的であれば診断的治療としてステロイドパルス療法が試みられることが多い．その場合でも，気管支鏡検査による病原微生物の検索，感染のルールアウトは重要である．移植肺の拒絶反応の組織学的診断基準はISHLTによって定められている[2]．日本では2009年に日本移植学会，日本病理学会編集で解説する形で出版されている[3]．

3）抗体関連拒絶反応（antibody-mediated rejection：AMR）

レシピエントのBリンパ球やplasma cellが産生する抗ドナー特異抗体（donor specific antibody：DSA）によって引き起こされる拒絶反応であり，前述の細胞性急性拒絶反応と比べて難治性である．補体が関与する場合は，より強い臓器障害をきたすとされる．診断基準が国際的に定義され，本邦でもガイドラインが出されているが[4]，診断や治療に関するエビデンスは十分蓄積されているとは言い難い．

大きく分けて，移植前からDSAが存在する場合と，移植後新たにDSAが出現する場合（de novo DSA）とで対応が異なる．移植前からDSAが存在する場合は術前のリンパ球クロスマッチが陽性となることもあり移植禁忌とされることが多い．周術期の血漿交換などの積極的な治療によって比較的良好な成績が得られるとの報告もある．移植後に de novo DSAが出現し，かつそれが持続する場合は長期的にグラフト機能が障害され，後述のCLAD発症につながる可能性が高く懸念される．

またドナー由来のHLAだけでなく，non-HLA抗原や自己抗原（collagen V，Kα1 tubulin）に対して産生される抗体も抗体関連拒絶の原因となり得るとされる．

4）慢性期移植肺機能不全（chronic lung allograft dysfunction：CLAD）

いわゆる慢性拒絶として認識されているが，病態は複雑であり，必ずしも「拒絶反応」だけで説明されるものではないため，国際的にはCLADと呼ばれている．CLADは従来，移植肺の細気管支内腔を閉塞するように増殖する線維性肥厚によって起こる閉塞性細気管支炎（bronchiolitis obliterans：BO）として発症するものと考えられ，臨床的には

FEV$_{1.0}$低下をきたし閉塞性呼吸障害を呈する bronchiolitis obliterans syndrome（BOS）として認識されてきた．加えて拘束性換気障害を呈し予後不良な restrictive allograft syndrome（RAS）が提唱され，現在はこの2つの病型と，これらが混合した病態が定義づけられている[5]．

CLADの診断はFEV$_1$の低下を基に，他の可逆的な病態（感染，急性拒絶反応など）を除外する形で行われる[5]．移植後5年で約半数の肺移植後患者が罹患するとされており，移植後6ヵ月以降の死因として重要である．

b 免疫抑制療法 レベルB

肺移植後の免疫抑制療法は，導入免疫抑制，維持免疫抑制，拒絶反応治療の3種類に分けられる．

1）導入免疫抑制

従来，抗リンパ球グロブリン，抗胸腺細胞グロブリン（ATG）などのポリクローナル抗体，抗CD3モノクローナル抗体などによって行われており，近年はバシリキシマブなどのIL-2R拮抗薬が用いられることがある．腎機能低下例などにおいて，後述のカルシニューリン阻害薬の使用を控えたい場合などには有用であるが，日本では保険適用とはなっておらず，また定型的な使用の意義については議論のあるところである．

2）維持免疫抑制

肺移植後にはステロイド，カルシニューリン阻害薬，核酸合成阻害薬（代謝拮抗薬）の組み合わせの3剤併用療法が行われている．移植後1年程度で投与量は当初より減量されるが，基本的に一生涯の継続が必要である．ステロイドは，術中の移植肺再灌流直前のメチルプレドニゾロン500 mgまたは1,000 mg静注から始まり，プレドニゾロン内服0.5 mg/kg/dayが開始されるまではメチルプレドニゾロン0.5ないし1.0 mg/kg/day程度の静注が用いられる．プレドニゾロンは1年で0.2 mg/kg/隔日あるいは5～10 mg/day程度まで漸減する．カルシニューリン阻害薬は，シクロスポリンが1970年代に腎移植や骨髄移植で成功をおさめたのを端緒とし，1980年代の肺移植の成功は本剤の使用を背景とするものであった．1990年代に肝移植で成功をおさめたタクロリムスは，肺移植にも導入され，シクロスポリンを基本とする免疫抑制よりも，タクロリムスを基本とする免疫抑制のほうが1年以内の急性拒絶反応が少ないとして1年目の時点で83％の症例でタクロリムスが使用されている[1]．これらは1日1回または2回投与の内服で目標血中濃度（トラフ値）が得られるように調節されるが，移植後早期では内服では血中濃度が不安定になることから持続静注から開始されることもある．核酸合成阻害薬としては歴史的にアザチオプリンが広く使用されてきたが，1990年代から腎移植で使用されたミコフェノール酸モフェチルが肺移植にも導入され，現在は肺移植においても大半で使用されている[1]．最近，mTOR阻害薬であるシロリムスやエベロリムスも，4剤目あるいは，カルシニューリン阻害薬または核酸合成阻害薬に代えて使用されることが出てきているが，日本ではまだ保険適用になっていない．

3）拒絶反応治療

①急性細胞性拒絶反応の治療

A2以上または，A1でも症状・所見のある際，あるいは臨床的に急性拒絶反応と診断されるときに，通常まず，ステロイドパルス治療（メチルプレドニゾロン10～15 mg/kgまたは500～1,000 mg/day静注3日間）が行われる．典型的な急性拒絶反応であれば24ないし48時間以内に臨床所見の改善がみられるので，明らかな感染が否定的であれば診断的治療として行われることもある．プレドニゾロンは0.5～1.0 mg/kg/dayまで戻し，数週間かけて減量する．症状や所見が改善しない場合，再度のステロイドパルス治療や抗胸腺細胞グロブリン，維持免疫抑制療法の変更を検討する．また治療早期に抗体関連拒絶の可能性も念頭に，抗HLA抗体の測定を行っておくことが重要である．退院後や，特に移植後慢性期に発症した場合は，カルシニューリン阻害薬（タクロリムス，シクロスポリン）の血中濃度が適正に維持されているか，また服薬アドヒアランスの不良がないか確認することが重要である．

②急性抗体関連型拒絶反応の治療

抗HLA抗体の測定でドナー特異抗体を検出することで特に疑い治療を行うことが多い．生検を要するがC4d染色陽性が証明されれば，さらに疑いが強まる．急性細胞性拒絶反応の合併を考慮し上記のステロイドパルス治療が行われることが多いが，特に抗体関連拒絶に対しては，血漿交換や大量免疫グロブリン療法，抗CD20モノクローナル抗体リツキシマブの投与が考慮される．これらは2020年の段階では保険適用外である．一方，ATGも使用されるが，ステロイド不応症の拒絶として，本邦でも保険適用内の治療となる．

③慢性拒絶反応（CLAD）の治療

BOS，RASとも有効な治療は確立しておらず，唯一の根治的治療は再移植である．このためCLADの予防として，CLADのリスク因子と知られている急性拒絶反応（細胞性・抗体関連とも）の早期発見早期治療や各種感染の早期発見早期治療が重要である．また，FEV$_1$が低下しCLADの疑いがある場合でも可逆性のある場合が知られており，それらを検査・治療の対象とすることは臨床的に非常に重要である．具体的には胃食道逆流が原因となっている場合は fundoplicationが有効であることが知られており，BALで好中球優位，CTでtree-in-bud patternを示す場合はアジスロマイシンが有効なことがある．CLADの診断が確立した場合の治療は非常に難しいが，過度な免疫抑制はむしろ感染を助長し予後の悪化を招くため，免疫抑制の強化が奏功しない場合は治療をエスカレーションさせず，患者のQOL維持にシフトするほうがよい．とくにBOSの場合は発症後も比較的安定して経過するケースが多々ある．再肺移植は年齢や他臓器の機能（とくに腎機能），服薬コンプライアンスなども含めて慎重に考慮する必要がある．

C 重要な免疫抑制薬と主な副作用 レベルC

感染症，進行性多巣性白質脳症，悪性リンパ腫およびその他の悪性腫瘍など，免疫抑制そのものによる共通のものは除いた．

1) シクロスポリン

腎機能障害(高頻度)，器質的な腎障害(5％以上)，多毛(5％以上)，血圧上昇(1～5％未満)，悪心・嘔吐(1～5％未満)，振戦(1～5％未満)，糖尿・高血糖(1～5％未満)，高尿酸血症(1～5％未満)，高脂血症(1～5％未満)，歯肉肥厚(1～5％未満)

併用禁忌：生ワクチン，タクロリムス，ピタバスタチン，ロスバスタチン，ボセンタン，アリスキレン，アスナプレビル，バニプレビル

2) タクロリムス

腎障害(23.1％)，高血糖(15％以上)，高カリウム血症，高尿酸血症，低マグネシウム血症，血圧上昇，振戦，肝機能異常

併用禁忌：生ワクチン，シクロスポリン，ボセンタン，カリウム保持性利尿薬(スピロノラクトン，カンレノ酸カリウム，トリアムテレン)

3) アザチオプリン

血液障害，肝機能障害，黄疸，間質性肺炎

併用禁忌：生ワクチン，フェブキソスタット

4) ミコフェノール酸モフェチル(MMF)

下痢(13.4％)，白血球減少(12.5％)，免疫グロブリン減少(8.5％)，貧血(7.1％)，高尿酸血症(6.8％)

併用禁忌：生ワクチン

文献

1) Chambers DC et al. J Heart Lung Transplant 2019; **38**: 1042
2) Stewart S et al. J Heart Lung Transplant 2007; **26**: 1229
3) 渡辺みかほか．ヒト移植臓器拒絶反応の病理組織診断基準，第2版，日本移植学会，日本病理学会(編)，金原出版，2009: p101
4) 江川裕人ほか．臓器移植抗体陽性診療ガイドライン2018年版，メディカルレビュー社，2018
5) Verleden GM et al. J Heart Lung Transplant 2019; **38**: 493

⑥ 術後合併症

要点

1. 肺移植の5年生存率は，国際的には約50%であるが，日本では，生体肺移植，脳死肺移植ともに，約70%と良好である．
2. 肺移植後の急性期合併症には，原発性移植片機能不全(primary graft dysfunction：PGD)がある．PGDは，虚血再灌流障害に基づく肺水腫の病態で，急性期死亡の最大の原因となる．
3. 肺移植後の慢性期合併症には，bronchiolitis obliterans syndrome(BOS)などの慢性拒絶反応を含む慢性期移植肺機能不全(chronic lung allograft dysfunction：CLAD)，感染症，悪性疾患がある．
4. 肺移植後の気管支吻合部合併症には，急性期には縫合不全，慢性期には狭窄がある．
5. 肺移植の長期成績は，慢性拒絶反応が起こりやすいため，他の固形臓器移植よりも悪い．

Key Word 移植肺機能不全，慢性拒絶反応，感染症，気管支吻合部合併症

肺は外界とつながる臓器であるため，移植後に，拒絶や感染の頻度が高い．したがって，肺移植の予後は，慢性拒絶反応が起こりやすいため，他の固形臓器移植よりも悪い．国際心肺移植学会のレジストリーレポート(2019年版)[1]では，世界で年間約4,500例の肺移植が行われ，その5年生存率は約50%である．また，世界で年間約100例弱の心肺移植が行われ，その5年生存率は約40%である．ドナー不足が深刻な日本では，2014年にはようやく年間60例を超える肺移植が行われるようになり，2019年には総数で700例を超えた．また，日本での5年生存率は70%を超え，国際標準をはるかに上回っている．

a 肺移植術後急性期 レベルC

1) 病態

肺移植を受ける患者の状態は極めて悪く，脳死肺移植の約半数，生体肺移植はほぼ全例，人工心肺を使用するため，手術侵襲は極めて大きい．さらに，術後，免疫抑制薬を使用するため，拒絶反応と感染症のコントロールが重要である．したがって，その管理を行うには，呼吸器外科のみならず，心臓外科をはじめ，感染症，免疫などを網羅する全身管理が重要で，そのためには集中治療の知識が必須である．

2) 原発性移植片機能不全(PGD)

肺移植の急性期死亡原因のなかで，虚血再灌流障害に基づく肺水腫は重要である[2]．近年，原発性移植片機能不全(primary graft dysfunction：PGD)として表現され，gradingがなされている．肺移植後の20～30%に発症するPGDの原因は多岐にわたっており，移植前に，PGDを予測することは困難である．長い虚血時間がその主要な原因といわれているが，虚血時間の短い生体肺移植でも起こり，移植肺が相対的に小さいことがその要因であろうと考えられている．治療は，メチルプレドニゾロンのパルス療法，一酸化窒素の吸入，カテコールアミンの増量，2つの人工呼吸器を用いた分離肺換気があるが，進行性の場合は，膜型人工肺(extracorporeal membrane oxygenation：ECMO)が必要となる．

3) 手術手技に伴う合併症

感染性肺疾患，気胸の既往，胸部の手術歴のある患者では，胸膜癒着がみられる．また，肺高血圧症，肺動静脈瘻，Eisenmenger症候群などでは，気管支動脈の発達や胸壁からの側副血行の発達が著明である．さらに，人工心肺を用いるために，胸腔内出血がしばしば問題になる．特に，後縦隔の止血は丹念に行わねばならないが，術後再開胸のタイミングやその判断も重要である．

胸膜癒着が高度な症例では，電気メスを用いて癒着剝離を行うが，横隔神経や反回神経，迷走神経への通電のために，一時的な神経麻痺が起こりうる．特に，術後肺機能に影響を及ぼす横隔神経損傷には注意を要する．両側の迷走神経への障害が，術後に起こる胃不全麻痺の遠因となるともいわれている．

また，手術手技には，気管支吻合以外に，肺動脈や肺静脈の吻合など，心臓血管外科的な手技が必要であり，これらに伴う技術的なトラブルは，周術期の主要な死亡原因のひとつとしてあげられる．

4) 急性拒絶反応と感染症

手術の影響を脱した状態での肺移植後の管理の要点は，拒絶反応か感染症かを判断することである．

拒絶反応については，外科的生検ができない場合も多く，各種血液データ，培養結果，画像所見の上に，気管支鏡検査にて感染症を否定したうえで，治療を行うことが多い．治療は，メチルプレドニゾロンのパルス療法が主体であるが，抗体関連拒絶反応では，血漿交換も行われる．治療抵

抗性の場合，抗ヒト胸腺細胞抗体（anti-human thymocyte immunoglobulin：ATG）が使用される．

前述のPGDや急性拒絶反応のなかには，治療抵抗性のものがある．その場合，移植肺の機能喪失となり，これは術後30日以内死亡の最大の原因である．

なお，実臨床では，感染症による炎症が拒絶反応を惹起していることも多く，抗生剤を投与しながら拒絶反応の治療を行うことも多い．

b 肺移植術後慢性期 レベルC

1）病態

肺移植後約1～2週間の集中治療室（ICU）管理，その後の一般病棟での約1～2ヵ月のリハビリ入院を経て，患者は退院となる．周術期の合併症を含め，手術関連死亡は約10%である．退院時に，患者のADLは術前よりも著明に改善しているが，呼吸機能は，術後1年以上，改善を続けることが多い．特に，相対的に移植肺が小さいことが多い生体肺葉移植患者ではその改善の度合いが大きい．移植患者は，移植後，一生涯，複数の免疫抑制薬や感染症の予防薬を内服する必要がある．2019年末の日本のデータでは，生存している移植患者の8割は，社会復帰している[3]．

2）慢性期移植肺機能不全（CLAD）

肺移植後1ヵ月から1年以内の最大の死亡原因は，感染症であるが，1年以降は，bronchiolitis obliterans syndrome（BOS）を中心とした慢性拒絶反応である．前章で詳述しているが，BOSにも様々なタイプがあり，原因の特定ができない慢性期の肺機能の低下は，慢性期移植肺機能不全（chronic lung allograft dysfunction：CLAD）と呼称される．CLADの克服が，肺移植後の長期生存を得るための鍵であり，多くの臨床的および基礎的研究がなされている．なお，最近，CLADの定義，診断基準，治療へのアプローチにつき，国際的なコンセンサスレポートが発表された[4]．

3）感染症

移植肺の拒絶を抑えるために，肺移植患者には免疫抑制薬が投与されているため，慢性期の死亡原因は，術後1年までは感染症が最も多い．以下に，代表的な感染症について詳述する．

①サイトメガロウイルス

肺移植後は，免疫抑制薬が投与されており，日和見感染を起こしやすい．そのなかでも，サイトメガロウイルス（CMV）感染には，注意を要する．特に，ドナーが血清IgG抗体陽性，レシピエントが陰性である，いわゆる「ミスマッチ」症例では，術後のCMV血症は必発であり，定期的なモニタリングによって，CMV感染症を起こさないようにする必要がある．ドナー・レシピエントの抗体がともに陰性である場合を除いては，抗CMV薬であるガンシクロビルが一定期間予防投薬されることが多い．

②アスペルギルス

術後の真菌感染も注意を要する合併症で，アスペルギルス感染が多く，抗真菌薬の予防投薬が行われる．肺野の病変以外に，気管支吻合部への感染に注意が必要である．抗真菌薬の全身投与に加え吸入治療が行われるが，難治化することも多い．また，治癒しても吻合部の狭窄を呈することがある．

③その他

原疾患が感染性肺疾患の場合，術前に気道に定着していた菌が術後も培養されることは多い．気管支副鼻腔症候群では，副鼻腔の処置が必要な場合もある．

4）悪性疾患

肺移植後患者では，基本的に免疫抑制薬を一生内服し続けないといけないため，長期の免疫抑制薬の投与による悪性疾患の発生が増える．実際に，術後5年以上の患者では，CLADによる死亡に続き，悪性疾患による死亡が感染症による死亡とほぼ同じで2番目に多い．

悪性疾患の中では，欧米では，皮膚癌が最も多く，次に，リンパ腫などの移植後リンパ増殖性疾患（post-transplant lymphoproliferative disorder：PTLD）が続き，その他，様々な固形癌が発生しうる．一方，本邦では，皮膚癌の発生がほとんどなく，PTLDが最多である．PTLDでは，免疫抑制剤の調整や抗腫瘍薬の投与で寛解を維持するものがあり，固形癌では外科的切除などで治癒するものもあるが，免疫抑制薬を止めることができない状態での癌の発症のため，発見後も治療の甲斐なく進行してしまうことも多い．

c 気管支吻合部合併症 レベルC

1）病態

気管支吻合は，軟骨と軟骨を糸で縫い合わせているだけであり，肺動脈や肺静脈などの血管吻合部より，治癒には時間を要する．実際に，気管支吻合部合併症は，肺移植の克服すべき合併症のひとつである．急性期の吻合部合併症には，縫合不全（dehiscence）がある（図1）．慢性期には，狭窄や感染などがある．狭窄は，吻合部や吻合部より末梢側の気管支に発症することが多い．いずれの場合も，気管支吻合部の虚血がその要因のひとつであるといわれている．気管支動脈は一般的に再建されないため，ドナー肺の気管支吻合部の血流は，肺動脈からの血流に依存する．したがって，術直後にECMOなどが装着された際には，肺動脈圧を保つように注意する．さらに，レシピエント側の気管支吻合部の血流を維持するためには，術中の気管支周囲の過剰な剝離を避けることが望ましい．

2）徴候

縫合不全は，ドレーンからのエアリークや気胸の発症にて発見される．胸部CTおよび気管支鏡による状況の確認と，緊急の対応が必要である．

吻合部の狭窄は，呼吸機能の低下や喘鳴，痰の切れの悪化や，呼吸困難感によって発見される．胸部CT，特に3D-CTを用いた解析は非侵襲的であり，狭窄が疑われる場合には，気管支鏡で確認される．

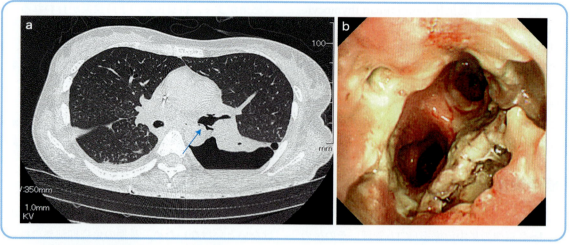

図1　気管支吻合部の縫合不全とその対処

　脳死両肺移植後1ヵ月の胸部CTにて左下葉の無気肺と気胸を認め，その原因として，左気管支吻合部の縫合不全（矢印）が疑われた(a)．気管支鏡検査にて，気管支吻合部の治癒不全を認め，3時から6時の方向に気管支吻合部の縫合不全を認めた(b)．左胸腔にピッグテールカテーテルをCTガイド下に挿入し，約1ヵ月の持続吸引にて保存的に治癒せしめた．患者は，現在術後2年を経過したが，酸素不要で元気に生活している．

3) 治療

　縫合不全に対しては，急性期には，組織がもろく，再手術，再吻合ができない場合が多く，ピッグテールカテーテルなどをCTガイド下に留置し，その原因となる全身状態を管理して，保存的に経過をみることが望ましい．

　吻合部の狭窄に対しては，気管支鏡下でのバルーン拡張術が第一選択である．一般的には，全身麻酔での複数回の処置が必要である．また，気道ステントを一時的または永久的に留置し，改善した症例もある．生体肺移植など，肺葉が移植されている場合には，適するサイズのステントがない場合も多い．

d 肺移植の予後 レベルA

　肺移植の5年生存率は，国際的には約50％といわれている．2019年末の日本のデータでは，生体肺移植234例の5年生存率は73.6％，10年生存率は61.9％で，脳死肺移植526例の5年生存率は71.2％，10年生存率は58.9％であった[3]．本邦の肺移植の成績は，世界標準よりはるかによいことが特徴的である．

文献

1) Chambers DS et al. J Heart Lung Transplant 2019; **38**: 1042
2) Chen F et al. Curr Opin Organ Transplant 2015; **20**: 515
3) 日本肺および心肺移植研究会ホームページ
   http://www2.idac.tohoku.ac.jp/dep/surg/shinpai/index.html
4) Verleden GM et al. J Heart Lung Transplant 2019;; **38**: 493

復習ドリル

問題❶
正しいのはどれか．2つ選べ．
a. 世界初の肺移植成功例は両肺移植術であった．
b. 日本初の肺移植成功例は脳死片肺移植術であった．
c. イスタンブール宣言のひとつとして臓器売買・移植ツーリズムの禁止が提言された．
d. 臓器移植法の一部改正により日本でも家族の同意で臓器提供が可能となった．
e. 臓器移植法の一部改正により心停止臓器提供件数が大幅に増加した．

問題❷
肺移植後の急性拒絶反応において一般に検討される治療方法はどれか．2つ選べ．
a. ステロイドパルス治療
b. ステロイド吸入療法
c. mTOR 阻害薬の追加
d. マクロライド系抗生剤の追加
e. 維持免疫療法の内容の変更

問題❸
肺移植後の慢性拒絶反応の診断のために有用な検査はどれか．1つ選べ．
a. 右心カテーテル検査
b. 肺動脈造影
c. 肺機能検査
d. 肺血流シンチグラム
e. 経気管支肺生検

正解：①c と d，②a と e，③c

第XIV章
緩和ケア

1 概論

要点
1. 緩和ケアは，癌の終末期のみではなく，癌の診断時からの開始が必要である．
2. 癌による痛みは，身体以外にも様々な要因が関係する．
3. 癌の痛みの分類と原因を理解し，適切な評価が重要である．
4. 癌の痛みに対する治療は，薬物以外の方法も検討する．

Key Word 体性痛，内臓痛，神経障害性疼痛，持続痛，突出痛，痛みの原因，痛みの評価，WHO方式三段階除痛ラダー，NSAIDs，オピオイド，麻薬及び向精神薬取締法，医療用麻薬適正使用ガイダンス，病院・診療所における麻薬管理マニュアル，放射線治療，神経ブロック，認知行動療法，グループ支持療法，漸進的筋弛緩法

世界保健機関（WHO）は，「緩和ケアとは，生命を脅かす病に関連する問題に直面している患者とその家族のQOLを，痛みやその他の身体的・心理社会的・スピリチュアルな問題を早期に見出し的確に評価を行い対応することで，苦痛を予防し和らげることを通して向上させるアプローチ」と2002年に定義している．癌を含めた重篤な疾患の終末期のみではなく，早期からの開始が重要である．

a 歴史 レベルB

シシリー・ソンダースがロンドンに1967年セント・クリストファー・ホスピス（St. Christopher's Hospice）を設立し，現代ホスピスの基礎がつくられた．1975年カナダのモントリオールのロイヤルビクトリア病院に緩和ケア病棟（palliative care unit）が開設された．このときはじめて「ホスピスケア」という言葉に代えて，「緩和ケア」という言葉が使われた．ホスピスと緩和ケアの普及のためにWHOは1993年に緩和ケアの定義を公表し，2002年にその定義を改定した．

1981年聖隷三方原病院に「聖隷ホスピス」，1984年淀川キリスト教病院にホスピスが設立されるなか，緩和ケアという言葉は1990年前後に日本に紹介され，使われるようになった．2007年がん対策基本法が施行され，それに基づくがん対策推進基本計画が策定された．緩和ケアを提供する場所は緩和ケア病棟だけではなく，緩和ケアチームにより病院内の一般病棟へと広がった．2012年第2期がん対策推進基本計画で「がんと診断されたときからの緩和ケアの推進」が，重点課題となり，がん診療に携わるすべての医療従事者は基本的な緩和ケアを理解し，知識と技術の習得を求められている．

b 痛みの分類・機序・症候群 レベルA

国際疼痛学会は，痛みを「実際に何かの組織障害が起こったとき，あるいは組織損傷が起こりそうなとき，あるいはそのような損傷の際に表現されそうな不快な感覚体験または情動体験」と定義している．つまり痛みは主観的な症状であり，第三者が客観的に評価するのは困難であることを認識することが重要である．したがって，痛みの性質による分類，パターン，原因（症候群）の診断を的確に行い，速やかに適切なアプローチが大切である．

1) 痛みの性質による分類

痛みの神経学的分類を表1に示す．侵害受容性疼痛は侵害受容器を介した痛みで，Aδ線維，C線維の2種類の末梢感覚神経により脊髄に伝わる．これら神経の分布密度は皮膚，骨などの体性組織と消化管などの管腔臓器，肝臓などの被膜を持つ固形臓器では異なり，痛みを起こす刺激の違いから体性痛と内臓痛に分けられる．

これら末梢感覚神経（一次ニューロン）は脊髄後角から脊髄に入り，脊髄視床路ニューロン（二次ニューロン）とシナプスを形成する．侵害刺激で興奮した一次ニューロンからグルタミン酸が放出され，視床に刺激が伝えられる．その後視床から視床皮質路（三次ニューロン）を通り，大脳皮質知覚野に刺激が伝わり，痛みとして認識される．また脊髄後角には下行性疼痛抑制系が相互作用して，中枢に伝える痛みの強さをコントロールしている[1]（図1）.

神経障害性疼痛は，「体性感覚神経系の病変や疾患によって引き起こされる疼痛」と定義される[2]．障害された神経の支配領域に，「灼けるような」，「槍で突きぬかれるような」痛みや，痛み刺激に通常より強く感じる痛覚過敏やアロディニア（通常は痛みを起こさない刺激によって引き起こされる痛み）や，しびれ感などの異常感覚がある．図2のアルゴリズムに沿って診断される[1,2]．

2) 痛みのパターンによる分類

「24時間のうち12時間以上経験される平均的な痛み」として患者に表現される持続痛と，「持続痛の有無や程度，鎮痛薬治療の有無にかかわらず発生する一過性の痛みの増強」である突出痛に分けられる．国際的な分類ではないが，

表1 痛みの神経学的分類

分類	侵害受容性疼痛		神経障害性疼痛
	体性痛	内臓痛	
障害部位	○皮膚，骨，関節，筋肉，結合組織などの体性組織	○食道，胃，小腸，大腸などの管腔臓器 ○肝臓，腎臓などの被膜を持つ固形臓器	○末梢神経，脊髄神経，視床，大脳などの痛みの伝達路
痛みを起こす刺激	○切る，刺す，叩くなどの機械的刺激	○管腔内臓の内圧上昇 ○被膜臓器の急激な進展 ○臓器局所および周囲組織の炎症	○神経の圧迫，断裂
例	○骨転移に伴う局所の痛み ○術後早期の創部痛 ○筋膜や骨格筋の炎症に伴う痛み	○消化管閉塞に伴う腹痛 ○肝臓の腫瘍破裂や出血に伴う上腹部，側腹部痛 ○膵臓癌に伴う上腹部痛，背部痛	○癌の腕神経叢浸潤に伴う上腕のしびれを伴う痛み ○脊椎転移の硬膜外浸潤，脊髄圧迫に伴う背部痛 ○化学療法後の手・足のしびれ
痛みの特徴	○痛みの部位が明瞭な持続痛と体動によって増悪する痛み	○深く絞られたような，押されるような痛み ○痛みの部位が不明瞭	○障害神経支配領域のしびれを伴う痛み ○電気が走るような痛み
随伴症状	○頭蓋骨，脊椎転移における関連痛	○悪心・嘔吐，発汗などの自律神経症状 ○関連痛	○知覚低下，知覚異常，運動障害
鎮痛薬の効果	○非オピオイド鎮痛薬，オピオイドが有効 ○体動時痛に対するレスキューの使用が重要	○非オピオイド鎮痛薬，オピオイドが有効	○非オピオイド鎮痛薬，オピオイドが効きにくく，鎮痛補助薬の併用が効果的な場合がある

（日本緩和医療学会（編）．がん疼痛の薬物療法に関するガイドライン2020年版，金原出版，2020: p22[1] を参考に作成）

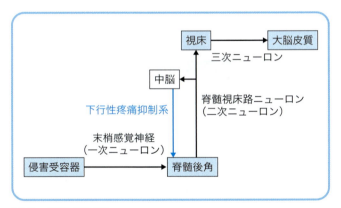

図1 痛みの伝達
（日本緩和医療学会（編）．がん疼痛の薬物療法に関するガイドライン2020年版，金原出版，2020: p22[1] を参考に作成）

治療の観点から体動時など出現する「予測できる突出痛」，咳やミオクローヌスなど「予測できない突出痛」，「定時鎮痛薬の切れ目の痛み」などの3つサブタイプに分類することが提案されている[1]．癌による痛みは持続痛と突出痛が混在するものが多く，持続痛の十分なコントロールを行い，残存する突出痛の治療を行うことが重要である．

3）痛みの原因による分類

癌患者にみられる痛みは，①癌による痛み（骨転移，内臓浸潤，軟部組織浸潤，神経圧迫・浸潤），②癌治療による痛み（術後疼痛症候群，化学療法後疼痛症候群，放射線治療後疼痛症候群など），③癌に関連する痛み（口内炎，筋肉や関節の萎縮・拘縮，褥瘡など），④癌・癌治療と直接関係のない痛み（変形性関節症，帯状疱疹，胃潰瘍や胆石症など）に分けられる．

c 痛みの評価

XIV章-2を参照．

d WHO式癌疼痛治療

XIV章-2を参照．

e 鎮痛薬の薬理作用 レベルA

1）非オピオイド鎮痛薬
①非ステロイド抗炎症薬（NSAIDs）
　ステロイド構造以外の抗炎症作用，解熱作用，鎮痛作用を有する薬物の総称である．シクロオキシゲナーゼ（cyclooxygenase：COX）を阻害して，プロスタグランジンの生合成を阻害して鎮痛効果を発揮する．COXには胃粘膜保護や腎血流維持，血小板凝集能などの様々な生理機能に関与しているCOX-1（構成型）と，炎症時に発痛物質の活性化や血管拡張などに関与するCOX-2（誘導型）がある．
②アセトアミノフェン
　解熱作用，鎮痛作用を持つ有用な薬剤であるが，抗炎症作用は非常に弱い．作用機序は主に中枢神経系に作用する．消化管，腎機能，血小板凝集能に対する影響が少ないと考えられており，これら障害でNSAIDsが使用しにくい場合にも用いることができる．

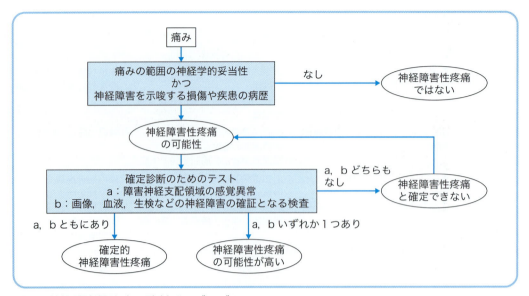

図2　神経障害性疼痛の診断アルゴリズム
(文献1, 2を参考に作成)

2) オピオイド

オピオイドとは，オピオイド受容体と親和性を有する物質の総称で，モルヒネ様の薬理作用を発揮する．オピオイド受容体は，μ，δ，κの3種類が同定されている．主にμ受容体に結合して脊髄，視床，大脳皮質知覚領域の痛覚伝達を抑制，また延髄-脊髄下降痛覚抑制系を賦活して鎮痛効果を発揮する．日本で使用できるオピオイドのうち，癌疼痛治療薬として推奨されている代表的なものはコデイン，トラマドール，モルヒネ，オキシコドン，フェンタニル，メサドン，タペンタドール，ヒドロモルフォンなどである．

f 麻薬に関する法制度 レベルC

麻薬及び向精神薬取締法は，麻薬の濫用による保健衛生上の危害を防止，有益な活用の実施，施用や管理について定めた法律である．厚生労働省医薬食品局が作成した「医療用麻薬適正使用ガイダンス」[3]と「病院・診療所における麻薬管理マニュアル」[4]からの抜粋を示す．

1) 麻薬免許証

医療用麻薬を取り扱う者は，事前に免許を取得する必要がある．医療用麻薬の免許には，「麻薬小売業者」，「麻薬施用者」，「麻薬管理者」，などがあり，いずれも所在地を管轄する都道府県知事の免許を受けなければならない．

2) 麻薬管理

麻薬管理は，麻薬の受払を記録する帳簿を備え，麻薬の受払いを記録する必要がある．麻薬の保管には，鍵のかかる堅固な保管庫を使用する．

3) 麻薬の施用・交付

麻薬施用者(医師・歯科医師)でなければ，麻薬の施用や麻薬を記録した麻薬処方せんの交付はできない．ただし，麻薬施用者から施用のために交付を受けた麻薬を患者自身が施用する場合や，麻薬小売業者(保険薬局)から麻薬処方せんにより調剤された麻薬を譲り受けた患者がその麻薬を施用する場合はこの限りではない．

g 薬物以外の癌疼痛治療 レベルB

1) 放射線治療

有痛性骨転移，脳転移による頭痛，腫瘍による神経や肝臓，脾臓など浸潤や圧迫による痛みなどに考慮され，責任病巣が明確な場合は放射線治療の適応となる．リニアック(高エネルギー放射線装置)やガンマナイフ，サイバーナイフなどの装置による外照射(体外照射)や，体内からγ線を照射する密封小線源治療，体内に入った放射性同位元素が病巣に集積することで放射線照射を行う非密封小線源治療などがある．

2) 神経ブロック

局所麻酔薬やアルコールなどの神経破壊薬や高周波熱凝固法を用いて神経の伝達を遮断して痛みを抑える．薬物療法や他の鎮痛治療で効果が得られない場合，薬物療法による副作用で投与が困難な場合に選択される．出血傾向，止血凝固障害，刺入経路に感染巣がある場合は，一般的に禁忌である．腹腔神経叢ブロック(内臓ブロック)，下腸間膜動脈神経叢ブロック，上下腹神経叢ブロック，クモ膜下鎮痛法，硬膜外鎮痛法などがある．

3) 経皮的椎体形成術(骨セメント)

椎体骨の脆弱化した部分にCTガイド下に経皮的に針を刺入し，骨セメントを注入することで椎骨体を補強し痛みを和らげる．鎮痛の機序は，骨セメントによる椎体骨の補

強の他に骨セメントの凝固の際の発熱や化学毒性による抗腫瘍効果などが考えられているが詳細は明らかではない．

4) 心理療法

患者の抱える痛みは，身体的要因のみならず，精神，心理社会的な側面やスピリチュアルの問題などが複雑にかかわっていることがあり，全人的苦痛として捉える必要がある．心理的問題を把握し，解決に向けて取り組む方法として認知行動療法やグループ支持療法がある[5]．

5) ケア

癌疼痛に対するケアとして，ポジショニング，温罨法，マッサージ，針治療，イメージ療法，漸進的筋弛緩法などのリラクセーションなどがある．これらの科学的な根拠は検証が試みられており，専門家や，患者自身や家族によって行われている．

文献

1) 日本緩和医療学会(編)．がん疼痛の薬物療法に関するガイドライン 2020 年版，金原出版，2020: p22
2) 日本ペインクリニック学会(編)．神経障害性疼痛薬物療法ガイドライン，第 2 版，真興交易医書出版部，2016: p18, p37
3) 厚生労働省医薬食品局　監視指導・麻薬対策課．医療用麻薬適正使用ガイダンス，2017
4) 厚生労働省医薬食品局　監視指導・麻薬対策課．病院・診療所における麻薬管理マニュアル，2011
5) Kwekkeboom KL et al. J Pain Symptom Manage 2010; **39**: 126

② 各論：癌疼痛コントロール，緩和ケアの実際

要点

1. 症状マネジメントは，全人的な枠組みを意識して行う．
2. 質の高い症状マネジメントは，正確な評価によって成立する．
3. 薬物治療は，原因治療，非薬物治療，ケアとともに行う．
4. うつを見逃さない．せん妄は意識障害である．

Key Word 全人的苦痛，癌疼痛，呼吸困難，鎮静，悪心・嘔吐，便秘，適応障害，うつ，せん妄

癌に関連した身体症状は，患者の日常生活の支障をきたし，不安，恐怖，依存，役割や存在価値の喪失などの，精神，社会，スピリチュアルな苦痛を招く．一方，身体以外の苦痛は身体症状の増悪因子となりうる．したがって，症状マネジメントは，全人的な枠組みを意識して行う必要がある[1]．また，症状コントロールは緩和ケアの重要な手段であるが目的ではない．緩和ケアの目的は，生活の質の向上である．

a 基本原則 レベルA

緩和ケアにおける基本原則として，解放原理という考え方を参照されたい．
「意識を侵し，それを支配してしまう耐えがたい苦しみから人々を解放するための努力を惜しんではならない」[2]
また，対応困難な場合には専門家に助言を求め，完全なコントロールが難しい場合でも可及的な援助を継続することが望ましい[1]．

b 疼痛 レベルB

痛みとは主観的なものであり，「不快な感覚的あるいは感情的体験であり，組織障害が起こったとき，または組織障害が差し迫ったときに起こり，あるいは損傷を表現する言葉である」と定義される[3]．
癌に伴って生じる痛みの総称が「癌疼痛」で，早期癌患者の20～50％，進行癌患者の70～80％が経験するが，治療により85～90％は緩和可能[4]である．

1) 分類

癌患者にみられる痛みは，①癌自体に起因する痛み，②癌治療に伴って生じる痛み，③消耗や衰弱による痛み，④癌とは直接関係のない痛み，に分類される．
また，発生機序により，侵害受容性疼痛（内臓痛・体性痛）と神経障害性疼痛に分けられ，各々に有効な薬剤や対応が異なる（表1）．これらは，しばしば混在する．

2) 評価

痛みの評価の基本は問診で，どこが，いつから，どんなときに，どの程度，どんなふうに痛むのか，治療効果がどの程度かという情報が有用である．
部位情報は，画像とのリンクにより責任病変を明確にしうる．時期やきっかけの情報は，痛みが癌自体によるものか否かを判断する材料となる．程度と性状の情報は，治療目標の共有，機序やパターンの把握，効果判定に有用である．
痛みの程度の評価に用いられる主なスケールは，NRS（numeric rating scale），VAS（visual analogue scale），face pain scaleの3種類である．患者間の痛みは比較できないが，その人における数字の意味を理解することは，目標設定や病によって影響を受けた生活や自律性の再構築に意義を持つ．
痛みのパターンには持続痛と突出痛がある．持続痛とは，「24時間のうち12時間以上経験される平均的な痛み」，突出痛とは，「持続痛の有無や程度，鎮痛薬治療の有無にかかわらず発生する一過性の痛みの増強」である[5]．パターンを聞く際は，安定した状態で「今，痛みはありますか」と質問する．そのときに痛みがなければ，その人の「痛い」という言葉は主に突出痛を意味する[6]．突出痛は，「いつ，どういうときに痛みますか」という質問で，動作によって誘発される体動時痛，誘発因子のない発作痛，薬剤の血中濃度が低下しているときの痛みの3種類を同定する．

3) 治療

癌疼痛治療の第1目標は「痛みに妨げられない夜間の睡眠」，第2目標は「安静時の痛みの消失」，第3目標は「体動時の痛みの消失」である．
WHO方式鎮痛剤使用の五原則は，従来，経口的に（by mouth），時刻を決めて規則正しく（by the clock），除痛ラダーに沿って効力の順に（by the ladder），患者ごとの個別的な量で（for the individual），そのうえで細かい配慮を（with attention to detail）とされてきたが，現在は，「除痛ラダーに沿って効力の順に（by the ladder）」が削除され四原則となった[7]．

表1　機序による痛みの分類と対処法

機序による分類	侵害受容性疼痛 ＜内臓痛＞	侵害受容性疼痛 ＜体性痛＞	神経障害性疼痛
部位	内臓	骨・筋肉・皮膚	神経
範囲	手のひらサイズ あいまい	指先サイズ 明確	神経支配領域に一致
性状	鈍い・重い 圧迫される	鋭い・うずく ズキズキ	電気が走る びりびり 焼ける
随伴症状	悪心・嘔吐	体動時の悪化 圧痛	感覚障害
対処法	鎮痛薬（オピオイドが効きやすい）	鎮痛薬（突出痛に対するレスキューの使用が大事） 非薬物治療	鎮痛補助薬 非薬物治療

（文献4～6を参考に作成）

しかし，除痛ラダーそのものは，薬物選択の指針として有用である．第1段階の痛みには，非オピオイド鎮痛薬±鎮痛補助薬，第2段階の痛みには，軽度から中等度の強さの痛みに用いるオピオイド±非オピオイド鎮痛薬±鎮痛補助薬，第3段階の痛みには，中等度から高度の強さの痛みに用いるオピオイド±非オピオイド鎮痛薬±鎮痛補助薬が，"順番"ではなく，"痛みの程度"に合わせて推奨される．オピオイドの使用を躊躇しないこと，オピオイドを選択する際には，従来の弱オピオイド・強オピオイドという分類ではなくオピオイドの効力を優先すること，その一方で，オピオイドの限界を見極め，その他の適切な薬剤を選択することが重要である．

①薬物治療

治療戦略は，痛みの性状，程度，パターンをもとに組み立てる．

内臓痛と体性痛には非オピオイド鎮痛薬とオピオイド鎮痛薬が，神経障害性疼痛には鎮痛補助薬が有用である．持続痛には定時投与している薬剤の投与量や種類の調整，突出痛には頓用薬剤の投与量，種類，使用方法の変更や工夫が必要となる．

癌疼痛治療に用いられる主な薬剤は，非オピオイド鎮痛薬，オピオイド鎮痛薬（弱オピオイド，強オピオイド），鎮痛補助薬である．

非オピオイド鎮痛薬には，非ステロイド抗炎症薬（NSAIDs）とアセトアミノフェンがある．

NSAIDsは，シクロオキシゲナーゼ（COX-1/2）を抑制する．抗炎症作用を持ち，末梢に作用する．COX-1選択性の高い薬剤の主な副作用は，消化性潰瘍と腎機能障害である．COX-2選択性の高い薬剤（セレコキシブ，エトドラク，メロキシカムなど）は，消化性潰瘍のリスクは少ないが腎機能障害についてのメリットは期待し難く，心血管系のリスクが上昇する．

アセトアミノフェンは，解熱効果はあるが抗炎症作用を持たず，主に中枢に作用する．肝機能増悪以外に，特別な副作用はない．ただし，十分な投与量が必要である．

オピオイドとは，脳や脊髄を中心に体内に広く分布するオピオイド受容体に結合する物質である．

本邦で使用可能なオピオイド鎮痛薬は，コデイン，トラマドールモルヒネ，オキシコドン，ヒドロモルフォン，フェンタニル，タペンタドール，メサドンである．

麻薬指定のないオピオイドは，近い将来投与を中止できそうな場合や麻薬への抵抗が強い患者に有用である6）．コデインは肝臓で代謝され約10％がモルヒネになり，鎮痛効果は経口モルヒネの1/10程度である．一方，鎮咳効果はコデインそのものによる．トラマドールは，オピオイド受容体への親和性とセロトニン・ノルアドレナリン再取り込み阻害作用を有し，鎮痛効果は経口モルヒネの1/5程度である．

それ以外のオピオイドには，一般的に有効限界がない．薬剤は，剤形，薬剤動態，特性を考慮して選択する（表2）．モルヒネ，オキシコドン，ヒドロモルフォン，フェンタニル，タペンタドールの治療効果の優劣はないといわれている[5]が，フェンタニル貼付剤は先行オピオイドにより投与量が安定したあとの使用が原則である．また，腎障害がある場合は，モルヒネの適応はより慎重な検討を要する．

オピオイドの主な副作用は，便秘，悪心・嘔吐，眠気である．便秘は90％以上に発生し耐性を生じないので，下剤が重要である．オピオイド誘発性便秘症（opioid induced constipation：OIC）に対してはナルデメジンが有用だが，他の下剤（消化器症状の項参照）を使用した後の投与や併用が望ましいか，予防的投与が適切かについての見解は確立していない．これに対して，悪心・嘔吐の発生率は30％程度で数日から1週間程度で慣れる場合が多いため，制吐薬は予防投与ではなく必要時にすぐ服用できるようにしておく[5]．排尿障害や痒みは，数％程度である．これらは鎮痛効果が得られる投与量以下でも生じる可能性があり，服薬拒否を防ぐ意味で確実なコントロールが望まれる．一方，眠気は数日から1週間程度で慣れる場合が多いが，呼吸抑制に先んじて現れる過量投与の指標でもあり，持続する際には注意を要する．

効果と副作用のバランスから，あるいは患者の状態によりオピオイドの種類（狭義）や投与経路（広義）を変更することを，オピオイドスイッチングという．投与量が多い場合には分割して変更するが，目的を達したところで止め，そ

表2 強オピオイド鎮痛薬の特性

		モルヒネ	オキシコドン	ヒドロモルフォン	フェンタニル	タペンタドール
剤形	速放性製剤	末・錠・液	散	錠	口腔粘膜吸収剤	なし
	徐放性製剤	錠・散・カプセル	錠	錠	貼付	錠
	非経口薬	坐・注射	注射	注射	注射	なし
副作用	便秘	++	++	±	±	±
	悪心	++	+	±	±	±
	眠気・せん妄	++	+	±	±	±
腎機能低下の影響		+++	+	±	−	±
代謝経路		グルクロン酸抱合	CYP2D6 CYP3A4	グルクロン酸抱合	CYP3A4	グルクロン酸抱合
換算の目安		経口60mg 坐剤40mg 注射30mg	経口40mg 注射30mg	経口12mg 注射約2.4mg	貼付4.2mg 貼付2mg 注射0.6mg	経口200mg
その他						ノルアドレナリン再取り込み阻害

(文献4〜6を参考に作成)

のまま複数のオピオイドを併用してもよい[6]．表2に換算の目安を示す．

鎮痛補助薬とは，鎮痛以外の適応で承認されているが，鎮痛薬との併用あるいは特定の状況下で鎮痛作用を発揮する薬[1]で，抗痙攣薬，抗うつ薬，抗不整脈薬，NMDA受容体拮抗薬，筋弛緩薬，コルチコステロイドなどがある．主に神経障害性疼痛に有効で，作用機序は，神経興奮の抑制（ナトリウムチャネル阻害，カルシウムチャネル阻害，NMDA受容体阻害），防衛機構の活性化（GABA抑制系活性化，下行性抑制系活性化），抗炎症作用・浮腫の軽減である．

保険適用の観点からは，プレガバリン，ミロガバリン，デュロキセチンが使いやすい．副作用として眠気やふらつきがあるため，高齢者や全身状態が良好でない場合や腎機能障害がある場合には，少量から開始する．

②非薬物治療

癌疼痛に対する非薬物治療は，放射線照射，神経ブロック，リハビリテーション，心身のケア，補完代替療法などであるが，放射線照射と神経ブロックは機を逸しないことが重要である．

また，睡眠，休憩，人とのふれあい，気晴らしなどの痛みの閾値を上げるケアを積極的にとり入れ，逆に，不眠，疲労，不安，恐怖，倦怠感，孤独などの閾値を下げる因子へと配慮することは，全人的苦痛の観点からも重要である[1]．

量やモルヒネへの変更あるいは併用を，そもそもモルヒネが使用困難な場合にはオキシコドンやフェンタニルの投与を検討する[8]．モルヒネの水素化ケトンであるヒドロモルフォンも，同様の位置づけとなる（ただし，現段階では明確な記載を確認することはできない）．

低酸素血症により呼吸困難を生じている場合，酸素投与は有効である．一方，低酸素血症を認めない状況での酸素投与は推奨されていないが[8]，実臨床として投与の検討をも否定されるものではない．過剰な輸液は気道分泌物を増加させるため，余命数週間であれば，輸液の減量を検討する．また，喀痰排泄の援助や，環境調整，姿勢，口腔ケア，不安への対応といった「身の回り」への配慮と配慮する「人」の存在が重要である．

治療抵抗性の呼吸困難に対しては鎮静（治療抵抗性の苦痛を緩和することを目的として，鎮静薬を投与すること）の適応についての検討を要す．鎮静は間欠的鎮静と持続的鎮静に分類されるが，後者を行う場合は，相応性，医療者の意図，患者・家族の意思，チームによる判断の四つの要件を満たす必要がある（表3）．鎮静のための第一選択薬はミダゾラムである．オピオイドは症状緩和を目的として使用する薬剤，ハロペリドールはせん妄の治療薬であり，それぞれの意識低下作用（弱い）を鎮静に利用することは推奨されていない．なお，持続的鎮静開始後，患者の尊厳ならびに家族への配慮が非常に重要であることは論を俟たない[9]．

c 呼吸困難 レベルB

呼吸困難とは「呼吸時の不快な感覚」であり，呼吸不全という病態とは一線を画す．

優先すべきは原因治療である．薬物治療の柱は，モルヒネ，ステロイド，抗不安薬（アルプラゾラム，ロラゼパム，ジアゼパム，ミダゾラムなど）である．モルヒネ以外のオピオイドには，有効性を示す十分な根拠がない．しかし，オキシコドンやフェンタニルが先行投与されている場合は増

d 消化器症状 レベルB

癌患者の主たる消化器症状は，悪心・嘔吐，便秘である．

悪心・嘔吐の主な原因は，大脳皮質（感情，髄膜刺激，頭蓋内圧亢進など），前庭器（薬物，頭蓋底病変など），化学受容体引金帯（薬物，代謝・電解質異常など），消化管（粘膜障害，機械的閉塞，蠕動運動低下など）である．

原因治療と併行して，各刺激に関連する神経伝達物質（ドパミン，ヒスタミン，アセチルコリン，セロトニン，サブ

表3 持続的な鎮静薬の投与を行う要件

A. 相応性
　苦痛緩和を目指すいろいろな選択肢のなかで，鎮静が最善と判断される．すなわち，苦痛の強さ，治療抵抗性の確実さ，予測される患者の生命予後，効果と安全性の見込みから考えて，持続的な鎮静薬の投与は妥当な方法である．
B. 医療者の意図
　1）医療チームが鎮静を行う意図が苦痛緩和であることを理解している．
　2）鎮静を行う意図（苦痛緩和）からみて適切な薬剤，投与量，投与方法が選択されている．
C. 患者・家族の意思
　1）患者
　　①意思決定能力がある場合：必要な情報を提供されたうえでの苦痛緩和に必要な鎮静を希望する意思表示がある．
　　②意思決定能力がないとみなされた場合・患者の価値観や以前に医師法事に照らして，患者が苦痛緩和に必要な鎮静を希望することが推測できる．
　2）家族がいる場合には家族の同意があることが望ましい．
D. チームによる判断
　1）医療チームの合意がある．多職種が同席するカンファレンスを行うことが望ましい．
　2）意思決定能力，苦痛の治療抵抗性，および予測される患者の生命予後について判断が困難な場合には，適切な専門家〔緩和医療医，精神科医，心療内科医，麻酔科医（ペインクリニック医），腫瘍医，専門看護師など〕にコンサルテーションすることが望ましい．

（日本緩和医療学会緩和医療ガイドライン作成委員会．がん患者の呼吸器症状の緩和に関するガイドライン 2016年版，金原出版，2016 [9]を参考に作成）

スタンスP）を同定し，それをブロックする制吐薬（順に，ハロペリドールやメトクロプラミド，ジフェンヒドラミンジプロフィリンやヒドロキシジン，臭化水素酸スコポラミン，5-HT$_3$受容体拮抗薬など）を選択する．複数の受容体に関連する薬剤（プロクロルペラジン，クロルプロマジン，オランザピン，レボメプロマジンなど）も有効である[10]．

制吐薬の主な副作用は，眠気と錐体外路症状（Parkinson症候群，アカシジア）である．抗精神病薬や抗ドパミン作用を持つ薬剤は錐体外路症状の原因となりやすいので，漫然投与を避け，疑わしい症状が出現した場合は速やかに中止，変更する．

癌性腹膜炎による（下部）消化管閉塞に対しては，酢酸オクトレオチドとステロイドが有効である．

便秘に対しては，浸透圧下剤（酸化マグネシウム），大腸刺激性下剤（センノシド，ピコスルファートナトリウム水和物），ルビプロストン，リナクロチド，エロビキシバットなどで対応する．後者3剤は，小腸粘膜上皮に作用し腸液の分泌を促進し便の輸送速度を高める効果がある．耐性を生じにくいこと，腎機能障害がある場合にも使用できることなどにより，安全かつ有効な便秘治療を実現しうるが，薬価が高いという難点もある．また，患者が普段の生活で行っている便秘対策も尊重し，薬物治療とあわせて重症化させないように配慮する．

e 精神症状 レベルB

1）適応障害，うつ

適応障害は，支持的対応と抗不安薬（アルプラゾラム，ロラゼパム）を中心とした薬物治療により，改善が期待できる．

うつには専門家の介入が望ましい．うつ患者の主訴は，食欲低下，体重減少，倦怠感，不眠，集中力低下などの，癌や治療による症状と同様の身体症状であることが多く見逃しやすいので，「抑うつ気分」と「興味・喜びの喪失」，つまり「一日中気分が落ち込んでいる」あるいは「今まで好きだったことが楽しめなくなっている」状態が1ヵ月間継続しているか否かに着目し[11]，どちらかが当てはまれば，専門家へのコンサルトを検討する．

2）せん妄

せん妄は意識障害，つまり脳の機能不全であり，精神症状を呈する身体疾患ともいえよう．過活動型はわかりやすいが，低活動型のせん妄をうつと見誤りやすい．症状の急激な変動と認知の変化が，せん妄の特徴である[12]．電解質異常，代謝異常，脱水，低栄養，感染症，低酸素血症，脳転移，疼痛，排尿障害，薬物などの事象が原因となりうるため，治療の基本は原因検索とその対応である．

これと併行して，抗精神病薬（リスペリドン，クエチアピン，ハロペリドールなど）による薬物治療を開始する．抗精神病薬の副作用として，パーキンソニズム，アカシジア，悪性症候群，薬剤性QT延長症候群による致死性の不整脈があげられる．なお，感染症と死亡のリスクが上昇するため，認知症の患者への投与には注意を要す．ベンゾジアゼピン系，特に短時間型の睡眠導入薬は，せん妄を悪化させるおそれがある．糖尿病患者では，クエチアピンは禁忌となる．

非薬物治療として，カレンダー・時計・会話などで見当識を確立すること，日中は太陽を感じられる場所，夜間は静かな場所に移動してリズムをつくること，本人の枕やパジャマなどを使用して自宅に近い状態を確保すること，眼鏡や補聴器などで感覚器障害を補完すること，危険物を置かないこと，24時間の持続点滴を避け，やむを得ない場合にはルートを隠すことなどに留意する．なお，身体拘束はせん妄の増悪因子である．

終末期せん妄は回復困難で，死期が近いことの現れでもある．したがって，患者への丁寧な対応とともに，家族へ

の説明と配慮が重要となる．

文献

1) Twycross R et al. Symptom Management in Advanced Cancer, 4th Ed, Palliativedrugs.com, 2009
2) Roy DJ. J Palliat Care 1990; **6**: 3
3) Merskey H et al (eds). ISAP Task Force on Taxonomy. Classification of Chronic Pain, ISAP Press
4) 山口重樹ほか（編）．症例で身につくがん疼痛治療薬，羊土社，2014
5) 日本緩和医療学会緩和医療ガイドライン作成委員会．がん疼痛の薬物治療に関するガイドライン 2014 年版，金原出版，2014
6) 余宮きのみ．がん疼痛緩和の薬がわかる本第 3 版，医学書院，2019
7) WHO guidelines for the pharmacological and radiotherapeutic management of cancer pain in adults and adolescents, World Health Organization, 2018
8) 日本緩和医療学会緩和医療ガイドライン作成委員会．がん患者の呼吸器症状の緩和に関するガイドライン 2016 年版，金原出版，2016
9) 日本緩和医療学会緩和医療ガイドライン統括委員会．がん患者の治抵抗性の苦痛と鎮静に関する基本的な考え方の手引き，金原出版，2018
10) 日本緩和医療学会緩和医療ガイドライン作成委員会．がん患者の消化器症状の緩和に関するガイドライン 2017 年版，金原出版，2017
11) Whooley MA. JAMA 2006; **295**: 2874
12) 町田いずみほか．総合病院精神医学 2002; **14**: 1

③ 指針

要点

1. 鎮痛薬が投与されていない痛みのある癌患者に対して，迅速，効果的かつ安全な疼痛管理を達成するために，臨床的評価および痛みの重症度に応じて，非ステロイド系抗炎症薬(NSAIDs)，アセトアミノフェン，およびオピオイドを単独で，または組み合わせて使用すべきである．
2. 効果的かつ安全な(鎮痛)疼痛管理を維持するために，臨床的疼痛評価および痛みの程度に応じて，どのオピオイドが選択されてもよい．また，突出痛に対してはまずレスキュー薬を投与し，さらに早く突出痛の緩和が必要な患者に対してのみ，経粘膜性フェンタニルを使用する．
3. オピオイドの投与経路は，経口または経皮投与が不可能である場合，患者にとって痛みが少ない皮下投与が筋肉内投与より優先される．
4. 骨転移による骨痛を予防および治療するために，ビスホスホネートを使用すべきである．また，放射線治療の適応があり実施可能な場合には，単回照射放射線治療を使用すべきである．

Key Word 非オピオイド鎮痛薬，オピオイド，オピオイドスイッチ，レスキュー薬

本指針(「がん疼痛の薬物療法に関するガイドライン」[1]から抜粋)の目的は，癌疼痛のあるすべての癌患者を対象に医師，看護師，薬剤師などを含む医療チームを使用者として，癌疼痛に対する薬物療法の一般的水準を示すことである．個々の患者への適用は，対象となる患者の個別性に十分配慮し，医療チームが責任をもって決定するべきものである．

①推奨の強さ(表1)
②エビデンスのレベル(表2)

a WHOがん疼痛治療ガイドライン(2018年)[2]

1) がん疼痛マネジメントの基本原則

①疼痛治療の目標：患者にとって許容可能な生活の質を維持できるレベルまで痛みを軽減する．
②包括的な評価：がん疼痛マネジメントの最初のステップは常に，患者を評価することである．詳細な病歴，身体診察，心理的状況の評価，適切な疼痛測定ツールを用いた痛みの重症度の評価などが含まれる．安全かつ適切ながん疼痛治療を維持するためには，定期的に再評価を行う必要がある．
③安全性の保障：がん医療におけるオピオイドの適切かつ効果的な管理は，患者の安全の確保と薬物の社会への転用リスクを減らすために不可欠である．
④がん疼痛マネジメントは薬物療法が含まれるが，心理社会的および精神的ケアも含まれうる：薬物療法ががん疼痛マネジメントの主体である一方で，心理社会的ケアも包括的なケアプランの不可欠な要素である．
⑤オピオイドを含む鎮痛薬は，いずれの国でも使用できるべきである

表1 推奨の強さ

1：強い推奨	推奨した治療によって得られる利益が大きく，かつ，治療によって生じうる害や負担を明らかに上回る(あるいは下回る)と考えられる
2：弱い推奨	推奨した治療によって得られる利益の大きさは不確実である，または，治療によって生じうる害や負担と拮抗していると考えられる

表2 エビデンスのレベル

A (高い)	今後さらなる研究を実施しても，効果推定への確信性は変わりそうにない
B (中)	今後さらなる研究が実施された場合，効果推定への確信性に重要な影響を与える可能性があり，その推定が変わるかもしれない
C (低い)	今後さらなる研究が実施された場合，効果推定への確信性に重要な影響を与える可能性が非常に高く，その推定が変わる可能性がある
D (非常に低い)	効果推定が不確実である

⑥鎮痛薬は，「経口的に」「時間を決めて」「患者ごとに」「細かい配慮をもって」投与する
・経口的に：可能な限り，経口投与で行う．
・時間を決めて：投与は適正な決まった時間に投与する．痛みがとれるまで段階的に増量する．薬の効果がなくなる前に次の投与を行う．患者にあった投与スケジュールを決めて，規則正しく服用する．
・患者ごとに：患者個々の痛みのマネジメントは，上記の2つの事項とともに，痛みの種類，痛みの場所，最適な治療の決定について，注意深く評価する．適切な投与量とは，その患者が納得するレベルまで痛みがとれる量である(以前のWHO方式がん疼痛治療法には，三段階除痛ラダーが含まれていたが，それ

は一般的な指針にすぎない．患者ごとに詳細な評価を行い，それに基づいて治療法を選択する）．
- そのうえで細かい配慮を：理想的には，患者とその家族が使用できるように，薬品の名前，使用理由，投与量，投与間隔を含め鎮痛薬のレジメンを書き出すべきである．それぞれの薬の副作用について患者に注意するように指導する．
⑦がん疼痛治療は，がん治療の一部として考えられる：終末期であるかどうかに関係なく，がん治療の計画に統合されるべきである．患者が痛みを感じている場合は，抗がん治療とがん疼痛マネジメントを同時に行う必要がある．

2）推奨
①鎮痛薬
 ⅰ）導入
迅速，効果的かつ安全な疼痛管理を達成するために，臨床的評価および痛みの重症度に応じて，非ステロイド系抗炎症薬（NSAIDs），アセトアミノフェン，およびオピオイドを単独でまたは組み合わせて使用すべきである．1C
備考：痛みの程度に適した強さの鎮痛薬を開始すべきである．軽度の痛みの鎮痛薬（アセトアミノフェン，NSAIDs）は，中程度または重度の痛みに対して単独で開始されるべきではない．痛みの程度の評価で，適応と判断された場合にはアセトアミノフェンおよび/またはNSAIDsと経口モルヒネなどのオピオイドを組み合わせて開始することができる．

 ⅱ）維持療法
オピオイドの種類の選択：効果的かつ安全な（鎮痛）疼痛管理を維持するために，臨床的疼痛評価および痛みの程度に応じて，どのオピオイドが選択されてもよい．1C
備考：オピオイドの至適用量とは，患者が許容できるレベルまで痛みを緩和する用量である．オピオイドの効果は患者によって，また，薬剤によっても異なる．
オピオイドの投与経路：経口または経皮投与が不可能である場合，患者にとって痛みが少ない皮下投与が筋肉内投与より優先される．
※中等度のがん疼痛に対し，モルヒネが弱オピオイドに比べ，有害事象は同等で，有効率が高く，痛みの程度をより軽減したと報告されている．

 ⅲ）オピオイドの中止
患者がオピオイドへの身体的依存を発症しオピオイドを中止する場合，退薬症状を回避するために徐々に減量すべきである．

②鎮痛補助薬
 ⅰ）ステロイド
必要に応じて疼痛管理を達成するために鎮痛補助薬としてステロイドを投与することがある．1B
備考：一般的にステロイドの投与はできるだけ短期間の処方とするべきである．がん疼痛に対するステロイドの最適投与量は，痛みの部位および種類，感染の有無やリスク，がんの病期，糖尿病の有無，ならびに治療の目標など多くの臨床的要因に左右される．腫瘍周囲の浮腫に起因するがん疼痛または合併症を治療するとき，ミネラルコルチコイド作用が最も少ないステロイドが望ましい．

③骨転移による痛み
 ⅰ）ビスホスホネート
骨転移による骨痛を予防および治療するために，ビスホスホネートを使用するべきである．1B
 ⅱ）放射線治療
放射線単回照射と分割照射の比較：骨転移による痛みに対する放射線治療の適応があり，実施可能な場合には単回照射放射線治療を使用すべきである．1A

b がん疼痛治療の推奨

1）鎮痛薬
①軽度の痛み（NRS 1～3/10）
　推奨：アセトアミノフェン，NSAIDs
②中等度の痛み（NRS4～6/10）
　推奨：モルヒネ*，ヒドロモルフォン*，オキシコドン*，フェンタニル*，タペンタドール
　*オピオイドを持続静注または持続皮下注で投与するとき，PCAを使用してもよい．
　条件付き推奨：メサドン*，コデイン，トラマドール#，ブプレノルフィン※
　*メサドン以外の強オピオイドが投与されているにもかかわらず，適切な鎮痛効果が得られないとき．
　#患者の選好，医療者の判断，医療現場の状況で，強オピオイドが投与できないとき．
　※高度の腎障害があるとき．他の強オピオイドが投与できないとき．
③高度の痛み（NRS7～10/10）
　推奨：モルヒネ*，ヒドロモルフォン*，オキシコドン*，フェンタニル*，タペンタドール
　*オピオイドを持続静注または持続皮下注で投与するとき，PCAを使用してもよい．
　条件付き推奨：メサドン*
　*メサドン以外の強オピオイドが投与されているにもかかわらず，適切な鎮痛効果が得られないとき．
④突出痛
　推奨：レスキュー薬（経口モルヒネ・ヒドロモルフォン・オキシコドン速放性製剤，オピオイド注射薬のボーラス注射投与，オピオイド坐剤のいずれか）
　条件付き推奨：経粘膜性フェンタニル（フェンタニル舌下錠またはバッカル錠）
突出痛に対してはまずレスキュー薬を投与し，さらに早く突出痛の緩和が必要な患者に対してのみ，経粘膜性フェンタニルを使用する．

2）オピオイドの有害作用に対する治療
①便秘
　推奨：下剤（浸透圧性下剤，大腸刺激性下剤）
　条件付き推奨：末梢性μオピオイド受容体拮抗薬（ナル

デミジン）

その他の便秘治療薬（ルビプロストンなど）の投与については，明確な推奨はできない．

②悪心・嘔吐

推奨：制吐剤（メトクロプラミド，ドンペリドン，抗ヒスタミン薬，ハロペリドール，プロクロルペラジン，オランザピンなど）

条件付き推奨：オピオイドの変更（オピオイドスイッチ，オピオイドローテーション）・投与経路の変更

③眠気

推奨：オピオイドの減量

精神刺激薬の投与については，明確な推奨はできない．

3) 特定の状況の治療

①神経障害性疼痛，骨転移

推奨：鎮痛薬（アセトアミノフェン，NSAIDs，オピオイド）の投与

条件的推奨：鎮痛補助薬（抗うつ薬，ガバペンチノイド，抗痙攣薬，抗不整脈薬），ケタミン

②高度な腎障害（eGFR 30 mL/min 未満）

推奨：フェンタニル，ブプレノルフィンの注射薬

条件付き推奨：トラマドール，オキシコドン，ヒドロモルフォン，メサドン，コデイン，モルヒネを注意して投与してもよい．ただし，コデイン，モルヒネは可能なら投与は避ける．投与するなら短期間で，少量から投与する．

③適切な鎮痛効果が得られない

推奨：投与中の鎮痛薬を増量

条件付き推奨：アセトアミノフェン・NSAIDs の併用，鎮痛補助薬の併用，オピオイドの変更

④対処しうる治療を行っても許容できない有害作用

推奨：投与中の鎮痛薬の有害作用に対する治療

条件付き推奨：オピオイドの変更・投与経路の変更

C 治療法に関する臨床疑問

1) がん疼痛のある，高度の腎障害の患者に対して，特定のオピオイドの投与は推奨されるか？

推奨：がん疼痛（中等度から高度）のある，高度の腎障害（eGFR 30 mL/min 未満）の患者に対して，初回投与のオピオイドとして，フェンタニル，ブプレノルフィンの注射薬を投与することを推奨する．**1C**

2) がん疼痛のある患者に対して，初回投与のオピオイドは，強オピオイドと弱オピオイドのどちらが推奨されるか？

推奨：

①がん疼痛（中等度から高度）のある患者に対して，強オピオイドの投与を推奨する．**1B**

②がん疼痛（中等度）のある患者に対して，弱オピオイドの投与を条件付きで推奨する．**2C**

条件：患者の選好，医療者の判断，医療現場の状況で，強オピオイドが投与できないとき．

3) がん疼痛のある患者に対して，より早く鎮痛するために，オピオイドを持続静注または持続皮下注で投与することは推奨されるか？

推奨：がん疼痛（高度）のある患者に対して，より早く鎮痛する目的で，オピオイドを持続静注または持続皮下注で開始することを推奨する．**1C**

4) がん疼痛の突出痛のある患者に対して，どの強オピオイドの投与が推奨されるか？

推奨：

①がん疼痛の突出痛のある患者に対して，レスキュー薬の投与を推奨する．**1B**

②がん疼痛の突出痛のある患者に対して，経粘膜性フェンタニルの投与を条件付きで推奨する．**2A**

条件：オピオイドが定時投与されており，経口投与のレスキュー薬を投与しても，鎮痛効果が得られるまで時間を要し，患者が満足できる鎮痛ができないとき．

5) オピオイドが投与されているにもかかわらず，適切な鎮痛効果が得られない，がん疼痛のある患者に対して，オピオイドの変更は推奨されるか？

推奨：オピオイドが投与されているにもかかわらず，適切な鎮痛効果が得られない，がん疼痛のある患者に対して，オピオイドの変更を条件付きで推奨する．**2C**

条件：投与されているオピオイドを増量しても，予測される鎮痛効果が得られないとき．

6) オピオイドによる許容できない有害作用のある，がん疼痛のある患者に対して，オピオイドの変更は推奨されるか？

推奨：オピオイドによる許容できない有害作用のある，がん疼痛のある患者に対して，オピオイドの変更を条件付きで推奨する．**2C**

条件：対処しうる有害作用の治療を行っても，十分な治療効果が得られないとき．

文献

1) 特定非営利活動法人日本緩和医療学会緩和医療ガイドライン統括委員会．がん疼痛の薬物療法に関するガイドライン．金原出版，2020
2) World Health Organization. WHO guidelines for the pharmacological and radiotherapeutic management of cancer pain in adult and adolescents, 2018

復習ドリル

問題❶

正しいのはどれか．2つ選べ．
a. 心嚢ドレナージは終末期の緩和治療としてふさわしくない
b. 化学療法は副作用が強いため緩和治療として行わないほうがよい
c. 放射線治療による食道部痛が強ければ積極的にオピオイドを使用する
d. 肺炎のため喀痰の吸引回数が増加したため抗菌薬の全身投与を検討する
e. 貧血による症状はないが，ヘモグロビンが7g/dLを超えるように輸血する

問題❷

癌末期患者の呼吸困難の程度を評価する適切な指標はどれか．2つ選べ．
a. NRS(numeric rating scale)による主観的評価
b. 呼吸困難が生活に与える影響
c. 呼吸困難時の酸素飽和度
d. 呼吸困難時の呼吸回数
e. 呼吸困難時の心拍数

問題❸

痛みの治療について，正しいのはどれか．2つ選べ．
a. 臨床的疼痛評価および痛みの重症度に応じて，三段階除痛ラダーに沿って薬剤を選択する．
b. 鎮痛薬が投与されていない場合は，まず非ステロイド抗炎症薬(NSAIDs)，アセトアミノフェンを単独で使用すべきである．
c. 突出痛に対しては，まずレスキュー薬を投与し，さらに早く突出痛の緩和が必要な患者に対してのみ，経粘膜性フェンタニルを使用する．
d. 骨転移による骨痛を予防および治療するために，ビスホスホネートを使用するべきである．
e. オピオイドの投与経路は，経口または経皮投与が不可能である場合，まず筋肉内投与を検討する．

正解：①c d, ②a b, ③c d

索 引

欧文索引

A

ABCDE アプローチ　306
acinar adenocarcinoma　229
Actinomyces israelii　201
acute cellular rejection　499
acute mediastinitis　370
Adamkiewicz 動脈　368
adenocarcinoma *in situ*（AIS）　228, 250
adenoid cystic carcinoma　232
adenoma　291
adenosquamous carcinoma　232
air-trapping index（ATI）　38
ALK（anaplastic lymphoma kinase）　224
alveolar adenoma　291
American Joint Committee on Cancer（AJCC）　233, 380
anterior transclavicular incision　59
antero-axillary thoracotomy incision　58
antero-lateral thoracotomy incision　58
antibody-mediated rejection（AMR）　499
antidiuretic hormone（ADH）　241
aortic aneurysm　180
aortic regurgitation（AR）　169
aortic stenosis（AS）　169
argon plasma coagulator（APC）　362
atypical adenomatous hyperplasia　228
axillary thoracotomy incision　58

B

basaloid squamous cell carcinoma　231
Birt-Hogg-Dubé 症候群（BHDS）　204, 411
Bochdalek 孔ヘルニア　469
BRAF　224
bronchial artery embolization（BAE）　137, 351
bronchiolitis obliterans syndrome（BOS）　504
bronchoalveolar lavage（BAL）　212
bronchoscopic lung volume reduction（BLVR）　363

C

C-reactive protein（CRP）　45
carcinoid tumours　231
carcinosarcoma　232
Castleman 病　388
central airway obstruction（CAO）　272
cervico-thoracic transmanuburial incision　59
$CHADS_2$ スコア　187
Chamberlain 法　59
chondroma　295, 457
chondrosarcoma　457
chronic expanding hematoma　426
chronic lung allograft dysfunction（CLAD）　495, 499, 503
chronic mediastinitis　373
ciliated muconodular papillary tumor（CMPT）　302
clamshell incision　58, 118
clear cell carcinoma　229
clear cell tumor　300
club cell（Clara cell）　34
colloid adenocarcinoma　230
combined pulmonary fibrosis and emphysema（CPFE）　214
compensatory lung growth（CLG）　27
complete tracheal ring　339
compromised host　197
congenital bronchial atresia（CBA）　209, 341
congenital lobar emphysema（CLE）　207
congenital peribronchial myofibroblastic tumour　295
congenital pulmonary airway malformation（CPAM）　29, 136, 208
congenital tracheal stenosis　339
cough peak flow（CPF）　156
CT　46, 244
cystic fibrosis transmembrane conductance regulator（CFTR）　349

D

da Vinci　69
Dartevelle 法　59, 114
deep vein thrombosis（DVT）　175, 177
descending necrotizing mediastinitis　370
desmoid tumor　457
Diagnosis Procedure Combination/Per-Diem Payment System（DPC/PDPS）　8
diaphragm　121
DICOM　75
diffuse idiopathic pulmonary neuroendocrine cell hyperplasia（DIPNECH）　231
diffuse large B-cell lymphoma（DLBCL）　297
diffuse panbronchiolitis（DPB）　349
diffuse pulmonary lymphangiomatosis（DPL）　295
direct oral anticoagulants（DOACs）　184
Dirofilaria immitis　199

索　引

disease free interval（DFI）　285, 287
DK forceps　56
DLco　39, 138
donor specific antibody（DSA）　499
dose-volume histogram（DVH）　263
double sleeve　92, 99, 100

E

Echinococcus granulosus　199
Ehlers-Danlos 症候群（EDS）　411
elevator　53
endobronchial ultrasound guided transbronchial needle aspiration（EBUS-TBNA）　246
endobronchial Watanabe spigot（EWS）　363
enteric adenocarcinoma　230
eosinophilic granuloma　457
epidermal growth factor receptor（EGFR）　252
epithelioid hemangioendothelioma　294
esophageal atresia（EA）　343
Ewing 肉腫　457
Ex-vivo Lung Perfusion（EVLP）　497
extended bronchoplasty　99
extended resection　253
extended thymectomy　119, 396
extensively drug-resistant tuberculosis（XDR-TB）　193
extracorporeal membrane oxygenation（ECMO）　147, 148
extranodal mucosa-associated lymphoid tissue lymphoma　296
extrapleural pneumonectomy（EPP）　111
extrapleural thoracoplasty　115

F

fetal adenocarcinoma　230
FEV_1　38, 138
fibrous dysplasia　457
flail chest　311
flow-volume curve　38
focused assessment with sonography for trauma（FAST）　306
FOLFOX　285
frailty　157
funnel chest　449

G

giant cell carcinoma　232
giant pulmonary bulla　204
glandular papilloma　290
Good 症候群　398
graft-versushost disease（GVHD）　145
Grunenwald 法　59

H

Haller の CT 指数　449
hallmark　222
hamartoma　299
hemi-clamshell incision　58
hereditary hemorrhagic teleangiectasia（HHT）　210
high postero-lateral thoracotomy　60
high-flow nasal cannula　148
Hook 法　60
Horner 症候群　43, 460
human atrial natriuretic peptide（hANP）　154
hydrothrax　433
hypertrophic pulmonary osteoarthropathy（HPO）　243
hypoxic pulmonary vasoconstriction（HPV）　144

I

idiopathic interstitial pneumonias（IIPs）　212
idiopathic pulmonary fibrosis（IPF）　212
imageguided radiotherapy（IGRT）　264
immotile cilia　34
indocyanine green（ICG）　72, 77
infectious bulla　206
inflammatory atheroma　452
inflammatory myofibroblastic tumour（IMT）　292
inspiratory capacity（IC）　37
intensity-modulated radiation therapy（IMRT）　264
internal pneumatic stabilization　312
intrapleural thoracoplasty　115
intrapulmonary hematoma　315
intrapulmonary thymoma　301
intravascular large B-cell lymphoma（IVLBCL）　298
invasive adenocarcinoma　229
invasive mucinous adenocarcinoma　229

K

Kartagener 症候群　164, 349
keratinizing squamous cell carcinoma　230
Kommerell 憩室　164
KRAS　225

L

Lady Windermere 症候群　349
Lambert-Eaton 筋無力症候群（LEMS）　43, 242
large cell carcinoma　232
large cell neuroendocrine carcinoma（LCNEC）　231
laryngeal mask airway（LMA）　144
laryngo-tracheo-esophageal cleft　341
late alveolarization　26
lateral thoracotomy incision　58
lepidic adenocarcinoma　229

limited resection 252
lobectomy 93
low attenuation area 201
low-dose CT 248
lung abscess 202
lung volume reduction surgery（LVRS） 204, 214
lymph node dissection 253
lymphangioleiomyomatosis（LAM） 204, 294, 411
lymphoepithelioma-like carcinoma 232
lymphoid/histiocytic tumours 296
lymphomatoid granulomatosis（LYG） 297

M

M. avium complex（MAC） 195
malignant pleural mesothelioma（MPM） 111
MALTリンパ腫 296
Marfan症候群 411
Masaoka法 59
maximal inspiratory pressure（MIP） 36
maximal thymectomy 120
maximum expiratory pressure（MEP） 36
median sternotomy incision 58
mediastinal emphysema 401
Meigs症候群 434
melanoma 302
MGFA分類 394
micropapillary adenocarcinoma 229
minimally invasive adenocarcinoma（MIA） 229
miRNA 222
mitral regurgitation（MR） 169
mitral stenosis（MS） 169
mixed squamous cell and glandular papilloma 291
MMMサンドイッチ 108
Mondor病 452
Morgagni孔ヘルニア 469
MRI 46
mucinous cystadenocarcinoma 230
mucinous cystadenoma 291
mucoepidermoid carcinoma 232
mucous gland adenoma 291
multi-detector computed tomography（MD-CT） 74
multidrug-resistant tuberculosis（MDR-TB） 193

N

Naclerio-Langer法 205
National Clinical Database（NCD） 13, 140
NCDリスクカリキュレーター 140
neuroendocrine tumours 231
node dissection 89
non-keratinizing squamous cell carcinoma 230
non-small cell carcinoma（NSCLC） 252, 255

nonmucinous adenocarcinoma 229
nontuberculous mycobacteria（NTM） 195
NTRK 224
Nuss法 450
NUT carcinoma 232

O

oligo-recurrence 281
oligometastases 275, 281
osteochondroma 457
osteomyelitis 454
osteosarcoma 457
other and unclassified carcinomas 232
Overholt法 54, 87

P

palliative surgery 251
Pancoast症候群 43
papillary adenocarcinoma 229
papillary adenoma 291
papilloma 290
paradoxical respiration（breathing） 311
paraganglioma 388
Paragonimus miyazakii 199
Paragonimus westermani 199
paraneoplastic syndrome 241
parasternal thoracotomy incision 59
parietal pleura 406
Paulson法 60
PEComatous tumours 294
pectus excavatum 449
performance status（PS） 138
pericostal tuberculosis 194
perivascular epithelioid cells（PECs） 294
persistent left superior vena cava（PLSVC） 368
PET 46, 244
PGAシート 56
photodynamic therapy（PDT） 272
pleomorphic adenoma 291
pleomorphic carcinoma 232
pleurectomy/decortication（P/D） 111
pleuropulmonary blastoma 295
pneumomediastinum 401
pneumonectomy 92
pneumothorax 315
posterior transaxillary thoracotomy 60
postero-lateral thoracotomy incision 57
postoperative mediastinitis 371
preinvasive lesion 228, 231
primary ciliary dyskinesia 34, 349
primary graft dysfunction（PGD） 495, 502

索　引

primary survey　306
pulmonary arteriovenous fistula（AVF）　210
pulmonary arteriovenous malformation（AVM）　210
pulmonary artery intimal sarcoma　295
pulmonary aspergillosis　197
pulmonary blastoma　232
pulmonary contusion　315
pulmonary injury　314
pulmonary laceration　314
pulmonary Langerhans cell histiocytosis（PLCH）　298
pulmonary sequestration　207
pulmonary thromboembolism（PTE）　177
pulmonary tuberculosis　192
pure red cell aplasia（PRCA）　398
pyothorax-associated lymphoma（PAL）　458

R

radical surgery　251
radiofrequency ablation（RFA）　274
rapid on-site cytological evaluation（ROSE）　246
raspatory　53
Ravitch 法　449
reduced port surgery　65
Rendu-Osler-Weber 病（ROWD）　210
respiratory distress syndrome（RDS）　29
right top pulmonary vein　162
Rivalta 反応　433
Roos 法　60
ROS1　224

S

salivary gland-type tumours　232
sarcomatoid carcinoma　232
Sauer's danger zone　311
Scimitar 症候群　163
sclerosing pneumocytoma　300
segmentectomy　94
semi-clamshell incision　58
shaggy aorta　180
shuttle walk test　139
signet ring cell carcinoma　229
situs inversus　164
sleeve upper lobectomy　97
small cell carcinoma（SCLC）　252
solid adenocarcinoma　229
solitary fibrous tumor　439
spindle cell carcinoma　232
spirometry　37
squamous cell carcinoma　230
squamous cell carcinoma *in situ*　231
squamous cell papilloma　290

stereotactic body radiation therapy（SBRT）　264
Stocker 分類　28, 208
subscapular abscess　452
superior sulcus tumor（SST）　240
surgical site infection（SSI）　20, 155
Sweet 法　54, 87
syndrome of inappropriate secretion of antidiuretic hormone（SIADH）　43
synovial sarcoma　294
systemic lupus erythematosus（SLE）　399

T

table knife holding　52
tension pneumothorax　315
teratoma　301
terminal bronchioles　337
Thomford の基準　280
thoracic nocardiosis　453
thoraco-opener　55
thoracomediastinal plication　115
thoracoscope　55
three-dimensional computed tomography（3D-CT）　74
Tietze 症候群　454
TNM 分類　233
tracheal agenesis　342
tracheo-esophageal fistula（TEF）　343
transaxillary transverse thoracotomy incision　60
transbronchial lung biopsy（TBLB）　212
transfusion-associated circulatory overload（TACO）　145
transfusion-related acute lung injury（TRALI）　145
transmanubrial osteomuscular sparing approach（TMA）　104, 117
Trap-door 法　59
traumatic pulmonary pseudo-cyst　315
trigonum lumbocostale　469
trocar　55
Trousseau 症候群　243
tuberous sclerosis complex（TSC）　294
tumor proportion score（TPS）　258, 260

U

UGT1A1　247
UICC-8　233
unilateral absence of pulmonary artery　165
Union for International Cancer Control（UICC）　233, 380, 437

V

variants of adenocarcinoma　229
venous thromboembolism（VTE）　177
video-assisted thoracic surgery（VATS）　66, 253
videoscope　55

violin-bow holding　52
virtual-assisted lung mapping（VALMAP）　77, 277
visceral pleura　406
V̇O₂max　40, 139

W

water sealing test　146
wedge resection　94
Wells score　176
Williams-Campbell 症候群　349
wound protector　55
writing-pen holding　52

Y

Yellow nail 症候群　349
Young 症候群　349

和文索引

あ

アウトカム検討　17
亜区域　31
悪性胸膜中皮腫　111, 436
悪性黒色腫　302
悪性リンパ腫　388
アスベスト　220, 436
アスペルギルス症　197
アドバンス・ケア・プランニング　142
アルゴンプラズマ凝固法　362

い

異型腺腫様過形成　228
医原性気管・気管支損傷　319
異時性多発肺癌　268
石綿健康被害救済法　439
イスタンブール宣言　485
痛み　508
1 秒量　38, 138
一側肺動脈欠損　165
遺伝子パネル検査　247
遺伝性出血性毛細血管拡張症　210
イヌ糸状虫症　199
医療安全　15
医療倫理　23
陰圧手術室　2
印環細胞癌　229
インシデント　15
咽頭気管食道裂　341
インドシアニングリーン（ICG）　72, 77

院内癌登録　221
インフォームドコンセント　16

う

ウエステルマン肺吸虫　199
齲歯　201
右室肥大　173
右心不全　173
右側大動脈弓　164
運動耐容能　156
運動負荷試験　40, 139

え

エアトラッピングインデックス　38
栄養管理　141, 150
腋窩切開　58
エキノコックス症　199
エネルギーデバイス　56, 123
エレバトリウム　53
遠隔転移　241
炎症性筋線維芽細胞腫　292
炎症性（化膿性）粉瘤　452

お

横隔神経　33
横隔神経損傷　154
横隔神経麻痺　126
横隔膜　121, 466
横隔膜挙上症　476
横隔膜筋性部　466
横隔膜交通症　482
横隔膜再建　477
横隔膜弛緩症　125, 473
横隔膜腫瘍　477
横隔膜切除法　123
横隔膜損傷　325
横隔膜ヘルニア　469
横隔膜麻痺　480
オピオイド　510

か

開胸法　57
外固定　313
改ざん　25
外傷性横隔膜ヘルニア　325
外傷性気胸　409
外傷性縦隔気腫　320
外傷性肺仮性嚢胞　315
階段昇降テスト　139
開放性外傷　315, 316
化学物質　220

索　引

角化型扁平上皮癌　230
喀血　42, 202
拡大胸腺摘出術　119, 396
拡大手術　253
喀痰検査　45
喀痰細胞診　248
拡張型心筋症　169
ガス希釈法　38
カスケード理論　275
画像誘導放射線治療　264
合併症　151
滑膜肉腫　294
カドミウム　220
カルチノイド腫瘍　231, 357
カルチノイド症候群　44
換気　35
環境曝露　220
間質性肺炎　45, 212
間質性肺炎急性増悪　140, 152, 155, 261
患者安全　15
管状肺全摘　98
感染性胸膜炎　153
感染性肺嚢胞　206
感染対策　20
癌疼痛　512
癌肉腫　232
緩和ケア　508

き

奇異呼吸　311
気管　30, 336
気管悪性腫瘍　356
気管管状切除　99
気管管状切除再建術　339
気管・気管支外傷　316
気管・気管支結核　352
気管・気管支軟化症　209, 346
気管狭窄症　209
気管支　336
気管支芽　26
気管支拡張症　137, 349
気管支鏡下肺容量減少療法　363
気管支鏡検査　318
気管支形成術　96, 253
気管支結石　354
気管支原性肺嚢胞　29
気管支充填術　362
気管支静脈　33
気管支処理　86
気管支断端瘻　153
気管支動脈　33

気管支動脈塞栓術　137, 351
気管支嚢胞　29
気管支肺胞洗浄　212
気管食道瘻　29, 343
気管無形成　342
気管良性腫瘍　355
気管輪　339
気胸　315, 409
奇形腫　301
起子　53
気縦隔　401
気腫合併肺線維症　214
気腫性肺嚢胞　203
奇静脈葉　29
奇静脈瘤　211
喫煙　41, 219
喫煙指数　140. 141. 248
気道異物　329
気道確保　308
気道ステント留置術　359
気道熱傷　319
偽乳び胸　430
急性細胞性拒絶反応　499
急性縦隔炎　370
急性膿胸　419
胸囲結核　194
仰臥位　57
胸郭成形術　114, 425
胸郭損傷　310
胸郭出口　34
胸郭出口症候群　34
胸郭動揺　311
胸管塞栓術　431
胸筋下膿瘍　452
胸腔鏡　55
胸腔鏡下胸部交感神経遮断術　459
胸腔鏡下手術　62, 66
胸腔鏡用開創器　55
胸腔ドレーン　55
胸腔ドレナージ　308
胸腔内圧　407
胸腔内甲状腺腫　387
胸骨後ヘルニア　470
胸骨正中切開　58
胸水　408, 433
胸腺　366
胸腺上皮性腫瘍　379
胸腺上皮性腫瘍肺転移　288
胸腺神経内分泌腫瘍　379
胸痛　43
強度変調放射線治療　264

索　引

胸部大血管損傷　322
胸部ノカルディア症　453
胸部放線菌症　452
胸壁　444
胸壁腫瘍　456
胸壁切除術　106
胸壁補填材料　108
胸壁冷膿瘍　454
胸膜　406
胸膜外胸郭成形術　115
胸膜腫瘍　436
胸膜切開　60
胸膜切除/肺剝皮術　111
胸膜内胸郭成形術　115
胸膜肺芽腫　295
胸膜肺全摘術　111, 425
胸膜癒着療法　152
胸肋三角　121, 467, 470
局所症状　240
虚血性心疾患　168
巨細胞癌　232
拒絶反応　499
巨大気腫性肺囊胞　414
巨大肺囊胞症　204
気漏　81
禁煙　141
緊張性気胸　315
筋皮弁　108
筋弁　108

く

区域切除術　94
クラブ(クララ)細胞　34
クランプテスト　81
クリプトコッカス症　198
クロム　220

け

経気管支鏡的肺生検　212
頸胸的経胸骨柄切開　59
経皮的生検　47
血液凝固異常　243
血液検査　45
結核　192
結核性膿胸　426
血管周囲上皮様細胞由来腫瘍　294
血管処理　86
血管走行異常　162
血管損傷　128
血管内大細胞型B細胞リンパ腫　298
血胸　415

月経随伴性気胸　412
楔状切除術　94
結節性硬化症　294
血栓塞栓症　155
血痰　42
ゲノム　222
嫌気培養　201
研究倫理　25
肩甲骨下膿瘍　452
健康保険制度　7
腱中心　466
原発性移植片機能不全　495, 502
原発性線毛機能不全症　34, 349
原発性肺癌　136, 218

こ

抗アセチルコリン受容体抗体　394
高位腋窩横切開　60
高位交感神経幹損傷　154
高位後側方開胸　60
高位後方アプローチ　104
降下性壊死性縦隔炎　370
硬化性肺胞上皮腫　300
高カルシウム血症　44, 242
交感神経　33
口腔機能管理　141
口腔内感染症　201
口腔扁平苔癬　400
抗血栓療法　184
好酸球性肉芽腫　457
後縦隔腫瘍　119
高周波凝固療法　362
高周波スネア　362
高出力レーザー　361
硬性気管支鏡　329, 359
硬性鏡　55
光線力学治療　272
拘束型心筋症　169
後側方切開　57
抗体関連拒絶反応　499
抗ドナー特異抗体　499
後方経腋窩切開　60
抗利尿ホルモン不適合分泌症候群　241
高流量式鼻カニュラ　148
呼吸器外科専門医　7, 10, 12, 14
呼吸器外科専門研修カリキュラム　13
呼吸機能検査　35
呼吸器の発生　26
呼吸窮迫症候群　29
呼吸困難　42
呼吸生理　35

索引

呼吸不全　40
呼吸リハビリテーション　156
孤在性線維性腫瘍　439
姑息手術　251
骨髄炎　454
骨性胸壁　445
骨軟骨腫　457
骨軟部腫瘍肺転移　288
骨肉腫　457
骨膜剝離子　53
コロイド腺癌　230
根治手術　251
コンベックス型気管支腔内超音波断層法（EBUS）　246

さ

最大吸気量　37
細胞傷害性抗癌薬　259
細胞診　47
左上大静脈遺残　368
嗄声　43
サブスペシャルティ領域　12
サルコイドーシス　45
残存肺軸捻転　153

し

自家肺移植　100
子宮癌肺転移　288
止血鉗子　53
自己血輸血　146
支持療法　261
自然気胸　409
事前指示書　142
執筆法　52
シミュレーション　74
吃逆　468
シャトル試験　139
縦隔　366
縦隔炎　370
縦隔型舌区動脈　162
縦隔気腫　401
縦隔鏡　47
縦隔脂肪肉腫　389
縦隔腫瘍　374
縦隔囊胞性疾患　387
縦隔リンパ節郭清　89
重金属　220
充実型腺癌　229
重症筋無力症　44, 119, 394
銃創　313
終末細気管支　337
終末囊　26

主気管支　30
縮小手術　252
手術部位感染症　20
出血リスク　186
術後管理　148
術後縦隔炎　371
術後発熱　21
術後フォローアップ　267
術後放射線照射（PORT）　255, 256
術前管理　140
術中合併症　127
術中管理　144
受動喫煙　219
主肺動脈　88
腫瘍随伴 Cushing 症候群　241
腫瘍随伴症候群　241
小細胞肺癌　252
上縦隔腫瘍　117
上大静脈症候群　43
静肺コンプライアンス　35
上皮成長因子受容体　252
上皮内腺癌　228
静脈還流異常　162
静脈血栓塞栓症　177
食道気道瘻　343
食刀把持法　52
食道閉鎖　29
食道閉鎖症　343
食道裂孔ヘルニア　470
侵害受容性疼痛　508, 512
腎癌肺転移　288
新規経口抗凝固薬　184
心筋症　169
神経原性腫瘍　386
神経障害性疼痛　508, 512
神経損傷　154
神経内分泌腫瘍　231
人工気胸　409
人工心肺　146
心室性不整脈　171
浸潤径　228
浸潤性腺癌　229
浸潤性粘液性腺癌　229
浸潤性扁平上皮癌　230
心臓死肺移植　491
心臓ヘルニア　155
迅速簡易超音波検査法　306
心損傷　320
診断群分類包括評価　8
心タンポナーデ　44
深部静脈血栓症　175, 177

索 引

心房細動　152
心房性不整脈　170
診療報酬点数表　8

す

水胸　433
ステープラー　55
ステント留置　274, 359
スパイロメトリー　37
スライド式気管形成術　341
すりガラス陰影　76, 250, 253, 268, 499

せ

成熟奇形腫　385
生体肺移植　484, 491
喘鳴　42
咳　42
赤芽球癆　398
切開法　57
赤血球濃厚液　145
線維性骨異形成　457
腺癌　228
線毛不動症候群　349
腺腫　291
前縦隔腫瘍　118
腺上皮乳頭腫　290
前浸潤性病変　228, 231
全身性エリテマトーデス　399
全人的苦痛　512
前側方胸骨半切開　58
前側方胸骨横切開　58
前側方切開　58
全体径　228
穿通性外傷　307, 310
先天性気管狭窄　339
先天性気管支周囲性筋線維芽細胞腫　295
先天性気管(支)食道瘻　209, 340
先天性気管支閉鎖症　209, 341
先天性食道閉鎖　28
先天性囊胞性腺腫様奇形　28
先天性肺気道形成異常　29, 136, 208
先天性肺葉性肺気腫　29
腺扁平上皮癌　232
前方アプローチ切開　59
前方腋窩切開　58
腺房型腺癌　229
前方経鎖骨切開　59
線毛性粘液結節性乳頭状腫瘍　302
せん妄予防　143
専門医制度　11
腺様囊胞癌　232, 356

線量体積ヒストグラム　263

そ

臓器移植法　484
臓側胸膜　406
僧帽弁狭窄症　169
僧帽弁閉鎖不全症　169
側臥位　57
続発性気管支拡張症　349
続発性気管腫瘍　357
続発性食道気道瘻　344
側方切開　58
組織診　47
蘇生　308
蘇生的開胸術　417
ソフト凝固装置　56

た

体外式膜型人工肺　147, 178, 179, 318, 470, 494, 502
体外循環　146
体幹部定位放射線治療　264
大気汚染　220
大細胞癌　232
大細胞神経内分泌癌　231
胎児型腺癌　230
代償性肺成長　27
代償性発汗　459
大腸癌肺転移　284
大動脈弁狭窄症　169
大動脈弁閉鎖不全症　169
大動脈瘤　180
体プレチスモグラフ法　38
大網充填術　426
唾液腺型腫瘍　232
多汗症　459
多形癌　232
多形腺腫　291
多剤耐性結核菌　193
多臓器不全症候群　155
痰　42
単純性肺アスペルギローマ　198
単包条虫　199
淡明細胞癌　229
淡明細胞腫　300

ち

チアノーゼ　43
置換型腺癌　229
中縦隔腫瘍　119
超拡大胸腺摘出術　120
腸型腺癌　230

索引

超多剤耐性結核菌　193

て

定型的気管支形成術　97
低酸素性肺血管収縮　144
低線量 CT　248
デスモイド腫瘍　457
手指衛生　20
転移性肺腫瘍　136, 275, 279, 282, 287
電気メス　52
電動式低圧吸引器　80
天疱瘡　400

と

頭頸部癌肺転移　288
凍結療法　274
動肺コンプライアンス　36
盗用　25
特殊型腺癌　229
特定保険医療材料　9
特発性間質性肺炎　212
特発性血気胸　417
特発性縦隔気腫　401
特発性食道破裂　401
特発性肺線維症　212
ドナー　491
ドライバー遺伝子　226
トラブルシューティング　127
ドレーン管理　150
ドレーンチューブ　79
ドレーン抜去　81
トロッカー　55
鈍的外傷　307

な

内固定　312
内臓逆位　164
内分泌症候群　241
軟骨腫　295, 457
軟骨肉腫　457
軟性気管支鏡　329
軟性鏡　55
軟部胸壁　444

に

肉腫様癌　232
二次性縦隔気腫　401
日本専門医機構　11
乳癌肺転移　288
乳頭型腺癌　229
乳頭腫　290

乳頭腺腫　291
乳び胸　153, 427

ね

捏造　25
粘液腺腺腫　291
粘液嚢胞腺癌　230
粘液嚢胞腺腫　291
粘表皮癌　232
粘膜関連リンパ組織リンパ腫　296

の

膿胸関連リンパ腫　458
脳死肺移植　484, 491
嚢胞性肺疾患　136, 203
嚢胞線維症　349

は

肺 abscessus 症　196
肺 kansasii 症　196
肺 Langerhans 細胞組織球症　298, 411
肺 MAC 症　195
肺アスペルギルス症　197
肺移植　484, 487
肺移植後移植片慢性機能不全　495
バイオマーカー　247, 252, 258, 277
バイオリン弓把持法　52
肺芽　26
肺拡散能　39, 138
肺過誤腫　299
肺芽腫　232
肺活量　37
肺化膿症　137
肺癌診療ガイドライン　66, 69, 138, 251, 255, 258, 267
肺気腫　203, 214
肺吸虫症　199
肺虚脱　410
肺気量　38
肺区域　31
肺クリプトコッカス症　198
肺形成不全　207
肺結核　136, 192
肺血栓塞栓症　177
肺原発滑膜肉腫　294
肺高血圧症　41, 173, 211
肺再生医療　27
胚細胞腫瘍　385
肺挫傷　315
肺静脈異常　162
肺静脈瘤　211
肺真菌症　137, 197

索 引

肺性肥大性骨関節症　243
肺切除後咳嗽　154
肺切除後肺水腫　154
肺切除術　92
肺全摘術　92
肺尖部　446
肺尖部胸壁浸潤肺癌　240
肺尖部腫瘍切除術　104
肺損傷　314
肺動静脈奇形　210
肺動静脈瘻　210
肺動脈圧　41
肺動脈異常　162
肺動脈血管内膜肉腫　295
肺動脈瘤　211
肺内胸腺腫　301
肺内血腫　315
肺膿瘍　137, 202
肺剝皮術　425
ハイブリッドアプローチ　66
肺分画症　29, 207
肺胞　338
肺胞管　338
肺放線菌症　201
肺胞腺腫　291
肺胞瘻　151
肺保存液　495
肺葉　31
肺葉性肺気腫　207
肺葉切除術　93
肺葉内肺分画症　136
肺容量縮小手術　204, 214
肺裂傷　314
肺瘻　151
肺瘻修復　84
爆傷　313
剝離鉗子　53
把持鉗子　53
破傷風　313
ばち状指　43
白血球増多症　243
鳩胸　450
反回神経損傷　154

ひ

非角化型扁平上皮癌　230
皮下血腫　154
非結核性抗酸菌症　136, 195
非小細胞肺癌　252, 255
微少浸潤性腺癌　229
微小乳頭型腺癌　229

非穿通性外傷　311
肥大型心筋症　169
ヒト心房性ナトリウム利尿ペプチド　154
非粘液性腺癌　229
被覆法　85
びまん性大細胞型B細胞リンパ腫　297
びまん性特発性肺神経内分泌細胞過形成　231
びまん性肺疾患　212
びまん性肺リンパ管腫症　295
びまん性汎細気管支炎　349

ふ

フィブリン糊　56
副横隔膜　481
複雑気管支形成術　99
副鼻腔炎根治術　351
不整脈　152
ブラ・ブレブ　203, 408, 409
フレイル　157
フレイルチェスト　311
フローボリューム曲線　38
分時換気量　40
分子標的治療薬　260
分離肺換気　144
分類不能癌　232

へ

ペースメーカー植込み　172
壁側胸膜　406
ベバシズマブ　283, 285
ヘパリン置換　184
ベリリウム　220
扁平上皮癌　230
扁平上皮腺上皮性混合型乳頭腫　291
扁平上皮乳頭腫　290
弁膜症　169

ほ

傍胸骨切開　59
放射線治療　263
傍神経節腫瘍　388
紡錘細胞癌　232
保険診療　7

ま

マイクロRNA　222
麻薬　510
慢性期移植肺機能不全　499, 503
慢性縦隔炎　373
慢性膿胸　424
慢性肺血栓塞栓症　174

531

索引

み
右スリーブ下葉切除　98
右スリーブ上葉切除　97
右スリーブ中下葉切除　97
宮崎肺吸虫　199

む
無気肺　151
無瘻性膿胸　153

め
迷走神経　33
免疫チェックポイント機構　227
免疫チェックポイント阻害薬　47, 227, 252, 258, 260, 261, 263, 280
免疫抑制　499

も
モニタリング　24

ゆ
有瘻性膿胸　153
輸液管理　145, 149
輸血　145
輸血後移植片対宿主病　145
癒着剥離　83

よ
葉間　31, 86
腰肋三角　121, 469
予防医療　7
予防的抗菌薬　21

ら
ラジオ波焼灼　274
ラスパトリウム　53
ラドン　220
ラリンジアルマスク　144

り
リークテスト　146
利益相反　23
リスクカリキュレーター　140
リスクマネジメント　15
粒子線治療　264
良性上皮性腫瘍　290
両側前側方胸骨横切開　58
療養担当規則　7
隣接臓器合併切除術　101
隣接臓器浸潤　240
リンパ腫様肉芽腫症　297
リンパ上皮腫様癌　232
リンパ節郭清　253
リンパ節生検　47
リンパ増殖性腫瘍　296
リンパ脈管筋腫症　204, 294, 411

る
類基底細胞型扁平上皮癌　231
類上皮血管内皮腫　294

れ
レシピエント　491

ろ
漏斗胸　449
肋軟骨　445
肋軟骨炎　454
肋間開胸　60
肋間床開胸　60
肋骨　445
6分間歩行試験　139
ロボット支援手術　69

わ
ワルファリン　184

呼吸器外科テキスト（改訂第2版）[Web動画付]
〜外科専門医・呼吸器外科専門医をめざす人のために〜

2016年 4月30日　第1版第1刷発行	編集者　日本呼吸器外科学会
2020年 3月15日　第1版第4刷発行	呼吸器外科専門医合同委員会
2021年 4月25日　改訂第2刷発行	発行者　小立健太
	発行所　株式会社 南江堂
	〒113-8410 東京都文京区本郷三丁目42番6号
	☎(出版)03-3811-7236（営業)03-3811-7239
	ホームページ https://www.nankodo.co.jp/
	印刷・製本 日経印刷
	装丁 葛巻知世(アメイジングクラウド)

Textbook of Chest Surgery, 2nd Edition
© The Japanese Association for Chest Surgery, 2021

定価はカバーに表示してあります．
落丁・乱丁の場合はお取り替えいたします．
ご意見・お問い合わせはホームページまでお寄せください．

Printed and Bound in Japan
ISBN978-4-524-22815-7

本書の無断複写を禁じます．

JCOPY〈出版者著作権管理機構 委託出版物〉

本書の無断複写は，著作権法上での例外を除き禁じられています．複写される場合は，そのつど事前に，出版者著作権管理機構(TEL 03-5244-5088, FAX 03-5244-5089, e-mail: info@jcopy.or.jp)の許諾を得てください．

本書をスキャン，デジタルデータ化するなどの複製を無許諾で行う行為は，著作権法上での限られた例外（「私的使用のための複製」など）を除き禁じられています．大学，病院，企業などにおいて，内部的に業務上使用する目的で上記の行為を行うことは私的使用には該当せず違法です．また私的使用のためであっても，代行業者等の第三者に依頼して上記の行為を行うことは違法です．